广东省自然村落历史人文普查资料全集

全粤村情

清远市佛冈县卷（三）

广东省人民政府地方志办公室　编

方志出版社
Publishing House of Local Records

图书在版编目（CIP）数据

全粤村情．清远市佛冈县卷．三 / 广东省人民政府地方志办公室编．-- 北京：方志出版社，2018.2

（广东省自然村落历史人文普查资料全集）

ISBN 978-7-5144-3008-0

Ⅰ．①全… Ⅱ．①广… Ⅲ．①村落—概况—佛冈县 Ⅳ．① K926.55

中国版本图书馆 CIP 数据核字（2018）第 043433 号

Quanyue Cunqing · Qingyuan Shi Fogang Xian Juan(San)

全粤村情·清远市佛冈县卷（三）

编　　者：广东省人民政府地方志办公室
责任编辑：张　昊

出 版 人：冀祥德
出 版 者：方志出版社
地址　北京市朝阳区潘家园东里 9 号（国家方志馆 4 层）
邮编　100021
网址　http：//www.fzph.org
发　　行：方志出版社图书经销中心
电话　（010）67110500
排　　版：北京纺印图文设计制作有限公司
印　　刷：雅昌文化（集团）有限公司

开　　本：889×1194　　1/16
印　　张：44
字　　数：1273 千字
印　　数：001~800 册
版　　次：2018 年 2 月第 1 版　　2018 年 2 月第 1 次印刷

ISBN 978-7-5144-3008-0　　**定价：**528.00 元

广东省自然村落历史人文普查工作领导小组

2016 年 1 月—2017 年 9 月

组　　长：徐少华

副 组 长：陈世庆　温捷香

成　　员：陈　强　饶美奕　蔡　瀛　张小兰　李劲堃　龙家有　马建和　丘洪松
吕克坚　欧阳卫民　吴以环　龙广艳　林依民　王　玲　陈　波　朱蔚蔚
陈丽霞　刘冠贤　邹　广　张　科　吴月霞　陈佳林　袁古洁　梁志鹏
崔　爽　陈宣群　曾贤林　张　帆　林丽娇　何　婧

2017 年 9 月—

组　　长：黄宁生

副 组 长：李贻伟　陈华康

成　　员：陈　强　温捷香　饶美奕　蔡　瀛　张小兰　李劲堃　龙家有　丘洪松
刘　卫　吕克坚　黎　明　吴以环　阎　武　林依民　俞　进　许志新
庞启彪　张　晨　陈高燕　余　红　张冠梓　徐小莉　赖燕芬　程凤英
崔　青　崔　爽　陈宣群　李新全　王文森　姚丽璇　何　婧

广东省自然村落历史人文普查学术委员会

主任委员：李培林

委　　员：冀祥德　邱新立　武　力　王智勇　吴茂芹　林有能　邱　俊　徐颂军
李庆新　曾庆榴　倪俊明　肖洽龙　陈泽泓

清远市自然村落历史人文普查工作领导小组

组　　长：曾贤林

副 组 长：吴家辉　邓翠萍

成　　员：韦家平　李举烈　陈　泳　赖付标　肖　进　高常立　蔡少玲　罗婉玲
禤建辉　张　光　李伯伦　谭　兵　梁积书　李一贵　江绍勇　王卓越

佛冈县自然村落历史人文普查工作领导小组

组　　长：谭　兵

副 组 长：石尚明　王卓越

成　　员：丘韶文　黄序南　何　昊　梁浩锋　郑从军　曾道明　李协湖　李　富
郑从志　陈湛其　陈志锋　刘玉星　梁艳文　谢春江

龙山镇自然村落历史人文普查工作领导小组

组　　长：梁艳文
副 组 长：温焕霞
成　　员：郑　维　周　郁　黄金亮　陈日新　彭贺宣　郑艳芳　高志华　陈焕忠
许桂新　谢海永　徐汝回　曹炳炽　郭炽彬　欧阳汝光　廖湛明　周飞文
邝桂华　朱伟强　朱泽生　唐金德

汤塘镇自然村落历史人文普查工作领导小组

组　　长：刘玉星
副 组 长：欧阳浩锋　钟永纪　黄宝敏
成　　员：周　川　朱凯诗　黄石芬　郭炽锫　欧阳德龙　李冠洲　吴利婷　何巨坑
黄周明　吴绍强　罗巨兴　黄灼东　黄敏光　黄添荣　邓金飞　何啟平
刘活洪　周海帆　黄概英　邓剑常　周锦洪　莫铁光　冯瑞锋　丘柏良
冯国民　邓榕棋　范灶光

《全粤村情·清远市佛冈县卷》编辑部

主　　编：李协湖
副 主 编：谢春江
编　　辑：黄春苗　钟榕斌　李阳光　刘瑞生　何东树　何道井
陈国材　郑中扬　黄常远　朱家佑　朱南岳　周翠花

《全粤村情·清远市佛冈县卷（三）》审查验收人员

初　　审：龙山镇：朱家佑　郑银春
汤塘镇：郑中扬　黄常远　周　川
复　　审：李协湖　谢春江　李阳光
终　　审：韦家平　邓春阳　邓翠萍　李宗矿　李举烈　刘立法　许廷镜　陈　泳
陈　确　肖　进　邹锡恒　杨振林　孟淑芹　吴卓谊　高　峰　高常立
谈锦钊　董兴宝　雷焕勤　蔡少玲

前 言

习近平总书记指出，“乡村文明是中华民族文明史的主体，村庄是这种文明的载体，耕读文明是我们的软实力”，强调新农村建设要“望得见山，看得见水，记得住乡愁”。为贯彻落实习近平总书记的重要讲话精神，省委办公厅、省政府办公厅印发《关于加强地方志工作的通知》（粤委办〔2015〕19号），部署开展广东全省自然村落历史人文普查，由省地方志办牵头，实行“各级党委政府领导、地方志工作机构牵头、有关部门配合、以乡镇街道为单位组织实施”的工作机制，对全省10多万个自然村落的历史文化遗产进行地毯式的抢救性调查挖掘。自2015年5月起，历时3年，直接投入力量超过17万人，上百万人参与，收集数亿文字、数十万张图片和一批音像、实物资料。中国社科院将其列入国情调研广东基地建设任务，中国社科院副院长、著名社会学家李培林称广东自然村落历史人文普查在全世界都是绝无仅有的。

广东的自然村落大多由中原氏族迁入而形成，在发展过程中既保留了中原文化，又融合了土著文化和外来文明，创造了独具一格的岭南文化，形成了语言、建筑、风俗各异的各具特色的村落。清末开始，广东得风气之先，西方传教士或出洋谋生的华侨带回的西方文明，对村落文化产生深刻影响。近代广东，村民在抵御外敌、参加民主革命以及人民解放事业中，形成了许多军事重地、革命老区。近几十年，广东是中国改革开放的窗口和前沿阵地，经济社会发生巨变，体现在基层社会的乡镇、村落、家庭领域更为深刻。伴随着经济社会的发展和城镇化进程的加快，一部分自然村正在快速消失，这些自然村落中保存的重要文化遗产也随之湮没。然而，村落消失，并不一定是村落文化的终结，它的历史可能以另一种形式传承下去，如广州猎德村在城市化改造后，原来的村落变成了整齐划一的高楼大厦，但重修保留下来的宗祠和每年开展的龙舟赛、醒狮活动，不断引起人们的集体记忆和情感共鸣。

党的十九大报告提出乡村振兴战略。新农村建设一定要走符合农村实际的路子，遵循乡村自身发展规律，充分体现农村特点，注重乡土味道，保留乡村风貌，望得见山，看得见水，记得住乡愁。开展自然村落历史人文普查是省委、省政府贯彻落实习近平总书记重要讲话精神的重大举措，是保护和抢救岭南历史文化遗产的迫切需要，属全国首创性举措。全省自然村落历史人文普查，抓住中华民族文化起源和传承发展的根脉，通过田野调查的方式，走入村落，触摸历史，与村民面对面访谈，普查内容涵盖村落的基本状况和历史人文，包括村落名称、地理环境、历史沿革、民居宗祠、风俗习惯、文物遗址、掌故传说、历史事件、主要人物、华人华侨与港澳台同胞等众多内容。在普查基本情况的同时，注重挖掘村落由来、姓氏源流、家规家训、楹联碑刻、人物故事、风俗习惯、美食特产等承载村落历史文脉和道德风范并能反映村落文化传承的内容。普查资料包括文字、图片、音像、实物等，做到全面、真实地记录了村落的历史人文状况。它不仅为党委政府相关决策提供基础性的资政信息，也为经济学、社会学、政治学、人类学、民俗学等众多领域的研究提供宝贵素材，为正在消失的村落留下历史印记，留住乡愁，留住精神归宿，为寻根溯祖、保护文脉提供帮助。

《全粤村情》是本次普查的重要成果。在这部总共110卷、600册、近6亿字的巨著中，集中展示了全省10多万个村落缤纷多彩的风情，每个在广东乡村成长与走出去的人，都能找到自己的根脉。那一栋栋老房子、一种种乡村小吃、一片片水田旱地、一桩桩传说故事、一个个英雄人物，都会唤起心底最温馨的记忆。每个新广东人和关心支持广东发展的各界人士，都能从中探寻岭南文化形成和发展的根源，从而更好地在广东投资、建设、生活。

文化是民族的血脉，是人民的精神家园。文化自信是更基本、更深沉、更持久的力量。乡村文明作为中华文化的基石，其独一无二的理念、智慧、气度、神韵，增添了中华民族内心深处的自信和自豪。开展全省自然村落普查，编写出版《全粤村情》，只是普查成果展示的一个方面，我们还将构建权威准确、开放共享、持续发展的村落文化资源数据服务平台，把普查成果转化利用不断引向深入，使之成为各级党委政府决策、科研机构开展课题研究、社会各界查阅使用的大数据，使之成为推动国家经济社会发展的不竭动力，从坚定文化自信、实现中华民族伟大复兴的高度，更加自觉、更加主动地推动中华优秀传统文化的传承与发展，为有力增强中华优秀传统文化的凝聚力、影响力、创造力做出积极贡献。

编辑说明

一、本书是广东省自然村落历史人文普查成果。本次普查以自然村为单位，按照“能查尽查”的原则，全面普查广东省内现存自然村、“城中村”和虽已改为居委会但普查内容仍基本清晰的原自然村（村名采用改居委会前的最后名称）。在普查的基础上，按统一体例编写各村简介，全面客观地反映广东现存可查的历史人文状况。

二、本书分设110卷，东莞市、中山市及各县（县级市）单独立卷，地级以上市辖区根据自然村数目多少单独立卷或数区合并立卷编纂；自然村数量较多的，卷下分设若干册。本卷（册）收录佛冈县龙山镇、汤塘镇286个村简介，约127万字、1261张图片，卷前设佛冈县概况。

三、各村简介按照属地原则，记述至2015年末该村区域内的事物，不涉及权属关系。记述时间不设上限，尽量追溯到村落形成时，下限原则上为2015年12月31日。因普查工作需要，部分图片拍摄时间延至出版印制前。

四、本书以自然村为记述实体，各乡镇（街道）、自然村一般依当地约定俗成顺序排列。

五、本书收录的人物为本村（含祖籍为某村或在某村出生、主要活动在外地的人员）历代志书中立传人物，有科举功名人物，当代人物中副县级（副团）级以上党政军领导干部、获省部级以上嘉奖人员、战斗英雄、经认定的烈士、高职技术职称人员、博士、博士后、有特殊技艺的人才、对本地发展有较大贡献或影响的各界人物。

六、本书收录的村落荣誉为省级以上机构授予，以村落为评比对象的历史人文方面的荣誉。

七、因各村落保存的历史人文资源丰度程度不同，本书各村落简介内容、篇幅存在差异。

八、本书资料来源于广东省自然村落历史人文普查，包括实地调查、部门供稿、史料摘录等。一些主管部门没有统计的数据，通过实地采访获得。

九、本书收录的地图由广东省地图院编制，不作为权属争议依据。

十、本书记述历史朝代、机构、官职、地名、人名，均依当时称谓。历史纪年加注公元纪年。

十一、本书标点、数字按国家GB/T15834-2011《标点符号用法》、GB/T15835-2011《出版物上数字用法》标准执行。计量单位采用法定标准，记述历史上的计量时，仍按当时的计量单位记载。

十二、书中文字，除必要时使用繁体字外，一律使用国家规定的规范汉字。

目 录
CONTENTS

汤塘镇

佛冈县地图 比例尺 1:20000

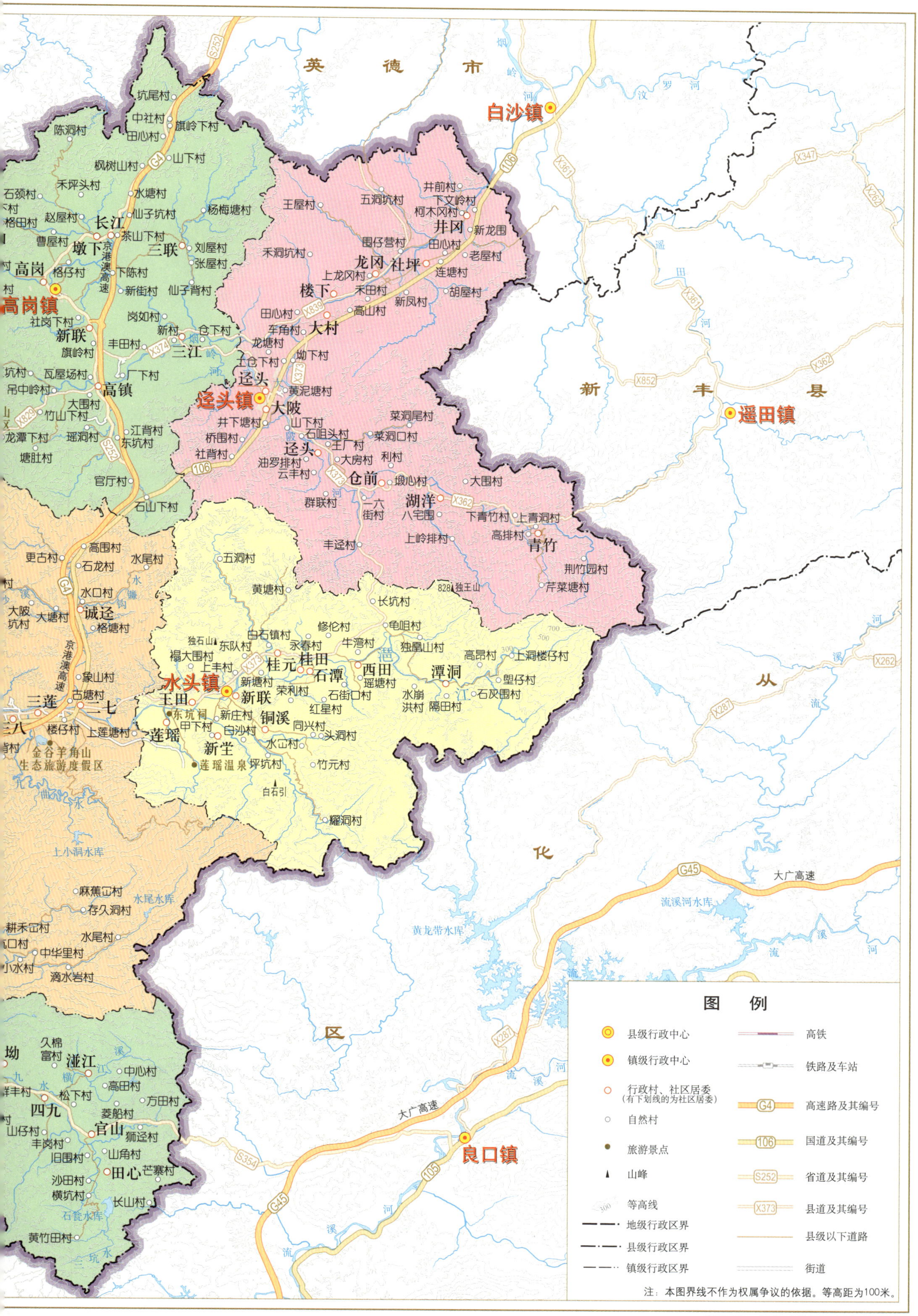

审图号：粤S（清远2018）001号

佛冈县概况

佛冈县位于广东省中部，总面积1295.17平方千米。2015年，全县设有6个镇78个村委会和12个社区居委会，另有省级林场和自然保护区各1个，户籍人口33.38万。佛冈地域两汉时分属南海郡中宿县、桂阳郡浈阳县，此后归属屡有变动。隋唐时起，分属清远县、英德县。清嘉庆十八年（1813年），设立佛冈直隶军民厅（简称“佛冈厅”）。1914年撤厅改县，始称佛冈县。中华人民共和国成立后，佛冈县的行政区划归属多次变动，先后划归北江专署、粤北专署、佛山专署、韶关专区管辖，1952年与从化县合署办公，1958年10月并入从化县，1961年5月恢复佛冈县建制。1983年7月划归广州市管辖，1988年1月划归清远市管辖。

佛冈县地形为东北高、西南低。全县以低山丘陵为主，主要山脉有观音山（海拔1218.8米）、独凰山、羊角山等。全年平均气温20.8℃，多年平均降雨量为2050.0毫米，属全省3个暴雨中心地区之一。县境内主要河流有潖江、烟岭河。有京港澳高速公路、国道G106线和3条省道通过，京港澳高速公路在佛冈境域设有3个互通口。其旅游资源丰富，改革开放后建成黄花湖、观音山自然保护区、王山寺、羊角山，以及聚龙湾温泉、森波拉度假森林、篁胜国际温泉酒店等旅游景区。

佛冈历史上以传统农业经济为主，改革开放后逐步兴办工业，并大力发展第三产业。进入21世纪后，确立“工业兴县、工业富县、工业强县”的发展思路，通过招商引资，工业成为全县的主导产业，推动其他产业的发展。成功创建为省级教育强县、旅游强县、文明县城、卫生县城，以及全国兴果富农百强优质示范县。

佛冈具有深厚的历史文化底蕴，县博物馆馆藏文物有新石器时代和西周、战国时期以来的文物335件（套），其中国家一、二、三级文物38件。全县已登记录入的不可移动文物有127处，其中东坑黄氏宗祠、上岳村古建筑群为省级文物保护单位。民间习俗有舞狮、舞龙、舞鲤鱼灯、舞春牛，以及豆腐节、赛龙舟等，汤塘的妇女舞被狮、高岗的豆腐节被评为省级非物质文化遗产。

全县现存并列入普查范围的自然村有830个，其中清代及以前形成的古村落774个，占全县自然村总数的93.3%。佛冈地域村落最早形成于战国时期。根据对本次自然村落普查成果分析，佛冈元代及以前建立的村落很少，到明代逐步增多，清代数量最多，民国以来逐步减少。其中，现存最早建立村庄的为南宋时期，有代表性的是佛冈村（在今石角镇），佛冈厅因佛冈村而得名。元末至明初形成的村庄以上岳村（在今龙山镇）为代表，被评为中国历史文化名村、广东省古村落。明代形成的村庄，北部地区以社岗下村、墩下村为代表（在今高岗镇），均为客家民系，社岗下村豆腐节被评为省级非物质文化遗产；中部地区以莲瑶村、王田村、丰年村（均在今水头镇），龙蟠村、大坝村（均在今石角镇）为代表，莲瑶村东坑黄氏宗祠被核定为省级文物保护单位，王田村舞春牛被评为市级非物质文化遗产；南部地区以汤塘围、围镇村（均在今汤塘镇）为代表，汤塘围被评为广东省传统古村落，围镇村的舞狮被评为省级非物质文化遗产。佛冈在清代建成的古村落，在生产生活、民俗习惯、使用语言等方面，北、中、南部也各有特点。其中北部为客家民系聚居地区，具有客家人的习俗特色；中部为广府民系和客家民系混居地区，具有广府民俗兼客家民俗特色；南部处于潖江下游，主要为广府民系，具有广府民俗特色。此外，佛冈古驿道有12条，主要有大庙峡古驿道、黄塘径古驿道等，古驿道通过的村庄有50多个，分布于全县北部、中部和南部地区。

龙山镇

龙山镇地图

比例尺　1:96000

审图号：粤S（清远2018）005号

○关前行政村

东胜里村

◎ 东胜里村村貌（摄于 2015 年）

东胜里村，位于龙山镇西南部，距镇政府 7 千米。该村始建于清初，从升平村迁入而形成。当时关前圩是湿江地区的货运、水运聚集地。因该村与邻村村民和谐相处，在两村中轴线东西两边各建一个门楼，西边称为西华里村，东边称为东胜里村。

该村坐落于丘陵地带，地势低洼，村庄坐北向南，东邻湿始巷，南与中间辽村相望，西紧靠秧坎埔，北与麻阵围接壤。

清朝时期，该村属清远县湿一乡。民国时期，属清远县湿江区信靖乡。中华人民共和国成立初期，属清远县第六区关前乡。1958 年 7 月，第六区（今龙山镇）划归佛冈县管辖，属佛冈县龙山乡。1958 年 10 月，佛冈县并入从化县，属从化县湿江人民公社关前大队。1959 年 5 月，属从化县龙山人民公社关前大队。1961 年 5 月，佛冈由从化县分出，属佛冈县龙山人民公社关前大队。1983 年 12 月，属龙山区关前乡。1987 年 1 月，属龙山镇关前行政村。1989 年 11 月，属龙山镇关前管理区。1998 年 11 月，属龙山镇关前行政村至今。

世居村民为张姓、邓姓、刘姓、樊姓、林姓、冯姓。张姓族人于宋朝时期从福建迁移至广东南雄珠玑巷，后迁清远升平，清初从升平榄树脚迁移至该地。邓氏族人于清初从从化流溪韶峒生水塘迁至此地。刘氏族人于清朝初期从南海迁至该地。樊氏族人于清朝末年由佛山迁入该地。林氏族人于清朝中期从东莞迁至该地。冯氏族人于清中期从清远县湿二乡汤塘围（今佛冈县汤塘镇）迁至此地。

2015 年末，户籍人口 327 人，其中男性 169 人，女性 158 人；80 岁以上 9 人，最年长者 87 岁（男）。实际在村居住人口 198 人，留守儿童 2 人。生活主要依靠农业收入 198 人，常年在城镇居住和打工的 129 人。村民均为汉族、广府民系，使用粤方言。

该村耕地 19.73 公顷，山地 6.2 公顷，传统经济以农业为主，主要作物有水稻、番薯、花生、芋头、红豆、沙葛、萝卜等。现多种植水稻为主，兼种番薯、花生等作物。特色农产品有沙葛、萝卜。传统食

◎ 东胜里文化室（摄于 2015 年）

◎ 东胜里大会堂（摄于 2016 年）

品有炒米饼、艾糍、咸肉粽、油角、糖环、糯米甜酒、猪脚酸醋等。2000 年以后，大部分青壮年外出打工。村民主要收入来源为农业收入，外出务工工资收入。

村于 1968 年通电，1998 年通电话，2003 年通网络和有线电视，2012 年主要村道实现水泥硬底化。村中除建有垃圾收集池外，还在收集方便的地方设置垃圾桶。2015 年，在村民理事会带动下，村中筹集资金兴建东胜里文化室，为村中议事、筹办婚庆等提供方便。

传统民居现存 8 座。民居为三间两房、两廊一天井布局。其建筑为硬山顶，龙船脊，盖灰瓦，青砖墙，具有鲜明的岭南建筑风格。1980 年以后，村民在传统民居四周建造钢筋混凝土结构楼房，楼房多为三房一厅一厨一卫布局。大部分村民搬入楼房居住，传统民居现已闲置或堆放杂物。

村西南方有一座具有中西结合建筑风格的大会堂。该会堂建于 1958 年，面宽 23 米，纵深 46 米。该会堂坐北向南，拱形门，左右两旁为砖柱，柱下部有石础成牌坊结构，顶层有一颗 1 米左右水泥黏合的红五角星，因风吹日晒，已褪色。该会堂主要用于放电影和开大会，20 世纪 60 年代曾是大队办公场所。

◎ 东胜里村传统民居（摄于 2016 年）

村西北方 600 米处有一座小庙宇。因该处与后背相连的山形成一只“卧地黄牛”的形状，庙位置为牛的鼻子，于是人们称之为“黄牛庙”。自从黄牛庙建成后周边前来祭拜的村民络绎不绝，黄牛庙在“火烧关前”事件中被灌入铜浆，而后来黄牛庙在“文化大革命”期间被拆除。黄牛庙于 20 世纪 80 年代重建。该庙每年大年初二前来祭拜的村民络绎不绝，甚至有人凌晨四点就开始争上“头炷香”。附近村民如果娶妻成家，则成婚的第三天必定会携同新娘子前来祭拜。

该村传统习俗为年初二拜黄牛庙、元宵上灯、清明祭祖等。男孩出生为“添丁”，因“丁”与“灯”谐音，为此正月十五到祠堂“上灯”，表示庆贺。因东胜里并没有祠堂，该习俗只能在各自的家中进行。清明节为一年当中较为隆重的节日之一。每年清明节期间，各家各户都要到先人坟前进行扫墓、祭拜活动。除当地的村民祭拜先人外，就连部分定居海外的族人也会携同家人回乡祭拜祖先。

传统婚嫁仍保留看家风、定碟、拣日子、送礼金礼饼、送嫁妆、三朝回门等习俗。女方的嫁妆一般都是男方出钱置办，主要是日常生活必需品，如碗筷、水桶、睡席、家电等，甚至还有摩托车、汽车、

◎ 上灯日挂的花灯（摄于 2016 年）

新房，这些都是女方父母担忧女儿婚后生活而添置。嫁妆则是男方兄弟分家也不能分。结婚时，男、女两家都要摆酒请客，女家摆酒用的肉米酒菜大多是男家筹备。摆酒时，新郎向亲友敬酒。该村传统丧葬风俗庄严繁杂，多沿用古中原的传统，以土葬为主。2000 年后逐步实行火葬，其程序包括竖灵、收殓、引灵、接体、奠礼、出殡、火化、安葬，其中家族守孝、至亲戴大孝（披麻）、“头七”等依然存在。死者外家前来吊唁，事主家必须到门前跪接，外家相扶才能站起，否则长跪。前来吊丧的送爆竹、纸钱、元宝、香竹、白布被，以悼念死者。办丧事只能煮白饭、花菜、黄豆煮猪肉等简单饭菜。完丧次日，亲友要回访事主家。

“火烧关前”事件，1926 年，因村落之间械斗，关前圩被焚，当地人称“火烧关前”事件。

该村的张铁（1924—1949），又名张铁汉，革命烈士，东江游击队十二支队第二分队队长，1939 年在广州市参加革命，1949 年在龙山黄泥湖被捕，英勇就义。

（资料填报：罗道聪，初稿撰写：罗道聪、高国宁，总纂：李协湖）

高禾塘村

◎ 高禾塘村村貌（摄于 2016 年）

高禾塘村，位于龙山镇西部，距镇政府 6.5 千米。该村始建于清顺治年间，从邻村�始巷村分村而形成。因村位于山边禾塘（今称晒谷场），故村名为高禾塘村。

该村坐落于丘陵地带，潖江支流从村前面自东向西流向不远处的潖江。村庄坐西北向东南，东与黄塱村接壤，南与大海辽村相望，西与潖始巷村相邻，北靠哨瞭山。在村南面，潖江支流关前海仔河流经该村河段约 550 米。

清朝时期，该村属清远县潖一乡。民国时期，属清远县潖江区忠安乡。中华人民共和国成立初期，属清远县第六区关前乡。1958 年 7 月，第六区（今龙山镇）划归佛冈县管辖，属佛冈县龙山乡关前大队。1958 年 10 月，佛冈县并入从化县，属从化县潖江人民公社关前大队。1959 年 5 月，属从化县龙山人民公社关前大队。1961 年 5 月，佛冈由从化县分出，属佛冈县龙山人民公社关前大队。1983 年 12 月，属龙山区关前乡。1987 年 1 月，属龙山镇关前行政村。1989 年 11 月，属龙山镇关前管理区。1998 年 11 月，属龙山镇关前行政村至今。

世居村民多为莫姓、陈姓、汤姓、黄姓。莫姓于清顺治年间从南海沙头大朗村迁入清远县潖一乡（今佛冈县龙山镇）潖始巷，后分村搬至该地。陈姓于清朝中期从清远县潖一乡（今佛冈县龙山镇）黄塱村迁入该地。汤姓于清朝末期从清远县潖二乡上黎架广村（今佛冈县汤塘镇）迁入该地。黄姓于清同治年间从佛冈厅吉河乡田心堡莲瑶村（今佛冈县水头镇）迁到龙山良塘村乐格，民国初期迁入该地。

2015 年末，该村户籍人口 481 人，其中男性 251 人，女性 230 人；80 岁以上有 17 人，村中最年长者 96 岁（女）。实际在村居住人口 306 人，留守儿童 4 人。生活主要依靠农业收入 306 人，常年在城镇居住和打工的 175 人。村民均为汉族，广府民系，使用粤方言。

村有耕地 42.6 公顷，山地 23.73 公顷，传统经济以农业为主，主要作物有水稻、番薯、花生、芋头、红豆、沙葛、萝卜等。现多种植水稻，兼种番薯、花生等作物。特色产品为潖江大鲩鱼。由于该村地处潖江下游，水域辽阔，水质优良，水域为沙质底，所以其养殖的大鲩鱼，味道鲜美，肉质爽脆，无污染，无泥味，广受民众食客追捧。传统食品有炒米饼、艾糍、咸叶粽、油角、糖环、糯米甜酒、猪脚酸醋等。2000

◎ 捕捞塘鱼（摄于 2016 年）

◎ 泰山石敢当石碑（摄于 2016 年）

年以后，大部分青壮年外出打工。村民主要收入来源为农业收入，务工工资收入等。

村于 1968 年通电，2001 年通电话，2003 年通网络和有线电视，2012 年主要村道实现水泥硬底化。2015 年村中除建有垃圾收集池外，还在收集方便的地方设置垃圾桶，村里卫生环境得到改善。

村落呈棋盘状，巷道纵横交错，贯通全村。传统民居现存 19 座，大多为广府式三间两廊一天井布局。房屋以二进三间两廊为主，中间为厅，左右为房，东廊为厨房，西廊为杂物房。传统民居均为硬山顶，盖灰瓦，青砖墙体，每座占地面积约 120 平方米。1980 年后，村民在传统民居四周兴建钢筋混凝土结构楼房，楼房一般为三房一厅一厨一卫布局。大部分村民搬入楼房居住，传统民居大多作放置杂物使用。

该村西面 50 米处有一口古井，相传已经有 300 多年历史，因年久失修，2015 年村民自愿捐款重新铺整。古井占地面积 28 平方米，用水泥砌成，高出地面 50 厘米，井口为圆形，直径 60 厘米，井深五米。该井为滘始巷和高禾塘的村民共用。井水甘醇清甜，此井神奇之处在于丰水期或枯水期，井水的水平面一直都比旁边小溪略高一尺（33 厘米）左右。村民特在井前建祭坛。每逢初一、十五，村民前来祭拜，祈求身体健康。

◎ 高禾塘村传统民居（摄于 2016 年）

村东立有一石碑，立于 2000 年，高 1.13 米，宽 0.4 米，设有碑座，碑座前有祭坛。碑面刻有八卦图案，并用朱砂红色写上“泰山石敢当”五字，被当地人尊为“镇宅之宝”。

该村莫氏村民于1990年重修《钜鏕显承堂莫氏族谱》。族谱由原序、重修莫氏家谱序、庙祀轶事记、续修族谱记事等部分组成。续修族谱记事中亦有记载：“宋末元初，时世大乱，先祖莫一山由南海沙头镇大朗村（显承堂故居）迁居清远湿始巷，当时建有一山大宗祠，宗祠内的石碑刻有迁徙的文字记载。后因1926年湿江境内姓氏械斗，关前圩成了废墟。莫姓很多人被迫向外谋生，十四世祖莫秉社带幼子搬至新会，其后裔在新会、江门、香港以及国外繁衍生息。”

◎《钜鏕显承堂莫氏族谱》（摄于2016年）

村中至今保留中原流传的一部分习俗。节令习俗有：春节前的祭灶、岁末守岁、张贴春联；春节的开门迎福和拜年；正月十五闹元宵；清明节祭祖扫墓；端午节裹粽子祭河神；中秋节团圆赏月；九月重阳节登高；冬至晒腊肉等。正月初十上灯，男孩出生为“添丁”，因“丁”与“灯”谐音，为此正月初十到祠堂“上灯”。上灯活动大致分为迎灯、接灯、摆放供品、挂灯等程序。

传统婚嫁仍保留看家风、定碟、拣日子、送礼金礼饼、送嫁妆、三朝回门等习俗。女方的嫁妆一般都是男方出钱置办，主要是日常生活必需品，如碗筷、水桶、睡席、家电等，甚至还有摩托车、汽车、新房，这些都是女方父母担忧女儿婚后生活而添置。嫁妆则是男方兄弟分家也不能分。结婚时，男、女两家都要摆酒请客，女家摆酒用的肉米酒菜大多是男家筹备。摆酒时，新郎向亲友敬酒。该村传统丧葬风俗庄严繁杂，多沿用古中原的传统，以土葬为主。2000年后逐步实行火葬，其程序包括竖灵、收殓、引灵、接体、奠礼、出殡、火化、安葬，其中家族守孝、至亲戴大孝（披麻）、“头七”等依然存在。死者外家前来吊唁，事主家必须到门前跪接，外家相扶才能站起，否则长跪。前来吊丧的送爆竹、纸钱、元宝、香竹、白布被，以悼念死者。办丧事只煮白饭、花菜、黄豆煮猪肉等简单饭菜。完丧次日，亲友要回访事主家。

1964年组织村民参加植树造林大会战，种植树木6.67公顷。1975年改河造田，大搞农田基本建设，改造农田1.33公顷。

该村的莫利权（1968—），热心人士，为家乡建桥修路累计捐资30多万元。

（资料填报：何娟、高国宁，初稿撰写：何娟、高国宁，总纂：李协湖）

船厂村

◎ 船厂村村貌（摄于2016年）

船厂村，位于龙山镇西部，距镇政府6.5千米。该村始建于清初，由附近各村搬迁聚居而形成。因滘江（旧河域）过往船只都在此地维修，维修船只和撑船的工人在此聚居成村，故取名船厂村。

该村坐落于滘江（旧河）边，村边有龟岭山，海仔河自东向西流入滘江。村庄坐北向南，东与中间辽村相邻，东南与达清辽村相望，正南为滘江，西与河田村相邻，北为一片田畴。

清朝时期，该村属清远县滘一乡。民国时期，属清远县滘江区忠安乡。中华人民共和国成立初期，属清远县第六区关前乡。1958年7月，第六区（今龙山镇）划归佛冈县管辖，属佛冈县龙山乡关前大队。1958年10月，佛冈县并入从化县，属从化县滘江人民公社关前大队。1959年5月，属从化县龙山人民公社关前大队。1961年5月，佛冈由从化县分出，属佛冈县龙山人民公社关前大队。1983年12月，属龙山区关前乡。1987年1月，属龙山镇关前行政村。1989年11月，属龙山镇关前管理区。1998年11月，属龙山镇关前行政村至今。

世居村民有何姓、谢姓、唐姓、邓姓、梁姓。何氏族人于清初由清远县滘二乡（今佛冈县汤塘镇）四九菱角塘村迁入该地。谢姓于清初由清远迁入该地。唐姓于清初由清远平洲迁入该村。邓姓于清初由佛冈厅吉河乡小坑堡（今佛冈县镇）科旺村迁入该地。梁氏于清初由清远飞来峡江口亘家沙村迁入该村。

2015年末，户籍人口260人，其中男性137人，女性123人；80岁以上8人，最年长者92岁（男）。实际在村居住人口168人，留守儿童1人，生活主要依靠农业收入168人，常年在城镇居住和打工的92人。村民均为汉族，广府民系，使用粤方言。

◎ 船厂村的稻田（摄于2016年）

◎ 村民种植的冬瓜（摄于 2016 年）

◎ 村南百年古榕（摄于 2016 年）

村有耕地面积 17.4 公顷，山地面积 6.33 公顷，传统经济以农业为主，主要作物有水稻、番薯、花生、芋头、红豆、沙葛、萝卜等。现以种植水稻为主，兼种番薯、花生、蔬菜等。特色农产品有沙葛、萝卜。传统食品有炒米饼、艾糍、咸肉粽、油角、糖环、糯米甜酒、猪脚酸醋等。2000 年以后，大部分青壮年外出打工。村民主要收入来源为农业收入，外出务工工资收入等。

村于 1968 年通电，2012 年主要村道实现水泥硬底化。村中除建有垃圾收集池外，还在收集方便的地方设置垃圾桶，村里的卫生环境得到改善。

现存传统民居 5 座。民居为三间两房、两廊一天井布局，其建筑为硬山顶，龙船脊，盖灰瓦，青砖墙，具有鲜明的岭南建筑风格，占地面积 120 平方米。民居中间为厅，左右两边为房，一廊为门廊，另一廊为厨房。若两户人家合住，则东西两廊都作厨房，厨房门面向巷道。天井连接大厅，厅门通常由两扇厚重大门板构成，厅两侧有住房，因两房门面对大厅，称之为“两门归厅”。1980 年以后，村民在传统民居四周建造钢筋混凝土楼房，楼房布局多为三房一厅一厨一卫。大部分村民搬入楼房居住，传统民居现已闲置或堆放杂物。

◎ 船厂村民居（摄于 2016 年）

在村南约 100 米的路口处有一棵 100 多年树龄的细叶榕树，树形像一把扇子，长势良好，枝繁叶茂、郁郁葱葱。逢年过节都会有村民来树下祭拜，祈求福泽、平安。有些村民还会找这棵大榕树帮自己的小

◎ 春节期间村民购买盆景（摄于 2016 年）

孩“上契”，希望通过这样的方式让树灵护佑孩子健康成长。

传统婚嫁仍保留看家风、定碟、拣日子、送礼金礼饼、送嫁妆、三朝回门等习俗。女方的嫁妆一般都是男方出钱置办，主要是日常生活必需品，如碗筷、水桶、睡席、家电等，甚至还有摩托车、汽车、新房，这些都是女方父母担忧女儿婚后生活而添置。嫁妆则是男方兄弟分家也不能分。结婚时，男、女两家都要摆酒请客，女家摆酒用的肉米酒菜大多是男家筹备。摆酒时，新郎向亲友敬酒。该村传统丧葬风俗庄严繁杂，多沿用古中原的传统，以土葬为主。2000 年后逐步实行火葬，其程序包括竖灵、收殓、引灵、接体、奠礼、出殡、火化、安葬，其中家族守孝、至亲戴大孝（披麻）、“头七”等依然存在。死者外家前来吊唁，事主家必须到门前跪接，外家相扶才能站起，否则长跪。前来吊丧的送爆竹、纸钱、元宝、香竹、白布被，以悼念死者。办丧事只能煮白饭、花菜、黄豆煮猪肉等简单饭菜。完丧次日，亲友要回访事主家。

村中原住居民主要是造船和修船的技术工人，他们感恩于师傅传给自己生存的技艺，于每年农历六月十三和十月二十买礼物拜访师傅。这两天为船厂村特殊的“师傅诞”。该村的何有恒（1934—），是远近闻名的造船匠。

1982 年 5 月 12—20 日连续降暴雨，受北江水倒灌 8 天，河堤决堤，洪水涌进关前，不少村庄、农田受浸，损失很大。1984 年 5 月 30 日，遭遇龙卷风及冰雹袭击，倒塌房屋 10 多间，通信、电力设施受损严重，经济受到损失。1994 年 6 月 10—12 日，受暴雨及北江水倒灌的影响，该村受灾严重，倒塌房屋 10 多间，经济损失 30 多万元。2013 年 5 月 15 日发生洪灾，全村受浸面积达 75%，倒塌房屋 8 间，直接经济损失 50 多万元。

该村的唐鉴辉（1969—），中学数学高级教师，现任教于佛冈一中。

（资料填报、初稿撰写：罗道聪、高国宁，总纂：李协湖）

河田村

◎ 河田村村貌（摄于 2016 年）

河田村，位于龙山镇西部，距镇政府 8 千米。该村始建于明中期，由花都高姓族人分支搬迁而形成。据《高氏族谱》记载，因先祖购置和开垦的耕地主要是河流冲积地，盛产河鱼的潖江从村前穿流而过，故取村名为河田村。

该村坐落于丘陵地带，地势低洼，有海仔河从村前面自东向西流入不远处的潖江。村庄坐北向南，东靠船厂村，东南与达清辽村相望，正南是潖江，西与坑口村相邻，西北与三凤里村接壤。潖江流经该村河长约 1500 米。该村有飞鹅塘水库一座，面积约 60 亩。

清朝时期，该村属清远县潖一乡。民国时期，属清远县潖江区信靖乡。中华人民共和国成立初期，属清远县第六区良塘乡。1958 年 7 月，清远县第六区（今龙山镇）划归佛冈县管辖，属佛冈县龙山乡。1958 年 10 月 23 日，佛冈县并入从化县，属从化县潖江人民公社良塘大队。1959 年 5 月，属从化县龙山人民公社良塘大队。1961 年 5 月，佛冈由从化县分出，属佛冈县龙山人民公社良塘大队。1968 年河田村划归关前大队。1983 年 12 月，属佛冈县龙山区公所关前乡。1987 年 1 月，属佛冈县龙山镇关前行政村。1989 年 11 月，属佛冈县龙山镇关前管理区。1998 年，属佛冈县龙山镇关前行政村至今。

世居村民为高姓，明中期从花都迁移至该地。

2015 年末，户籍人口 606 人，其中男性 314 人，女性 292 人；80 岁以上 7 人，最年长者 95 岁（女）。实际在村居住人口 397 人，留守儿童 5 人。生活主要依靠农业收入 397 人，常年在城镇居住和打工的 309 人。村民均为汉族，广府民系，使用粤方言。

村有耕地面积 52.2 公顷，山地面积 66.2 公顷，传统经济以农业为主，主要作物有水稻、番薯、花生、芋头、红豆、沙葛、萝卜等。现以种植水稻为主，兼种番薯、花生等作物。特色农产品有沙葛、萝卜。传统食品有炒米饼、艾糍、咸肉粽、油角、糖环、糯米甜酒、猪脚酸醋等。特色农产品为乌鬃鹅。当地盛产乌鬃鹅，亦称潖江鹅。这种鹅形体不大，肉质鲜美，远近闻名，畅销各地。2000 年以后，大部分青壮年外出打工。村民主要收入来源为农业收入，外出务工收入等。

村于 1968 年通电，2001 年通电话，2009 年通

网络和有线电视，2012 年主要村道实现水泥硬底化。村中除建有垃圾收集池外，还设置垃圾桶，村里的卫生环境得到改善。

村落坐北向南，呈棋盘状。6 条横巷，8 条纵巷贯通全村。房屋排列整齐。传统民居现存 15 座。广府式布局，一厅、两房、两廊、一天井。其建筑为硬山顶，盖灰瓦，青砖墙体，每座占地建筑面积 120 平方米。1980 年后，村民陆续在旧民居四周建造钢筋混凝土结构楼房，大部分村民搬入楼房居住，传统民居现大多作放置杂物使用。

村中先辈重视文化教育，节衣缩食，凑资兴办光裕书室，让子孙接受教育。光裕书室，创办于 1928 年，书室坐北向南，面积约 120 平方米。房屋为木梁瓦房结构，硬山顶，盖灰瓦，墙体为青砖，地板也由青砖铺成。正厅堂屋檐下四周画有花鸟壁画，并写有《江山古秀木时春》藏头诗："光耀文星射斗牛，裕新德业志王侯。书香有乐期天爵，室雅何妨汽小休。"中华人民共和国成立后取消私塾，因此该私塾废除。

◎ 光裕书室壁画（摄于 2016 年）

村于 1965 年办有河田小学，校长朱焕南。在校师生有 80 多人，分设小学部和初中部（初一级）。校址位于村东面，坐北向南，学校正门为 3 个圆拱门，两层楼高的校舍顶层上竖立着大五角星，外墙正面粉刷黄色涂料，东西两边各 3 间教室，是当地较出名的学校。由于客观原因，这间小学只办了 12 年，现在已闲置。

村门楼西侧有一口古井，挖掘于清代，是村中保存较好而且一直使用至今的古井。古井占地面积

◎ 河田小学旧址（摄于 2016 年）

◎ 河田村古井（摄于 2016 年）

6 平方米，井台及井沿均用花岗岩石板砌成，高出地面 20 厘米，井口为圆形，直径 60 厘米，井深约 7 米，井身用青砖垒叠砌成。井水清澈，入口甘甜。村民在井前建有祭坛。每逢农历初一、十五，或传统节日，村民都纷纷前来拜祭，祈佑身体健康。

村修有《高氏族谱》，内容分为字辈诗、谱系序、远祖篇（曦公）、始祖篇（杨村房）四部分，是先祖历代流传下来的。河田高氏辈序诗是："荣华汝国邦，兰桂正英雄。相传原有本，发达定联宗。"

传统节日以春节、元宵节、清明节、端午节、中秋节、冬至等节为主。村民在春节和重要活动时都有舞狮的庆祝习俗。舞狮时，狮队成员撑着狮旗，众人围腰束身，手持刀、枪、剑、戟、飞靶等武器，簇拥舞动的狮子前进。春节期间到各村庄及住房门口舞狮朝拜，锣鼓、鞭炮齐鸣，狮队将起舞的狮子围住，村民围观。狮队在狮子完成"采青"仪式并朝拜后，才舞向另一处。

◎ 醒狮队表演狮子“采青”（摄于 2016 年）

◎ 河田排站改造工程动工仪式（摄于 2012 年）

传统婚嫁仍保留看家风、定碟、拣日子、送礼金礼饼、送嫁妆、三朝回门等习俗。女方的嫁妆一般都是男方出钱置办，主要是日常生活必需品，如碗筷、水桶、睡席、家电等，还有摩托车、汽车、新房，这些都是女方父母担忧女儿婚后生活而添置。嫁妆则是男方兄弟分家也不能分。结婚时，男、女两家都要摆酒请客，女家摆酒用的肉米酒菜大多是男家筹备。摆酒时，新郎向亲友敬酒。该村传统丧葬风俗庄严繁杂，多沿用古中原的传统，以土葬为主。2000 年后逐步实行火葬，其程序包括竖灵、收殓、引灵、接体、奠礼、出殡、火化、安葬，其中家族守孝、至亲戴大孝（披麻）、“头七”等依然存在。死者外家前来吊唁，事主家必须到门前跪接，外家相扶才能站起，否则长跪。前来吊丧的送爆竹、纸钱、元宝、香竹、白布被，以悼念死者。办丧事只能煮白饭、花菜、黄豆煮猪肉等简单饭菜。完丧次日，亲友要回访事主家。

1957 年修建河田堤围，历时一年建好。1964 年夏河田堤围第一次决堤后重修。1984 年夏，第二次决堤又重修。1994 年夏第三次决堤再重修。1974 年 4 月，兴建河田电动排水站，装机 4 台共 595 千瓦。2012 年 11 月 23 日，佛冈县秋冬水利大会战暨广东省农村易涝区整治试点河田排站改造工程在该村进行。

（资料填报：何娟、高国宁，初稿撰写：何娟、高国宁，总纂：李协湖）

中间辽村

◎ 中间辽村村貌（摄于2016年）

中间辽村，位于龙山镇西部，距镇政府6千米。该村始建于清朝初期，由清远江口张氏族人分支搬迁而形成。因该村处于大海辽村与达清辽村的中间位置，故取名为中间辽村。

该村坐落于丘陵地带，地势低洼，滘江支流从村后自东向西流入不远处的滘江。村庄坐北向南，东与大海辽村相邻，南紧靠达清辽村，西与船厂村相望，北与秧坎埔村接壤。主要河流有滘江，在村南面，流经该村河长约600米。

清朝时期，该村属清远县滘一乡。民国时期，属清远县滘江区信靖乡。中华人民共和国成立初期，属清远县第六区关前乡。1958年7月，第六区（今龙山镇）划归佛冈县管辖，属佛冈县龙山乡关前大队。1958年10月，佛冈县并入从化县，属从化县滘江人民公社关前大队。1959年5月，属从化县龙山人民公社关前大队。1961年5月，佛冈由从化县分出，属佛冈县龙山人民公社关前大队。1983年12月，属龙山区关前乡。1987年1月，属龙山镇关前行政村。1989年11月，属龙山镇关前管理区。1998年11月，属龙山镇关前行政村至今。

世居村民为张姓。据《张氏族谱》记载，张氏姓族源远流长，清河县（今河北省清河县）是张氏的发源地。随着历史的变迁，其后裔不断向外发展。该村始祖张乔汉于清初期从清远江口镇迁至该地。

2015年末，该村户籍人口165人，其中男性82人，女性83人；80岁以上3人，村中最年长者98岁（女）。实际在村居住人口101人，留守儿童1人。生活主要依靠农业收入101人，常年在城镇居住和打工的64人。村民均为汉族，广府民系，使用粤方言。

◎ 蔬菜基地（摄于2016年）

◎ 村民加膜保护香蕉（摄于 2016 年）

村有耕地面积 12.2 公顷，传统经济以农业为主，主要作物有水稻、番薯、花生、芋头、红豆、沙葛、萝卜等。现多种植水稻，兼种番薯、花生、香蕉等。特色农产品有沙葛、萝卜。传统食品有炒米饼、艾糍、咸肉粽、油角、糖环、糯米甜酒、猪脚酸醋等。2000 年以后，大部分青壮年外出打工。村民主要收入来源为农业收入，外出务工工资收入。

村于 1968 年通电，2001 年通电话，2012 年主要村道实现水泥硬底化，2013 年通网络和有线电视。村中除建有垃圾收集池外，还在收集方便的地方设置垃圾桶，村里的卫生环境得到改善。

传统民居现存 11 座，大多为广府式三间两廊布局。房屋以二进三间两廊为主，中间为厅，左右为房，东廊为厨房，西廊为闲杂房。若两户人家合住，则东西两廊都作厨房。两廊房门各自敞开面向巷道。进门从廊门口进入，从厨房经过到达小天井，通常天井有口手摇水井，现大多用水泥板盖平并改装电抽水泵。天井连接大厅，厅门通常由两扇红色加厚杉木门板构成，厅两侧有两间住房，因两房门对厅堂，故称之为“二门归厅”。传统民居的建筑为硬山顶，盖灰瓦，青砖墙体，每座占地建筑面积 126 平方米。20 世纪 80 年代后，村民陆续在旧民居四周新建房屋，多为钢筋混凝土结构楼房，楼房一般为三房一厅一厨一卫布局。大部分村民搬入楼房居住，传统民居现大多放置杂物。

◎《张氏族谱》（摄于 2016 年）

村历史不算长，没有宗祠和其他较重要的建筑，也没有建村后的独立族谱。所存《张氏族谱》，记载的是佛冈龙山地区张氏族人的发展历程。分别由字辈诗、谱系序、远祖篇、始祖篇等部分组成，是先祖历代流传下来的，各世系子孙均有，每世系只记载子孙概况。

◎ 中间辽村传统民居（摄于 2016 年）

该村有正月初十上灯传统习俗。男孩出生为“添丁”，因“丁”与“灯”谐音，为此正月初十举行“上灯”。上灯活动大致分为迎灯、接灯、摆放供品、挂灯等程序，表达祈求人丁兴旺的心愿。村民每年农历七月初七当天中午 12 时，都会在自家的水井里打水，并贮存。神奇之处是，此水长期贮存都不会变质，有清热解毒的功效且可做药引，使药的效果更佳，

◎ 村民购买花卉（摄于 2016 年）

如小孩用于洗澡可祛除痱子。

传统婚嫁仍保留看家风、定碟、拣日子、送礼金礼饼、送嫁妆、三朝回门等习俗。女方的嫁妆一般都是男方出钱置办，主要是日常生活必需品，如碗筷、水桶、睡席、家电等，甚至还有摩托车、汽车、新房，这些都是女方父母担忧女儿婚后生活而添置。嫁妆则是男方兄弟分家也不能分。结婚时，男、女两家都要摆酒请客，女家摆酒用的肉米酒菜大多是男家筹备。摆酒时，新郎向亲友敬酒。该村传统丧葬风俗庄严繁杂，多沿用古中原的传统，以土葬为主。2000 年后逐步实行火葬，其程序包括竖灵、收殓、引灵、接体、奠礼、出殡、火化、安葬，其中家族守孝、至亲戴大孝（披麻）、“头七”等依然存在。死者外家前来吊唁，事主家必须到门前跪接，外家相扶才能站起，否则长跪。前来吊丧的送爆竹、纸钱、元宝、香竹、白布被，以悼念死者。办丧事只能煮白饭、花菜、黄豆煮猪肉等简单饭菜。完丧次日，亲友要回访事主家。

1982 年 5 月 12—20 日连续降暴雨，受北江水倒灌 8 天，河堤决堤，洪水涌进关前，不少村庄、农田受浸，该村经济损失约 20 万元。1984 年 5 月 30 日，遭遇龙卷风及冰雹袭击，倒塌房屋 5 间，经济受到一定损失。1994 年 6 月 10 至 12 日，受暴雨及北江水倒灌的影响，受灾严重，倒塌房屋 10 多间，经济损失 40 多万元。2013 年 5 月 15 日发生洪灾，全村受浸面积达 75%，倒塌房屋 8 间，直接经济损失 60 多万元。

（资料填报：何娟、高国宁，初稿撰写：何娟、高国宁，总纂：李协湖）

赖家庄村

◎ 赖家庄村村貌（摄于 2016 年）

赖家庄村，位于龙山镇西南部，距镇政府 7.5 千米。该村始建于清中期，由关前秧坎埔村分村搬迁而形成。因村民都是赖氏族人，故取村名赖家庄，曾用村名南明里、瓦田辽村。

该村坐落于丘陵地带，地势低洼，村庄坐北向南，东是黄鸡塘山塘，南与麻阵围相望，西是西排圳，北与南坑村接壤。

清朝时期，该村属清远县滘一乡。民国时期，属清远县滘江区信靖乡。中华人民共和国成立初期，属清远县第六区关前乡。1958 年 7 月，清远县第六区（今龙山镇）划归佛冈县管辖，属佛冈县龙山乡。1958 年 10 月，佛冈县并入从化县，属从化县滘江人民公社关前大队。1959 年 5 月，属从化县龙山人民公社关前大队。1961 年 5 月，佛冈由从化县分出，属佛冈县龙山人民公社关前大队。1983 年 12 月，属龙山区关前乡。1987 年 1 月，属龙山镇关前行政村。1989 年 11 月，属龙山镇关前管理区。1998 年 11 月，属龙山镇关前行政村至今。

世居村民为赖姓。据《赖氏族谱》记载，明朝洪武年间，赖氏族人由江西迁入广东英州（今英德市大镇镇），后经多次迁徙，于清中期从关前秧坎埔村迁至该地繁衍生息。

2015 年末，该村户籍人口 352 人，其中男性 180 人，女性 172 人；80 岁以上 4 人，最年长者 86 岁（女）。实际在村居住人口 213 人，留守儿童 3 人。生活主要依靠农业收入 213 人，常年在城镇居住和打工的 139 人。村民均为汉族，广府民系，使用粤方言。

村有耕地面积 22.13 公顷，山地面积 5.67 公顷，传统经济以农业为主，主要作物有水稻、番薯、花生、

◎ 赖家庄村蔬菜基地（摄于 2016 年）

芋头、红豆、沙葛、萝卜等。现多种植水稻，兼种番薯、花生、蔬菜等作物。特色农产品有沙葛、萝卜。传统食品有炒米饼、艾糍、咸肉粽、油角、糖环、糯米甜酒、猪脚酸醋等。2000 年以后，大部分青壮年外出打工。村民主要收入来源为农业收入，外出务工工资性收入。

村于 1968 年通电，2012 年主要村道实现水泥硬底化。村中除建有垃圾收集池外，还在收集方便的地方设置垃圾桶，村里的卫生环境得到改善。

传统民居大多为广府民居。1947 年重建的南明里古围村至今基本保存完整，围屋占地约 2500 平方米，现存 15 座。门楼外形是硬山顶，博古脊，盖灰顶，由青砖砌成墙体，正面左右上方墙体各有一个炮眼，花岗岩镶嵌门楣，大门设有落栊，屋檐有壁画、诗句，现已模糊不清，无法考究其内容。门楼左右两根石柱装有趟栊，防止外敌侵入。围屋排列一横五纵，呈“面”字形形状，每纵三座正座紧紧相连，门楼正面两边用青砖筑有围墙，围屋两侧共 16 间户水联排屋对称排列，后排建有高楼，高楼中间有三座四门归厅的正座紧紧相连。正座建筑具有典型岭南广府民居特色，每座正座两房一厅，两廊一天井，

◎ 赖家庄门楼（摄于 2016 年）

花岗石门楣。围屋是密封檐，墙上设有炮眼，看似平凡普通的古屋，实则具有防火、通风、采光、观察屋外环境、抵御盗匪入侵等作用。2000 年后，村民在传统民居四周建造钢筋混凝土结构建楼房，楼房多为三房一厅一厨一卫布局。

在村东南方 300 米处有一座小庙宇，因该处与后背相连的山形成一只“黄牛”，庙位置为牛的鼻子，于是人们称之为“黄牛庙”。自从黄牛庙建成后，周边前来祭拜的村民络绎不绝，祈求兴旺发达。黄牛庙最后在“火烧关前”事件中被灌入铜浆，而后来黄牛庙被拆除。现时的黄牛庙于 20 世纪 80 年代重建。该庙每年年初二前来祭拜的村民络绎不绝，有人甚至凌晨四点就开始争上“头炷香”。附近村民如果娶妻成家，则成婚的第三天必定会携同新娘子前来祭拜。

◎ 传统民居（摄于 2016 年）

传统习俗有：年初二拜黄牛庙、元宵节上灯、清明扫墓等。男孩出生为“添丁”，因“丁”与“灯”谐音，为此正月初十到祠堂“上灯”。

◎ 清明节村民祭拜祖堂（摄于 2016 年）

因赖家庄并没有祠堂，所以该习俗就只能在各自的家中进行。每年清明节，该村各家各户都会到先人坟前举行扫墓、祭拜活动。除了当地的村民来祭拜先人外，就连部分定居海外的族人也会携同家人回乡祭拜祖先。

传统婚嫁仍保留看家风、定碟、拣日子、送礼金礼饼、送嫁妆、三朝回门等习俗。女方的嫁妆一般都是男方出钱置办，主要是日常生活必需品，如碗筷、水桶、睡席、家电等，甚至还有摩托车、汽车、新房，这些都是女方父母担忧女儿婚后生活而添置。嫁妆则是男方兄弟分家也不能分。新娘送嫁当日要举行上头仪式。上头亦称上梳，是女子嫁前改变发型的礼仪，实际上是区别已婚和未婚的分界线，多在黎明时或吉时进行。上头时，大襟（女方礼仪妇女）左手挽新娘头发，右手执木梳，每梳一下念一句吉祥话：一梳梳到尾，二梳白发齐眉，三梳儿孙满地，四梳四季兴隆，五梳五子登科，六梳六六大顺，七梳七姐下凡，八梳八仙贺寿，九梳九子连环，十梳十全十美。结婚时，要摆酒请客，男、女两家都要摆，女家摆酒用的肉米酒菜大多是男家送过来的。摆酒时，新郎向亲友敬酒，新娘向亲友敬茶，宾客要回赠利是。该村传统丧葬风俗庄严繁杂，多沿用古中原的传统，以土葬为主。2000 年后逐步实行火葬，其程序包括竖灵、收殓、引灵、接体、奠礼、出殡、火化、安葬，其中家族守孝、至亲戴大孝（披麻）、“头七”等依然存在。死者外家前来吊唁，事主家必须到门前跪接，外家相扶才能站起，否则长跪。前来吊丧的送爆竹、纸钱、元宝、香竹、白布被，以悼念死者。办丧事只能煮白饭、花菜、黄豆煮猪肉等简单饭菜。完丧次日，亲友要回访事主家。

1964 年，组织村民开展植树造林大会战，植树造林 5.34 公顷。1975 年，改河造田，大搞农田基本建设，改造农田 1.34 公顷。

该村的赖锡荣，生于清末，是当地有名的秀才，秧坎埔门楼匾额字就是他的墨宝。赖国柱，生于清末，是民国时期的士绅，当时颇具名望，对当地有一定的影响力。赖杏杞（1966—），女，中学英语高级教师，现任教于佛冈中学。

（资料填报：罗道聪，初稿撰写：罗道聪、高国宁，总纂：李协湖）

滘始巷村

◎ 滘始巷村村貌（摄于 2016 年）

滘始巷村，位于龙山镇西部，距镇政府 6 千米。滘始巷原称排始巷，始建于清康熙年间。坐落于关前圩集市的东侧街巷旁，紧接关前圩集市街，关前圩当年是滘江地区的货运、水运集散地，村民是来自各地商人及务工人员，聚居形成村落，后逐步演变成滘始巷村和高禾塘村两个自然村。

该村坐落于丘陵地带，地势低洼，滘江支流关前海仔河从村前自东向西流入不远处的滘江。村庄坐西北向东南，东与高禾塘村相邻，南为滘江，西与东胜里村相邻，北靠背仔岭。主要河流有滘江支流关前海仔河，在村南面，流经该村河长约 520 米。

清朝时期，该村属清远县滘一乡。民国时期，属清远县滘江区信靖乡。中华人民共和国成立初期，属清远县第六区关前乡。1958 年 7 月，第六区（今龙山镇）划归佛冈县管辖，属佛冈县龙山乡关前大队。1958 年 10 月，佛冈县并入从化县，属从化县滘江人民公社关前大队。1959 年 5 月，属从化县龙山人民公社关前大队。1961 年 5 月，佛冈由从化县分出，属佛冈县龙山人民公社关前大队。1983 年 12 月，属龙山区关前乡。1987 年 1 月，属龙山镇关前行政村。1989 年 11 月，属龙山镇关前管理区。1998 年 11 月，属龙山镇关前行政村至今。

世居村民为莫姓、吴姓、黄姓、白姓、张姓、陈姓、刘姓、罗姓、李姓。莫姓族人于清朝康熙年间从南海沙头大朗村迁入。吴姓族人于清朝同治年间从清远县滘二乡（今佛冈县汤塘镇）竹山村迁入。黄姓族人于清朝同治年间从佛冈厅吉河乡田心堡（今佛冈县镇）莲瑶村迁到龙山良塘乐格村，后于民国初期迁入该地。白姓族人于清初从广州石马迁入。张姓族人于清初从清远升平迁入。陈姓族人于清朝中

◎ 香蕉基地（摄于 2016 年）

期从清远县滘一乡（今佛冈县龙山）黄塱村迁入。刘姓族人于清末民国初时期从清远县滘二乡（今佛冈县汤塘镇）汤塘迁入。罗姓族人于清末民国初期从清远县滘二乡（今佛冈县汤塘镇）汤塘迁入。李姓族人于清末民国初期由从化龙潭横江村迁入。

2015年末，户籍人口378人，其中男性193人，女性185人；80岁以上14人，村中最年长者91岁（男）。实际在村居住人口135人，留守儿童3人。生活主要依靠农业收入135人，常年在城镇居住和打工的243人。祖籍该村的香港同胞25人。村民均为汉族，广府民系，使用粤方言。

村有耕地面积37.87公顷，山地面积13.2公顷，传统经济以农业为主，粮食作物种植主要有水稻、番薯、芋头等。经济作物主要种植香蕉、木薯、花生、大豆、果树等。家禽主要养殖乌鬃鹅、鸡、鸭等。特色农产品有沙葛、萝卜。传统食品有炒米饼、艾糍、咸肉粽、油角、糖环、糯米甜酒、猪脚酸醋等。2000年以后，大部分青壮年外出打工。村民主要收入来源为农业收入，外出务工工资收入。

村于1968年通电，2001年通电话，2003年通网络和有线电视，2005年主要村道实现水泥硬底化。村中除建有垃圾收集池，2015年10月还在收集方便的地方设置垃圾桶，村里的卫生环境得到改善。

荔湾关前希望小学建于1994年，由广州市荔湾区政府资助建成，广东书法家卢有光题写校名。学校分设幼儿园和小学（一至三年级），面积5623平方米，教学楼3层，每层5间教室。2015年，开设3个教学班，在校学生71人，教职工4人。幼儿园有3个班，在园幼儿65人，教职工4人。

◎ 滘始巷村传统民居（摄于2016年）

传统民居现存15座。村落坐北向南，呈棋盘状。6条横巷，8条纵巷贯通全村。房屋排列整齐。民居多为广府式结构，一厅、两房、两廊、一天井布局。其建筑为硬山顶，盖灰瓦，青砖墙体，每座占地建筑面积120平方米。20世纪80年代后，村民陆续在旧民居四周建造钢筋混凝土结构楼房，大部分村民住入楼房。传统民居现大多放置杂物。

村东面有一小狗石雕，相传已有200多年历史，位于该村旧门楼前，其目的是看家守院，保卫家园。现门楼已拆毁，但石狗仔依然存在。每逢年过节、农历初一或十五，村民都会去上香，祈求家人、家宅平安。

村东面80米处有一口古井，相传已经有300多年的历史，因年久失修，2015年村民自愿捐款用水

◎ 荔湾关前希望小学（摄于2016年）

◎ 滘始巷村古井（摄于2016年）

泥重新铺整。古井占地面积 28 平方米，用水泥砌成，高出地面 50 厘米，井口为圆形，直径 60 厘米，井深五米。该井水为湛始巷村和高禾塘村饮用之水，井水清醇甘甜。此井神奇之处在于丰水期或枯水期，井水的水平面一直都比旁边小溪高一尺以上。村民特在井前建有祭坛。每逢农历初一、十五，传统节日，都纷纷前来拜祭，祈求身体健康。

莫氏宗祠始建于清宣统元年（1909 年），占地约 500 平方米，“文化大革命”期间被拆毁。宗祠建筑材料用于建学校。

该村于 1990 年重修《钜镛显承堂莫氏族谱》。内容分别是原序、重修莫氏家谱序、庙祀轶事记、续修族谱记事等。

传统节日以春节、元宵节、清明节、端午节、中秋节、冬至等节为主。村民注重清明扫墓，每年清明节期间，村民们都会带上烧鹅、艾糍、糖饼等供品到先人坟前扫墓，为先人烧衣纸、放鞭炮、上供品，一家大小齐齐拜祭，祈求祖先保佑一家大小平安健康。

传统婚嫁仍保留看家风、定磉、拣日子、送日子、送礼金礼饼、送嫁妆、三朝回门等习俗。结婚时，男、

◎ 清明节祭祖坟（摄于 2016 年）

女两家都要摆酒请客，女家摆酒用的肉米酒菜大多是男家出的。摆酒时，新郎向亲友敬酒，新娘向亲友敬茶，宾客要向新郎新娘回赠红包利是。新娘送嫁当日要举行上头仪式。上头亦称上梳，是女子嫁前改变发型的礼仪。上头时，大襟（女方礼仪妇女）左手挽新娘头发，右手执木梳，每梳一下念一句吉祥话：“一梳梳到尾，二梳白发齐眉，三梳儿孙满地，四梳四季兴隆，五梳五子登科，六梳六六大顺，七梳七姐下凡，八梳八仙贺寿，九梳九子连环，十梳十全十美。”该村传统丧葬风俗庄严繁杂，多沿用古中原的传统，以土葬为主。2000 年后逐步实行火葬，其程序包括竖灵、收殓、引灵、接体、奠礼、出殡、火化、安葬，其中家族守孝、至亲戴大孝（披麻）、“头七”等依然存在。死者外家前来吊唁，事主家必须到门前跪接，外家相扶才能站起，否则长跪。前来吊丧的送爆竹、纸钱、元宝、香竹、白布被，以悼念死者。办丧事只能煮白饭、花菜、黄豆煮猪肉等简单饭菜。完丧次日，亲友要回访事主家。

1982 年 5 月 12—20 日连续降暴雨，受北江水倒灌 8 天，河堤决堤，洪水涌进关前，不少村庄、农田受浸，经济损失约 30 万元。1984 年 5 月 30 日，遭遇龙卷风及冰雹袭击，倒塌房屋 3 间，通信、电力设施受损严重，经济受到损失。1994 年 6 月 10—12 日，受暴雨及北江水倒灌的影响，受灾严重，倒塌房屋 8 间，经济损失 40 多万元。2013 年 5 月 15 日发生洪灾，倒塌房屋 5 间，直接经济损失 50 多万元。

该村的莫辉棠（1948—），曾任政协佛冈县第七届委员会副主席，曾当选佛冈县第九届至第十二届人大代表及清远市第二届人大代表。

（资料填报：何娟、高国宁，初稿撰写：何娟、高国宁，总纂：李协湖）

秧坎埔村

◎ 秧坎埔村村貌（摄于 2016 年）

秧坎埔村，位于龙山镇西部，距镇政府 6 千米。该村始建于清初，由外地商人及务工人员迁入而形成。据村中老人讲述，该村原名为西华里，因村西侧面前有一块埔（即空地），埔边面临潖江的一个码头，码头上落至埔有几级地状似秧坎（即山边旱地），故取村名为秧坎埔。据有部分老人口述，村名起源另有源由：因村所在地形为“河蚌”形，东有拱渠坑，西有金鱼坑源源不断吐水至潖始巷塘、南门塘、鯰鱼塘养护“河蚌”，据传此“蚌”乃吉祥神物，能保一方富贵平安，欲将此“蚌”永世长留于此，在秧坎上即村里打一口大井供养此“蚌”，宜命村名为“秧坎埔”。

该村坐落于丘陵地带，地势低洼，海仔河从村前面自东向西流入不远处的潖江。村庄坐北向南，东紧靠东胜里村，南与中间辽村相望，西与龙船头村相邻，北与麻阵围接壤。潖江在村正南方，流经该村河长约 600 米。

清朝时期，该村属清远县潖一乡。民国时期，属清远县潖江区信靖乡。中华人民共和国成立初期，属清远县第六区关前乡。1958 年 7 月，第六区（今龙山镇）划归佛冈县管辖，属佛冈县龙山乡关前大队。1958 年 10 月，佛冈县并入从化县，属从化县潖江人民公社关前大队。1959 年 5 月，属从化县龙山人民公社关前大队。1961 年 5 月，佛冈由从化县分出，属佛冈县龙山人民公社关前大队。1983 年 12 月，属龙山区关前乡。1987 年 1 月，属龙山镇关前行政村。1989 年 11 月，属龙山镇关前管理区。1998 年 11 月，属龙山镇关前行政村至今。

由于关前圩当年是潖江地区的货运、水运集散地，原住村民多数由外地来此经商、务工人员定居形成。村中有邓姓、张姓、李姓、赖姓、马姓、梁姓、罗姓、汪姓、林姓等。邓姓先祖于明嘉靖初年迁从化流溪韶峒生水塘，清初迁入该地。张姓，清初从清远升平榄树脚迁移至该地。李姓，明朝末年迁入从化龙潭镇横江村，清初迁入该地。赖姓，明朝洪武年间由江西迁入广东英州（今英德市大镇镇），后经多次迁徙，于清初迁至该地。马姓，清乾隆年间从佛山顺德迁入。梁姓，清嘉庆年间从清远县潖二乡（今佛冈县汤塘镇）九岭村迁入。罗姓，清嘉庆年间从南海大沙头（现广州地区）迁入。汪姓，清朝中期从广东兴宁迁入该地。林姓，清末民国初从佛冈清远县湛一乡（今佛冈县龙山镇）清水迳迁入该地。

2015 年末，户籍人口 487 人，其中男性 255 人，女性 232 人；80 岁以上 12 人，村中最年长者 89 岁（男）。实际在村居住人口 319 人，留守儿童 5 人。生活主要依靠农业收入 319 人，常年在城镇居住和打工的 168 人。村民均为汉族，广府民系，使用粤方言。

村有耕地面积 45.67 公顷，山地面积 37.53 公顷，传统经济以农业为主，主要作物有水稻、番薯、花生、芋头、红豆、沙葛、萝卜等。现以种植水稻为主，兼种番薯、花生等作物。特色农产品有沙葛、萝卜。传统食品有炒米饼、艾糍、咸肉粽、油角、糖环、糯米甜酒、猪脚酸醋等。2000 年以后，大部分青壮年外出打工。村民主要收入来源为农业收入，外出务工工资性收入。

村于 1968 年通电，2001 年通电话，2003 年通网络和有线电视，2005 年主要村道实现水泥硬底化。村中除建有垃圾收集池外，还在收集方便的地方设置垃圾桶，村里的卫生环境得到改善。西华里公园于 2015 年 2 月建成使用，面积约 6500 平方米，有健身器材、休闲台凳、鱼塘、古榕树、村史简介亭等，是村民茶余饭后及农闲之余的好去处。

◎ 西华里休闲公园（摄于 2016 年）

村落呈棋盘状，现存传统民居 13 座，大多为广府式三间两廊布局。房屋以二进三间两廊为主，中间为厅，左右为房，东廊为厨房，西廊为闲杂房。传统民居的建筑特色为硬山顶，盖灰瓦，青砖墙体，每座占地建筑面积约 120 平方米。20 世纪 80 年代后，村民陆续在旧民居四周兴建房屋，多以钢筋混凝土结构楼房为主，楼房一般为三房一厅一厨一卫布局。传统民居现大多作放置杂物使用。

西华里门楼位于村中西侧，坐东向西，于 2008 年重修。门楼面阔 5 米，进深 5.5 米，高 6 米，硬山顶，龙船脊，青砖墙，盖灰瓦。门面镶嵌“西华里”字样，两侧屋檐下有红白相间的石刻花纹，左右设有炮眼，门楼内有木趟拢，麻石块砖铺地。入门左侧设有一神龛，相传为纪念开村始祖黄塘昌而设。

◎ 西华里门楼（摄于 2016 年）

万户邓公祠位于秧坎埔村内，建于清光绪二十七年（1901 年），2006 年 10 月重修。祠堂坐北向南，面宽 11.6 米，进深 24 米，建筑面积约 248 平方米。公祠为三进四廊两天井布局，公祠的门面由两根大石柱和虾形梁支撑，大门上面由花岗石板镶嵌，刻有“万户邓公祠”五字，由邓氏族人邓鸿

◎ 万户邓公祠（摄于 2016 年）

标书。祠堂建筑为硬山顶，龙船脊，盖灰瓦，墙体由红砖砌成，外墙贴有深红瓷砖。第一进有一扇中门，据邓氏族人说，唯有德高望重或高官者来参观拜祭时方可打开。第二进中间为天井，左右两边为廊房。第三进设有神龛，神龛里面摆放着邓氏列祖列宗神位牌。神龛两侧有木雕楹联，楹联为南阳功绩颂千秋；万户仁德扬四海。

关帝庙位于村中南面，1986 年重建。该庙坐北向南，面阔 3.8 米，进深 4.2 米，高 5.5 米，红砖、盖灰瓦、博古脊结构。庙里供奉的是关羽大将军，此庙香火不断，整个关前村的村民都会来此庙祭拜。据佛冈县历史记载，关前圩里有座关帝庙，嵌有明朝万历年间的石刻匾额。此庙在解放初尚完整，1958 年“大跃进”时被拆，石匾亦随之散失。

◎ 关帝庙（摄于 2016 年）

传统婚嫁仍保留看家风、定碟、拣日子、送日子、送礼金礼饼、送嫁妆、三朝回门等习俗。传统丧葬风俗以土葬为主。2000 年后逐步实行火葬，其程序包括竖灵、收殓、引灵、接体、奠礼、出殡、火化、安葬，其中家族守孝、至亲戴大孝（披麻）、“头七”等依然存在。办丧事只能煮白饭、花菜、黄豆煮猪肉等简单饭菜。完丧次日，亲友要回访事主家。

传统民间习俗，主要有：舞狮、上灯、拜祠堂等。民间节日以春节、元宵、清明、端阳、中秋、冬至等节为主。该村有正月初十上灯传统习俗。男孩出生为“添丁”，因“丁”与“灯”谐音，为此正月初

◎ 上灯日的上灯活动（摄于 2016 年）

十到祠堂“上灯”。上灯活动大致分为迎灯、接灯、摆放供品、挂灯等程序，表达族人祈求人丁兴旺的心愿。

20 世纪 60 年代前，关前圩是清远县滘江区历史最长的大集市。关于它的肇建，根据郝玉麟雍正《广东通志》记载，明万历五年（1577 年），太监李凤的下属汪某来清远督征税收，曾在这里设关收税，于是乡人便在这里建市，以“关前”作圩名。宋朝时，清远县分设横石、滨江、回歧、滘江四个乡。明朝建立，仍沿用宋、元旧制，分设四个巡检司，扩分为八个乡。滘江巡检司设滘江乡（高滩都）和吉河乡（黄田都），滘江巡检司署原设在今龙山圩白沙塘村侧边的赤坎墟（已废）。清朝咸丰年间，巡检司署两度被响应太平天国运动的农民所焚毁，清同治年间修复后又被洪水冲塌，于是将司署迁到关前圩。这时，关前圩商业已趋繁荣，滘江绅士又集议在这里创建兴贤社学。因此，关前圩逐渐成为滘江经济、政治、文化、交通的枢纽，商旅辐辏，贸易兴旺，冠盖云集。其全盛时期，全圩有商店三四百间（有二百多间分布在今秧坎埔村），押店三间，还有官府、警署、保卫团局、学校、商会、善堂、婴堂等设备，它的规模和地位，仅次于清远县城，人们称之为滘江的“镬笃圩”。

（资料填报：何娟、高国宁，初稿撰写：何娟、高国宁，总纂：李协湖）

麻阵围

◎ 麻阵围村貌（摄于 2016 年）

麻阵围，位于龙山镇西南部，距镇政府约 7 千米。该村建于清初，由麻公坛、虎阵顶、围仔三村合并组成，各取原村名一个字而取名为麻阵围。

该村坐落于丘陵地带，地势低洼，村庄坐东北向西南，东面是晒布岗，南与龙船头相邻，西面是西排圳，北与赖家庄相望。

清朝时期，该村属清远县滘一乡。民国时期，属清远县滘江区信靖乡。中华人民共和国成立初期，属清远县第六区关前乡。1958 年 7 月，清远县第六区（今龙山镇）划归佛冈县管辖，属佛冈县龙山乡。1958 年 10 月，佛冈县并入从化县，属从化县滘江人民公社关前大队。1959 年 5 月，属从化县龙山人民公社关前大队。1961 年 5 月，佛冈由从化县分出，属佛冈县龙山人民公社关前大队。1983 年 12 月，属龙山区关前乡。1987 年 1 月，属龙山镇关前行政村。1989 年 11 月，属龙山镇关前管理区。1998 年 11 月，属龙山镇关前行政村至今。

世居村民为汪姓、李姓、张姓、刘姓、邓姓、赖姓。汪氏族人于清中期从广东兴宁迁入该地。李氏族人于清末由清远县滘一乡（今佛冈县龙山镇）秧坎埔村分支迁入。张姓于宋朝时期从福建迁移至广东南雄珠玑巷，清初从清远升平榄树脚迁移至该地。邓氏族人于清中期从从化流溪韶峒生水塘迁至该地。刘氏族人于清初从南海迁至该地。赖氏族人与龙山关前赖家庄村民为同一族人，在明朝洪武年间由江西迁入广东英州（今英德市大镇镇），后经多次迁徙，于清中期从清远县滘一乡（今佛冈县龙山镇）关前秧坎埔村迁至该地。

2015 年末，户籍人口 404 人，其中男性 195 人，女性 209 人；80 岁以上 7 人，村中最年长者 100 岁（女）。实际在村居住人口 258 人，留守儿童 6 人。生活主要依靠农业收入 258 人，常年在城镇居住和打工的 246 人。村民均为汉族，广府民系，使用粤方言。

村有耕地面积 28.06 公顷，山地面积 22.47 公顷。传统经济以农业为主，主要作物有水稻、番薯、花生、芋头、红豆、沙葛、萝卜等。现多种植水稻，兼种番薯、花生等作物。特色农产品有沙葛、萝卜。传统食品有炒米饼、艾糍、咸肉粽、油角、糖环、糯米甜酒、猪脚酸醋等。2000 年以后，大部分青壮年外出打工。

◎ 村民春耕耙田（摄于 2016 年）

◎ 春节醒狮表演（摄于 2016 年）

村民主要收入来源为农业收入，外出务工工资收入。

村于 1968 年通电，2001 年通电话，2012 年主要村道实现水泥硬底化。村中建有垃圾收集池，设置垃圾桶，环境卫生得到改善。

传统民居为广府民居，现存 14 座，保存得比较完整。围屋占地约 1000 平方米，由三纵正座和一横护水屋构成，整体呈“而”字型布局。每一纵由三间正坐相连，后面是一横五六间护水屋。正座具有典型的岭南广府民居特色，硬山顶、龙船脊、盖灰瓦，墙体由青砖砌成，屋檐有灰雕图案，门框由麻石板镶嵌，屋内是两房一厅，两廊一天井布局。2000 年后多为钢筋混凝土结构楼房，楼房布局多为三房一厅一厨一卫结构，也有部分砖瓦房。

◎ 麻阵围巷道（摄于 2016 年）

传统节庆以春节、元宵节、清明节、端午节、中秋节、冬至节等节为主。春节有舞狮庆祝习俗。舞狮时，狮队成员撑着狮旗，众人围腰束身，手持刀、枪、剑、戟、飞耙等武器，簇拥舞动的狮子前进。正月初十到祠堂“上灯”。上灯活动大致有迎灯、接灯、摆放供品、挂灯等程序，因麻阵围没有祠堂，所以该习俗就只能在各自的家中进行。

传统婚嫁仍然保留看家风、定碟、拣日子、送日子、送聘金礼饼、送嫁妆、三朝回门等习俗。结婚时，男、女两家都要摆酒请客。传统丧葬风俗以土葬为主。2000 年后逐步实行火葬，其程序包括竖灵、收殓、引灵、接体、奠礼、出殡、火化、安葬，其中家族守孝、至亲戴大孝（披麻）、“头七”等。

1982 年 5 月 12 至 20 日连续降暴雨，受北江水倒灌 8 天，河堤决堤，洪水涌进关前，不少村庄、农田受浸，损失很大。1984 年 5 月 30 日，遭遇龙卷风及冰雹袭击，倒塌房屋 30 多间，通信、电力设施受损严重，经济受到损失。1994 年 6 月 10 至 12 日，受暴雨及北江水倒灌的影响，该村受灾严重，倒塌房屋 10 多间，经济损失 50 多万元。2013 年 5 月 15 日发生洪灾，全村受浸面积达 75%，倒塌房屋 10 多间，直接经济损失 70 多万元。

该村的张聘尤，曾任韶关航运局党委书记。

（资料填报：罗道聪，初稿撰写：罗道聪、高国宁，总纂：李协湖）

龙船头村

◎ 龙船头村村貌（摄于 2015 年）

龙船头村，位于龙山镇西南部，距镇政府 6.8 千米。该村始建于清末，由附近村落的村民搬迁而形成。该村建在秧坎埔村停放龙船的地方，因此取名为龙船头村，曾用名禾塘村。

该村坐落于丘陵地带，地势低洼，村庄坐北向南，村东紧靠秧坎埔村，南与船厂村相望，西是金鱼嘴，北与麻阵围相邻。

清朝时期，该村属清远县滘一乡。民国时期，属清远县滘江区信靖乡。中华人民共和国成立初期，属清远县第六区关前乡。1958 年 7 月，第六区（今龙山镇）划归佛冈县管辖，属佛冈县龙山乡关前大队。1958 年 10 月，佛冈县并入从化县，属从化县滘江人民公社关前大队。1959 年 5 月，属从化县龙山人民公社关前大队。1961 年 5 月，佛冈由从化县分出，属佛冈县龙山人民公社关前大队。1983 年 12 月，属龙山区关前乡。1987 年 1 月，属龙山镇关前行政村。1989 年 11 月，属龙山镇关前管理区。1998 年 11 月，属龙山镇关前行政村至今。

世居村民为李、邓姓。李氏族人于清初由从化龙潭镇横江村迁入关前秧坎埔村，清末迁入该地。邓氏族人于清初由从化良口镇迁入关前秧坎埔村，后因秧坎埔的人口发展，于清末迁移至该地定居。

2015 年末，户籍人口 342 人，其中男性 183 人，女性 159 人；80 岁以上 4 人，村中最年长者 89 岁（男）。实际在村居住人口 205 人，留守儿童 3 人。生活主要依靠农业收入 205 人，常年在城镇居住和打工的 137 人。村民均为汉族，广府民系，使用粤方言。

传统经济以农业为主，耕地面积 20.47 公顷，山地面积 18.73 公顷，主要粮食作物种植双季水稻、番薯。经济作物种植沙糖桔、花生、甘蔗、芋头等，养殖家禽有鸡、鸭、鹅，家畜有牛猪等，渔业主要利用山塘水库养殖四大家鱼。特色农产品有沙葛、萝卜。传统食品有炒米饼、艾糍、咸肉粽、油角、糖环、糯米甜酒、猪脚酸醋等。2000 年以后，大部分青壮年外出打工。村民主要收入来源为农业收入，外出务工收入等。

村于 1968 年通电，2012 年主要村道实现水泥硬底化。村中除建有垃圾收集池外，还在收集方便的地方设置垃圾桶。

传统民居现已无人居住。20 世纪 80 年代以后，

◎ 龙船头村民居一角（摄于 2016 年）

村民在传统民居四周建造钢筋混凝土楼房，楼房布局多为三房一厅一厨一卫结构。传统民居现已闲置或堆放杂物。

村中至今保留中原文化流传下来的部分习俗。节令习俗有：春节前的祭灶、岁末守岁、张贴春联；春节的开门迎福和拜年；正月十五元宵节闹元宵；清明节祭祖扫墓；端午节裹粽子祭河神；中秋节团圆赏月；九月重阳节登高；冬至晒腊肉等。男孩出生为“添丁”，因“丁”与“灯”谐音，为此正月初十到祠堂“上灯”，表示庆贺。

传统婚嫁习俗有看家风、定碟、拣日子、送日子、送礼金礼饼、送嫁妆、三朝回门等。女方的嫁妆一般都是男方出钱置办，主要是日常生活必需品，如筷子、碗、桶、席、牛绳、家电等，甚至还有摩托车、汽车或商品房，是女方父母担忧女儿婚后生活新置。结婚时，男女两家都要摆酒请客，女家摆酒用的肉米酒菜大多是男家筹备。传统丧葬风俗以土葬为主。2000 年后逐步实行火葬，其程序包括竖灵、收殓、引灵、接体、奠礼、出殡、火化、安葬，其中家族守孝、至亲戴大孝（披麻）、“头七”等依然存在。死者外家前来吊唁，事主家必须到门前跪接，任外家长辈至亲教训至满意，外家相扶才能站起，否则长跪。前来吊丧的送爆竹、纸钱、元宝、香竹、白布被，以悼念死者。办丧事只能煮白饭、花菜、黄豆煮猪肉等简单饭菜。完丧次日，亲友要回访事主家。

◎ 黄牛庙（摄于 2016 年）

清嘉庆二十二年（1817 年）由绅耆赖石倡议，滘一区八十余乡在关前圩（现龙船头村）共建兴贤社学。龙船头地处滘江边，交通方便，商旅络绎不绝。八十余乡的富豪子弟前来从学者颇多。社学经费充足，置有税田百余亩，作办学之用。光绪三十四年（1908 年），将兴贤社学改为“兴贤两等学校”。1912 年又改名为九区第一高等小学。1926 年因村与村之间械斗，关前圩被焚，社学也遭此浩劫而停办。现址留有兴贤社学捐资者芳名录碑刻。

◎ 兴贤社学捐资芳名录（摄于 2016 年）

（资料填报：罗道聪，初稿撰写：罗道聪、高国宁，总纂：李协湖）

○鹤田行政村

东大围

◎ 东大围村貌（摄于 2016 年）

东大围，位于龙山镇南部，距镇政府 0.2 千米。该村始建于明嘉靖中期，由从化县（现广州市从化区）凤院村欧阳族人分支搬迁而形成。因位于鹤田村欧阳氏宗祠东边，故取名为东大围。

该村坐落于丘陵地带，村落坐北向南，东与高江村相连，南是一片田畴，西面与西大围村毗邻，北靠背后山。国道、省道、县道在村庄附近经过，形成便利的交通网络。

村形成时，属清远县滘江乡。清朝时期，属清远县滘一乡。民国时期，属清远县滘江区忠安乡。中华人民共和国成立初期，属清远县第六区鹤田乡。1958 年 7 月，第六区（今龙山镇）划归佛冈县管辖，属佛冈县龙山乡。1958 年 10 月，佛冈县并入从化县，属从化县滘江人民公社鹤田大队。1959 年 5 月，属从化县龙山人民公社鹤田大队。1961 年 5 月，佛冈由从化县分出，属佛冈县龙山人民公社鹤田大队。1983 年 12 月，属龙山区鹤田乡。1987 年 1 月，属龙山镇鹤田行政村。1989 年 11 月，属龙山镇鹤田管理区。1998 年 11 月，属龙山镇鹤田行政村至今。

世居村民为欧阳姓。据鹤田欧阳氏家族编撰的族谱《欧阳谱志》记载，欧阳氏于明嘉靖中期由从化迁入该地。

2015 年末，户籍人口 198 人，其中男性 103 人，女性 95 人；80 岁以上 18 人，最年长者 91 岁（女）。实际在村人口 112 人。户籍人口中，生活主要依靠农业收入的人口有 112 人；常年在城镇生活和工作的人口有 86 人。村民均为汉族，广府民系，使用粤方言。

村有耕地面积 6.53 公顷，山地面积 7.13 公顷。传统经济以农业为主，粮食作物主要种植水稻、番薯等；经济作物种植芋头、花生、木薯、大豆、蔬菜、果树、经济林木等。畜牧业以饲养鸡、鸭、鹅和猪、牛等。渔业主要蓄水养殖四大家鱼。传统节庆食品有春节的咸糖环、油炸角、炒米饼，元宵节的汤圆，清明节的糯米艾糍，端午节的粽子，中秋节的月饼，滘江醋（俗称臭屁醋）等。妇女生小孩坐月子时，

◎ 约克空调冷冻设备有限公司生产车间（摄于 2012 年）

有喝糯米甜酒、吃猪脚甜醋的习惯。20 世纪 80 年代以后，大部分青壮年外出打工。进入 90 年代后，不断有企业在此投资办厂，例如约克广州空调冷冻设备有限公司、亿利达风机有限公司等。这些企业不仅带来商机和就业机会，也带来不少的外来人口在村居住，村民经济收入发生较大变化，主要经济收入来源为农业收入、务工性工资、商业经营、房屋出租收入等。

村于 1971 年通电，1990 年通电话，2007 年通自来水、村内道路实现水泥硬底化，2012 年通光纤网络。

传统民居具有鲜明的广府民居特点，现存 11 座。村落呈棋盘形，房屋排列整齐，巷道纵横交错，贯通全村。传统民居为砖木结构，悬山顶，盖灰瓦，青砖或泥砖墙体，两房一厅，两廊一天井布局，每座建筑面积约 120 平方米。20 世纪 80 年代后，村民在传统民居四周建造钢筋混凝土楼房，大部分村民搬入楼房居住。传统民居改为出租屋或堆放杂物。

欧阳宗祠是鹤田欧阳族人的宗祠。该宗祠位于东大围，建于清同治年间。宗祠坐南向北，广三路，中路二进二廊一天井布局，存两侧青云巷。中路面阔 11 米，进深 16 米，建筑占地面积 176 平方米。宗祠为砖木结构，硬山顶，盖黄色琉璃瓦，屋脊有双龙戏珠造型，青砖墙，石板铺地。前檐用石柱和石梁支撑，门额石板上刻有“欧阳宗祠”字样。宗祠前面的空地两边各竖立旗杆夹石，上面刻有“恩科中试 101 名举人，同治元年岁次壬戌科并补己未”的字样，是当时欧阳家族历史功名的记载。该祠堂于 1999 年重修，总体布局基本完整，具有鲜明的

◎ 欧阳宗祠（摄于 2016 年）

岭南建筑风格。2012年被录入佛冈县不可移动文物名录。

村修有《欧阳谱志》，是由鹤田欧阳族人欧阳秋明于2000年编纂。族谱分为三部分，第一部分为谱序，第二部分为欧阳姓氏起源和历史名人，最后一部分为鹤田欧阳家族世系图表。族谱记载佛冈县欧阳族人的迁徙及繁衍分支情况。

村中节庆习俗有：春节前的祭灶、岁末守岁、张贴春联，春节的开门迎福和拜年，正月十五元宵节上灯，清明节祭祖扫墓，端午节裹粽子祭河神，中秋节团圆赏月，九月重阳节登高等。

婚嫁习俗有踏家门、择日子、送聘礼、接新娘、闹洞房、三朝回门等。传统丧葬风俗以土葬为主，20世纪90年代以后逐步实行火葬，其程序包括竖灵、收殓、引灵、接体、奠礼、出殡、火化、安葬，其中家人守孝，至亲戴孝，“头七”祭供等依然存在。

1995年6月5日，该村欧阳祠堂门前塘边的一棵剑麻，在4月中旬长出两株6米高的花蕊，5月25日晚大雨后，其中一株突然长至8米多高，并开

◎ 村民贴春联迎春（摄于2016年）

出两朵白花，另伴有10多个花蕾，成为当地一大奇观，周边村民前来观赏。1997年5月8日，普降暴雨，潖江超过历史水位近2米高。耕地全被浸没，房屋倒塌20多间，稻田全被淹没，造成极大的经济损失。

该村的欧阳洛源（1944—），曾担任佛冈县气象局气象观测高级工程师。

（资料填报：罗庙强，初稿撰写：罗庙强，总纂：李协湖）

琴石咀村

◎ 琴石咀村村貌（摄于 2016 年）

琴石咀村，位于龙山镇南部，距镇政府 0.9 千米。该村始建于明嘉靖中期，由从化县（今广州市从化区）凤院村欧阳族人分支搬迁而形成。由于村庄建在山嘴旁边，故取名为琴石咀村。

该村地处丘陵地带，坐北向南，东与中间围相连，南与广州市从化区接壤，西是一片田畴，北与岭仔顶村旧址相邻。国道、省道、县道在村庄附近经过。

该村形成时，属清远县滘江乡。清朝时期，属清远县滘一乡。民国时期，属清远县滘江区忠安乡。中华人民共和国成立初期，属清远县第六区鹤田乡。1958 年 7 月，第六区（今龙山镇）划归佛冈县管辖，属佛冈县龙山乡。1958 年 10 月，佛冈县并入从化县，属从化县滘江人民公社鹤田大队。1959 年 5 月，属从化县龙山人民公社鹤田大队。1961 年 5 月，佛冈由从化县分出，属佛冈县龙山人民公社鹤田大队。1983 年 12 月，属龙山区鹤田乡。1987 年 1 月，属龙山镇鹤田行政村。1989 年 11 月，属龙山镇鹤田管理区。1998 年 11 月，属龙山镇鹤田行政村至今。

世居村民为欧阳、杨姓，其中欧阳姓氏占大部分。据鹤田欧阳氏家族编撰的族谱《欧阳谱志》记载，欧阳氏于明嘉靖中期由从化县迁入该地。杨姓村民是南海杨姓的一个分支，据《杨氏族谱》记载，杨氏于明万历十二年（1584 年）由南海县罗村大沙堤迁出，先迁在滘江门楼富五斗处。后迁入鹤田村，再分村迁入该地。

2015 年末，户籍人口 191 人，其中男性 95 人，女性 96 人；80 岁以上 3 人，最年长者 87 岁（男）。实际在村人口 103 人。生活主要依靠农业收入的 103 人；常年在城镇生活和打工的 88 人。村民均为汉族，广府民系，使用粤方言。

村有耕地面积 5.13 公顷，山地面积 6.8 公顷。传统经济以农业为主，主要作物有水稻、番薯、芋头、花生、木薯、大豆、蔬菜等。现以种植粮食作物、果树、经济林木为主。传统节庆食品有：春节的咸糖环、油炸角、炒米饼，元宵节的汤圆，清明节的糯米艾糍，端午节的粽子，中秋节的月饼，滘江醋等。妇女生小孩坐月子时，有喝糯米甜酒，吃猪脚甜醋的习惯。20 世纪 80 年代以后，大部分青壮年外出打工。2010 年后，村庄附近工厂企业的兴建，不仅带来商机和就业机会，也带来不少的外来人口

◎ 村民春耕耙田（摄于 2016 年）

在村居住，村民收入发生较大变化，主要经济收入来源为：农业收入、务工性工资、商业经营、房屋出租收入等。

村于 1971 年通电，1990 年通电话，2007 年通自来水、村内道路实现水泥硬底化，2012 年通光纤网络。

传统民居具有鲜明的广府民居特点，现存 9 座。村落呈棋盘形，房屋排列整齐，巷道纵横交错，贯通全村。传统民居为砖木结构，悬山顶，盖灰瓦，青砖或泥砖墙体，两房一厅，两廊一天井布局，每座建筑面积约 120 平方米。20 世纪 80 年代后，村民在传统民居四周建造钢筋混凝土楼房，大部分村民搬入楼房居住。传统民居改为出租屋或堆放杂物。

◎ 村传统民居（摄于 2016 年）

每逢春节之际，村中欧阳姓和杨姓村民分别会到鹤田欧阳宗祠和杨氏宗祠拜祭祖先，并为家人祈福。元宵佳节，村中生有男婴的家庭则会到宗祠挂上灯笼，俗称“吊灯”，目的是希望祖先保佑自家孩子健康成长。此外，宗祠还作为同姓族人商议村中事务、逢年过节聚餐之用。

该村与其他村的欧阳族人共同修有《欧阳谱志》，是由鹤田欧阳族人欧阳秋明于 2000 年编纂。族谱分为三部分，第一部分为谱序，第二部分为欧阳姓氏起源和历史名人，最后一部分为鹤田欧阳家族世系图表。族谱记载佛冈县欧阳族人的迁徙及繁衍分支情况。

◎《欧阳谱志》（摄于 2016 年）

传统节庆习俗有：春节前的祭灶、岁末守岁、张贴春联；春节的开门迎福和拜年；正月十五元宵节上灯；清明节祭祖扫墓；端午节裹粽子祭河神；中秋节团圆赏月；九月重阳节登高等。

在传统婚嫁习俗中的结婚前要担定婚茶、“睇（看）家风”、报日子、送礼金、定嫁妆这些礼节仍然存在。传统丧事习俗以土葬为主。1990 年以后逐步实行火葬。其程序为举丧、入殓、出殡、送葬、做法事，将亡灵送入祠堂。村中仍然沿袭了一些丧葬的旧习，出殡时送殡队敲锣打鼓、燃放爆竹送行。埋葬后，神主牌由子孙送往祠堂入位，至此丧事才告完结。办丧事只煮白饭、豆腐、猪肉焖笋干等简单的饭菜。

1965 年冬，该村与其他自然村共同兴建鹤田电动排水站，1966 年 5 月建成，装机 2 台共 190 千瓦。1997 年 5 月 8 日，遭遇百年洪涝灾害，水位高达 2 米。全村耕地被淹没，房屋倒塌 20 多间，造成 20 多户人家无家可归，幸未造成人员伤亡。

该村欧阳荣（1927—2013），曾任江西蛇纹石矿党委书记。

（资料填报：罗庙强，初稿撰写：罗庙强，总纂：李协湖）

西边村

◎ 西边村村貌（摄于 2016 年）

西边村，位于龙山镇南部，距镇政府 1.3 千米。该村始建于明万历中期，由南海县（今佛山市南海区）杨氏族人分支迁居而形成。因村处于鹤田最西边，故取名为西边村。

该村处于丘陵地带，依山而建，村民分散而居。村庄坐西向东，东与东大围村相连，南与博华陶瓷厂毗邻，潖江从村西贯穿而过，北靠近马岭山。国道、省道、县道在村庄附近经过，形成便利的交通网络。

村形成时，属清远县潖江乡。清朝时期，属清远县潖一乡。民国时期，属清远县潖江区忠安乡。中华人民共和国成立初期，属清远县第六区鹤田乡。1958 年 7 月，第六区（今龙山镇）划归佛冈县管辖，属佛冈县龙山乡。1958 年 10 月，佛冈县并入从化县，属从化县潖江人民公社鹤田大队。1959 年 5 月，属从化县龙山人民公社鹤田大队。1961 年 5 月，佛冈由从化县分出，属佛冈县龙山人民公社鹤田大队。1983 年 12 月，属龙山区鹤田乡。1987 年 1 月，属龙山镇鹤田行政村。1989 年 11 月，属龙山镇鹤田管理区。1998 年 11 月，属龙山镇鹤田行政村至今。

世居村民为杨姓。据《杨氏族谱》记载，杨氏于明万历十二年（1584 年）由南海县罗村大沙堤迁出，先迁在潖江门楼富五斗处。后迁入鹤田村，明万历中期，迁入该地。

2015 年末，户籍人口 330 人，其中男性 164 人，女性 166 人；80 岁以上 6 人，最年长者 91 岁（男）。实际在村人口 258 人。生活主要依靠农业收入的 258 人，常年在城镇生活和打工的 72 人。村民均为汉族，广府民系，使用粤方言。

村有耕地面积 11.07 公顷，山地面积 11.87 公顷。传统经济以农业为主，主要作物有水稻、番薯、芋头、花生、木薯、大豆、蔬菜等。现以种植粮食作物、果树、经济林木以及饲养家禽家畜等。传统节庆食品有：春节的咸糖环、油炸角、炒米饼，元宵节的汤圆，清明节的糯米艾糍，端午节的粽子，中秋节的月饼，潖江醋等。妇女生小孩坐月子时，有喝糯米甜酒，吃猪脚甜醋的习惯。20 世纪 80 年代以后，大部分青壮年外出打工。2010 年后，产业发生变化，村庄附近工厂企业的兴建，不仅带来商机和就业机会，也带来不少的外来人口在村居住，村民主要经济收入来源为农业收入、务工性工资、商业经营、

◎ 博华陶瓷厂鸟瞰图（摄于 2016 年）

◎ 杨氏宗祠内景（摄于 2016 年）

房屋出租收入等。

村于 1971 年通电，1990 年通电话，2007 年通自来水，村内道路实现水泥硬底化，2012 年通光纤网络。

传统民居现存 10 座。村落呈棋盘形，房屋排列整齐，巷道纵横交错，贯通全村。传统民居为砖木结构，悬山顶，盖灰瓦，青砖或泥砖墙体，两房一厅，两廊一天井布局，每座建筑面积约 120 平方米。20 世纪 80 年代后，村民在传统民居四周建造钢筋混凝土楼房，大部分村民搬入楼房居住。传统民居改为出租屋或堆放杂物。

村中保存有杨氏宗祠。该宗祠建于清同治年间，属于鹤田杨姓族人集体所有。宗祠坐北向南，广三路，中路三进二廊一天井布局，存两侧青云巷。中路面阔 11 米，进深 16 米，建筑占地面积 156 平方米。宗祠为砖木结构，硬山顶，盖黄色琉璃瓦，屋脊有双龙戏珠造型，青砖墙，石板铺地。前檐用石柱和石梁支撑，门额石板上刻有“杨氏宗祠”字样，二进挂有“积善堂”的牌匾。该祠堂于 2000 年 1 月重修，总体布局基本完整，具有鲜明的岭南建筑风格。

◎ 西边村门楼（摄于 2016 年）

村修有《杨氏族谱》，族谱于 2000 年编纂。族谱分为谱序、杨氏起源、历史名人和鹤田杨氏家族世系图表。族谱记载佛冈县杨氏族人的迁徙及繁衍分支情况。

村至今保留着中原文化流传下来的一部分习俗。节令习俗有：春节前的祭灶、岁末守岁、张贴春联；春节的开门迎福和拜年；正月十五元宵节上灯；清明节祭祖扫墓；端午节裹粽子祭河神；中秋节团圆赏月；九月重阳节登高等。

在传统婚嫁习俗中结婚前要担定婚茶、“睇（看）家风”、报日子、送聘金、定嫁妆这些礼节仍然存在。传统丧事习俗以土葬为主。1990 年以后逐步实行火葬。其程序为举丧、入殓、出殡、送葬、做法事，将亡灵送入祠堂。出殡时送殡队敲锣打鼓、燃放爆竹送行。埋葬后，神主牌由子孙送往祠堂入位，至此丧事才告完结。办丧事只煮白饭、冬瓜、豆腐、猪肉焖笋干等简单的饭菜。

1957 年 12 月，该村与鹤田全体村民兴建龙山鹤田大堤，堤长 2.2 千米。1965 年冬，兴建鹤田电动排水站，装机 2 台共 190 千瓦。1997 年 5 月 8 日，连降暴雨，加上从化龙潭水库决堤，潖江超过历史水位近 2 米高。耕地全被浸没，房屋倒塌数十间，30 多户村民 100 多人无家可归，幸未造成人员伤亡。

（资料填报：罗庙强，初稿撰写：罗庙强，总纂：李协湖）

西江村

◎ 西江村村貌（摄于 2016 年）

西江村，位于龙山镇南部，距镇政府 0.5 千米。该村始建于明嘉靖中期，由从化县（今广州市从化区）凤院村欧阳族人分支搬迁而形成。因该村西面有滘江横穿而过，故取名为西江村。

该村坐落于丘陵地带，村落坐北向南，东靠近龙山镇市场，南与博华陶瓷厂毗邻，西与西边村接壤，北与旧西大围村相邻。国道、省道、县道在村庄附近经过，形成便利的交通网络。

该村形成时，属清远县滘江乡。清朝时期，属清远县滘一乡。民国时期，属清远县滘江区忠安乡。中华人民共和国成立初期，属清远县第六区鹤田乡。1958 年 7 月，第六区（今龙山镇）划归佛冈县管辖，属佛冈县龙山乡。1958 年 10 月，佛冈县并入从化县，属从化县滘江人民公社鹤田大队。1959 年 5 月，属从化县龙山人民公社鹤田大队。1961 年 5 月，佛冈由从化县分出，属佛冈县龙山人民公社鹤田大队。1983 年 12 月，属龙山区鹤田乡。1987 年 1 月，属龙山镇鹤田行政村。1989 年 11 月，属龙山镇鹤田管理区。1998 年 11 月，属龙山镇鹤田行政村至今。

世居村民为欧阳、杨姓，其中欧阳姓氏占大部分。据鹤田欧阳氏家族编纂的族谱《欧阳谱志》记载，欧阳氏于明嘉靖中期由从化县迁至该地。杨姓村民是南海杨姓的一个分支，据《杨氏族谱》记载，杨氏于明万历十二年（1584 年），由南海县罗村大沙堤迁出，先迁在滘江门楼富五斗处。后迁入鹤田村，明万历中期再分村迁至该地。

2015 年末，户籍人口 198 人，其中男性 103 人，女性 95 人；80 岁以上 4 人，最年长者 90 岁（女）。实际在村人口 112 人。生活主要依靠农业收入的 112 人，常年在城镇生活和打工的 86 人。祖籍该村的香港同胞 22 人。村民均为汉族，广府民系，使用粤方言。

村有耕地面积 8.8 公顷，山地面积 5.47 公顷。传统经济以农业为主，主要作物有水稻、番薯、芋头、花生、木薯、大豆、蔬菜等。现以种植粮食作物、果树、经济林木以及饲养家禽家畜等。特色美食为龙山云吞。龙山云吞是佛冈驰名的一种风味小食。馅料以当地土猪瘦肉为主，兼有少量肥肉，加入鸡蛋清、鲜虾仁、葱末及其他秘制佐料制成，皮是选用精面粉，采用竹竿人工反复碾压而成极薄的皮；汤是选用猪骨或牛骨加上章鱼等配料熬制。正

◎ 特色美食龙山云吞（摄于 2016 年）

宗的龙山云吞的特点是肉多、皮薄、汤靓，口感爽滑、鲜嫩、味香。 20 世纪 80 年代以后，大部分青壮年外出打工。2010 年后，村庄附近工厂企业的兴建，不仅带来商机和就业机会，也带来不少的外来人口居住，村民收入发生较大变化，主要经济收入来源为：农业收入、务工性工资、商业经营、房屋出租收入等。

村于 1971 年通电，1990 年通电话，2007 年通自来水、村内道路实现水泥硬底化，2012 年通光纤网络。村中设有垃圾收集桶，村居卫生良好。

村落呈棋盘形状，房屋排列整齐，巷道纵横交错，贯通全村。传统民居现存 15 座。民居为砖木结构，悬山顶，盖灰瓦，青砖或泥砖墙体，两房一厅，两廊一天井布局，每座建筑面积约 120 平方米。20 世纪 80 年代后，村民在传统民居四周建造钢筋混凝土楼房，大家都搬入楼房居住。传统民居改为出租屋或堆放杂物。

◎ 传统民居（摄于 2016 年）

欧阳宗祠是鹤田欧阳族人的宗祠。该宗祠建于清同治年间，宗祠坐南向北，广三路，中路二进二廊一天井布局，存两侧青云巷。中路面阔 11 米，进深 16 米，建筑占地面积 176 平方米。宗祠为砖木结构，硬山顶，盖黄色琉璃瓦，屋脊有双龙戏珠造型，青砖墙，石板铺地。前檐用石柱和石梁支撑，门额石板上刻有“欧阳宗祠”字样。宗祠前面的空地两边各竖立旗杆夹石，上面刻有“恩科中试 101 名举人，同治元年岁次壬戌科并补己未”的字样，是当时欧阳家族历史功名的记载。该祠堂于 1999 年重修，总体布局基本完整，具有鲜明的岭南建筑风格。2012 年被录入佛冈县不可移动文物名录。

◎ 旗杆夹石（摄于 2016 年）

村修有《欧阳谱志》，是由鹤田欧阳族人欧阳秋明于 2000 年编纂。族谱记载的欧阳族人辈序为：“仲国叔景，高先以民。永广时之，崇曰文思。世士振立，今尚于光。汝克可效，天兆孔良。彝伦攸叙，寿尔载尝。保佑盛鼎，厥后定昌。耕读本务，义礼恭纲。业精志恒，行洁勤廉。怀惟经纬，理哲发祥。奕柯普绣，才德益彰。积功厚显，友爱谦让。名扬家馨，鸿儒腾芳。”

传统民间习俗多为广府人习俗的延续，主要习俗有：舞狮、上灯、拜祠堂等。民间节日以春节、元宵、清明、端阳、中秋、冬至等节为主。该村有正月初十上灯传统习俗。男孩出生为“添丁”，因“丁”与“灯”谐音，为此正月初十到祠堂“上灯”。上灯活动大致分为迎灯、接灯、摆放供品、挂灯等程序，表达族人祈求人丁兴旺的心愿。

传统婚嫁习俗的中原古制“六礼”，在该村有部

◎ 上灯日上灯（摄于 2016 年）

分仍然保留，如睇家风、定碟、拣日子、送日子、送礼金礼饼、送嫁妆、三朝回门等。结婚时，男、女两家都要摆酒请客，女家摆酒用的肉米酒菜大多是男家筹备。酒席上，新郎向亲友敬酒，新娘向亲友敬茶，宾客要向新郎新娘回赠红包利是。传统丧葬风俗庄严繁杂，多沿用古中原的传统，以土葬为主。2000 年后逐步实行火葬，其程序包括竖灵、收殓、引灵、接体、奠礼、出殡、火化、安葬，其中家族守孝、至亲戴大孝（披麻）、“头七”等依然存在。死者外家前来吊唁，事主家必须到门前跪接，外家相扶才能站起，否则长跪。前来吊丧的送爆竹、纸钱、元宝、香竹、白布被，以悼念死者。办丧事只煮白饭、花菜、黄豆煮猪肉等简单饭菜。完丧次日，亲友要回访事主家。

1957 年 12 月，该村与鹤田村民兴建龙山鹤田大堤，堤长 2.2 千米。1997 年 5 月 8 日，发生特大洪灾，村中房屋损毁严重，稻田全被淹没。

（资料填报：罗庙强，初稿撰写：罗庙强，总纂：李协湖）

田辽江村

◎ 田辽江村村貌（摄于 2016 年）

田辽江村，位于龙山镇南部，距镇政府 0.3 千米。该村始建于明嘉靖中期，由从化县（今广州市从化区）凤院村欧阳族人分支搬迁而形成。因该村地势平坦、开阔，不远处有滘二河，由此得名为田辽江村。

该村坐落于丘陵地带，村落坐北向南，东邻国道 G106，南靠省道 S354 线，西毗邻温氏饲料厂，北与岭仔顶村旧址相连。国道、省道、县道在村庄附近经过，形成便利的交通网络。

村形成时，属清远县滘江乡。清朝时期，属清远县滘一乡。民国时期，属清远县滘江区忠安乡。中华人民共和国成立初期，属清远县第六区鹤田乡。1958 年 7 月，第六区（今龙山镇）划归佛冈县管辖，属佛冈县龙山乡。1958 年 10 月，佛冈县并入从化县，属从化县滘江人民公社鹤田大队。1959 年 5 月，属从化县龙山人民公社鹤田大队。1961 年 5 月，佛冈由从化县分出，属佛冈县龙山人民公社鹤田大队。1983 年 12 月，属龙山区鹤田乡。1987 年 1 月，属龙山镇鹤田行政村。1989 年 11 月，属龙山镇鹤田管理区。1998 年 11 月，属龙山镇鹤田行政村至今。

世居村民为欧阳、杨姓，其中欧阳姓氏占大部分。据鹤田欧阳氏家族编撰的族谱《欧阳谱志》记载，欧阳氏于明嘉靖中期由从化县迁至该地。杨姓村民是南海杨姓的一个分支，据《杨氏族谱》记载，杨氏于明万历十二年（1584 年），由南海县罗村大沙堤迁出，先前在滘江门楼富五斗处，后迁入鹤田村，明万历中期再分村迁至该地。

2015 年末，户籍人口 447 人，其中男性 221 人，女性 226 人；80 岁以上 11 人，最年长者 88 岁（男）。实际在村人口 313 人。户籍人口中，生活主要依靠农业收入的 313 人，常年在城镇生活和打工的 134 人。村民均为汉族，广府民系，使用粤方言。

村有耕地面积 17.67 公顷，山地面积 16 公顷。传统经济以农业为主，主要作物有水稻、番薯、芋头、花生、木薯、大豆、蔬菜等。现以种植粮食作物、果树、经济林木为主。传统节庆食品有：春节的咸糖环、油炸角、炒米饼，元宵节的汤圆，清明节的糯米艾糍，端午节的粽子，中秋节的月饼，滘江醋等。20 世纪 80 年代以后，大部分青壮年外出打工。2010 年后，村庄附近工厂企业的兴建，不仅带来商机和就业机会，也带来不少的外来人口在村居住，村民收入发

◎ 亿利达风机制冷有限公司（摄于 2010 年）

◎ 欧阳氏族辈序石刻（摄于 2016 年）

生较大变化，主要经济收入来源为：农业收入、务工性工资、商业经营、房屋出租收入等。

村于 1971 年通电，1990 年通电话，2007 年通自来水、村内道路实现水泥硬底化，2012 年通光纤网络。村中设有垃圾收集桶，村居卫生良好。

传统民居具有鲜明的广府民居特色，现存 17 座。村落呈棋盘形，房屋排列整齐，巷道纵横交错，贯通全村。传统民居为砖木结构，悬山顶，盖灰瓦，青砖或泥砖墙体，两房一厅，两廊一天井布局，每座建筑面积约 120 平方米。20 世纪 80 年代后，村民在传统民居四周建造钢筋混凝土楼房，大家都搬入楼房居住。传统民居改为出租屋或堆放杂物。

该村与其他村的欧阳族人共同修有《欧阳谱志》，是由鹤田欧阳族人欧阳秋明于 2000 年编纂。族谱记载佛冈县欧阳族人的迁徙及繁衍分支情况。

每逢春节之际，该村欧阳姓和杨姓村民分别会到鹤田欧阳宗祠和杨氏宗祠拜祭祖先，并为家人祈福。元宵佳节，村中生有男婴的家庭则会到宗祠挂上灯笼，俗称“吊灯”，目的是希望祖先保佑自家孩子健康成长。此外，宗祠还作为同姓族人商议村中事务、逢年过节聚餐之用。

◎ 田辽江村传统民居（摄于 2016 年）

主要传统民俗活动为清明祭祖。清明节是悼念祖先的节日，家家户户门楣插柳枝和桃叶以驱邪，采艾做糍，名为“艾糍”。扫墓一般从清明前的春分起到农历四月初八，扫墓期间在外地谋生的人都尽可能赶回来祭扫祖墓。改革开放后，民间的扫墓祭祖活动逐渐恢复。

传统婚嫁习俗中有结婚前要担定婚茶、报日子、送聘金、定嫁妆。传统丧事习俗以土葬为主，1990 年以后逐步实行火葬。其过程为举丧、入殓、送葬、做法事，将亡灵牌位送入祠堂。完丧次日，亲友要回访事主家。

1957 年 12 月，与鹤田行政村其他村庄民众兴建鹤田大堤，堤长 2.2 千米。1997 年，遭遇严重的洪涝灾害，房屋倒塌 10 多间，村民紧急转移高处。据《欧阳谱志》记载：“自开祖以来没见过这样特大洪水。”

该村的欧阳炽荣（1972—），任佛冈县食品药品监督管理局局长。

（资料填报：罗庙强，初稿撰写：罗庙强，总纂：李协湖）

中间围

◎ 中间围村貌（摄于 2016 年）

中间围，位于龙山镇南部，距镇政府 1 千米，该村始建于明嘉靖中期，由从化县（现广州市从化区）凤院村欧阳族人分支搬迁而形成。因该村建在旧西大围和东大围中间，因此取名为中间围。

该村坐落于丘陵地带，村落坐北向南，东靠近麒麟山，南与广州市从化区接壤，西与西边村相连，北毗邻高江村。国道、省道、县道在村庄附近经过，形成便利的交通网络。

该村形成时，属清远县滘江乡。清朝时期，属清远县滘一乡。民国时期，属清远县滘江区忠安乡。中华人民共和国成立初期，属清远县第六区鹤田乡。1958 年 7 月，第六区（今龙山镇）划归佛冈县管辖，属佛冈县龙山乡。1958 年 10 月，佛冈县并入从化县，属从化县滘江人民公社鹤田大队。1959 年 5 月，属从化县龙山人民公社鹤田大队。1961 年 5 月，佛冈由从化县分出，属佛冈县龙山人民公社鹤田大队。1983 年 12 月，属龙山区鹤田乡。1987 年 1 月，属龙山镇鹤田行政村。1989 年 11 月，属龙山镇鹤田管理区。1998 年 11 月，属龙山镇鹤田行政村至今。

世居村民为欧阳姓、杨姓，其中欧阳姓氏占大部分。欧阳姓氏村民于明中期由从化县凤院村迁居而来。据鹤田欧阳氏家族编撰的族谱《欧阳谱志》记载："欧阳氏于明嘉靖二年（1523），由从化县于十六世分支开祖以来建立，距今 400 多年历史。"杨姓村民是南海杨姓的一个分支，据《杨氏族谱》记载，杨氏于明万历十二年（1584 年），由南海县罗村大沙堤迁出，先前在滘江门楼富五斗处，后迁入鹤田村。明万历中期再分村迁入该地。

2015 年末，户籍人口 436 人，其中男性 210 人，女性 226 人；80 岁以上 6 人，最年长者 93 岁（男）。实际在村人口 303 人。生活主要依靠农业收入的 303 人，常年在城镇生活和打工的 133 人。村民为汉族，广府民系，使用粤方言。

村有耕地面积 21.73 公顷，山地面积 15.67 公顷。传统经济以农业为主，作物有水稻、番薯等，经济作物有芋头、花生、木薯、大豆、蔬菜、果树等。现以种植粮食作物、果树、经济林木为主。特色农产品为荔枝、龙眼。传统节庆食品有：春节的咸糖环、油炸角、炒米饼，元宵节的汤圆，清明节的糯米艾糍，端午节的粽子，中秋节的月饼，滘江醋（俗

◎ 中间围的荔枝园（摄于 2016 年）

称臭屁醋）等。妇女生小孩坐月子时，有喝糯米甜酒，吃猪脚甜醋的习惯。20 世纪 80 年代以后，大部分青壮年外出打工。2010 年后，村庄附近工厂企业的兴建，不仅带来商机和就业机会，也带来不少的外来人口在村居住，村民收入发生较大变化，主要经济收入来源为：农业收入、务工性工资、商业经营、房屋出租收入等。

村于 1971 年通电，1990 年通电话，2007 年通自来水、村内道路实现水泥硬底化，2012 年通光纤网络。村中设有垃圾收集桶，村居卫生良好。

传统民居现存 11 座。村落呈棋盘形，房屋排列整齐，巷道纵横交错，贯通全村。传统民居为砖木结构，悬山顶，盖灰瓦，青砖或泥砖墙体，两房一厅，两廊一天井布局，每座建筑面积约 120 平方米。20 世纪 80 年代后，村民在传统民居四周建造钢筋混凝土结构楼房，大部分村民搬入楼房居住。传统民居改为出租屋或堆放杂物。

该村与其他村欧阳族人共同修有《欧阳谱志》，是由鹤田欧阳族人欧阳秋明于 2000 年编纂。族谱记载佛冈县欧阳族人的迁徙及繁衍分支情况。

每逢农历新年之际，欧阳姓和杨姓村民分别会到鹤田欧阳宗祠和杨氏宗祠拜祭祖先，并为家人祈福。元宵佳节，村中生有男婴的家庭则会到宗祠挂上灯笼，俗称“吊灯”，目的是希望祖先保佑自家孩子健康成长。此外，宗祠还作为同姓族人商议村中事务、逢年过节聚餐之用。

◎ 鹤田杨氏宗祠（摄于 2016 年）

◎ 传统民居（摄于 2016 年）

传统节令习俗有：春节前的祭灶、岁末守岁、张贴春联；春节的开门迎福和拜年；正月十五元宵节上灯；清明节祭祖扫墓；端午节裹粽子祭河神；中秋节团圆赏月；九月重阳节登高等。

◎ 春节瑞狮拜年（摄于2016年）

在传统婚嫁习俗中，结婚前要担定婚茶、“睇家风”、报日子、送聘金、定嫁妆这些礼节仍然存在。结婚时，男、女两家都要摆酒请客，女家摆酒用的肉米酒菜大多是男家筹备。迎亲和送亲时，男方要用车队上女方家迎接新娘和亲友。摆酒时，新郎新娘向亲友敬酒，宾客也要回赠红包。2010年后，部分青年采取旅行结婚度蜜月或者参加集体婚礼的。在婚礼服饰上，也体现出中西结合的现代气派，宴请前新郎新娘拍结婚照、接新娘时花车巡游、婚宴上西装婚纱迎客，已成为新的婚嫁潮流。传统丧事习俗以土葬为主。1990年以后逐步实行火葬。其程序为举丧、入殓、出殡、送葬、做法事，将亡灵送入祠堂。村中仍然沿袭了一些丧葬的旧习，出殡时送殡队敲锣打鼓、燃放爆竹送行。由死者长女婿扛一支五六米的竹竿，上挂红布作幡走在前面。葬后把竹竿扛回，红布给长女婿取回家中以作辟邪，神主牌由子孙送往祠堂入位，至此丧事才告完结。办丧事只煮白饭、豆腐、猪肉焖笋干等简单的饭菜。

1997年5月8日，早上8点至傍晚10多个小时连降暴雨，水深达2米多。耕地全部被淹没，房屋倒塌60多间，造成数十户人家无家可归，幸未造成人员伤亡。灾情发生后，村民积极互助救灾，互相帮忙，让受灾损失家庭的村民尽快恢复生产生活。

（资料填报：罗庙强，初稿撰写：罗庙强，总纂：李协湖）

高江村

◎ 高江村村貌（摄于 2016 年）

高江村，位于龙山镇南部，距镇政府 0.5 千米。该村始建于明嘉靖中期，由从化县（今广州市从化区）凤院村欧阳族人分支搬迁而形成。因该村建在滘江河畔，故取名为高江村。

该村坐落于丘陵地带，村落坐北向南，东与龙山镇镇圩相连，南是一片田畴，西毗邻东大围村，北与官路唇行政村交界。国道、省道、县道在村庄附近经过，形成便利的交通网络。

村形成时，属清远县滘江乡。清朝时期，属清远县滘一乡。民国时期，属清远县滘江区忠安乡。中华人民共和国成立初期，属清远县第六区鹤田乡。1958 年 7 月，第六区（今龙山镇）划归佛冈县管辖，属佛冈县龙山乡。1958 年 10 月，佛冈县并入从化县，属从化县滘江人民公社鹤田大队。1959 年 5 月，属从化县龙山人民公社鹤田大队。1961 年 5 月，佛冈由从化县分出，属佛冈县龙山人民公社鹤田大队。1983 年 12 月，属龙山区鹤田乡。1987 年 1 月，属龙山镇鹤田行政村。1989 年 11 月，属龙山镇鹤田管理区。1998 年 11 月，属龙山镇鹤田行政村至今。

该世居村民姓欧阳。据鹤田欧阳氏家族编撰的族谱《欧阳谱志》记载，欧阳氏于明嘉靖中期由从化县迁入该地。

2015 年末，户籍人口 576 人，其中男性 296 人，女性 280 人；80 岁以上 18 人，最年长者 92 岁（女）。实际在村人口 291 人，留守儿童 3 人。生活主要依靠农业收入的 291 人，常年在城镇生活和打工的 285 人。村民均为汉族，广府民系，使用粤方言。

村有耕地面积 16 公顷，山地面积 20.67 公顷。传统经济以农业为主，主要作物有水稻、番薯、芋头、花生、木薯、大豆、蔬菜等。现以种植粮食作物、蔬菜、果树、经济林木为主。饲养鸡、鸭、鹅和猪、牛、羊等。传统节庆食品有：春节的咸糖环、油炸角、炒米饼，元宵节的汤圆，清明节的糯米艾糍，端午节的粽子，中秋节的月饼，滘江醋等。20 世纪 80 年代以后，大部分青壮年外出打工。2010 年后，村庄附近工厂企业的兴建，村民收入发生较大变化，主要经济收入来源为：农业收入、务工性工资、商业经营、房屋出租收入等。

村于 1971 年通电，1990 年通电话，2007 年通

◎ 健泰五金电器有限公司（摄于 2016 年）

◎ 小孩子在休闲公园健身（摄于 2016 年）

自来水、村内道路实现水泥硬底化，2012 年通光纤网络。2014 年，修建村居休闲公园和文化室，丰富村民的文体生活，促进新农村面貌的改善。村中设有垃圾收集桶，村居卫生良好。

村落呈棋盘形，房屋排列整齐，巷道纵横交错，贯通全村。传统民居现存 2 座。民居为砖木结构，悬山顶，盖灰瓦，青砖或泥砖墙体，两房一厅，两廊一天井布局，每座建筑面积约 120 平方米。20 世纪 80 年代后，村民在传统民居四周建造钢筋混凝土楼房，大部分村民搬入楼房居住。传统民居改为出租屋或堆放杂物。

◎ 传统民居（摄于 2016 年）

欧阳宗祠是鹤田欧阳族人的宗祠。每逢农历新年之际，该村村民都会到宗祠拜祭祖先，并为家人祈福。接着而至的元宵佳节，村民则会到宗祠为家中新生男孩挂上灯笼，俗称“吊灯”，目的是希望祖先保佑自家孩子健康成长。此外，宗祠还作为同姓族人商议村中事务、逢年过节聚餐之用。宗祠前面的空地两边各竖立旗杆夹石，上面刻有“恩科中试 101 名举人，同治元年岁次壬戌科并补己未”的字样，是当时欧阳家族历史功名的记载。该祠堂于 1999 年重修，总体布局基本完整，具有鲜明的岭南建筑风格。2012 年被录入佛冈县不可移动文物名录。

◎ 旗杆夹石（摄于 2016 年）

村修有《欧阳谱志》，是由鹤田欧阳族人欧阳秋明于 2000 年编纂。族谱记录欧阳族人辈序为：“仲国叔景，高先以民。永广时之，崇曰文思。世士振立，今尚于光。汝克可效，天兆孔良。彝伦攸叙，寿尔载尝。保佑盛鼎，厥后定昌。耕读本务，义礼恭纲。业精志恒，行洁勤廉。怀惟经纬，理哲发祥。奕柯普绣，才德益彰。积功厚显，友爱谦让。名扬家馨，鸿儒腾芳。”

该村传统习俗有：春节拜年、元宵上灯、清明祭祖等。春节期间的习俗为：农历十二月二十三叫“过小年”，家家户户打扫庭院、做年货。过去还有在“小年夜”的晚饭后送灶君、年三十晚接灶君的习俗，后来已消失。到年三十，吃“团年饭”饭后

◎ 村民购买盆橘迎春（摄于 2016 年）

长者要给小孩“压岁钱”。年初一清早，各家各户相互拜年，现拜年方式改为电话、贺卡和手机短信进行。元宵节，村民有蒸发糕、做汤圆的习俗，以示庆贺春节圆满结束。

在传统婚嫁习俗中，结婚前要担定婚茶、“睇家风”、报日子、送聘金、定嫁妆这些礼节仍然存在。结婚时，男、女两家都要摆酒请客，女家摆酒用的肉米酒菜大多是男家筹备。迎亲和送亲时，男方要用车队上女方家迎接新娘和亲友。摆酒时，新郎新娘向亲友敬酒，宾客也要回赠红包。2010 年后，部分青年采取旅行结婚度蜜月或者参加集体婚礼的。在婚礼服饰上，也体现出中西结合的现代气派，宴请前新郎新娘拍结婚照、接新娘时花车巡游、婚宴上西装婚纱迎客，已成为新的婚嫁潮流。传统丧事习俗以土葬为主。1990 年以后逐步实行火葬。其程序为举丧、入殓、出殡、送葬、做法事，将亡灵送入祠堂。村中仍然沿袭了一些丧葬的旧习，如未满 16 岁的死后只能用普通木料做棺材，竹杠抬，不上肩；50 岁以上的去世后由子孙日夜守孝，死者入殓前，子孙要到河里取水（俗称“买水”），为死者擦身、更衣，亲视入殓。出殡时送殡队敲锣打鼓、燃放爆竹送行。埋葬后，神主牌由子孙送往祠堂入位，至此丧事才告完结。办丧事只煮白饭、豆腐、猪肉炆笋干等简单的饭菜。

1997 年 5 月 8 日，该村遭受百年一遇洪涝灾害。据《欧阳谱志》记载，自开祖以来没见过这样特大洪水，早上 8 点至傍晚，10 多个小时连降暴雨，水深达 2 米多，耕地全部淹没，房屋倒塌 60 多间，造成数十户村民无家可归，幸未造成人员伤亡。灾情发生后，村民积极互助救灾，互相帮忙，让受灾损失家庭的村民尽快恢复生产生活。

（资料填报：罗庙强，初稿撰写：罗庙强，总纂：李协湖）

岭仔顶村

◎ 岭仔顶村村貌（摄于 2016 年）

岭仔顶村，位于龙山镇南部，距镇政府 0.8 千米。该村始建于明嘉靖中期，由从化县（今广州市从化区）凤院村欧阳族人分支搬迁而形成。因该村建在小山岭上面，由此得名为岭仔顶村。

该村坐落于丘陵地带，村落坐北向南，东与中间围村相连，南与琴石咀村毗邻，西是一片田畴，北邻近田辽江村。国道、省道、县道在村庄附近经过，形成便利的交通网络。

村形成时，属清远县滘江乡。清朝时期，属清远县滘一乡。民国时期，属清远县滘江区忠安乡。中华人民共和国成立初期，属清远县第六区鹤田乡。1958 年 7 月，第六区（今龙山镇）划归佛冈县管辖，属佛冈县龙山乡。1958 年 10 月，佛冈县并入从化县，属从化县滘江人民公社鹤田大队。1959 年 5 月，属从化县龙山人民公社鹤田大队。1961 年 5 月，佛冈由从化县分出，属佛冈县龙山人民公社鹤田大队。1983 年 12 月，属龙山区鹤田乡。1987 年 1 月，属龙山镇鹤田行政村。1989 年 11 月，属龙山镇鹤田管理区。1998 年 11 月，属龙山镇鹤田行政村至今。

世居村民为欧阳、杨姓，其中欧阳姓氏占大部分。据鹤田欧阳氏家族编撰的族谱《欧阳谱志》记载，欧阳氏于十六世分支后，于明嘉靖中期由从化县迁至该地。杨姓村民是南海杨姓的一个分支，据《杨氏族谱》记载，杨氏于明万历十二年（1584 年）由南海县罗村大沙堤迁出，先前在滘江门楼富五斗处。后迁入鹤田村，明万历中期再分村迁至该地。

2015 年末，户籍人口 251 人，其中男性 114 人，女性 137 人；80 岁以上 10 人，村中最年长者 90 岁（男）。实际在村人口 177 人。生活主要依靠农业收入的 177 人，常年在城镇生活和打工的 74 人。祖籍该村的香港同胞 28 人。村民均为汉族，广府民系，使用粤方言。

村有耕地面积 11.47 公顷，山地面积 9.07 公顷，传统经济以农业为主，主要作物有水稻、番薯、芋头、花生、木薯、大豆、蔬菜等。现以种植粮食作物、果树、蔬菜、经济林木为主。养殖鸡、鸭、鹅和猪、牛、羊等。传统节庆食品有：元宵节的汤圆，清明节的糯米艾糍，端午节的粽子，中秋节的月饼，滘江醋等。20 世纪 80 年代以后，大部分青壮年外出打工。2010 年后，村庄附近工厂企业的兴建，不仅带来商机和就业机

◎ 约克（广州）空调冷冻设备有限公司（摄于 2016 年）

◎ 武术队表演武术（摄于 2016 年）

会，也带来不少的外来人口在村居住，村民收入发生较大变化，主要经济收入来源为：农业收入、务工性工资、商业经营、房屋出租收入等。

村于 1971 年代初通电，1990 年通电话，2007 年通自来水、村内道路实现水泥硬底化，2012 年通光纤网络。村中设有垃圾收集桶，村居卫生良好。

传统民居具有鲜明的广府民居特点，现存 14 座。村落呈棋盘形，房屋排列整齐，巷道纵横交错，贯通全村。传统民居为砖木结构，悬山顶，盖灰瓦，青砖或泥砖墙体，两房一厅，两廊一天井布局，每座建筑面积约 120 平方米。20 世纪 80 年代后，村民在传统民居四周建造钢筋混凝土楼房，大部分村民搬入楼房居住。传统民居改为出租屋或堆放杂物。

每逢农历新年之际，该村欧阳姓和杨姓村民分别会到鹤田欧阳宗祠和杨氏宗祠拜祭祖先，并为家人祈福。

◎ 传统民居（摄于 2016 年）

该村与鹤田行政村其他村的欧阳族人共同修有《欧阳谱志》，是由鹤田欧阳族人欧阳秋明于 2000 年编纂。族谱记载佛冈县欧阳族人的迁徙及繁衍分支情况。

传统民间习俗，主要有:舞狮、上灯、拜祠堂等。传统节日以春节、元宵节、清明节、端阳节、中秋节、冬至节等节为主。村民在春节和重要活动时都有舞狮的庆祝习俗。舞狮时，狮队成员撑着狮旗，众人围腰束身，手持刀、枪、剑、戟、飞靶等武器，簇拥舞动的狮子前进。春节期间到各村庄及住房门口舞狮朝拜，锣鼓、鞭炮齐鸣，狮队将起舞的狮子围住，村民围观。狮队在狮子完成“采青”仪式并朝拜后，才舞向另一处。

传统婚嫁习俗的中原古制“六礼”，在该村有部分仍然保留，如睇家风、定碟、拣日子、送日子、送聘金礼饼、送嫁妆、三朝回门等。传统丧葬风俗庄严繁杂，多沿用古中原的传统，以土葬为主。2000 年后逐步实行火葬，其程序包括竖灵、收殓、引灵、接体、奠礼、出殡、火化、安葬。

1997 年 5 月 8 日，早上 8 点至傍晚 10 多个小时连降暴雨，水深达 2 米多。耕地全部淹没，房屋倒塌 56 间，造成数 23 户人家无家可归，幸未造成人员伤亡。灾情发生后，村民积极互助救灾，互相帮忙，让受灾损失家庭的村民尽快恢复生产生活。

（资料填报：罗庙强，初稿撰写：罗庙强，总纂：李协湖）

永福村

◎ 永福村村貌（摄于2016年）

永福村，位于龙山镇南部，距镇政府0.7千米。该村始建于明嘉靖中期，由广东南海县（今佛山市南海区）杨氏族人分支搬迁而形成。据村中老人讲述，建村时，村民祈求永远过上幸福生活，故取名为永福村。

该村坐落于丘陵地带，村落坐北向南，东与官路唇行政村交界，南是旧民龙公路，西和北靠山。国道、省道、县道在村庄附近经过，形成便利的交通网络。

村形成时，属清远县滘江乡。清朝时期，属清远县滘一乡。民国时期，属清远县滘江区忠安乡。中华人民共和国成立初期，属清远县第六区鹤田乡。1958年7月，第六区（今龙山镇）划归佛冈县管辖，属佛冈县龙山乡。1958年10月，佛冈县并入从化县，属从化县滘江人民公社鹤田大队。1959年5月，属从化县龙山人民公社鹤田大队。1961年5月，佛冈由从化县分出，属佛冈县龙山人民公社鹤田大队。1983年12月，属龙山区鹤田乡。1987年1月，属龙山镇鹤田行政村。1989年11月，属龙山镇鹤田管理区。1998年11月，属龙山镇鹤田行政村至今。

世居村民为欧阳、杨姓，其中欧阳姓氏占大部分。据鹤田欧阳氏家族编撰的族谱《欧阳谱志》记载，欧阳氏于明嘉靖中期由从化县迁至该地。杨姓村民是南海杨姓的一个分支，据《杨氏族谱》记载，杨氏于明万历十二年（1584年）由南海县罗村大沙堤迁出，先前在滘江门楼富五斗处。后迁入鹤田村，明万历中期再分村迁至该地。

2015年末，户籍人口205人，其中男性99人，女性106人；80岁以上3人，最年长者83岁（男）。实际在村人口125人。生活主要依靠农业收入的有125人；常年在城镇生活和工作的有80人。村民为汉族，广府民系，使用粤方言。

村有耕地面积6.87公顷，山地面积7.33公顷，传统经济以农业为主，主要作物有水稻、番薯、芋头、花生、木薯、大豆、蔬菜等。现以种植粮食作物、果树、经济林木为主。畜牧业养殖家禽、家畜。传统食品为滘江醋。妇女生小孩坐月子时，有喝糯米甜酒，吃猪脚甜醋的习惯。20世纪80年代以后，大部分青壮年外出打工。2010年后，村庄附近工厂企业的兴建，不仅带来商机和就业机会，也带来不少的外

◎ 亚联电子有限公司生产车间（摄于2016年）

来人口在村居住，村民收入发生较大变化，主要经济收入来源为：农业收入、务工性工资、商业经营、房屋出租收入等。

村于1971年通电，1990年通电话，2007年通自来水、村内道路实现水泥硬底化，2012年通光纤网络。村中设有垃圾收集桶，村居卫生良好。

村落呈棋盘形，房屋排列整齐，巷道纵横交错，贯通全村。传统民居具有鲜明的广府民居特点，现存13座。传统民居为砖木结构，悬山顶，盖灰瓦，青砖或泥砖墙体，两房一厅，两廊一天井布局，每座建筑面积约120平方米。20世纪80年代后，村民在传统民居四周建造钢筋混凝土楼房，大部分村民搬入楼房居住。传统民居改为出租屋或堆放杂物。

该村与东大围、西江村等鹤田行政村的欧阳族人共修《欧阳谱志》，是由鹤田欧阳族人欧阳秋明于2000年编纂。族谱记载佛冈县欧阳族人的迁徙及繁衍分支情况。

逢年过节，该村欧阳姓和杨姓村民分别会到鹤田欧阳宗祠和杨氏宗祠拜祭祖先，并为家人祈福。此外，宗祠还作为同姓族人商议村中事务、逢年过节聚餐之用。

传统节令习俗有：春节前的祭灶、岁末守岁、张贴春联；春节的开门迎福和拜年；正月十五元宵节上灯；清明节祭祖扫墓；端午节裹粽子祭河神；中秋节团圆赏月；九月重阳节登高等。

在传统婚嫁习俗中，中原古制“六礼”，在该村已很少见到，但结婚前要担定婚茶、“睇家风”、报

◎ 传统民居（摄于2016年）

日子、送聘金、定嫁妆这些礼节仍然存在。结婚时，男、女两家都要摆酒请客，女家摆酒用的肉米酒菜大多是男家筹备。迎亲和送亲时，男方要用车队上女方家迎接新娘和亲友。摆酒时，新郎新娘向亲友敬酒，宾客也要回赠红包。2010 年后，部分青年采取旅行结婚度蜜月或者参加集体婚礼的。在婚礼服饰上，也体现出中西结合的现代气派，宴请前，新郎新娘拍结婚照、接新娘时花车巡游、婚宴上西装婚纱迎客，已成为新的婚嫁潮流。传统丧事习俗以土葬为主。1990 年以后逐步实行火葬。其程序为举丧、入殓、出殡、送葬、做法事，将亡灵送入祠堂。村中仍沿袭一些丧葬的旧习，如未满 16 岁的死后只能用普通木料做棺材，竹杠抬，不上肩；50 岁以上的去世后由子孙日夜守孝，死者入殓前，子孙要到河里取水（俗称“买水”），为死者擦身、更衣，亲视入殓。出殡时送殡队敲锣打鼓、燃放爆竹送行，由死者大女婿扛一支 5 至 6 米长竹竿，上挂红布作幡走在前面。葬后竹竿扛回，红布给大女婿取回家中以作辟邪，神主牌由子孙送往祠堂入位，至此丧事才告完结。

◎ 洪灾后重建的永福村民居（摄于 2016 年）

办丧事只煮简单的饭菜。

1997 年 5 月 8 日，连降暴雨，滘江超过历史水位近 2 米高。耕地全浸没，50 多间房屋倒塌，100 多人无家可归，幸未造成人员伤亡。洪灾过后，由政府资助，村民重建家园，建成永福新村。

该村的杨灶莲（1970—），女，中学英语高级教师，现任教于佛冈一中。

（资料填报：罗庙强，初稿撰写：罗庙强，总纂：李协湖）

○黄塱行政村

旧 围

◎ 旧围村貌（摄于 2016 年）

旧围，位于龙山镇西南部，距镇政府 6 千米。该村始建于清嘉庆年间，由清远田心村陈氏族人分支搬迁而形成。村中老人讲述，因陈氏祖宗在黄塱建村时，分别建上围、下围两村，其中上围改名为旧围。

该村坐落于丘陵地带，耕地平坦，土壤肥沃，是当地粮食主产区。村庄坐北向南，村东与风华村相邻，村南是一片田畴，西面紧靠民龙公路，北面与凤洲相望。

清朝时期，该村属清远县�一乡。民国时期，属清远县潖江区仁安乡。中华人民共和国成立初期，属清远县第六区黄塱乡。1958 年 7 月，清远县第六区（今龙山镇）划归佛冈县辖，属佛冈县黄塱乡。1958 年 10 月，佛冈县并入从化县，属从化县潖江人民公社黄塱大队。1959 年 5 月，属从化县龙山人民公社黄塱大队。1961 年 5 月，佛冈县由从化县分出，属佛冈县龙山人民公社黄塱大队。1983 年 12 月，属龙山区黄塱乡。1987 年 1 月，属龙山镇黄塱行政村。1989 年 11 月，属龙山镇黄塱管理区。1994 年 1 月，属龙山镇黄塱管理区。1998 年 11 月，属龙山镇黄塱行政村至今。

世居村民为陈姓。据《黄塱陈氏原谱之修谱序》记载，陈姓入粤始祖为陈輀，从江西太和县徙入广东，其第七世孙陈念二（字马福，号康侯）于南宋绍兴年间由东莞桥头迁徙至清远田心村。清嘉庆年间陈清迁至潖江黄塱，黄塱陈氏始祖是陈清，其后代从黄塱村分出形成旧围。

2015 年末，户籍人口 677 人，其中男性 349 人，女性 328 人；80 岁以上 9 人，最年长者 90 岁（女）。实际在村人口 545 人。生活主要依靠农业收入有 545 人；常年在城镇生活和打工有 132 人。农村留守儿童 23 人。村民均为汉族，广府民系，使用粤方言。

村有耕地面积 61.33 公顷，山地面积 9.33 公顷。传统经济以农业为主，主要作物有水稻、沙糖桔、番薯、木薯、花生、甘蔗等。1990 年，较多村民种植沙糖桔，当时沙糖桔一度成为村民收入的主

◎ 梅花鹿养殖场（摄于 2010 年）

◎ 旧围民居（摄于 2016 年）

要来源。2013 年后，由于沙糖桔黄龙病蔓延，导致果树枯黄病死，沙糖桔失收后，村民改种其他农作物，有的种植冬瓜、丝瓜，芋头等蔬菜，有的改为禽畜饲养，办起养殖场，并引进广东斑龙生态科技园梅花鹿养殖基地。传统食品主要有糯米饼、油角、咸糖环、焖鹅、糯米糍、艾糍、粽子等。特色农产品有沙葛、粉葛等。沙葛，俗名凉薯、地萝卜，属草质藤本植物，是地下根块。沙葛肉色雪白，味甜多汁，肉质脆嫩，可当作蔬菜、水果食用，也可用来提取淀粉。扁锥体模样，普通的每只 0.5—1 千克，大的 2.5—3 千克。沙葛可以生吃，也可以炒熟吃。生吃时可以生津解渴，熟吃时甘甜爽口。沙葛炒肉片，肉片嫩，沙葛脆，别有一种风味。2000 年以后，大部分青壮年外出打工。村民主要收入来源为农业收入，外出务工收入。

村于 1975 年通电，1993 年通电话，2008 年全村基本实现水泥硬底化。该村在建围初期，只有简易的乡间小路通广州韶关，1991 年将县道 X376 线龙山至民安段改建成山区二级公路，2001 年又将路面进行改造升级，直接打通民安到佛冈县城的通道，大大改善村民的出行。2010 年通网络和有线电视。村中建有垃圾收集池并设置垃圾桶，村里的卫生环境得到改善。

传统民居建于清代、民国时期及中华人民共和国成立初期，现存 10 座。传统民居为四房一厅，两廊一天井布局，其建筑为硬山顶，盖灰瓦，三合土或用青砖砌成的墙体，每座民居占地约 110 平方米。民居都是坐北向南，二横七纵，呈回字形布局，其特点为小天井大进深，布局紧凑的平面形式，具有通风与阴凉的岭南建筑特色，还依据自然条件包括地理条件、气候特点，体现出防潮、防晒的特点。20 世纪 90 年代以后，村民兴建钢筋混凝土结构楼房，楼房多为三房一厅一厨一卫布局，有的楼房留有停车位。传统民居现已闲置或者堆放杂物。

传统的节日为春节、元宵节、清明节、四月八、端午节、六月六、七夕、七月半、中秋节、重阳节、十月朝、冬至等。村民有过六月六节日的习俗。当地称农历六月初六为尝新节。其时正是收割早稻的时候，村民把新割下的稻米做成糍粑，家家户户庆祝一年最早的收成。

◎ 春节期间村民购买春联（摄于 2016 年）

传统婚嫁习俗一般有担定婚茶、睇（看）家风、报日子、送聘金、定嫁妆这些礼节。中华人民共和国成立前，男婚女嫁为“父母之命，媒妁之言”所决定，还存在有抱养穷人家女童作“童养媳”、未生男孩的人家抱养“等郎妹”的习俗。男女婚嫁是终身大事，都要经过相亲、订婚、迎亲等程序。相亲是由媒人牵线，约男家的人去女家看人。若男家有意，即授意媒人向女方家长索取其女儿出生的年月日时（俗称“生辰八字”），带回男家。男方家长请人卜算后，如男女“相生”，则男家叫媒人陪伴送礼去女家“报合”；如男女“相克”，则将女子“生辰八字”退回女家，婚事作罢。订婚的第一步是下定礼（俗称“座茶”或叫“小担”），即男方送定金、酒米、肉类给女方，表示合成婚事。商定成亲日期及礼金后，按照礼规进行过礼，由男方出具礼帖把礼物、聘金送给女方，女方要回一份礼帖给男方。迎亲是男家叫算命先生择定结婚吉日，由媒人通知女方。届时男方的迎亲队伍带着礼帖、礼物，吹起八音、敲锣打鼓、抬着花轿到女家迎新娘（俗称“迎亲”）。女家把嫁妆、礼物随新娘一起送回男家（俗称“送亲”）。新娘到达男家后，举行拜堂仪式，随后送入洞房，闹洞房后迎亲仪式即告结束。中华人民共和国成立后，婚嫁习俗逐渐发生变化。随着历史的进步，婚事新办的风气越来越浓厚。男女双方自由恋爱到结婚，必须先到民政部门登记才成为合法夫妻。登记后，一般都到酒店或在家中宴请宾客。近年来也有采取旅行结婚度蜜月或参加集体婚礼的。

◎ 旧围门楼（摄于2016年）

传统丧事习俗以土葬为主。1990年以后逐步实行火葬。其程序为举丧、入殓、出殡、送葬、做法事，将亡灵送入祠堂。村中仍然沿袭一些丧葬的旧习，如未满16岁的死后只能用普通木料做棺材，竹杠抬，不上肩；50岁以上的去世后由子孙日夜守孝。入殓前，子孙要到河里取水（俗称“买水”），为死者擦身、更衣，亲视入殓。出殡时送殡队敲锣打鼓、燃放爆竹送行。埋葬后，神主牌由子孙送往祠堂入位，至此丧事才告完结。办丧事时只煮白饭、豆腐、猪肉焖笋干等简单的饭菜。

1957年1月，兴建龙山凤洲大堤，堤长7.8千米。1975年冬，动工兴建龙山凤洲西排涝工程（截洪工程），与邻村共动用4000多人，历时一个冬春，新开出一条长4000米，底宽15米，水深2.2米的渠道，排除14.6平方千米的客水，减轻凤洲围内荷田电排站的排水压力。1984年5月30日，该村遭遇龙卷风及冰雹袭击，倒塌房屋10多间，受伤3人，通信、电力设施遭到严重破坏，经济受到一定损失。

该村的陈榕华（1952—2004），曾任佛冈县人民政府副县长。陈间清（1979—），女，环境管理中级工程师职称，佛冈县第九届政协委员，被授予全国第一次污染源普查先进个人。

（资料填报：黄华昌，初稿撰写：黄华昌，总纂：李协湖）

东西村

◎ 东西村村貌（摄于 2016 年）

东西村，位于龙山镇西南部，距镇政府约 5 千米。该村始建于清嘉庆年间，由清远田心村陈氏族人分支搬迁而形成。因村落位于龙山至民安的大路旁东西两边，故取名为东西村，曾用名下围村。

该村坐落于丘陵地带，耕地平坦，土壤肥沃，是当地粮食主产区。村庄坐北向南，村东与高围村相邻，村南是耕地，村西紧靠联凤村，北面与旧围村接壤。溪流（小海仔）由东向西从村旁流过，流长约 1000 米，溪流现已干涸。县道 X376 线从村前经过。

清朝时期，该村属清远县滘一乡。民国时期，属清远县滘江区仁安乡。中华人民共和国成立初期，属清远县第六区黄塱乡。1958 年 7 月，第六区（今龙山镇）划归佛冈县辖，属佛冈县黄塱乡。1958 年 10 月，佛冈县并入从化县，属从化县滘江人民公社黄塱大队。1959 年 5 月，属从化县龙山人民公社黄塱大队。1961 年 5 月，佛冈县由从化县分出，属佛冈县龙山人民公社黄塱大队。1983 年 12 月，属龙山区黄塱乡。1987 年 1 月，属龙山镇黄塱行政村。1989 年 11 月，属龙山黄塱管理区。1994 年 1 月，属龙山镇黄塱管理区。1998 年 11 月，属龙山镇黄塱行政村至今。

世居村民为陈姓。据《黄塱陈氏原谱之修谱序》记载，陈姓入粤始祖为陈軏，从江西太和县徙入广东，其第七世孙陈念二（字马福，号康侯）于南宋绍兴年间由东莞桥头徙清远田心村。清嘉庆年间陈清迁至滘江黄塱，黄塱陈氏始祖是陈清，其后代从黄塱村分出形成东西村。

2015 年末，户籍人口 375 人，其中男性 185 人，女性 190 人；80 岁以上 13 人，最年长者 96 岁（女）。实际在村居住人口 193 人，留守儿童 2 人。生活主要依靠农业收入 193 人，常年在城镇居住和打工的 182 人。村民均为汉族，广府民系，使用粤方言。

村有耕地面积 36.67 公顷，山地面积 6 公顷。传统经济以农业为主，主要作物有水稻、沙糖桔、番薯、木薯、花生、甘蔗、芋头等。禽畜饲养有鸡、鸭、鹅等家禽和猪、牛、羊等家畜。渔业主要蓄水养殖四大家鱼等。20 世纪 90 年代初，大部分村民种植沙糖桔，当时沙糖桔一度成为村民收入的主要来源。2013 年后，由于沙糖桔黄龙病蔓延，导致绝大部分果树枯黄病死，沙糖桔失收后，村民改种其他农作物，

◎ 村民收花生（摄于2016年）

◎ 康侯陈公祠（摄于2016年）

有的种植冬瓜、丝瓜、芋头、花生等。传统节庆食品有糯米饼、油角、咸糖环、焖鹅、糯米糍、艾糍、粽子等。2000年以后，大部分青壮年外出打工。村民主要收入来源为农业收入，外出务工收入等。

村于1975年通电，1993年通电话，2008年全村道路基本实现水泥硬底化，2010年通网络和有线电视。村中建有垃圾收集池，设置垃圾桶，卫生环境得到改善。村内办有幼儿园，在园幼儿130人，教职工15人。

传统民居建于清代及民国时期，现存传统民居23座。村落坐北向南，呈棋盘状布局，排列有序。巷道宽2米，纵横交错，贯通全村。正座为两房一厅，两廊一天井布局。硬山顶，盖灰瓦，三合土或用青砖砌成的墙体，建筑占地面积约110平方米，具有岭南建筑特色。20世纪80年代开始，村民陆续在旧民居的四周建造钢筋混凝土结构楼房，大部分村民迁入楼房居住，传统民居大多已闲置或堆放杂物。

现存特色建筑为康侯陈公祠。该始建于清道光二十七年（1847年），2006年重修。康侯陈公祠是黄塱村陈氏族人为祀奉祖先陈康侯而建，距今160多年历史。祠堂坐北向南，总面阔25.9米，中路面阔12.9米，总进深56.2米。占地1455.6平方米。广三路，中路为三进二天井，存两侧青云巷。祠堂雄伟壮观，头门正门上方花岗岩石板上刻“康侯陈公祠”字样，落款为“道光丁未年”。门檐额木雕精美，青砖墙，头门采用花岗岩石圆柱，地面采用石块方砖铺地，属于硬山顶官帽状，博古脊，盖灰瓦。整体建筑高大坚固，总体布局基本完整，有鲜明的岭南艺术风格，对于研究佛冈县的祠堂文化有非常重要的参考价值。至今仍作宗祠、祭祀纪念使用，保存情况良好。2012年，被列入佛冈县不可移动文物名录。

◎ 东西村传统民居（摄于2016年）

整个黄塱行政村共用族

谱《黄塱陈氏原谱之修谱序》，该族谱于2001年由族人陈灼坚纂修。该族谱分为三部分：村史简介，陈氏辈序，陈氏世系。族谱录有西昌柳溪行诗句:“秉懋邦家善庆长，翼维明听焕文章。虞夏殷周汉唐宋，六经世受绍其芳。从来作述敦仁礼，万代声名启俊良。志据依由克念力，丕承祖德永光扬。”此诗句起源于江西陈氏辈分排行世系顺序。

传统节日以春节、元宵节、清明节、端午节、中秋节、冬至节等节为主。村民注重元宵节上灯，清明扫墓等。元宵上灯，男孩出生为“添丁”，因“丁”与“灯”谐音，为此在元宵节到祠堂“上灯”，表示祝贺。上灯活动大致分为迎灯、接灯、摆放供品、挂灯等程序，体现出祈求人丁兴旺的心愿。清明扫墓，每年清明节期间，村民们都会带上烧鹅、艾糍、糖、饼等供品到先人坟前扫墓，为先人烧衣纸、放鞭炮，一家大小齐齐拜祭，祈求祖先保佑一家大小平安健康。

在传统婚嫁习俗中，结婚前要担定婚茶、睇（看）家风、报日子、送聘金、定嫁妆等礼节仍然存在。结婚时，要摆酒请客，男、女两家都要摆，女家摆酒用的肉米酒菜大多是男家筹备。迎亲和送亲时，男方要用车队上女方家迎接新娘和亲友。摆酒时，新郎新娘向亲友敬酒，宾客也要回赠红包。

传统丧事风俗以土葬为主。1990年以后逐步实行火葬，其程序包括竖灵、收殓、引灵、接体、奠礼、出殡、火化、安葬，其中家族守孝、至亲戴大孝（披麻）、“头七”等依然存在。死者外家前来吊唁，事主家必须到门前跪接。前来吊丧送爆竹、纸钱、元宝、香竹、白布被以悼念死者。办丧事时只煮白饭、花菜、黄豆煮猪肉等简单饭菜。完丧次日，亲友要回访事主家。

1975年冬，动工兴建龙山凤洲西排涝工程（截洪工程），与邻村共动用4000多人，历时一个冬春，新开出一条长4000米，底宽15米，水深2.2米的大渠道。70年代中期，大搞农田基本建设，改造农田10多亩。1984年5月30日，龙山遭遇龙卷风及冰雹袭击，该村倒塌房屋20多间，受伤20人，其中1人重伤，通信、电力设施遭到严重破坏。

（资料填报：梁东波，初稿撰写：梁东波，总纂：李协湖）

凤华村

◎ 凤华村村貌（摄于 2016 年）

凤华村，位于龙山镇西南部，距镇政府约 5 千米。该村始建于清嘉庆年间，由清远田心村陈氏族人分支搬迁而形成。因村位于地形似凤凰的翅膀处，建村时希望子孙后代荣华富贵，故取名凤华村，曾用名新围仔村。

该村坐落于丘陵地带，村庄坐北向南，村东与车步行政村大围村相望，西与旧围村相邻，村南是一大片田畴，村北紧靠马鞍山。潖江在村庄的南面流过，是村庄生活和灌溉的水源。

清朝时期，该村属清远县潖一乡。民国时期，属清远县潖江区仁安乡。中华人民共和国成立初期，属清远县第六区黄塱乡。1958 年 7 月，清远县第六区（今龙山镇）划归佛冈县辖，属佛冈县黄塱乡。1958 年 10 月，佛冈县并入从化县，属从化县潖江人民公社黄塱大队。1959 年 5 月，属从化县龙山人民公社黄塱大队。1961 年 5 月，佛冈县由从化县分出，属佛冈县龙山人民公社黄塱大队。1983 年 12 月，属龙山区黄塱乡。1987 年 1 月，属龙山镇黄塱行政村。1989 年 11 月，属龙山镇黄塱管理区。1994 年 1 月，属龙山镇黄塱管理区。1998 年 11 月，属龙山镇黄塱行政村至今。

世居村民为陈姓。据《黄塱陈氏原谱之修谱序》记载，陈姓入粤始祖为陈軏，从江西太和县徙入广东，其第七世孙陈念二（字马福，号康侯）于南宋绍兴年间由东莞桥头徙清远田心村。清嘉庆年间陈清迁至潖江黄塱，黄塱陈氏始祖是陈清，其后代从黄塱村分出形成凤华村。

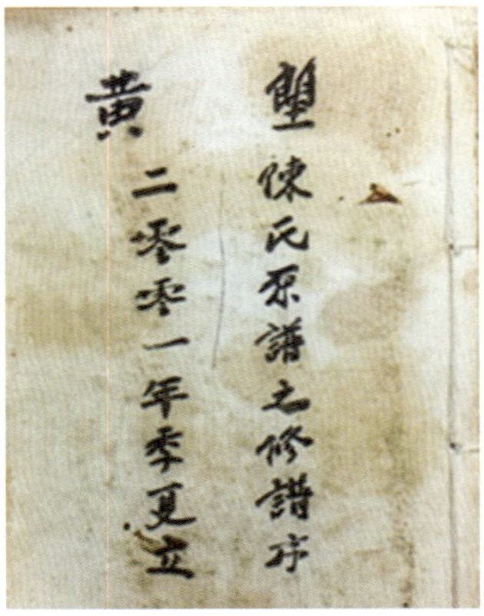

◎ 黄塱陈氏原谱之修谱序（摄于 2016 年）

2015 年末，户籍人口 351 人，其中男性 189 人，女性 162 人；80 岁以上 8 人，最年长者 98 岁（男）。实际在村人口 336 人。留守儿童 8 人。生活主要依靠农业收入有 336 人；常年在城镇生活和打工的有 15 人。村民均为汉族，广府民系，使用粤方言。

村有耕地 25.33 公顷，山地面积 1.33 公顷。耕地平坦，土壤肥沃，是当地粮食主产区，水稻亩产

◎ 拖拉机装运稻谷（摄于2016年）

◎ 凤华村民居（摄于2016年）

400多千克。传统经济以农业为主，主要作物有水稻、沙糖桔、番薯、木薯、花生、甘蔗、芋头等。禽畜饲养有鸡、鸭、鹅等家禽和猪、牛、羊等家畜。渔业主要蓄水养殖四大家鱼等。随着产业布局调整，90年代初，村民种植沙糖桔，沙糖桔一度成为规模化产业。2013年后，由于沙糖桔黄龙病蔓延，导致果树枯黄病死，沙糖桔失收后，村民改种其他农作物。传统食品主要有糯米饼、油角、咸糖环、糯米糍、艾糍，粽子等。传统美食为香芋焖乌鬃鹅。该村产的乌鬃鹅，一般每只重3千克左右，鹅肉质嫩而不肥。制作时，先将原只光鹅用文火焗至半熟，调好佐料，再用切块香芋垫底，慢慢焖熟，切件后便可上席。2000年以后，大部分青壮年外出打工。村民主要收入来源为农业收入，外出务工收入等。

村于1975年通电，1993年通电话，2008年全村基本实现水泥硬底化，2010年通网络和有线电视。现村中建有垃圾收集池并设置垃圾桶，使村里的卫生环境进一步好转。该村在建国初期，只有简易的乡间小路通广州、韶关，1991年将县道X376线龙山至民安段改建成山区二级公路，2001年又将路面进行改造升级，直接打通民安到佛冈县城的通道，改善村民的出行。

传统民居其特点为小天井大进深，具有通风与阴凉的岭南建筑特色，还依据自然条件包括地理条件、气候特点进行建造，体现出防潮、防晒的特点。该村民居都是坐北向南，纵横交错的村巷，前后相连，二横十纵呈棋盘状布局。20世纪90年代以后，村民在传统民居四周兴建钢筋混凝土结构楼房，楼房多为三房一厅一厨一卫布局。村民搬入楼房居住，传统民居现已闲置或者堆放杂物。

村至今仍存在一些传统习俗，如元宵节上灯，男孩出生为“添丁”，因“丁”与“灯”谐音，为此在元宵节到祠堂“上灯”，表示庆贺。上灯活动大致分为迎灯、接灯、摆放供品、挂灯等程序，体现出祈求人丁兴旺的心愿。清明扫墓，每年清明节期间，村民们都会带上烧鹅、艾糍、糖、饼等供品到先人坟前扫墓的活动。

传统婚嫁习俗有结婚前要担定婚茶、睇（看）家风、报日子、送聘金、定嫁妆这些礼节。迎亲和送亲时，男方要用车队上女方家迎接新娘和亲友。摆酒时，新郎新娘向亲友敬酒，宾客也要回赠红包。

传统丧事习俗以土葬为主。1990年以后逐步实行火葬。其程序为举丧、入殓、出殡、送葬、做法事，将亡灵送入祠堂。办丧事只煮白饭、豆腐、猪肉焖笋干等简单的饭菜。

1957年1月，村民参加兴建龙山凤洲大堤，堤长7.8千米，1957年冬完工。1975年冬，参与兴建龙山凤洲西排涝工程。1984年5月30日，龙山遭遇龙卷风及冰雹袭击，该村倒塌房屋10多间，受伤6人，通信、电力设施遭到严重破坏，经济受到损失。

（资料填报：黄华昌，初稿撰写：黄华昌，总纂：李协湖）

高 围

◎ 高围村貌（摄于 2016 年）

高围，位于龙山镇西南部，距镇政府约 3 千米。该村始建于清嘉庆年间，由清远田心村陈氏族人分支搬迁而形成。因村位于几条河、溪交汇处，河滩洼地，长满“黄浪”（河边的芒草），被称为“黄浪地”，后将“黄浪”改为“黄塱”，后因强盗横行、土匪作乱，部分村民为躲避乱象而搬迁至山顶而取名高围。曾用名岭仔顶村。

该村坐落于丘陵地带，村东有民龙公路，村南与纲顶村相邻，村西是一片田畴，村北与东西村接壤。

清朝时期，该村属清远县潖一乡。民国时期，属清远县潖江区仁安乡。中华人民共和国成立初期，属清远县第六区黄塱乡。1958 年 7 月，清远县第六区（今龙山镇）划归佛冈县辖，属佛冈县黄塱乡。1958 年 10 月，佛冈县并入从化县，属从化县潖江人民公社黄塱大队。1959 年 5 月，属从化县龙山人民公社黄塱大队。1961 年 5 月，佛冈县由从化县分出，属佛冈县龙山人民公社黄塱大队。1983 年 12 月，属龙山区黄塱乡。1987 年 1 月，属龙山镇黄塱行政村。1989 年 11 月，属龙山镇黄塱管理区。1994 年 1 月，属龙山镇黄塱管理区。1998 年 11 月，属龙山镇黄塱行政村至今。

世居村民为陈姓。据《黄塱陈氏原谱之修谱序》记载，陈姓入粤始祖为陈軏，从江西太和县徙入广东，其第七世孙陈念二（字马福，号康侯）于南宋绍兴年间由东莞桥头徙清远田心村。清嘉庆年间陈清迁至潖江黄塱，黄塱陈氏始祖是陈清，其后代从黄塱村分出形成高围。

2015 年末，户籍人口 270 人，其中男性 138 人，女性 132 人；80 岁以上 15 人，最年长者 92 岁（女）。实际在村人口 200 人。农村留守儿童 20 人。生活主要依靠农业收入的人口有 200 人；常年在城镇生活和打工的人口有 60 人。村民均为汉族，广府民系，使用粤方言。

村有耕地面积 22.13 公顷，山地面积 4 公顷。耕地平坦，土壤肥沃，植物生长茂盛，是当地粮食主产区。农业是传统经济，主要粮食作物种植双季水稻、番薯。经济作物种植沙糖桔、花生、甘蔗、芋头等，养殖家禽有鸡、鸭、鹅，家畜有牛猪等，渔业主要利用山塘水库蓄水养殖四大家鱼。此后随着经济作物布局调整，90 年代初，较多村民种植沙

◎ 村民装运稻谷（摄于 2016 年）

糖桔，当时沙糖桔一度成为村民收入的主要来源，2013 年后，由于沙糖桔黄龙病蔓延，导致果树枯黄病死，沙糖桔失收后，村民改种其他农作物，有的种植冬瓜、丝瓜、芋头等蔬菜，有的发展成养殖鸭、鹅等家禽专业户。传统食品主要有糯米饼、油角、咸糖环、焖鹅、糯米糍、艾糍、粽子等。2000 年以后，大部分青壮年外出打工。村民主要收入来源为农业收入，外出务工工资收入等。

村于 1975 年通电，1993 年通电话，2008 年全村基本实现水泥硬底化，该村在建围初期，只有简易的乡间小路通广州韶关，1991 年将县道 X376 线龙山至民安段改建成山区二级公路，2001 年又将路面进行改造升级，直接打通民安到佛冈县城的通道，大大改善村民出行。2010 年通网络和有线电视。现村中建有垃圾收集池并设置垃圾桶，村里的卫生环境得到改善。

传统民居建于清代、民国时期及中华人民共和国成立初期，现存 5 座。传统民居为四房一厅，两廊一天井布局，其建筑为硬山顶，盖灰瓦，三合土或用青砖砌成的墙体，每座民居占地约 110 平方米。20 世纪 90 年代以后，村民兴建钢筋混凝土结构楼房，楼房多为三房一厅一厨一卫布局。村民搬入楼房居住，传统民居现已闲置或者堆放杂物。

传统的节日为春节、元宵节、清明节、四月八、端午节、七夕、七月半、中秋节、重阳节、十月朝、冬至。春节是该村重视的一个主要节日。春节，俗称“过年”，是送旧迎新的大节。春节期间的习俗为：农历十二月二十三叫“过小年”，家家户户打扫庭院、办年货。过去还有在“小年夜”的晚饭后送

◎ 高围传统民居（摄于 2016 年）

灶君、年三十晚接灶君的习俗，后来已消失。到年三十，吃“团年饭”，饭后长者要给小孩“压岁钱”。年初一清早，各家各户相互拜年，后来拜年方式改为电话、贺卡和手机短信进行。村民在当天有舞狮庆祝习俗。舞狮时，狮队成员撑着狮旗，众人围腰束身，手持刀、枪、剑、戟、飞靶等武器，簇拥舞动的狮子到各家各户门口舞狮朝拜，锣鼓、鞭炮齐鸣，狮队将起舞的狮子围住，村民围观。狮队在狮子完成“采青”仪式并朝拜后，才舞向另一处。年初七为“人日”，相传女娲娘娘在这天创造人类，村民也有相应的庆贺活动。

◎ 春节瑞狮拜门（摄于 1998 年）

传统婚嫁习俗中一般有担定婚茶、睇（看）家风、报日子、送礼金、定嫁妆这些礼节。结婚时，要摆酒请客，男、女两家都要摆，女家摆酒用的肉米酒菜大多是男家筹备。迎亲和送亲时，男方要用车队上女方家迎接新娘和亲友。摆酒时，新郎新娘向亲友敬酒，宾客也要回赠红包。

传统丧事习俗以土葬为主。1990 年以后逐步实行火葬。其程序为举丧、入殓、出殡、送葬、做法事，将亡灵送入祠堂。村中仍然沿袭一些丧葬的旧习，如未满 16 岁的死后只能用普通木料做棺材，竹杠抬，不上肩；50 岁以上的去世后由子孙日夜守孝。入殓前，子孙要到河里取水（俗称“买水”），为死者擦身、更衣，亲视入殓。出殡时送殡队敲锣打鼓、燃放爆竹送行。死者埋葬后，孝子孝女等从坟上抓回一把黄土，并且同牵一条寿红（红布）由另一路线回家。葬后要为死者做“头七”“二七”“三七”的法事，神主牌送往祠堂入位，至此丧事才告完结。

1938 年 10 月，因国民政府军 152、154、157 师驻军该村，曾遭日军飞机连续轰炸 3 天，死亡数十人。1984 年 5 月 30 日，龙山遭遇龙卷风及冰雹袭击，该村倒塌房屋 10 多间，受伤 5 人，通信、电力设施遭到严重破坏。

（资料填报：黄华昌，初稿撰写：黄华昌，总纂：李协湖）

大海寮村

◎ 大海寮村村貌（摄于 2016 年）

大海寮村，位于龙山镇西南部，距镇政府约 7 千米。该村始建于清嘉庆年间，由清远田心村陈氏族人分支搬迁而形成。因村建在河边（当地人把河称为海），故取名为大海寮村，曾用名益风村。

该村坐落于丘陵地带，耕地平坦，土壤肥沃，是当地粮食主产区。村庄坐北向南，村西与关前行政村的中间寮村相邻，其余三面均为农田。村子南边有一湖，相传为未干涸的旧海。县道 X376 线（龙山至民安公路）从村旁经过。

清朝时期，该村属清远县澖一乡。民国时期，属清远县澖江区仁安乡。中华人民共和国成立初期，属清远县第六区黄塱乡。1958 年 7 月，第六区（今龙山镇）划归佛冈县辖，属佛冈县黄塱乡。1958 年 10 月，佛冈县并入从化县，属从化县澖江人民公社黄塱大队。1959 年 5 月，属从化县龙山人民公社黄塱大队。1961 年 5 月，佛冈县由从化县分出，属佛冈县龙山人民公社黄塱大队。1983 年 12 月，属龙山区黄塱乡。1987 年 1 月，属龙山镇黄塱行政村。1989 年 11 月，属龙山黄塱管理区。1994 年 1 月，属龙山镇黄塱管理区。1998 年 11 月，属龙山镇黄塱行政村至今。

世居村民为陈姓。据《黄塱陈氏原谱之修谱序》记载，陈姓入粤始祖为陈軏，从江西太和县徙入广东，其第七世孙陈念二（字马福，号康侯）于南宋绍兴年间由东莞桥头徙清远田心村。清嘉庆年间陈清迁至澖江黄塱，黄塱陈氏始祖是陈清，其后代从黄塱村分出形成大海寮村。

2015 年末，户籍人口 353 人，其中男性 183 人，女性 170 人;80 岁以上 17 人，最年长者 89 岁（女）。实际在村居住人口 189 人，留守儿童 4 人。生活主要依靠农业收入 189 人，常年在城镇居住和打工的 164 人。村民均为汉族，广府民系，使用粤方言。

村有耕地面积 30.67 公顷，传统经济以农业为主，主要作物有水稻、沙糖桔、番薯、木薯、花生、甘蔗、芋头等，水稻亩产 400 多千克。20 世纪 90 年代初，大部分村民种植沙糖桔，当时沙糖桔一度成为村民收入的主要来源。2013 年后，由于沙糖桔黄龙病蔓延，导致绝大部分果树枯黄病死，沙糖桔失收后，村民改种其他农作物，有的种植冬瓜、丝瓜，有的尝试种植芋头，有的种植甘蔗。传统节庆

◎ 收割机收割水稻（摄于 2016 年）

◎ 大海寮村旧民居（摄于 2016 年）

食品有糯米饼、油角、咸糖环、焖鹅、糯米糍、艾糍、粽子等。2000 年以后，大部分青壮年外出打工。村民主要收入来源为农业收入，外出务工收入。

村于 1975 年通电，1993 年通电话，2008 年全村道路基本实现水泥硬底化，2010 年通网络和有线电视。村中建有垃圾收集池并设置垃圾桶，村里的卫生环境得到改善。

传统民居建于清代及民国时期，现存传统民居 31 座。村落坐北向南，呈棋盘状布局，排列有序。巷道宽 3 米，纵横交错，贯通全村。正座为两房一厅，两廊一天井布局。硬山顶，盖灰瓦，三合土或用青砖砌成的墙体，每座建筑占地面积约 110 平方米，具有岭南建筑特色。20 世纪 80 年代开始，村民陆续在旧民居的四周建造钢筋混凝土结构楼房，楼房普遍为三房一厅一厨一卫布局，大部分村民迁入楼

◎ 大寮阁宗祠（摄于 2016 年）

房居住。传统民居大多已闲置或堆放杂物。

大寮阁为现存的宗祠。大寮阁始建于清嘉庆年间，占地面积约300平方米。祠堂坐北向南，属砖木结构，硬山顶，青砖灰瓦，为二进一天井布局。宗祠为石质门匾，上面写有“政治夜校文化室”的字样。祠堂方砖铺地，后来随着居民的搬迁，加上年久失修，壁画、灰塑已毁坏。至今仍作祭祀祖先使用，是村民逢年过节烧香拜佛的场所。

整个黄塱行政村共用族谱《黄塱陈氏原谱之修谱序》，该族谱于2001年由族人陈灼坚纂修。该族谱分为三部分：村史简介，陈氏辈序，陈氏世系。族谱录有西昌柳溪行诗句：“秉懋邦家善庆长，翼维明听焕文章。虞夏殷周汉唐宋，六经世受绍其芳。从来作述敦仁礼，万代声名启俊良。志据依由克念力，丕承祖德永光扬。”此诗句起源于江西陈氏辈分排行世系顺序。

村里至今仍保留一些传统习俗，如元宵节上灯，清明扫墓等。男孩出生为“添丁”，因“丁”与“灯”谐音，为此在元宵节到祠堂“上灯”，表示祝贺。上灯活动大致分为迎灯、接灯、摆放供品、挂灯等程序，体现祈求人丁兴旺的心愿。清明扫墓，每年清明节期间，村民们都会带上烧鹅、艾糍、糖、饼等供品到先人坟前扫墓，为先人烧衣纸、放鞭炮，一家大小齐齐拜祭，祈求祖先保佑一家大小平安健康。

传统婚嫁习俗中有结婚前要担定婚茶、睇（看）家风、报日子、送礼金、定嫁妆这些礼节。结婚时，要摆酒请客，男、女两家都要摆，女家摆酒用的肉米酒菜大多是男家筹备。迎亲和送亲时，男方要用车队上女方家迎接新娘和亲友。摆酒时，新郎新娘向亲友敬酒，宾客也要回赠红包。

传统丧葬风俗以土葬为主。1990年以后逐步实行火葬，其程序包括竖灵、收殓、引灵、接体、奠礼、出殡、火化、安葬，其中家族守孝、至亲戴大孝（披麻）、“头七”等依然存在。死者外家前来吊唁，事主家必须到门前跪接。前来吊丧送爆竹、纸钱、元宝、香竹、白布被以悼念死者。办丧事只煮白饭、花菜、黄豆煮猪肉等简单饭菜。完丧次日，亲友要回访事主家。

1957年1月，村民参加兴建龙山凤洲大堤，堤长7.8千米，1957年冬完工。1984年5月30日，龙山遭遇龙卷风及冰雹袭击，该村倒塌房屋10多间，受伤7人，通信、电力设施遭到严重破坏，经济受到损失。

该村代表人物有：陈锡洪（1967—），中学体育高级教师，现任教于佛冈一中。陈汝香（1967—），女，中学音乐高级教师，现任教于佛冈一中。

（资料填报：梁东波，初稿撰写：梁东波，总纂：李协湖）

凤洲村

◎ 凤洲村村貌（摄于 2016 年）

凤洲村，位于龙山镇西南部，距镇政府约 2.4 千米。据村中老人回忆，该村始建于清嘉庆年间，由清远田心村陈氏族人分支搬迁而形成。因陈氏宗祠别名“凤翔书院”，而凤洲位于陆地，故取名为凤洲村。村庄形成后，因水陆交通方便，逐步成为民间集市，村民建成不少商铺，后当地人称该村为“凤洲市”。

该村坐落于丘陵地带，耕地平坦，土壤肥沃，是当地粮食主产区。村庄坐北向南，东与车步村相望，南是凤洲大堤和凤洲大桥，西紧靠民龙公路，北与纲顶村相邻。

清朝时期，该村属清远县滘一乡。民国时期，属清远县滘江区仁安乡。中华人民共和国成立初期，属清远县第六区黄塱乡。1958 年 7 月，清远县第六区（今龙山镇）划归佛冈县辖，属佛冈县黄塱乡。1958 年 10 月，佛冈县并入从化县，属从化县滘江人民公社黄塱大队。1959 年 5 月，属从化县龙山人民公社黄塱大队。1961 年 5 月，佛冈县由从化县分出，属佛冈县龙山人民公社黄塱大队。1983 年 12 月，属龙山区黄塱乡。1987 年 1 月，属龙山镇黄塱行政村。1989 年 11 月，属龙山镇黄塱管理区。1994 年 1 月，属龙山镇黄塱管理区。1998 年 11 月，属龙山镇黄塱行政村至今。

世居村民为陈姓。据《黄塱陈氏原谱之修谱序》记载，陈姓入粤始祖为陈軏，从江西太和县徙入广东，其第七世孙陈念二（字马福，号康侯）于南宋绍兴年间由东莞桥头徙清远田心村。清嘉庆年间陈清迁至滘江黄塱，黄塱陈氏始祖是陈清，其后代从黄塱村分出形成凤洲村。

2015 年末，户籍人口 350 人，其中男性 196 人，女性 154 人；80 岁以上 6 人，最年长者 86 岁（男）。实际在村人口 320 人，农村留守儿童 3 人。生活主要依靠农业收入的有 320 人；常年在城镇生活和打工的有 30 人。村民均为汉族，广府民系，使用粤方言。

村有耕地面积 12 公顷，山地面积 1.33 公顷。传统经济以农业为主，主要作物有水稻、沙糖桔、番薯、木薯、花生、甘蔗、芋头等，畜禽养殖有猪、牛、鸡、鸭、鹅等。90 年代初，较多村民种植沙糖桔，当时沙糖桔一度成为村民收入的主要来源。2013 年后，由于沙糖桔黄龙病蔓延，导致绝大部分果树枯

◎ 凤洲村专业户种植的冬瓜（摄于 2016 年）

黄病死，沙糖桔失收后，村民改种其他农作物，有冬瓜、丝瓜、芋头、甘蔗等。发展蔬菜种植专业户，带动村民共同致富。传统食品主要有糯米饼、油角、咸糖环、焖鹅、糯米糍、艾糍、粽子等。2000 年以后，大部分青壮年外出打工。村民主要收入来源为农业收入，外出务工工资收入。

村 1975 年通电，1993 年通电话，2008 年全村基本实现水泥硬底化，2010 年通网络和有线电视。村中建有垃圾收集池并设置垃圾桶，村居卫生良好。

黄塱小学位于村北，2015 年末，学校开设 12 个教学班，在校学生 500 人，教职工 25 人。幼儿园 1 间，在园幼儿 180 人，教职工 18 人。

传统民居其特点为小天井大进深，具有通风与阴凉的岭南建筑特色，还依据自然条件包括地理条件、气候特点进行建造，体现出防潮、防晒的特点，现已闲置或者堆放杂物。民居都是坐北向南，纵横交错的村巷，前后相连。20 世纪 90 年代以后，村

◎ 凤洲村传统民居（摄于 2016 年）

民在传统民居四周兴建钢筋混凝土结构楼房，楼房多为三房一厅一厨一卫布局。大部分村民迁入楼房居住。传统民居大多已闲置或堆放杂物。

凤洲大桥位于村的南面，2001 年 10 月建成，总投资 564.5 万元。桥长 276 米，两端引道长 400 米。桥面总宽 8.5 米，桥高 6.5 米，两侧设钢筋混凝土防撞栏。桥型上部采用 16 米 T 梁，下部采用钻孔灌注桩。该桥连结龙山镇湛江两岸，是当地的一条重要通道。

◎ 凤洲大桥（摄于 2016 年）

民间习俗多为广府人习俗的延续。主要有：舞狮、上灯、拜祠堂等。民间节日以春节、元宵节、清明节、端阳节、中秋节、冬至节等节为主。正月初十为该村的上灯日，正月十五下灯。

传统婚嫁习俗中，有迎亲嫁娶等礼俗。结婚前要担定婚茶、报日子、送聘金、定嫁妆。传统丧葬风俗以土葬为主，20 世纪 90 年代后逐步实行火葬，其程序有竖灵、收殓、引灵、接体、奠礼、出殡、火化、安葬等。

1938 年 10 月，因国民政府军 152、154、157 师驻军该村，曾遭日军派飞机连续轰炸 3 天，死亡数十人。1984 年 5 月 30 日，龙山遭遇龙卷风及冰雹袭击，该村倒塌房屋 10 多间，受伤 4 人，通信、电力设施遭到严重破坏。

该村的陈灿均（1956—），中学物理高级教师，曾在佛冈一中任教，现已退休。

（资料填报：黄华昌，初稿撰写：黄华昌，总纂：李协湖）

纲顶村

◎ 纲顶村村貌（摄于 2016 年）

纲顶村，位于龙山镇西南部，距镇政府 2.8 千米。该村始建于清嘉庆年间，由清远田心村陈氏族人分支搬迁而形成。因村旁形似网而取名“網顶”，但“網”字为生僻字，后被人以“纲”字替代，改为纲顶村。

该村坐落于丘陵地带，耕地平坦，土壤肥沃，是当地粮食主产区。村庄东至黄塱村委会，南与凤洲村相邻，西是一片田畴，北与高围接壤。

清朝时期，该村属清远县潖一乡。民国时期，属清远县潖江区仁安乡。中华人民共和国成立初期，属清远县第六区黄塱乡。1958 年 7 月，清远县第六区（今龙山镇）划归佛冈县辖，属佛冈县黄塱乡。1958 年 10 月，佛冈县并入从化县，属从化县潖江人民公社黄塱大队。1959 年 5 月，属从化县龙山人民公社黄塱大队。1961 年 5 月，佛冈县由从化县分出，属佛冈县龙山人民公社黄塱大队。1983 年 12 月，属龙山区黄塱乡。1987 年 1 月，属龙山镇黄塱行政村。1989 年 11 月，属龙山镇黄塱管理区。1994 年 1 月，属龙山镇黄塱管理区。1998 年 11 月，属龙山镇黄塱行政村至今。

世居村民为陈姓。据《黄塱陈氏原谱之修谱序》记载，陈姓入粤始祖为陈軏，从江西太和县徙入广东，其第七世孙陈念二（字马福，号康侯）于南宋绍兴年间由东莞桥头徙清远田心村。清嘉庆年间陈清迁至潖江黄塱，黄塱陈氏始祖是陈清，其后代从黄塱村分出形成纲顶村。

2015 年，户籍人口 350 人，其中男性 196 人，女性 154 人；80 岁以上 18 人，最长者 93 岁（女）。实际在村人口 320 人，农村留守儿童 8 人。生活主要依靠农业收入的有 320 人；常年在城镇生活和打工的有 30 人。村民均为汉族，广府民系，使用粤方言。

村有耕地面积 27.2 公顷，山地面积 4 公顷。传统经济以农业为主，主要作物有水稻、沙糖桔、番薯、木薯、花生、甘蔗、芋头等。90 年代初，较多村民种植沙糖桔，2013 年后，由于沙糖桔黄龙病蔓延，导致绝大部分果树枯黄病死，沙糖桔失收后，村民改种其他农作物，有冬瓜、丝瓜、菜心等。2013 年发展种菜专业大户，蔬菜主要供应香港、广州、珠海、深圳地区。传统食品主要有糯米饼、油角、咸糖环、焖鹅、糯米糍、艾糍、粽子等。2000 年以后，大部分青壮年外出打工。村民主要收入来源为农业

◎ 村民种植的丝瓜（摄于 2016 年）

◎ 纲顶村传统民居（摄于 2016 年）

收入，外出务工工资收入等。

村于 1975 年通电，1993 年通电话，2008 年全村基本实现水泥硬底化，该村在中华人民共和国成立初期，只有简易的乡间小路通广州、韶关，1991 年将县道 X376 线龙山至民安段改建成山区二级公路，2001 年又将路面进行改造升级，直接打通民安到佛冈县城的通道，大大改善村民的出行。2010 年通网络和有线电视。村中建有垃圾收集池并设置垃圾桶，村居卫生得到改善。

◎ 纲顶村一角（摄于 2016 年）

传统民居建于清代、民国时期及中华人民共和国成立初期，现存 5 座。传统民居为四房一厅，两廊一天井布局，其建筑为硬山顶，盖灰瓦，三合土或用青砖、泥砖砌成的墙体，每座民居占地约 110 平方米。20 世纪 90 年代以后，村民兴建钢筋混凝土结构楼房，楼房多为三房一厅一厨一卫布局。大部分村民搬入楼房居住，传统民居现已闲置或堆放杂物。

传统习俗有春节瑞狮拜门、元宵上灯、清明祭祖等。元宵节上灯，男孩出生为“添丁”，因“丁”与“灯”谐音，为此在元宵节到祠堂“上灯”，表示庆贺。上灯活动大致分为迎灯、接灯、摆放供品、挂灯等程序，体现出祈求人丁兴旺的心愿。清明扫墓，每年清明节期间，村民们都会带上烧鹅、艾糍、糖、饼等供品到先人坟前扫墓的活动，为先人烧衣纸、放鞭炮，一家大小齐齐拜祭，让祖先保佑全家平安健康。

传统婚嫁习俗中有结婚前要担定婚茶、睇（看）家风、报日子、送聘金、定嫁妆这些礼节。结婚时，要摆酒请客，新郎新娘向亲友敬酒，宾客也要回赠红包。

传统丧事习俗以土葬为主。1990 年以后逐步实行火葬。其程序为举丧、入殓、出殡、送葬、做法事，将亡灵送入祠堂。办丧事只煮白饭、豆腐、猪肉焖笋干等简单的饭菜。

1957 年 1 月，村民参与兴建龙山凤洲大堤，堤长 7.8 千米。1975 年冬，动工兴建龙山凤洲西排涝工程（截洪工程）。并进行改河造田，大搞农田基本建设，改造农田 10 多亩。1984 年 5 月 30 日，龙山遭遇龙卷风及冰雹袭击，该村倒塌房屋 10 多间，受伤 6 人，通信、电力设施遭到严重破坏，经济受到一定损失。

抗日战争时期，有个名为陈英才的村民，率领当地群众勇斗日本侵略军。

该村的陈金锋（1966—），中学化学高级教师，现任教于佛冈中学。陈镜森（1968—），中学物理高级教师，现任教于佛冈一中。

（资料填报：黄华昌，初稿撰写：黄华昌，总纂：李协湖）

联凤村

◎ 联凤村村貌（摄于2016年）

联凤村，位于龙山镇西南部，距镇政府约5千米。该村始建于清嘉庆年间，由清远田心村陈氏族人分支搬迁而形成。村落建成后，因纪念开村始祖陈联凤，故取名为联凤村。

该村坐落于丘陵地带，村庄坐北向南，村东与东西村接壤，村南是水圳，村西紧靠益茂村，北面为一片农田。小海仔溪流由东向西从村旁流过，流长约1000米。县道X376线从村前经过。

清朝时期，该村属清远县湛一乡。民国时期，属清远县湛江区仁安乡。中华人民共和国成立初期，属清远县第六区黄塱乡。1958年7月，第六区（今龙山镇）划归佛冈县辖，属佛冈县黄塱乡。1958年10月，佛冈县并入从化县，属从化县湛江人民公社黄塱大队。1959年5月，属从化县龙山人民公社黄塱大队。1961年5月，佛冈县由从化县分出，属佛冈县龙山人民公社黄塱大队。1983年12月，属龙山区黄塱乡。1987年1月，属龙山镇黄塱行政村。1989年11月，属龙山黄塱管理区。1994年1月，属龙山镇黄塱管理区。1998年11月，属龙山镇黄塱行政村至今。

世居村民为陈姓。据《黄塱陈氏原谱之修谱序》记载，陈姓入粤始祖为陈軏，从江西太和县徙入广东，其第七世孙陈念二（字马福，号康侯）于南宋绍兴年间由东莞桥头徙清远田心村。清嘉庆年间陈清迁至湛江黄塱，黄塱陈氏始祖是陈清，其后代从黄塱村分出形成联凤村。

2015年末，户籍人口357人，其中男性176人，女性181人；80岁以上9人，最年长者92岁（女）。实际在村居住人口166人，留守儿童6人。生活主要依靠农业收入166人，常年在城镇居住和打工的191人。村民均为汉族，广府民系，使用粤方言。

村有耕地面积36公顷，山地面积4公顷。耕地平坦，土壤肥沃，是当地粮食主产区。传统经济以农业为主，主要作物有水稻、沙糖桔、番薯、木薯、花生、甘蔗、芋头等。20世纪90年代初，大部分村民种植沙糖桔，当时沙糖桔一度成为村民收入的主要来源。2013年后，由于沙糖桔黄龙病蔓延，导致绝大部分果树枯黄病死，沙糖桔失收后，村民改种其他农作物，有的种植冬瓜、丝瓜，有的尝试种植芋头，有的种植甘蔗。传统节庆食品有糯米饼、油角、咸糖环、焖鹅、糯米糍、艾糍、粽子等。2000年以后，

◎ 村民喜收沙糖桔（摄于 2012 年）

◎ 舞狮表演（摄于 2016 年）

大部分青壮年外出打工。村民主要收入来源为农业收入，外出务工收入。

村于 1975 年通电，1993 年通电话，2008 年全村道路基本实现水泥硬底化，2010 年通网络和有线电视。村中建有垃圾收集池，设置垃圾桶，卫生环境得到改善。

传统民居建于清代及民国时期，现存传统民居 18 座。村落坐北向南，呈棋盘状布局，排列有序。巷道宽 3 米，纵横交错，贯通全村。正座为两房一厅，两廊一天井布局。其建筑为硬山顶，盖灰瓦，三合土或用青砖、泥砖砌成的墙体，每座民居建筑占地面积约 110 平方米，具有岭南建筑特色。20 世纪 80 年代开始，村民陆续在旧民居的四周建造钢筋混凝土楼房，大部分村民搬入楼房居住。传统民居大多已闲置或堆放杂物。

整个黄塱行政村共用族谱《黄塱陈氏原谱之修谱序》，该族谱于 2001 年由族人陈灼坚纂修。

传统的节日为春节、元宵节、清明节、四月八、端午节、七夕、七月半、中秋节、重阳节、十月朝、冬至。村民注重冬至节令，在民间有“冬至大过年”之说。冬至是农历的 24 个节令之一，俗称“过冬”。这个节日意味着一年农事已做完，全家应欢聚一堂表示庆贺，可见村民极其重视冬至节。村民在春节和重要活动时都有舞狮的庆祝习俗。舞狮时，狮队成员撑着狮旗，众人围腰束身，手持刀、枪、剑、戟、飞靶等武器，簇拥舞动的狮子前进。春节期间到各村庄及住房门口舞狮朝拜，锣鼓、鞭炮齐鸣，狮队将起舞的狮子围住，附近村民前来观看。

◎ 联凤村民居一角（摄于 2016 年）

传统婚嫁习俗有结婚前要担定婚茶、睇（看）家风、报日子、送聘金、定嫁妆这些礼节。结婚时，要摆酒请客，男、女两家都要摆，女家摆酒用的肉米酒菜大多是男家筹备。迎亲和送亲时，男方要用车队上女方家迎接新娘和亲友。摆酒时，新郎新娘向亲友敬酒，宾客也要回赠红包。传统丧事风俗以土葬为主。1990 年以后逐步实行火葬，其程序包括竖灵、收殓、引灵、接体、奠礼、出殡、火化、安葬，其中家族守孝、至亲戴大孝（披麻）、“头七”等依然存在。死者外家前来吊唁，事主家必须到门前跪接。前来吊丧送爆竹、纸钱、元宝、香竹、白布被以悼念死者。办丧事只煮白饭、花菜、黄豆煮猪肉等简单饭菜。完丧次日，亲友要回访事主家。

1938 年 10 月，因国民革命军 152、154、157 师驻军该村，曾遭日军飞机连续 3 天轰炸，死亡数十人。1976 年冬，大搞农田基本建设，改造农田 10 多亩。1984 年 5 月 30 日，龙山遭遇龙卷风及冰雹袭击，该村倒塌房屋 10 多间，受伤 6 人，通信、电力设施遭到严重破坏，经济受到损失。

（资料填报：梁东波，初稿撰写：梁东波，总纂：李协湖）

益茂村

◎ 益茂村村貌（摄于 2016 年）

益茂村，位于龙山镇西南部，距镇政府 5 千米。该村始建于清嘉庆年间，由清远田心村陈氏族人分支搬迁而形成。村落建成后，因纪念开村始祖陈益茂，故取名为益茂村。

该村坐落于丘陵地带，耕地平坦，土壤肥沃，是当地粮食主产区。村庄坐北向南，村东与东西村接壤，村南和村西均为农田，村北与安胜村相邻。小海仔溪流由东向西从村旁流过，流经该村溪长约 1000 米，现溪流已干涸。县道 X376 线从村前经过。

清朝时期，该村属清远县滙一乡。民国时期，属清远县滙江区仁安乡。中华人民共和国成立初期，属清远县第六区黄塱乡。1958 年 7 月，第六区（今龙山镇）划归佛冈县辖，属佛冈县黄塱乡。1958 年 10 月，佛冈县并入从化县，属从化县滙江人民公社黄塱大队。1959 年 5 月，属从化县龙山人民公社黄塱大队。1961 年 5 月，佛冈县由从化县分出，属佛冈县龙山人民公社黄塱大队。1983 年 12 月，属龙山区黄塱乡。1987 年 1 月，属龙山真黄塱行政村。1989 年 11 月，属龙山黄塱管理区。1994 年 1 月，属龙山镇黄塱管理区。1998 年 11 月，属龙山镇黄塱行政村至今。

世居村民为陈姓。据《黄塱陈氏原谱之修谱序》记载，陈姓入粤始祖为陈軏，从江西太和县徙入广东，其第七世孙陈念二（字马福，号康侯）于南宋绍兴年间由东莞桥头徙清远田心村。清嘉庆年间陈清迁至滙江黄塱，黄塱陈氏始祖是陈清，其后代从黄塱村分出形成益茂村。

2015 年末，有户籍人口 484 人，其中男性 241 人，女性 243 人；80 以上 19 人，最长年者 89 岁（女）。实际在村居住人口 297 人，留守儿童 8 人。生活主要依靠农业收入 297 人，常年在城镇居住和打工的 187 人。村民均为汉族，广府民系，使用粤方言。

村有耕地面积 36 公顷，山地面积 6.67 公顷。传统经济以农业为主，主要作物有水稻、沙糖桔、番薯、木薯、花生、甘蔗、芋头等。20 世纪 90 年代初，大部分村民种植沙糖桔，当时沙糖桔一度成为村民收入的主要来源。2013 年后，由于沙糖桔黄龙病蔓延，导致绝大部分果树枯黄病死，沙糖桔失收后，村民改种其他农作物，有的种植冬瓜、丝瓜，有的尝试种植芋头，有的种植甘蔗。传统节庆食品有糯米饼、油角、咸糖环、焖鹅、糯米糍、艾糍、粽子等。2000年以后，大部分青壮年外出打工。村民主要收入来源为农业收入，外出务工收入。

村于1975年通电，1993年通电话，2008年全村道路基本实现水泥硬底化，2010年通网络和有线电视。该村的文体设施有文化室及村前休闲公园。村中建有垃圾收集池，设置垃圾桶，村居卫生得到改善。

◎ 益茂公园（摄于2016年）

◎ 益茂村文化室（摄于2016年）

传统民居建于清代、民国时期及中华人民共和国成立初期，现存传统民居21座。村落坐北向南，呈棋盘状布局，排列有序。巷道宽2.5米，纵横交错，贯通全村。正座为两房一厅，两廊一天井布局。其建筑为硬山顶，盖灰瓦，三合土墙体或青砖、泥砖砌成的墙体，每座民居建筑占地面积约110平方米，具有岭南建筑特色。20世纪90年代开始，村民陆续在旧民居的四周建造钢筋混凝土楼房，大部分村民迁入楼房居住，传统民居大多已闲置或堆放杂物。

◎ 益茂村传统民居（摄于2016年）

整个黄塱行政村共用族谱《黄塱陈氏原谱之修谱序》，该族谱于2001年由族人陈灼坚纂修。

传统习俗有春节瑞狮拜门、元宵上灯、清明祭祖等。元宵节上灯，俗称男孩出生为“添丁”，因“丁”与“灯”谐音，为此在元宵节到祠堂“上灯”，表示庆贺。上灯活动大致分为迎灯、接灯、摆放供品、挂灯等程序，体现出祈求人丁兴旺的心愿。清明扫墓，村民们都会带上烧鹅、艾糍、糖、饼等供品到先人坟前扫墓，为先人烧衣纸、放鞭炮，一家大小齐齐拜祭，祈求祖先保佑一家大小平安健康。

传统婚嫁习俗有结婚前要担定婚茶、睇（看）家风、报日子、送礼金、定嫁妆这些礼节。迎亲和送亲时，男方要用车队上女方家迎接新娘和亲友。摆酒时，新郎新娘向亲友敬酒，宾客也要回赠红包。

传统丧事风俗庄严繁杂，以土葬为主。1990年以后逐步实行火葬，其程序包括竖灵、收殓、引灵、接体、奠礼、出殡、火化、安葬。

1975年冬，动工兴建龙山凤洲西排涝工程（截洪工程），1976年冬完成。与邻村共动用4000多人，历时一个冬春，新开出一条长4000米，底宽15米，水深2.2米的大渠道。1976年冬，大搞农田基本建设，改造农田10多亩。1984年5月30日，龙山遭遇龙卷风及冰雹袭击，该村倒塌房屋10多间，受伤8人，通信、电力设施遭到严重破坏，农作物受到损失。

该村的陈钧钳（1947—），曾任佛冈县纪委副书记、监察局局长。

（资料填报：梁东波，初稿撰写：梁东波，总纂：李协湖）

安胜村

◎ 安胜村村貌（摄于 2016 年）

安胜村，位于龙山镇西南部，距镇政府约 5 千米。该村始建于清嘉庆年间，由清远田心村陈氏族人分支搬迁而形成。村落建成后，因纪念开村始祖陈安胜，故取名为安胜村。

该村坐落于丘陵地带，村庄坐北向南，村东、村西和村北均为农田，南面与益茂村相邻。小海仔溪流由东向西从村旁流过，流长约 1000 米。县道 376 线从村前经过。

清朝时期，该村属清远县湛一乡。民国时期，属清远县湛江区仁安乡。中华人民共和国成立初期，属清远县第六区黄塱乡。1958 年 7 月，第六区（今龙山镇）划归佛冈县辖，属佛冈县黄塱乡。1958 年 10 月，佛冈县并入从化县，属从化县湛江人民公社黄塱大队。1959 年 5 月，属从化县龙山人民公社黄塱大队。1961 年 5 月，佛冈县由从化县分出，属佛冈县龙山人民公社黄塱大队。1983 年 12 月，属龙山区黄塱乡。1987 年 1 月，属龙山镇黄塱行政村。1989 年 11 月，属龙山黄塱管理区。1994 年 1 月，属龙山镇黄塱管理区。1998 年 11 月，属龙山镇黄塱行政村至今。

世居村民为陈姓。据《黄塱陈氏原谱之修谱序》记载，陈姓入粤始祖为陈軏，从江西太和县徙入广东，其第七世孙陈念二（字马福，号康侯）于南宋绍兴年间由东莞桥头徙清远田心村。清嘉庆年间陈清迁至湛江黄塱，黄塱陈氏始祖是陈清，其后代从黄塱村分出形成安胜村。

2015 年末，有户籍人口 342 人，其中男 169 人，女 173 人；80 岁以上 9 人，最年长者 90 岁（男）。实际在村居住人口 175 人，留守儿童 7 人。生活主要依靠农业收入 175 人，常年在城镇居住和打工的 167 人。村民均为汉族，广府民系，使用粤方言。

村有耕地面积 27.33 公顷，山地面积 2.67 公顷。耕地平坦，土壤肥沃，植物生长茂盛，宜粮，宜牧、宜果，是当地粮食主产区，以农业为主，主要作物有水稻、沙糖桔、番薯、木薯、花生、甘蔗、芋头等。20 世纪 90 年代初，大部分村民种植沙糖桔，当时沙糖桔一度成为村民收入的主要来源。2013 年后，由于沙糖桔黄龙病蔓延，导致绝大部分果树枯黄病死，沙糖桔失收后，村民有的改种其他农作物，如种植冬瓜、丝瓜等蔬菜，有的办香蕉种植基地，有的办

◎ 村民种植的香蕉（摄于 2016 年）

养殖场，发展渔业、禽畜业。传统节庆食品有油角、咸糖环、焖鹅、糯米糍、艾糍、粽子等。民间美食有炒米饼。炒米饼是春节必备的特色小吃，圆饼形状。制作时，将糯米用清水浸泡，捞起滤干后炒熟，磨成粉，碾碎花生米、芝麻，连同米粉加黄糖或白糖水搓匀，最后将米粉团用饼模印成米饼。炒米饼久放不坏，既可自吃，也可送礼。2000 年以后，大部分青壮年外出打工。村民主要收入来源为农业收入，外出务工收入。

村于 1975 年通电，1993 年通电话，2008 年全村道路基本实现水泥硬底化，2010 年通网络和有线电视。村中建有垃圾收集池，设置垃圾桶，卫生环境得到改善。

传统民居建于清代、民国时期及中华人民共和国成立初期，现存 19 座。村落坐北向南，呈棋盘状布局，排列有序。巷道宽 3 米，纵横交错，贯通全村。民居为两房一厅，两廊一天井布局。其建筑为硬山顶，盖灰瓦，三合土或用青砖、泥砖砌成墙体，每座民居建筑占地面积约 110 平方米，具有岭南建筑特色。20 世纪 80 年代开始，村民陆续在旧民居的四周建造钢筋混凝土楼房，大部分村民迁入楼房居住，传统民居大多已闲置或堆放杂物。

位于村前的玄天古庙，始建于清嘉庆年间，

◎ 玄天古庙（摄于 2016 年）

◎ 安胜村民居（摄于 2016 年）

◎ 祭拜祖先（摄于 2016 年）

2012年重修。古庙坐北向南，为两进一天井布局。建筑特色为硬山顶，博古脊，盖灰瓦，青砖墙体，地面采用条石、方砖铺设。头进大门上方的花岗岩石板上刻“玄天古庙”字样。屋檐由花岗岩石柱及弓形梁支撑。二进设有神龛。整座古庙占地建筑约200平方米。中华人民共和国成立初期，古庙曾作为农会、乡政府、托儿所、幼儿园的办公场所。现仍作为祭祀使用。

整个黄塱行政村共用族谱《黄塱陈氏原谱之修谱序》，该族谱于2001年由族人陈灼坚纂修。

传统节日以春节、元宵节、清明节、端午节、中秋节、冬至节等节为主。村民注重清明扫墓，每年清明节期间，村民们都会带上烧鹅、烧猪、艾糍、糖、饼等供品到先人坟前扫墓，为先人烧衣纸、放鞭炮、上供品，一家大小齐齐拜祭，祈求祖先保佑一家大小平安健康。

传统婚嫁习俗中，有结婚前要担定婚茶、睇（看）家风、报日子、送聘金、定嫁妆这些礼节。结婚时，要摆酒请客，男、女两家都要摆，女家摆酒用的肉米酒菜大多是男家筹备。迎亲和送亲时，男方要用车队上女方家迎接新娘和亲友。摆酒时，新郎新娘向亲友敬酒，宾客也要回赠红包。

传统丧葬风俗以土葬为主。1990年以后逐步实行火葬，其程序包括竖灵、收殓、引灵、接体、奠礼、出殡、火化、安葬，其中家族守孝、至亲戴大孝（披麻）、“头七”等依然存在。死者外家前来吊唁，事主家必须到门前跪接。前来吊丧送爆竹、纸钱、元宝、香竹、白布被以悼念死者。办丧事只煮白饭、花菜、黄豆煮猪肉等简单饭菜。完丧次日，亲友要回访事主家。

1938年10月，因国民革命军152、154、157师驻军此村，曾遭日军飞机连续3天轰炸，死亡数十人。1957年1月，兴建龙山凤洲大堤，堤长7.8千米。1975年冬，动工兴建龙山凤洲西排涝工程，历时一个冬春，新开出一条长4000米，底宽15米，水深2.2米的渠道。1984年5月30日，遭遇龙卷风及冰雹袭击，倒塌房屋20多间，受伤3人，农作物严重损失。

（资料填报：梁东波，初稿撰写：梁东波，总纂：李协湖）

○门楼富行政村

大　围

◎ 大围村貌（摄于 2016 年）

大围，位于龙山镇西北部，距镇政府 8 千米。该村始建于明末，由增城、顺德等地迁入建村而形成。因该村是当时大部分人口的聚集地，故取名为大围。

该村坐落于丘陵地带，地势平坦，村前是数口大鱼塘、乡村道路及浮良河，视野开阔。村庄坐东向西，东是石龙山，南是浮良大围，西是浮良深水村，北是高禾塘村。

该村形成时，属清远县湛江乡。清朝时期，属清远县湛一乡。民国时期，属清远县湛江区忠安乡。中华人民共和国成立初期，属清远县第六区龙山乡。1958 年 10 月 23 日，佛冈县与从化县合并为从化县，属从化县湛江人民公社门楼富大队。1961 年 5 月，佛冈由从化县分出，属佛冈县龙山人民公社门楼富大队。1983 年 12 月，属龙山区门楼富乡。1987 年 1 月，属龙山镇门楼富行政村。1989 年 11 月，属龙山镇门楼富管理区。1998 年 11 月，属龙山镇门楼富行政村至今。

世居村民为谢姓、汤姓、黄姓。据《谢氏族谱》记载，宋代，谢氏族人由江西迁入广东南雄珠玑巷，后迁清远县社山村，明末，开村始祖谢友俊自社山村移居浮良村，其后裔从大围分村迁入该地。后大围分属浮良、门楼富行政村，其后代在此繁衍生息。汤姓，南宋初，汤氏族人从福建莆田迁移至广东增城濠迳村，明末从濠迳村迁移至浮良大围，后因分村将大围拆分为门楼富大围、浮良大围。黄姓，据《黄氏族谱》记载，在宋淳熙八年（1181 年）黄氏族人在珠玑巷迁至福建省，由福建省迁至顺德杏潭镇，明正德前期由顺德迁至清远县湛江（今佛冈县龙山镇）白沙塘村，明末迁至该地。

2015 年末，户籍人口 303 人，其中男性 170 人，女性 133 人；80 岁以上 9 人，最年长者 91 岁（女）。实际在村居住人口 260 人，留守儿童 2 人。生活主要依靠农业收入的 260 人，常年在城镇生活和打工的 43 人。村民均为汉族，广府民系，使用粤方言。

村有耕地面积 22.33 公顷，山地面积 10.67 公顷。自然资源主要有山草药，森林资源丰富。传统经济以农业为主，主要作物有水稻、番薯、木薯、花生、大豆等。现多种植番薯、沙糖桔、山楂、木瓜、粉葛等。特色农产品有沙糖桔、农家果园鸡。传统食品有番薯干、碱水粽、煎堆、艾糍、元宵节的汤圆，清明节的糯米艾糍，端午节的粽子，中秋节的月饼，湛江醋等。2013 年以后，沙糖桔树因“黄龙病”致使减产甚至失收，大部分青壮年外出打工。村民主要收入来源为农业收入，务工工资收入。

村于 1975 年通电，1994 年通电话，2006 年村内实现道路硬底化，2012 年通光纤网络。村中建有垃圾收集站，定期清理垃圾。文化设施有健身器材、篮球场。

传统民居大多为广府式三间两廊布局。房屋以二进三间两廊为主，中间为厅，左右为房，东廊为门廊，西廊为厨房。厅两侧有两间住房，因两房门面对大厅，称之为“二门归厅”，也有少数是“四门归厅”的房屋。整个围村的房屋“横一纵十八”分布，即一条横巷，十八条纵巷贯通全村。具有代表性的建筑是签士黄公祠、汤家馆、何氏祠堂、浮良北闸门楼。签士黄公祠、江夏垂后堂，始建于清同治十三年（1874 年），于 1997 年重修。占地 380 平方米，2000 年修缮，每逢农历十二月二十四，黄氏后代自筹经费为 60 岁以上的黄氏老人举行敬老活动。

◎ 何氏宗祠（摄于 2016 年）

汤家馆又名德修别墅，建于清康熙年间，占地 120 平方米，于 1951 年重修。该馆为砖木结构，青砖墙，盖灰瓦，硬山顶，龙船脊。门上方墙眉有壁画，山墙眉有花草灰塑。汤氏族人在馆内举行宗族活动为清明节拜祖、重阳节为 60 岁以上的老人举行敬老活动。

◎ 汤家馆（德修别墅）（摄于 2016 年）

浮良北闸为古建筑（宅第民居），建成于清光绪二十六年（1900 年）。建筑占地面积 28.6 平方米。浮良北闸坐西北向东南，砖木结构，青砖墙，盖灰瓦，硬山顶，龙船脊。门上方墙眉有壁画，山墙眉有花草灰塑。单间单进布局，面阔 5.2 米，进深 5.5 米。用青石砌成方形门，门阔 1.25 米，门高为 3 米，门上石匾中间有“浮梁北闸”、旁有“庚子年”（1900 年）等阴刻文字，石匾上方左右两边有两个方形孔。门前有花岗岩条石台阶，门内有方孔趟栊式木栅门框架。后门宽 1.4 米，高 2.6 米，室内沙石铺地。门楼保留完整的古门楼的特征。2012 年，被录入佛冈县不可移动文物名录。

◎ 浮良北闸（摄于 2016 年）

村修有《谢氏族谱》，于清道光二十六年（1846 年）由居浮良村的谢璋昂编纂；2001 年 7 月由谢氏理事会编印新书。《谢氏族谱》共有十三个部分，分别是序言、谱序、先祖遗像、祖坟、六郎公南迁、谢氏宗支世系详列、人物、谢友俊后裔业绩录、捐资芳名录、中国历史朝代分期、谢氏家训族规、楹联诗词、编后语。族谱中记有《谢友俊公家训百字铭》：“孝道当竭力，忠勇表丹诚；兄弟互相助，慈悲无边境。勤读圣贤书，尊师如重亲；礼义勿疏狂，逊让敦睦邻。敬长与怀幼，怜恤孤寡贫；谦恭尚廉洁，绝戒骄傲情。字纸莫乱废，须报五谷恩；作事循天理，博爱惜生灵。处世行八理，修身奉祖神；儿孙坚心守，成家种菩提。”并记有《谢家告诫儿孙十要则》（十要十不要）：“一要为人正直，敦厚纯朴；不要骄横诈伪，胡作非为。二要意气风发，直接高昂；不要良自菲薄，萎靡不振。三要力求上进，勇攀高峰；不要自落孙山，甘居人后。四要竭诚待人，谦逊爽直；不要你虞我诈，两面三刀。五要尊亲敬老，和睦乡邻；不要仗势欺人，欺软怕硬。六要坚持正道，矢志力行；不要误闯歧途，妄求夜草。七要文明礼貌，举止端庄；不要烂言粗语，毁辱打骂。八要喜公好义，乐于助人；不要肥己损人，非礼而取。九要严于律己，奉公守法；不要作奸犯科，自投罗网。十要许身卫国，志在四方；不要夜郎自大，称霸厨间。”另记有字辈诗：“昂振南邦业，传家礼义良。鸿猷辉上国，奕世卜其昌。”字辈诗是于清道光十六年（1836年）清明之日，由十五世孙璋昂再撰。

村还修有《黄氏族谱》，由黄桂森于1994年纂修。族谱记载时限从三世祖鹈鹕公房起，记载白沙塘村、菱角塘、田心村、浮良村。内容分为四个部分：江夏黄氏渊源、远代始祖南陆公世系、近代始祖朗峰公世系、古今名人录。

村民仍保持宗教信仰，每逢初一、十五村民在自家门口烧香拜祭天地，祈祷家人平安顺利。民间节日以春节、元宵节、清明节、端阳节、中秋节、冬至节等节为主，正月初十为该村新添男孩子上灯日，正月十五落灯而结束上灯活动。

传统婚嫁习俗的中原古制“六礼”在该村已很少见到，但结婚聘礼、送彩礼、迎亲、闹新婚，三朝回门等礼俗仍存在。结婚时，男方到女方接新娘。双方各自设宴请客。迎亲和送亲时，男方要用车队上女方家迎接新娘和亲友，新娘胸前佩戴铜镜、宝剑等。新娘至男方屋前，鞭炮大作，八音齐鸣。待鞭炮停后，由族中命运佳胜者（多子媳）的夫人持酒敬四角。摆酒时，新郎新娘向亲友敬酒，宾客赠予红包，在酒席结束后，宴请方回赠红包或者礼物，以示礼尚往来。

传统丧葬风俗庄严繁杂，多沿用古中原的传统，以土葬为主。1990年后逐步实行火葬，其程序包括竖灵、收殓、引灵、接体、奠礼、出殡、火化、安葬。家族亲友守孝，长子戴孝，“头七”等习俗依然存在，亲朋挚友在死者面前焚香祭拜以示哀思，最后吃上以豆腐，猪肉等简单的“解秽酒”，以表丧礼仪式结束。

1997年7月，龙卷风吹掀签士黄公祠房顶，同年黄氏族人自发捐钱重修公祠。2008年冬，冰冻严重导致数百棵龙眼树死亡。

该村的黄金兴（1930—1951），革命烈士，1947年参加游击队，1951年8月牺牲。谢全生（1964—），现任清远市中医院党委书记。

（资料填报：曾荣锦，初稿撰写：曾荣锦，总纂：李协湖）

高禾塘村

◎ 高禾塘村村貌（摄于 2016 年）

高禾塘村，位于龙山镇西北部，距镇政府 10 千米。该村始建于清初，由大围分村搬迁而形成。因村址选在晒谷场（俗称禾塘）边，且地势较高，故取名高禾塘村。

该村坐落于丘陵地带，村庄坐东向西，东为石龙山，南为大围北闸，西为浮良深水村，北为山枣潭村、仙洞村。

清朝时期，该村属清远县滙一乡。民国时期，属清远县滙江区忠安乡。中华人民共和国成立初期后，属清远县第六区龙山乡。1958 年 10 月 23 日，佛冈县与从化县合并为从化县，属从化县滙江人民公社门楼富大队。1961 年 5 月，佛冈由从化县分出，属龙山人民公社门楼富大队。1983 年 12 月，属龙山区门楼富乡。1987 年 1 月，属龙山镇门楼富行政村。1989 年 11 月，属龙山镇门楼富管理区。1998 年 11 月，属龙山镇门楼富行政村至今。

世居村民为黄姓、谢姓、赖姓、何姓。黄姓族人在北宋年间从广东南雄珠玑巷迁至福建再迁移至广东顺德杏潭镇，明弘治年间从顺德迁至龙山白沙塘村，清初迁移至该地。谢姓，据《谢氏族谱》记载，南宋初年，谢氏族人由江西迁入广东南雄珠玑巷，后迁番禺大田乡（今广州市白云区江高镇大田村），明末，其祖先谢友俊自社山村（龙山官路唇村）移居浮良村，后将浮良大围分为浮良、门楼富，清初分村迁至该地。赖姓族人清初从广东英德迁入该村。何姓族人清初由英州高台乡（今佛冈县高岗镇）迁入该村。

2015 年末，户籍人口 320 人，其中男性 175 人，女性 145 人；80 岁以上 8 人，最年长者 89 岁（男）。实际在村居住 270 人，留守儿童 8 人。生活主要依靠农业收入 270 人，常年在城镇居住和打工的 50 人。村民均为汉族，广府民系，使用粤方言。

村有耕地 11.13 公顷，山地 7 公顷。自然资源主要有山草药，森林资源丰富。传统经济以农业为主，主要作物有水稻、番薯、木薯、花生、大豆等。现多种植水稻、番薯、沙糖桔、山楂、木瓜、粉葛等。特色农产品有沙糖桔、农家果园鸡。该村出产的沙糖桔色泽鲜红，口感清爽，无渣无核，清甜可口，畅销各地。2013 年以后，沙糖桔树患黄龙病致使减产甚至绝收，大部分青壮年外出打工，村民办起养鹅、

◎ 运往外地的沙糖桔（摄于 2012 年）

养猪场，并逐步形成规模。传统节庆食品有元宵节的汤圆，清明节的糯米艾糍，端午节的粽子，中秋节的月饼，湛江醋等。村民主要收入来源为农业收入，务工工资收入。

村于 1975 年通电，1994 年通电话，2006 年村内实现道路硬底化，2012 年通光纤网络。2015 年，村中建有垃圾收集站，解决村居环境卫生问题。文化设施有健身器材、篮球场，硬底化乡道通往各自然村。

传统民居大多为广府民居，多数为三间两廊布局。房屋以二进三间两廊为主，中间为厅，左右为房，东廊为门廊，西廊为厨房。若两户人家合住，则东西两廊都作厨房，厨房门各自敞开面向巷道。进门从廊门口进入，从厨房经过到达小天井，通常这个天井前面有个水井，现在大多改装抽水泵。天井连接大厅，厅门通常由两扇厚重巨大门板构成，厅两侧有两间住房，因两房门面对大厅，称之为“二门归厅”，也有少数是“四门归厅”的房屋。整个围村的房屋为“横一纵十八”分布，即一条横巷，十八条纵巷贯通全村。村中民居建筑基本保存完整。

村修有《黄氏族谱》，1994 年由黄桂森纂修。族谱记载从三世祖鵚鳩公房起，记载清远湛江白沙塘、菱角塘、田心、浮良村。族谱内容分为四个部分：江夏黄氏渊源、远代始祖南

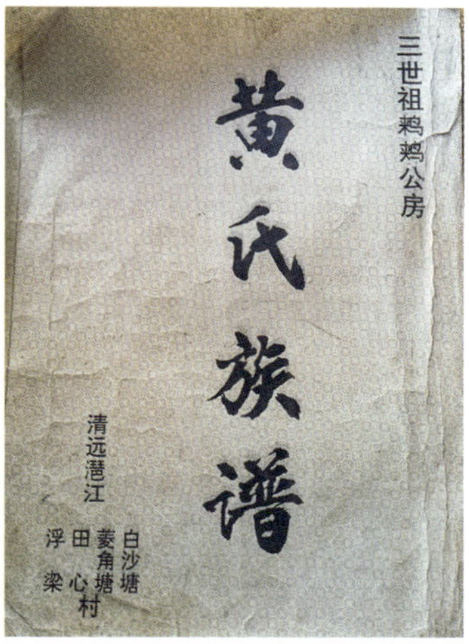

◎《黄氏族谱》（摄于 2016 年）

◎ 高禾塘村传统民居（摄于 2016 年）

◎ 签士黄公祠（摄于 2016 年）

陆公世系、近代始祖朗峰公世系、古今名人录。

位于村南的签士黄公祠，江夏垂后堂，始建于同治十三年（1874 年），于 1997 年重修。现占地 380 平方米，2000 年屡有修缮，每逢农历十二月二十四，黄氏后代自筹经费为 60 岁以上的老人，在宗祠举行敬老活动。

村中至今保留中原文化流传下来的一部分习俗。节令习俗有：春节前的祭灶、岁末守岁、张贴春联；春节的开门迎福和拜年；正月十五元宵节闹元宵；清明节祭祖扫墓；端午节裹粽子祭河神；中秋节团圆赏月；九月重阳节登高；冬至节令晒腊肉等。每逢农历初一、十五村民在自家门口烧香拜祭天地，祈祷家人平安顺利，正月初十为上灯日，正月十五落灯而结束上灯活动。

传统婚嫁习俗中的中原古制“六礼”在该村已很少见到，但送彩礼、迎亲、闹新婚，三朝回门等礼俗仍存在。结婚时，要以酒会客，男、女两家都要摆。迎亲和送亲时，男方要用车队上女方家迎接新娘和亲友。酒席间，新郎新娘向亲友敬酒，宾客赠予红包，宴请方酒席结束后，事主回赠红包或者礼物，以示礼尚往来。

传统丧葬风俗庄严繁杂，多沿用古中原的传统，以土葬为主。1990 年后逐步实行火葬，其程序包括竖灵、收殓、引灵、接体、奠礼、出殡、火化、安葬，家族亲友守孝，长子戴孝，“头七”等依然存在，亲朋挚友在死者面前焚香祭拜以示哀思，最后吃上以豆腐、猪肉等简单的“解秽酒”，以表丧礼仪式结束。

1997 年 7 月，龙卷风吹掀签士黄公祠房顶，同年黄氏族人自发捐钱重修祠堂。2008 年，天气寒冷、冰冻严重，导致数百棵龙眼树死亡。

该村的黄灼辉（1936—），曾任清远市财政局预算科科长。谢春江（1963—），曾任中共佛冈县委党史研究室副主任，现任县史志办副主任、县政协委员，曾获得全国 1% 人口抽查国家级先进个人，获得省委党史研究室颁发的从事党史工作十五年以上荣誉证书。黄永财（1971—），现任清远市国资委副调研员。

（资料填报：曾荣锦，初稿撰写：曾荣锦，总纂：李协湖）

共和村

◎ 共和村村貌（摄于 2016 年）

共和村，位于龙山镇北部，距龙山镇政府 8 千米。该村始建于清末，由当地浮良大围的黄、汤、谢、张姓村民迁至该地而形成。因共和村是由洋坑、高埔、元岭三个居住点组成的小村落，村民一直和睦相处，故取名为共和村。

该村坐落于丘陵地带，村庄坐西北向东南，东与山枣潭村相邻，南与黄泥岭相望，西面靠窝岭山，北与黄镜冚山相接。主要山岭为金冠山，山高约 150 米。村边有一条通向流洞村的小道，经多次拓宽改造后，于 2006 年实现水泥硬底化，方便村民的出行。

清朝时期，该村属清远县滘一乡。民国时期，属清远滘江区忠安乡。中华人民共和国成立初期，属清远县第六区门楼富乡。1958 年 7 月，清远县第六区（今龙山镇）划归佛冈县管辖，属佛冈县龙山区门楼富乡。1958 年 10 月 23 日，佛冈县与从化县合并为从化县，属从化县滘江人民公社门楼富大队。1961 年 5 月，佛冈由从化县分出，属龙山人民公社门楼富大队。1983 年 12 月，属龙山区门楼富乡。1987 年 1 月，属龙山镇门楼富行政村。1989 年 11 月，属龙山镇门楼富管理区。1998 年 11 月，属佛冈县龙山镇门楼富行政村至今。

世居村民有黄、汤、谢、张姓。黄姓先祖从福建迁至广东的顺德甘竹，有部分后人因谋生等原因迁至汤塘四九和龙山浮良大围一带，于清末再迁至该地。汤姓于宋代从中原迁至广东南雄珠玑巷，再迁至增城福和豪迳村，后由豪迳村分支到汤塘和龙山浮良大围，清末再迁移到该地。谢姓于南宋初年由江西庐陵迁至广东南雄珠玑巷，再由南雄珠玑巷迁至广州江高大田村，后由广州江高大田村分支到龙山官路唇、浮良大围，最后分支到该地定居。张姓于清初由佛冈民安从化围迁入该村。

2015 年末，户籍人口 332 人，其中男性 170 人，女性 162 人；80 岁以上 8 人，最年长者 84 岁（女）。实际在村人口 272 人，留守儿童 8 人。生活主要依靠农村收入的有 272 人，常年在城镇生活和打工的有 60 人。村民均为汉族，广府民系，使用粤方言。

村有耕地 18.33 公顷，山地 23.67 公顷。传统经营以农、林业为主，主要粮食作物有水稻、番薯等，经济作物种植芋头、花生、木薯、大豆、果树等。随着产业布局的调整，果树种植形成规

◎ 村民为沙糖桔装箱外运（摄于 2012 年）

模化产业。种植沙糖桔面积达到 13.33 公顷，成为村民致富的支柱产业。2013 年后，由于黄龙病侵害，沙糖桔产业逐步消失，村民转种其他经济作物。20 世纪 90 年代后，大部分青壮年外出打工。现村民主要经济收入来源为农业收入、务工性工资收入、村集体经济分红等。传统节庆食品有：咸糖环、油炸角、炒米饼，汤圆，糯米艾糍，粽子，湛江醋等。妇女生小孩坐月子时，有喝糯米甜酒，吃猪脚甜醋的习惯。

村于 1975 年通电，1994 年通电话，2006 年村内实现道路硬底化，2012 年通光纤网络。

传统民居大多为广府式三间两廊布局。房屋以二进三间两廊为主，中间为厅，左右为房，东廊为门廊，西廊为厨房。天井连接大厅，因两房门面对大厅，称之为“二门归厅”，也有少数是“四门归厅”结构的房屋。整个围村的房屋建筑呈不规则的连片带状分布。20 世纪 90 年代以后，民居改建

◎ 共和村传统民居一角（摄于 2016 年）

为钢筋混凝土结构楼房，大部分村民迁入楼房居住，传统民居已闲置或堆放杂物。

由于建村历史不长，4个姓氏没有宗祠，3个姓氏没有族谱。黄氏族人提供的族谱和四九、浮良大围等地共有的三世祖来史公房《黄氏族谱》。该《黄氏族谱》分为四个部分：江夏黄氏渊源、远代始祖南陆公世系、近代始祖朗峰公世系、古今名人录。该族谱由黄氏族人黄桂深于1994年纂修。

民间习俗有：舞狮、太公济饥粥、上灯分猪肉、拜观音、拜土地公、正月十五抢花炮（其中太公济饥粥、正月十五抢花炮两个习俗在中华人民共和国成立后已消失）。民间节日为春节、元宵节、清明节、端午节、中秋节、冬至节等。

传统婚嫁习俗的中原古制“六礼”，在该村仍然保留部分，如看家风、定礫、择日子、送礼金礼饼、送嫁妆、三朝回门等。新娘送嫁当日要举行上头仪式。上头亦称上梳，是女子嫁前改变发型的礼仪，实际上是区别已婚和未婚的分界线，多在黎明时或吉时进行。结婚时，男、女两家都要摆酒请客，女家摆酒用的肉米酒菜大多是男家送过来的。摆酒时，新郎向亲友敬酒，新娘向亲友敬茶，宾客要回赠利是，以示礼尚往来。

传统丧葬风俗以土葬为主。1990年后逐步实行火葬，其程序包括竖灵、收殓、引灵、接体、奠礼、出殡、火化、安葬，其中家族守孝、至亲戴大孝（披麻）、“头七”等依然存在。死者外家前来吊唁，事主家必须到门前跪接，任外家长辈至亲教训至满意，外家相扶才能站起。前来吊丧的村民送爆竹、纸钱、元宝、香竹、白布被，以悼念死者。办丧事只煮白饭、花菜、黄豆煮猪肉等简单饭菜。完丧次日，亲友要回访事主家。

1975年，大搞水利和农田改造基本建设，改造农田、坡地1.33公顷；1976年，实行养猪积肥一条龙，生产队建猪栏，集体养猪积肥，饲养生猪50多头。

该村的谢钜波（1963—），广东省武警边防某部正团级干部。

（资料填报：招艳棉，初稿撰写：招艳棉，总纂：李协湖）

伍坪村

◎ 伍坪村村貌（摄于 2016 年）

伍坪村，位于龙山镇北部，距镇政府 10 千米。该村始建于清末，由门楼富分村而形成。因许氏分支迁至清远潖江门楼富，由伍斗种、根竹坪两村合并，两村各取一字，而取名为伍坪村。

该村落坐于山区，群山环绕，村庄坐西北向东南，东与洋火坑村接壤，南与门楼富村相邻，西是沉冚山，北紧靠香粉水库。

清朝时期，该村属清远县潖一乡。民国时期，属清远县潖江区忠安乡。中华人民共和国成立初期，属清远县第六区门楼富乡。1958 年 10 月，佛冈县并入从化县，属从化县潖江人民公社门楼富大队。1961 年 5 月，佛冈由从化县分出，属佛冈县龙山人民公社门楼富大队。1983 年 12 月，属龙山区门楼富乡。1987 年 1 月，属龙山镇门楼富行政村。1989 年 11 月，属龙山镇门楼富管理区。1998 年 11 月，属龙山镇门楼富行政村至今。

世居村民为曾姓、许姓、邹姓、练姓。许姓于明洪武二十四年（1391 年），始祖许壬保从福建汀州迁入广东翁源周陂。清中期，万四郎祖自英德白沙移居门楼富村内。清末分村迁入该地。曾氏族人于清末由佛冈厅吉河乡渭江堡（今佛冈县石角镇）冈田村迁移到该地定居。邹氏后人于清末从佛冈厅吉河乡天降坪堡（今佛冈县水头镇）西田村杨桥头迁移至此。练姓于清末从清远县迁移该村。

2015 年末，户籍人口 173 人，其中男性 92 人，女性 81 人;80 岁以上 3 人，村中最年长者 88 岁（女）。实际在村居住 125 人，留守儿童 2 人。生活主要依靠农村收入的 125 人，常年在城镇生活和打工的 48 人。村民均为汉族，所属民系为客家民系，由于长期居住在粤语方言地域，村民现使用粤方言。

该村耕地面积 7.73 公顷，山地面积 166.67 公顷。森林资源丰富，自然资源主要有林木和山草药。传统经济以农业为主，主要作物有水稻、番薯、木薯、花生、大豆等。现多种植番薯、沙糖桔、山楂、木瓜、粉葛等。特色农产品有沙糖桔、农家果园鸡。传统节庆食品有元宵节的汤圆，清明节的糯米艾糍，端午节的粽子，中秋节的月饼，潖江醋等。2013 年以后，沙糖桔树因“黄龙病”致使减产甚至失收。2015 年，在广东省农科院技术和资金的支持下，兴办起无菌栽培沙糖桔基地，种植面积 6.67 公顷。村民办起养鹅、养猪、松香等基地，并形成规模。村民主要收入来源为农业收入，外出务工工资收入。

◎ 许氏宗祠（摄于 2016 年）

村于 1975 年通电，1994 年通电话，2008 年全村基本实现水泥硬底化，2012 年通网络和有线电视.

传统民居保存基本完整。村落坐西北向东南，呈棋盘形布局，房屋排列整齐。2 横 5 纵的巷道贯通全村，形成光照充足，排水排污方便，出入便利的特点。传统民居紧靠山脚下，成单座排列。房屋为客家围屋，门楼居中，四门归厅，中间为院子，形状如同北方的四合院。每座建筑面积约 120 平方米，民居为硬山顶，盖灰瓦，三合土舂成的墙体，保留岭南客家民居建筑风格。20 世纪 80 年代开始，村民陆续在旧民居的前面建造钢筋混凝土结构楼房，大部分村民迁入楼房居住，传统民居大多已闲置或堆放杂物。

◎ 无菌栽培沙糖桔基地（摄于 2016 年）

村中建有许氏宗祠。该宗祠于 1999 年重修，占地 80 平方米。宗祠为一进一天井布局，主厅设有神台。屋顶为硬山顶，博古脊，盖青色琉璃瓦，外墙为白灰墙。宗祠门前有一口水塘，塘内碧水青莲，鱼儿欢游。

村里曾姓族人沿用《武城曾氏重修族谱》。该族谱由广府曾氏泉公理事会于 2007 年 6 月纂修，共分为五部分：族史源流，世系概略，曾氏辈序，祖坟安葬，宗祠简介。曾氏辈序为："宏闻贞尚衍，兴毓传纪广。昭宪庆繁祥，令德维垂佑。钦绍念显扬，鼎新开国运。克复振家声，建道敦安定。懋修肇彝常，裕文焕景瑞。"

◎ 传统民居（摄于 2016 年）

传统习俗有拜观音、拜土地公、祭祖。民间传统节日以春节、元宵、清明、端午、中秋、冬至为主。

传统婚嫁习俗中保留的中原古制"六礼"在五

◎ 敲锣打鼓的迎亲队伍（摄于 2016 年）

坪村已很少见到，但相亲、定聘、过礼、结婚、三朝回门等礼俗仍存在。结婚时，男方派人至女家搬嫁妆随新娘同送。双方各自设宴请客。迎亲和送亲时，男方到女方家迎接新娘和亲友。新娘至男方门前，鞭炮大作，八音齐鸣。待鞭炮停后，由族中命运佳胜（多子媳）的夫人持酒敬四角。酒席间，新郎新娘向亲友敬酒，宾客赠予红包，在酒席结束后，宴请方回赠红包或者礼物，以示礼尚往来。

传统丧葬风俗庄严肃穆，保留着传统的古礼，以土葬为主。老人弥留之际，家属必到场送终，并派族人奔告死者的亲戚，俗称“报丧”。沐尸后更换寿衣。棺木过漆，以白布幅（俗称扣被）叠放一起，内置七块瓦作枕。出殡前亲友吊奠，灵前行礼跪拜，另外请僧道作法事为死者超度亡灵，家人披麻戴孝。20 世纪 90 年代后，逐步实行火葬。程序包括竖灵、收殓、引灵、接体、奠礼、出殡、火化、安葬，其中家族亲友守孝，长子戴孝，“头七”等依然存在，亲朋挚友在死者面前焚香祭拜以示哀思，最后吃上以豆腐，猪肉等简单的“解秽酒”，以表丧礼仪式结束。

1964 年组织村民造林大会战，种植林木 8 公顷。1975 年进行改河造田，改造农田 1.33 公顷。

该村的邹镜初（1951—），1998 年 3 月起当选佛冈县第十一届、第十三届、第十四届人大代表，并当选广东省第十一届人大代表。他曾先后被评为“广东省三级联创”活动优秀党组织书记，清远市“十佳村（居）委计划生育干部”“清远市劳动模范”，当选广州亚运会火炬手，2013 年被中国科学技术协会评为全国“科普带头人”。

（资料填报：曾荣锦，初稿撰写：曾荣锦，总纂：李协湖）

犁坑村

◎ 犁坑村村貌（摄于 2016 年）

犁坑村，位于龙山镇北部，距镇政府 10 千米。该村始建于清末，由洋火坑、门大围、三叿分村迁入而形成。因村旁有一条坑叫犁坑尾，故取名为犁坑村。

该村坐落于丘陵地带，村落坐西向东，东与门楼富村接壤，南与仙洞村相邻，西是流洞村，北是犁坑尾。

清朝时期，该村属清远县滘一乡。民国时期，属清远县滘江区忠安乡。中华人民共和国成立初期，属清远县第六区门楼富乡。1957 年 7 月，第六区（今佛冈县龙山镇）划归佛冈县管辖，属佛冈县龙山乡。1958 年 10 月，佛冈县并入从化县，属从化县滘江人民公社门楼富大队。1961 年 5 月，佛冈由从化县分出，属龙山人民公社门楼富大队。1983 年 12 月，属龙山区门楼富乡。1987 年 1 月，属龙山镇门楼富行政村。1989 年 11 月，属龙山镇门楼富管理区。1998 年 11 月，属龙山镇门楼富行政村至今。

世居村民为许姓、陈姓、黄姓、苏姓。据《许氏族谱》记载，许氏法昌从福建汀州上杭迁至广东南雄珠玑巷，其后裔于明洪武二十四年（1391 年），搬迁到翁源周陂，清初又迁徙到英德白沙定居。清末，再分支迁至清远滘江门楼富村，后从门楼富分村迁入该地。陈姓于 20 世纪 50 年代初期，从佛冈县龙山门楼富三叿村迁至到该村。黄氏于 20 世纪初期，从佛冈县龙山浮良村迁移至该村。苏姓于 20 世纪 50 年代迁居该村。

2015 年末，户籍人口 175 人，其中男性 97 人，女性 78 人；80 岁以上 6 人，村中最年长者 90 岁（男）。实际在村居住 159 人。生活主要依靠农业收入的 159 人，常年在城镇生活和打工的 16 人。村民均为汉族，所属民系为客家民系，由于长期居住在粤语方言地域，村民现使用粤方言。

村有耕地面积 7.13 公顷，山地面积 42.33 公顷，森林资源丰富，自然资源主要有林木和山草药。传统经济以农业为主，主要作物有水稻、番薯、木薯、花生、大豆等。现多种植番薯、山楂、木瓜、粉葛等。特色农产品有沙糖桔、农家果园鸡。该村出产的沙糖桔色泽鲜红，口感清爽，无渣无核，清甜可口，畅销各地。2013 年以后，沙糖桔产业因“黄龙病”致使减产甚至失收，村民办起养鹅、养猪、松香等基地，并形成规模。传统节庆食品有元宵节的汤圆，清明节的糯米艾糍，端午节的粽子，中秋节的月饼，湛江醋等。村民主要收入来源为农林业收入，外出务工工资收入。

村于1975年通电，1994年通电话，2008年村道实现水泥硬底化，2012年通网络和有线电视。

传统民居为泥坯房，保存基本完整。村落坐西向东，犁坑河将村一分为二，分两个居住点。房屋排列整齐。6横3纵的巷道贯通全村，形成光照充足，排水排污方便，出入便利的特点。传统民居紧靠山脚下，成单座排列。每座建筑面积约80平方米。20世纪80年代开始，村民陆续在旧民居的前面建造钢筋混凝土结构楼房，大部分村民迁入楼房居住，旧民居现已闲置或堆放杂物。

◎ 犁坑村传统民居（摄于2016年）

门楼富小学曾办在该村地域。随着学校的布局调整，2005年，门楼富小学与浮良小学合并，校址设在浮良大围，现门楼富小学已闲置。

村里许姓族人与翁源、英德许姓共用《许氏族谱》。

◎ 门楼富小学（摄于2016年）

该族谱由族人许维赞于清光绪三十三年(1907年)纂修，共分为五部分：族史源流，世系概略，许氏辈序，祖坟安葬，宗祠简介。许氏辈序为："朝明承国，宪章文武。天祚维新，世培家国。永克同珍，才志有伴。仰士仲伸，秉良康晋。雨梧泰清，启明东化。长庚浮英，必南星正。位祭君臣，以集并茂。咸占根深，恩惠前定，振作后钦。"

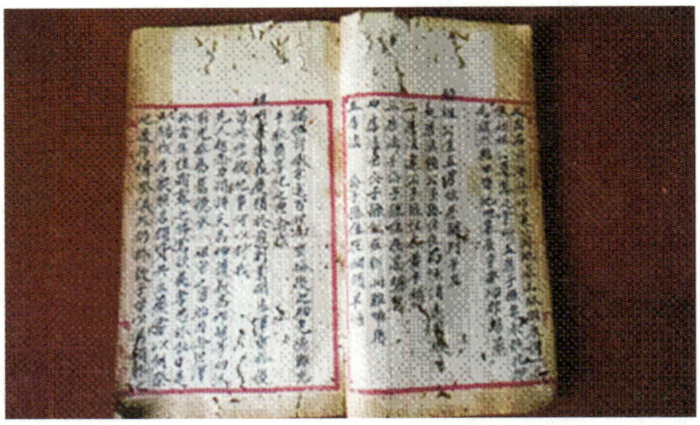

◎《许氏族谱》（摄于2016年）

传统习俗有拜观音、拜土地公、祭祖。民间传统节日以春节、元宵、清明、端午、中秋、冬至为主。传统婚嫁习俗中，中原古制的"六礼"已很少见到，但迎亲嫁娶的习俗仍然存在，如"睇家风"、拣日子、送聘礼、结婚迎亲，闹洞房，三朝回娘家等礼俗还存在。犁坑村传统丧葬风俗庄严繁杂，多沿用古中原的传统，以土葬为主。20世纪90年代后逐步实行火葬，其程序包括竖灵、收殓、引灵、接体、奠礼、出殡、火化、安葬，其中家族守孝、至亲戴孝、"头七"祭拜等依然存在。办丧事只煮白饭、花菜、黄豆煮猪肉等简单的饭菜，用餐时不坐高台凳，拆下事主家的门板放于门前的巷地上当饭台。

主要特色习俗有正月初十上灯，清明、重阳祭祖等。

1964年组织村民开展造林大会战，种植杉树6.67公顷。1975年实行养猪积肥一条龙，生产队建猪栏，集体养猪积肥，饲养生猪80多头，为集体经济增加较多收入。

（资料填报：曾荣锦，初稿撰写：曾荣锦，总纂：李协湖）

流洞村

◎ 流洞村村貌（摄于 2016 年）

流洞村，位于龙山镇西北部，距镇政府 10 千米。该村始建于清末，由广东翁源、英德等地迁入聚居而形成。在清末，因人口随迁流浪至此洞型山边，而取名流洞。流洞村有猪仔碶、银牛之美誉，又名银牛村。

该村坐落于丘陵地带，地势低洼，村前为百亩良田，视野开阔。村庄坐西北向东南，依山而建，东至大窝山，南至耕地，西至石龙山，北至高认老山。

清朝时期，该村属清远县潖一乡。民国时期，属清远县潖江区忠安乡。中华人民共和国成立初期，属清远县第六区龙山乡。1953 年，属清远县第六区门楼富乡。1958 年 7 月中旬，清远县第六区（即今龙山镇）划归佛冈县管辖。1958 年 10 月 23 日，佛冈县与从化县合并为从化县，属从化县潖江人民公社门楼富大队。1961 年 5 月，佛冈由从化县分出，属佛冈县龙山人民公社门楼富大队。1983 年 12 月，属龙山区门楼富乡。1987 年 1 月，属龙山镇门楼富行政村。1989 年 11 月，属龙山镇门楼富管理区。1998 年 11 月，隶属龙山镇门楼富行政村至今。

世居村民为许姓、李姓。许姓，据《许氏族谱》记载，明洪武二十四年（1391 年）始祖许壬保从福建汀州迁入广东翁源周陂。后又迁徙到英德白沙，清初，又从英德白沙移居门楼富村，清末分村迁入该地。李姓于清代从英德白沙迁移至佛冈水头，于民国时期由佛冈水头迁移至该地。

2015 年末，户籍人口 453 人，其中男性 232 人，女性 221 人；80 岁以上老人 10 人，最年长者 92 岁（男）。留守儿童 8 人。生活主要依靠农业收入的 400 人，常年在城镇生活和打工的 53 人。村民均为汉族，属客家民系，由于长期居住在粤语方言地区，村民现使用粤方言。

村有耕地面积 26.27 公顷，山地面积 166.67 公顷，森林资源丰富，自然资源主要有林木和山草药。传统经济以农业为主，主要作物有水稻、番薯、木薯、花生、大豆等。随着产业布局的调整，果树种植形成规模化产业。种植沙糖桔面积达到 200 多亩，成为村民致富的支柱产业。但 2013 年后，由于黄龙病侵害，沙糖桔产业逐步消失，村民转种其他经济作物。特色农产品有农家果园鸡。传统节庆食品有元宵节的汤圆，清明节的糯米艾糍，端午节的粽子，

◎ 流洞村丰富的森林资源（摄于 2016 年）

◎ 舞狮拜祖祠（摄于 2016 年）

中秋节的月饼，湛江醋等。村民主要收入来源为农、林业收入，外出务工工资收入。

村于 1975 年通电，1994 年通电话，2006 年实现村道水泥硬底化，2011 年通网络。村中建有垃圾收集站，定期清理村中垃圾。村内文体设施有农家书屋、健身公园、篮球场。

传统民居为客家民居，建于清中期至民国初年。建筑年代距今 200 年以上的有 3 座。主要以红砖砌墙，杉木撑顶，盖瓦片。至今传统民居建筑基本保存完整。20 世纪 80 年代开始，村民陆续在旧民居的前面建造钢筋混凝土结构楼房，大部分村民迁入楼房居住，旧民居已闲置或堆放杂物。

村中主要宗祠有许氏宗祠，始建于 1913 年，占地面积 130 多平方米，2002 年重修。现存主体建筑结构为正厅墙壁采用灰瓦顶、实木梁、方砖地，外墙采用朱砂红光面瓷砖镶嵌，门口约有长 120 厘米，宽 60 厘米大理石作门梁并刻有“灵杰第”三个大字，

◎ 许氏宗祠（摄于 2016 年）

寓意后代子子孙孙千秋万代。

该村崇文重教，从建村起开办谢传启私塾，中华人民共和国成立后，国家注重国民教育，各行政村设立小学，私塾也随之消失。

◎《许氏族谱》（摄于 2016 年）

村修有《许氏族谱》，由广东翁源许壬保世系许氏族谱编纂理事会编印，许尔赐担任总编，于 2006 年 1 月出版。族谱记载从洪武年间许壬保世系起，至许朝佑支系止，前后 640 多年。主要内容包括：目录、文献、功德录、人物、文艺欣赏、传统风俗礼仪、许氏源流、壬保公世系字辈、壬保公世系共 8 章。族谱载有家训：“训是家魂，告诫族人；两仪既定，乾坤宜尊；父慈子孝，人当奉行；兄友弟恭，应重人伦；夫勤妇俭，妯娌谦逊；交朋接友，信义宜尊；尊老爱幼，文明待人；盗赌淫娼，戒除严禁；家勿重聘，娶择淑能；穷则安份，富则济贫；勿抗粮税，寇盗勿亲；士工农商，各安其份；遵纪守法，严教儿孙；与邪者斗，与恶者争；伸张正义，坚持真理；教而不服，申报法庭；训示如此，务必遵循。”另载有许氏家规：“不许忤逆双亲；不许嫖娼赌博；不许逞强欺人；不许辱骂

尊长；不许兄弟相争；不许抗粮抗税；不许偷抢营生；不许虐妇弃婴；不许叛国投敌；不许盗棺倔墓。”

传统婚嫁习俗中的相亲、定聘、过礼、结婚、三朝回门等礼俗仍存在。结婚时，男方去女方接新娘。双方各自设宴请客。新娘至男方屋前，鞭炮大作，八音齐鸣。待鞭炮停后，由族中命运佳胜（多子媳）的夫人持酒敬四角。摆酒时，新郎新娘向亲友敬酒，宾客赠予红包，在酒席结束后，宴请方回赠红包或者礼物，以示礼尚往来。

传统丧葬风俗庄严肃穆，保留着传统的古礼，以土葬为主。老人弥留之际，家属必到场送终，并派族人奔告死者的亲戚，俗称“报丧”。沐尸后更换寿衣。棺木过漆，以白布幅（俗称扣被）叠放一起，内置瓦七块作枕。出殡前亲友吊奠，灵前行礼跪拜，另外请僧道作法事为死者超度亡灵，家人披麻戴孝。2002年后，全面推行火葬，程序包括竖灵、收殓、引灵、接体、奠礼、出殡、火化、安葬，其中家族亲友守孝，长子戴孝，“头七”等依然存在，亲朋挚友在死者面前焚香祭拜以示哀思，最后吃上以豆腐，猪肉等简单的“解秽酒”，以表丧礼仪式结束。

1963年，响应上级兴修水利号召，大搞水利建设，政府出资新建石硖水库，现更名为“石硖小（2）型水库”。

村有流传民间传说：祖宗寡婆一人带领许姓三个儿子从门楼富伍坪村搬迁至流洞村，路上偶遇地理先生，闲谈后，与之相识，于是杀鸡热诚招待，地理先生甚是感动，利用所知的风水知识为寡婆出谋献策，改变命运。当时陈氏家族已在流洞村生根发芽，该地理先生巧用谋略说服陈氏族人搬出流洞，并称搬离后会发家致富，陈氏族人深信并搬离流洞村范围内的其他位置，自然许氏三兄弟搬至陈氏原来住址。有一天，许氏三兄弟前往韶关龙门镇担盐谋生，途中偶遇带光的白马，并在白马的指引下找到白银万锭，由此富甲整个门楼富村。其中兄弟一人好赌成性，输了不少白银，于是另外两兄弟将大部分银两转移流洞村范围内，将一锭锭白银藏于金埕中，后被他人发现被盗，于是兄弟两人将余下白银铸成牛头模样，藏遍流洞村，以防被盗，故而得名银牛。

该村的许湛庭（1927—1998），曾在广东华南理工大学任教，高级专业技术职称。

（资料填报：曾荣锦，初稿撰写：曾荣锦，总纂：李协湖）

门大围

◎ 门大围村貌（摄于 2016 年）

门大围，又名门楼富村，位于龙山镇北部，距镇政府 10 千米。该村始建于清初，由佛冈水头黄氏族人分村迁徙到此地繁衍生息。由于门楼富村改为行政村名，为便于区分，该自然村改名为门大围。

该村坐落于丘陵地带，地势平坦。村庄坐东向西，村东面为后背山，南面是一片山丘，西面紧靠犁坑村，北面与伍坪村、洋火坑村接壤。

清朝时期，该村属清远县滘一乡。民国时期，属清远县滘江区忠安乡。中华人民共和国成立初期，属清远县第六区门楼富乡。1958 年 7 月，清远县第六区（今龙山镇）划归佛冈县管辖，属佛冈县龙山区门楼富乡。1958 年 10 月 23 日，佛冈县与从化县合并为从化县，属从化县滘江人民公社门楼富大队。1961 年 5 月，佛冈由从化县分出，属龙山人民公社门楼富大队。1983 年 12 月，属龙山区门楼富乡。1987 年 1 月，属龙山镇门楼富行政村。1989 年 11 月，属龙山镇门楼富管理区。1998 年 11 月，属佛冈县龙山镇门楼富行政村至今。

世居村民为黄姓。据《黄氏族谱》记载，黄姓的来源是高阳氏曾孙陆终的后裔南陆，他兄弟三人中排行第二，南陆又叫南陵，字助君，周上党令。轩辕黄帝要排行姓氏，南陆由于食邑于黄遂，就赐他姓黄，黄南陆的姓名就此面世。从此他成为黄姓的始祖。其第 158 代裔孙黄胜（六峰公）和他叔父文清到佛冈吉河虎子岭（今佛冈县水头镇）居住。清初，黄姓从佛冈水头迁徙到该地。

2015 年末，户籍人口 416 人，其中男性 223 人，女性 193 人；80 岁以上 6 人，村中最年长者 92 岁（女）。实际在村人口 366 人。留守儿童 8 人。生活主要依靠农业收入的 366 人；常年在城镇生活和打工的 50 人。村民均为汉族，广府民系，使用粤方言。

村有耕地面积 19.67 公顷，山地面积 81.67 公顷。耕地土壤肥沃，水源充足，传统经营以农业为主，主要作物以种植水稻为主，兼种有花生、番薯等。特色农产品为沙糖桔，是收益较高的产业。村民自 20 世纪 90 年代后期开始种植沙糖桔，并逐步扩大，村里的经济有很大起色，最高峰时村里年人均收入 8000 多元。2013 年后，沙糖桔黄龙病不断蔓延发展，出现大片枯萎，沙糖桔收成逐渐减产，到 2014 全面失收。果农已经开始改种其他水果作物，如大果山楂、

◎ 村民喜收沙糖桔（摄于 2012 年）

◎ 黄氏宗祠（摄于 2016 年）

香芋、葡萄、火龙果、莲藕、粉葛等。由于果农收入大减，大部分青壮年外出打工，村民主要收入来源为农业收入，外出务工工资收入。传统食品有糯米糍、炒米饼、艾糍等。

该村于 1975 年通电，1994 年通电话，2005 年村道实现水泥硬底化，2009 年开通网络。村中建有垃圾收集池，还设置垃圾桶，卫生环境得到改善。村中建有文化室，丰富村民文娱生活。

传统民居现存 10 座，始建于清初。村庄坐东向西，呈棋盘形布局，房屋排列整齐。3 横 3 纵的巷道贯通全村，形成光照充足，排水排污方便，出入便利的特点。传统民居紧靠山脚下，成一字排列，每座建筑面积约 150 平方米，硬山顶，盖灰瓦，泥砖砌墙，两进两房一厅一天井，保留岭南广府民居特有的建筑风格。20 世纪 80 年代开始，村民兴建钢筋混凝土结构楼房，大多为三房一厅一厨一卫布局，楼房仍保留传统的“天井”方便平时的生活。

村中现存黄氏宗祠一座，该宗祠始建于清朝中期，重建于 2012 年，占地约 200 平方米，宗祠共分两进，一进为文化室，中间为天井，二进是宗祠。逢年过节，村民都集中宗祠烧香祈拜。

村修有《黄氏族谱》，于 1996 年由黄业辉组织撰

◎ 传统民居（摄于 2016 年）

◎ 省农业厅对该村农业综合改革进行调研（摄于 2014 年）

写，1997 年 7 月印刷成书。族谱分为序言、黄氏历代名人录、十八子分枝发叶、纪念黄氏族谱歌等部分。

民间习俗有：舞狮、太公济饥粥、上灯分猪肉、拜观音、拜土地公、正月十五抢花炮（其中太公济饥粥、正月十五抢花炮习俗在中华人民共和国成立后已消失）。民间节日为春节、元宵节、清明节、端阳节、中秋节、冬至等。

传统婚嫁习俗仍有保留结婚前女家要到男家探家风，要担定婚茶，报日子、送聘金、定嫁妆，行结婚礼时，男方上女方家迎接新娘和亲友，新娘至男方门前，鞭炮大作，摆酒时，新郎新娘向亲友敬酒，宾客赠予红包，酒席结束后，宴请方回赠红包或者礼物，以示礼尚往来。

传统丧葬风俗以土葬为主，1990 年以后逐步实行火葬。老人弥留之际，家属必到场送终，并派族人奔告死者的亲戚，俗称“报丧”，程序为举丧、入殓、奠礼、出殡、火化、安葬、做法事，将亡灵牌位送入祠堂。办丧事只煮白饭、花菜、黄豆煮猪肉等简单饭菜，用餐不坐高台凳，拆下主家门板放地上当饭台，以表哀痛。完丧次日，亲友要回访事主家。

1964 年组织村民造林大会战，植树造林 200 多亩。1976 年开展养猪积肥一条龙，生产队建有猪栏 20 多间，饲养生猪 80 多头。2014 年 12 月广东省农业厅对该村农业综合改革进行扶持。

该村的黄务本（1941—），曾任佛冈县中医院副院长、主任医师。黄泽川（1970—），佛冈县人民政府办公室主任，2016 年任佛冈县人大常委会副主任。

（资料填报：李珊珊，初稿撰写：李珊珊，总纂：李协湖）

三冚村

◎ 三冚村村貌（摄于 2016 年）

三冚村，位于龙山镇北部，距镇政府 10 千米。该村始建于 20 世纪 60 年代初期，由企洞石、湴冚的村民陆续搬迁到该地建村，因村位于湴冚、企洞石、大石鼓 3 条山冚汇合的大山口，故取名为三冚村。原来的湴冚及企洞石小村落现已无人居住，已经荒废。

该村坐落于山区，村落坐东向西，三面环山，东靠旱冚禾山；南是面老山；西是大山口，可与洋火坑村相望；北是龟咀山。

该村形成时，属佛冈县龙山人民公社门楼富大队。1983 年 12 月，属龙山区门楼富乡。1987 年 1 月，属龙山镇门楼富行政村。1989 年 11 月，属龙山镇门楼富管理区。1998 年 11 月，属龙山镇门楼富行政村至今。

世居村民为陈姓。根据《陈氏族谱》记载，该族广东始祖陈輖公原居江西省泰和县柳溪乡古井巷，北宋天圣年间，讲学至广东南雄，经举荐在当时的番禺县（宋朝番禺包括广州、番禺、增城一带，）任保昌尉一职（相当于现在的县教育局长）。 陈輖公定居增城九佛枫下村，并在枫下村创立凤翔社，之后陈輖公后代都称凤翔派。其后代繁衍生息，人口增多。然后分别迁居到增城黄田村、山美村、仙村镇上境村、石滩镇马修陈屋（修家垅）等地。明成化年间，陈氏凤翔十三世祖陈良善从增城石滩镇马修陈屋迁居至清远县吉河乡科旺黄竹塱。明末，从黄竹塱迁至山湖大山口村，其中一分支迁至龙山门楼富，20 世纪 60 年代迁至该村。

2015 年末，户籍人口 85 人，其中男性 42 人，女性 43 人;80 岁以上 1 人,村中最年长者 81 岁(男)。实际在村居住 54 人，留守儿童 3 人。生活主要依靠农业收入 54 人，常年在城镇居住和打工的 31 人。村民均为汉族，广府民系，使用粤方言。

村有耕地面积 3.27 公顷，山地面积 80 公顷。森林资源丰富，自然资源主要有林木和山草药。传统经济以农业为主，主要作物有水稻、番薯、木薯、花生、大豆等。现多种植番薯、山楂、木瓜、粉葛等。特色农产品有沙糖桔、农家果园鸡。该村出产的沙糖桔色泽鲜红，口感清爽，无渣无核，清甜可口，畅销各地。2013 年以后，沙糖桔产业因“黄龙病”致使减产甚至失收，村民办起养鹅、养猪、松香等基地，并形成规模。传统食品有番薯干、碱水

◎ 三冚村的山林（摄于 2016 年）

粽、煎堆、艾糍、元宵节的汤圆，清明节的糯米艾糍，端午节的粽子，中秋节的月饼，湛江醋等。村民主要收入来源为农林业收入、务工工资收入。

村于 1975 年通电，1994 年通电话，2011 年通网络和有线电视，2015 年全村道路基本实现水泥硬底化。

传统民居大多为广府民居，始建于 1961 年，保存基本完整。村落坐东向西，呈棋盘形布局，房屋排列整齐。三横三纵的巷道贯通全村，形成光照充足，排水排污方便，出入便利的特点。传统民居紧靠山脚下，成一字排列。房屋为广府式正座，四房一厅，两廊一天井布局，每座建筑面积约 150 平方米，其建筑为硬山顶，盖灰瓦，泥砖墙体，保留岭南广府民居风格。20 世纪 80 年代开始，村民陆续在旧民居的前面建造钢筋混凝土结构楼房，大部分村民迁入楼房居住，传统民居已闲置或堆放杂物。

◎ 三冚村传统民居（摄于 2016 年）

传统民俗有正月初十上灯、拜观音、拜土地公、清明祭祖等。民间传统节日以春节、元宵、清明、端午、中秋、冬至为主。传统婚嫁习俗中，中原古制的“六礼”已很少见到，但迎亲嫁娶的习俗如“睇家风”、拣日子、送聘礼、结婚迎亲，闹洞房，三朝回娘家等礼俗还存在。传统丧葬风俗庄严繁杂，多沿用古中原的传统，以土葬为主。1990 年后逐步实行火葬，其程序包括竖灵、收殓、引灵、接体、奠礼、出殡、火化、安葬，其中家族守孝，至亲戴孝，“头七”祭拜等依然存在。办丧事只煮白饭、花菜、黄豆煮猪肉等简单的饭菜，用餐时不坐高台凳，拆下事主家的门板放于门前的巷地上当饭台，以表哀痛。

位于后山 1000 米的山冚里，有一块形状似人站立的大石块，当地人叫企洞石。村中有一民间传说。

◎ 企洞石（摄于 2016 年）

相传在很久以前，有一位仙人奉玉皇大帝之命，在黎明前将一块形状似人的大石块安放到门楼富的陂头（拦河坝）镇守河堤。仙人扛着石块摸黑在山路上匆行，当来到一条山冚时，忽闻鸡鸣，误以为天要亮了。其实那时并未天亮，只是山中的百灵鸟在逗着他玩，学着公鸡啼鸣。仙人误以为真，便把石块安放在山路边，急忙离去。至今，那块像人形一样的大石头站立在山路旁边，当地人称它为企洞石。后来当地人就在石块后面建村，并取名为企洞石村。1962 年后，村民们搬迁到三冚村居住，企洞石村现已荒废。

1964 年，村民参加植树造林大会战，种植林木 150 多亩。1975 年，进行改河造田，改造农田 10 多亩。

该村的陈东扬，为清代末期民间远近闻名的木匠，其制作的木水桶，尽管不用篾箍、铁箍箍住，也不漏水。产品畅销龙山、民安等地。

（资料填报：曾荣锦，初稿撰写：曾荣锦，总纂：李协湖）

山枣潭村

◎ 山枣潭村貌（摄于2016年）

山枣潭村，位于龙山镇北部，距镇政府8千米。该村始建于清末，是由浮良大围部分村民聚居而形成。因村地形像一只蓄势欲动的伏地雄狮，狮的左前爪伸向高禾前面的水潭边，而取名为伸爪潭村。后又因潭边有一棵山枣大树，枝繁叶茂，潭水清澈，改为山枣潭村。

该村坐落于丘陵地带，位于潖江中下游。村落坐西北向东南，东连接坎山，南是高禾塘村，西是共和（元岭）村，北连接鲤鱼田村、芒婆冚。

清朝时期，该村属清远县潖一乡。民国时期，属清远县潖江区忠安乡。中华人民共和国成立初期，属清远县第六区门楼富乡。1958年7月，第六区（今龙山镇）划归佛冈县管辖，属佛冈县龙山乡。1958年10月，佛冈县并入从化县，属从化县潖江人民公社门楼富大队。1959年5月，属从化县龙山人民公社门楼富大队。1961年5月，佛冈由从化县分出，属龙山人民公社门楼富大队。1983年12月，属龙山区门楼富乡。1987年1月，属龙山镇门楼富行政村。1989年11月，属龙山镇门楼富管理区。1998年11月，属龙山镇门楼富行政村至今。

世居村民为黄姓、汤姓、罗姓、何姓、谢姓、曾姓。黄姓先祖从福建迁至广东的顺德甘竹，有部分族人因谋生等方面原因迁至佛冈县的四九和龙山的浮良大围，清末，由浮良大围迁至山枣潭村。汤姓由龙山浮良大围迁入该地。罗姓由佛冈四九迁移该地。何姓由佛冈高岗迁入该地。谢姓由龙山浮良大围迁入该地。曾姓由佛冈石角迁至该地。

2015年末，户籍人口332人，其中男性180人，女性152人；80岁以上8人，最年长者91岁（男）。实际村中居住人口272人。农村留守儿童8人。生活主要依靠农村收入的人口有272人，常年在城镇生活和打工的有60人。村民均为汉族，广府民系，使用粤方言。

村有耕地10.8公顷，山地37.67公顷。传统经营以农业为主，粮食作物主要水稻、番薯等，经济作物种植果树、芋头、花生、木薯、大豆等。林业以植树造林、封山育林为主，保护生态环境。渔业以山塘储水养殖四大家鱼。畜牧业饲养鸡、鸭、鹅家禽类和猪、牛、羊家畜类。现多种水稻、果树、经济林木。特色农产品为沙糖桔。该村出产的沙糖

◎ 山枣潭村的公益生态林（摄于 2016 年）

桔色泽鲜红，口感清爽，无渣无核，清甜可口，畅销各地。90 年代后，大部分青壮年外出打工。现村民主要经济收入来源为：农业收入、务工性工资收入、村集体经济分红等。该村传统节庆食品有：咸糖环、油炸角、炒米饼，汤圆，糯米艾糍，粽子，月饼，浛江醋等。

村于 1975 年通电，1994 年通电话，2006 年村内实现道路硬底化，2012 年通光纤网络。

传统民居大多为广府民居，属于清代建筑的民居已被全毁，现有民居大多是 20 世纪 80 年代兴建钢筋混凝土结构楼房。房屋以二进三间两廊为主，中间为厅，左右为房，东廊为门廊，西廊为厨房。

◎ 民居一角（摄于 2016 年）

因两房门面对大厅，称之为“二门归厅”，也有少数是“四门归厅”结构的房屋。整个村落的房屋建筑呈“一横十八纵”分布，即 1 条横巷，18 条纵巷贯通全村。

建村历史不算长，村里六个姓氏都没有宗祠。黄氏的长者提供的族谱也是和四九、浮良大围等共有的（三世祖鳩鳩公房《黄氏族谱》）。该《黄氏族谱》主要内容分为四个部分：江夏黄氏渊源，远代始祖南陆公、春申公、峭山公世系，近代始祖朗峰公世系，古今名人录。该族谱由族人黄桂深于 1994 年修。

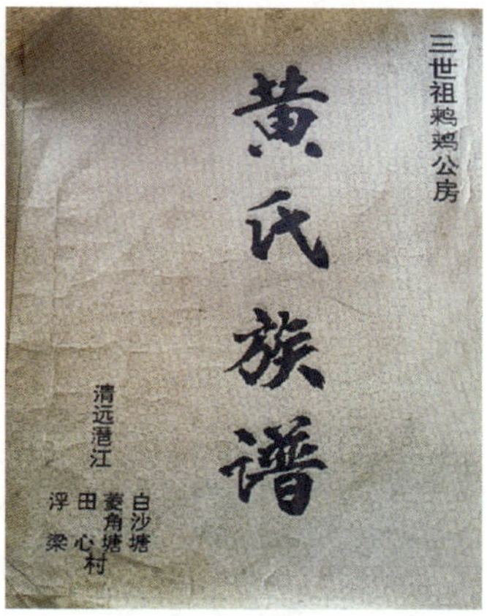

◎《黄氏族谱》（摄于 2016 年）

民间习俗主要有：舞狮、太公济饥粥、上灯分猪肉、拜观音、拜土地公、正月十五抢花炮（其中太公济饥粥、正月十五抢花炮此两个习俗在中华人民共和国成立后已消失）。民间传统节日以春节、元宵、清明、端阳、中秋、冬至等节为主，正月初十（或有人在初八）日为未上灯男孩子上灯，正月十五日落灯而结束上灯活动。传统婚嫁习俗中，保留中原古制的“六礼”，在该村已很少看到，但迎亲嫁娶等礼俗依然存在。传统的丧葬风俗，多沿用古中原的传统，以土葬为主，1990 年后逐步实行火葬，其程序有：竖灵、收殓、引灵、接体、奠礼、出殡、火化、安葬等。

1975 年大搞水利和农田改造基本建设，改造农田 1.33 公顷。1982 年分田到户，村民各自耕作。

（资料填报：招艳棉，初稿撰写：招艳棉，总纂：李协湖）

仙洞村

◎ 仙洞村村貌（摄于 2016 年）

仙洞村，位于龙山镇北部，距镇政府 10 千米。该村始建于清末，由龙南山湖紫竹冚分村迁入而形成。因该村地处山谷，春夏两季云雾绕山，形似仙境而取名为仙洞村。

该村坐落于丘陵地带，村落坐东北向西南，东靠近大窝山，南与高禾塘村相邻，西是山枣潭村，北连接大围村。

清朝时期，该村属清远县滘一乡。民国时期，属清远县滘江区忠安乡。中华人民共和国成立初期，属清远县第六区门楼富乡。1958 年 7 月，清远县第六区（今龙山镇）划归佛冈县管辖，属佛冈县龙山区门楼富乡。1958 年 10 月，佛冈县并入从化县，属从化县滘江人民公社门楼富大队。1959 年 5 月，属从化县龙山人民公社门楼富大队。1961 年 5 月，佛冈由从化县分出，属佛冈县龙山人民公社门楼富大队。1983 年 12 月，属龙山区门楼富乡。1987 年 1 月，属龙山镇门楼富行政村。1989 年 11 月，属龙山镇门楼富管理区。1998 年 11 月，属龙山镇门楼富行政村至今。

世居村民为张姓。清末，张姓祖先从佛冈厅吉河乡小坑堡（今佛冈县石角镇）龙南山湖紫竹冚迁至该地。

2015 年末，户籍人口 48 人，其中男性 26 人，女性 22 人；80 岁以上 1 人，村中最年长者 90 岁（女）。实际在村居住人口 30 人。生活主要依靠农业收入的人口 30 人，常年在城镇生活和打工的人口有 18 人。村民均为汉族，所属民系为客家民系，由于长期居住在粤语方言地域，村民现使用粤方言。

村有耕地面积 4.47 公顷，山地面积 63.33 公顷，

◎ 仙洞村养猪场（摄于 2016 年）

山多林密，自然环境优美，森林资源丰富。野生动物有鸟类、哺乳类、爬行类等。传统经济以农业为主，主要作物有水稻、番薯、木薯、花生、大豆等。现多种植番薯、沙糖桔、山楂、木瓜、粉葛等。特色农产品有沙糖桔、农家果园鸡。该村出产的沙糖桔色泽鲜红，口感清爽，无渣无核，清甜可口，畅销各地。2013年以后，沙糖桔树患黄龙病致农民减产甚至绝收，大部分青壮年外出打工，村民办起养鹅、养猪等养殖基地，养鹅1500多只，养猪800多头。村民主要收入来源为农业收入，外出务工村民为工资性收入。传统食品有番薯干、碱水粽、煎堆、艾糍、元宵节的汤圆，清明节的糯米艾糍，端午节的粽子，中秋节的月饼，湛江醋等。

村于1975年通电，1994年通电话，2006年通网络和有线电视，2008年全村道路基本实现水泥硬底化，2012年通自来水。

传统民居为客家围屋，保存基本完整。村落坐西北向东南，呈棋盘形布局，房屋排列整齐。二横六纵的巷道贯通全村，形成光照充足，排水排污方便，出入便利的特点。传统民居紧靠山脚下，成单座排列。房屋为客家围屋，门楼居中，两边为1间旁屋。每座建筑面积约90平方米，主要建筑特色为硬山顶，盖灰瓦，三合土舂成的墙体，鹅卵石铺成的院子，保留岭南客家民居建筑风格。20世纪80年代开始，村民陆续在旧民居的前面建造钢筋混凝土结构楼房，大部分村民迁入楼房居住，传统民居大多已闲置或堆放杂物。

传统习俗有拜观音、拜土地公、祭祖等。民间传统节日以春节、元宵、清明、端午、中秋、冬至为主。村民有正月初十“上灯”的习俗。因该村没有祠堂，所以该习俗就只能在各自的家中进行。上灯活动大致分为迎灯、接灯、摆放供品、挂灯等程序，体现祈求人丁兴旺的心愿，显示族人和谐共处的景象。清明节期间，各家各户都进行扫墓、祭拜的活动，连定居海外的族人也不远万里携带家人回乡祭拜祖先。

◎ 上灯日挂的灯笼（摄于2016年）

◎ 仙洞村民居（摄于2016年）

传统婚嫁习俗中的相亲、定聘、过礼、结婚、三朝回门等礼俗仍存在。结婚时，男方派人至女家搬嫁妆随新娘同送。双方各自设宴请客。

传统丧葬风俗以土葬为主。20世纪90年代后，逐步实行火葬，其程序包括竖灵、收殓、引灵、接体、奠礼、出殡、火化、安葬，其中家族亲友守孝，长子戴孝，“头七”等依然存在，亲朋挚友在死者面前焚香祭拜以示哀思，最后吃上豆腐、猪肉等简单的“解秽酒”，以表丧礼仪式结束。

1964年，组织村民开展造林大会战，种植松、杉林木8公顷。1972年，在该村办有知青场，有9名知青落户该村。1975年，进行改河造田，大搞农田基本建设，改造农田、坡地0.67公顷。

（资料填报：曾荣锦，初稿撰写：曾荣锦，总纂：李协湖）

洋火坑村

◎ 洋火坑村村貌（摄于 2016 年）

洋火坑村，位于龙山镇北部，距镇政府 10 千米。该村始建于清末，由英德白沙许氏族人分支搬迁而形成。因村落建成后，一位外地商人路过借宿，村民感觉商人带来洋火（火柴）的奇妙和方便，便取名为洋火坑村。

该村坐落于山区，群山环绕，村庄坐西北向东南，东与三峾村接壤，南与门大围村相邻，西是伍坪村，北靠窝仔顶山。

清朝时期，该村属清远县滘一乡。民国时期，属清远县滘江区忠安乡。中华人民共和国成立初期，属清远县第六区门楼富乡。1958 年 7 月，第六区（今龙山镇）划归佛冈县管辖，属佛冈县龙山乡。1958 年 10 月，佛冈县并入从化县，属从化县滘江人民公社门楼富大队。1959 年 5 月，属从化县龙山人民公社门楼富大队。1961 年 5 月，佛冈由从化县分出，属龙山人民公社门楼富大队。1983 年 12 月，属龙山区门楼富乡。1987 年 1 月，属龙山镇门楼富行政村。1989 年 11 月，属龙山镇门楼富管理区。1998 年 11 月，属龙山镇门楼富行政村至今。

世居村民为许姓、陈姓。据《许氏族谱》记载，明洪武二十四年（1391 年）始祖许壬保从福建汀州迁入广东翁源周陂，后迁英德白沙。清中期，万四郎祖自英德白沙移居门楼富村。清末，由门楼富分村迁入该地。陈姓于 20 世纪 60 年代初期，从门楼富三峾村迁至到该村。

2015 年末，户籍人口 178 人，其中男性 93 人，女性 85 人；80 岁以上 6 人，村中最年长者 90 岁（女）。实际在村居住人口 90 人。生活主要依靠农业收入的人口有 90 人，常年在城镇打工的人口有 88 人。村民均为汉族，客家民系，由于长期居住在粤语方言地域，村民现使用粤方言。

村有耕地 3.4 公顷，山地 87 公顷，森林资源丰富，自然资源主要有林木和山草药。传统经济以农业、林业为主，主要粮食作物种植水稻、番薯等，经济作物种植芋头、木薯、花生、大豆等。林业以植树造林、封山育林为主，保护生态环境。现多种植水稻为主，兼种番薯、花生等作物。特色农产品有沙糖桔。传统节庆食品有清明节的艾糍，端午节的咸肉粽、春节的油角、咸糖环等。20 世纪 80 年代以后，大部分青壮年外出打工。2013 年，沙糖桔产业衰退后，村民办起养猪场，建立松香基地。村民主要收入来源为农林业收入，外出务工工资性收入等。

村于1975年通电，1994年通电话，2008年全村道路基本实现水泥硬底化，2012年通网络和有线电视。

传统民居建于清末、民国时期及中华人民共和国成立初期，保存基本完整。村落坐西北向东南，呈棋盘形布局，房屋排列整齐。二横五纵的巷道贯通全村，具有光照充足，排水排污方便，出入便利的特点。传统民居紧靠山脚下，成单座排列。房屋为客家围屋，门楼居中，两边为1间旁屋，后面为5间正座（堂屋）相连，中间为院子，形状如同北方的四合院。每座建筑面积约250平方米，主要建筑特色为硬山顶，盖灰瓦，三合土舂成的墙体，鹅卵石铺成的院子，保留岭南客家民居风格。20世纪80年代开始，村民陆续在旧民居的前面建造钢筋混凝土结构楼房，大部分村民迁入楼房居住，传统民居大多已闲置或堆放杂物。

村中建有许氏大宗祠。许氏大宗祠始建于1913年，2015年重建。坐西北向东南。面阔5米，进深30米，建筑占地面积150平方米。宗祠为三进两天井结构，主厅设有神台。屋顶为博古脊、硬山顶，盖黄色琉璃瓦，屋脊为“双龙戏珠”，外墙贴赤褐色墙砖。宗祠门前有一口半月形风水塘，塘内碧水青莲，鱼儿欢游。

村里许姓族人与翁源、英德许姓共用《许氏族谱》。该族谱由族人许维赞于清光绪三十三年（1907年）纂修，共分为五部分：族史源流，世系概略，许氏辈序，祖坟安葬，宗祠简介。许氏辈序为：“朝明承国，宪章文武。天祚维新，世培家国。永克同珍，才志有伴。仰士仲伸，秉良康晋。雨梧泰清，启明东化。长庚浮英，必南星正。位祭君臣，以集并茂。咸占根深，恩惠前定，振作后钦。”

◎ 洋火坑村许氏大宗祠（摄于2016年）

◎ 洋火坑村传统民居（摄于2016年）

传统习俗有正月初十上灯、拜观音、拜土地公、清明祭祖等。民间传统节日以春节、元宵、清明、端午、中秋、冬至为主。传统婚嫁习俗中，中原古制的“六礼”已很少见到，但迎亲嫁娶的习俗仍然存在，有睇家风、拣日子、送聘礼、结婚迎亲，闹洞房，三朝回娘家等。传统丧葬风俗以土葬为主。20世纪90年代后逐步实行火葬，其程序包括竖灵、收殓、引灵、接体、奠礼、出殡、火化、安葬，家族守孝，至亲戴孝，“头七”祭拜等。办丧事只煮白饭、花菜、黄豆煮猪肉等简单的饭菜，用餐时不坐高台凳，拆下事主家的门板放于门前的巷地上当饭台。

1964年，植树造林，种植松、杉树木6.67公顷。1975年，进行改河造田，大搞农田基本建设，改造农田0.67公顷。1976年，实行养猪积肥一条龙，生产队建猪栏，集体养猪积肥，饲养生猪50多头，为生产队增加较大的经济收入。

该村的许新廷（1925—2015），当地的铁匠师傅，其生产的铁器农具、刀具远近闻名，产品畅销龙山、民安、石角等地。

（资料填报：曾荣锦，初稿撰写：曾荣锦，总纂：李协湖）

○浮良行政村

大 围

◎ 大围村貌（摄于 2016 年）

大围，位于龙山镇东北部，距镇政府 7 千米。该村始建于明末，由清远县社山村（今佛冈县龙山镇官路唇村）搬迁而形成。谢氏祖先最初选择浮良河上游一处地方，因来到时较晚，好的屋场都让其他姓氏占据，只得另选一处低洼的地方准备建屋，房屋木梁已经备好。谁知一场大雨引发山洪，备好的木梁竟让大水冲走，水退后谢氏祖先在河下游找到木梁，心想既然上天将木梁冲到此处，肯定是祖宗显灵替他们重新选择屋场，于是他们就在找到木梁的地方建造房屋，因此取名为浮梁村，后改名浮良村，后又改名为浮良大围。

该村坐落于丘陵地带，依山而建。浮良河自北向南流入潖江，流经该村长约 100 米。村庄坐东北向西南，东与高埔村相邻，南靠浮良村委，西是浮良河，北与门楼富的巷口、由二村接壤。

该村形成时，属清远县潖江乡。清朝时期，该村属清远县潖一乡。民国时期，属清远县潖江区忠安乡。中华人民共和国成立初期，属清远县第八区龙山乡。1953 年，属清远县第六区浮良乡。1958 年 7 月，第六区（今龙山镇）划归佛冈县管辖。1958 年 10 月，佛冈县与从化县合并为从化县，属从化县潖江人民公社浮良大队。1961 年 5 月，佛冈由从化县分出，属佛冈县龙山人民公社浮良大队。1983 年 12 月，属龙山区浮良乡。1987 年 1 月，属龙山镇浮良行政村。1989 年 11 月，属龙山镇浮良管理区。1998 年 11 月，属龙山镇浮良行政村至今。

世居村民为谢姓、黄姓、陈姓、严姓。据《谢氏家谱》记载，宋代，谢氏族人由江西迁入广东南雄珠玑巷。后由南雄珠玑巷移居番禺县杨武都大田乡（今广州市白云区江高镇大田村），其祖先子平自番禺大田移居清远县社山村（今佛冈县龙山镇官路唇村）。明末，友俊祖自社山村移居浮良大围。黄氏是南宋期间从福建邵武迁移至广东南雄珠玑巷，元初迁往广府南海，元末从广府南海迁至清远县吉河乡（今佛冈县水头镇）水头、四九等地。清中期从水头四九迁至该村。陈姓由佛冈石角山湖迁至该村。

严姓由龙山白沙塘迁至该村。

2015年末，户籍人口196人，其中男性97人，女性99人；80岁以上老人8人，村中最年长者91岁（男）。实际在村居住人口156人，留守儿童3人。生活主要依靠农业收入的156人，常年在城镇居住和打工的40人。村民均为汉族，广府民系，使用粤方言。

村有山地面积19.93公顷，耕地面积34.67公顷。传统经济以农业为主，主要作物有水稻、番薯、木薯、花生、大豆等。现多种植水稻、蔬菜。自然资源主要有瓷泥。特色农产品有沙葛、粉葛、木薯等。当地流行一首民谣："高滩竹，占果木，浮良沙葛嫩如肉。"可见浮良沙葛很出名。沙葛，俗名凉薯、地萝卜，属草质藤本植物，是地下根块。沙葛肉色雪白，味甜多汁，肉质脆嫩，可当作蔬菜、水果食用，也可用来提取淀粉。沙葛可以生吃，也可以炒熟吃。生吃时可以生津解渴，熟吃时甘甜爽口。沙葛炒肉片，肉片嫩，沙葛脆，别有一种风味。传统食品有糖环、油角、油糍、糯米糕、艾糍、粽子、汤圆等。20世纪90年代以后，大部分青壮年外出打工。村民主要收入来源为农业收入、务工工资收入。

村于1968年通电，1995年电话，2007年实现村道水泥硬底化，2012年通自来水和网络。2014年12月，浮良村借佛冈县建设美丽乡村的契机，在浮良发源地大围谢氏大宗祠周边建成浮良村乡村公园。园内有人工湖、篮球场、乒乓球桌、休闲椅、健身器材等康乐设施，丰富村民的文娱生活。

2015年，浮良小学开设6个年级10个教学班，

◎ 浮良小学（摄于2016年）

◎ 大围传统民居（摄于2016年）

在校学生360人，教职工17人。幼儿园在园幼儿180人，教职工6人。

传统民居大多为广府民居，当地村民俗称"座头"，现存2座，其建筑为硬山顶，一部分为龙船脊，盖灰瓦，青砖砌成的墙体。正座为四房一厅两廊一天井布局，具有岭南建筑风格和特色。1990年后，村民建造钢筋混凝土结构楼房，仍参照广府民居，一般为四房一厅一厨一卫一天井布局。

村修有《谢氏族谱》，由清道光十六年（1836年）由居浮良村的谢璋昂编纂，2001年7月由谢氏理事会编印新书。《谢氏族谱》共有13部分，分别是序言，谱序，先祖遗像，祖坟，六郎公南迁，谢氏宗支世系详列，人物，友俊公后裔业绩录，捐资芳名录，中国历史朝代分期，谢氏家训族规，楹联诗词，编后语。族谱中记有《谢友俊公家训百字铭》，称："孝道当竭力，忠勇表丹诚；兄弟互相助，慈悲无边境。勤读圣贤书，尊师如重亲；礼义勿疏狂，逊让敦睦邻。敬长与怀幼，怜恤孤寡贫；谦恭尚廉洁，绝戒骄傲情。字纸莫乱废，须报五谷恩；作事循天理，博爱惜生灵。处世行八理，修身奉祖神；儿孙坚心守，成家种菩提。"族谱并记有《谢家告诫儿孙十要则》（十要十不要）称："一要为人正直，敦厚纯朴；不要骄横诈伪，胡作非为。二要意气风发，直接高昂；不要良自菲薄，萎靡不振。三要力求上进，勇攀高峰；不要自落孙山，甘居人后。四要竭诚待人，谦逊爽直；不要你虞我诈，两面三刀。五要尊亲敬老，和睦乡邻；不要仗势欺人，欺软怕硬。六要坚持正道，矢志力行；不要误闯歧途，妄求夜草。七要文明礼貌，举止端庄；不要烂言粗语，毁辱打骂。八要喜公好义，乐于助人；不要肥己损人，非礼而取。九要严于律己，奉公守法；不要作奸犯科，自投罗网。

十要许身卫国，志在四方；不要夜郎自大，称霸厨间。”族谱另记有字辈诗曰：“昂振南邦业，传家礼义良。鸿猷辉上国，奕世卜其昌。”

村中建有谢氏大宗祠。宗祠建于清乾隆二十五年（1760 年）。祠堂坐东向西，面阔 32.4 米，进深 35.4 米，建筑占地面积 1239 平方米。为三进二廊二天井布局，存两侧青云巷，有衬祠。建筑轩昂，属砖木结构，青砖墙，盖灰瓦，博古脊，属硬山顶。头门前的门额石匾上刻“谢氏大宗祠”，落款为“乾隆二十五年岁次庚辰晓月吉旦、始堂晚堂立、同治五年岁次丙寅六月重修”。门檐额木雕精美，天井地面石砖铺地，石柱与木柱相结合，屋顶有形制独特的灰塑，衬祠墙壁上的花卉灰塑十分精美，保存很好。第三进中间有神台。总体布局基本完整，木架结构十分稳固，石柱、木雕、梁架、斗拱保留清代的风格。大门梁架上的原木浮雕很是精美，门口上方的金柱分别用三只鱼龙相连，每条鱼龙的嘴里还含有一颗珠，门的两侧有近一米多高的平台。大门有对联“淝水家声，东山世胄”，衬祠两个侧门上，右边写着“芝兰书室”，左边写着“乌衣巷”字样。祠堂挂有木匾“宝树堂”三字也大有来历，传说当年皇帝（晋穆帝）来到谢家，表彰谢氏的功勋，谢家院内一棵大树正绿叶葱翠，花繁似锦，皇帝一见龙心大悦，御笔书“宝树堂”。因此，“宝树堂”成为谢氏宗祠的堂号。该祠堂具有鲜明的岭南艺术风格，对于研究佛冈县谢氏家族的历史和人文情况有一定的价值。2012 年被录入佛冈县不可移动文物名录。

谢氏宗祠门前至古村围墙之间有 5 座旗杆夹石（功名碑）。旗杆石的文字经过岁月洗礼多已模糊，较为清晰的石碑刻有“光绪二十三年丁酉科举人谢渤南立”字样。

◎ 旗杆夹石（摄于 2016 年）

谢氏大宗祠右侧及背后曾先后建有金成祖馆、屏祖馆及三祖馆等私塾。

代表性碑刻为友俊公山坟碑序，重修于 1997 年，立于土名为“潭头”的山岭，山形为渔翁撒网，序曰:“春山龄永瑞，福禄寿安康。如松柏之茂，盛朝显威光。俊公存风韵，继嗣大弘扬。步青云直上，繁衍万代昌。”代表性楹联为“狮岭拱祠前叠嵩英灵耀我乌衣生瑞色，沙溪环宇外萦廻活泼荫吴宝树壮奇观。”“芝兰挺秀；宝树芬芳。”“芝兰花放香千里；书室声韵传万家。”“东山世胄；淝水家声。”“桂花开时香云成海；明月高照广寒有居。”“春祀秋尝循古礼；左昭右穆序宗规。”均存于谢氏大宗祠。

◎ 浮良谢氏大宗祠（摄于 2016 年）

传统特色民俗有：正月初

十上灯、正月十六落灯活动。上灯活动大致分为迎灯、接灯、摆放供品、挂灯等程序，灯连续点六日，直到正月十六，族人再到祠堂把灯取下。另古传有正月十六抢花炮以祈祷添丁发财之风俗，但至中华人民共和国成立后失传。

传统婚嫁习俗中的中原古制“六礼”，在大围已很少见到，但结婚前要担定婚茶、报日子、送聘金、定嫁妆等习俗依然存在。结婚时，要摆酒请客，男、女两家都要摆，女家摆酒用的肉米酒菜大多是男家出的。迎亲和送亲时，男方要用车队上女方家迎接新娘和亲友。摆酒时，新郎新娘向亲友敬酒，宾客也要回赠红包。传统丧事以土葬为主，1990 年以后逐步实行火葬。其过程包括竖灵、收殓、引灵、接体、奠礼、出殡、火化、安葬等。举丧时，尽可能不用电话而要登门报丧。死者外家前来吊唁，事主家必须到门前跪接，前来吊丧送爆竹纸钱以悼念死者。办丧事只煮白饭、花菜、黄豆煮猪肉等简单饭菜，用餐不坐高台凳，拆下主家门板放地上当饭台，以表哀痛。完丧次日，亲友要回访事主家。

1938 年日军侵华，其飞机曾先后两次轰炸浮良大围，其中一炸弹炸中三祖馆屋脊，大围石灰围墙至今仍留许多弹痕。1949 年 6 月，遭龙卷风袭击，背底山树木几乎全部连根拔起，围村瓦房屋顶几乎无一幸免。

该村主要人物有：谢渤南（1870—1930），光绪二十三年（1898 年）科举人，以“魁星踢斗”一招武术扬名。据说，他在练武时所使用的大关刀长 3 米多，重达 60 多千克。在参加乡试（省试）时大关刀从手往脚面下溜，立即将关刀由脚面踢起，手执大关刀。在场的考官问：“这叫什么武功动作？”渤南答：“这叫魁星踢斗。”当即评定武试合格，成为武举人。谢焕琪（1912—1951），1945 年 2 月至 1948 年 2 月任湛江中学校长。他以身作则、治学严谨、平易近人、善于发挥教师专长，培育的学生素质较高，深受社会各界人士的好评。抗日战争期间，他以学校为阵地向学生宣传抗日，亲自组织学生到龙山、汤塘、四九、龙潭等地向群众宣传抗日救亡运动，激发民众的抗日热情，并在湛江地区组织民众抗日自卫大队。

（资料填报：巢钊城，初稿撰写：巢钊城，总纂：李协湖）

深水村

◎ 深水村村貌（摄于 2016 年）

深水村，位于龙山镇东北部，距镇政府 8 千米。该村始建于明末，由大围谢氏族人分支搬迁而形成。因村旁坑水较深，因而得名为深水村。

该村坐落于丘陵地带，村旁有观音坐莲山（又称“观音山”），村东为大围，南与庙队村接壤，西与从化围村交界，北与门楼富村毗邻，村前有溪流自北向南流至不远处的浮良河。

清朝时期，该村属清远县滘一乡。民国时期，属清远县滘江区忠安乡。中华人民共和国成立初期，属清远县第八区龙山乡。1953 年，属清远县第六区浮良乡。1958 年 7 月中旬，清远县第六区（今龙山镇）划归佛冈县管辖。1958 年 10 月，佛冈县与从化县合并为从化县，属从化县滘江人民公社浮良大队。1961 年 5 月，佛冈由从化县分出，属佛冈县龙山人民公社浮良大队。1983 年 12 月，属龙山区浮良乡。1987 年 1 月，属龙山镇浮良行政村。1989 年 11 月，属龙山镇浮良管理区。1998 年 11 月，属龙山镇浮良行政村至今。

世居村民为谢姓、汤姓。据《谢氏家谱》记载，宋代，谢氏族人由江西迁入广东南雄珠玑巷。后由南雄珠玑巷移居番禺县杨武都大田乡（今广州市白云区江高镇大田村），其祖先子平自番禺大田移居清远县社山村（今龙山镇官路唇村）。明朝末年，友俊祖自社山村移居浮良村，其后代在浮良村繁衍生息，后有分支跨过浮良河，在深水村定居。汤氏族人于宋朝从江西迁徙至广东南雄珠玑巷，明末迁徙至该地。

2015 年末，户籍人口 395 人，其中男性 191 人，女性 204 人；80 岁以上 40 人，村中最年长者 91 岁（女）。实际在村居住人口 257 人，留守儿童 10 人。生活主要依靠农业收入的 257 人，常年在城镇居住和打工的 138 人。村民均为汉族，广府民系，使用粤方言。

村有山地 26.53 公顷，耕地 54.13 公顷。自然资源主要有瓷泥。传统经济以农业为主，主要作物有水稻、番薯、木薯、花生、大豆等。禽畜主要饲养有鸡、鸭、鹅、猪、牛等，渔业养殖有四大家鱼。现多种植水稻、蔬菜。特色农产品有沙葛，传统食品有糖环、油角、油糍、糯米糍、艾糍、粽子等。特色食品有滘江醋，滘江猪脚醋制作十分简单，将焯过水的猪手，放入陶瓷牛头煲里，加上蒜头、生姜和湛江醋煮上一个小时左右，食用时加上少量红糖、盐即可。20 世纪 90 年代以后，大部分青壮年外出打工。村民主要收入来源为农业收入，外出务工工资收入。

村于 1968 年通电，1995 年通电话，2007 年实现村道水泥硬底化，2012 年通自来水和网络。

传统民居现存 12 座。村落呈棋盘状布局。巷道纵横交错，7 条纵巷，旧民居呈一字型排列，巷宽约 2 米。旧民居大多为广府式正座，四房一厅或二房一厅、两廊、一天井布局。其建筑为硬山顶，盖灰瓦、三合土墙体，部分用青砖或泥砖砌成。每座占地面积约 120 平方米。20 世纪 90 年代以后，村民们在传统瓦房旧居四周建造钢筋混凝土结构楼房。楼房多为三房一厅一厨一卫布局，底层面积约 90 平方米。有的楼房内外装修华丽，大部分村民迁入楼房居住。

◎ 深水村传统民居（摄于 2016 年）

谢姓村民所拜宗祠为谢氏大祠堂，汤姓村民所拜祠堂为汤家馆。祠堂和家馆均位于浮良村大围村内。谢氏大宗祠建成于清乾隆二十五年（1760 年）。祠堂建筑轩昂，属砖木结构，青砖墙，盖灰瓦，博古脊，属硬山顶。头门前的门额石匾上刻“谢氏大宗祠”，落款为“乾隆二十五年岁次庚辰晓月吉旦、始堂晚堂立、同治五年岁次丙寅六月重修”。门檐额木雕精美，天井地面石砖铺地，石柱与木柱相结合，屋顶有形制独特的灰塑，衬祠墙壁上的花卉灰塑十分精美，保存很好。第三进中间有神台。总体布局基本

◎ 祠堂瑞兽石雕（摄于 2016 年）

完整，木架结构十分稳固，有鲜明的岭南艺术风格，对于研究佛冈县谢氏家族的历史和人文情况有一定的价值。2012 年被录入佛冈县不可移动文物名录。

该村与瓦埔、大坐村共修《谢氏族谱》，清道光十六年（1836 年）由居浮良村谢璋昂编纂；2001 年由谢氏理事会编印新书。《谢氏族谱》共有十三个部分，分别是序言、谱序、先祖遗像、祖坟、六郎公南迁、谢氏宗支世系详列、人物、友俊公后裔业绩录、捐资芳名录、中国历史朝代分期、谢氏家训族规、楹联诗词、编后语。

《汤氏族谱》，南宋初年由汤氏琰公编撰，2006 年由汤氏公族理事会编印新书。《汤氏族谱》共有九部分，分别为：序言、谱序、汤氏宗支世系详列（一）、汤氏宗支世系详列（二）、捐资芳名录、字辈诗、寿星名录、人物名录、编后语。族谱中记有字辈诗，称：

◎《谢氏族谱》（摄于 2016 年）

“中尚茂杰兴。日传占大有。安国利元长。”

村中无寺无庙，逢年过节，民众烧香拜佛的场所主要为祠堂和伯公树等。

传统节庆习俗有春节瑞狮拜年、元宵上灯、清明祭祖、端午包粽子、中秋赏月、重阳登高、冬至做糍等。元宵节，村民有蒸发糕、做汤圆的习俗，以示庆贺春节圆满结束。村民重视冬至节，俗称“过冬”。这个节日意味着一年农事已做完，全家应欢聚吃一顿丰盛晚餐表示庆贺。该村村民有“冬大过年”之说，可见极其重视冬至节。

传统婚嫁习俗中保留的中原古制“六礼”，在该村已很少见到，但结婚前要担定婚茶、报日子、送聘金、定嫁妆。结婚时，男、女两家都要摆酒请客，女家摆酒用的肉米酒菜大多是男家筹备。迎亲和送亲时，男方要用车队到女方家迎接新娘和亲友。摆酒时，新郎新娘向亲友敬酒，宾客也要回赠红包。

传统丧事以土葬为主，1990 年以后逐步实行火葬。其过程包括竖灵、收殓、引灵、接体、奠礼、出殡、火化、安葬等。举丧时，尽可能不用电话而要登门报丧。死者外家前来吊唁，事主家必须到门前跪接，前来吊丧送爆竹纸钱以悼念死者。办丧事只煮白饭、花菜、黄豆煮猪肉等简单饭菜，用餐不坐高台凳，拆下主家门板放地上当饭台，以表哀痛。完丧次日，亲友要回访事主家。

该村的谢焰培（1944—），曾任佛冈县物价局局长。

（资料填报：刘翠萍，初稿撰写：刘翠萍，总纂：李协湖）

马兴村

◎ 马兴村村貌（摄于 2016 年）

马兴村，位于龙山镇东北部，距镇政府 7 千米。该村始建于明末，由大围村谢氏族人分支搬迁而形成。因村庄由马子坳和兴昌两小村合并而成，故取名为马兴村。

该村坐落于丘陵地带，地势低洼，村庄坐北向南，依山岭而建，东面与南面是一片田畴，西与瓦埔村相望，北与大坣、高埔围村交界。浮良河自北向南流入滘江，流经该村河长 600 米。

清朝时期，该村属清远县滘一乡。民国时期，属清远县滘江区忠安乡。中华人民共和国成立初期，属清远县第八区龙山乡。1953 年，属清远县第六区浮良乡。1958 年 7 月中旬，清远县第六区（今龙山镇）划归佛冈县管辖。1958 年 10 月，佛冈县与从化县合并为从化县，属从化县滘江人民公社浮良大队。1961 年 5 月，佛冈由从化县分出，属佛冈县龙山人民公社浮良大队。1983 年 12 月，属龙山区浮良乡。1987 年 1 月，属龙山镇浮良行政村。1989 年 11 月，属龙山镇浮良管理区。1998 年 11 月，隶属龙山镇浮良行政村至今。

世居村民为谢姓、黄姓、严姓。据《谢氏家谱》记载，宋代，谢氏族人由江西迁入广东南雄珠玑巷。后谢六郎自南雄珠玑巷移居番禺县杨武都大田乡（今广州市白云区江高镇大田村），其祖先子平自番禺大田移居清远县社山村（今龙山镇官路唇村）。明末，始祖谢友俊自社山村移居浮良村，再从大围谢氏族人分支至该地。黄姓、严姓村民是中华人民共和国成立前后随母亲改嫁迁至马兴村后繁衍生息。

2015 年末，户籍人口 321 人，其中男性 148 人，女性 173 人；80 岁以上老人 6 人，村中最年长者 90 岁（女）。实际在村居住人口 280 人，留守儿童 4 人。生活主要依靠农业收入的 280 人，常年在城镇居住和打工的 41 人。村民谢伦添于 20 世纪 80 年代移居马来西亚。村民均为汉族，广府民系，使用粤方言。

村有山地 18.07 公顷，耕地 60.13 公顷。传统经济以农业为主，主要作物有水稻、番薯、木薯、花生、大豆等。特色农产品有沙糖桔、农家果园鸡。该村出产的沙糖桔色泽鲜红，口感清爽，无渣无核，清甜可口，畅销各地。2013 年以后，沙糖桔产业因“黄龙病”致农民减产而失收。随着产业布局调整，村民改种其他经济果木，并办起养鸡、养鹅、养猪

◎ 村民办的养鹅场（摄于 2016 年）

等养殖场。传统食品有糖环、油角、油糍、糯米糕、艾糍、粽子、汤圆等。村民主要收入来源为农业收入、务工工资收入。

村于 1968 年通电，1995 年通电话，2007 年实现村道水泥硬底化，2012 年通自来水和网络。村中筹资 50 余万元兴建美丽乡村，已在原上马队集体晒谷场建设有篮球场、环村公路等。公园、娱乐室、图书室和村民活动中心正在规划当中。

传统民居为广府民居，属广府式正座，现存 5 座，建于民国时期，约有 100 年历史。其建筑为硬山顶，一部分为龙船脊，盖灰瓦，青砖砌成的墙体，一般为四房一厅两廊一天井布局，具有岭南建筑风格和特色，现已无人居住。1980 年以后，村民在传统民居四周兴建钢筋混凝土结构楼房，仍参照传统广府民居，一般为四房一厅一厨一卫一天井布局。

◎ 马兴村传统民居（摄于 2016 年）

谢氏村民修有《谢氏族谱》，由清道光十六年（1836 年）由居浮良村的谢璋昂编纂；2001 年 7 月由谢氏理事会编印新书。《谢氏族谱》共有十三个部分，分别是序言、谱序、先祖遗像、祖坟、六郎公南迁、谢氏宗支世系详列、人物、友俊公后裔业绩录、捐资芳名录、中国历史朝代分期、谢氏家训族规、楹联诗词、编后语。族谱中记有《谢友俊公家训百字铭》，称："孝道当竭力，忠勇表丹诚；兄弟互相助，慈悲无边境。勤读圣贤书，尊师如重亲；礼义勿疏狂，逊让敦睦邻。敬长与怀幼，怜恤孤寡贫；谦恭尚廉洁，绝戒骄傲情。字纸莫乱废，须报五谷恩；作事循天理，博爱惜生灵。处世行八理，修身奉祖神；儿孙坚心守，成家种菩提。"族谱并记有《谢家告诫儿孙十要则》。

谢姓村民传统所拜宗祠为谢氏大祠堂，位于浮良村大围村内，建成于清乾隆二十五年（1760 年）。祠堂坐东向西，总体布局基本完整，木架结构十分稳固，有鲜明的岭南艺术风格，对于研究佛冈县谢氏家族的历史和人文情况有一定的价值。2012 年被录入佛冈县不可移动文物名录。

村前有一古石桥，村民称浮良庙桥。石桥建于清代中期，是由吉河地区通往滘江地区古道中的一座石桥。桥为东西走向，长 20 米，宽 1.5 米。桥面由 3 根条石组成，中间有两个桥墩。由于河道变迁及乡村道路的改变，现已不再使用。

村民过年过节参拜庙宇为"镇南古庙"，镇南古庙在"浮良市"时期香火旺盛，有雕刻精美的石碑、楹联等，但在"文化大革命"时期遭毁坏。平时过年过节，民众烧香拜佛的场所则主要为祠堂、社公和伯公树等。

主要特色民俗为正月初十上灯、正月十六落灯。男孩出生俗称为"添丁"，因"丁"与"灯"谐音，为此在正月初十到祠堂"上灯"，表示祝贺。上灯活动大致分为迎灯、接灯、摆放供品、挂灯等程序，体现祈求人丁兴旺的心愿，显示族人和谐共处的景象。主要宗族活动有清明祭祖、重阳祭祖、过年寻祖等。

传统婚嫁习俗中的中原古制"六礼"，在该村已很少见到，但结婚前要担定婚茶、报日子、送聘金、定嫁妆等习俗依然存在。结婚时，男、女两家都要

◎ 浮良庙古桥（摄于 2016 年）

摆酒请客，女家摆酒用的肉米酒菜大多是男家筹备。迎亲和送亲时，男方要用车队到女方家接亲友。摆酒时，新郎新娘向亲友敬酒，宾客要回赠红包。

传统丧事以土葬为主，1990 年以后逐步实行火葬。其过程包括竖灵、收殓、引灵、接体、奠礼、出殡、火化、安葬等。举丧时，尽可能不用电话而要登门报丧。死者外家前来吊唁，事主家必须到门前跪接，前来吊丧送爆竹纸钱以悼念死者。办丧事只煮白饭、花菜、黄豆煮猪肉等简单饭菜，用餐不坐高台凳，拆下主家门板放地上当饭台，以表哀痛。完丧次日，亲友要回访事主家。

1964 年，村民植树造林，种植松、杉树 10 公顷。1975 年，进行改河造田，大搞农田基本建设，改造农田 1.33 公顷。

该村的谢国华（1969—），曾任清远市第四届、第五届人大代表，现任佛冈县政协副主席、清远市第六届政协委员。

（资料填报：巢钊城，初稿撰写：巢钊城，总纂：李协湖）

庙队村

◎ 庙队村村貌（摄于 2016 年）

庙队村，位于龙山镇东北部，距镇政府 7.5 千米。该村始建于明末，由大围村谢氏族人分支搬迁而形成。因村庄位于镇南古庙西面（古时以东为前，以西为背），故取名庙背底村，后改名为庙队村。

该村坐落于丘陵地带，村后面有背后山，村旁有虎陂圳，东与大坣村相邻，南与瓦埔村接壤，西为浮良村山地，北与深水村交界。

明清时期，该村属清远县滘一乡。民国时期，属清远县滘江区忠安乡。中华人民共和国成立初期，属清远县第八区龙山乡。1953 年，属清远县第六区浮良乡。1958 年 7 月，清远县第六区（今龙山镇）划归佛冈县管辖。1958 年 10 月，佛冈县与从化县合并为从化县，属从化县滘江人民公社浮良大队。1961 年 5 月，佛冈由从化县分出，属佛冈县龙山人民公社浮良大队。1983 年 12 月，属龙山区浮良乡。1987 年 1 月，属龙山镇浮良行政村。1989 年 11 月，属龙山镇浮良管理区。1998 年 11 月，属龙山镇浮良行政村至今。

世居村民为汤姓、谢姓。南宋初期，汤氏族人从中原迁徙广东南雄珠玑巷，后迁增城。明朝时期，由增城福和濠迳村迁至汤塘，后迁浮良、门楼富，后迁至该地。开基祖汤伯皋。《谢氏家谱》记载，宋朝年间，谢氏族人由江西迁入广东南雄珠玑巷。后谢六郎自南雄珠玑巷移居番禺县杨武都大田乡（今广州市白云区江高镇大田村），其祖先子平自番禺大田移居清远县社山村（今龙山镇官路唇村），明末，谢友俊自社山村移居浮良村大围，后由大围村谢氏族人分支迁至该地。

2015 年末，户籍人口 103 人，其中男性 57 人，女性 46 人；80 岁以上老人 3 人，最年长者 99 岁（男）。实际在村居住人口 40 人，留守儿童 4 人。生活主要依靠农业收入的 40 人，常年在城镇居住和打工的 63 人。村民均为汉族，广府民系，使用粤方言。

村有山地面积 10.4 公顷，耕地面积 23.73 公顷。农业是该村传统经济的主要产业，粮食作物种植双季水稻、番薯，经济作物种植花生、大豆、果树等。禽畜以养殖鸡、鸭、鹅、猪、牛、羊等。渔业以蓄水养殖。自然资源主要有瓷泥，特色农产品有沙葛。传统食品有糖环、油角、油糍、糯米糕、艾糍、粽子等。特色小吃为炒米饼。炒米饼是春节必备的特色小吃，

◎ 村民自制的炒米饼（摄于 2016 年）

圆饼形状。制作时，将糯米用清水浸泡，捞起滤干后炒熟，磨成粉，碾碎花生米、芝麻，连同米粉加黄糖或白糖水搓匀，最后将米粉团用饼模印成米饼。炒米饼久放不坏，既可自吃，也可送礼。20 世纪 90 年代以后，大部分青壮年外出打工。村民主要收入来源为农业收入，外出务工工资收入。

村于 1968 年通电，1995 年通电话，2007 年实现村道水泥硬底化，2012 年通自来水和网络。村中设有垃圾收集桶，生活垃圾集中堆放和清运，保持文明整洁的居住环境。

传统民居现存 4 座，建于民国时期，约有 100 年历史。其建筑为硬山顶，盖灰瓦，三合土墙体，一般为四房一厅两廊一天井布局。20 世纪 80 年代后，村民在传统民居四周建造钢筋混凝土结构楼房，仍参照广府民居布局，一般为四房一厅一厨一卫一天井。

◎ 庙队村传统民居（摄于 2016 年）

谢姓村民与浮良各村谢氏族人所拜宗祠为谢氏大祠堂，汤姓村民所拜祠堂为汤家馆。宗祠和家馆均位于浮良村大围村内。谢氏大宗祠建成于清乾隆二十五年（1760 年）。祠堂坐东向西，面阔 32.4 米，进深 35.4 米，建筑占地面积 1239 平方米。总体布局基本完整，木架结构十分稳固，有鲜明的岭南艺术风格，对于研究佛冈县谢氏家族的历史和人文情况有一定的价值。2012 年被录入佛冈县不可移动文物名录。

村修有《谢氏族谱》，清道光十六年（1836 年）由居浮良村（原浮梁村）的谢璋昂编纂，2001 年由谢氏理事会编印新书。

《汤氏族谱》，南宋初年由汤氏琰公编撰，2006 年由汤氏公族理事会编印新书。

村中无寺无庙，过年时会到镇南古庙祭拜观音。平时过年过节，民众烧香拜佛的场所则主要为祠堂和伯公树等。

主要特色民俗有：正月初十上灯、正月十六落灯，清明祭祖、重阳登高、过年寻祖等。

传统婚嫁习俗中的中原古制“六礼”，在庙队村已很少见到，但结婚前要担定婚茶、报日子、送聘金、定嫁妆等习俗依然存在。结婚时，男、女两家都要摆酒请客，女家摆酒用的肉米酒菜大多是男家筹备。迎亲和送亲时，男方要用车队到女方家迎接新娘和亲友。摆酒时，新郎新娘向亲友敬酒，宾客要回赠红包。

传统丧事以土葬为主，1990 年以后逐步实行火葬。其过程包括竖灵、收殓、引灵、接体、奠礼、出殡、火化、安葬等。举丧时，尽可能不用电话而要登门报丧。死者外家前来吊唁，事主家必须到门前跪接，前来吊丧送爆竹纸钱以悼念死者。办丧事时只煮白饭、花菜、黄豆煮猪肉等简单饭菜，用餐不坐高台凳，拆下主家门板放地上当饭台，以表哀痛。完丧次日，亲友要回访事主家。

1964 年，组织村民植树造林，种植松、杉树 8 公顷。1975 年，进行改河造田，大搞农田基本建设，改造农田 0.67 公顷。

（资料填报：刘翠萍，初稿撰写：刘翠萍，总纂：李协湖）

瓦埔村

◎ 瓦埔村村貌（摄于 2016 年）

瓦埔村，位于龙山镇东北部，距镇政府 6 千米。该村始建于明末，由大围谢氏族人分支搬迁而形成。因村庄建在一间做瓦场附近，故取名为瓦埔村。

该村坐落于丘陵地带，浮良河自北向南流入潖江，流经瓦埔村长约 1 千米，水利圳穿村而过，灌溉百亩良田。东面为山岭，南面与黄塱村花鹿世界相邻，西面与从化围村白涟冚接壤，北面与庙队村交界。

清朝时期，该村属清远县潖一乡。民国时期属清远县潖江区忠安乡，中华人民共和国成立初期，属清远县第八区龙山乡，1953 年，属清远县第六区浮良乡，1958 年 7 月，清远县第六区（今龙山镇）划归佛冈县管辖。1958 年 10 月，佛冈县与从化县合并为从化县，属从化县潖江人民公社浮良大队，1961 年 5 月，佛冈由从化县分出，属佛冈县龙山人民公社浮良大队，1983 年 12 月，属龙山区浮良乡，1987 年 1 月，属龙山镇浮良行政村，1989 年 11 月，属龙山镇浮良管理区，1998 年 11 月，属龙山镇浮良行政村至今。

世居村民为谢姓。据《谢氏家谱》记载，宋代，谢氏族人由江西迁入广东南雄珠玑巷，后移居番禺县杨武都大田乡（今广州市白云区江高镇大田村），其祖先子平自番禺大田移居清远县社山村（今龙山镇官路唇村）。明末，友俊祖自社山村移居浮良村大围，从大围分村迁至该地。

2015 年末，户籍人口 483 人，其中男性 237 人，女性 246 人；80 岁以上老人 11 人，村中最年长者 91 岁（女）。实际在村居住人口 200 人，留守儿童 12 人。生活主要依靠农业收入的 200 人，常年在城镇居住和打工的 283 人。村民均为汉族，广府民系，使用粤方言。

村有山地 12.87 公顷，耕地 54.27 公顷。该村自然资源主要有瓷泥。传统经济以农业为主，主要作物有水稻、番薯、木薯、花生、大豆等。现多种植水稻、蔬菜。特色农产品有沙葛、粉葛、土薯等。传统食品有糖环、油角、油糍、糯米糍、艾糍、粽子、汤圆等。特色食品有潖江醋。潖江猪脚醋制作十分简单，将焯过水的猪手，放入陶瓷牛头煲里，加上蒜头、生姜和潖江醋煮上一个小时左右，食用时加上少量红糖、盐即可，是当地妇女生小孩坐月子期

◎ 瓦埔村村民耕种（摄于 2016 年）

间不可缺少的饮食护理食品。20 世纪 90 年代以后，大部分青壮年外出打工。村民主要收入来源为农业收入，外出务工工资收入。

该村于 1968 年通电，1995 年通电话，2007 年实现村道水泥硬底化，2012 年通自来水和网络。村中建有文化室，建筑面积 120 平方米。在村口设有垃圾收集桶，村居卫生得到改善。

传统民居现存 9 座，建于民国时期。其建筑为硬山顶，一部分为龙船脊，盖灰瓦，青砖砌成的墙体，一般为四房一厅两廊一天井布局，建筑占地 130 平方米。1980 年以后，村民在传统民居四周建造钢筋混凝土结构楼房，仍参照传统广府民居形制，一般为四房一厅一厨一卫一天井布局。

◎ 瓦埔村传统民居（摄于 2016 年）

村中谢姓村民所拜宗祠为谢氏大祠堂，于清乾隆二十五年（1760 年）建成。祠堂坐东向西，面阔 32.4 米，进深 35.4 米，建筑占地面积 1239 平方米。总体布局基本完整，木架结构十分稳固，有鲜明的岭南艺术风格，对于研究佛冈县谢氏家族的历史和人文情况有一定的价值。2012 年被录入佛冈县不可移动文物名录。

◎ 祠堂的斗栱（摄于 2016 年）

村修有《谢氏族谱》，由清道光十六年（1836 年）由居浮良村的谢璋昂编纂；2001 年 7 月由谢氏理事会编印新书。《谢氏族谱》共有十三个部分，分别是序言、谱序、先祖遗像、祖坟、六郎公南迁、谢氏宗支世系详列、人物、友俊公后裔业绩录、捐资芳名录、中国历史朝代分期、谢氏家训族规、楹联诗词、编后语。族谱记有《谢家告诫儿孙十要则》（十要十不要）称:“一要为人正直，敦厚纯朴；不要骄横诈伪，胡作非为。二要意气风发，直接高昂；不要妄自菲薄，萎靡不振。三要力求上进，勇攀高峰；不要自落孙山，甘居人后。四要竭诚待人，谦逊爽直；不要你虞我诈，两面三刀。五要尊亲敬老，和睦乡邻；不要仗势欺人，欺软怕硬。六要坚持正道，矢志力行；不要误闯歧途，妄求夜草。七要文明礼貌，举止端庄；不要烂言粗语，毁辱打骂。八要喜公好义，乐于助人；不要肥己损人，非礼而取。九要严于律己，奉公守法；不要作奸犯科，自投罗网。十要许身卫国，志在四方；不要夜郎自大，称霸厨间。”族谱另记有字辈诗曰:“昂振南邦业，传家礼义良。鸿猷辉上国，奕世卜其昌。”字辈诗是于道光十六年清明之日，由十五世孙谢璋昂再撰。

谢姓村民传统节日参拜庙宇为“镇南古庙”，镇南古庙在“浮良市”时期香火旺盛，有雕刻精美的石碑、楹联等，但在“文化大革命”时期遭毁坏。逢年过节，民众烧香拜佛的场所则主要为祠堂、社公和伯公树等。

传统节庆习俗有春节瑞狮拜年、元宵上灯、清明祭祖、端午包粽子、中秋赏月、重阳登高、冬至做糍等。春节习俗与各地基本相同，期间的习俗为：农历十二月二十三叫“过小年”，家家户户打扫庭院、做年货。过去还有在“小年夜”的晚饭后送灶君、年三十晚接灶君的习俗，后来已消失。到年三十，吃“团年饭”饭后长者要给小孩“压岁钱”。年初一清早，各家各户相互拜年，现拜年方式改为电话、贺卡和手机短信进行。元宵节，村民有蒸发糕、做汤圆的习俗，以示庆贺春节圆满结束。

传统婚嫁习俗中的中原古制“六礼”，在该村已很少见到，但结婚前要担定婚茶、报日子、送聘金、定嫁妆。结婚时，要摆酒请客，男、女两家都要摆，女家摆酒用的肉米酒菜大多是男家出的。迎亲和送亲时，男方要用车队上女方家迎接新娘和亲友。摆酒时，新郎新娘向亲友敬酒，宾客也要回赠红包。

传统丧事以土葬为主，1990 年以后逐步实行火葬。其过程包括竖灵、收殓、引灵、接体、奠礼、出殡、火化、安葬等。举丧时，尽可能不用电话而要登门报丧。死者外家前来吊唁，事主家必须到门前跪接，前来吊丧送爆竹纸钱以悼念死者。办丧事只煮白饭、花菜、黄豆煮猪肉等简单饭菜，用餐不坐高台凳，拆下主家门板放地上当饭台，以表哀痛。完丧次日，亲友要回访事主家。

该村的谢恩平（1953—），曾在广州黄埔边防海警支队服役，曾任某巡逻舰舰长。

（资料填报:巢钊城，初稿撰写:巢钊城，总纂:李协湖）

大坐村

◎ 大坐村村貌（摄于 2016 年）

大坐村，位于龙山镇东北部，距镇政府 7.5 千米。该村始建于明末，由浮良大围谢氏族人分支搬迁而形成。因村庄建在浮良集市时筑起的堤坝（当地称大坐）旁，故取名大坐村。

该村坐落于丘陵地带，地势低洼，四周平坦。村庄坐西向东，东面为高埔村，南面为瓦埔村，西面为庙队村，北面与大围村交界。

清朝时期，该村属清远县滘一乡。民国时期，属清远县滘江区忠安乡。中华人民共和国成立初期，属清远县第八区龙山乡。1953 年，属清远县第六区浮良乡。1958 年 7 月中旬，清远县第六区（今龙山镇）划归佛冈县管辖。1958 年 10 月，佛冈县与从化县合并为从化县，属从化县滘江人民公社浮良大队。1961 年 5 月，佛冈由从化县分出，属佛冈县龙山人民公社浮良大队。1983 年 12 月，属龙山区浮良乡。1987 年 1 月，属龙山镇浮良行政村。1989 年 11 月，属龙山镇浮良管理区。1998 年 11 月，属龙山镇浮良行政村至今。

世居村民主要为谢姓，约占总人口 90%。据《谢氏家谱》记载，宋代谢氏族人由江西迁入广东南雄珠玑巷，后由南雄珠玑巷移居番禺县杨武都大田乡（今广州市白云区江高镇大田村），其祖先子平自番禺大田移居清远县社山村（今龙山镇官路唇村），明末，友俊祖自社山村移居浮良村，从浮良大围村分村迁至该地。20 世纪 20 年代因建浮良市（圩），大坐村外地商贾云集，有苏、邝、黎、黄等 10 余个姓氏，人口只有几人至几十人不等。这些姓氏皆因火烧关前事件，集市迁至浮良市（圩），外地商贾留下安居乐业所致。

2015 年末，户籍人口 322 人，其中男性 167 人，女性 155 人；80 岁以上 10 人，村中最年长者 91 岁（女）。实际在村居住人口 215 人，留守儿童 5 人。生活主要依靠农业收入的 215 人，常年在城镇居住和打工的 107 人。祖籍该村的香港同胞 25 人。村民均为汉族，广府民系，使用粤方言。

村有山地 31.4 公顷，耕地 63.6 公顷。自然资源主要有瓷泥。传统经济以农业为主，主要作物有水稻、番薯、木薯、花生、大豆等。禽畜主要饲养有鸡、鸭、鹅、猪、牛等，渔业养殖有四大家鱼。现多种植水稻、蔬菜。特色农产品有沙葛。传统食品有糖

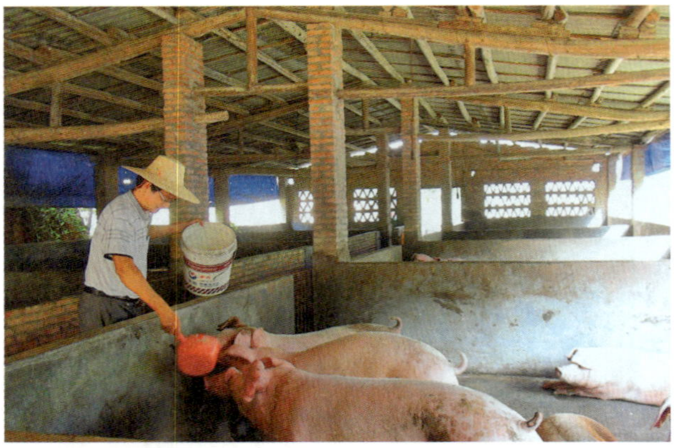

◎ 大坣村养猪场（摄于 2016 年）

环、油角、油糍、糯米糍、艾糍、粽子等。20 世纪 90 年代以后，大部分青壮年外出打工。村民主要收入来源为农业收入，外出务工工资收入。

村于 1968 年通电，1995 年通电话，2007 年实现村道水泥硬底化，2012 年通自来水和网络。村中设有垃圾收集桶，村居卫生得到改善。

传统民居现存 8 座。门楼坐西向东，围屋呈“囲”字形布局，巷道三横三纵，贯通整座围屋。巷道设有廊门，建筑风格与牌坊基本相同。屋脊造型为双龙戏珠，屋檐下有四幅壁画，画中的花虫鸟兽栩栩如生。门楼直对的纵巷为中轴线，两边的民居排列整齐有序，四周为围水屋。门楼的建筑特色为硬山顶，博古脊，盖灰瓦，青砖砌成墙体。大门由石板镶嵌，并安装趟栊门，大木框中间横架着十一根圆木。据村中老人介绍，趟栊圆木一定要单数，不能双数，因为在粤语中“双”和“丧”同音，不吉祥。

◎ 进来号”门楼（摄于 2016 年）

门楣上的花岗岩石板上刻有“进来号”的字样，门楼两侧有灰塑，屋檐有七幅壁画，图案于“文化大革命”期间用石灰水粉刷，现已模糊不清。现存传统民居 3 座，建筑年限约为 130 年。民居建筑为硬山顶，龙船脊，盖灰瓦，墙体由青砖砌成，具有岭南建筑风格和特色，属广府式正座。正座为两房一厅，两廊一天井布局，每座占地面积为 118 平方米。正座廊门内设有“内门官”神龛，每月初一、十五均烧香供奉。20 世纪 80 年代以后，村民在旧围屋四周建造钢筋混凝土楼房，越来越多的村民搬入楼房居住，大部分传统民居现已闲置或堆放杂物。

该村谢姓村民所拜宗祠为谢氏大宗祠。该宗祠位于浮良村大围村内，建成于清乾隆二十五年（1760 年）。祠堂坐东向西，面阔 32.4 米，进深 35.4 米，建筑占地面积 1239 平方米。为三进二廊二天井布局，存两侧青云巷，有衬祠。建筑轩昂，属砖木结构，青砖墙，盖灰瓦，博古脊，属硬山顶。头门前的门额石匾上刻“谢氏大宗祠”，落款为“乾隆二十五年岁次庚辰晓月吉旦、始堂晚堂立、同治五年岁次丙寅六月重修”。门檐额木雕精美，天井地面石砖铺地，石柱与木柱相结合，屋顶有形制独特的灰塑，衬祠墙壁上的花卉灰塑十分精美，保存很好。第三进中间有神台。总体布局基本完整，木架结构十分稳固，有鲜明的岭南艺术风格。2012 年被录入佛冈县不可移动文物名录。

村修有《谢氏族谱》，清道光十六年（1836 年）由居浮良村的谢璋昂编纂，2001 年由谢氏理事会编印新书。族谱中记有《谢友俊公家训百字铭》，族谱并记有《谢家告诫儿孙十要则》（十要十不要）称：“一要为人正直，敦厚纯朴；不要骄横诈伪，胡作非为。二要意气风发，直接高昂；不要妄自菲薄，萎靡不振。三要力求上进，勇攀高峰；不要自落孙山，甘居人后。四要竭诚待人，谦逊爽直；不要你虞我诈，两面三刀。五要尊亲敬老，和睦乡邻；不要仗势欺人，欺软怕硬；六要坚持正道，矢志力行；不要误闯歧途，妄求夜草。七要文明礼貌，举止端庄；不要烂言粗语，毁辱打骂。八要喜公好义，乐于助人；不要肥己损人，非礼而取。九要严于律己，奉公守法；不要作奸犯科，自投罗网。

十要许身卫国，志在四方；不要夜郎自大，称霸厨间。”族谱另记有字辈诗，称：“昂振南邦业，传家礼义良。鸿猷辉上国，奕世卜其昌。”

村民逢年过节都到镇南古庙祭拜观音。镇南古庙位于大坣村南边，据村中老人介绍，古庙约有200年历史，庙正门正对水口，传说有镇守水口的作用。镇南古庙坐东北向西南，占地近1000平方米，布局为两进院落。前院建筑已倒塌无存，后院正中为正殿，左右两侧建偏殿，建筑特色均为硬山顶，盖灰瓦，正殿屋顶还有龙船脊。后院现存的三座殿均为青砖砌成的墙体，正殿供奉观音，殿内墙壁正中画有观音神像，壁画前为两级神台。“文化大革命”期间，壁画用石灰水粉刷，现已模糊不清。三座殿前也被村民三合土泥砖砌起一堵墙，仅保留1米左右宽的门洞进出。大坣村民有正月初二拜观音的习俗，供品主要为香和水果。另外，大坣村原分为上闸、中闸、下闸三片区，每年正月初十由三片村民轮流把庙中的观音神像接到谢氏大宗祠供奉，正月十六再把观音送回庙中。而平时过时过节，民众烧香拜佛的场所则主要为祠堂和伯公树等。

◎ 镇南古庙（摄于2016年）

传统婚嫁习俗中的中原古制“六礼”，在该村已很少见到，但结婚前要担定婚茶、报日子、送聘金、定嫁妆等习俗依然存在。结婚时，男、女两家都要摆酒请客，女家摆酒用的肉米酒菜大多是男家筹备。迎亲和送亲时，男方要用车队上女方家迎接新娘和亲友。摆酒时，新郎新娘向亲友敬酒，宾客要回赠红包。

传统丧事以土葬为主，1990年以后逐步实行火葬。其过程包括竖灵、收殓、引灵、接体、奠礼、出殡、火化、安葬等。举丧时，尽可能不用电话而要登门报丧。死者外家前来吊唁，事主家必须到门前跪接，外家亲戚前来吊丧送爆竹纸钱以悼念死者。办丧事时只煮米饭、花菜、黄豆煮猪肉等简单饭菜，用餐不坐高台凳，拆下主家门板放地上当饭台，以表哀痛。完丧次日，亲友要回访事主家。

该村主要特色民俗有：正月初十上灯、正月十六落灯。男孩出生为“添丁”，因“丁”与“灯”谐音，为此在正月初十到祠堂“上灯”，表示庆祝。上灯活动大致分为迎灯、接灯、摆放供品、挂灯等程序，体现出祈求人丁兴旺的心愿，显示出族人和谐共处的景象。连续点灯六天，直到正月十六，族人再到祠堂把灯取下。

1964年，村民参加龙山公社组织的县社造林大会战，种植松、杉树80亩。1975年进行改河造田，大搞农田基本建设，改造农田10多亩。

（资料填报：刘翠萍，初稿撰写：刘翠萍，总纂：李协湖）

高埔村

◎ 高埔村村貌（摄于 2016 年）

高埔村，位于龙山镇东北部，距镇政府 7.5 千米。该村始建于明末，由浮良大围谢氏族人分支搬迁而形成。因村庄建在地势较高的地方，故取名为高埔村。

该村坐落于丘陵地带，村旁有黄泥田山、石龙顶山，浮良河自北向南流至不远处的圳仔口河。村东为山地，南为农田，西与大坐村接壤，北与大围村相邻。

清朝时期，该村属清远县浥一乡。民国时期，属清远县浥江区忠安乡。中华人民共和国成立初期，属清远县第八区龙山乡。1953 年，属清远县第六区浮良乡。1958 年 7 月，清远县第六区（今龙山镇）划归佛冈县管辖。1958 年 10 月，佛冈县与从化县合并为从化县，属从化县浥江人民公社浮良大队。1961 年 5 月，佛冈由从化县分出，属佛冈县龙山人民公社浮良大队。1983 年 12 月，属龙山区浮良乡。1987 年 1 月，属龙山镇浮良行政村。1989 年 11 月，属龙山镇浮良管理区。1998 年 11 月，属龙山镇浮良行政村至今。

世居村民为谢姓。据《谢氏家谱》记载，宋代谢氏族人由江西迁入广东南雄珠玑巷，后由南雄珠玑巷移居番禺县杨武都大田乡（今广州市白云区江高镇大田村），其祖先子平自番禺大田移居清远县社山村（今龙山镇官路唇村）。明末，先祖谢友俊自社山村移居浮良村大围，后有一分支迁到该地。

2015 年末，户籍人口 175 人，其中男性 83 人，女性 92 人；80 岁以上 13 人，最年长者 95 岁（女）。实际在村居住人口 130 人，留守儿童 2 人。生活主要依靠农业收入的 130 人，常年在城镇居住和打工的 45 人。村民均为汉族，广府民系，使用粤方言。

村有山地面积 18.2 公顷，耕地面积 47.73 公顷。

◎ 村民种植的甜玉米（摄于 2016 年）

农业是该村传统经济的主要产业，粮食作物种植双季水稻、番薯，经济作物种植花生、玉米、大豆、果树等。禽畜以养殖鸡、鸭、鹅、猪、牛、羊等为主。渔业蓄水养殖。自然资源主要有瓷泥，特色农产品有沙葛。传统食品有糖环、油角、油糍、糯米糕、艾糍、粽子等。20 世纪 90 年代以后，大部分青壮年外出打工。村民主要收入来源为农业收入、外出务工工资收入。

村于 1968 年通电，1995 年通电话，2007 年实现村道水泥硬底化，2012 年通自来水和网络。村中设有垃圾收集桶，村居卫生得到改善。

传统民居现存 15 座。村落布局呈棋盘状，巷道纵横交错，7 条纵巷贯通全村。传统民居排列整齐，巷宽约 2 米。旧民居都是广府式正座，四房一厅或二房一厅，两廊一天井布局，其建筑为硬山顶，盖灰瓦、三合土墙体，部分用青砖或泥砖砌成。每座占地面积约 120 平方米。20 世纪 90 年代以后，村民们在传统旧居四周建造钢筋混凝土楼房。楼房多为三房一厅一厨一卫布局，底层面积约 90 平方米。有的楼房内外装修华丽。

村民所拜宗祠为谢氏大祠堂，位于浮良村大围村内。谢氏大宗祠建成于清乾隆二十五年（1760 年）。祠堂坐东向西，面阔 32.4 米，进深 35.4 米，建筑占地面积 1239 平方米。为三进二廊二天井布局，存两侧青云巷，有衬祠。建筑轩昂，属砖木结构，青砖墙，盖灰瓦，博古脊，属硬山顶。头门前的门额石匾上刻“谢氏大宗祠”，落款为“乾隆二十五年岁次庚辰晓月吉旦、始堂晚堂立、同治五年岁次丙寅六月重修”。门檐额木雕精美，天井地面石砖铺地，石柱与木柱相结合，屋顶有形制独特的灰塑，衬祠墙壁上的花卉灰塑十分精美，保存很好。第三进中间有神台。总体布局基本完整，木架结构十分稳固，有鲜明的岭南艺术风格，对于研究佛冈县谢氏家族的历史和人文情况有一定的价值。2012 年被列入佛冈县不可移动文物名录。

◎ 祠堂莲花柱础（摄于 2016 年）

村修有《谢氏族谱》，清道光十六年（1836 年）由居浮良村谢璋昂编纂，2001 年由谢氏理事会编印新书。《谢氏族谱》共有十三个部分，分别是序言、谱序、先祖遗像、祖坟、六郎公南迁、谢氏宗支世系详列、人物、友俊公后裔业绩录、捐资芳名录、中国历史朝代分期、谢氏家训族规、楹联诗词、编后语。族谱中记有《谢友俊公家训百字铭》，称：“孝道当竭力，

◎ 高埔村传统民居（摄于 2016 年）

忠勇表丹诚；兄弟互相助，慈悲无边境。勤读圣贤书，尊师如重亲；礼义勿疏狂，逊让敦睦邻。敬长与怀幼，怜恤寡贫；谦恭尚廉洁，绝戒骄傲情。字纸莫乱废，须报五谷恩；作事循天理，博爱惜生灵。处世行八理，修身奉祖神；儿孙坚心守，成家种菩提。”族谱还记有《谢家告诫儿孙十要则》。

传统民俗活动为清明祭祖。清明节时，家家户户门楣插柳枝和桃叶以驱邪，采艾（一种植物）做“艾糍”作为祭祖供品。扫墓一般从清明前的春分起到农历四月初八日，扫墓期间在外地谋生的人都尽可能赶回来祭扫祖墓。改革开放后，民间的扫墓祭祖活动逐渐恢复。

传统婚嫁习俗中的中原古制“六礼”，在该村已很少见到，但结婚前要担定婚茶、报日子、送聘金、定嫁妆等习俗依然存在。结婚时，男、女两家都要摆酒请客，女家摆酒用的肉米酒菜大多是男家筹备。迎亲和送亲时，男方要用车队到女方家迎接新娘和亲友。摆酒时，新郎新娘向亲友敬酒，宾客也要回赠红包。

传统丧事以土葬为主，1990 年以后逐步实行火葬。其过程包括竖灵、收殓、引灵、接体、奠礼、出殡、火化、安葬等。举丧时，尽可能不用电话而要登门报丧。死者外家前来吊唁，事主家必须到门前跪接，外家前来吊丧送爆竹纸钱以悼念死者。办丧事时只煮白饭、花菜、黄豆煮猪肉等简单饭菜，用餐不坐高台凳，拆下主家门板放地上当饭台，以表哀痛。完丧次日，亲友要回访事主家。

1964 年村民植树造林，种植松、杉树 5.33 公顷。1975 年进行改河造田，大搞农田基本建设，改造农田 1 公顷。1976 年实行养猪积肥一条龙，集体养猪 100 多头，增加经济收入。

（资料填报：刘翠萍，初稿撰写：刘翠萍，总纂：李协湖）

○车步行政村

大 围

◎ 大围村貌（摄于2016年）

大围，位于龙山镇东南部，距镇政府5.5千米。该村始建于20世纪70年代，由车步凤阳村徐氏族人分支搬迁而形成。因从凤阳村围内搬迁到该地建村，村民仍怀念原居住地凤阳村围内生活，故取名为大围。

该村坐落于丘陵地带，地势低洼，村庄坐北向南，村东与高低村相邻，南与黄塱凤洲村相望，西紧靠黄塱村一队，北与小浦村接壤。

该村形成时，属佛冈县龙山人民公社车步大队。1987年1月，属龙山镇车步行政村。1989年11月，属龙山镇车步管理区。1998年11月，属龙山镇车步行政村至今。

世居村民为徐姓、尹姓。据《徐氏族谱》记载，明初，始祖徐泽润原居南雄珠玑巷。后南迁番禺大郎下村，其后裔分居广州白云山下。二世祖徐马逊由番禺迁居到增城，三世祖再迁居到清远石鼓岭村（今从化龙潭），四世祖徐景录偕子徐以刚由清远县湟二帝田（今从化龙潭镇）迁居到山枣洞（今从化龙潭），五世祖徐以刚于明初再迁到清远县湟一乡（今佛冈县龙山镇）车步凤阳村。20世纪70年代，凤阳村部分徐氏后裔再迁到该地。尹姓于20世纪70年代从佛冈县龙山镇官路唇村迁居到该地。

2015年末，户籍人口397人，其中男性201人，女性196人;80岁以上13人，最年长者85岁（男）。实际在村居住人口335人，留守儿童3人。生活主要依靠农业收入的335人，常年在城镇居住和打工的62人。祖籍该村的香港同胞25人。村民均为汉族，广府民系，使用粤方言。

村有耕地面积5.6公顷。传统经济以农业为主，主要作物有水稻、番薯、木薯、花生、大豆等。现以种植粮食作物、果树、经济林木、养殖业为主。该村传统节庆食品有糖环、油角、炒米饼、糯米糍、粽子等。特色美食为香芋焖乌鬃鹅。此美食是湛江中南部地区最受喜爱的菜式。当地产的乌鬃鹅，一般每只重3千克左右，传统饲养时间100天，肉质鲜美不肥。制作时，先将原只光鹅用文火焗至半熟，

◎ 大围村民养殖的乌鬃鹅（摄于 2016 年）

调好佐料，再用切块香芋垫底，亦可用竹山粉葛切片或甜笋等垫底，慢慢焖熟，切件后便可以上席。20 世纪 90 年代以后，大部分青壮年外出打工。村民主要收入为农业收入，外出务工收入，商业经营收入等。

村于 1972 年通电，1991 年通电话，2007 年村道实现水泥硬底化，2012 年通网络。该村设有垃圾收集桶，村居卫生良好。

传统民居为广府式民居，现存 13 座。村庄布局呈棋盘状，巷道纵横交错，贯通全村，房屋排列有序，前后相连。正座为四房一厅，两廊一天井布局，每座建筑面积约 100 平方米。其建筑为悬山顶，盖灰瓦，泥砖墙体。20 世纪 90 年代开始，村民陆续在围屋四周建造钢筋砖混凝土结构楼房，楼房多为三房一厅一厨一卫布局。大部分居民迁入楼房居住，传统民居现已闲置或堆放杂物。

◎ 大围五显庙（摄于 2016 年）

村中保留下来的古建筑为五显庙，由原车步村徐氏族人于清道光九年（1829 年）造，重修于 1996 年。该庙坐北向南，主要建筑特点是门楼居中，两面的围墙包围中间正座和天井。门楼为硬山顶、博古脊、盖彩瓦，门楼门楣上刻有“五显庙”字样，门楼两旁对联为：“脉孕格岗总汇峦归保障；灵钟车步长襟秀水漾恩波。”庙宇建筑特色为硬山顶，盖灰瓦，门口砌拜祭神台。据当地人回忆，五显庙在 20 世纪 60 年代“文化大革命”期间，主体建筑被毁。90 年代中期，全村村民集资重建修复。

◎《徐氏家谱》（摄于 2016 年）

该村与从化帝田村徐氏族人共用《徐氏族谱·帝田》，此族谱于 2002 年，由族人徐伍行、徐榕潮收集编纂。族谱分为 4 部分：族史源流、徐氏家训、徐氏辈序、世系概略。该村的《徐氏家谱》是以《徐氏族谱·帝田》为基础，然后由各家各户自行编写自家的家谱，各家的《徐氏家谱》为手工书写，家谱一代传一代，现尚未整理成书。该村徐氏家训："尽孝养，笃友爱。宜和顺，俭财用。慎嫁娶，勤职业。睦宗族，竭忠勇。"大围徐氏辈序："元斯荆邦宪，安见成家正大。德智忠兆祥云顺远全。"

主要民俗活动有正月初八上灯，春分老人礼，清明祭祖，契神等。春分举行老人礼，古时人们寿命较短，徐氏后人为此祈祷祖先保佑长寿。老人礼活动由家族中最年长者带领当年年满60岁的男性及其家人到耕乐徐公祠祭拜先祖。再由村委组织当年满60岁的男性集中吃饭，庆祝其步入花甲之年。清明祭祖，清明节前两天，该村所有徐氏族人拜祭先祖马逊公。契神是该村的传统的祈福习俗，新出生的女孩在正月初四，父母为求婴孩健康成长，将婴孩过契给神灵，祈望神的威灵护荫其女儿，得以无灾无难地成长。

在传统婚嫁习俗中，该村已很少见到中原古制"六礼"，但结婚前要担定婚茶、报日子、送聘金、定嫁妆等习俗依然存在。结婚时，要摆酒请客，男、女两家都要摆，女家摆酒用的肉米酒菜大多是男家出的。迎亲和送亲时，男方要用车队上女方家迎接新娘和亲友。摆酒时，新郎新娘向亲友敬酒，宾客也要回赠红包。举办丧事时，传统习俗以土葬为主，1990年以后逐步实行火葬。其过程为举丧、入殓、送葬、做法事，将亡灵牌位送入祠堂。举丧时，事主家属必须要登门报丧。死者外家前来吊唁，事主家必须到门前跪接。办丧事时只煮白饭、花菜、黄豆煮猪肉等简单饭菜，用餐不坐高台凳，拆下主家门板放地上当饭台，以表哀痛。完丧次日，亲友要回访事主家。

1965年4月，兴建龙山车步电动排水站，1966年2月建成，装机一台80千瓦，灌溉该村农田300多亩。1984年5月30日，遭遇龙卷风及冰雹袭击，该村倒塌房屋10多间，受伤2人，电力、通信设施遭到严重破坏。

（资料填报：徐清梅，初稿撰写：徐清梅，总纂：李协湖）

水 围

◎ 水围村貌（摄于2016年）

水围，位于龙山镇东南部，距镇政府5.8千米。该村始建于清末，由徐氏族人从凤阳村分支搬迁聚居而形成，因村庄建在潖江边，故取名为水围。

该村坐落于丘陵地带，村庄坐北向南，村旁有飞天崖山，高300米，村东与中和村接壤，南邻潖江河，西面是浮良坑，北紧靠高低村。

该村形成时，属清远县潖一乡。民国时期，属清远县潖江区忠安乡。中华人民共和国成立初期，属清远县第六区车步乡。1958年7月，第六区（即龙山镇）划归佛冈县管辖，属佛冈县龙山乡。1958年10月，佛冈县并入从化县，属从化县潖江人民公社车步大队。1959年5月，属从化县龙山人民公社车步大队。1961年5月，佛冈由从化县分出，属佛冈县龙山人民公社车步大队。1983年12月，属龙山区车步乡。1987年1月，属龙山镇车步行政村。1989年11月，属龙山镇车步管理区。1998年11月，属龙山镇车步行政村至今。

世居村民为徐姓、尹姓。《徐氏族谱》记载，明代初期，始祖徐泽润，原居南雄珠玑巷。后南迁番禺大郎下村，其后裔分居广州市白云山下。二世祖徐马逊由番禺迁居到增城，三世祖再迁居到清远石鼓岭村（今从化龙潭），四世祖徐景录偕子徐以刚由清远县潖二帝田（今从化龙潭镇）迁居到山枣洞（今从化龙潭）。五世祖徐以刚于明初再迁居到清远县潖一乡（今佛冈县龙山镇）车步村大围村生活，清末分村迁至该地。尹姓，清末由官路唇村迁移至该地。

2015年末，户籍人口327人，其中男性183人，女性144人；80岁以上7人。最年长者87岁（男）。实际在村居住人口305人，留守儿童1人。生活主要依靠农业收入的305人，常年在城镇居住和打工的22人。村民均为汉族，广府民系，使用粤方言。

村有耕地面积2.87公顷。传统经济以农业为主，主要作物有水稻、番薯、木薯、花生、大豆等。现多以种植水稻为主。萝卜为特色农产品，该村所产白萝卜，个大形美，甜而多汁，甚而可作为水果生吃，是佛冈“十大”美食之一。过节时传统食品有糖环、炒米饼、粽子等，村民主要收入来源为农业收入，外出务工工资收入，商业经营收入等。

村于1972年通电，1991年通电话，2008年全村村道实现水泥硬底化，2014年左右通网络。村中

◎ 村民种植的萝卜（摄于 2016 年）

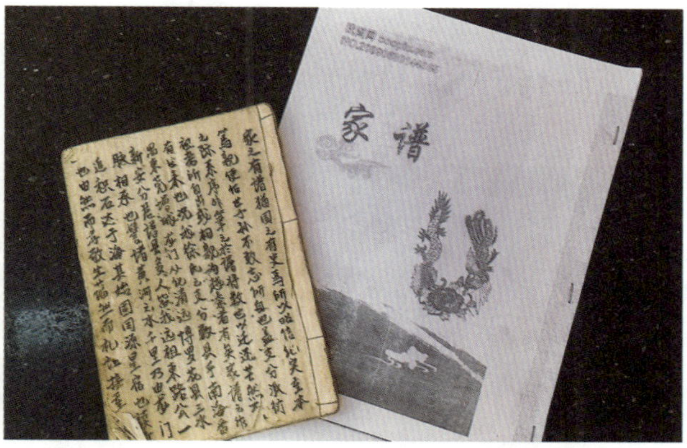

◎《徐氏家谱》（摄于 2016 年）

有垃圾收集站（垃圾桶），村居卫生得到改善。

传统民居为骑楼式平房，现存 50 多座，建于民国时期，每间房屋占地约 70 平方米。村中房屋呈“丰”字型布局，排列有序，一纵七横，每横排有 8 间房，纵巷为中轴线，巷道贯通全村，具有光照充足，排水排污方便，出入便利的特点。民居建筑为硬山顶，盖灰瓦，青砖砌成的墙体，门檐用砖柱支撑，具有特色的骑楼，依旧保留着民国时期当地岭南建筑风格。20 世纪 90 年代开始，村民陆续在传统民居四周建造钢筋混凝土结构楼房，大部分居民迁入楼房居住，传统民居大多已闲置或堆放杂物。

该村与朝阳、水口、小埔、中和村共有《徐氏家谱》，该族谱由徐氏后裔徐渭臣谱写，其后人徐贵和于 2003 年整理简单成册。

主要习俗有正月初八上灯、春分老人礼、清明扫墓等。正月初八上灯，男孩出生为“添丁”，因“丁”与“灯”谐音，为此在初八到祠堂“上灯”，表示祝贺，

◎ 水围传统民居（摄于 2016 年）

正月十八为放灯日，为期十天。上灯是族人的喜事，上灯活动大致分为迎灯、接灯、摆放供品、挂灯等程序，体现出祈求人丁兴旺的心愿，显示出族人和谐共处的景象。春分举行老人礼，古时人们寿命短，徐氏后人为祈祷祖先保佑长寿。清明扫墓，每年清明期间村民会到先人坟前进行扫墓。清明节前两天，该村所有徐氏族人拜祭先祖马逊公。

传统婚嫁习俗中的中原古制“六礼”，在该村已很少见到，但担定婚茶，报日子、送聘金、定嫁妆、行结婚礼等习俗依然存在。摆酒时，新郎新娘向亲友敬酒，宾客要向新郎新娘回赠红包。该村传统丧葬风俗庄严繁杂，多沿用古中原的传统，以土葬为主。中华人民共和国成立后逐步实行火葬，其程序包括举丧、入殓、出殡、送葬、做法事，将亡灵送入祠堂等。举丧时，事主家属必须要登门报丧。死者外家前来吊唁，事主家必须到门前跪接，前来吊丧的亲属送爆竹纸钱以悼念死者。

1955 年冬，动工兴建龙山良洞水库，1956 年春建成，并投入使用。1965 年 4 月，兴建龙山车步电动排水站，1966 年 2 月建成，装机一台 80 千瓦。1984 年 5 月 30 日，该村遭遇龙卷风及冰雹袭击，一批农作物受损，倒塌房屋 10 多间，受伤 1 人，电力、通信设施遭到严重破坏。

该村的徐进基（1962—），1981 年 10 月参加中国人民解放军，在部队时授予少校军衔。

（资料填报：刘晓燕，初稿撰写：刘晓燕，总纂：李协湖）

水口村

◎ 水口村村貌（摄于 2016 年）

水口村，位于龙山镇东南部，距镇政府 5.5 千米。该村始建于清末，由凤阳村（原大围村）徐氏后人分支而形成。原居住在车步凤阳村（原大围村）的徐氏第 19 代族人带人去白沙塘村水口铺种田，因与白沙塘村各姓氏产生矛盾，徐氏住所被烧，于是再回到车步村买地建村。因村庄位于河边，怀念在白沙塘村水口铺居住的岁月，故取名水口村。

该村坐落于丘陵地带，地势低洼。村庄坐北向南，村内有冷迳山，飞天崖山，山高 500 米，东与官路唇村隔水相望，南紧靠滘江，西与中和村毗邻，北与禾塘村接壤。

该村形成时，属清远县滘一乡。民国时期，属清远县滘江区忠安乡。中华人民共和国成立初期，属清远县第六区车步乡。1958 年 7 月，第六区（即龙山镇）划归佛冈县管辖，属佛冈县龙山乡。1958 年 10 月，佛冈县并入从化县，属从化县滘江人民公社车步大队。1959 年 5 月，属从化县龙山人民公社车步大队。1961 年 5 月，佛冈由从化县分出，属佛冈县龙山人民公社车步大队。1983 年 12 月，属龙山区车步乡。1987 年 1 月，属龙山镇车步行政村。1989 年 11 月，属龙山镇车步管理区。1998 年 11 月，属龙山镇车步行政村至今。

世居村民为徐姓。《徐氏族谱》记载，明初，始祖徐泽润原居南雄珠玑巷。后南迁番禺大郎下村，其后裔分居广州白云山下。二世祖徐马逊由番禺迁居到增城，三世祖再迁居到清远石鼓岭村（今从化龙潭），四世祖徐景录偕子徐以刚由清远县滘二帝田（今从化龙潭镇）迁居到山枣洞（今从化龙潭）。五世祖徐以刚于明初再迁居到清远县滘一乡（今佛冈县龙山镇）车步村大围。清末，徐氏第 19 代后裔从白沙塘村水口铺迁回车步后迁至该地。

2015 年末，户籍人口 340 人，其中男性 172 人，女性 168 人；80 岁以上 10 人，村中最年长者 88 岁（女）。实际在村居住人口 320 人，留守儿童 1 人。生活主要依靠农业收入的 320 人，常年在城镇居住和打工的 20 人。村民均为汉族，广府民系，使用粤方言。

村有耕地 9 公顷。传统经济以农业为主，主要作物有水稻、番薯、木薯、花生、大豆等。现以种植水稻为主。特色农产品为萝卜。特色美食为滘江醋。

◎ 村民酿制的湛江醋（摄于 2016 年）

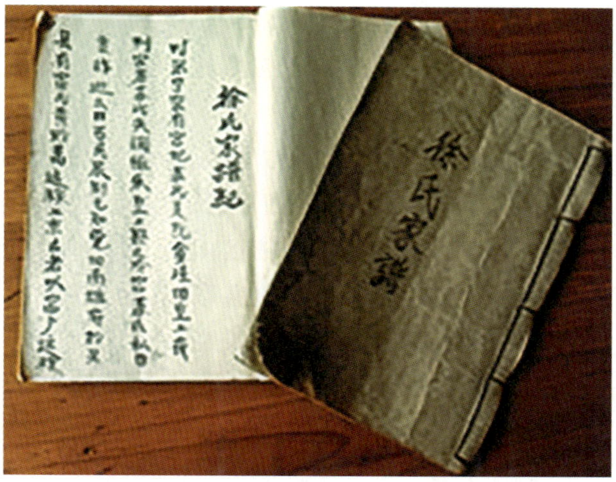

◎《徐氏家谱》（摄于 2016 年）

传统节庆食品有糖环、炒米饼、粽子、艾糍等。20 世纪 80 年代后，大部分青壮年外出打工，村民主要收入来源为农业收入、外出务工收入、商业经营收入等。

村于 1972 年通电，1991 年通电话，2012 年村道实现水泥硬底化，2014 年通网络。村中建有垃圾收集站，村居卫生环境得到改善。村中建有篮球场，为村民们平时锻炼身体提供场所。

传统民居为广府式正座，大多已损坏，现存 6 座，每座建筑占地面积约 100 平方米。村落呈“棋盘”状布局，四横五纵的巷道贯通全村。传统民居主要建筑为悬山顶，盖灰瓦，墙体由青砖砌成，保留岭南建筑风格。正座多为四门归厅，两廊一天井布局，一廊用作厨房，另一廊用存放杂物。民居内大多数屋檐下有灰雕图案，寓意吉祥如意。20 世纪 90 年代开始，村民陆续在传统民居周围建造钢筋混凝土结构楼房，大部分居民迁入新楼房居住。传统民居已闲置或堆放杂物。

◎ 民居一角（摄于 2016 年）

村民与朝阳、水围、小埔、中和村徐氏族人同祖同根，共用《徐氏家谱》。该家谱由徐氏后裔徐渭臣编纂，其后人徐贵和于 2003 年整理成书。家谱分为三部分：徐氏家谱序、族史源流、世系概略。《徐氏家谱》记载：“我祖以刚公，走问异地见处山绿水绕，在湛水一乡四面咸宜，是自然住址。开基阔怀、创业弥高、作屋宇、种粮食，付公之勤力为后世者，迄今二十余传。”“祥开庶矣，禹念世年湮谱经旁毁之庶祖未及悉载，惟恐日久免幸迷父老传言尤坎取证，故不揣明昧续而篝之，然往者既订于前来者，伏望世世踵而行之，会息厥志则为昭为穆有伦有序历代了然，会后有不明者矣是愚所厚望焉。”

主要习俗有正月初八上灯、春分老人礼、清明扫墓等。正月初八上灯，男孩出生为“添丁”，因“丁”与“灯”谐音，为此在初八到祠堂“上灯”，表示祝贺，正月十八为放灯日，为期十天。上灯活动大致分为迎灯、接灯、摆放供品、挂灯等程序，体现出祈求人丁兴旺的心愿，显示出族人和谐共处的景象。春分举行老人礼，古时人们寿命短，徐氏后人为祈祷祖先保佑长寿。老人礼由家族中最年长者带领当年年满 60 岁的男性及其家人到耕乐徐公祠祭拜先祖，同时村委组织当年 60 岁的男性集中吃饭，为其庆祝步入花甲之年。清明扫墓，每年清明期间村民会到先人坟前进行扫墓。清明节前两天，该村所有徐氏族人拜祭先祖马逊公。

传统婚嫁习俗中的中原古制“六礼”，在该村已很少见到，但担定婚茶，报日子、送聘金、定嫁妆，行结婚礼要摆酒请客等习俗依然存在。结婚时，女家摆酒用的肉米酒菜大多是男家筹备。迎亲和送亲时，男方要用车队到女方家迎接新娘和亲友。摆酒时，新郎新娘向亲友敬酒，宾客要向新郎新娘回赠红包。该村传统丧葬风俗庄严繁杂，多沿用古中原的传统，以土葬为主。中华人民共和国成立后逐步实行火葬，其程序包括举丧、入殓、出殡、送葬、做法事，将亡灵送入祠堂等。举丧时，事主家属必须要登门报丧。死者外家前来吊唁，事主家必须到门前跪接，前来吊丧的亲属送爆竹纸钱以悼念死者。

1956年11月，兴建龙山车步大堤，堤长5.9千米，1957年3月完工。1965年4月，兴建车步电动排水站，1966年2月建成，装机一台80千瓦。1984年5月30日，该村遭遇龙卷风及冰雹袭击。1985年，该村遭龙卷风袭击，一批农作物受严重损失。

该村的徐宇文（1956—），曾任佛冈县政协委员、佛冈县工商业联合会（总商会）理事、佛冈县泰康建筑工程有限公司副董事长。他多次热心捐资家乡公共设施建设，2013年捐资建设浥江中学教学楼。

（资料填报：刘晓燕，初稿撰写：刘晓燕，总纂：李协湖）

小埔村

◎ 小埔村村貌（摄于 2016 年）

小埔村，位于龙山镇东南部，距镇政府 5.8 千米。该村始建于民国初期，由徐氏族人从凤阳村分支搬迁而形成，建村时，因门楼向着太阳升起的方向，所以名为庆阳里村，1958 年改名为小埔村。

该村坐落于丘陵地带，坐西北向东南，村内有猫乪山，高 150 米，浮良河在村的东面流过，流经该村河长 1500 米，村南是一片田畴，西靠西瓜岭，北与浮良瓦埔村相邻。

该村形成时，属清远县滘江区忠安乡。中华人民共和国成立初期，属清远县第六区车步乡。1958 年 7 月，第六区（即龙山镇）划归佛冈县管辖，属佛冈县龙山乡。1958 年 10 月，佛冈县并入从化县，属从化县滘江人民公社车步大队。1959 年 5 月，属从化县龙山人民公社车步大队。1961 年 5 月，佛冈由从化县分出，属佛冈县龙山人民公社车步大队。1983 年 12 月，属龙山区车步乡。1987 年 1 月，属龙山镇车步行政村。1989 年 11 月，属龙山镇车步管理区。1998 年 11 月，属龙山镇车步行政村至今。

世居村民为徐姓。《徐氏族谱》记载，明初始祖徐泽润原居南雄珠玑巷。后南迁番禺大郎下村，其后裔分居广州市白云山下。二世祖徐马逊由番禺迁居到增城，三世祖再迁居到清远石鼓岭村（今从化龙潭），四世祖徐景录偕子徐以刚由清远县滘二帝田（今从化龙潭镇）迁居到山枣洞（今从化龙潭）。五世祖徐以刚于明初再迁居到清远县滘一乡（今佛冈县龙山镇）车步村大围生活，民国初期后裔分村迁至该地。

2015 年末，户籍人口 27 人，其中男性 14 人，女性 13 人。16 岁以下 7 人，60 岁以上老人 5 人。最年长者 73 岁（男）。实际在村居住人口 21 人，留守儿童 1 人。生活主要依靠农业收入的 21 人，常年在城镇居住和打工的 6 人。村民均为汉族，广府民系，使用粤方言。

村有耕地 1.87 公顷。传统经济以农业为主，主要作物有水稻、番薯、木薯、花生、大豆、蔬菜等。现多以种植水稻、蔬菜为主。萝卜为该村的特色农产品，传统节庆食品有糖环、炒米饼、粽子等。1980 年以后，大部分村民外出打工，村民主要收入来源为农业收入，务工工资收入，商业经营收入等。

村于 1972 年通电，1991 年通电话，2007 年全

◎ 小埔村蔬菜基地（摄于 2016 年）

◎ 徐公祠（摄于 2016 年）

村村道实现水泥硬底化，2011 年通网络及有线电视。村中有垃圾收集站（垃圾桶），村居卫生得到改善。

传统民居现存 7 座。村庄呈“棋盘”型布局，房屋排列整齐，三横两纵的巷道贯通全村。民居多为四房一厅，两廊一天井布局，每座房屋占地约 100 平方米，主要建筑为硬山顶，盖灰瓦，墙体由青砖砌成，保留岭南建筑风格，现保存完好，且有人居住。20 世纪 90 年代开始，村民陆续在传统民居周边建造钢筋混凝土结构楼房，大部分村民迁入楼房居住。

村民与车步徐氏族人共用耕乐徐公祠。耕乐徐公祠建成于清雍正元年（1723 年），是凤阳村徐氏八世祖徐耕乐建造。祠堂坐南向北，面阔 18.8 米，总深 40 米，高 7.5 米。建设占地面积 752 平方米。广三路，中路为三进二天井，存两侧青云巷和衬祠。砖木结构，青砖墙，硬山顶，博古脊，盖灰瓦。祠堂头门包台采用花岗岩砌筑，天井和屋内地面都采用石砖铺地，建有石柱。屋顶有形制独特的灰塑。第三进中间有神台。祠堂在重修前围墙破旧，道路不平，重修后整体结构维持原样。祠堂壁画和灰塑采用岭南花木水果图案，部分灰塑、木雕、砖雕和石雕保存基本完好。该建筑虽历经沧桑，仍保留着鲜明的岭南建筑风格，具有一定的历史和文化价值。2012 年被录入佛冈县不可移动文物名录

◎ 小埔村传统民居（摄于 2016 年）

该村与朝阳、水口、水围、中和村修有《徐氏家谱》，由徐氏后裔徐渭臣谱写，其后人徐贵和于 2003 年整理简单成册。家谱分为三部分：徐氏家谱序、族史源流、世系概略。《徐氏家谱》记载：“蓋家谱之序也，溯前人之功业，晰世代之源流，载籍留存彰彰可矣。”“我祖以刚公，又走问异地见处山绿水绕，在湼水一乡四面咸宜，是自然住址。开基阔怀、创业弥高、作屋宇、种粮食，付公之勤力为后世者，迄今二十余传。”“祥开庶矣，禹念世年湮谱经旁毁之庶祖未及悉载，惟恐日久免幸迷父老传言尤坎取证，故不揣明昧续而箕之，然往者既订于前来者，伏望世世踵而行之，会息厥志则为昭为穆有伦有序历代了然，会后有不明者矣是愚所厚望焉。”

村还保留一些特色民俗。春节瑞狮到各家各户拜门，祝贺祥和安康。正月初八上灯，男孩出生为“添丁”，因“丁”与“灯”谐音，为此在初八到祠堂“上灯”，表示祝贺，正月十八为放灯日，为期十天。上灯活动大致分为迎灯、接灯、摆放供品、挂灯等程序，表达祈求人丁兴旺的心愿，展示族人和谐共处的景象。该村每年清明节期间都举行到先人坟前扫墓的

◎ 村民表演狮子“采青”（摄于2016年）

活动。清明节前两天该村村民与所有徐氏族人每年都会共同拜祭坟墓位于官路唇潭州村的徐氏始祖徐马逊。春分老人礼，古时人们寿命短，徐氏后人为祈祷祖先保佑长寿，每年春分都会组织60岁老人去祠堂拜祭，春分时，假如家族中有当年满60岁的男子，就由家族中最年长者带领族人到耕乐徐公祠祭拜祖堂，然后再由村委组织当年60岁老人集中吃饭，老人礼结束。表达祈求寿比南山的心愿，展示族人和谐共处的景象。

传统婚嫁习俗中的中原古制“六礼”在该村已很少见到。但结婚前要担定婚茶，报日子、送聘金、定嫁妆、接亲、送亲、请客婚庆等习俗依然存在。传统丧事习俗以土葬为主，1990年后逐步实行火葬，其程序包括举丧、入殓、出殡、送葬、做法事，将亡灵送入祠堂等。办丧事时只煮白饭、花菜、黄豆煮猪肉等简单饭菜，用餐不坐高台凳，拆下主家门板放地上当饭台，以表哀痛。完丧次日，亲友要回访事主家。

1956年11月，兴建车步大堤，堤长5.9千米。1965年4月，兴建车步电动排水站，1966年2月建成，装机一台80千瓦。1984年5月30日，该地遭遇龙卷风及冰雹袭击，房屋、农作物损失严重。

该村的徐胜云（1936—2008），曾任清远县委组织部副部长。

（资料填报：刘晓燕，初稿撰写：刘晓燕，总纂：李协湖）

中和村

◎ 中和村村貌（摄于 2016 年）

中和村，位于龙山镇东南部，距镇政府 5.7 千米。该村始建于清末，由徐氏后人从凤阳村分支搬迁聚居而形成，因村位于潖江河堤坝附近，故取名为坝坐村，后因与禾塘村分开生产队，又改名为中和村。

该村坐落于丘陵，坐北向南，村前有一口方形的风水塘，村东与水口村接壤，村南 800 米处是潖江河，西与水围相连，北与凤阳村相望。

该村形成时，属清远县潖一乡。民国时期，属清远县潖江区忠安乡。中华人民共和国成立初期，属清远县第六区车步乡。1958 年 7 月，第六区（即龙山镇）划归佛冈县管辖，属佛冈县龙山乡。1958 年 10 月，佛冈县并入从化县，属从化县潖江人民公社车步大队。1959 年 5 月，属从化县龙山人民公社车步大队。1961 年 5 月，佛冈由从化县分出，属佛冈县龙山人民公社车步大队。1983 年 12 月，属龙山区车步乡。1987 年 1 月，属龙山镇车步行政村。1989 年 11 月，属龙山镇车步管理区。1998 年 11 月，属龙山镇车步行政村至今。

世居村民为徐姓。《徐氏族谱》记载，明初，始祖徐泽润原居南雄珠玑巷。后南迁番禺大郎下村，其后裔分居广州白云山下。二世祖徐马逊由番禺迁至增城，三世祖再迁至清远石鼓岭村（今从化龙潭），四世祖徐景录偕子徐以刚由清远县潖二帝田（今从化龙潭镇）迁居山枣洞（今从化龙潭）。五世祖徐以刚于明初再迁清远县潖一乡（今佛冈县龙山镇）车步大围村生活，清末分村迁至该地。

2015 年末，户籍人口 147 人，其中男性 73 人，女性 74 人；80 岁以上老人 3 人，最年长者 85 岁（男）。实际在村居住人口 130 人，留守儿童 1 人。生活主要依靠农业收入的 130 人，常年在城镇居住和打工的 17 人。村民均为汉族，广府民系，使用粤方言。

村中耕地 4.13 公顷。传统经济以农业为主，主要作物有水稻、番薯、木薯、花生、大豆等。现多以种植水稻、玉米为主。萝卜为该村的特色农产品。特色美食为脆皮扣肉。其制作方法：先把土猪肉的五花腩切片煎煮，然后与金针菇、鲜虾几只放入瓦煲中，调好味，加水煮 30 分钟左右即可食用。过节时传统食品有糖环、炒米饼、粽子等，村民主要收入来源为农业收入、务工工资收入、商业经营收入等。

村于 1972 年通电，1991 年通电话，2007 年全

◎ 中和村种植的甜玉米（摄于 2016 年）

◎ 村民铺设水泥村道（摄于 2012 年）

村村道实现水泥硬底化，2011 年通网络及有线电视。村中有垃圾收集站（垃圾桶），村居卫生得到改善。

传统民居为广府民居，现存 20 座。村庄呈“围”字型布局，房屋排列整齐，五纵四横的巷道贯通全村，具有光照充足，排水排污方便，出入便利的特点。门楼居中，门额上面写着“中和里”三个大字，中间是正座，四周的围水屋包围中间的正座，正座为四房一厅，两廊一天井布局，每座建筑面积约 100 平方米左右，主要建筑为硬山顶，盖灰瓦，青砖墙体，屋檐下有灰雕凤图案，寓意吉祥如意，中轴线的顶端就是祖堂，保留岭南特有的建筑韵味。20 世纪 90 年代开始，有村民陆续在民居周边建造钢筋混凝土结构楼房，大部分村民搬入楼房居住。

◎ 中和村传统民居（摄于 2016 年）

该村与朝阳、水口、小埔、水围村修有《徐氏家谱》，由徐氏后裔徐渭臣谱写，其后人徐贵和于 2003 年整理简单成册。家谱分为三部分：徐氏家谱序、族史源流、世系概略。《徐氏家谱》记载：“蓋家谱之序也，溯前人之功业，晰世代之源流，载籍留存彰彰可矣。”“我祖以刚公，又走问异地见处山绿水绕，在滙水一乡四面咸宜，是自然住址。开基阔怀、创业弥高、作屋宇、种粮食，付公之勤力为后世者，迄今二十余传。”“祥开庶矣，禹念世年湮谱经旁毁之庶祖未及悉载，惟恐日久免幸迷父老传言尤坎取证，故不揣明昧续而篡之，然往者既订于前来者，伏望世世踵而行之，会息厥志则为昭为穆有伦有序历代了然，会后有不明者矣是愚所厚望焉。”

村至今还保留着一些特色民俗。正月初八上灯，男孩出生为“添丁”，因“丁”与“灯”谐音，为此在初八到祠堂“上灯”，表示祝贺，正月十八为放灯日，为期十天。上灯活动大致分为迎灯、接灯、摆放供品、挂灯等程序，表现祈求人丁兴旺的心愿，展示族人和谐共处的景象。该村每年清明节期间都举行到先人坟前扫墓的活动。清明节前两天该村村民与所有徐氏族人每年都会共同拜祭坟墓位于官路唇潭州村的徐氏始祖徐马逊。春分老人礼，古时人们寿命短，徐氏后人为祈祷祖先保佑长寿，每年春分都会组织 60 岁老人去祠堂拜祭。老人礼活动大致分为两个程序，春分时，假如家族中有当年满 60 岁的男子，就由家族中最年长者带领族人到耕乐徐公祠祭拜祖堂，然后再由村委组织当年 60 岁老人集中吃饭，老人礼结束。表现祈求寿比南山的心愿，展示族人和谐共处的景象。

传统婚嫁习俗中的中原古制“六礼”在该村已很少见到，但担定婚茶，报日子、送聘金、定嫁妆的习俗依然存在，结婚时，男、女两家都要摆酒请客，

◎ 上灯日村民上灯（摄于 2016 年）

女家摆酒用的肉米酒菜大多是男家筹备。迎亲和送亲时，男方要用车队到女方家迎接新娘和亲友。摆酒时，新郎新娘向亲友敬酒，宾客要回赠红包。该村传统丧葬风俗多沿用古中原的传统，以土葬为主。中华人民共和国成立后逐步实行火葬，其程序包括举丧、入殓、出殡、送葬、做法事，将亡灵送入祠堂等。举丧时，要登门报丧。死者外家前来吊唁，事主家必须到门前跪接，前来吊丧的亲属送爆竹纸钱以悼念死者。出殡时，由死者长女婿扛一支五六米长的竹子，上挂红布作幡，走在送葬队伍前面。葬后，竹子扛回，红布给长女婿带回家中，以作辟邪。

1955 年冬，参与兴建龙山良洞水库。1965 年 4 月，参与兴建龙山车步电动排水站。1984 年 5 月 30 日，该村遭遇龙卷风及冰雹袭击，房屋和农作物损失严重。

（资料填报：刘晓燕，初稿撰写：刘晓燕，总纂：李协湖）

禾塘村

◎ 禾塘村村貌（摄于 2016 年）

禾塘村，位于龙山镇东南部，距镇政府 5.5 千米。该村始建于明景泰年间，由从化龙潭徐氏分支搬迁而形成。因村前有晒谷场（当地称为禾塘），故取名为禾塘村。

该村坐落于丘陵地带，村庄坐北向南，东与冷坑村相邻，南与水口村相望，西紧靠凤阳村，北与良洞水库接壤。

村落形成时，属清远县滘一乡。民国时期，属清远县滘江区忠安乡。中华人民共和国成立初期，属清远县第六区车步乡。1958 年 7 月，第六区（今龙山镇）划归佛冈县管辖，属佛冈县龙山乡。1958 年 10 月，佛冈县并入从化县，属从化县滘江人民公社车步大队。1959 年 5 月，属从化县龙山人民公社车步大队。1961 年 5 月，佛冈由从化县分出，属佛冈县龙山人民公社车步大队。1983 年 12 月，属龙山区车步乡。1987 年 1 月，属龙山镇车步行政村。1989 年 11 月，属龙山镇车步管理区。1998 年 11 月，属龙山镇车步行政村至今。

世居村民为徐姓、李姓。《徐氏族谱》记载，明初，徐姓始祖徐泽润原居南雄珠玑巷。后南迁至番禺大郎下村，其后裔分居广州市白云山下。二世祖徐马逊由番禺迁至增城，三世祖再迁至清远石鼓岭村（今从化龙潭），四世祖徐景录偕子徐以刚由清远县滘二帝田（今从化龙潭镇）迁居山枣洞（今从化龙潭）。明景泰年间五世祖徐以刚再迁至清远县滘一乡（今佛冈县龙山镇）车步禾塘村。李氏于 20 世纪 80 年代从高平上西随母改嫁搬迁至此。

2015 年末，户籍人口 263 人，其中男性 145 人，女性 118 人；80 岁以上 7 人，村中最年长者 89 岁（男）。实际在村居住人口 225 人，留守儿童 2 人。生活主要依靠农业收入的 225 人，常年在城镇居住和打工的 38 人。村民均为汉族，广府民系，使用粤方言。

村有耕地面积 6.4 公顷。传统经济以农业为主，粮食作物种植主要有水稻、番薯、芋头等。经济作物主要种植木薯、花生、大豆、果树等。家禽主要养殖乌鬃鹅、鸡、鸭等。现以种植粮食作物、果树、经济林木、养殖业为主。该村传统节庆食品有糖环、油角、炒米饼、糯米糍、粽子等。特色美食为香芋焖乌鬃鹅。此美食是滘江中南部地区最受喜爱的菜式。以当地产的乌鬃鹅，一般每只重 3 千克左右，

◎ 禾塘村养殖的乌鬃鹅（摄于 2016 年）

◎ 禾塘村炮楼（摄于 2016 年）

传统饲养时间 100 天以上，肉质鲜美不肥。制作时，先将原只光鹅用文火焗至半熟，调好佐料，再用切块香芋垫底，亦可用竹山粉葛切片或甜笋等垫底，慢慢焖熟，切件后便可以上席。20 世纪 90 年代以后，大部分青壮年外出打工。村民主要收入来源为农业收入、务工工资收入等。

村于 1972 年通电，1991 年通电话，2007 年全村村道实现水泥硬底化，2011 年通网络及有线电视。村中有垃圾收集站（垃圾桶），村居卫生得到改善。

传统民居为广府民居，现存 3 座。村庄呈棋盘状，巷道纵横交错，贯通全村。房屋排列有序，前后相连。民居均为广府式正座，两房一厅，两廊一天井布局，每座建筑面积约 80 平方米。主要建筑为硬山顶，盖灰瓦，泥砖墙体。20 世纪 90 年代开始，村民陆续在传统民居四周建造钢筋砖混凝土结构楼房，楼房多为三房一厅一厨一卫布局。大部分村民搬入楼房居住，传统民居现已闲置或堆放杂物。

村中代表性建筑为炮楼。该炮楼位于禾塘村东面约 200 米的对面岭上，建于 20 世纪 20—30 年代，由该村乡绅出资修建，用于防御外敌，至今仍保存完好。其主要特色：炮楼呈方形，高 3 层，砖木结构。外筑厚实的砖墙，内为木质梁架结构，顶层四周砌成高墙，墙体逐层设有射击孔，外观如一座碉堡。

该村徐氏族人与从化帝田村徐氏族人共《徐氏族谱・帝田》，此族谱于 2002 年由族人徐伍行、徐榕潮收集编纂。族谱分为四部分：族史源流、徐氏辈序、家训、世系概略。该村的《徐氏家谱》是以《徐氏族谱・帝田》为基础，然后由各家各户自行编写自家的家谱，各家的《徐氏家谱》为手工书写，家谱一代传一代，现尚未整理成书。禾塘村徐氏家训：“尽孝养、笃友爱、宜和顺、俭财用、慎嫁娶、勤职业、睦宗族、竭忠勇。”禾塘村徐氏辈序：“元斯荆邦宪，安见成家正。大德智忠兆，祥云顺远全。”

传统婚嫁习俗中的中原古制“六礼”，在该村已很少见到。但结婚前，担定婚茶、报日子、送聘金、定嫁妆等习俗依然存在。结婚时，男、女两家都要摆酒请客，女家摆酒用的肉米酒菜大多是男家筹备。迎亲和送亲时，男方要用车队到女方家迎接新娘和亲友。摆酒时，新郎新娘向亲友敬酒，宾客要回赠红包。举办丧事时，传统习俗以土葬为主，1990 年以后逐步实行火葬。其过程为举丧、入殓、送葬、做法事，将亡灵牌位送入祠堂。举丧时，事主家必须要登门报丧。死者外家前来吊唁，事主家必须到门前跪接。办丧事只煮白饭、花菜、黄豆煮猪肉等简单饭菜，用餐不坐高台凳，拆下主家门板放地上当饭台，以表哀痛。完丧次日，亲友要回访事主家。

传统习俗有正月初八上灯、春分老人礼、清明祭祖、契神等。男孩出生为“添丁”，因“丁”与“灯”谐音。生了男丁的人家在正月初八到祠堂“上灯”，

◎ 上灯日舞醒狮（摄于 2016 年）

表示祝贺。上灯活动大致分为迎灯、接灯、摆放供品、挂灯等程序，体现出祈求人丁兴旺的心愿，显示出族人和谐共处的景象。春分举行老人礼，古时人们寿命较短，徐氏后人为此祈祷祖先保佑长寿。老人礼活动是由家族中最年长者带领当年年满 60 岁的男性及其家人到耕乐徐公祠祭拜先祖，再由村委组织当年满 60 岁的男性集中座谈，庆祝其步入花甲之年。清明祭祖，清明节前两天，该村所有徐氏族人拜祭先祖马逊公。契神是该村的传统的祈福习俗，出生的女孩在正月初四，父母为求婴孩健康成长，将婴孩过契给神灵，祈望神的威灵来护荫其儿女，得以无灾无难地成长。

1965 年 4 月，兴建龙山车步电动排水站，1966 年 2 月建成，装机一台 80 千瓦。

（资料填报：徐清梅，初稿撰写：徐清梅，总纂：李协湖）

凤阳村

◎ 凤阳村村貌（摄于 2016 年）

凤阳村，位于龙山镇东南部，距镇政府 5.5 千米。该村始建于明景泰年间，由从化龙潭徐氏分支迁移而形成。因村后有座山叫圆岭，好似一颗龙珠镶嵌在其中，故取名为凤珠村，后因建成的凤珠门楼朝着东方的太阳，又改名为凤阳村。

该村坐落于丘陵地带，村庄坐北向南，村东与禾塘村相邻（两村隔着大塘和龙尾塘两口水塘），南与水口村相望，西紧靠围仔村，北与高低村接壤。

村形成时，属清远县潖一乡。民国时期，属清远县潖江区忠安乡。中华人民共和国成立初期，属清远县第六区车步乡。1958 年 7 月，清远县龙山乡（今佛冈县龙山镇）划归佛冈县管辖，属佛冈县龙山乡。1958 年 10 月，佛冈县并入从化县，属从化县潖江人民公社车步大队。1959 年 5 月，属从化县龙山人民公社车步大队。1961 年 5 月，佛冈由从化县分出，属佛冈县龙山人民公社车步大队。1983 年 12 月，属龙山区车步乡。1987 年 1 月，属龙山镇车步行政村。1989 年 11 月，属龙山镇车步管理区。1998 年 11 月，属龙山镇车步行政村至今。

世居村民为徐姓。据《徐氏族谱・帝田》记载，明初，始祖徐泽润原居南雄珠玑巷。其后裔先后迁番禺、增城、从化。至四世祖徐景录偕子徐以刚由清远县潖二帝田（今从化龙潭镇）迁居山枣洞（今从化龙潭）。明景泰年间五世祖徐以刚迁入该地。

2015 年末，户籍人口 342 人，其中男性 212 人，女性 130 人；80 岁以上 3 人，该村最年长者为 91 岁（男）。实际在村居住 136 人，留守儿童 5 人。生活主要依靠农业收入的 136 人，常年在城镇生活和打工的 206 人。村民均为汉族，广府民系，使用粤方言。

村有耕地 17.87 公顷。传统经济以农业为主，主要作物有水稻、番薯、木薯、花生、大豆等。现以种植粮食作物、果树、经济林木、养殖业为主。该村传统节庆食品有糖环、油角、炒米饼、糯米糍、粽子等。传统美食为香芋焖乌鬃鹅。该村产的乌鬃鹅，一般每只重 3 千克左右，鹅肉质嫩而不肥。制作时，先将原只光鹅用文火焗至半熟，调好佐料，再用切块香芋垫底，慢慢焖熟，切件后便可上席。20 世纪 90 年代以后，大部分青壮年外出打工。村民主要收入来源为农业收入、外出务工收入等。

村于1971年通电，1988年通电话，1995年村道实现水泥硬底化，2012年通网络。村中设有垃圾收集桶，村居卫生良好。文化设施有文化室、休闲公园、图书室（现藏书籍1000多册）等。

◎ 学生在村图书室看书（摄于2016年）

村中原办有车步小学，因教育改革已合并到黄塱小学，现改为黄塱小学分教点。2015年，分教点开设低年级的3个班，在校学生40人，教职工3人。

传统民居为广府民居，现存传统民居3座，其余均已不同程度毁坏。民居为两房一厅，两廊一天井布局。主要建筑为硬山顶，盖灰瓦，青砖墙体。每座建筑面积约80平方米。五横六纵的巷道贯通全村。20世纪90年代开始，村民陆续在围屋四周建造钢筋砖混凝土楼房，大部分居民迁入楼房居住，楼房布局多为三房一厅一厨一卫。传统民居现已闲置或堆放杂物。

村前的耕乐徐公祠建成于清雍正元年(1723年)，是车步村为纪念徐氏八世祖徐耕乐而建造。祠堂位于凤阳村内，坐南向北，面阔18.8米，总深40米，高7.5米。建筑占地面积752平方米。共三路，中路为三进二天井，两侧青云巷和衬祠。砖木结构，青砖墙，硬山顶，博古脊，盖灰瓦。祠堂头门包台采用花岗岩砌筑，天井和屋内地面都采用石砖铺地，建有石柱。屋顶有形制独特的灰塑。第三进中间有神台。祠堂重修后整体结构维持原样。祠堂壁画和灰塑采用岭南花木水果图案，部分灰塑、木雕、砖雕和石雕保存基本完好，保留着鲜明的岭南建筑风格。2012年被录入佛冈县不可移动文物名录。

◎ 耕乐徐公祠（摄于2016年）

位于耕乐徐公祠的左侧是昌期家塾。该家塾为徐氏十三世祖徐昌期于1933年建造。家塾坐南向北，主祠二进一天井，砖木结构，青砖墙，硬山顶，龙船脊，盖灰瓦。每年农历腊月二十九，该村都会在昌期家塾宴请50岁以上的老人聚餐，以感谢老人们为村所作贡献。

◎ 昌期家塾（摄于2016年）

村东的凤阳古井，建于清代后期。井沿由花岗岩凿成，内圆直径50厘米，外圆直径70厘米，井深约5米。井旁的石板刻有“道光二十八年”字样。井水清澈甘甜，现仍为村民饮用水源。

村中徐氏族人与帝田村徐氏族人共《徐氏族谱·帝田》，此族谱于2002年，由族人徐伍行、徐榕潮收集编纂。

主要习俗有正月初八上灯，春分老人礼，清明祭祖，契神等。男孩出生为“添丁”，因“丁”与“灯”谐音。村民在正月初八到祠堂“上灯”，表示祝贺。上灯活动大致分为迎灯、接灯、摆放供品、

◎ 凤阳古井（摄于2016年）

挂灯等程序，体现出祈求人丁兴旺的心愿，显示出族人和谐共处的景象。春分举行老人礼。老人礼分为两个程序，首先是由家族中最年长者带领当年年满60岁的男性及其家人到耕乐徐公祠祭拜先祖，其次由村委组织当年满60岁的男性集中吃饭，庆祝其步入花甲之年。清明祭祖，清明节前两天，该村所有徐氏族人拜祭先祖马逊公。契神是该村的传统的祈福习俗，出生的女孩在正月初四，父母为求婴孩健康成长，将婴孩过契给神灵，祈望神的威灵来护荫其儿女，保佑婴孩得以无灾无难地成长。

传统婚嫁习俗中的中原古制“六礼”，在该村已很少见到。但结婚前，担定婚茶、报日子、送聘金、定嫁妆等习俗依然存在。结婚时，男、女两家都要摆酒请客，女家摆酒用的肉米酒菜大多是男家筹备。迎亲和送亲时，男方要用车队到女方家迎接新娘和亲友。摆酒时，新郎新娘向亲友敬酒，宾客要回赠红包。举办丧事时，传统习俗以土葬为主，1990年以后逐步实行火葬。其过程为举丧、入殓、送葬、做法事，将亡灵牌位送入祠堂。举丧时，事主家必须要登门报丧。死者外家前来吊唁，事主家必须到门前跪接。完丧次日，亲友要回访事主家。

村中流传日本侵略军经过耕乐徐公祠而没有毁坏的故事：抗日战争时期，日本侵略军经过昌期家塾时又杀猪、又放火，穷凶极恶。后来经过耕乐徐公祠，看到额匾刻有“耕乐徐公祠”字样，便想到秦朝徐福东渡日本，所以对徐姓十分尊重。公祠因此没有被毁坏。

抗日战争时期，昌期家塾曾为国民政府军62军152师指挥部，其副师长林英灿在1939年1月13日对日作战时，阵亡于凤阳村圆岭山，后被追认为抗战烈士。1956年11月，兴建龙山车步大堤，堤长5.9千米。1965年4月，兴建龙山车步电动排水站，装机一台80千瓦。1984年5月30日，该村遭遇龙卷风及冰雹袭击，倒塌房屋20多间，农作物受到严重损失。

该村的徐东林（1951—），曾任江门市审计局局长。徐焯锋（1952—），曾任花都市供电局局长，退休后热心家乡公益事业，为家乡的发展作出较大贡献。

（资料填报：徐清梅，初稿撰写：徐清梅，统稿：李协湖）

围仔村

◎ 围仔村村貌（摄于 2016 年）

围仔村，位于龙山镇东南部，距镇政府 5.5 千米。该村始建于清康熙年间，由从化龙潭徐氏分支搬迁而形成。因村建成 6 座正座，由围墙和 30 多间连体围水屋包围，所以取名围仔村，又称崑祖村。

该村坐落于丘陵地带，村庄坐南向北，东与凤阳村相邻，南与水口村相望，村西、村北与高低村接壤。

该村形成时，属清远县滘一乡。民国时期，属清远县滘江区忠安乡。中华人民共和国成立初期，属清远县第六区车步乡。1958 年 7 月，第六区（今龙山镇）划归佛冈县管辖，属佛冈县龙山乡。1958 年 10 月，佛冈县并入从化县，属从化县滘江人民公社车步大队。1959 年 5 月，属从化县龙山人民公社车步大队。1961 年 5 月，佛冈由从化县分出，属佛冈县龙山人民公社车步大队。1983 年 12 月，属龙山区车步乡。1987 年 1 月，属龙山镇车步行政村。1989 年 11 月，属龙山镇车步管理区。1998 年 11 月，属龙山镇车步行政村至今。

世居村民为徐姓。据《徐氏族谱》记载，明代初期，始祖徐泽润，原居广东南雄珠玑巷。后南迁至番禺大郎下村，其后裔分居广州白云山下。二世祖徐马逊由番禺迁至增城，三世祖再迁至清远石鼓岭村（今从化龙潭），四世祖徐景录偕子徐以刚由清远县滘二帝田（今从化龙潭镇）迁居山枣洞（今从化龙潭）。五世祖徐以刚于明初再迁至清远县滘一乡（今佛冈县龙山镇）车步村。十七世祖徐崑宗于清康熙年间迁至该地建村。

2015 年末，户籍人口 156 人，其中男性 85 人，女性 71 人；80 岁以上 3 人。村中最年长者 81 岁（男）。实际在村居住人口 135 人，留守儿童 8 人。生活主要依靠农业收入的 135 人，常年在城镇居住和打工的 21 人。村民均为汉族，广府民系，使用粤方言。

村有耕地 5.33 公顷，土地肥沃，气候温和，宜稻宜牧，宜果宜林。传统经济以农业耕作及家庭种养为主，主要作物有水稻、番薯、木薯、花生、大豆等。水果有荔枝、龙眼、香蕉等岭南水果。现以种植粮食作物、果树、经济林木、养殖为主。该村传统节庆食品有糖环、油角、炒米饼、糯米糍、粽子等。20 世纪 90 年代以后，大部分青壮年外出打工。村民主要收入来源为农业收入、外出务工收入等。

◎ 丰收的稻谷（摄于 2016 年）

村于 1972 年通电，1991 年通电话，2007 年全村村道实现水泥硬底化，2011 年通网络及有线电视。村中设有垃圾收集站（垃圾桶），村居卫生得到改善。

传统民居为广府民居，是车步村徐氏十七世祖徐崑宗于清康熙年间建造起来，现保存 30 多间。该围村坐南向北，围屋总面阔 38 米，深 70 米，建筑占地面积 2660 平方米。围屋属砖木结构，镬耳楼建筑，硬山顶，龙船脊，青砖墙。街巷采用大石板铺地。古村内为前后八栋房屋和围屋，属平房。最大的一栋房屋长 11.2 米，宽 10.3 米。每栋为两进三间二廊布局。第一进左右两边为两廊，作为厨房，中间为天井。第二进明间为大厅，左右次间为住房。整个围村有横巷 5 条，纵巷 3 条，内有祠堂、民居、古井等建筑，现存一个门楼。整个围村保存完好，布局较合理，对研究广府民居有重要的参考价值。2012 年被录入佛冈县不可移动文物名录。

村中门楼悬挂一牌匾，上面刻有“进士”字样。据记载，该村十八代传人徐慧玲于清道光九年（1829 年）考取进士，牌匾为朝廷所赐。

村民与从化帝田村徐氏族人共用《徐氏家谱》，此家谱由族人徐伍行、徐榕潮于 2002 年收集编纂。族谱分为四部分：族史源流、徐氏辈序、家训、世系概略。该村的《徐氏家谱》是以《帝田徐氏族谱》为基础，然后由各家各户自行编写自家的家谱，各家的《徐氏家谱》为手工书写，一代传一代，现尚未整理成书。该村家训：“尽孝养，笃友爱。宜和顺，俭财用。慎嫁娶，勤职业。睦宗族，竭忠勇。”

传统婚嫁习俗的中原古制“六礼”，在该村已很少见到。但结婚前，担定婚茶、报日子、送聘金、定嫁妆等习俗依然存在。结婚时，男、女两家都要摆酒请客，女家摆酒用的肉米酒菜大多是男家筹备。迎亲和送亲时，男方要用车队到女方家迎接新娘和亲友。摆酒时，新郎新娘向亲友敬酒，

◎ 围仔村传统民居（摄于 2016 年）

◎ 进士牌匾（摄于 2016 年）

宾客要回赠红包。举办丧事时，传统习俗以土葬为主，1990年以后逐步实行火葬。其过程为举丧、入殓、送葬、做法事，将亡灵牌位送入祠堂。举丧时，事主家必须要登门报丧。死者外家前来吊唁，事主家必须到门前跪接。出殡时，由死者长女婿扛一支五六米长的竹子，上挂红布作幡，走在送葬队伍前面。葬后，竹子扛回，红布给长女婿带回家中，以作辟邪。办丧事只能煮白饭、花菜、黄豆煮猪肉等简单饭菜，用餐不坐高台凳，只能拆下主家门板放地上当饭台，以表哀痛。完丧次日，亲友要回访事主家。

主要习俗有正月初八上灯，春分老人礼，清明祭祖，契神等。春分举行老人礼，古时人们寿命较短，徐氏后人为此祈祷祖先保佑长寿。老人礼是族人的喜事。老人礼活动由家族中最年长者带领当年年满60岁的男性及其家人到耕乐徐公祠祭拜先祖，再由村委组织当年满60岁的男性集中座谈，庆祝其步入花甲之年。清明祭祖，清明节前两天，围仔村所有徐氏族人拜祭先祖马逊公。契神是该村的传统的祈福习俗，正月初四，新生女婴父母为求婴孩健康成长，将婴孩过契给神灵，祈望神的威灵来护荫其儿女，无灾无难地成长。

村中流传一民间故事。据说徐姓十七代传人徐崑宗（1670—1762），早年家贫，步行龙门担盐买卖。一天，崑宗回到该村东边佛仔麻松树荫下乘凉，突见一只白兔在山边走动，发现有人立即向洞里钻。崑宗追上挖开洞穴，惊现一口棺材里有白银，于是用此钱娶两妻，生五子，买地建成五座正座、一座新馆、一座门楼，一座读书高楼，围墙和30多间连体围屋（俗称崑祖或围仔）。

1984年5月30日，该村遭遇龙卷风及冰雹袭击，房屋和农作物受到严重损失。

该村的徐慧玲，生于清乾隆年间，于清道光九年（1829年）考取进士。

（资料填报：徐清梅，初稿撰写：徐清梅，总纂：李协湖）

朝阳村

◎ 朝阳村村貌（摄于 2016 年）

朝阳村，位于龙山镇东南部，距镇政府 6.4 千米。该村始建于清末，由当地凤阳村徐氏后人分支搬迁而形成。因村门楼向着太阳，故取名为朝阳里。中华人民共和国成立后，该村成立生产队，便按照门楼上的“朝阳里”命名为朝阳村。

该村坐落于丘陵地带，村庄坐北向南，村后有背底山，高 200 米。村东与村南都紧靠凤阳村，西与围仔村毗邻，北为背底山。

该村形成时，属清远县滘一乡。民国时期，属清远县滘江区忠安乡。中华人民共和国成立初期，属清远县第六区车步乡。1958 年 7 月，清远县第六区（即今龙山镇）划归佛冈县管辖，属佛冈县龙山乡。1958 年 10 月，佛冈县并入从化县，属从化县滘江人民公社车步大队。1959 年 5 月，属从化县龙山人民公社车步大队。1961 年 5 月，佛冈由从化县分出，属佛冈县龙山人民公社车步大队。1983 年 12 月，属龙山区车步乡。1987 年 1 月，属龙山镇车步行政村。1989 年 11 月，属龙山镇车步管理区。1998 年 11 月，属龙山镇车步行政村至今。

世居村民为徐姓。据《徐氏族谱》记载，明初，始祖徐泽润原居南雄珠玑巷。后南迁至番禺大郎下村，其后裔分居广州白云山下。二世祖徐马逊由番禺迁至增城，三世祖再迁至清远石鼓岭村（今从化龙潭），四世祖徐景录偕子徐以刚由清远县滘二帝田（今从化龙潭镇）迁居山枣洞（今从化龙潭）。五世祖徐以刚于明初迁至清远县滘一乡（今佛冈县龙山镇）车步凤阳村生活，清末分村迁至该地建村。

2015 年末，户籍人口 163 人，其中男性 79 人，女性 84 人；80 岁以上 4 人。村中最年长者 81 岁（男）。实际在村居住人口 110 人，留守儿童 3 人。生活主要依靠农业收入的 110 人，常年在城镇居住和打工的 53 人。村民均为汉族，广府民系，使用粤方言。

村有耕地 6.67 公顷。传统经济以农业为主，主要作物有水稻、番薯、木薯、花生、大豆等。现以种植水稻为主。特色农产品为萝卜，该村所产白萝卜，个大形美，甜而多汁，可作为水果生吃，含有多种维生素、氨基酸，具有健脾养肾，消食除积等多种功效。当地人都喜欢吃萝卜及加工的萝卜干、萝卜丝等。传统节庆食品有糖环、炒米饼、粽子、艾糍等。20 世纪 80 年代后，大部分青壮年外出打工，村民主要收入来源为农业收入、外出务工收入、商业经营收入等。

村于1972年通电，1991年通电话，2007年全村村道实现水泥硬底化，2011年通网络及有线电视。村中设有垃圾收集站（垃圾桶），村居卫生得到改善。

传统民居多为广府式正座，大多已损坏，现存3座，每座建筑占地面积约100平方米。四周围水屋包围中间的正座，呈“围”字型布局，二横三纵的巷道贯通全村。传统民居建筑为硬山顶，龙船脊，盖灰瓦，墙体由青砖砌成，保留岭南建筑风格。正座多为四门归厅，两廊一天井布局，一廊用作厨房，另一廊用存放杂物。民居屋檐下有灰雕图案，寓意吉祥如意。20世纪90年代开始，村民陆续在传统民居周围建造钢筋混凝土楼房。大部分传统民居已闲置或堆放杂物。村中门楼居中，硬山顶，盖灰瓦，青砖墙体，门楼上面写着“朝阳里”三个大字，两边各有一座“炮楼”，建于民国时期，主体建筑现仍尚存，有部分已经坍塌。该炮楼建筑特点为硬山顶，盖灰瓦，青砖墙体。墙体有多个“红毛泥”砌成的炮眼。据当地老人讲述，民国初期，兵荒马乱时有贼匪入村打家劫舍，在这种局势之下，车步村建起炮楼作为防御工事，让村民遭遇入侵时，逃避劫难，保护生命与财产安全。

该村与水围、水口、小埔、中和村的徐氏族人同祖同根，共用《徐氏家谱》。该家谱由徐氏后裔徐渭臣编纂，其后人徐贵和于2003年整理成书。家谱分为三部分：徐氏家谱序、族史源流、世系概略。《徐氏家谱》记载：“我祖以刚公，走问异地见处山绿水绕，

◎ 朝阳村传统民居（摄于2016年）

在湛水一乡四面咸宜，是自然住址。开基阔怀、创业弥高、作屋宇、种粮食，付公之勤力为后世者，迄今二十余传。”“祥开庶矣，禹念世年湮谱经旁毁之庶祖未及悉载，惟恐日久免幸迷父老传言尤坎取证，故不揣明昧续而篹之，然往者既订于前来者，伏望世世踵而行之，会息厥志则为昭为穆有伦有序历代了然，会后有不明者矣是愚所厚望焉。”

◎ 朝阳村炮楼（摄于2016年）

传统习俗有春节瑞狮拜门，正月初八上灯，春分举行老人礼，清明扫墓等。正月初八上灯，男孩出生为“添丁”，因“丁”与“灯”谐音，为此在初八到祠堂“上灯”，表示祝贺，正月十八为放灯日，为期十天。上灯活动大致分为迎灯、接灯、摆放供品、挂灯等程序，体现出祈求人丁兴旺的心愿，显示出族人和谐共处的景象。

传统婚嫁习俗中的中原古制“六礼”，在该村已很少见到。但担定婚茶，报日子、送聘金、定嫁妆，行结婚礼等习俗依然存在。结婚时，男女两家都要摆酒请客，女方家摆酒用的肉米酒菜大多是男方筹备。迎亲和送亲时，男方要用车队到女方家迎接新娘和亲友。摆酒时，新郎新娘向亲友敬酒，宾客也要向新郎新娘回赠红包。该村传统丧葬风俗多沿用古中原的传统，以土葬为主。中华人民共和国成立后逐步实行火葬，其程序包括举丧、入殓、出殡、送葬、做法事，将亡灵送入祠堂等。举丧时，事主家属必须要登门报丧。死者外家前来吊唁，事主家必须到门前跪接，前来吊丧的亲属送爆竹纸钱以悼念死者。出殡时，由死者长女婿扛一支五六米长的竹子，上挂红布作幡，走在

◎ 瑞狮拜门（摄于 2016 年）

送葬队伍前面。葬后，竹子扛回，红布给长女婿带回家中，以作辟邪。

1955 年冬，参与兴建龙山良洞水库。1984 年 5 月 30 日，遭遇龙卷风及冰雹袭击，倒塌房屋 10 多间，受伤 3 人。1985 年，车步发生龙卷风，民间曾有“车步的大榕树都被刮到了黄塱”这样的话来形容当时龙卷风威力之猛，所导致的损毁程度之大。

（资料填报：刘晓燕，初稿撰写：刘晓燕，总纂：李协湖）

高低村

◎ 高低村村貌（摄于 2016 年）

高低村，位于龙山镇东南部，距镇政府 5.5 千米。该村始建于清初，由附近凤阳村徐氏分支搬迁而形成。因村靠近山边，一部分村民住在地势较高的地方，另一部分人住的地势较低的地方，故取名为高低村。

该村坐落于丘陵地带，村庄坐北向南，东与凤阳村相邻，南与水围村相望，西紧靠水口村，北与松岭接壤。

该村形成时，属清远县滘一乡。民国时期，属清远县滘江区忠安乡。中华人民共和国成立初期，属清远县第六区车步乡。1958 年 7 月，第六区（今龙山镇）划归佛冈县管辖，属佛冈县龙山乡。1958 年 10 月，佛冈县并入从化县，属从化县滘江人民公社车步大队。1959 年 5 月，属从化县龙山人民公社车步大队。1961 年 5 月，佛冈由从化县分出，属佛冈县龙山人民公社车步大队。1983 年 12 月，属龙山区车步乡。1987 年 1 月，属龙山镇车步行政村。1989 年 11 月，属龙山镇车步管理区。1998 年 11 月，属龙山镇车步行政村至今。

世居村民为徐姓、朱姓。根据《徐氏族谱》记载，明初，始祖徐泽润原居南雄珠玑巷。后南迁至番禺大郎下村，其后裔分居广州白云山下。二世祖徐马逊由番禺迁至增城，三世祖再迁至清远石鼓岭村（今从化龙潭），四世祖徐景录偕子徐以刚由清远县滘二帝田（今从化龙潭镇）迁居山枣洞（今从化龙潭）。五世祖徐以刚于明初再迁至清远县滘一乡（今佛冈县龙山镇）车步村。清初，其后代迁至高低村。朱姓于 20 世纪 40 年代从民安下岳迁居到该地。

2015 年末，户籍人口 288 人，其中男性 153 人，女性 135 人；80 岁以上 4 人，村中最年长者 91 岁（男）。实际在村居住人口 243 人，留守儿童 2 人。生活主要依靠农业收入的 243 人，常年在城镇居住和打工的 45 人。村民均为汉族，广府民系，使用粤方言。

村有耕地 11.33 公顷。传统经济以农业为主，粮食作物种植主要有水稻、番薯、芋头等。经济作物主要种植木薯、花生、大豆、果树、蔬菜等。家禽主要养殖乌鬃鹅、鸡、鸭等。现以种植粮食作物、果树、经济林木、养殖业为主。该村传统节庆食品有糖环、油角、炒米饼、糯米糍、粽子等。20 世纪 90 年代以后，大部分青壮年外出打工。村民主要收入来源为农业收入、外出务工收入等。

◎ 高低村蔬菜基地（摄于 2016 年）

村于 1972 年通电，1991 年通电话，2007 年全村村道实现水泥硬底化，2011 年通网络及有线电视。村中有垃圾收集站（垃圾桶），村居卫生得到改善。

传统民居为广府民居，现存 5 座，建于清初。村庄呈棋盘形，巷道纵横交错，贯通全村。房屋排序有序，前后相连。民居均为广府式正座，两房一厅，两廊一天井布局，每座建筑面积约 80 平方米。主要建筑为硬山顶，盖灰瓦，泥砖墙体。20 世纪 90 年代开始，村民陆续在围屋四周建造钢筋砖混凝土结构楼房，楼房多为三房一厅一厨一卫布局。村民已搬入楼房居住，大部分传统民居现已闲置或堆放杂物。

村中特色建筑为车步北闸。原车步有东南西北四闸，现保留下来的只有高低村的北闸。北闸坐西北向东南，主要建筑特色为硬山顶，盖灰瓦，砖木结构，青砖墙，单间单进布局。外门为方门，内门为拱门，整座北闸具有古门楼的建筑风格。

◎ 车步北闸（摄于 2016 年）

在清代，该村在凤阳设有私塾。昌期家塾是凤阳村徐氏十三世祖徐昌期于 1933 年建造。家塾坐南向北，主祠二进一天井，砖木结构，青砖墙，硬山顶，龙船脊，盖灰瓦。昌期家塾现作祭祀纪念使用。每年农历腊月二十九，村委会都会在昌期家塾宴请 50 岁以上的老人，以感谢老人们为村所做贡献。

该村徐氏族人与从化帝田村徐氏族人共用《徐氏族谱·帝田》，此族谱于 2002 年，由族人徐伍行、徐榕潮收集编纂。族谱分为四部分：族史源流、徐氏辈序、家训、世系概略。该村的《徐氏家谱》是以《徐氏族谱·帝田》为基础，然后由各家各户自行编写自家的家谱，各家的《徐氏家谱》为手工书写，家谱一代传一代，现尚未整理成书。高低村徐氏家训："尽孝养、笃友爱、宜和顺、俭财用、慎嫁娶、勤职业、睦宗族、竭忠勇。"

◎ 昌期家塾（摄于 2016 年）

传统习俗有正月初八上灯，春分老人礼，清明祭祖，契神等。正月初八上灯，男孩出生为"添丁"，因"丁"与"灯"谐音。村民在正月初八到祠堂"上灯"，表示祝贺。上灯活动大致分为迎灯、接灯、摆放供品、挂灯等程序，体现出祈求人丁兴旺的心愿，显示出族人和谐共处的景象。春分举行老人礼，古时人们寿命短，徐氏后人为祈祷祖先保佑长寿。老人礼是由家族中最年长者带领当年年满60岁的男性及其家人到耕乐徐公祠祭拜先祖，再由村委组织当年满60岁的男性集中座谈，庆祝其步入花甲之年。清明祭祖，清明节前两天，该村所有徐氏族人拜祭先祖马逊公。契神是该村的传统的祈福习俗，新出生的女孩在正月初四，父母为求婴孩健康成长，将婴孩过契给神灵，祈望神的威灵来护荫其儿女，得以无灾无难地成长。

传统婚嫁习俗的中原古制“六礼”，在该村已很少见到。但结婚前，担定婚茶、报日子、送聘金、定嫁妆的习俗依然存在。结婚时，男、女两家都要摆酒请客，女家摆酒用的肉米酒菜大多是男家筹备。迎亲和送亲时，男方要用车队到女方家迎接新娘和亲友。摆酒时，新郎新娘向亲友敬酒，宾客要回赠红包。举办丧事时，传统习俗以土葬为主，1990年以后逐步实行火葬。其过程为举丧、入殓、送葬、做法事，将亡灵牌位送入祠堂。举丧时，事主家必须要登门报丧。死者外家前来吊唁，事主家必须到门前跪接。出殡时，由死者长女婿扛一支五六米长的竹子，上挂红布作幡，走在送葬队伍前面。葬后，竹子扛回，红布给长女婿带回家中，以作辟邪。办丧事只煮白饭、花菜、黄豆煮猪肉等简单饭菜，用餐不坐高台凳，拆下主家门板放地上当饭台，以表哀痛。完丧次日，亲友要回访事主家。

1956年11月，兴建龙山车步大堤，堤长5.9千米，1957年3月完工。1965年4月，兴建龙山车步电动排水站，1966年2月建成，装机一台80千瓦。1984年5月30日，该村遭遇龙卷风及冰雹袭击，倒塌房屋20多间，受伤2人，农作物损失严重。

该村的朱家权（1958—），退伍军人，曾参加中越边境自卫还击战，获三等功一次。

（资料填报：徐清梅，初稿撰写：徐清梅，总纂：李协湖）

○溵镇行政村

上 村

◎ 上村村貌（摄于 2016 年）

上村，位于龙山镇东南部，距镇政府 7.9 千米。该村始建于明景泰年间，由滘江司属（今佛冈县龙山镇）曹氏分支搬迁而形成。据《曹氏家谱》记载，当年其祖先曹三隅七世祖曹月梅在此建村的地名叫冷坑。因冷坑有上、中、下 3 个村庄，该村在上方，故取名为上村。

该村坐落于丘陵地带，村旁有金鸡山、大石鼓山、塘仔顶山。村庄坐北向南，村东与占果村相邻，南为溵镇村，西靠中村，北为金鸡山。

该村形成时，属清远县滘一乡。民国时期，属清远县滘江区忠安乡。中华人民共和国成立初期，属清远县第八区龙山乡。1953 年，属清远县第六区溵镇乡。1958 年 7 月中旬，第六区（今龙山镇）划归佛冈县管辖，属佛冈县龙山乡。1958 年 10 月 23 日，佛冈县并入从化县，属从化县滘江人民公社溵镇大队。1961 年 5 月，佛冈由从化县分出，属佛冈县龙山人民公社溵镇大队。1983 年 12 月，属龙山区溵镇乡。1987 年 1 月，属龙山镇溵镇行政村。1989 年 11 月，属龙山镇溵镇管理区。1998 年 11 月，属龙山镇溵镇行政村至今。

世居村民为曹姓。据《曹氏族谱》记载，南宋初期，先祖为山东济阳王武惠彬公，从驾南徙至广东南雄珠玑巷。南宋咸淳年间，曹世雄（武惠公之后）为避乱，令五子各居一方，第三子曹三隅落籍于滘江司属土名果冚。滘属一世祖序公生有三子，长房滘属二世祖安民落户龙屈塘，二房滘属二世祖逸民落户占果等地，三房滘属二世祖惠民落户冷坑下村。直至曹惠民曾孙应绶生四子，分别是震庄、霖庄、露庄、宪庄，其中霖庄和宪庄两兄弟分居冷坑下村和中村。之后霖庄生两子，分别是月梅、月兰。明景泰年间，月梅在上村建村，月兰居住下村。因此曹月梅为上村开村始祖。

2015 年末，户籍人口 546 人，其中男性 280 人，女性 266 人；80 岁以上老人 19 人，最年长者 92 岁（男）。实际在村居住人口 303 人，留守儿童 9 人。生活主要依靠农业收入的 303 人，常年在城镇居住

◎ 村民喜收稻谷（摄于 2016 年）

和打工的 243 人。村民均为汉族，广府民系，使用粤方言。

村有山地面积 140 公顷，耕地面积 25.13 公顷。传统经济以农业为主，是当地的粮食主产区，水稻亩产 400 多千克。主要作物有水稻、番薯、木薯、花生、芋头等。特色农产品有槟榔芋头、澁镇萝卜。传统节庆食品有糯米饼、油角、咸糖环、焖鹅、糯米糍、艾糍、粽子等。特色食品为艾糍，制作时，先将艾叶稍煮，去掉苦味。然后将糯米碾成粉，与艾叶混合搓匀。用糖、花生碎粒、芝麻作馅，捏为小块，包成三角形或圆形，蒸熟即可食用。2000 年以后，大部分青壮年外出打工。村民主要收入来源为农业收入，外出务工收入等。

村于 1968 年通电，1995 年通电话并实现村道水泥硬底化，2000 年通网络。2015 年，村中建有垃圾收集站，由村委安排专人将生活垃圾运去龙山垃圾场，村居卫生良好。

◎ 上村门楼（摄于 2016 年）

传统民居现存 32 座。建筑年代距今 500 年以上的有 1 座。村落呈“棋盘”状布局，房屋排列整齐，密集的巷道贯通全村。民居多为两进，四房一厅，两廊一天井布局，每座房屋占地约 100 平方米，其建筑为硬山顶，盖灰瓦，墙体由青砖砌成，保留岭南特有的建筑风格，现保存完好，且有人居住。20 世纪 90 年代后，村民建造钢筋混凝土结构楼房，楼房多为三房一厅一厨一卫布局。2015 年，村民集资在村口新建标志石碑，打造新农村面貌。

上村门楼，建于明朝，占地面积约 15 平方米，其建筑为硬山顶，盖灰瓦，墙体由青砖砌成，门楼上方有两个炮眼，门内设有神龛，门前左方有碑文。另一处建筑为人民会场，建于 1973 年，占地面积约 200 平方米，为一层楼房建筑，门前砌有石阶，防止雨水倒灌。“文化大革命”期间，用作开大会、放电影，现为村民议事场所。

◎ 上村人民会场（摄于 2016 年）

村修有《曹氏族谱》，1998 年由曹业生编辑设计，编纂机构人员为潭州村曹巡辉、龙屈塘曹世雄、上村曹日洪、曹煜桓、下村曹英良、中村曹杰洪、曹启瑞、曹玉成。曹氏族谱中有祖训，称《合族先贤祠宗规》，内容为：“一尊祠宇，二谨坟茔，三诚祀事，四裕祖尝，五重宗子，六敦本枝，七严谱牒，八尚齿德，九崇节孝，十兴义学，十一务正业，十二勤悔勉。”

自清代中期以来，逢年过节或重大喜庆活动，

◎ 上村醒狮队表演（摄于 2017 年）

该村均有舞狮庆贺的习俗。由于受岭南文化的熏陶，该村的舞狮具有鲜明的区域特色，狮头上扎有一只角，威猛粗犷。舞狮时讲究神似，鼓乐激昂，舞动中在跃、扑、扎三方面下功夫，功夫老练的舞狮手舞起狮来，已经达到睡狮已醒，动静分明，刚柔相济，形神俱备，人狮一体，令人警醒，因此被称为醒狮。

传统习俗有春节瑞狮拜门、元宵上灯、清明祭祖等。该村的春节习俗与各地基本相同。春节节庆分为几部分：农历十二月二十三叫“过小年”，家家户户打扫庭院、做年货。过去还有在“小年夜”的晚饭后送灶君、年三十晚接灶君的习俗，后来已消失。到年三十，吃“团年饭”饭后长者要给小孩“压岁钱”。年初一清早，各家各户相互拜年，现拜年方式改为电话、贺卡和手机短信进行。元宵节，村民有蒸发糕、做汤圆的习俗，以示庆贺春节圆满结束。清明节期间，村民带上鹅、艾糍、糖、饼等供品到先人坟前扫墓的活动，为先人烧衣纸、放鞭炮，一家大小齐齐拜祭，祈求祖先保佑一家大小平安健康。

传统婚嫁习俗中的中原古制“六礼”，在上村已很少见到，但结婚前要担定婚茶、“睇家风”、报日子、送聘金、定嫁妆这些礼节仍然存在。结婚时，男、女两家都要摆酒请客，女家摆酒用的肉米酒菜大多是男家筹备。迎亲和送亲时，男方要用车队上女方家迎接新娘和亲友。摆酒时，新郎新娘向亲友敬酒，宾客也要回赠红包。传统丧事习俗以土葬为主。1990 年以后逐步实行火葬。其程序为举丧、入殓、出殡、送葬、做法事，将亡灵送入祠堂。

1964 年，开展植树造林大会战，种植松、杉树 120 多亩。1975 年，改河造田，大搞农田基本建设，改造农田 18 亩。

（资料填报：郑艳芳，初稿撰写：郑艳芳，总纂：李协湖）

中 村

◎ 中村村貌（摄于2016年）

中村，位于龙山镇东南部，距镇政府7.8千米。该村始建于明初，由滘属（今佛冈县龙山镇）曹氏分支搬迁而形成。因村建在冷坑（地名），冷坑有上、中、下3个村庄，该村地处中间，故取名为中村。

该村坐落于丘陵地带，村旁有金鸡山、大石鼓山、塘仔顶山。村庄坐北向南，村东与上村相邻，南为滘江河，西靠下村，北为金鸡山。

该村形成时，属清远县滘一乡。民国时期，属清远县滘江区忠安乡。中华人民共和国成立初期，属清远县第八区龙山乡。1953年，属清远县第六区湴镇乡。1958年7月中旬，第六区（今龙山镇）划归佛冈县管辖，属佛冈县龙山乡。1958年10月，佛冈县并入从化县，属从化县滘江人民公社湴镇大队。1961年5月，佛冈由从化县分出，属佛冈县龙山人民公社湴镇大队。1983年12月，属龙山区湴镇乡。1987年1月，属龙山镇湴镇行政村。1989年11月，属龙山镇湴镇管理区。1998年11月，隶属龙山镇湴镇行政村至今。

世居村民为曹姓。据《曹氏族谱》记载，南宋初期，先祖为山东济阳王武惠彬公，从驾南徙至广东南雄珠玑巷。南宋咸淳年间，曹世雄（武惠公之后）为避乱，令五子各居一方，第三子曹三隅落籍于滘江司属土名果冚。滘属一世祖序公生有三子，长房滘属二世祖安民落户龙屈塘，二房滘属二世祖逸民落户占果等地，三房滘属二世祖惠民落户冷坑下村。直至曹惠民曾孙应绶生四子，分别是震庄、霖庄、露庄、宪庄，其中霖庄和宪庄两兄弟分居下村和中村。曹宪庄为中村开村始祖。

2015年末，户籍人口543人，其中男性271人，女性272人；80岁以上14人，最年长者86岁（男）。实际在村居住人口319人，留守儿童8人。生活主要依靠农业收入的319人，常年在城镇居住和打工的224人。村民均为汉族，广府民系，使用粤方言。

村有山地面积143.22公顷，耕地面积26.33公顷。传统经济以农业为主，主要作物有水稻、番薯、木薯、花生、芋头等。20世纪90年代后期起，村民逐步扩种沙糖桔。2011年种植沙糖桔面积达180多亩，总产值90多万元。2013年起，沙糖桔产业衰退，村民改种其他果树。现多种植芋头、甜玉米、花生等经济作物。特色农产品有槟榔芋头。传统庆节食

◎ 槟榔芋种植基地（摄于 2016 年）

◎ 中村门楼（摄于 2016 年）

品有糯米饼、油角、咸糖环、焖鹅、糯米糍、艾糍、粽子等。2000 年以后，大部分青壮年外出打工。村民主要收入来源为农业收入、外出务工收入等。

村于 1968 年通电，1995 年通电话并实现村道水泥硬底化，2000 年通网络，2013 年通自来水。村中建有垃圾收集站，由村委安排专人将生活垃圾运去龙山垃圾场。

传统民居现存 35 座，建筑年代距今 500 年以上的有 1 座，保存基本良好。民居呈“棋盘”型布局，房屋排列整齐，四横五纵的巷道贯通全村。民居多为两进，四房一厅，两廊一天井布局，每座房屋占地约 100 平方米，其建筑为硬山顶，盖灰瓦，墙体由青砖砌成，保留岭南建筑风格，现保存完好且有人居住。20 世纪 90 年代后，民居多以建造钢筋混凝土结构楼房为主，楼房为三房一厅，一厨一卫布局。

南庄曹公祠，始建于明天顺年间，占地面积 150 平方米，2015 年重新修缮，供奉先祖宪庄，又名南庄。现存主体建筑，硬山顶，盖灰瓦，墙体由青砖砌成，门口挂有牌匾“南庄曹公祠”，一进门挂有“翰林院”字样的牌匾，二进厅挂有“慎德堂”字样的牌匾。中村门楼，建于明朝，占地面积近 15 平方米，其建筑特色为硬山顶，盖灰瓦，墙体由青砖砌成，门楼上方有两个炮眼，门内设有神龛，门前铺有石板台阶。

◎ 南庄曹公祠（摄于 2016 年）

村修有《曹氏族谱》，1998 年由曹业生编辑设计，《曹氏族谱》中有祖训，称《合族先贤祠宗规》，内容为：“尊祠宇，谨坟茔，诚祀事，裕祖尝，重宗子，敦本枝，严谱牒，尚齿德，崇节孝，兴义学，务正业，勤悔勉。”

传统习俗有春节瑞狮拜门、元宵上灯、

◎ 醒狮队表演大头佛与醒狮共舞（摄于 2017 年）

清明祭祖等。年初十上灯，俗称男孩出生为“添丁”，因“丁”与“灯”谐音，为此在年初十到祠堂“上灯”表示祝贺。上灯活动大致分为迎灯、接灯、摆放供品、挂灯等程序，体现出祈求人丁兴旺的心愿，显示出族人和谐共处的景象。元宵节，村民有蒸发糕、做汤圆的习俗，以示庆贺春节圆满结束。清明节期间，村民带上鹅、艾糍、糖、饼等供品到先人坟前扫墓的活动，为先人烧衣纸、放鞭炮，一家大小齐齐拜祭，祈求祖先保佑一家大小平安健康。

传统婚嫁习俗的担定婚茶、“睇家风”、报日子、送聘金、定嫁妆这些礼节仍然存在。2010 年后，部分青年采取旅行结婚度蜜月或者参加集体婚礼的。在婚礼服饰上，也体现出中西结合的现代气派，宴请前新郎新娘拍结婚照、接新娘时花车巡游、婚宴上西装婚纱迎客，已成为新的婚嫁潮流。传统丧事习俗以土葬为主。1990 年以后逐步实行火葬。其程序为举丧、入殓、出殡、送葬、做法事，将亡灵送入祠堂。村中仍然沿袭了一些丧葬的旧习，如未满 16 岁的死后只能用普通木料做棺材，竹杠抬，不上肩；在 50 岁以上的去世后由子孙日夜守孝，死者入殓前，子孙要到河里取水（俗称“买水”），为死者擦身、更衣，亲视入殓。出殡时送殡队敲锣打鼓、燃放爆竹送行。送行时，由死者长女婿扛一支五六米长的竹子，上挂红布作幡，走在送葬队伍前面。葬后，竹子扛回，红布给长女婿带回家中，以作辟邪。死者神主牌由子孙送往祠堂入位，至此丧事才告完结。办丧事只煮白饭、豆腐、猪肉焖笋干等简单的饭菜。

自清代中期以来，逢年过节或重大喜庆活动，该村均有舞狮庆贺的习俗。由于受岭南文化的熏陶，该村的舞狮具有鲜明的区域特色，狮头上扎有一只角，威猛粗犷。舞狮时讲究神似，鼓乐激昂，舞动中在跃、扑、扎三方面下功夫，功夫老练的舞狮手舞起狮来，如同睡狮已醒，动静分明，刚柔相济，形神俱备，人狮一体，令人警醒，因此被称为醒狮。

1975 年，改河造田，大搞农田基本建设，改造农田 18 亩。1976 年，实行养猪积肥一条龙，生产队建猪栏，集体养猪积肥。1984 年 5 月 30 日，遭遇龙卷风及冰雹袭击，造成倒塌房屋 12 间，受伤 3 人，农作物受损严重。

该村的曹为民（1969—），任佛冈县人民检察院副检察长。

（资料填报：郑艳芳，初稿撰写：郑艳芳，总纂：李协湖）

下 村

◎ 下村村貌（摄于2016年）

下村，位于龙山镇东南部，距镇政府7.8千米。该村始建于明景泰年间，由滘属（今佛冈县龙山镇）曹氏族人分支搬迁而形成。根据当地老人讲述，当年曹氏分支搬迁到此建村的地名叫冷坑，因冷坑有上、中、下3个村庄，该村在下方，故取名为下村。

该村坐落于丘陵地带，村庄坐北向南，村东与中村相邻，南与大厂村接壤，西靠水口村，北为良洞水库。国道G106，县道X376线（民安至龙山段）从村旁通过，交通便利。

该村形成时，属清远县滘一乡。民国时期，属清远县滘江区忠安乡。中华人民共和国成立初期，属清远县第八区龙山乡。1953年，属清远县第六区涖镇乡。1958年7月，第六区（今龙山镇）划归佛冈县管辖，属佛冈县涖镇乡。1958年10月，佛冈县并入从化县，属从化县滘江人民公社涖镇大队。1961年5月，佛冈由从化县分出，属佛冈县龙山人民公社涖镇大队。1983年12月，属龙山区涖镇乡。1987年1月，属龙山镇涖镇行政村。1989年11月，属龙山镇涖镇管理区。1998年11月，属龙山镇涖镇行政村至今。

世居村民为曹姓。据《曹氏族谱》记载，南宋初期，先祖为山东济阳王武惠彬公，从驾南徙至广东南雄珠玑巷。南宋咸淳年间，曹世雄（武惠公之后）为避乱，令五子各居一方，第三子曹隅落籍于滘江司属土名果冚。滘属一世祖序公生有三子，长房滘属二世祖安民落户龙屈塘，二房滘属二世祖逸民落户占果等地，三房滘属二世祖惠民落户冷坑下村。直至曹惠民曾孙应绶生四子，分别是震庄、霖庄、露庄、宪庄，其中霖庄和宪庄两兄弟分居下村和中村。后霖庄生两子，分别是月梅、月兰，其中月梅居上村，月兰居下村。

2015年末，户籍人口565人，其中男性285人，女性280人；80岁以上16人，最年长者87岁（男）。实际在村居住人口310人，留守儿童7人。生活主要依靠农业收入的310人，常年在城镇居住和打工的255人。村民均为汉族，广府民系，使用粤方言。

村有山地面积140公顷，耕地面积25.33公顷。传统经济以农业为主，主要作物有水稻、番薯、木薯、花生、芋头等。20世纪90年代后期起，村民逐步扩种沙糖桔。2011年种植沙糖桔面积达160多

◎ 花生种植基地（摄于 2016 年）

◎ 冷坑下村门楼（摄于 2016 年）

亩，总产值 80 多万元。2013 年起，沙糖桔产业衰退，村民改种其他经济作物。2015 年广东省农业科学院农作物研究所和广东省农垦科技中心在该村兴办农业部南方花生原原种扩繁基地，种植面积达 200 多亩。传统节庆食品有糯米饼、油角、咸糖环、焖鹅、糯米糍、艾糍、粽子等。2000 年以后，大部分青壮年外出打工。村民主要收入来源为农业收入，外出务工工资收入。

村于 1968 年通电，1995 年通电话并实现村道水泥硬底化，2000 年通网络，2013 年通自来水。村中建有垃圾收集站，由村委安排专人将生活垃圾运去龙山垃圾场。该村设有娱乐室，于 1998 年 10 月重修，为一层楼建筑，红砖砌墙，屋顶盖灰瓦。

◎ 下村娱乐室（摄于 2016 年）

传统民居现存 18 座，始建于明代。房屋排列整齐。民居为两进，四房一厅，两廊一天井布局，每座房屋占地约 100 平方米。其建筑为硬山顶，盖灰瓦，墙体由青砖砌成，保留岭南特有的建筑风格。冷坑门楼，始建于明朝，重建于 20 世纪 90 年代，占地

◎ 下村路口的石狮（摄于 2016 年）

面积近 15 平方米，主要建筑特色为硬山顶，盖灰瓦，墙体由红砖砌成，正门为拱门，门楼上方有两个炮眼，两炮眼之间，正上方有“冷坑”二字，门内设有神龛。20 世纪 90 年代后，村民陆续兴建钢筋混凝土结构楼房，楼房为三房一厅一厨一卫布局。2015 年，村民集资在村口新建下村标志石，入村路口有两尊石雕狮子。

村与邻近的上村、中村共修《曹氏族谱》。曹氏族谱中有祖训，称《合族先贤祠宗规》，内容为：“尊祠宇，谨坟茔，诚祀事，裕祖尝，重宗子，敦本枝，严谱牒，尚齿德，崇节孝，兴义学，务正业，勤悔勉。”

村至今仍存在一些传统习俗，如：春节瑞狮拜门、元宵上灯、清明祭祖等。下村的春节习俗与各地基本相同。春节期间的习俗为：农历十二月二十三叫“过小年”，家家户户打扫庭院、做年货。过去还有在“小年夜”的晚饭后送灶君、年三十晚接灶君的习俗，后来已消失。到年三十，吃“团年饭”饭后长者要给小孩“压岁钱”。年初一清早，各家

◎ 下村醒狮队参加狮王赛（摄于 2017 年）

各户相互拜年，现拜年方式改为电话、贺卡和手机短信进行。年初十上灯，男孩出生为“添丁”，因“丁”与“灯”谐音，为此在年初十到祠堂“上灯”，表示祝贺。元宵节，村民有蒸发糕、做汤圆的习俗，以示庆贺春节圆满结束。清明节期间，村民带上烧鹅、艾糍、糖、饼等供品到先人坟前扫墓的活动，为先人烧衣纸、放鞭炮，祈求祖先保佑一家大小平安健康。

自清代中期以来，逢年过节或重大喜庆活动，该村均有舞狮庆贺的习俗。该村的舞狮具有鲜明的区域特色，狮头上扎有一只角，威猛粗犷。舞狮时讲究神似，鼓乐激昂，舞动中在跃、扑、扎三方面下功夫，功夫老练的舞狮手舞起狮来，如同睡狮已醒，动静分明，刚柔相济，形神俱备，人狮一体，令人警醒，因此被称为醒狮。

传统婚嫁习俗的中原古制“六礼”，在该村已很少见到，但结婚前要担定婚茶、“睇家风”、报日子、送聘金、定嫁妆这些礼节仍然存在。结婚时，男、女两家都要摆酒请客，女家摆酒用的肉米酒菜大多是男家筹备。迎亲和送亲时，男方要用车队上女方家迎接新娘和亲友。摆酒时，新郎新娘向亲友敬酒，宾客也要回赠红包。2010 年后，部分青年采取旅行结婚度蜜月或者参加集体婚礼的。在婚礼服饰上，也体现出中西结合的现代气派，宴请前新郎新娘拍结婚照、接新娘时花车巡游、婚宴上西装婚纱迎客，已成为新的婚嫁潮流。传统丧事习俗以土葬为主。1990 年以后逐步实行火葬。其程序为举丧、入殓、出殡、送葬、做法事，将亡灵送入祠堂。村中仍然沿袭了一些丧葬的旧习。出殡时送殡队敲锣打鼓、燃放爆竹送行。埋葬后，神主牌由子孙送往祠堂入位，至此丧事才告完结。办丧事只煮白饭、豆腐、猪肉焖笋干等简单的饭菜。

1975 年，改河造田，大搞农田基本建设，改造农田 1.2 公顷。1976 年，实行养猪积肥一条龙，集体养猪积肥。1984 年 5 月 30 日，遭遇龙卷风及冰雹袭击，倒塌房屋 12 间，受伤 4 人，其中 1 人重伤。

（资料填报：郑艳芳，初稿撰写：郑艳芳，总纂：李协湖）

滃镇村

◎ 滃镇村村貌（摄于 2016 年）

滃镇村，位于龙山镇东南部，距镇政府 8.8 千米。该村始建于明景泰年间，祖先黄镇全从广东南雄珠玑巷迁入而形成。因村旁有水圳，地势低洼，故取名滃圳村，后因谐音“镇”代“圳”而改名为滃镇村。

该村坐落于丘陵地带，村庄坐北向南，村东与占果村相邻，南为滘江，西紧靠大厂村，北与上村接壤。村旁有高塱山，小溪流自北向南流入不远处的滘江。

该村形成时，属清远县滘一乡。民国时期，属清远县滘江区忠安乡。中华人民共和国成立初期，属清远县第八区龙山乡。1953 年，属清远县第六区滃镇乡。1958 年 7 月，第六区（今龙山镇）划归佛冈县管辖，属佛冈县龙山乡。1958 年 10 月，佛冈县并入从化县，属从化县滘江人民公社滃镇大队。1961 年 5 月，佛冈由从化县分出，属佛冈县龙山人民公社滃镇大队。1983 年 12 月，属龙山区滃镇乡。1987 年 1 月，属龙山镇滃镇行政村。1989 年 11 月，属龙山镇滃镇管理区。1998 年 11 月，属龙山镇滃镇行政村至今。

世居村民为黄姓、周姓。据《黄氏族谱》记载，宋朝末期，黄氏族人由江西迁入广东南雄珠玑巷。明景泰年间，黄镇全自南雄珠玑巷移居该村，繁衍生息。至清代中期，发展至 100 多人，并开始向外分支迁移。周氏族人为清朝中后期从清远县滘二乡（今佛冈县汤塘镇）汤塘迁入，在该村北面定居。

2015 年末，户籍人口 1021 多人，其中男性 547 人，女性 474 人；80 岁以上老人 14 人，最年长者 95 岁（女）。实际在村居住 422 人，留守儿童 18 人。生活主要依靠农业收入 422 人，常年在城镇居住和打工 599 人。村民均为汉族，广府民系，使用粤方言。

村有耕地面积 60.67 公顷。传统经济以农业为主，主要作物有水稻、番薯、木薯、花生、芋头等。20 世纪 90 年代后期起，村民逐步扩种沙糖桔。2011 年种植沙糖桔面积达 100 多亩，总产值 50 多万元。2013 年起，沙糖桔产业衰退，村民改种其他果树。现多种植芋头、甜玉米、花生等经济作物。特色农产品有槟榔芋头、滃镇萝卜。该村所产萝卜，个大形美，甜而多汁，可作为水果生吃。当地人都喜欢吃萝卜及加工成的萝卜干，萝卜丝等。传统节庆食

◎ 收割机收割稻子（摄于 2016 年）

品有糯米饼、油角、咸糖环、焖鹅、糯米糍、艾糍、粽子等。2000 年以后，大部分青壮年外出打工。村民主要收入来源为农业收入，外出务工收入，商业经营收入等。

村于 1968 年通电，1995 年通电话并实现村道水泥硬底化，2000 年通网络。村中建有垃圾收集站，由村委安排专人将生活垃圾运去龙山垃圾场。国道 G106、县道 X376 线（民安至龙山段）经过该村。

2015 年，湴镇小学分教点，开设 2 个班级，在校学生 13 人，教职工 2 人。

传统民居现存 23 座，建筑年代距今 200 年以上的有 1 座。村落呈“棋盘”型布局，分为三个居住点，各居住点房屋排列整齐，三横两纵的巷道贯通全村。民居多为两进，两门归厅，两廊一天井布局，每座房屋占地 100 平方米，其建筑特色为硬山顶，盖灰瓦，墙体由青砖砌成，保留岭南特有的建筑风格，现保存完好，且有人居住。20 世纪 90 年代以后，居民新建钢筋混凝土结构楼房，楼房多为三房一厅一厨一卫布局。

◎ 湴镇村民居一角（摄于 2016 年）

湴镇村门楼，建于清末，重修于 20 世纪 60 年代，原貌已不复存在，占地面积约 15 平方米，其建筑为硬山顶，盖灰瓦，墙体由青砖砌成，门楼上方有两个炮眼，门楣上有一幅毛泽东彩绘画像。门楼内设有神龛，供人拜祭之用。

◎ 湴镇村门楼（摄于 2016 年）

村里修有《黄氏族谱》，1999 年由《镇全公族谱》续谱委员会编印。据族谱介绍，黄镇全的祖父是桂馨字黄桂，又字贵文，父亲是积玉，字积高，但贵文与积高父子二人，已经回栗坑，剩下黄镇全母子二人在湴镇村生活到老，并开枝散叶。因此，黄镇全被尊为始祖。湴镇村历代祖公传颂郑氏太婆诗示：“骏马匆匆出异乡，任从随处立纲常。年深外境尤吾境，日久他乡即故乡。朝夕莫忘亲命语，晨昏须荐祖宗香。惟愿苍天垂庇佑，三七男儿总炽昌。”族谱记有龙山镇湴镇村瑛公子孙字辈从十六世起诗序：“积全庄肖、文日名成、光仕佐德珍珠宝昌、荣华恒彰郁福贤善。”另写有龙山镇湴镇村瑛公子孙字辈从十六世起诗序：“庆大邦兴祯祥聚，蕃衍宗枝富

◎《黄氏族谱》（摄于 2016 年）

贵多。道正义合显俊杰，才高业旺重学科。耀祖垂裕千秋颂，兰桂腾芳万世歌。”

传统习俗有春节瑞狮拜门、元宵上灯、清明祭祖等。春节习俗与各地基本相同。农历十二月二十三叫“过小年”，家家户户打扫庭院、做年货。过去还有在“小年夜”的晚饭后送灶君、年三十晚接灶君的习俗，后来已消失。到年三十，吃“团年饭”饭后长者要给小孩“压岁钱”。年初一清早，各家各户相互拜年，如今拜年方式改为电话、贺卡和手机短信进行。元宵节，村民有蒸发糕、做汤圆的习俗，以示庆贺春节圆满结束。

在传统婚嫁习俗中，中原古制“六礼”，在该村已很少见到，但结婚前要担定婚茶、“睇家风”、报日子、送聘金、定嫁妆这些礼节仍然存在。结婚时，男、女两家都要摆酒请客，女家摆酒用的肉米酒菜大多是男家筹备。迎亲和送亲时，男方要用车队上女方家迎接新娘和亲友。摆酒时，新郎新娘向亲友敬酒，宾客也要回赠红包。2010年后，部分青年采取旅行结婚度蜜月或者参加集体婚礼的。在婚礼服饰上，也体现出中西结合的现代气派，宴请前新郎新娘拍结婚照、接新娘时花车巡游、婚宴上西装婚纱迎客，已成为村里新的婚嫁潮流。传统丧事习俗以土葬为主。1990年以后逐步实行火葬。其程序为举丧、入殓、出殡、送葬、做法事，将亡灵送入祠堂。村中仍然沿袭一些丧葬的旧习，如未满16岁的死后只能用普通木料做棺材，竹杠抬，不上肩；50岁以上的去世后由子孙日夜守孝，死者入殓前，子孙要到河里取水（俗称“买水”），为死者擦身、更衣，亲视入殓。出殡时送殡队敲锣打鼓、燃放爆竹送行。埋葬后，神主牌由子孙送往祠堂入位，至此丧事才告完结。办丧事只煮白饭、豆腐、猪肉焖笋干等简单的饭菜。

1975年，改河造田，大搞农田基本建设，改造农田10多亩。1984年5月30日，遭遇龙卷风及冰雹袭击，造成倒塌房屋10多间，受伤3人，通信、电力设施严重破坏，经济受到一定损失。

该村的黄源（1927—1949），革命烈士，1949年初成为中国人民解放军粤赣湘边纵队北江第一支队第六团中队战士，1949年11月土匪攻打龙山区政府，在战斗中牺牲。参加抗日战争的人员有：自卫团分队长黄社南，队员黄梓权、黄艳成、黄进基、黄安福。参加解放战争的人员有：连长黄源，排长黄潮恩，班长黄就安、黄高，战士黄锦锐、黄荣安，财粮员黄进基。

（资料填报：郑艳芳，初稿撰写：郑艳芳，总纂：李协湖）

大厂村

◎ 大厂村村貌（摄于 2016 年）

大厂村，位于龙山镇东南部，距镇政府 6.7 千米。该村始建于清光绪年间，由清远县滘二乡（今佛冈县汤塘镇）田中间村迁入而形成。由于该村以厂场生产生活用具为主，因此取名为大厂村。

该村坐落于丘陵地带，村庄坐北向南，村东与涖镇村相邻，南为滘江，西靠隔海村，北与下村接壤。国道 G106 与县道 X376 线从村旁经过，形成便利的交通网络。

该村形成时，属清远县滘一乡。民国时期，属清远县滘江区忠安乡。中华人民共和国成立初期，属清远县第八区龙山乡。1953 年，属清远县第六区涖镇乡。1958 年 7 月，第六区（今龙山镇）划归佛冈县管辖，属佛冈县涖镇乡。1958 年 10 月，佛冈县并入从化县，属从化县滘江人民公社涖镇大队。1961 年 5 月，佛冈由从化县分出，属佛冈县龙山人民公社涖镇大队。1983 年 12 月，属龙山区涖镇乡。1987 年 1 月，属龙山镇涖镇行政村。1989 年 11 月，属龙山镇涖镇管理区。1998 年 11 月，属龙山镇涖镇行政村至今。

世居村民为郭姓。据《郭氏族谱》记载，郭姓于宋代迁居广东南雄珠玑巷，不久寻迁中宿县（今清远），定居太平大埔冈村。明末，郭历基（郭子仪第二十二世孙）携眷迁移至汤塘。清光绪年间，其祖先权杨（历基七世）第四子进贤携妻迁移至该地。

2015 年末，户籍人口 234 人，其中男性 129 人，女性 105 人；80 岁以上老人 5 人，最年长者 87 岁（女）。实际在村居住 127 人，留守儿童 10 人。生活主要依靠农业收入 127 人，常年在城镇居住和打工 107 人。村民均为汉族，广府民系，使用粤方言。

村有耕地面积 13 公顷。传统经济以农业为主，主要作物有水稻、番薯、木薯、花生、芋头等。20 世纪 90 年代后期起，村民逐步扩种沙糖桔。2013 年起，沙糖桔产业衰退，改种其他经济作物。2015 年广东省农业科学院农作物研究所和广东省农垦科技中心在该村兴办农业部南方花生原种扩繁基地，种植面积达 200 多亩。传统食品节庆食品有糯米饼、油角、咸糖环、焖鹅、糯米糍、艾糍、粽子等。2000 年以后，大部分青壮年外出打工。村民主要收入来源为农业收入，外出务工收入。

村于 1965 年通电，1995 年通电话并实现村道

◎ 花生良种良法展示会（摄于2015年）

◎ 大厂村门楼（摄于2016年）

水泥硬底化，2000年通网络。村中建有垃圾收集站，由村委安排专人将生活垃圾运去龙山垃圾场。

传统民居现存15座，始建于清代。民居为两进，四房一厅，两廊一天井布局，每座房屋占地约100平方米。其建筑为硬山顶，盖灰瓦，墙体由青砖砌成，保留岭南特有的建筑韵味。20世纪90年代以后，村民在原传统民居周围新建钢筋混凝土结构楼房，楼房多为三房一厅一厨一卫布局。村中的旧厂房，建于1966年11月，占地面积100平方米，正中彩绘有“大厂”字样，字上方有五角星图案。“文化大革命”期间，用作开大会，现用于村民婚庆摆酒，属村集体所有。

大厂村门楼，建于20世纪60年代，由前后两个门楼组成，占地面积分别为10平方米和5平方米，主要建筑为硬山顶，盖灰瓦，墙体由青砖砌成，前门楼正门为拱门，后门楼正门为方门，门楼上方有两个炮眼，门前设有神龛。

该村并无编纂姓氏族谱，但可在《清远郭氏族谱》

◎ 大厂村旧厂房（摄于2016年）

和《汾阳堂湛江历基公族谱》查到相关信息。《清远郭氏族谱》分序言、名人题词、赞助出版《清远郭氏族谱》芳名录等二十三部分，由清远郭氏族谱编写委员会于 2010 年编写。《汾阳堂湛江历基公族谱》于 2001 年筹划编纂，由于谱牒材料不足，同年 8 月中旬才正式编纂，至 2002 年 4 月定稿，该谱由编者按语、汾阳堂湛江历基公族谱编撰领导小组、汾阳堂郭氏渊源（传说）、汾阳郡王子仪至历基公世家、汾阳堂湛江历基公世系五部分组成。

传统习俗有过年、上灯、闹元宵、清明祭祖等。年初十上灯，俗称男孩出生为“添丁”，因“丁”与“灯”谐音，为此在年初十到祠堂“上灯”，表示祝贺。上灯活动大致分为迎灯、接灯、摆放供品、挂灯等程序，体现出祈求人丁兴旺的心愿，显示出族人和谐共处的景象。元宵节，村民有蒸发糕、做汤圆的习俗，以示庆贺春节圆满结束。清明节期间，村民带上鹅、艾糍、糖、饼等供品到先人坟前扫墓的活动，为先人烧衣纸、放鞭炮，一家大小齐齐拜祭，祈求祖先保佑一家大小平安健康。

在传统婚嫁习俗中，中原古制“六礼”，在该村已很少见到，但结婚前要担定婚茶、“睇家风”、报日子、送聘金、定嫁妆这些礼节仍然存在。结婚时，男、女两家都要摆酒请客，女家摆酒用的肉米酒菜大多是男家筹备。迎亲和送亲时，男方要用车队上女方家迎接新娘和亲友。摆酒时，新郎新娘向亲友敬酒，宾客也要回赠红包。2010 年后，部分青年采取旅行结婚度蜜月或者参加集体婚礼的。在婚礼服饰上，也体现出中西结合的现代气派，宴请前新郎新娘拍结婚照、接新娘时花车巡游、婚宴上西装婚纱迎客，已成为新的婚嫁潮流。传统丧事习俗以土葬为主。1990 年以后逐步实行火葬。其程序为举丧、入殓、出殡、送葬、做法事，将亡灵送入祠堂。村中仍然沿袭了一些丧葬的旧习，出殡时送殡队敲锣打鼓、燃放爆竹送行。埋葬后，神主牌由子孙送往祠堂入位，至此丧事才告完结。办丧事只煮白饭、豆腐、猪肉焖笋干等简单的饭菜。

1984 年 5 月 30 日，该村遭遇龙卷风及冰雹袭击，倒塌房屋 20 多间，受伤 3 人，其中 1 人重伤，经济受到一定损失。1999 年 12 月，受北方冷空气影响，村中龙眼树被霜冻死，绝大部分果农损失严重。

（资料填报：郑艳芳，初稿撰写：郑艳芳，总纂：李协湖）

占果村

◎ 占果村村貌（摄于 2016 年）

占果村，位于龙山镇东南部，距镇政府 10.4 千米。该村始建于明景泰年间，由曹逸民从南雄珠玑巷迁居此地而形成。因该村是在果园建村，故取名为占果村。

该村坐落于丘陵地带，村庄坐北向南，村东与汤塘镇高仔岭村相邻，南为滘江，西靠龙山镇浛镇村，北靠金鸡山。村旁有石峡仔山，溪流自北向南流入不远处的滘江。

该村形成时，属清远县滘一乡。民国时期，属清远县滘江区忠安乡。中华人民共和国成立初期，属清远县第八区龙山乡。1953 年，属清远县第六区龙山乡。1958 年 7 月，第六区（今龙山镇）划归佛冈县管辖，属佛冈县龙山乡。1958 年 10 月，佛冈县并入从化县，属从化县滘江人民公社浛镇大队。1961 年 5 月，佛冈由从化县分出，属佛冈县龙山人民公社浛镇大队。1983 年 12 月，属龙山区浛镇乡。1987 年 1 月，属龙山镇浛镇行政村。1989 年 11 月，属龙山镇浛镇管理区。1998 年 11 月，属龙山镇浛镇行政村至今。

世居村民为曹姓、文姓、冯姓。曹姓，据《曹氏族谱》记载，南宋高宗年间，迁至广东南雄珠玑巷，后由曹三隅迁至滘江司属果冚村。明景泰年间由二房滘属二世祖逸民落户占果等地。曹逸民为占果村曹氏开村始祖。文姓，宋朝末期由江西迁移至广东南雄，明景泰年间从南雄迁至该地。冯姓，宋末由江西迁移至广东南雄，明景泰年间从南雄迁至该地。

2015 年末，户籍人口 971 人，其中男性 520 人，女性 451 人;80 岁以上 30 人，最年长者 92 岁（女）。实际在村居住 517 人，留守儿童 13 人。生活主要依靠农业收入 517 人，常年在城镇居住和打工 454 人。祖籍该村的香港同胞有 45 人。村民均为汉族，广府民系，使用粤方言。

村有山地面积 300 公顷，耕地面积 68.33 公顷。传统经济以农业为主，主要作物有水稻、番薯、木薯、花生、大豆等。20 世纪 90 年代后期起，村民逐步扩种沙糖桔。2011 年种植沙糖桔面积达 200 多亩，总产值 100 多万元。2013 年起，沙糖桔产业衰退，村民改种其他果树。现多种植芋头、甜玉米、花生等经济作物。特色农产品有槟榔芋头、浛镇萝卜。有部分农户办起猪场，饲养温氏猪。传统节庆食品

◎ 村民在种植槟榔芋（摄于 2016 年）

◎ 占果村门楼（摄于 2016 年）

有糯米饼、油角、咸糖环、糯米糍、艾糍、粽子等。特色美食为香芋焖乌鬃鹅。此美食是湛江中南部地区最受喜爱的菜式。当地产的乌鬃鹅，一般每只重 4 千克左右，传统饲养时间 100 天，肉质鲜美不肥。制作时，先将整只光鹅用文火焗至半熟，调好佐料，再用切块香芋垫底，亦可用竹山粉葛切片或甜笋等垫底，慢慢焖熟，切件后便可以上席。2000 年以后，大部分青壮年外出打工。村民主要收入来源为农业收入，外出务工收入。

村于 1965 年通电，1995 年村道实现水泥硬底化和通电话，2000 年通网络，2013 年通自来水。村中建有垃圾收集站，由村委安排专人将生活垃圾运到龙山垃圾场。文化设施有农家书屋、占果公园、占果篮球场。国道 G106、县道 X376 线（民安至龙山段）经过该村。

传统民居现存 11 座。建筑年代距今 200 年以上的有 1 座。占果村门楼，占地面积近 15 平方米，其

◎ 占果公园（摄于 2016 年）

◎ 占果村传统民居（摄于 2016 年）

建筑为硬山顶，盖灰瓦，博古脊，有两个炮眼，门楼上刻有浮雕。村落呈“棋盘”型布局，房屋排列整齐，四横五纵的巷道贯通全村。民居多为两进，四房一厅，两廊一天井布局，每座房屋占地约 100 平方米，其建筑为硬山顶，盖灰瓦，墙体由青砖砌成，保留岭南特有的建筑韵味，现保存完好且有人居住。20 世纪 90 年代后，民居建为钢筋混凝土结构楼房，楼房多为三房一厅一厨一卫布局。

传统习俗有春节瑞狮拜门、元宵上灯、清明祭祖等。年初十上灯，男孩出生俗称为“添丁”，因“丁”与“灯”谐音，为此在年初十到祠堂“上灯”，表示祝贺。上灯活动大致分为迎灯、接灯、摆放供品、挂灯等程序，体现出祈求人丁兴旺的心愿，显示出族人和谐共处的景象。元宵节，村民有蒸发糕、做汤圆的习俗，以示庆贺春节圆满结束。清明节期间，村民带上鹅、艾糍、糖、饼等供品到先人坟前扫墓

的活动，为先人烧衣纸、放鞭炮，一家大小齐齐拜祭，祈求祖先保佑一家大小平安健康。

在传统婚嫁习俗中，中原古制“六礼”已很少见到，但结婚前要担定婚茶、“睇家风”、报日子、送聘金、定嫁妆这些礼节仍然存在。结婚时，男、女两家都要摆酒请客，女家摆酒用的肉米酒菜大多是男家筹备。迎亲和送亲时，男方要用车队上女方家迎接新娘和亲友。摆酒时，新郎新娘向亲友敬酒，宾客也要回赠红包。2010 年后，部分青年采取旅行结婚度蜜月或者参加集体婚礼的。在婚礼服饰上，也体现出中西结合的现代气派，宴请前新郎新娘拍结婚照、接新娘时花车巡游、婚宴上西装婚纱迎客，已成为新的婚嫁潮流。传统丧事习俗以土葬为主。1990 年以后逐步实行火葬。其程序为举丧、入殓、出殡、送葬、做法事，将亡灵送入祠堂。村中仍然沿袭了一些丧葬的旧习，如未满 16 岁的死后只能用普通木料做棺材，竹杠抬，不上肩；50 岁以上的去世后由子孙日夜守孝，死者入殓前，子孙要到河里取水（俗称“买水”），为死者擦身、更衣，亲视入殓。出殡时送殡队敲锣打鼓、燃放爆竹送行。埋葬后，神主牌由子孙送往祠堂入位，至此丧事才告完结。办丧事只煮白饭、豆腐、猪肉焖笋干等简单的饭菜。

1964 年村民植树造林，种植松、杉树 110 多亩。1975 年，改河造田，大搞农田基本建设，改造农田 20 亩。1984 年 5 月 30 日，遭遇龙卷风及冰雹袭击，造成倒塌房屋 10 多间，通信、电力设施破坏严重。2008 年 1 月，由于长时间低温阴雨，村中 100 多亩可采摘的沙糖桔被霜冻坏，村民损失 50 多万元。

该村的曹锐金（1966—），中学物理高级教师，现任教于佛冈中学。

（资料填报：郑艳芳，初稿撰写：郑艳芳，总纂：李协湖）

〇官路唇行政村

郭　围

◎ 郭围村貌（摄于 2016 年）

郭围，位于龙山镇东南部，距镇政府 1 千米。该村始建于清初，由增城福和郭氏族人分支搬迁而成。据《明远郭氏族谱》记载，郭明远的后裔从增城福和迁于清远滘江忠安乡（今佛冈县龙山镇）并在此地建村。由于村民全部姓郭，故取名为郭围。

该村坐落于丘陵地带，位于滘江中下游。村庄坐南向北，东为龙屈塘村，南靠与广州从化交界的麒麟山，西与新田里接壤，北与湴田毗邻。滘江在村北面蜿蜒而过，由东往西流入北江。国道 G106 线自东往西从村中横穿而过。

清朝时期，该村属清远县滘一乡。民国时期，属清远县滘江区忠安乡。中华人民共和国成立初期，属清远县第六区官路唇乡。1958 年 7 月，清远县第六区（今龙山镇）划归佛冈县管辖。1958 年 10 月，佛冈县与从化县合并为从化县，属从化县滘江人民公社官路唇大队。1961 年 5 月，佛冈由从化县分出，属佛冈县龙山人民公社官路唇大队。1983 年 12 月，属龙山区官路唇乡。1987 年 1 月，属龙山镇官路唇行政村。1989 年 11 月，属龙山镇官路唇管理区。1998 年 11 月，属龙山镇官路唇行政村至今。

世居村民为郭姓。据郭普琳墓志记述，郭姓世居滘江新村，分居下龙屈塘，可见先有下龙屈塘后有郭围。郭普琳后裔曾在汤塘大车、大埔居住。清初购买下龙屈塘地块，从此定居下来，并把村名定为郭围。不久，郭应兆又携家属回来与其弟住在一起，并在村的西边新建住宅，因而郭围有旧围、新围之称。

2015 年末，户籍人口 510 人，其中男性 263 人，女性 247 人；80 岁以上 8 人，最年长者 94 岁（女）。实际在村居住 386 人，留守儿童 10 人。生活主要依靠农业收入 386 人，常年在城镇居住和打工的 124 人。祖籍该村的香港同胞 32 人。村民均为汉族，广府民系，使用粤方言。

村有耕地面积 80 公顷，山地面积 64.67 公顷。传统经济以农业为主，主要作物有水稻、番薯、芋头、花生、木薯、大豆等。现多种植粮食作物、果树、经济林木。20 世纪 90 年代以后，大部分青壮年外出打工。现村民主要经济收入来源为:农业收入、务工性工资收入、村集体经济分红等。该村传统节庆食品有:咸糖环、油炸角、炒米饼,元宵节的汤圆,清明节的糯米艾糍,端午节的粽子,中秋节的月饼,湛江醋等。妇女生小孩坐月子时,有喝糯米甜酒,吃猪脚甜醋的习惯。

村于1975年通电,1994年通电话,2006年村内实现道路水泥硬底化,2010年通光纤网络,2011年通自来水。2014年村中建有垃圾收集站。该村重视文娱体育设施建设,2012年兴建篮球场1个,2015年兴建文化室。

传统民居属于明清时期的古建筑,民国时期重修。村落呈梳形状。房屋为砖木结构,墙体是用灰砂和青砖砌起的青砖墙,屋顶盖灰瓦,以硬山顶和龙船脊的岭南特有建筑形式呈现。建筑外围原为围水屋,成城郭状包围村庄。后来因人多屋少,围水屋陆续改成民居。整个建筑群为水磨青砖建筑,巷道纵横交错,用花岗岩长石条混以青砖铺砌,巷道具备排水防涝和便捷交通的特点,规划科学。房屋建筑呈“横三纵九”分布,即三条横巷、九条纵巷,形成整整齐齐的村庄格局。房屋青砖到脊,屋檐下还有壁画,两侧对称,房屋侧面有照壁,灰塑和彩画。

传统民居大多为广府式三间两廊结构。房屋以二进三间两廊为主,中间为厅,左右为房,东廊为门廊,西廊为厨房。若两户人家合住,则东西两廊都作厨房,厨房门各自敞开面向巷道。进门从廊门口进入,从厨房经过到达小天井,通常这个天井前面有个水井,现在大多填平并改装抽水泵。天井连接大厅,厅门通常由两扇厚重巨大门板构成,厅两侧有两间住房,因两房门面对大厅,称之为“二门归厅”,也有少数是“四门归厅”结构的房屋。20世纪90年代后,村民在传统民居四周建造钢筋混凝土结构楼房,越来越多村民搬入新居。传统民居现仍有10多人居住,其余已闲置或堆放杂物。

村前后有新旧两个门楼,其中旧门楼经修缮,屋顶已改成平顶,已没有龙船脊的特色。门楼墙体上端有两个用作瞭望和防御盗匪的炮眼,若遇到匪患险情,村民立即关闭木趟栊,合拢厚重的硬木大门,门后用横闩扣门,使整个郭围防御严密。门楼前面有一口水塘,此水塘十分神奇,据说当水位降低的时候,将迎来降雨天气。

◎ 郭围门楼(摄于2016年)

在旧民居巷道中有一口古井,建于清代。古井的周围由大理石块铺设,井沿为圆形,古井内圆直

◎ 郭围传统民居“一巷通”(摄于2016年)

◎ 郭围古井(摄于2016年)

◎ 郭氏宗祠（摄于 2016 年）

径为 55 厘米，外圆直径为 80 厘米，井深 8 米。古井现已闲置无人使用。

村内建有粤台郭公祠，是郭氏十世祖应奇所建，面积 250 平方米。硬山顶，龙船脊，抬梁式构架，琉璃瓦面，梁架上有精雕细刻的图案，具有浓郁的南方建筑风格。粤台郭公祠平面呈现三间三进结构，中间两个天井，前为门厅，中为享堂，后为祀厅。祠堂由西门进入，门口檐封板上雕刻精美，寓意吉祥。入门厅后见一天井，地面芳草萋萋，苔藓青绿，天井侧为乡亲族人聚餐煮食的廊房。天井转左豁然开朗，仪门两侧，石鼓对峙。移步换景进入享堂，两侧各有一房间，中门由石柱础支撑的木门柱构成，门板因岁月变迁已不知所踪，原来规定本族有人榜上题名才可大开中门进出，至今已没有这种规矩。宗祠屋顶下有繁花喜鹊、傲雪寒梅等图案，屋檐下木雕有瑞兽嬉戏、瓜果飘香的情景，画面生动精致。享堂与祀厅之间为一长方形天井，两侧有廊房相连，廊房屋顶下壁面和圆拱门上都绘有象征吉祥如意的瑶池宴乐图等彩绘。这些彩绘在“文化大革命”中，有些被石灰水涂抹过，现只能在残存的痕迹上见其当时的形与貌。祀厅门檐板上刻有木雕花饰，枝藤缠绕，巧妙地围绕着“福禄寿”的图文，寄托了祖先保佑后辈多福多寿的愿望。大门两侧顶则有雕刻繁复的雀替，反映古代匠人的高超技艺。祠堂祀厅分正厅和配厅，正厅神台供着的是郭氏列祖列宗的牌位，神台上方有字画，刻于清咸丰年间，其字曰：“一粥一饭当思来之不易，半丝半缕恒念物力维艰。”“祖宗虽达，祭祀不可不虔。子孙虽愚，经书不可不读。”表达了先辈希冀后辈子孙切勿铺张浪费，以及朴素的劝学理念。每逢清明或节日，郭氏宗族在祠堂祀厅里进行祭祖活动，彰显全族宗亲的忠孝思想。

代表性匾额有《见匾文官下轿武官下马》。据《明远郭氏族谱》记载，在清代，郭远暹、郭德荣父子同科都是布政司经历儒林郎，因而得匾儒林第，名声显赫。从当时到佛冈解放前夕，不论何人，路过该村，都要下轿下马，徒步走完村前 200 米的塘基才能上马上轿往前去。该匾呈长方形，周长达 2 米，曾放置在郭围粤台郭公祠里，但现已不知所踪。

郭氏花园位于郭围旧围东边，紧邻郭东华大宅，原为清嘉庆年间郭围大地主郭东华所建，因年代久远失修，现已荒废。作为原花园部分的别致门楼早已拆除，但台基仍有存留且清晰可见。花园东侧现仍有一池塘。

村修有《明远郭氏族谱》，由明远公郭氏族谱编纂委员会于 2005 年 5 月编纂。主编郭添球，副主编郭柱林、郭锦楠、郭巡佑等人编纂。2006 年冬编印成书。2005 年 4 月 16 日各村筹委成员会议通过字辈与郭氏族训词。从廿五世起用下列字辈：“祖德耀中华，承前启来志。崇文尚武扬，仁义礼智全。吉庆满堂春，松柏寿齐天。万世其昌隆，基业永长存”。郭氏族训词：“同宗相亲，老少有序。尊老爱幼，邻里和睦。讲究公德，遵纪守法。待人处事，以理服人。蛮横不可，伤人犯法。遇事冷静，切勿急躁。勤劳致富，懒惰可耻。莫贪便宜，公共利益。共同维护，切勿贪占。赌博宜戒，毒品勿沾。注意卫生，强身健体。延年益寿，万佳安康。”

◎《明远郭氏族谱》（摄于 2016 年）

民间习俗多为广府人习俗的延续。主要有：舞狮、太公济饥粥、上灯分猪肉、拜观音、拜土地公、正月十五抢花炮，其中太公济饥粥、正月十五抢花炮此两个习俗在佛冈解放后已消失。民间节日以春节、元宵节、清明节、端阳节、中秋节、冬至等节为主，每年正月初十为该村的上灯日。传统婚嫁习俗中，中原古制“六礼”已很少看到，但迎亲嫁娶等礼俗依然存在。传统丧葬风俗多沿用古中原的传统，以土葬为主，1990 年后逐步实行火葬，其程序有竖灵、收殓、引灵、接体、奠礼、出殡、火化、安葬等。

该村有郭东华炫富和剿灭郭成伟土匪的掌故。

郭东华炫富记载，郭围人郭东华（又名郭名东），生于清嘉庆年间，字宗耀，号东华，昭武都尉（四品官）国学生。因出外经商致富，回家乡大量购田置地，建起两纵四间共八幢显赫住所和颇具规模的私家花园（现淹没无存），又在郭围村左侧挖地成塘，建成纵长数十米的大池塘，后靠捐官得昭武都尉（四品官）国学生的官职，成为当地首屈一指的大富豪、大地主。正是志得意满的时候，他对人放言炫耀，从花山到关前，凡是有人纵马践踏禾田，若发现踩坏的禾苗有一棵不属他家所有的就“一禾赔一谷”，即一棵禾苗赔偿一萝稻谷。此番言论立即引起众人哗然不满，人人疑窦满腹。为验证有无此事，有邻村地主着人骑马从花山跑到关前，踏坏禾苗无数。起初以为郭东华言过其实狂言大话，谁知后来证实，这些田地确实是归属于他所有的，无奈只好乖乖认输。于是，这个典故便响彻湛江地区，口口相传至今。

剿灭郭成伟土匪记载，解放战争期间，郭氏 20 世郭成伟纠集大量土匪盘踞郭围山头掳劫过往客商。人民解放军解放佛冈后，为消灭匪情，包围攻打匪窝，遭遇郭成伟股土匪顽固抵抗，战况激烈，解放军一连长壮烈牺牲。后来，为避免更大伤亡，解放军增兵支援，调集重型兵械包围匪窝山头，并派遣一村民入山劝降。郭成伟见大势已去，遂吞枪自尽。这股土匪被解放军消灭后，郭围地区的匪患才得以终结。

1965 年 2 月，兴建龙山官路唇电动排水站，是佛冈县第一批兴建的电排站之一，装机 2 台共 110 千瓦。1976 年，开展养猪积肥一条龙，生产队建猪栏，并且做到一户一猪，现存生产队猪栏 26 间。1984 年 5 月 30 日，遭遇龙卷风及冰雹袭击，经济受损严重。

该村的清朝及民国时期代表人物有：郭峨忠，清代人，国学生进士。郭诏谟，清代人，师榜国仁科考进庠生。郭元升，清代人，修职郎。郭远暹，清代人，布政司经历儒林郎。郭德荣，清代人，布政司经历儒林郎太学生。郭大裕，清代人，职员佐理分猷。郭大祯，清代人，师榜国仁科考进庠生。郭名东，国学生昭武都尉（大清元昇四品）。郭名源，清代人，国学生。郭廷杰，清代人，国学生。郭嘉纯，清代人，御司都。郭成伟，民国期间任国民党参议员。中华人民共和国成立以后的有：郭添球，中专学校高级讲师（副教授），曾任教于曲江教师学校。郭新莲（女），中学高级教师，现任教于韶关第十四中学。

（资料填报：黄丽娟，初稿撰写：黄丽娟，总纂：李协湖）

围内村

◎ 围内村村貌（摄于 2016 年）

围内村，位于龙山镇东南部，距镇政府 1.8 千米。该村始建于清初，由从化井岗廖氏族人分支搬迁而形成。因位于四周村落中心，故取名围内村。

该村坐落于丘陵地带，潖江自东向西流入北江，流经该村河长 1000 米。该村坐东向西，东靠背底山，南与官路唇小学相邻，西与大岭头山相望；北与上海坐村接壤。国道 G106 线在村的东南面经过，省道 354 线在村的南面经过，形成 T 字形的交通网络。

清朝时期，该村属清远县潖一乡。民国时期，属清远县潖江区忠安乡。中华人民共和国成立初期，属清远县第六区官路唇乡。1958 年 7 月，第六区（今龙山镇）划归佛冈县管辖，属佛冈县龙山乡。1958 年 10 月，佛冈县并入从化县，属从化县潖江人民公社官路唇大队。1961 年 5 月，佛冈由从化县分出，属佛冈县龙山人民公社官路唇大队。1983 年 12 月，属龙山区官路唇乡。1987 年 1 月，属龙山镇官路唇行政村。1989 年 11 月，属龙山镇官路唇管理区。1998 年 11 月，属龙山镇官路唇行政村至今。

世居村民为廖、高、谢、叶姓。廖氏于清初由从化井岗迁至该地建村。高氏族人从龙山关前村迁移到该地。谢氏族人从龙山浮良村迁移到该地。叶姓族人从新丰沙田迁移到该地。

2015 年末，户籍人口 249 人，其中男性 121 人，女性 128 人；80 岁以上 11 人，村中最年长者 96 岁（女）；常年在城镇生活和打工 49 人，留守儿童 5 人；该村生活主要依靠农业收入 200 人。非户籍外来人口 62 人。村民均为汉族，广府民系，使用粤方言。

在村地域办有龙山中心小学官路唇分教点。2015 年，开设 2 个教学班，在校学生 29 人，教职工 2 人。

村有耕地面积 23.33 公顷，山地面积 12 公顷。传统经济以农业为主，主要作物有水稻、沙糖桔、番薯、木薯、花生、甘蔗、芋头等，畜禽以养殖猪、牛、鸡、鸭、鹅等，90 年代初，较多村民种植沙糖桔，当时沙糖桔一度成为村民收入的主要来源，直到 2013 年，由于沙糖桔黄龙病蔓延，导致绝大部分果树枯黄病死，沙糖桔失收后，村民改种种植冬瓜、丝瓜、芋头、甘蔗等作物。2013 年末，清除沙糖桔病树后，发展蔬菜种植专业户，带动村民共同致富。传统食品主要有糯米饼、油角、咸糖环、焖鹅、糯米糍、艾糍、粽子等。2000 年以后，大部分青壮年外出打工。村民主要收入来源为农业收入，外出务工工资收入。

村于 1962 年通电，1988 年通电话，2010 年通网络，村道实现水泥硬底化。村中设有垃圾收集站，村居卫生良好。

传统民居现存 15 座。村落呈棋盘形布局，巷道纵横交错贯通全村。房屋排列整齐有序，其建筑为广府式正座，二进三间两廊布局，中间为厅，左右为房，东廊为门廊，西廊为厨房。若两户人家合住一座，则东西两廊都作厨房，厨房门各自敞开面向巷道。20 世纪 90 年代后大部分传统民居已被拆除，改建为钢筋混凝土结构楼房。大部分村民搬入楼房居住，剩下的传统民居已闲置或堆放杂物。

村于清光绪二十八年（1902 年）建有廖氏宗祠。此宗祠位于围内村中，祠堂坐东向西，面阔 12.2 米，进深 28.4 米，建筑占地面积 346.5 平方米。为三进二天井布局，砖木结构，青砖墙，属于硬山顶，博古脊，盖灰瓦。头门为重修的大理石牌坊，门额石碑刻有“廖氏宗祠”和“光绪二十八年岁次壬寅建立”的字样。门檐额和第二进和第三进屋檐上的木雕精美，保存良好。主架采用花岗岩石圆柱和方柱相结合，地面采用方砖铺地。祠堂总体布局合理，具有鲜明的岭南艺术风格。2012 年被录入佛冈县不可移动文物名录。

◎ 围内村传统民居（摄于 2016 年）

村中还建有清湖庙。此庙始建于清朝末期，重修于 2015 年，庙内设有秦都爷爷塑像，每年正月初七村民都要在此举行祭祀活动。

该村与秧坎头村、新田里村等廖氏族人共用《广东廖氏坚公族谱》。《广东廖氏坚公族谱》由广东廖氏坚公族谱编委员会编纂，主编廖锦洪，2010 年 10 月编印成书。族谱载有廖氏族训词：“孝父母，敦人伦。睦宗族，明尊卑。敬长上，亲手足。和夫妇，爱子女。严家训，正婚姻。重文化，爱科学。尊师长，专习业。和邻里，避是非。义亲情，信友谊。重耕读，尚勤俭。倡义举，爱公益。奉公法，安本分。崇文明，齐风俗。喜必庆，丧必吊。纠必解，困必助。讲团结，共和平。廖氏四家规：不准虐待父母，背离伦理。不准铺张浪费，腐化之为。不准忤逆无道，不孝行为。不准偷盗赌博，触犯法律。不准歧视兄弟，姐妹妯娌。不准骄横无惮，欺族凌戚。不准在族淫乱，禽兽行为。不准叼唆进馋，制造事端。不准虐待子女，重男轻女。不准窝藏坏人，陷害好人。不准夫妇相欺，损害家庭。不准酗酒滋事，扰乱秩序。不准包办婚姻，骗取钱财。不准打击报复，倒直真理。不准同姓联婚，有伤宗

◎ 廖氏宗祠（摄于 2016 年）

◎《廖氏族谱》（摄于 2016 年）

纪。如有违法，讼之公理。不准血表结亲，影响后裔。明训家规，告诫族人。不准趋炎附势，行为越轨。 遵依执行，乐及平生。不准损害公益，肥私利己。置之度外，纵性非为。不准奢侈淫逸，败坏风俗，轻者损财，重者丧身。不准纵了非为，罪及父母。谨遵勿忘，福荫子孙。不准好逸恶劳，搬弄是非。合族拟订，示尔谆谆。”

传统的节日为春节、元宵节、清明节、四月八、端午节、七夕、七月半、中秋节、重阳节、十月朝、冬至。村民注重冬至节令，在民间有“冬至大过年”之说。冬至是农历的24个节令之一，俗称“过冬”。这个节日意味着一年农事已做完，全家应欢聚一堂表示庆贺。

传统婚嫁习俗中已很少保留中原古制“六礼”，但结婚前要担定婚茶、“睇家风”、报日子、送聘金、定嫁妆这些礼节仍然存在。结婚时，要摆酒请客，男、女两家都要摆，女家摆酒用的肉米酒菜大多是男家出的。迎亲和送亲时，男方要用车队上女方家迎接新娘和亲友。摆酒时，新郎新娘向亲友敬酒，宾客也要回赠红包。

传统丧事习俗以土葬为主。1990年以后逐步实行火葬。其程序为举丧、入殓、出殡、送葬、做法事，将亡灵送入祠堂。村中仍然沿袭一些丧葬的旧习，如未满16岁的死后只能用普通木料做棺材，竹杠抬，不上肩；在50岁以上的去世后由子孙日夜守孝，入殓前，子孙要到河里取水（俗称“买水”），为死者擦身、更衣，亲视入殓。出殡时送殡队敲锣打鼓、燃放炮竹送行。埋葬后，神主牌由子孙送往祠堂入位，至此丧事才告完结。办丧事只煮白饭、豆腐、猪肉焖笋干等简单的饭菜。村中有红白事时，全村村民均自动集中帮忙，使主家办红事更加热闹，办白事更加顺利。

村流传一民间传说。相传在清朝末期，秦都爷爷降临此地，为该村村民排忧解难，造福苍生。为纪念秦都爷爷，村民在围内村建有秦都爷爷庙（即清湖庙）。逢年过节，村民前往祭拜，追念秦都爷爷。

1965年2月，兴建龙山官路唇电动排水站，1965年冬建成，是佛冈县第一批兴建的电排站之一，装机2台，共110千瓦。1984年5月30日，龙山遭遇龙卷风及冰雹袭击，关前、黄塱、车步、湴镇、官路唇、潭州一带都受到损失。据统计，该村倒塌房屋20多间，受伤5人，其中重伤1人，电力、通信设施遭到破坏。

该村的廖斌（1940—），曾任清远市副市长、市人大常委会副主任。廖普乐（1961—），现任清远市法制局副局长。廖楚雄（1970—），现任佛冈县人民政府办公室副主任，擅长国画、书法等，其国画作品多次获省、市级奖励，国画作品《晨》入选2016广东体育美术作品展，并被广州亚运会、亚残运会博物馆收藏。廖伟文（1975—），国家一级注册工程师，现任中铁25局高级桥梁工程师。

（资料填报：罗大鹏，初稿撰写：罗大鹏，总纂：李协湖）

隔海村

◎ 隔海村村貌（摄于2016年）

隔海村，位于龙山镇东南部，距镇政府约3千米。该村始建于民国初期，由清远县滘一乡（今佛冈县龙山镇）围内村何姓族人分支搬迁而形成。因该村建于滘江河北面，且与围内村隔河相望，而取名隔海村。因隔海村的“隔”字笔画多，较难书写，当地人为方便日常办事，采用同音字“格”代替，因而至今仍有村民采用当年的别名“格海村”称呼。

该村坐落于丘陵地带，地势低洼，村庄坐北向南，村东与村西均为一片田畴，与湴镇村和车步水口村相望，南面为滘江，流经该村河长约900米，北与上海坣和围内村接壤。

民国时期，该村属清远县滘江区忠安乡。中华人民共和国成立初期，属清远县第六区官路唇乡。1958年7月第六区（今龙山镇）划归佛冈县管辖。属佛冈县龙山乡。1958年10月，佛冈县并入从化县，属从化县滘江人民公社官路唇大队。1961年5月，佛冈由从化县分出，属佛冈县龙山人民公社官路唇大队。1983年12月，属龙山区官路唇乡。1987年1月，属龙山镇官路唇行政村。1989年11月，属龙山镇官路唇管理区。1998年11月，属龙山镇官路唇行政村至今。

世居村民为何姓、廖姓、谢姓、黄姓。据《何氏族谱》介绍，何氏族人于南宋咸淳九年（1273年），从安徽省迁至广东南雄珠玑巷，后迁至南海乐从小布，于明弘治四年（1491年）搬迁到从化地区，清初，何氏族人由从化地区迁入到官路唇围内村，到民国初期，何氏后人从官路唇围内村分支迁移至该地定居。廖氏，清初由从化井岗迁至龙山镇围内村，后族人分支后迁至该地。谢氏于民国初期从当地的龙山镇浮良村谢氏族人分支迁移到该地。黄氏于民国初期从当地的龙山门楼富黄氏族人分支迁移到该地。

2015年末，户籍人口299人，其中男性156人，女性143人；80岁以上18人，村中最年长者102岁（女）。实有居住人口124人，留守儿童12人。生活主要依靠农业收入有124人，常年在城镇生活和打工有175人。非户籍外来人口50人。祖籍该村的香港同胞32人。村民均为汉族，广府民系，使用粤方言。

村有耕地面积26.67公顷，山地面积15.33公顷。传统经济以农业为主，主要作物有黑甘蔗、水稻、番薯、木薯、花生、大豆、萝卜果树等。现多种植水稻、

◎ 隔海村种植的火龙果（摄于 2016 年）

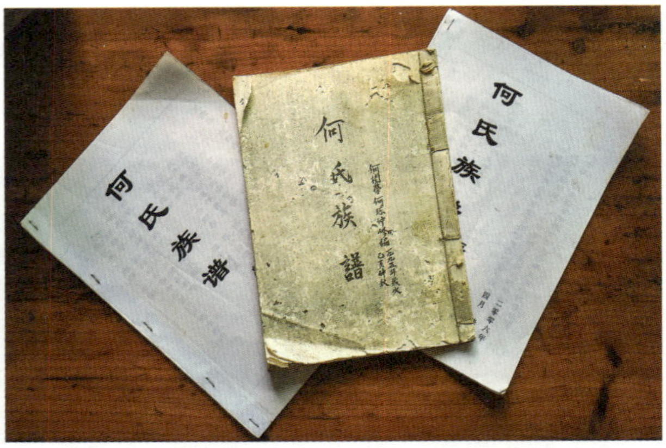

◎《何氏族谱》（摄于 2016 年）

蔬菜、花生、火龙果等农产品。传统食品有清明节的艾糍、端午节的粽子、糯米糍、咸糖环、炒米饼、春节的油炸角、湛江醋等。村民主要收入来源为务工工资收入，其次为农业生产收入。

村于 1975 年通电，1994 年通电话，2010 年通网络。2012 年村道水泥硬底化率为 60%。2015 年，村中设有垃圾收集桶，村居卫生良好。

传统民居现存 5 座，始建于民国初期。村庄呈棋盘形，巷道纵横交错，贯通全村。房屋排列有序，前后相连。民居均为广府式形制，二进三间两廊布局。若两户人家合住一座，则两廊都作厨房，厨房门各自敞开面向巷道。20 世纪 90 年代后，村民在传统民居四周建造钢筋混凝土结构楼房，大部分村民搬入楼房居住。传统民居现已闲置或堆放杂物。

村中何姓与红进村、涖田村等何氏族人共用《何氏族谱》，《何氏族谱》由何树荣、何琼仲于 1995 年编纂。该族谱分为六部分：前言，庐江何氏世系来源，

◎ 村传统民居（摄于 2016 年）

南雄府保昌县珠玑巷来历缘由，各房世系记录，何氏字辈排行。其中何氏字辈排行诗为："昌启振光琼，年华富贵盛。国泰民生佳，伟业永兴隆。"廖氏与围内、秧坎头、新田里等村廖氏族人共用《广东廖氏坚公族谱》。《广东廖氏坚公族谱》于 2000 年 10 月由广东廖氏坚公族谱编委员会编纂。

在传统婚嫁习俗中，结婚前担定婚茶、看家风、报日子、送聘金、定嫁妆等礼节仍然存在。结婚时男、女两家都要摆酒请客，女家摆酒用的肉、米、酒、菜大多是男家出的。迎亲和送亲时，男方要用车队上女方家迎接新娘和亲友。摆酒时，新郎新娘向亲友敬酒，宾客也要回赠红包。传统丧葬风俗以土葬为主。1990 年后逐步实行火葬，其程序包括竖灵、收殓、引灵、接体、奠礼、出殡、火化、安葬等。村中仍然沿袭一些丧葬的旧习，如未满 16 岁的只能用普通木料做棺材，竹杠抬，不上肩；50 岁以上去世的由子孙日夜守孝，入殓前，子孙要到河里取水（俗称"买水"），为死者擦身、更衣，亲视入殓。出殡时送殡队敲锣打鼓、燃放爆竹送行。埋葬后，神主牌由子孙送往祠堂入位，至此丧事才告完结。办丧事只煮白饭、豆腐、猪肉焖笋干等简单的饭菜。

村还保留一部分地方民俗，如正月初十上灯分猪肉、清明扫墓、太公济饥粥、正月十五抢花炮。其中太公济饥粥正月十五抢花炮习俗在中华人民共和国成立后已取消。正月初十上灯活动。男孩出生为"添丁"，因"丁"与"灯"谐音，为此正月初十

◎ 上灯日挂的花灯（摄于 2016 年 2 月）

到祠堂“上灯”，表示祝贺。上灯活动大致分为迎灯、接灯、摆放供品、挂灯等程序，体现出祈求人丁兴旺的心愿，显示出族人和谐共处的景象。清明节期间，村民们都会带上鹅、艾糍、糖、饼等供品到先人坟前扫墓，为先人烧衣纸、放鞭炮，一家大小齐齐拜祭，让祖先保佑一家大小平安健康。

1965 年 2 月，兴建龙山官路唇电动排水站，是佛冈县第一批兴建的电排站之一，装机 2 台共 110 千瓦。1984 年 5 月 30 日，遭遇龙卷风及冰雹袭击，该村倒塌房屋十多间，经济受到一定损失。

该村的何树荣（1932—2004），曾任从化县副县长、县委常委兼组织部部长。何巨文（1967—），现任广州市水政处副处长。

（资料填报：罗大鹏，初稿撰写：罗大鹏，总纂：李协湖）

上海坣村

◎ 上海坣村村貌（摄于 2016 年）

上海坣村，位于龙山镇东南部，距镇政府 2.1 千米。该村始建于清末，由清远县滘一乡（今佛冈县龙山镇）围内村廖氏分支搬迁而形成。因村位于滘江堤坝上方，而取名为上海坣村。

该村坐落于丘陵地带，主要河流有滘江，在村的北面流过，流经该村河长 1000 米。村落坐北向南，东与背底山接壤，东南与围内村相邻，南为排涝圳及一片农田，西与下海坣村相邻，北为滘江。主要水塘有廖氏池塘。上海坣村内有海坣片村道交错其中。

清朝时期，该村属清远县滘一乡。民国时期，属清远县滘江区忠安乡。中华人民共和国成立初期，属清远县第六区官路唇乡。1958 年 7 月，清远县第六区（今龙山镇）划归佛冈县管辖，属佛冈县龙山乡。1958 年 10 月，佛冈县并入从化县，属从化县滘江人民公社官路唇大队。1961 年 5 月，佛冈由从化县分出，属佛冈县龙山人民公社官路唇大队。1983 年 12 月，属龙山区官路唇乡。1987 年 1 月，属龙山镇官路唇行政村。1989 年 11 月，属龙山镇官路唇管理区。1998 年 11 月，属龙山镇官路唇行政村至今。

世居村民为廖姓、刘姓、何姓、徐姓。廖氏，清初由从化井岗迁至龙山围内村，清末族人分支后迁至该地。刘氏，宋末从福建迁潮州、兴宁，后迁从化，入粤始祖刘开七，明初从从化迁龙蟠，再迁科旺、汤塘，清末族人由汤塘迁至该地。何氏族人于南宋咸淳九年（1273 年）从安徽省迁至广东南雄珠玑巷，后迁至南海乐从小布，于明弘治四年（1491 年）族人搬迁从化地区，清初，何氏族人由从化地区迁入到龙山官路唇围内村。到清末民初，何氏后人从官路唇围内村后分家迁移定居至该地。徐姓于 20 世纪 50 年代随母改嫁搬迁至该村。

2015 年末，户籍人口 512 人，其中男性 259 人，女性 253 人;80 岁以上 28 人，最年长者 90 岁（女）。实有居住人口 483 人，留守儿童 3 人。生活主要依靠农业收入有 483 人，常年在城镇生活和打工有 29 人。非户籍外来人口 42 人。村民均为汉族，广府民系，使用粤方言。

村有耕地面积 22 公顷，山地面积 11.33 公顷。传统经济以农业为主，主要作物有黑甘蔗、水稻、番薯、木薯、花生、大豆、萝卜等。现以种植水稻、蔬菜、水果为主，打造花生等为特色农产品。2015

◎ 良种花生种植基地（摄于 2016 年）

年广东省农业科学院农作物研究所和广东省农垦科技中心在该村兴办农业部南方花生原原种扩繁基地，种植面积达 200 多亩。20 世纪 90 年代以后，大部分青壮年外出打工。现村民主要经济收入来源为农业收入、务工工资收入等。该村传统节庆食品有粽子、艾糍、糯米糍、咸糖环、炒米饼、油炸角、湛江醋等。妇女生小孩坐月子时，有喝糯米甜酒，吃猪脚甜醋的习惯。

村于 1962 年通电，1988 年通电话，2010 年通网络，2012 年村道水泥硬底化率为 60%。

传统民居现存 4 座，始建于清末。村落坐北向南，呈棋盘形布局。巷道纵横交错，贯通全村。民居为广府式形制，为两房一厅，两廊一天井布局，其建筑为硬山顶，盖灰瓦，用青砖砌成的墙体。房屋前后相连，每座建筑面积约 150 平方米。20 世纪 80 年代以后，村民在传统民居四周建造钢筋混凝土结构楼房。大部分村民已搬入楼房居住，传统民居现已闲置或堆放杂物。

村中廖姓与围内、秧坎头等廖氏族人同祭廖氏宗祠。此宗祠位于官路唇围内村，为官路唇村廖氏族人作祭祀纪念使用。廖氏宗祠建成于清光绪二十八年（1902 年），面阔 12.2 米，进深 28.4 米，建筑占地面积约 346.5 平方米。祠堂坐东向西，为砖木结构，三进二天井布局，其建筑为硬山顶，博古脊，盖灰瓦，青砖墙。头门为重修的大理石牌坊，门额石碑刻有“廖氏宗祠”和“光绪二十八年岁次壬寅建立”的字样。门檐额和第二进和第三进屋檐上的木雕精美，保存良好。主架采用花岗岩石圆柱和方柱相结合，地面采用方砖铺地。祠堂总体布局合理，具有鲜明的岭南风格。2012 年被列入佛冈县不可移动文物名录。

◎ 廖氏宗祠（摄于 2016 年）

◎ 上海坐传统民居（摄于 2016 年）

廖姓与围内村、秧坎头村、新田里村等廖氏族人共用《广东廖氏坚公族谱》。《广东廖氏坚公族谱》于 2000 年 10 月由广东廖氏坚公族谱编委员会编纂。主编廖锦洪，该族谱分为 13 章节，共 485 页。族谱载有廖氏族训词：“孝父母，敦人伦。睦宗族，明尊卑。敬长上，亲手足。和夫妇，爱子女。严家训，正婚姻。重文化，爱科学。尊师长，专习业。和邻里，避是非。义亲情，信友谊。重耕读，尚勤俭。倡义举，爱公益。奉公法，安本分。崇文明，齐风俗。喜必庆，丧必吊。纠必解，困必助。讲团结，共和平。”廖氏四家规：“不准虐待父母，背离伦理。不准铺张浪费，腐化之为。

不准忤逆无道，不孝行为。不准偷盗赌博，触犯法律。不准歧视兄弟，姐妹妯娌。不准骄横无惮，欺族凌戚。不准在族淫乱，禽兽行为。不准叼唆进馋，制造事端。不准虐待子女，重男轻女。不准窝藏坏人，陷害好人。不准夫妇相欺，损害家庭。不准酗酒滋事，扰乱秩序。不准包办婚姻，骗取钱财。不准打击报复，倒直真理。不准同姓联婚，有伤宗纪。如有违法，讼之公理。不准血表结亲，影响后裔。明训家规，告诫族人。不准趋炎附势，行为越轨。 遵依执行，乐及平生。不准损害公益，肥私利己。置之度外，纵性非为。不准奢侈淫逸，败坏风俗，轻者损财，重者丧身。不准纵了非为，罪及父母。谨遵勿忘，福荫子孙。不准好逸恶劳，搬弄是非。合族拟订，示尔谆谆。”

民间习俗多为广府人习俗的延续。主要有：舞狮、上灯、拜祠堂等。民间节日以春节、元宵节、清明节、端阳节、中秋节、冬至等节为主。该村的正月初十为该村的上灯日，正月十五下灯。在传统婚嫁习俗中，该村已很少看到中原古制“六礼”，但迎亲嫁娶等礼俗依然存在。结婚前要担定婚茶、报日子、送聘金、定嫁妆。结婚时，男、女两家都要摆酒请客，女家摆酒用的肉米酒菜大多是男家筹备。迎亲和送亲时，男方要用车队到女方家迎接新娘和亲友。摆酒时，新郎新娘向亲友敬酒，宾客要回赠红包。传统的丧葬风俗庄严而繁杂，多沿用古中原的传统，以土葬为主，20 世纪 90 年代后逐步实行火葬，其程序有：竖灵、收殓、引灵、接体、奠礼、出殡、火化、安葬等。

◎ 村民祭拜秦都爷爷（摄于 2016 年）

村民中流传一民间传说，相传清朝末期，秦都爷爷降临下海坣，为村民排忧解难，造福村民，为纪念秦都爷爷，村民在围内村建有秦都爷爷庙（即清湖庙）。逢年过节，村民前往祭拜。此庙于 2015 年重修，占地面积约 120 平方米。

1965 年 2 月，兴建龙山官路唇电动排水站，装机 2 台共 110 千瓦。1984 年 5 月 30 日，遭遇龙卷风及冰雹袭击，倒塌房屋 10 多间，农作物受损严重。

该村的廖继林（1956—），现任韶关市人民检察院检查委员会委员。廖志文（1956—），现任中共广东省委统战部干部。

（资料填报：罗大鹏，初稿撰写：罗大鹏，总纂：李协湖）

下海坐村

◎ 下海坐村村貌（摄于 2016 年）

下海坐村，位于龙山镇东南部，距镇政府 2.5 千米。该村始建于清末，由清远县滘一乡（今佛冈县龙山镇）官路唇围内村廖氏分支搬迁而形成。因村位于滘江堤坝下方，而取名为下海坐村。

该村坐落于丘陵地带，主要河流有滘江，在村的北面流过，流经该村河长 1000 米。该村坐北向南，东与上海坐村相邻，南为农田、龙山新城，西南与白沙塘村相邻，西北为水利圳，北为滘江。下海坐村内有海坐片村道交错其中。

清朝时期，该村属清远县滘一乡。民国时期，属清远县滘江区忠安乡。中华人民共和国成立初期，属清远县第六区官路唇乡。1958 年 7 月，第六区（今龙山镇）划归佛冈县管辖，属佛冈县龙山乡。1958 年 10 月，佛冈县并入从化县，属从化县滘江人民公社官路唇大队。1961 年 5 月，佛冈由从化县分出，属佛冈县龙山人民公社官路唇大队。1983 年 12 月，属龙山区官路唇乡。1987 年 1 月，属龙山镇官路唇行政村。1989 年 11 月，属龙山镇官路唇管理区。1998 年 11 月，属龙山镇官路唇行政村至今。

世居村民为廖姓、刘姓。廖氏，清朝初期由从化井岗迁至龙山围内村。清末，族人分支后迁至该地。刘氏，宋末从福建迁潮州、兴宁，后迁从化，入粤始祖刘开七，明初由从化迁龙蟠，后迁佛冈科旺、汤塘，清末由汤塘刘姓族人分支迁至该地，始祖刘从龙（刘开七第六代孙）。

2015 年末，户籍人口 650 人，其中男性 319 人，女性 331 人；80 岁以上 28 人，最年长者 92 岁（女）。实有居住人口 556 人，留守儿童 9 人。生活主要依靠农业收入有 556 人，常年在城镇生活和打工有 94 人。非户籍外来人口 42 人。村民均为汉族，广府民系，使用粤方言。

村有耕地面积 23.33 公顷，山地面积 11.67 公顷。传统经济以农业为主，粮食作物种植主要有水稻、番薯、芋头等。经济作物主要种植木薯、花生、大豆、果树等。家禽主要养殖乌鬃鹅、鸡、鸭等。现以种植粮食作物、果树、经济林木、养殖业为主。该村传统节庆食品有糖环、油角、炒米饼、糯米糍、粽子等。特色美食为香芋焖乌鬃鹅。此美食是滘江中南部地区最为喜欢食用的菜式。当地产的乌鬃鹅，一般每只重 3 千克左右，传统饲养时间 100 天以上，

◎ 村民饲养的乌鬃鹅（摄于 2016 年）

◎ 廖氏宗祠雀替（摄于 2016 年）

肉质鲜美不肥。制作时，先将整只光鹅用文火焗至半熟，调好佐料，再用切块香芋垫底，亦可用竹山粉葛切片或甜笋等垫底，慢慢焖熟，切件后便可以上席。20 世纪 90 年代以后，大部分青壮年外出打工。村民主要收入来源为农业收入、务工工资收入等。

村于 1962 年通电，1988 年通电话，2010 年通网络，村道暂未完全实现水泥硬底化，水泥硬底化率为 60%。

传统民居现存 8 座，始建于清末。村落坐北向南，呈棋盘形布局。巷道纵横交错，贯通全村。民居为广府式形制，为两房一厅，两廊一天井布局。其建筑为硬山顶，盖灰瓦，用青砖砌成的墙体。房屋前后相连，每座建筑面积 150 平方米。20 世纪 80 年代以后，村民在传统民居四周建造钢筋混凝土结构楼房。大部分村民已搬入楼房居住，传统民居现已闲置或堆放杂物。

◎ 下海坣村传统民居（摄于 2016 年）

村中廖姓与上海坣、围内、秧坎头等村廖氏族人同祭廖氏宗祠。此宗祠位于官路唇围内村，为官路唇村廖氏族人祭祀纪念使用。廖氏宗祠建成于清光绪二十八年（1902 年），祠堂总体布局完好，具有鲜明的岭南风格。2012 年被列入佛冈县不可移动文物名录。

廖姓与围内村、秧坎头村、新田里村等廖氏族人共用《广东廖氏坚公族谱》。族谱载廖氏四家规：“不准虐待父母，背离伦理。不准铺张浪费，腐化之为。不准忤逆无道，不孝行为。不准偷盗赌博，触犯法律。不准歧视兄弟，姐妹妯娌。不准骄横无惮，欺族凌戚。不准在族淫乱，禽兽行为。不准叼唆进馋，制造事端。不准虐待子女，重男轻女。不准窝藏坏人，陷害好人。不准夫妇相欺，损害家庭。不准酗酒滋事，扰乱秩序。不准包办婚姻，骗取钱财。不准打击报复，倒直真理。不准同姓联婚，有伤宗纪。如有违法，讼之公理。不准血表结亲，影响后裔。明训家规，告诫族人。不准趋炎附势，行为越轨。遵依执行，乐及平生。不准损害公益，肥私利己。置之度外，纵性非为。不准奢侈淫逸，败坏风俗，轻者损财，重者丧身。不准纵了非为，罪及父母。谨遵勿忘，福荫子孙。不准好逸恶劳，搬弄是非。合族拟订，示尔谆谆。”

民间习俗多为广府人习俗的延续。主要有：舞狮、上灯、拜祠堂等。民间节日以春节、元宵、清明、端阳、中秋、冬至等节为主。该村的正月初十为该村的上灯日，正月十五下灯。传统婚嫁习俗中，该村已很少保留中原古制的“六礼”，但迎亲嫁娶等礼俗依然

◎ 村民祭拜祖祠（摄于 2016 年）

存在。结婚前要担定婚茶、报日子、送聘金、定嫁妆。结婚时，男、女两家都要摆酒请客，女家摆酒用的肉米酒菜大多是男家出的。迎亲和送亲时，男方要用车队上女方家迎接新娘和亲友。摆酒时，新郎新娘向亲友敬酒，宾客也要回赠红包。传统的丧葬风俗，多沿用古中原的传统，以土葬为主，1990 年后逐步实行火葬，其程序有：竖灵、收殓、引灵、接体、奠礼、出殡、火化、安葬等。

1984 年 5 月 30 日，遭遇龙卷风及冰雹袭击，倒塌房屋 12 间，受伤 3 人，农作物受损严重。1997 年，发生洪灾，村中水深 1.5 米，100 多人紧急转移。一批农作物和家庭财产受损。

（资料填报：罗大鹏，初稿撰写：罗大鹏，总纂：李协湖）

红进村

◎ 红进村村貌（摄于 2016 年）

红进村，位于龙山镇东南部，距镇政府 1.5 千米。该村始建于清末，由清远县滘一乡（今佛冈县龙山镇）新田里村廖氏族人以及围内何氏族人分支迁入而形成。因村建于廖氏祠堂附近，故取名为祠堂山村。“文化大革命”期间，改名为红进村，并一直沿用至今。

该村坐落于丘陵地带，主要河流有滘江，在村的北面流过，流经该村河长 1000 米。村庄坐北向南，东为涖田村，南为农田，西为背底山，北为滘江。

清朝时期，该村属清远县滘一乡。民国时期，属清远县滘江区忠安乡。中华人民共和国成立初期，属清远县第六区官路唇乡。1958 年 7 月，第六区（今龙山镇）划归佛冈县管辖，属佛冈县龙山乡。1958 年 10 月，佛冈县并入从化县，属从化县滘江人民公社官路唇大队。1961 年 5 月，佛冈由从化县分出，属佛冈县龙山人民公社官路唇大队。1983 年 12 月，属龙山区官路唇乡。1987 年 1 月，属龙山镇官路唇行政村。1989 年 11 月，属龙山镇官路唇管理区。1998 年 11 月，属龙山镇官路唇行政村至今。

世居村民为何姓、廖姓、尹姓。何氏，南宋咸淳九年（1273 年），从安徽迁至广东南雄珠玑巷，后迁至南海乐从小布，于明弘治四年（1491 年）族人搬迁官路唇围内村，清末迁至该地。廖氏，清末由从化井岗迁至龙山新田里村，后来族人再分支迁至该地。尹氏，明崇祯十五年（1642 年）从新丰遥田迁至水头仓边，后迁至龙山官路唇，再迁至该地。

2015 年末，户籍人口 226 人，其中男性 120 人，女性 106 人；80 岁以上 12 人，村中最年长者 94 岁（女）。实有居住人口 201 人，留守儿童 3 人。生活主要依靠农业收入有 201 人，常年在城镇生活和打工有 25 人。非户籍外来人口 4 人。村民均为汉族，广府民系，使用粤方言。

村有耕地面积 18 公顷，山地面积 9.3 公顷。传统经济以农业为主，主要作物有黑甘蔗、水稻、番薯、木薯、花生、大豆、萝卜等。现以种植水稻、蔬菜、火龙果为主。畜禽以养殖猪、牛、鸡、鸭、鹅等，20 世纪 90 年代以后，大部分青壮年外出打工。现村民主要经济收入来源为：农业收入、务工工资收入等。该村传统节庆食品有粽子、艾糍、糯米糍、咸糖环、炒米饼、油炸角、滘江醋等。妇女生小孩坐月子时，有喝糯米甜酒，吃猪脚甜醋的习惯。

村于1962年通电，1988年通电话，2010年通网络，村道水泥硬底化率为70%。

传统民居现存4座，始建于清末。村落坐北向南，呈棋盘形布局。巷道纵横交错，贯通全村。民居为广府式正座，两房一厅，两廊一天井布局。其建筑为硬山顶，盖灰瓦，用青砖砌成的墙体。房屋前后相连，每座建筑面积约150平方米。20世纪80年代以后，村民在传统民居四周建造钢筋混凝土结构楼房。大部分村民已搬入新居，传统民居现已闲置或堆放杂物。位于村侧路旁，立有“泰山石敢当”字样的石碑，是村民祈求平安的标志石。

村中何氏村民与隔海村、湴田村等何氏族人共用《何氏族谱》。《何氏族谱》由何树荣、何琼仲于1995年编纂。该族谱分为六部分：前言、庐江何氏世系来源、南雄府保昌县珠玑巷来历缘由、各房世系记录、何氏字辈排行。其中何氏字辈排行诗为：“昌启振光琼，年华富贵盛。国泰民生佳，伟业永兴隆。”廖氏与围内、秧坎头、新田里等村廖氏族人共用《广东廖氏坚公族谱》。族谱载有廖氏族训词：“孝父母，敦人伦。睦宗族，明尊卑。敬长上，亲手足。和夫妇，爱子女。严家训，正婚姻。重文化，爱科学。尊师长，专习业。和邻里，避是非。义亲情，信友谊。重耕读，尚勤俭。倡义举，爱公益。奉公法，安本分。崇文明，齐风俗。喜必庆，丧必吊。纠必解，困必助。讲团结，共和平。”

◎ 红进村传统民居（摄于2016年）

◎ 村中泰山石敢当石碑（摄于2016年）

村中廖氏与围内村等廖氏族人同祭廖氏宗祠。此宗祠位于官路唇围内村，为官路唇村廖氏族人祭祀纪念使用。廖氏宗祠建成于清光绪二十八年（1902年），其建筑为硬山顶，博古脊，盖灰瓦，青砖墙。头门为重修的大理石牌坊，门额石碑刻有“廖氏宗祠”和“光绪二十八年岁次壬寅建立”的字样。门檐额和第二进和第三进屋檐上的木雕精美，保存良好。主架采用花岗岩石圆柱和方柱相结合，地面采用方砖铺地。祠堂总体布局合理，具有鲜明的岭南艺术风格。2012年被录入佛冈县不可移动文物名录。

◎ 廖氏宗祠（摄于2016年）

民间习俗多为广府人习俗的延续。主要有：舞狮、上灯、拜祠堂等。民间节日以春节、元宵节、清明节、端午节、中秋节、冬至节等节为主。正月初十为该村的上灯日，正月十五下灯。传统婚嫁习俗中，该

◎ 舞狮“采青”（摄于 1998 年）

村已很少保留中原古制的“六礼”，但迎亲嫁娶等礼俗依然存在。结婚前要担定婚茶、报日子、送聘金、定嫁妆。结婚时，男、女两家都要摆酒请客，女家摆酒用的肉米酒菜大多是男家筹备。迎亲和送亲时，男方要用车队到女方家迎接新娘和亲友。摆酒时，新郎新娘向亲友敬酒，宾客要回赠红包。传统丧葬风俗，多沿用古中原的传统，以土葬为主，1990 年后逐步实行火葬，其程序有：竖灵、收殓、引灵、接体、奠礼、出殡、火化、安葬等。

1964 年，组织村民开展造林大会战，植树造林 150 亩。1975 年，改河造田，大搞农田基本建设，造田 10 多亩。1984 年 5 月 30 日，该村遭遇龙卷风及冰雹袭击，多间房屋瓦片被掀翻，受伤 4 人，其中重伤 1 人，通信、电力设备遭受破坏，直接经济损失 10 多万元。

该村的廖镜洲（1962—），曾任佛冈县广播电视大学、教师进修学校、职业技术学校校长，现任中共佛冈县委党校常务副校长，曾获广东广播电视大学系统优秀校长称号。

（资料填报：罗大鹏，初稿撰写：罗大鹏，总纂：李协湖）

溢田村

◎ 溢田村村貌（摄于 2016 年）

溢田村，位于龙山镇东南部，距镇政府 1.5 千米。该村始建于清末，由清远县滘一乡（今佛冈县龙山镇）围内村何氏分支搬迁而形成。何氏族人搬迁到该地建村时，发现田畴四周都是烂泥，故取名为溢田村。

该村坐落于丘陵地带，地势低洼。村庄坐北向南，村东、村南被田畴包围，村西与红进村毗邻，村北是滘江，流经该村约 1500 米。海拔约 400 米的麒麟山在该村附近。

清朝时期，该村属清远县滘一乡。民国时期，属清远县滘江区忠安乡。中华人民共和国成立初期，属清远县第六区官路唇乡。1958 年 7 月，第六区（今龙山镇）划归佛冈县管辖，属佛冈县龙山乡。1958 年 10 月 23 日，佛冈县并入从化县，属从化县滘江人民公社官路唇大队。1961 年 5 月，佛冈由从化县分出，属佛冈县龙山人民公社官路唇大队。1983 年 12 月，属龙山区官路唇乡。1987 年 1 月，属龙山镇官路唇行政村。1989 年 11 月，属龙山镇官路唇管理区。1998 年 11 月，属龙山镇官路唇行政村至今。

世居村民为何姓。根据《何氏族谱》记载，何氏族人于南宋咸淳九年（1273 年）从安徽省迁至广东南雄珠玑巷，后迁至南海乐从小布，于明弘治四年（1491 年）又搬迁从化地区，清朝初期年间，何氏族人由从化地区迁入到官路唇围内村。清末，何氏后人从官路唇围内村分支迁移至该地定居。

2015 年末，户籍人口 205 人，其中男性 96 人，女性 109 人；80 岁以上 9 人，最年长者 101 岁（男）。实有居住人口 140 人，留守儿童 5 人。生活主要依靠农业收入有 140 人，常年在城镇生活和打工有 65 人。非户籍外来人口 62 人。村民均为汉族，广府民系，使用粤方言。

村有耕地面积 30 公顷，山地面积 10 公顷。传统经济以农业为主，主要作物有黑甘蔗、水稻、番薯、木薯、花生、大豆、萝卜等。现以种植水稻、蔬菜、花生、果树、甘蔗等农作物为主。该村传统节庆食品有春节的炒米饼、油炸角，端午节的粽子、清明节的艾糍。特色

◎ 滘江醋（摄于 2016 年）

美食为湛江醋。20 世纪 90 年代以后，大部分青壮年外出打工。现村民主要经济收入来源为农业收入、务工工资收入等。

村于 1975 年通电，1983 年通电话，2010 年通网络。村道水泥硬底化率为 75%。

村中何姓与红进村、隔海村等何氏族人共用《何氏族谱》。《何氏族谱》由族人何树荣、何琼仲于 1995 年编纂。该族谱分为六部分：前言，庐江何氏世系来源，南雄府保昌县珠玑巷来历缘由，各房世系记录，何氏字辈排行。其中何氏字辈排行诗为："昌启振光琼，年华富贵盛。国泰民生佳，伟业永兴隆"。

传统民居现存 20 座，始建于清代、民国时期及中华人民共和国成立初期，保存基本完好。村落呈棋盘形，巷道纵横交错，7 条纵巷，2 条横巷，贯通全村。民居为广府式形制，两房一厅，两廊一天井布局。其建筑为硬山顶，盖灰瓦，用青砖砌成的墙体。房屋前后相连，每座建筑面积约 120 平方米，保留着岭南特有的建筑风格。20 世纪 80 年代以后，村民在旧民居四周建造钢筋混凝土结构楼房，现有 30 多幢，楼房多为三房一厅一厨一卫布局，底层面积约 100 平方米。大部分村民迁入楼房居住，传统民居已闲置或堆放杂物。

民间习俗多为广府人习俗的延续。如正月初十上灯分猪肉、清明扫墓、太公济饥粥、正月十五抢花炮（其中太公济饥粥、正月十五抢花炮的习俗在佛冈解放后已消失）。民间节日以春节、元宵、清明、端午、中秋、冬至等节为主。正月初十上灯活动，男孩出生为"添丁"，因"丁"与"灯"谐音，为此在元宵节到祠堂"上灯"，表示祝贺。上灯活动大致分为迎灯、接灯、摆放供品、挂灯等程序，体现出祈求人丁兴旺的心愿，显示出族人和谐共处的景象。清明扫墓，每年清明节期间，村民们都会带上鹅、艾糍、糖、饼等供品到先人坟前扫墓的活动，为先人烧衣纸、放鞭炮，一家大小齐齐拜祭，让祖先保佑一家大小平安健康。

◎ 涖田村传统民居（摄于 2016 年）

◎ 祭拜社坛（摄于 2016 年）

在传统婚嫁习俗中，中原古制"六礼"在该村已很少见到，但结婚前看家风、报日子、送聘金、定嫁妆这些礼节仍然存在。传统丧葬风俗以土葬为主。1990 年后逐步实行火葬，其程序包括竖灵、收殓、引灵、接体、奠礼、出殡、火化、安葬等。

1965 年 2 月，与周边其他村共同兴建龙山官路唇电动排水站，是佛冈县第一批兴建的电排站之一，装机 2 台，共 110 千瓦。1984 年 5 月 30 日，遭遇龙卷风及冰雹袭击，倒塌房屋 10 多间，受伤 13 人，经济受到损失。1997 年 6 月发生洪灾，水深达 1.2 米，农作物浸损 50 多亩，村民生产、生活造成损失。

该村的何杨佳（1942—），曾任广州海珠区法院副院长。何键煌（1964—），现为广州四航局建筑高级工程师。

（资料填报：罗大鹏，初稿撰写：罗大鹏，总纂：李协湖）

秧坎头村

◎ 秧坎头村村貌（摄于 2016 年）

秧坎头村，位于龙山镇东南部，距镇政府 1.5 千米。该村始建于清末，由清远县滘一乡（今佛冈县龙山镇）围内村廖氏族人分支搬迁而形成。因该村建在秧田附近，故取名为秧坎头村。

该村坐落于丘陵地带。东为通往龙山镇的村道；东南与和顺老山紧靠；西南与龙山新城相邻，西北是一片田畴，北为官路唇小学，东北与官路唇村委会接壤。秧坎头村东北有一条 60 年代修建，长约 800 米，宽约 12 米的水利圳，由东往西流入龙山镇水电站。

清朝时期，该村属清远县滘一乡。民国时期，属清远县滘江区忠安乡。中华人民共和国成立初期，属清远县第六区官路唇乡。1958 年 7 月中旬，清远县第六区（即今龙山镇）划归佛冈县管辖。1958 年 10 月，佛冈县与从化县合并为从化县，属从化县滘江人民公社官路唇大队。1961 年 5 月，佛冈由从化县分出，属佛冈县龙山人民公社官路唇大队。1983 年 12 月，属龙山区官路唇乡。1987 年 1 月，属龙山镇官路唇行政村。1989 年 11 月，属龙山镇官路唇管理区。1998 年 11 月，属龙山镇官路唇行政村至今。

世居村民为廖姓，据《广东廖氏坚公族谱》记载，开基于龙山镇廖缘清，是廖坚的 16 世孙，由从化井岗迁至龙山镇官路唇围内村，清朝末期部分廖氏族人搬到秧坎头村居住。

2015 年末，户籍人口 109 人，其中男性 56 人，女性 53 人；村中最年长者 71 岁（男）。实有居住人口 71 人，留守儿童 1 人。生活主要依靠农业收入 71 人，常年在城镇居住和打工的 38 人。村民均为汉族，广府民系，使用粤方言。

村有耕地面积 42 公顷，山地面积 16.67 公顷。传统经济以农业收入为主，主要作物有水稻、番薯、芋头、花生、木薯、大豆等。现以种植粮食作物、果树、经济林木为主。20 世纪 90 年代以后，大部分青壮年外出打工。现村民主要经济收入来源为：农业收入、务工性工资收入等。该村传统节庆食品有：咸糖环、油炸角、炒米饼，元宵节的汤圆，清明节的糯米艾糍，端午节的粽子，中秋节的月饼，滘江醋等。妇女生小孩坐月子时，有喝糯米甜酒，吃猪脚甜醋的习惯。传统美食为糯米糍。其制作过程并不复杂，首先将

◎ 秧坎头村种植的香蕉（摄于 2016 年）

糯米粉倒入容器中，放入适当的水碱砂搅拌成糊状后，装入盘中用锅蒸约 20 分钟，蒸熟后，将其搓成糍团，用手指捏成勺子形状，把馅料放进去，再包成饼状，即可食用，其质感嫩滑可口。

村于 1975 年通电，1994 年通电话，2006 年村内实现道路硬底化，2010 年通光纤网络，2011 年通自来水。

传统民居现存 6 座，始建于清末，保存基本完好。村庄呈棋盘形，巷道纵横交错，贯通全村。房屋排列有序，前后相连。民居均为广府式正座，二进三间两廊布局，中间为厅，左右为房，东廊为门廊，西廊为厨房。若两户人家合住，则东西两廊都作厨房，厨房门各自敞开面向巷道。进门从廊门口进入，从厨房经过到达小天井，通常这个天井前面有个水井，现在大多填平并改装抽水泵。天井连接大厅，厅门通常由两扇厚重巨大门板构成，厅两侧有两间住房，因两房门面对大厅，称之为“二门归厅”，也有少数是“四门归厅”结构的房屋。20 世纪 90 年代后，村民在传统民居四周建造钢筋混凝土结构楼房，大部分村民搬入楼房居住。传统民居现仍有人居住，其余用于堆放杂物。

村中廖姓与围内等廖氏族人同祭廖氏宗祠。廖氏宗祠建成于清光绪二十八年（1902 年），建筑占地面积约 346.5 平方米。此宗祠位于官路唇围内，为官路唇村廖氏族人集体所有，作祭祀纪念使用。祠堂总体布局合理，具有鲜明的岭南艺术风格。

◎ 秧坎头村传统民居（摄于 2016 年）

◎ 廖氏宗祠灰雕（摄于 2016 年）

村与围内村等廖氏族人共用《广东廖氏坚公族

谱》。据《广东廖氏坚公族谱》记载，佛冈龙山的廖氏是廖坚长子宽公的后裔。开基于龙山镇廖缘清，系宽公的15世孙（廖坚公的16世孙），由从化井岗迁至龙山镇官路唇村。廖氏四家规："不准虐待父母，背离伦理。不准铺张浪费，腐化之为。不准忤逆无道，不孝行为。不准偷盗赌博，触犯法律。不准歧视兄弟，姐妹妯娌。不准骄横无惮，欺族凌戚。不准在族淫乱，禽兽行为。不准叼唆进馋，制造事端。不准虐待子女，重男轻女。不准窝藏坏人，陷害好人。不准夫妇相欺，损害家庭。不准酗酒滋事，扰乱秩序。不准包办婚姻，骗取钱财。不准打击报复，倒直真理。不准同姓联婚，有伤宗纪。如有违法，讼之公理。不准血表结亲，影响后裔。明训家规，告诫族人。不准趋炎附势，行为越轨。遵依执行，乐及平生。不准损害公益，肥私利己。置之度外，纵性非为。不准奢侈淫逸，败坏风俗。轻者损财，重者丧身。不准纵了非为，罪及父母。谨遵勿忘，福荫子孙。不准好逸恶劳，搬弄是非。合族拟订，示尔谆谆。"族谱还编有廖氏家训等。

民间习俗多为广府人习俗的延续。主要有：舞狮、上灯、拜祠堂等。民间节日以春节、元宵节、清明节、端阳节、中秋节、冬至节等节为主。每年的正月初十为该村的上灯日，正月十五下灯。传统婚嫁习俗中，该村已很少看到中原古制的"六礼"，但迎亲嫁娶等礼俗依然存在。结婚前要担定婚茶、报日子、

◎ 上灯日村民上灯（摄于2016年）

送聘金、定嫁妆。结婚时，男、女两家都要摆酒请客，女家摆酒用的肉米酒菜大多是男家出的。迎亲和送亲时，男方要用车队上女方家迎接新娘和亲友。摆酒时，新郎新娘向亲友敬酒，宾客也要回赠红包。传统的丧葬风俗多沿用古中原的传统，以土葬为主，1990年后逐步实行火葬，其程序有：竖灵、收殓、引灵、接体、奠礼、出殡、火化、安葬等。

1965年2月，与其他村共同兴建龙山官路唇电动排水站.1965年冬建成，是佛冈县第一批兴建的电排站之一，装机2台共110千瓦。1984年5月30日，遭遇龙卷风及冰雹袭击，该村受到严重损失，倒塌房屋20多间，受伤5人，农作物浸损6.67公顷。

（资料填报：黄丽娟，初稿撰写：黄丽娟，总纂：李协湖）

新田里村

◎ 新田里村村貌（摄于 2016 年）

新田里村，位于龙山镇东南部，距镇政府 2 千米。该村始建于清末，由清远县滘一乡（今佛冈县龙山镇）围内村廖氏分支搬迁而形成。因建村时周围都是烂泥，取名为湴田窝。后因改造农田，新建民居，故改名为新田里村。

该村坐落于丘陵地带，位于滘江中下游。东是龙山加油站，南与龙山道班相邻，西是一片果园，北为新园科技有限公司。滘江河在新田里北面蜿蜒而过，河水由东往西流。有一村道在新建村庄经过，交通便利。

清朝时期，该村属清远县滘一乡。民国时期，属清远县滘江区忠安乡。中华人民共和国成立初期，属清远县第六区官路唇乡。1958 年 7 月中旬，清远县第六区（即今龙山镇）划归佛冈县管辖。1958 年 10 月，佛冈县与从化县合并为从化县，属从化县滘江人民公社官路唇大队。1961 年 5 月，佛冈由从化县分出，属佛冈县龙山人民公社官路唇大队。1983 年 12 月，属龙山区官路唇乡。1987 年 1 月，属龙山镇官路唇行政村。1989 年 11 月，属龙山镇官路唇管理区。1998 年 11 月，属龙山镇官路唇行政村至今。

世居村民为廖姓，据《广东廖氏坚公族谱》记载，开基于龙山廖缘清是廖坚的 16 世孙，由从化井岗迁至龙山官路唇围内村，清末，部分廖氏族人分支搬到新田里居住。

2015 年末，户籍人口 53 人，其中男性 26 人，女性 27 人；80 岁以上 2 人，最年长者 84 岁（男）。实有居住人口 46 人，留守儿童 1 人。生活主要依靠农业收入 46 人，常年在城镇居住和打工的 7 人。村民均为汉族，广府民系，使用粤方言。

村有耕地面积 27.33 公顷，山地面积 18 公顷。传统经济以农业收入为主，主要作物有水稻、番薯、芋头、花生、木薯、大豆等。现以种植粮食作物、果树、经济林木为主。该村出产的沙糖桔色泽鲜

◎ 村民种植的沙糖桔（摄于 2011 年）

红，口感清爽，无渣无核，清甜可口，畅销各地。2013年以后，沙糖桔树患黄龙病致农民减产甚至绝收。20世纪90年代以后，大部分青壮年外出打工。现村民主要经济收入来源为：农业收入、务工性工资收入等。该村传统节庆食品有：咸糖环、油炸角、炒米饼，元宵节的汤圆，清明节的糯米艾糍，端午节的粽子，中秋节的月饼，湛江醋等。妇女生小孩坐月子时，有喝糯米甜酒，吃猪脚甜醋的习惯。

村于1975年通电，1994年通电话，2006年村内实现道路硬底化，2010年通光纤网络，2011年通自来水。

传统民居现存10座。村庄呈棋盘形，巷道纵横交错，贯通全村。房屋排列有序，前后相连。民居均为广府式正座，二进三间两廊布局，中间为厅，左右为房，东廊为门廊，西廊为厨房。若两户人家合住，则东西两廊都作厨房，厨房门各自敞开面向巷道。进门从廊门口进入，从厨房经过到达小天井，通常这个天井前面有个水井，现在大多填平并改装抽水泵。天井连接大厅，厅门通常由两扇厚重门板构成，厅两侧有两间住房，因两房门面对大厅，称之为“二门归厅”，也有少数是“四门归厅”结构的房屋。20世纪90年代后，村民在传统民居四周建造钢筋混凝土结构楼房，大部分村民搬入楼房居住。传统民居现已闲置或堆放杂物。

村民与围内、秧坎头等廖氏族人同祭廖氏宗祠。春节、清明、上灯时新田里的廖氏族人都去廖氏宗祠拜祭。

◎ 新田里村传统民居（摄于2016年）

◎ 廖氏宗祠（摄于2016年）

据《广东廖氏坚公族谱》记载，佛冈龙山的廖氏是廖坚长子宽公的后裔。开基于龙山镇廖缘清，系宽公的15世孙（廖坚公的16世孙），由从化井岗迁至龙山镇官路唇村。该村与围内、新田里等廖氏族人共用《广东廖氏坚公族谱》。

传统的节日为春节、元宵节、清明节、四月八、端午节、七夕、七月半、中秋节、重阳节、十月朝、冬至。村民注重冬至，在民间有“冬至大过年”之说。这个节日意味着一年农事已做完，全家应欢聚一堂表示庆贺。传统婚嫁习俗中已很少保留的中原古制“六礼”，但结婚前要担定婚茶、“睇家风”、报日子、送聘金、定嫁妆这些礼节仍然存在。结婚时，要摆酒请客，男、女两家都要摆酒请客，女家摆酒用的肉米酒菜大多是男家筹备。迎亲和送亲时，男方要用车队上女方家迎接新娘和亲友。摆酒时，新郎新娘向亲友敬酒，宾客也要回赠红包。

传统丧事习俗以土葬为主。1990年以后逐步实行火葬。其程序为举丧、入殓、出殡、送葬、做法事，将亡灵送入祠堂。村中仍然沿袭一些丧葬的旧习，如未满16岁的死后只能用普通木料做棺材，竹杠抬，不上肩；在50岁以上的去世后由子孙日夜守孝，入殓前，子孙要到河里取水（俗称“买水”），为死者擦身、更衣，亲视入殓。出殡时送殡队敲锣打鼓、燃放爆竹送行。埋葬后，神主牌由子孙送往祠堂入位，至

◎ 春节期间村民购物迎春（摄于 2016 年）

此丧事才告完结。办丧事只煮白饭、豆腐、猪肉焖笋干等简单的饭菜。村中有红白事时，全村村民均自动集中帮忙，使主家办红事更加热闹，办白事更加顺利。

1925 年，该村与其他村发生姓氏纠纷，造成械斗。1965 年 2 月，该村与其他村共同兴建龙山官路唇电动排水站。1997 年曾发生水灾，村中水深 1.5 米，房屋全部被浸，农作物及村民财产受损严重。

（资料填报：黄丽娟，初稿撰写：黄丽娟，总纂：李协湖）

龙屈塘村

◎ 龙屈塘村村貌（摄于 2016 年）

龙屈塘村，位于龙山镇东南部，距镇政府 1.5 千米。该村始建于清末，由清远县滘一乡（今佛冈县龙山镇）果冚曹氏族人分支搬迁而形成。因村前有水塘，村后山形如龙，故名龙崛塘村，后来改名为龙屈塘村。

该村坐落于丘陵地带，滘江中下游。国道 G106 线从村中穿过，将村分为南北两部分。该村坐南向北，东为潭洲村，南为国道 G106 线，西与郭围接壤，西北为灌溉水利圳。

清朝时期，该村属清远县滘一乡。民国时期，属清远县滘江区忠安乡。中华人民共和国成立初期，属清远县第六区官路唇乡。1958 年 7 月中旬，清远县第六区（即今龙山镇）划归佛冈县管辖。1958 年 10 月，佛冈县与从化县合并为从化县，属从化县滘江人民公社官路唇大队。1961 年 5 月，佛冈由从化县分出，属佛冈县龙山人民公社官路唇大队。1983 年 12 月，属龙山区官路唇乡。1987 年 1 月，属龙山镇官路唇行政村。1989 年 11 月，属龙山镇官路唇管理区。1998 年 11 月，属龙山镇官路唇行政村至今。

世居村民姓氏为曹姓。据《清远滘江曹氏族谱》记述，南宋初期，曹姓祖先从中原南迁广东珠玑巷。元初，曹姓族人曹三隅迁居清远滘江，娶朱氏为妻，并育有三子。三子成年后全部移居今佛冈县境，清末一支落居龙山，后裔分居于该地。

2015 年末，户籍人口 512 人，其中男性 276 人，女性 236 人；80 岁以上 11 人，村中最年长者 87 岁（男）。实际在村居住 362 人，留守儿童 10 人。生活主要依靠农业收入 362 人，常年在城镇居住和打工的 150 人。村民均为汉族，广府民系，使用粤方言。

◎ 龙屈塘村种植的水稻（摄于 2016 年）

村有耕地面积83.33公顷，山地面积59.33公顷。传统经济以农业收入为主，主要作物有水稻、番薯、芋头、花生、木薯、大豆等。现以种植粮食作物、果树、经济林木为主。20世纪90年代以后，大部分青壮年外出打工。现村民主要经济收入来源为：农业收入、务工性工资收入等。该村传统节庆食品有：咸糖环、油炸角、炒米饼，元宵节的汤圆，清明节的糯米艾糍，端午节的粽子，中秋节的月饼，湛江醋等。妇女生小孩坐月子时，有喝糯米甜酒，吃猪脚甜醋的习惯。

◎ 曹氏宗祠（摄于2016年）

村于1975年通电，1995年通电话，1999年村道实现水泥硬底化，2010年通光纤网络。该村设有垃圾收集桶，村居卫生良好。

传统民居现存13座，始建于清末，保存基本良好。村庄呈棋盘形，巷道纵横交错，贯通全村，房屋排列有序，前后相连。民居均为广府式正座，二进三间两廊布局，中间为厅，左右为房，东廊为门廊，西廊为厨房。若两户人家合住，则东西两廊都作厨房，厨房门各自敞开面向巷道。进门从廊门口进入，从厨房经过到达小天井，通常这个天井前面有个水井，现在大多填平并改装抽水泵。天井连接大厅，厅门通常由两扇厚重巨大门板构成，厅两侧有两间住房，因两房门面对大厅，称之为“二门归厅”，也有少数是“四门归厅”结构的房屋。20世纪90年代后，村民在传统民居四周建造钢筋混凝土结构楼房，越来越多的村民搬入新居。传统民居现已闲置或堆放杂物。

◎ 龙居塘村传统民居（摄于2016年）

村建有曹氏宗祠，据记载：曹氏宗祠原址在社山，始建于明朝年间，民国初年，因洪水泛滥，冲毁田地，殃及民生，致使祠宇逐年倒塌。在不可修复的情况下，于1933年迁至龙屈塘村重新建筑。1950年遭到破坏，1995年重建。

◎ 上灯日上灯（摄于 2016 年）

宗祠坐南向北，为三进二天井布局，面宽 12.6 米，进深 36.8 米，占地建筑面积 464 平方米。其建筑为硬山顶，博古脊，盖灰瓦。头进门石碑刻有“曹氏宗祠”字样，门檐额和第二进和第三进屋檐上的木雕精美，保存很好。主架采用花岗岩石圆柱和方柱相结合，地面采用方砖铺地。宗祠总体布局保存完好，具有鲜明的岭南艺术风格。

村修有《清远湛江曹氏族谱》，与潭洲村曹氏族人共用。由族人曹业生于 1998 年 12 月编纂。该族谱分为 2 卷，记有该族先贤祠宗规 :“立祠宇，谨坟茔。裕祖尝，重宗子。敦本枝，尚齿德。务正业，崇节孝。兴义学，诚祀事。勤诲勉，恭圣训。”

民间习俗多为广府人习俗的延续。主要有：舞狮、上灯、拜祠堂等。民间节日以春节、元宵、清明、端阳、中秋、冬至等节为主。每年正月初十为该村的上灯日，正月十五落灯。上灯时亲戚朋友要带酸萝卜、花生、饼干等去事主家祝贺，主家必须准备利是，油糍回赠给宾客。该村传统婚嫁习俗，已很少看到中原古制“六礼”，但迎亲嫁娶等礼俗依然存在。结婚前要担定婚茶、报日子、送聘金、定嫁妆。结婚时，男、女两家都要摆酒请客，女家摆酒用的肉米酒菜大多是男家筹备。迎亲和送亲时，男方要用车队到女方家迎接新娘和亲友。摆酒时，新郎新娘向亲友敬酒，宾客也要回赠红包。传统的丧葬风俗多沿用古中原的传统，以土葬为主，1990 年后逐步实行火葬，其程序有：竖灵、收殓、引灵、接体、奠礼、出殡、火化、安葬等。清明祭祖时龙屈塘村曹氏族人一般都用烧肉或猪肉祭祖。

1965 年 2 月，参与兴建龙山官路唇电动排水站。1984 年 5 月 30 日，遭遇龙卷风及冰雹袭击，倒塌房屋多间，多人受伤，村民财产受到严重损失。

（资料填报：黄丽娟，初稿撰写：黄丽娟，总纂：李协湖）

潭洲村

◎ 潭洲村村貌（摄于 2016 年）

潭洲村，位于龙山镇东南部，距镇政府 2 千米。该村始建于清末，由清远县滘一乡（今佛冈县龙山镇）滃镇占果曹氏族人分支搬迁而形成。因村位于滘江边沙滩小洲处，故取名为潭洲村。

该村坐落于丘陵地带，滘江中下游。国道 G106 从村中穿过，将村分为南北两部分。该村坐南向北，东与汤塘镇联和鱼头村相邻，南为刀螂山，西与龙屈塘村相邻，北为滘江。

清朝时期，该村属清远县滘一乡。民国时期，属清远县滘江区忠安乡。中华人民共和国成立初期，属清远县第六区官路唇乡。1958 年 7 月中旬，清远县第六区（即今龙山镇）划归佛冈县管辖。1958 年 10 月，佛冈县与从化县合并为从化县，属从化县滘江人民公社官路唇大队。1961 年 5 月，佛冈由从化县分出，属佛冈县龙山人民公社官路唇大队。1983 年 12 月，属龙山区官路唇乡。1987 年 1 月，属龙山镇官路唇行政村。1989 年 11 月，属龙山镇官路唇管理区。1998 年 11 月，属龙山镇官路唇行政村至今。

世居村民为曹姓、莫姓。据《清远滘江曹氏族谱》记述，曹姓，开基祖曹三隅，原居南雄珠玑巷。南宋时局动荡不安，为避元兵杀戮，南雄珠玑巷人纷纷南迁逃难。他们乘竹筏，沿浈江、北江南下，当漂流到滘江口，曹三隅弃筏登岸，在滘江司一个土名叫果冚的地方落脚谋生，后娶得清远古城朱尚之女为妻，生育三子，家业初兴。三子成年全部移居今佛冈县境，清末一支落居龙山镇，后裔分居至该地。莫姓，于 1958 年从佛冈县汤塘竹山搬迁到此地。

2015 年末，户籍人口 352 人，其中男性 177 人，女性 175 人；80 岁以上 8 人，村中最年长者 85 岁（男）。

◎ 广东雅迪科技发展有限公司（摄于 2016 年）

实有居住人口300人，留守儿童2人。生活主要依靠农业收入300人，常年在城镇居住和打工的52人。村民均为汉族，广府民系，使用粤方言。

村有耕地面积66.67公顷，山地面积57.33公顷。传统经济以农业为主，主要作物有水稻、沙糖桔、番薯、木薯、花生、甘蔗、芋头等，畜禽以养殖猪、牛、鸡、鸭、鹅等，90年代初，较多村民种植沙糖桔，当时沙糖桔一度成为村民收入的主要来源，直到2013年，由于沙糖桔黄龙病蔓延，导致绝大部分果树枯黄病死，沙糖桔失收后，村民改种其他农作物，有的种植冬瓜、丝瓜、芋头、甘蔗等。2013年末，清除沙糖桔病树后，发展蔬菜种植专业户，带动村民共同致富。村引进广东雅迪科技发展有限公司，带动该村经济发展。传统食品主要有糯米饼、油角、咸糖环、焖鹅、糯米糍、艾糍、粽子等。2000年以后，大部分青壮年外出打工。村民主要收入来源为农业收入，外出务工村民为工资性收入。

村于1972年通电，1995年通电话，1999年村道基本实现水泥硬底化，2010年通光纤网络。2015年村中设有垃圾收集桶。

传统民居现存5座，始建于清末，保存基本良好。村庄呈棋盘形，巷道纵横交错，贯通全村。该村房屋排列有序，前后相连。民居均为广府式正座，二

◎ 曹氏宗祠内厅（摄于2016年）

进三间两廊布局，中间为厅，左右为房，东廊为门廊，西廊为厨房。若两户人家合住，则东西两廊都作厨房，厨房门各自敞开面向巷道。进门从廊门口进入，从厨房经过到达小天井，通常这个天井前面有个水井，现在大多填平并改装抽水泵。天井连接大厅，厅门通常由两扇厚重巨大门板构成，厅两侧有两间住房，因两房门面对大厅，称之为“二门归厅”，也有少数是“四门归厅”结构的房屋。20世纪90年代后，村民在传统民居四周建造钢筋混凝土结构楼房，越来越多的村民搬入新居。传统民居现已闲置或堆放杂物。该村的特色建筑为谭洲村门楼。其建筑为硬山顶，盖灰瓦，青砖墙体。门额花岗岩石板刻有“潭洲村”字样。

◎ 潭洲村门楼（摄于2016年）

村与龙屈塘村的曹氏是同祖同宗，因此，共同祭拜曹氏宗祠。据记载，曹氏宗祠始建于明朝年间，民国初年，因洪水泛滥，冲毁田地，殃及民生，致使祠宇逐年倒塌。在不可修复的情况下，于1933年迁至龙屈塘村重新建造。1950年遭到破坏，1995年重建。其

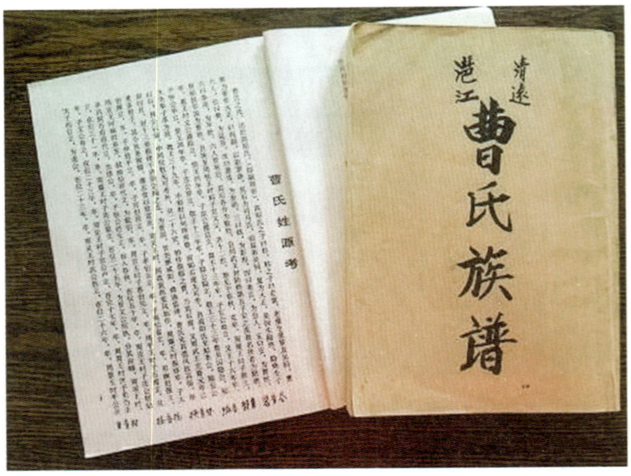

◎《曹氏族谱》(摄于 2016 年)

建筑为硬山顶，博古脊，盖灰瓦。头进门石碑刻有“曹氏宗祠”字样，门檐额和第二进和第三进屋檐上的木雕精美，保存很好。主架采用花岗岩石圆柱和方柱相结合，地面采用方砖铺地。宗祠总体布局保存完好，具有鲜明的岭南艺术风格。

村修有《清远湛江曹氏族谱》，与龙屈塘村曹氏族人共用。由族人曹业生于 1998 年 12 月编纂。族谱记有该族先贤祠宗规：“立祠宇，谨坟茔。裕祖尝，重宗子。敦本枝，尚齿德。务正业，崇节孝。兴义学，诚祀事。勤诲勉，恭圣训。”

民间习俗多为广府人习俗的延续。主要有：舞狮、上灯、拜祠堂等。民间节日以春节、元宵、清明、端阳、中秋、冬至等节为主。每年正月初十为该村的上灯日，正月十五落灯。上灯时亲戚朋友要带酸萝卜、花生、饼干等去事主家祝贺，主家必须准备利是，油糍回赠给宾客。在传统婚嫁习俗中，在该村已很少看到中原古制的“六礼”，但迎亲嫁娶等礼俗依然存在。结婚前要担定婚茶、报日子、送聘金、定嫁妆。结婚时，男、女两家都要摆酒请客，女家摆酒用的肉米酒菜大多是男家出的。迎亲和送亲时，男方要用车队到女方家迎接新娘和亲友。摆酒时，新郎新娘向亲友敬酒，宾客也要回赠红包。传统的丧葬风俗多沿用古中原的传统，以土葬为主，1990 年后逐步实行火葬，其程序有：竖灵、收殓、引灵、接体、奠礼、出殡、火化、安葬等。清明祭祖时潭洲村曹氏族人一般都用烧肉或猪肉祭祖。

1925 年，该村与邻村发生姓氏纠纷，造成械斗。1965 年 2 月，参与兴建龙山官路唇电动排水站，1965 年冬建成，是佛冈县第一批兴建的电排站之一，装机 2 台，共 110 千瓦。1984 年 5 月 30 日，遭遇龙卷风及冰雹袭击，经济受到一定损失。

（资料填报：黄丽娟，初稿撰写：黄丽娟，总纂：李协湖）

○白沙塘行政村

拳头岭村

◎ 拳头岭村村貌（摄于 2016 年）

拳头岭村，位于龙山镇西南部，距镇政府 3.2 千米。该村始建于清末，由清远县滘一乡（今佛冈县龙山镇）镇华村廖氏族人分支迁移而形成。清末，镇华村廖氏分支，部分村民搬出镇华村，其中 7 户 30 多人来到滘江边建村，因村附近有座山岭形状如拳头，故取名为拳头岭村。

该村坐落于丘陵地带，村中地势平坦，溪流自东向西流至不远处的滘二河，流经该村河长约 500 米。村庄坐西北向东南，东与西洋村连接，南与镇华村接壤，西紧背靠鹿头山，北面与滘江相望。

清朝时期，该村属清远县滘一乡。民国时期，属清远县滘江区仁安乡。中华人民共和国成立初期，属清远县第六区白沙塘乡。1958 年 7 月，第六区（今龙山镇）划归佛冈县辖，属佛冈县白沙塘乡。1958 年 10 月，属从化县滘江人民公社白沙塘大队。1959 年 5 月，属从化县龙山人民公社白沙塘大队。1961 年 5 月，属佛冈县龙山人民公社白沙塘大队。1983 年 12 月，属龙山区白沙塘乡。1987 年 1 月，属龙山镇白沙塘行政村。1989 年 11 月，属龙山镇白沙塘管理区。1994 年 1 月，属龙山镇白沙塘管理区。1998 年 11 月，属龙山镇白沙塘行政村至今。

世居村民为廖姓。据《廖氏族谱》记载，明中期，世祖崇德公从浙江一带经江西迁徙到广东南雄珠玑巷，后迁移从化区神冈，明末再迁到清远滘江一带，定居后建成镇华村（曾用名白沙塘村）。清末，镇华村廖氏分支搬迁至该地。

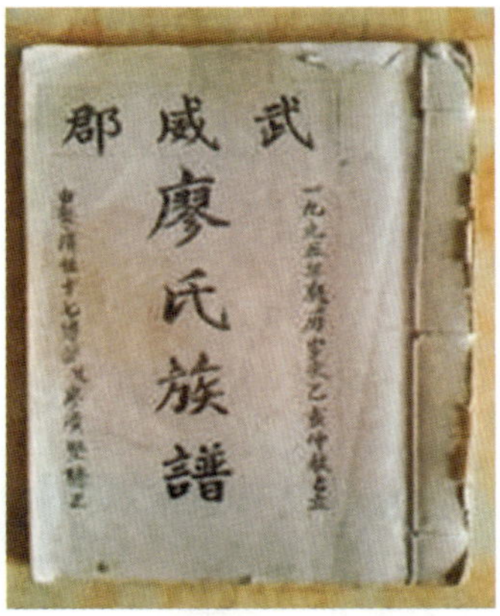

◎《廖氏族谱》（摄于 2016 年）

2015 年末，户籍人口 129 人，其中男性 61 人，女性 68 人；80 岁以上 5 人，村中最年长者 97 岁（女）。实际在村居住人口 118 人。生活主要依靠农业收入的有 118 人，常年在城镇生活和打工的有 11 人。非户籍

◎ 春耕时村民采用抛秧新技术（摄于 2016 年）

外来人口 13 人。村民均为汉族，广府民系，使用粤方言。

传统经济以农业为主，耕地面积 14.33 公顷，山地面积 9.2 公顷。主要作物有水稻、番薯、木薯、花生、大豆等。现多种植水稻为主，兼种番薯、花生等作物。特色农产品有沙糖桔、土薯。传统食品有炒米饼、艾糍、咸肉粽、油角、咸糖环等。20 世纪 80 年代以后，大部分青壮年外出打工。村民主要收入来源为农业收入，务工工资收入等。

村于 1975 年通电，1983 年通电话，2006 年通网络和有线电视，2009 年全村道路基本实现水泥硬底化。县道 X017 线经过该村，现村中除建有垃圾收集池，还在收集方便的地方设置垃圾桶。

传统民居现存 5 座，建于清末及民国时期。房屋依村道一旁而建，村落呈“丰”字形布局，村道为中轴线，房屋基本分布在村道一边，排列整齐有序。旧民居均为单间平房排列，其建筑为硬山顶，盖灰瓦，红砖砌成的墙体。20 世纪 80 年代开始，村民陆续在传统民居的四周建造钢筋混凝土结构楼房，大部分村民迁入楼房居住，传统民居大多已闲置或堆放杂物。

◎ 拳头岭村民居（摄于 2016 年）

逢年过节，村民祭拜廖氏宗祠。廖氏宗祠位于白沙塘村（今镇华村），始建于清同治年间，建筑占地面积 356.9 平方米。

传统婚嫁习俗中的中原古制“六礼”，有部分习俗在该村仍然存在，如“睇家风”、拣日子、送聘礼、结婚迎亲，送彩礼、三朝回门等。传统丧葬风俗庄严繁杂，多沿用古中原的传统，以土葬为主。1990 年后逐步实行火葬，其程序包括竖灵、收殓、引灵、接体、奠礼、出殡、火化、安葬，其中家族守孝，至亲戴孝，“头七”等依然存在。逢年过节，该村的村民都到相邻的镇华村中廖氏宗祠参拜，大家同属崇德公的子孙。

◎ 村民祭拜廖氏宗祠（摄于 2016 年）

村中至今保留中原文化流传下来的一部分习俗。节令习俗有：春节前的祭灶、岁末守岁、张贴春联；春节的开门迎福和拜年；正月十五元宵节闹元宵；清明节祭祖扫墓；端午节裹粽子祭河神；中秋节团圆赏月；九月重阳节登高；冬至晒腊肉等。该村是一条新建自然村、人口和土地较少，所以村中没有宗祠。逢年过节，村民和白沙塘村全体廖氏村民都集中在镇华村的“廖氏宗祠”烧香祈拜，尤其是添丁的人家，都会在祠堂设宴宴请村民庆贺。

1969 年冬，兴建龙山白沙塘大堤。1971 年 4 月，龙山白沙塘电动排水站建成，装机 1 台 80 千瓦，后调为 130 千瓦。1975 年冬，进行改河造田，大搞农田基本建设，改造农田 10 多亩。

该村的廖桂洲（1954—），曾任韶关市史志办副主任。徐碧莲（廖桂洲妻）（1952—），曾任韶关市政协教科文卫专委副主任。

（资料填报：邓俊杰，初稿撰写：邓俊杰，总纂：李协湖）

水口村

◎ 水口村村貌（摄于 2016 年）

水口村，位于龙山镇西南部，距镇政府 3 千米。该村始建于民国初期，由清远县浛一乡（今佛冈县龙山镇）镇华村部分梁氏、廖氏族人搬迁而形成。民国初期，龙山车步水口村一部分村民来到此地，并选择在浛二河畔建村。村落建成后，村民沿用原来的村名，同时因村庄位于河畔，故取名为水口村。后来镇华村的部分梁氏、廖氏分支逐步迁入，原来车步水口村的村民又迁回原籍老家居住。1990 年前后，部分村民因担心附近防洪堤（1971 年建）有决堤危险，又搬到东排等地居住。

该村坐落于丘陵地带，村中地势平坦，溪流自东向西流向不远处的浛二河，流经该村约 1000 米。村庄坐西北向东南，村东连接一片田畴，村南和村西紧靠镇华村，北面连接县道 X017 线。

民国时期，该村属清远县浛江区仁安乡。中华人民共和国成立初期，属清远县第六区白沙塘乡。1958 年 7 月，第六区（今龙山镇）划归佛冈县辖，属佛冈县白沙塘乡。1958 年 10 月，佛冈县并入从化县，属从化县浛江人民公社白沙塘大队。1959 年 5 月，属从化县龙山人民公社白沙塘大队。1961 年 5 月，佛冈由从化县分出，属佛冈县龙山人民公社白沙塘大队。1983 年 12 月，属龙山区白沙塘乡。1987 年 1 月，属龙山镇白沙塘行政村。1989 年 11 月，属龙山镇白沙塘管理区。1994 年 1 月，属龙山镇白沙塘管理区。1998 年 11 月，属龙山镇白沙塘行政村至今。

◎《梁氏宗谱》（摄于 2016 年）

世居村民为梁氏和廖氏两姓。梁姓，据《梁氏族谱》记载，始世太祖聚华公由从化鳌头岐坑（田）村迁居清远浛江龙山镇华村（曾用名白沙塘村）东门居住，民国初期其中一部分搬迁到该地。廖姓，据《廖氏族谱》记载，世祖崇德公从浙江一带经江西迁徙到广东南雄珠玑巷，后迁移从化神冈，明末再迁到清远浛江一带，定居后建成镇华村。1982 年，镇华村廖氏分支，一部分族人搬迁至此地。

◎ 春耕时村民采用抛秧新技术（摄于 2016 年）

2015 年末，户籍人口 257 人，其中男性 131 人，女性 126 人；80 岁以上 6 人，村中最年长者 89 岁（女）。实际在村居住人口 218 人。生活主要依靠农业收入有 218 人，常年在城镇生活和打工有 39 人。非户籍外来人口 13 人。祖籍该村香港同胞 23 人，澳门同胞 12 人，台湾同胞 15 人。村民均为汉族，广府民系，使用粤方言。

传统经济以农业为主，耕地面积 10.6 公顷，山地面积 24.07 公顷，主要作物有水稻、番薯、木薯、花生、大豆等。禽畜主要饲养有鸡、鸭、鹅、猪、牛等，渔业养殖有四大家鱼。现多种植水稻为主，兼种番薯、花生等作物。特色农产品有湛江大鲩鱼。村中有多口鱼塘，养殖大鲩鱼，其肉质爽脆可口，性不燥不凉。每逢节日，远近村民都到该村购买鲩鱼。传统食品有炒米饼、艾糍、咸肉粽、油角、咸糖环等。20 世纪 80 年代以后，大部分青壮年外出打工。村民主要收入来源为农业收入、外出务工工资收入等。

◎ 水口村传统民居（一）（摄于 2016 年）

村于 1975 年通电，1983 年通电话，2006 年通网络和有线电视，2009 年全村道路基本实现水泥硬底化。2015 年，村中建有垃圾收集池，还在收集方便的地方设置垃圾桶。

传统民居现存 5 座，建于民国时期。房屋依村道两旁而建，旧民居建筑为硬山顶，盖灰瓦，红砖砌成的墙体。20 世纪 80 年代开始，村民陆续在旧民居的四周建造钢筋混凝土楼房，大部分村民迁入楼房居住，传统民居大多已闲置或堆放杂物。

村中梁姓修有《梁氏族谱》，由族人梁启辰于 2012 年整理编纂。族谱分为序言、梁氏简说、梁氏世代后人简历。廖姓修有《廖氏族谱》序言、廖氏简介、廖氏世代后人和祠堂等记录。

廖氏宗祠位于白沙塘村（今镇华村），建成于清同治年间，建筑占地面积 356.9 平方米。祠堂坐南向北，面阔 11.7 米，进深 30.5 米，高度为 6.8 米。三进二天井，砖木结构，青砖墙，盖灰瓦，博古脊，属硬山顶。头门前门额石匾上刻“廖氏宗祠”。门檐额木雕精美，天井地面石砖铺地，石柱与木柱相结合，屋顶有形制独特的灰塑。第三进中间有神台。祠堂内保存有部分木雕和壁画。总体布局基本完整，木架结构十分稳固，具有鲜明的岭南建筑特色。2012 年被录入佛冈县不可移动文物名录。

传统婚嫁习俗中保留的中原古制“六礼”，有部分习俗在该村仍然存在，如“睇家风”、拣日子、送聘礼、结婚迎亲、送彩礼、三朝回门等。水口村传统丧葬风俗庄严繁杂，多沿用古中原的传统，以土葬为主。1990 年后逐步实行火葬，其程序包括竖灵、收殓、引灵、接体、奠礼、出殡、火化、安葬，其中家族守孝，至亲戴孝，“头七”等依然存在。

主要习俗有正月初十上灯、十六落灯和清明祭祖等。该村是一条新建自然村、人口和土地较少，所以村中没有学校和宗祠。过年过节时，水口村的梁氏村民到升平横石或到镇华村的“梁氏宗祠”烧香祈拜，而水口村的廖氏村民和白沙塘行政村全体廖氏村民都集中在镇华村的“廖氏宗祠”烧香祈拜，尤其是添丁的人家，都会在祠堂设宴宴请村民庆贺。

◎ 水口村传统民居（二）（摄于2016年）

1969年冬，该村与邻村兴建龙山白沙塘大堤，动用3000多人用约2个月时间，建成一条长2千米，高4米的大堤。1971年4月，龙山白沙塘电动排水站建成，装机1台80千瓦，后调为130千瓦。

该村的梁启尤（1940—），曾任佛冈县副县长。梁启顺（1936—），曾任广州市公安局东山区（现越秀区）分局局长。梁清泉（1963—），现任广东省公安厅安全科科长。梁沛英（1977—），女，现任佛冈县水头镇党委书记，2002年被评为清远市优秀共产党员，2012年被广东省妇女联合会评为“婆媳和睦幸福一家——广东百名好媳妇”。

（资料填报：邓俊杰，初稿撰写：邓俊杰，总纂：李协湖）

镇华村

◎ 镇华村村貌（摄于 2016 年）

镇华村，位于龙山镇西南部，距镇政府约 3 千米。该村始建于明末，由从化、南海等地迁入而形成。据《广州地名志》记载，该村建在滘江河畔，由于到处都是白沙，且有两口大水塘，故取名为白沙塘村。1944 年，改名为镇华村。

该村坐落于丘陵地带，村中地势平坦，依山傍水。村落坐南向北，东相邻水口庄，南靠大芒山，西连接乐格旧围，北与滘江相望。县道 X017 线从村前通过。东北方向的滘江自东向西流入北江，流经该村河长约 2000 米。

清朝时期，该村属清远县滘一乡。民国时期，属清远县滘江区仁安乡。中华人民共和国成立初期，属清远县第六区白沙塘乡。1958 年 7 月，第六区（今龙山镇）划归佛冈县辖，属佛冈县白沙塘乡。1958 年 10 月，佛冈县并入从化县，属从化县滘江人民公社白沙塘大队。1959 年 5 月，属从化县龙山人民公社白沙塘大队。1961 年 5 月，佛冈由从化县分出，属佛冈县龙山人民公社白沙塘大队。1983 年 12 月，属龙山区白沙塘乡。1987 年 1 月，属龙山镇白沙塘行政村。1989 年 11 月，属龙山镇白沙塘管理区。1994 年 1 月，属龙山镇白沙塘管理区。1998 年 11 月，属龙山镇白沙塘行政村至今。

世居村民为廖姓、招姓、严姓、梁姓、刘姓、黄姓。廖氏，廖崇德及其后裔先从浙江迁入江西，再迁至广东南雄珠玑巷，明中期迁至从化神冈，明末到清远滘江一带定居于该地。招氏，根据其族谱记载，招德峰于明嘉靖年间，旅居清远滘江地区，携梁、朱二氏太安人至白沙塘建家立业。严氏，有一部分是严世德自元初在其子硕端州爹村入南海土明龙，

◎ 镇华村门楼（摄于 2016 年）

后来迁居于该地；另一部分于清嘉庆年间，严左郎来到该地定居。梁氏，宋末从中原迁广东南雄珠玑巷到三水再到荔枝湾，最后到清远湛江白沙塘村镇华村。刘氏，据刘氏种福堂（族谱）记载，原刘氏太祖刘源明，经福建到广东兴宁经从化，到今佛冈县龙山、龙南、关前，最后由其后裔刘敬吾在白沙塘定居。

2015年末，户籍人口1163人，其中男性580人，女性583人；80岁以上26人，村中最年长者90岁（男）。实际在村居住人口716人。生活主要依靠农业收入有716人，常年在城镇生活和打工447人。祖籍该村香港同胞65人，澳门同胞23人，台湾同胞25人。村民均为汉族，广府民系，使用粤方言。

传统经济以农业为主，耕地面积31.27公顷，山林面积126.67公顷，主要作物有水稻、番薯、木薯、花生、大豆等。现以种植水稻为主，兼种番薯、花生等作物。特色农产品有沙糖桔、大薯。传统节庆食品有炒米饼、艾糍、咸肉粽、油角等。特色小吃有咸糖环。咸糖环是该村春节必备的特色小吃，形状大环套小环，环环相扣。主要材料是粘米粉或糯米粉。制作时，将粘米粉或糯米粉加入清水和适量的盐，搓成软泥状糍团，然后搓条状，并组成圆环相扣形状，最后放入油锅炸成金黄色，即可食用，味道香脆可口。过年过节时用其招待客人、馈送亲朋，兼且满足自己的口福。20世纪80年代以后，大部分青壮年外出打工。村民主要收入来源为农业收入，外出务工收入等。

村于1975年通电，1983年通电话，2006年通网络和有线电视，2009年全村道路基本实现水泥硬底化。村中的交通便利，县道X017线经过该村，现村中除建有垃圾收集池外，还在收集方便的地方设置垃圾桶，卫生环境得到改善。

该村是一个历史悠久的自然村落。据村中老人讲述，清朝时期，该村有东、南、西、北4座门楼，四周筑有围墙，围墙设有炮眼，村中还有一座炮楼，用于放哨和防御外贼入侵。7口水塘分布在村周围，现存北门及水塘4口 。村内呈棋盘形布局，巷道纵横交错，13横11纵贯通全村。房屋为广府式形制，四房一厅，两廊一天井布局。其建筑为硬山顶，龙船脊，盖灰瓦，墙体用青砖砌成，门窗均由花岗岩石板镶嵌，结构非常坚固。现存旧民居30多座，每座占地建筑120多平方米。20世纪80年代后，村民在旧民居周围建造钢筋混凝土楼房，大部分村民搬入新居，传统民居现已闲置或堆放杂物。

村内建有廖氏宗祠、招氏宗祠、世德严公祠、梁氏宗祠，其中廖氏宗祠、招氏宗祠、世德严公祠保留较为完整。

廖氏宗祠是白沙塘村廖氏族人于清同治年间为祀奉祖先而建。祠堂坐南向北，面阔11.7米，进深30.5米，高度为6.8米，占地建筑面积356平方米。三进二天井，砖木结构，青砖墙，盖灰瓦，博古脊，属硬山顶。头门前门额石匾上刻“廖氏宗祠”。门檐

◎ 春节期间村民制作糖环（2016年）

◎ 廖氏宗祠（摄于2016年）

额木雕精美，天井地面石砖铺地，石柱与木柱相结合，屋顶有形制独特的灰塑。第三进中间有神台。祠堂内保存有部分木雕和壁画。总体布局基本完整，木架结构十分稳固，具有鲜明的岭南艺术风格，对于研究佛冈县的祠堂文化具有重要的参考价值。该祠堂于 2012 年被录入佛冈县不可移动文物名录。

招氏宗祠建成于清同治年间。宗祠坐南向北，面阔 11.7 米，进深 28.6 米，高度为 5.8 米，建筑占地面积 335 平方米。三进两廊二天井格局，砖木结构，青砖墙，盖灰瓦，博古脊，属硬山顶。头门前的门额石匾上刻“招氏宗祠”，落款为“同治岁次丁卯年、仲夏吉日重修立”。门檐额木雕精美，天井地面石砖铺地，石柱与木柱相结合，屋顶有形制独特的灰塑。第三进中间有神台。宗祠内保存有部分木雕和壁画，总体布局基本完整，木架结构十分稳固，具有鲜明的岭南艺术风格，对于研究佛冈县的祠堂文化具有重要的参考价值。该祠堂于 2012 年被录入佛冈县不可移动文物名录。

◎ 招氏宗祠（摄于 2016 年）

世德严公祠建成于清代中期。祠堂坐南向北，面阔 13.3 米，进深 19.9 米，高 6 米。占地建筑面积 265 平方米。总体布局基本完整，二进一天井格局，砖木结构，青砖墙，盖灰瓦，龙船脊，属硬山顶。头门前的门额处有一块“世德严公祠”的石匾，门檐额木雕精美。天井地面石砖铺地，石柱与木柱相结合。第二进中间有神台。屋内保存有部分木雕和壁画。祠堂布局合理，木架结构稳固，具有鲜明的

◎ 世德严公祠（摄于 2016 年）

岭南艺术风格，对研究祠堂文化和当地族群历史人文情况有一定价值。该祠堂于 2012 年被录入佛冈县不可移动文物名录。

梁氏宗祠位于白沙塘村（现镇华村），占地建筑面积约 150 平方米。祠堂坐南向北。泥砖结构，盖灰瓦，一进一天井。

《廖氏族谱》由廖广坚于 1995 年纂修，记录崇德公及其后裔从浙江经多个地方来到龙山镇白沙塘的经过及其家族成员情况。《招仁寿堂族谱》于 2006 年纂修，记录德峰公于明嘉靖年间，旅居清远滘江俭积赀财，遂携梁、朱二氏太安人至白沙塘建家立业及其后裔家族成员情况。《严氏宗史》由严氏宗史编辑部于 1993 年修，记录世德公自元初在其子硕端州豸村入南海土明龙，后来迁居于清远滘江此地定居及其后裔家族成员情况。

传统婚嫁习俗中的中原古制“六礼”，有部分习俗在该村仍然存在，如“睇家风”、拣日子、送聘礼、结婚迎亲，送彩礼、元月初十上灯、元月十六落灯、三朝回门等。传统丧葬风俗庄严繁杂，多沿用古中原的传统，以土葬为主。1990 年后逐步实行火葬，其程序包括竖灵、收殓、引灵、接体、奠礼、出殡、火化、安葬，其中家族守孝，至亲戴孝，“头七”等习俗依然存在。逢年过节，镇华村的村民都到各自宗祠烧香祈拜，尤其是添丁的人家，都会在祠堂设宴，宴请父老乡亲。

该村闹元宵特别隆重热闹。闹元宵是在正月十六，一直至今。闹元宵有一个重要民俗活动就是“斗

◎ 镇华村闹元宵（摄于 2016 年）

炮”。廖、招、严、梁四大姓氏村民主动捐款购买鞭炮，并把鞭炮悬挂于祠堂屋檐。正月十六那晚，醒狮拜完祠堂后，村民们就开始放鞭炮，鞭炮声震耳欲聋，烟雾袅袅，一直持续到凌晨十二点。四大姓氏就会在此刻“斗”谁家的鞭炮最多，谁家来年的运气就最好。据说，这个民俗早在明末清初就开始流传下来的。该村的闹元宵“斗炮”活动，不仅吸引到附近村民参与，而且吸引外地朋友前来观看，越来越受到大家的欢迎。

村中有廖矮与大庙神斗法的民间传说。廖矮（原名廖道宗）原是龙山镇一道士，经过多年学艺，对打斋、送丧颇有点名气。一次，水头地区有一个财主的父亲死了，要请他去打斋治邪。来人问他要多少报酬，他说不用什么报酬，装满手中牛角（道具）的谷子就算了。来人觉得很便宜，认为一把牛角最多只能装三五斤谷子，故不作还价就答应了。殊不知，廖矮想趁此机会捞取财主多点油水。临行前，他叫妻子腾出五间谷仓，准备装谷。丧事办完后，廖矮叫财主兑现报酬，他双手握住牛角，财主的家丁打开谷仓，将谷子往牛角里灌，三仓谷已经放完，却总不见牛角装满。家丁即向财主汇报：“老爷，我们已经放掉三个仓的谷子，还没装满道士的牛角。”财主说：“胡说，天下哪有这么大的一把牛角？继续给我灌，一直灌到满为止。”谁知廖矮施用法术，谷子都往河里流去了，成了一条壮观的谷线，直指廖矮自家的谷仓。但是，当装满第四仓时，突然停止了，牛角灌满。原来是吉河大庙的菩萨看见门前河里长长的一条谷线时，立即鸣钟升堂念经一算，便知是龙山道士廖矮施法玩弄水头财主所为，这太不合理了，于是菩萨也施法，立即改变河里的谷线方向，流向白沙塘村。当时白沙塘村是一块贫困地，农民过着牛马不如的生活，大庙菩萨想趁此机会，救济当地的穷人，便叫乡人空出四间谷仓。四间谷仓装满后，廖矮的牛角自然装满。廖矮知道是大庙菩萨“作怪”，一时怒气冲天，扬言要把大庙砸烂。当他回家经过大庙时，找到大庙菩萨，不问三七二十一，便动起武来，一口气打了十几个回合，最后廖矮招架不住，败阵而逃。只见他摇身变成一条鲤鱼，跳进河里，游水直下。这时，大庙菩萨则变成一只大鸬鹚，沿河直追。当鲤鱼游至三门马迹潭时，想浮水抬头看个究竟，鸬鹚一咀啄去，鲤鱼一个摆尾，没被啄着，鸬鹚的咀却给弄歪了。据说，因此现在的鸬鹚都是弯咀的。廖矮斗法失败，变鲤鱼脱险后，回家闭关苦练法术，欲与大庙菩萨一决高下。七七四十九天后，廖矮出关挑战大庙菩萨，无奈法术还是有限，始终斗不过大庙菩萨。后来，大庙菩萨慈悲为怀，不计前嫌，在大庙神坛身边“左青龙”的位置给廖矮留了一位，廖矮也弃恶从善，甘心服务庇佑百姓。

1969 年冬，该村与邻村兴建龙山白沙塘大堤，动用 3000 多人用约 2 个月时间，建成一条长 2 千米，高 4 米的大堤。1971 年 4 月，龙山白沙塘电动排水站建成，装机 1 台 80 千瓦，后调为 130 千瓦。

该村的廖信猷（1930—），民国时期曾任广东黄埔军校文书一职。

（资料填报：邓俊杰，初稿撰写：邓俊杰，总纂：李协湖）

西阳村

◎ 西阳村村貌（摄于 2016 年）

西阳村，位于龙山镇西南部，距镇政府 3.2 千米。该村始建于 1958 年，由清远县潖一乡（今佛冈县龙山镇）镇华村廖氏分支搬迁而形成。据村中老人讲述，该村村民是从镇华村迁出，先在黄家庄村居住，后来到该地建村，因村庄面向西边太阳，故取名为西阳村。

该村坐落于丘陵地带，村中地势平坦，交通便利，县道 017 线从村前通过。村庄坐东向西，东与黄家庄相邻，南紧靠拳头岭，西连接龙山镇旧墟，北与潖江相望。

该村形成时，属佛冈县白沙塘乡。1958 年 10 月，佛冈县并入从化县，属从化县潖江人民公社白沙塘大队。1959 年 5 月，属从化县龙山人民公社白沙塘大队。1961 年 5 月，佛冈由从化县分出，属佛冈县龙山人民公社白沙塘大队。1983 年 12 月，属龙山区白沙塘乡。1987 年 1 月，属龙山镇白沙塘行政村。1989 年 11 月，属龙山镇白沙塘管理区。1994 年 1 月，属龙山镇白沙塘管理区。1998 年 11 月，属龙山镇白沙塘行政村至今。

世居村民为廖姓。据《廖氏族谱》记载，明中期，世祖廖崇德从浙江一带经江西迁入广东南雄珠玑巷。后来搬迁到从化神岗，再从从化区神岗迁徙到清远潖江一带，定居在白沙塘村（今镇华村）。由于人口迅增，镇华村部分廖氏村民于 1958 年搬迁到大芒山脚镇华村对面建西阳村，定居后繁衍生息至今。

2015 年末，户籍人口 138 人，其中男性 67 人，女性 71 人；80 岁以上 3 人，村中最年长者 87 岁（女）。实际在村居住 108 人。生活主要依靠农业收入 108 人，常年在城镇生活和打工 30 人。村民均为汉族，广府民系，使用粤方言。

传统经济以农业为主，耕地面积 8.8 公顷，山地面积 11.2 公顷，主要作物有水稻、番薯、木薯、花生、大豆等。现以种植水稻为主，兼种番薯、花生等作物。特色美食为潖江大鲩鱼。该村地处潖江下游，水域辽阔，水质优良，水域为沙质底，其蕴养大鲩鱼，味道鲜美，肉质爽脆，无污染，无泥味，广受食客追捧。传统食品有炒米饼、艾糍、咸肉粽、油角、咸糖环等。20 世纪 80 年代以后，大部分青壮年外出打工，村民主要收入来源为农业收入、务

◎ 西阳村鱼塘（摄于 2016 年）

工工资性收入等。

村于 1975 年通电，1983 年电话，2006 年通网络和有线电视，2009 年全村道路基本实现水泥硬底化。村中除建有垃圾收集池外，还在收集方便的地方设置垃圾桶。

民居依村道两旁而建。村落呈“丰”字形布局，村道为中轴线，房屋分布在村道两边，排列整齐有序。巷道 3 横 1 纵贯通全村。旧民居均为单间平房排列，其建筑为硬山顶，盖灰瓦，红砖砌成的墙体。传统民居现存 20 多间，每间占地建筑 30 多平方米。20 世纪 80 年代开始，村民陆续在传统民居的四周建造钢筋混凝土结构楼房，大部分村民迁入楼房居住，传统民居大多已闲置或堆放杂物。

◎ 西阳村传统民居（摄于 2016 年）

村与镇华村廖姓共用廖氏宗祠。宗祠位于白沙塘村（今镇华村），建成于清同治年间，建筑占地面积 356.9 平方米。祠堂坐南向北，面阔 11.7 米，进深 30.5 米，高度为 6.8 米。三进二天井，砖木结构，青砖墙，盖灰瓦，博古脊，属硬山顶。头门前门额石匾上刻“廖氏宗祠”。门檐额木雕精美，天井地面石砖铺地，石柱与木柱相结合，屋顶有形制独特的灰塑。第三进中间有神台。祠堂内保存有部分木雕和壁画。总体布局基本完整，木架结构十分稳固，具有鲜明的岭南建筑特色。2012 年被列入佛冈县不可移动文物名录。

◎ 廖氏宗祠石础（摄于 2016 年）

村修有《廖氏族谱》。该族谱由廖广坚于 1995 编纂。族谱收集广东各廖姓的分布和各自始祖发展历史。

村中至今保留一部分习俗。节令习俗有：春节前的祭灶、岁末守岁、张贴春联，春节的开门迎福和拜年，正月十五元宵节闹元宵，清明节祭祖扫墓，端午节裹粽子祭河神，中秋节团圆赏月，九月重阳节登高，冬至晒腊肉等。

在传统婚嫁习俗中，中原古制“六礼”在该村仍然存在，如“睇家风”、拣日子、送聘礼、结婚迎亲，送彩礼、三朝回门等。传统丧葬风俗庄严繁杂，多沿用古中原的传统，以土葬为主。1990 年后逐步实行火葬，其程序包括竖灵、收殓、引灵、接体、奠礼、出殡、火化、安葬，其中家族守孝，至亲戴孝，“头七”等依然存在。

1969 年冬，该村与邻村兴建龙山白沙塘大堤，动用 3000 多人用约 2 个月时间，建成一条长 2 千米，高 4 米的大堤。1971 年 4 月，龙山白沙塘电动排水站建成，装机 1 台 80 千瓦，后调为 130 千瓦。

（资料填报：邓俊杰，初稿撰写：邓俊杰，总纂：李协湖）

梁家庄村

◎ 梁家庄村村貌（摄于 2016 年）

梁家庄村，位于龙山镇西南部，距镇政府 3 千米。原村始建于 1933 年，后因洪水灾害择地重建。据村中老人讲述，1933 年从镇华村迁出到田中间村（又称梁家庄村），后因洪水灾害，于 1971 年搬迁到该地。因村民全部姓梁，故取名为梁家庄村。

该村坐落于丘陵地带，村中地势平坦，村前的潖二河自东向西流入潖江，流经该村河长约 1000 米。村庄坐西北向东南，东与西洋村连接，南与拳头岭村接壤，西紧背靠鹿头山，北与潖江相望。

民国时期，原村属清远县潖江区仁安乡。中华人民共和国成立初期，属清远县第六区白沙塘乡。1958 年 7 月，清远县第六区（今龙山镇）划归佛冈县辖，属佛冈县白沙塘乡。1958 年 10 月，佛冈县并入从化县，属从化县潖江人民公社白沙塘大队。1959 年 5 月，属从化县龙山人民公社白沙塘大队。1961 年 5 月，佛冈由从化县分出，属佛冈县龙山人民公社白沙塘大队。1983 年 12 月，属龙山区白沙塘乡。1987 年 1 月，属龙山镇白沙塘行政村。1989 年 11 月，属龙山镇白沙塘管理区。1994 年 1 月，属龙山镇白沙塘管理区。1998 年 11 月，属龙山镇白沙塘行政村至今。

世居村民为梁姓。据村中老人讲述，宋朝末期，梁氏族人从中原迁入广东南雄珠玑巷，后迁佛山三水，再迁广州荔枝湾，最后迁到清远潖江白沙塘镇华村。1933 年，梁氏族人分支，部分梁氏从镇华村迁到 2 千米处的田中间建村，村落建成后，取名为梁家庄村。后因经历几次洪水灾害，于 1971 年搬迁到地势较高的地方建村，村名仍用梁家庄村。原在 1933 年建的梁家庄现已荒废。

2015 年末，户籍人口 180 人，其中男性 97 人，女性 83 人；80 岁以上 5 人，村中最年长者 88 岁（男）。实际在村居住人口 158 人。生活主要依靠农业收入的有 158 人，常年在城镇生活和打工的有 22 人。非户籍人口 18 人。村民均为汉族，广府民乡，使用粤方言。

传统经济以农业为主，耕地面积 7.2 公顷，山地面积 5.73 公顷，主要粮食作物有水稻、番薯，经济作物有木薯、花生、大豆、花生等。禽畜养殖有鸡、鸭、鹅和猪、牛等。渔业以蓄水养殖四大家鱼为主。特色农产品有沙糖桔、潖江草鱼。传统节庆食品有炒米饼、

◎ 特色美食龙山云吞（摄于 2016 年）

◎ 梁家庄旧门楼（摄于 2016 年）

艾糍、咸肉粽、油角、咸糖环等。特色美食为云吞。龙山云吞是佛冈驰名的风味小食。馅料以当地土猪瘦肉为主，兼有少量肥肉，加入鸡蛋清、鲜虾仁、葱末及其他秘制佐料制成，皮是选用精面粉，采用竹竿人工反复碾压而成极薄的皮；汤是选用猪骨或牛骨加上章鱼等配料熬制。正宗的龙山云吞的特点是肉多、皮薄、汤靓，口感爽滑、鲜嫩、味香。20 世纪 80 年代以后，大部分青壮年外出打工。村民主要收入来源为农业收入，外出务工工资性收入等。

村于 1975 年通电，1983 年通电话，2006 年通网络和有线电视，2009 年全村道路基本实现水泥硬底化。村中的交通便利，乡道 X017 线经过该村，现村中除建有垃圾收集池，还在收集方便的地方设置垃圾桶，村里的卫生环境得到改善。

传统民居现存 6 座，始建于民国时期。房屋依村道两旁而建，村落呈“丰”字形布局，村道为中

◎ 梁家庄村旧民居（摄于 2016 年）

◎ 春节期间村民购买春联（2016 年）

轴线，房屋基本分布在村道一边，排列整齐有序。旧民居建筑为硬山顶，盖灰瓦，红砖砌成的墙体。20 世纪 80 年代开始，村民陆续在旧民居的四周建造钢筋混凝土结构楼房，大部分村民迁入楼房居住，传统民居大多已闲置或堆放杂物。

梁氏宗祠位于白沙塘村（今镇华村），建筑占地面积约 150 平方米。祠堂坐南向北，二进一天井布局。建筑特色为硬山顶，盖灰瓦，博古脊，青砖墙。头门前的门额石匾上刻“梁氏宗祠”字样。门檐额木雕精美，天井地面石砖铺地，石柱与木柱相结合，屋顶有形制独特的灰塑。第二进中间有神台。宗祠内保存有部分木雕和壁画，总体布局基本完整，木架结构十分稳固，具有鲜明的岭南艺术风格。

在传统婚嫁习俗中，中原古制“六礼”在该村还是有部分习俗仍然存在，如“睇家风”、拣日子、送聘礼、结婚迎亲，送彩礼、三朝回门等。传统丧葬风俗庄严繁杂，多沿用古中原的传统，以土葬为主。1990 年后逐步实行火葬，其程序包括竖灵、收殓、引灵、接体、奠礼、出殡、火化、安葬，其中家族守孝，至亲戴孝，“头七”等依然存在。

村中至今保留中原文化流传下来的一部分习俗。节令习俗有：春节前的祭灶、岁末守岁、张贴春联；春节的开门迎福和拜年；正月十五元宵节闹元宵；清明节祭祖扫墓；端午节裹粽子祭河神；中秋节团圆赏月；九月重阳节登高；冬至晒腊肉等。

1969 年冬，参与兴建龙山白沙塘大堤，历时约 2 个月时间，才建成一条长 2 千米，高 4 米的大堤。1971 年 4 月，龙山白沙塘电动排水站建成，装机 1 台，80 千瓦，后调为 130 千瓦。1971 年，村民陆续搬迁形成新的梁家庄村。

该村的梁务生（1929—），曾在西北大学任教。梁均雄（1932—），曾在广州白云区教育局任职。

（资料填报：邓俊杰，初稿撰写：邓俊杰，总纂：李协湖）

黄家庄村

◎ 黄家庄村村貌（摄于 2016 年）

黄家庄村，位于龙山镇西南部，距镇政府 3.2 千米。该村始建于清中期，由清远县吉河乡西田堡桂田村（今佛冈县水头镇桂田村）黄姓族人搬迁而形成。据村中老人讲述，开村始祖黄荣力于清雍正九年（1731 年）从吉河乡西田堡桂田村来到清远滘江滘一乡（今佛冈县龙山镇白沙塘）帮人耕种，后来发展当地的一间厂（四九厂），定居下来繁衍生息。因该村村民姓黄，故取名为黄家庄村，曾用名为四九厂村。

该村坐落于丘陵地带，村中地势平坦。村庄坐南向北，村东是山坡地，村南连接龙山镇旧圩，村西与西洋村接壤，北面与滘江相望。县道 X376 线（民龙公路）从村旁经过。

清朝时期，该村属清远县滘一乡。民国时期，属清远县滘江区仁安乡。中华人民共和国成立初期，属清远县第六区白沙塘乡。1958 年 7 月，第六区（今龙山镇）划归佛冈县辖，属佛冈县白沙塘乡。1958 年 10 月，佛冈县并入从化县，属从化县滘江人民公社白沙塘大队。1959 年 5 月，属从化县龙山人民公社白沙塘大队。1961 年 5 月，佛冈由从化县分出，属佛冈县龙山人民公社白沙塘大队。1983 年 12 月，属龙山区白沙塘乡。1987 年 1 月，属龙山乡白沙塘行政村。1989 年 11 月，属龙山乡白沙塘管理区。1994 年 1 月，属龙山镇白沙塘管理区。1998 年 11 月，属龙山镇白沙塘行政村至今。

世居村民为黄姓。据龙山镇《黄氏族谱》和黄荣力第六代传人黄炳照于 1985 年开始记录的黄家庄《黄氏家谱》记载，宋朝末期，黄氏族人从江西迁入广东南雄珠玑巷，后迁梅州、南海等地。明洪武元年（1368 年），黄胜（六峰公）从顺德迁入吉河乡（今佛冈县水头镇）定居。黄氏后裔黄荣力从水头桂田来到龙山白沙塘当时的四九厂村帮人耕种，后在该地建村，取名黄家庄村。

2015 年末，户籍人口 99 人，其中男性 50 人，女性 49 人；80 岁以上 3 人，最年长者 81 岁（女）。实际在村居住人口 83 人。生活主要依靠农业收入的有 83 人，常年在城镇生活和打工的有 16 人。村民均为汉族，广府民系，使用粤方言。

传统经济以农业为主，耕地面积 7.33 公顷，山地面积 5.73 公顷，主要作物有水稻、番薯、木薯、花生、大豆等。现以种植水稻为主，兼种番薯、花生等作物。

特色农产品土薯。该村出产的大薯个大皮薄，有健脾止泻，益肺滋肾，解毒敛疮等功效。能有效加速消化吸收，对清理肠胃好。传统节庆食品有炒米饼、艾糍、咸肉粽、油角、咸糖环等。特色美食为云吞。龙山云吞是佛冈驰名的风味小食。馅料以当地土猪瘦肉为主，兼有少量肥肉，加入鸡蛋清、鲜虾仁、葱末及其他秘制佐料制成，皮是选用精面粉，采用竹竿人工反复碾压而成极薄的皮；汤是选用猪骨或牛骨加上章鱼等配料熬制。正宗的龙山云吞的特点是肉多、皮薄、汤靓，口感爽滑、鲜嫩、味香。20 世纪 80 年代以后，大部分青壮年外出打工。村民主要收入来源为农业收入，外出务工收入等。

村于 1975 年通电，1983 年通电话，2006 年通网络和有线电视，2009 年全村道路基本实现水泥硬底化。村中的交通便利，省道 S252 线经过该村。村中除了建有垃圾收集池外，还在收集方便的地方设置垃圾桶，村里的卫生环境进一步好转。

传统民居现存 8 座，始建于清末及民国时期。房屋依村道一旁而建，村落呈“丰”字形布局，村道为中轴线，房屋基本分布在村道一边，排列整齐有序。旧民居建筑为硬山顶，盖灰瓦，红砖砌成的墙体。20 世纪 80 年代开始，村民陆续在旧民居的四周建造钢筋混凝土结构楼房，大部分村民迁入楼房居住，传统民居大多已闲置或堆放杂物。

◎ 黄家庄村前的公路大桥（摄于 2016 年）

◎ 黄家庄传统民居（摄于 2016 年）

村修有《黄氏家谱》，由黄荣力第六代传人黄炳照于 1985 年开始记录。家谱记录黄氏后裔黄荣力从水头桂田来到龙山白沙塘（当时的四九厂）村帮人耕种，后来择地建村和后裔婚嫁等情况。

村中至今保留中原文化流传下来的一部分习俗。节令习俗有：春节前的祭灶、岁末守岁、张贴春联；春节的开门迎福和拜年；正月十五元宵节闹元宵；清明节祭祖扫墓；端午节裹粽子祭河神；中秋节团圆赏月；九月重阳节登高；冬至晒腊肉等。

传统婚嫁习俗中保留的中原古制“六礼”，在该村有部分习俗仍然存在，如“睇家风”、拣日子、送聘礼、结婚迎亲，送彩礼、三朝回门等。该村传统丧葬风俗庄严繁杂，多沿用古中原的传统，以土葬为主。1990 年后逐步实行火葬，其程序包括竖灵、收殓、引灵、接体、奠礼、出殡、火化、安葬，其中家族守孝，至亲戴孝，“头七”等习俗依然存在。

1969 年冬，参与兴建龙山白沙塘大堤，建成一条长 2 千米，高 4 米的大堤，该村的农田及村庄得到保护。1971 年 4 月，龙山白沙塘电动排水站建成，装机 1 台 80 千瓦，后调为 130 千瓦，灌溉该村农田 100 多亩。

（资料填报：邓俊杰，初稿撰写：邓俊杰，总纂：李协湖）

○良塘行政村

大 围

◎ 大围村貌（摄于 2016 年）

大围，位于龙山镇西部，距镇政府约 12 千米。该村始建于清初，由花都高氏及从化李氏分支搬迁而形成。由于村域面积在当地所有村落中最大，故取名为大围。

该村坐落于丘陵地带，村落坐西向东，东邻良塘村委，西望大罗洲，南靠雁鹰嘴山，北为滘江。滘江自东向西流入北江，流经该村河长 1000 米。

清朝时期，该村属清远县滘一乡。民国时期，属清远县滘江区仁安乡。中华人民共和国成立初期，属清远县第六区良塘乡。1958 年 7 月，清远县第六区（今龙山镇）划归佛冈县辖，属佛冈县良塘乡。1958 年 10 月，佛冈县并入从化县，属从化县滘江人民公社良塘大队。1959 年 5 月，属从化县龙山人民公社良塘大队。1961 年 5 月，属佛冈县龙山人民公社良塘大队。1983 年 12 月，属龙山区良塘乡。1987 年 1 月，属龙山镇良塘行政村。1989 年 11 月，属龙山镇良塘管理区。1994 年 1 月，属龙山镇良塘管理区。1998 年 11 月，属龙山镇良塘行政村至今。

世居村民有高姓、李姓。据《良塘高氏族谱》记载，明代，高氏族人从南雄珠玑巷迁至佛山南海大沥村，后又从南海大沥迁至花都洋河，清初，从花都洋河迁至该地。据《李安厚堂族谱》记载，明代，李氏族人从南雄珠玑巷迁至从化县大坳村，1932 年，李氏族人由大坳村分村迁至该地。

2015 年末，户籍人口 1077 人，其中男性 542 人，女性 535 人；80 岁以上 10 人，最年长者 97 岁（女）。实际居住人口 952 人，留守儿童 11 人。生活主要依靠农业收入 925 人，常年在城镇生活和打工的有 125 人。祖籍该村的香港同胞 25 人。村民均为汉族，广府民系，使用粤方言。

村有耕地面积 37.27 公顷，山地面积 63 公顷。传统经济以农业为主，主要作物有水稻、番薯、木薯、花生、果树等。现多种植水稻、番薯、花生、蔬菜等，以个体经营为主，产值较低。传统食品有春节的糖环、油角、炒米饼，清明节的艾糍，端午节的咸肉粽等。20 世纪 90 年代后期，村民逐步扩种沙糖桔。

◎ 大围门楼（摄于 2016 年）

◎ 广全高公祠（摄于 2016 年）

2011 年种植沙糖桔面积达 400 多亩，总产值 200 多万元。2013 年起，沙糖桔产业衰退，村民改种其他果树。同时，有农户办起猪场，饲养温氏猪。传统食品有白切鸡、酱油鸭、焖鹅、粽子等。传统美食为香芋焖乌鬃鹅。该村产的乌鬃鹅，一般每只重 3 千克左右，鹅肉质嫩而不肥。制作时，先将整只光鹅用文火焗至半熟，调好佐料，再用切块香芋垫底，慢慢焖熟，切件后便可上席。1990 年以后，部分青壮年外出打工。村民主要收入来源为农业收入、外出务工工资收入。

村于 1981 年通电，1990 年通电话，2010 年通网络，2009 年村道实现水泥硬底化。村中建有垃圾收集站等。

传统民居现存传统民居 30 多座，建于清代及民国时期。建筑年代距今 200 年以上的有 8 座。民居为硬山顶、盖灰瓦、青砖墙体。铺石街，面积大约在 110 平方米。也有部分单间砖瓦房（俗称围水屋）。村庄坐东南向西北，房屋由 4 纵巷 5 横排组成，每横排 4 间房。1990 年以后，村民兴建钢筋混凝土结构楼房。楼房多为三房一厅一厨一卫布局。占地面积为 80—110 平方米，大部分居民迁入楼房居住。传统民居大多已闲置或堆放杂物。

村修有《李安厚堂族谱》，由族人李泽民于 1949 年重修。据《李安厚堂族谱》记载，李氏始祖分为四房，族谱详细地记载四房所有男丁的生辰八字。李氏族人十分重视长幼有序，李氏族辈序歌为：“祖泽承司理，宗功启伯阳，传家丕绪广，保世本源长，钟毓皆兰玉，贻留有义方，福由明德积，庆自太和彰，南国麟祥兆，西平骏业昌，慎修思父大，繁衍迪前光。”有高氏族谱《良塘高氏族谱》，由族人高公昌、高天义共同纂修。

村中有两座宗祠，分别是李氏宗祠和广全高宗祠。李氏宗祠坐南朝北，墙体用红砖砌筑，寓意着李氏族人的生活红红火火。门口由两条大柱子支撑，大门外两旁有个大石墩。琉璃瓦屋顶，双龙戏珠屋脊。大门两侧刻有对联：“展鸿图八方进宝；创大业万里生辉”，横批“大展鸿图”。广全高宗祠距离李氏宗祠不足 10 米，也是坐南向北，墙体用青砖砌筑，建筑风格基本与李氏宗祠相同，体现两族和谐共处，文化相同。与李氏宗祠的区别在于宗祠屋脊有花纹雕塑。

◎ 李氏宗祠（摄于 2016 年）

村的北面有一座古石桥。该桥建于清代，为八礅九跨石梁桥，南北走向，全长 44.3 米、宽 1.14 米、高 1.9 米、孔跨 3.9 米。桥面由三排九段花岗岩石条

◎ 大围古石桥（摄于2016年）

拼接而成，石条长4.6米、宽0.38米、厚0.22米。桥墩用九层梭形花岗岩石叠砌，前后分水尖伸出0.4米，最宽处0.7米，最窄处0.4米。20世纪70年代农田建设时期，人们围河造田，水流逐渐减少。该桥跨度较大，现整体保存完好。

传统习俗有元宵上灯，俗称男孩出生为“添丁”，因“丁”与“灯”谐音，为此在元宵节到祠堂“上灯”，表示祝贺。上灯是族人的喜事，上灯活动大致分为迎灯、接灯、摆放供品、挂灯等程序，体现出祈求人丁兴旺的心愿，显示出族人和谐共处的景象。

传统婚嫁习俗中的中原古制“六礼”，在该村已很少见到，但结婚前要担定婚茶、报日子、送聘金、定嫁妆等习俗依然存在。结婚时，男、女两家都要摆酒请客，女家摆酒用的肉米酒菜大多是男家筹备。迎亲和送亲时，男方要用车队上女方家迎接新娘和亲友。摆酒时，新郎新娘向亲友敬酒，宾客也要回赠红包。传统丧事以土葬为主，1990年以后逐步实行火葬。其过程为举丧、入殓、送葬、做法事，将亡灵牌位送入祠堂。举丧时，尽可能不用电话而要登门报丧。死者外家前来吊唁，事主家必须到门前跪接，前来吊丧送爆竹纸钱以悼念死者。办丧事只煮白饭、花菜、黄豆煮猪肉等简单饭菜，用餐不坐高台凳，拆下主家门板放地上当饭台，以表哀痛。完丧次日，亲友要回访事主家。

1970年12月，兴建龙山良塘大堤，建成长4.8千米的大堤；1973年春，兴建良塘电动排水站，装机2台，260千瓦。1997年5月，受暴雨天气影响和北江水倒灌顶托，良塘大堤溃决30多米，滘江水涌入村庄，水深达5—6米，受灾农田600多亩，其中失收500多亩，经济损失50多万元。

该村的高良谦（1900—1950），在国民党清远县政府任职，曾任二永乡乡长。

（资料填报：谭亚冰，初稿撰写：谭亚冰，总纂：李协湖）

粮头埔村

◎ 粮头埔村村貌（摄于 2016 年）

粮头埔村，位于龙山镇西部，距镇政府约 8 千米。该村始建于明初，由几个姓氏迁入聚居而形成。该村建成后，曾取名为龙头埔村。因当地村民传言，“朱”（谐音猪）不可入“笼”（谐音龙），猪要有粮吃，才又肥又壮，故改名为粮头埔村。

该村坐落于丘陵地带，地势低洼。村落坐南向北，东与榕树头村相接，南靠旱冚山，西与良塘小学相邻，北为潖江。潖江自东向西流入北江，流经该村河长 1000 米。

该村形成时，属清远县潖江乡。清朝时期，该村属清远县潖一乡。民国时期，属清远县潖江区仁安乡。中华人民共和国成立初期，属清远县第六区良塘乡。1958 年 7 月，第六区（今龙山镇）划归佛冈县辖，属佛冈县龙山乡。1958 年 10 月，佛冈县并入从化县，属从化县潖江人民公社良塘大队。1959 年 5 月，属从化县龙民公社良塘大队。1961 年 5 月，佛冈由从化县分出，属佛冈县龙山人民公社良塘大队。1983 年 12 月，属龙山区良塘乡。1987 年 1 月，属龙山镇良塘行政村。1989 年 11 月，属龙山镇良塘管理区。1998 年 11 月，属龙山镇良塘行政村至今。

世居村民为朱姓、高姓、汪姓、李姓。朱姓，据《贵文祖粮头埔朱家族谱》记载，朱氏族人因战乱从浙江雾县迁至广东南雄珠玑巷，后迁至番禺流溪村，再迁至广州起义路，明初迁至良塘粮头埔村。高姓，据《良塘高氏族谱》记载，高氏族人从南雄珠玑巷迁至佛山南海大沥，又从南海大沥迁至花都洋河，清朝时期，从花都洋河迁至良塘村大围，后有一部分从大围搬出在粮头埔居住。汪姓，中华人民共和国成立初期汪氏跟随母亲改嫁从关前搬迁至

◎《粮头埔村朱家族谱》（摄于 2016 年）

该村居住。李姓，据《李安厚堂族谱》记载，明代李氏族人从南雄珠玑巷迁至从化大坳村，1932 年李氏族人分房，一部分散落在良塘，有一分支在良塘大围村居住，而后又有部分人从大围搬出到粮头埔村居住。

2015 年末，户籍人口 415 人，其中男性有 203 人，女性有 212 人；80 岁以上 7 人，村中最年长者 95 岁（男）。实有居住人口 387 人，留守儿童 5 人。生活主要依靠农业收入 387 人，常年在城镇居住和打工的 28 人。村民均为汉族，广府民系，使用粤方言。

村有耕地面积 15.07 公顷，山地面积 24.8 公顷。传统经济以农业为主，主要作物有水稻、番薯、木薯、花生、大豆等。现多种植水稻、番薯、花生、香芋，以个体经营为主，产值较低。传统食品有春节的糖环、油角、炒米饼，清明节的艾糍，端午节的咸肉粽等。传统美食为香芋焖乌鬃鹅。该村产的乌鬃鹅，一般每只重 3 千克左右，鹅肉质嫩而不肥。制作时，先将原只光鹅用文火焗至半熟，调好佐料，再用切块香芋垫底，慢慢焖熟，切件后便可上席。20 世纪 90 年代后期，村民逐步扩种沙糖桔。2011 年种植沙糖桔面积达 250 多亩，总产值 100 多万元。2013 年起，沙糖桔产业衰退，村民改种其他果树。同时，有农户办起养羊场，饲养黑山羊。1990 年以后，部分青壮年外出打工。村民主要收入来源为农业收入，外出务工人员为工资性收入。

◎ 村民养殖的黑山羊（摄于 2016 年）

村于 1981 年通电，1990 年通电话，2007 年村道实现水泥硬底化，2012 年通网络。

良塘小学于 1999 年从大围搬到该村地域。2000 年 3 月，广州市恒生集团董事长朱培坤捐资 160 万元重建良塘小学，兴建教学楼。2015 年，该校开设 6 个教学班，在校学生 160 多人，教职工 10 人。

传统民居现存 20 多座，建筑年代距今 200 年以上的有 10 多座。门楼坐西南向东北，围屋呈“回”字形，房屋排列比较整齐。2 横 6 纵的巷道，每一纵有 6 栋广府式正座，前后相连。围墙留有炮眼，用以抵御外敌入侵。民居建筑为硬山顶、盖灰瓦、青砖墙体，鹅卵石铺成的巷道。每座占地面积 110 平方米，也有部分单间砖瓦房（俗称回水屋）。20 世纪 80 年代以后，村民在围房四周建造钢筋混凝土结构楼房。楼房多为三房一厅，一厨房，一卫生间布局，面积 80—110 平方米左右。大部分居民迁入楼房居住，传统民居大多已闲置或堆放杂物。

◎ 粮头埔村传统民居（摄于 2016 年）

村修有《贵文祖粮头埔朱家族谱》，是由族人朱世明于 1987 年重新修纂。根据族谱记载，粮头埔朱氏始祖为朱熹，传至五世祖源遂（字可达），由源遂之子季文于明洪武年间迁至龙山粮头埔。该村李氏与大围李氏同宗同源，族谱《李安厚堂族谱》由族人李泽民于 1949 年重修。

在传统婚嫁习俗中，中原古制“六礼”在该村已很少见到，但结婚前要担定婚茶、报日子、送聘金、定嫁妆等习俗依然存在。结婚时，男、女两家都要摆酒请客，女家摆酒用的肉米酒菜大多是男家筹备。

迎亲和送亲时，男方要用小汽车组成的车队上女方家迎接新娘和亲友。摆酒时，向亲友敬酒，宾客向新郎新娘回赠红包。发生丧事时，传统以土葬为主，1990 年以后逐步实行火葬。其过程为举丧、入殓、送葬、做法事，将亡灵牌位送入祠堂。举丧时，不能用电话而要登门向亲属报丧。死者外家前来吊唁，事主家必须到门前跪接，前来吊丧送爆竹、纸钱以悼念死者。办丧事只煮白饭、花菜、黄豆煮猪肉等简单饭菜，用餐不坐高台凳，拆下主家门板放地上当饭台，以表哀痛。完丧次日，亲友要回访事主家。

元宵上灯为该村的传统习俗，男孩出生为“添丁”,因“丁”与“灯”谐音,为此在元宵节到祠堂“上灯”，表示祝贺。上灯是族人的喜事，上灯活动大致分为迎灯、接灯、摆放供品、挂灯等程序，体现出祈求人丁兴旺的心愿，显示出族人和谐共处的景象。

1964 年，参加民安人民公社组织的公社造林大会战，种植树木 8 公顷；1975 年，进行改河造田，大搞农田基本建设，改造农田 0.8 公顷；1975 年，良塘受暴雨天气影响，良塘河堤决堤，洪水涌进潖江河良塘段，村庄、农田受浸。

该村的朱培坤（1962—），广州市恒生实业有限公司董事长。他热心佛冈公益事业，2000 年，捐资 160 万元重建良塘小学，兴建教学楼，为佛冈教育事业捐资办学作出较大贡献。

◎ 元宵节上灯（摄于 2016 年）

（资料填报：谭亚冰，初稿撰写：谭亚冰，总纂：李协湖）

大罗洲村

◎ 大罗洲村村貌（摄于 2016 年）

大罗洲村，位于龙山镇西部，距离镇政府约 15 千米。该村始建于 1932 年，由从化大坳村李氏族人分支搬迁而形成。因村位于滘江边田螺形的小洲上，故取名为大螺洲村，后来人们为书写方便，将“螺”字改写为“罗”字，而改名为大罗洲村。

该村坐落于丘陵地带，村庄坐南向北，村东与大围相邻，南与清新县高桥镇枫木冚村相邻，西紧靠黄口村，北与龙塘村相望。

民国时期，该村属清远县滘江区仁安乡。中华人民共和国成立初期，属清远县第六区良塘乡。1958 年 7 月，属佛冈县龙山乡。1958 年 10 月，佛冈县并入从化县，属从化县滘江人民公社良塘大队。1959 年 5 月，属从化县龙山人民公社良塘大队。1961 年 5 月，属佛冈县龙山人民公社良塘大队。1983 年 12 月，属龙山区良塘乡。1987 年 1 月，属龙山镇良塘行政村。1989 年 11 月，属龙山镇良塘管理区。1998 年 11 月，属龙山镇良塘行政村至今。

世居村民为李姓。根据《李安厚堂族谱》记载，明代李氏族人从广东南雄珠玑巷迁至从化县大坳村，1932 年李氏族人从从化大坳分支搬迁至良塘大围，而其中一分支在良塘大罗洲村居住。

2015 年末，户籍人口 281 人，其中男性 140 人，女性 141 人；80 岁以上 2 人，村中最年长者 85 岁（女）。实有居住人口 222 人，留守儿童 3 人。生活主要依靠农业收入 222 人，常年在城镇居住和打工的 59 人。村民均为汉族，广府民系，使用粤方言。

村有耕地面积 11.07 公顷，山地面积 16.67 公顷。传统经济以农业为主，主要作物有水稻、番薯、木薯、花生、大豆等。现以种植水稻、番薯、花生、蔬菜，以个体经营为主，产值较低。特色产品为滘江大鲩

◎ 大罗洲村鱼塘（摄于 2016 年）

鱼。该村地处潖江下游，水域辽阔，水质优良，水域为沙质底，所以其养殖的大鲩鱼，味道鲜美，肉质爽脆，无污染，无泥味，广受食客追捧。20世纪90年代后，村民逐步扩种沙糖桔。2011年种植沙糖桔面积达200多亩，总产值100多万元。2013年起，沙糖桔产业衰退，村民改种其他果树。同时，有的农户办起猪场，饲养温氏猪。2010年，清远联益公司在该村与高桥接壤的地方办起大规模养殖场。该养殖场占地近200公顷，其中属该村的土地60公顷，办有养猪、养鱼基地。生猪年出栏量7万多头，出售塘鱼5万千克，盈利500多万元。传统食品有艾糍、粽子、潖江醋、炒米饼、油角、糖环等。1990年以后，部分青壮年外出打工。村民主要收入来源为农业收入、务工工资收入等。

村于1960年通电，1990年通电话，2000年通网络，2008年村道实现水泥硬底化。村中建有垃圾收集站，村居卫生得到改善。村中建有文化室，并有文娱体育设施。

传统民居现存22座，建于民国期间。村落坐东南向西北，民居呈棋盘状布局，巷道5横4纵贯通全村，正座为两房一厅，两廊，一天井布局。每座正座占地面积大约110平方米，其建筑为硬山顶、盖灰瓦、青砖墙体，鹅卵石铺成的巷道，也有部分单间砖瓦房（俗称回水屋），1990年以后，村民在传统民居四周建造钢筋混凝土结构楼房。楼房布局多为三房一厅一厨一卫结构。面积80—110平方米左右。大部分居民迁入楼房居住，传统民居大多已闲置或堆放杂物。

◎ 大罗洲村李氏祖堂（摄于2016年）

村中李氏与大围李氏同用《李安厚堂族谱》。该族谱由族人李泽民编纂，于1949年重修。族谱

◎ 大罗洲村传统民居（摄于2016年）

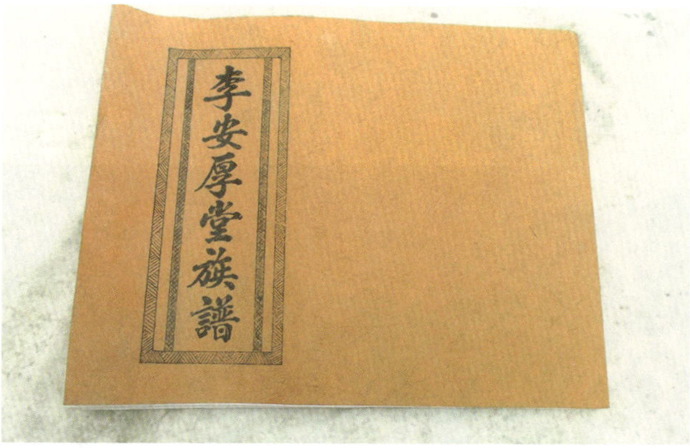

◎《李安厚堂族谱》（摄于 2016 年）

◎ 大罗洲村民迎亲（摄于 2016 年）

分为世系简图、李氏辈序、李氏渊源三部分。李氏始祖分为四房，族谱详细地记载四房所有男丁的生辰八字。李氏族人十分重视长幼有序，李氏族辈序歌为："祖泽承司理，宗功启伯阳，传家丕绪广，保世本源长，钟毓皆兰玉，贻留有义方，福由明德积，庆自太和彰，南国麟祥兆，西平骏业昌，慎修思父大，繁衍迪前光。"

传统节令习俗有：春节前的祭灶、岁末守岁、张贴春联；春节的开门迎福和拜年；正月十五元宵节闹花灯；清明节祭祖扫墓；端午节裹粽子祭河神；中秋节团圆赏月；九月重阳节登高等。正月初十为该村上灯日，男孩出生为"添丁"，因"丁"与"灯"谐音，为此在当天到祠堂"上灯"，表示祝贺。上灯活动大致分为迎灯、接灯、摆放供品、挂灯等程序。

传统婚嫁习俗中的中原古制"六礼"，在该村已很少见到，但结婚前要担定婚茶、报日子、送聘金、定嫁妆等习俗依然存在。结婚时，男、女两家都要摆酒请客，女家摆酒用的肉米酒菜大多是男家筹备。迎亲和送亲时，男方要用车队上女方家迎接新娘和亲友。摆酒时，新郎新娘向亲友敬酒，宾客要向新郎新娘回赠红包。发生丧事时，传统以土葬为主，1990 年以后逐步实行火葬。其过程为举丧、入殓、送葬、做法事，将亡灵牌位送入祠堂。举丧时，不能用电话而要登门报丧。死者外家前来吊唁，事主家必须到门前跪接，前来吊丧送爆竹纸钱以悼念死者。办丧事只煮白饭、花菜、黄豆煮猪肉等简单饭菜，用餐不坐高台凳，拆下主家门板放地上当饭台，以表哀痛。完丧次日，亲友要回访事主家。

1970 年 12 月，兴建龙山良塘大堤，建成长 4.8 千米的大堤。1973 年春，龙山良塘电动排水站建成运行，装机 2 台共 260 千瓦。1975 年，该村受暴雨天气影响，良塘段的河堤决堤，农田受浸，损失严重。

（资料填报：谭亚冰，初稿撰写：谭亚冰，总纂：李协湖）

格海村

◎ 格海村村貌（摄于 2016 年）

格海村，位于龙山镇西部，距镇政府 10 千米。该村始建于民国时期，由当地大围部分村民搬迁而形成。村落原址建在潖江堤旁，常患水灾，1974 年搬迁到离原村落 800 米左右地势较高的地方建村，原来的村落已荒废。由于该村离潖江不远，有隔海相望的意思（当地人称河为海），所以取名“隔海村”，后来改名为格海村。

该村坐落于丘陵地带，村落坐南向北，东邻幸福村，西接大围村，南靠白鹤岭，北为潖江。潖江自东向西流入北江，流经该村河长 500 米。

民国时期，该村属清远县潖江区仁安乡。中华人民共和国成立初期，属清远县第六区良塘乡。1958 年 7 月，属佛冈县龙山乡。1958 年 10 月，佛冈县并入从化县，属从化县潖江人民公社良塘大队。1959 年 5 月，属从化县龙山人民公社良塘大队。1961 年 5 月，属佛冈县龙山人民公社良塘大队。1983 年 12 月，属龙山区良塘乡。1987 年 1 月，属龙山镇良塘行政村。1989 年 11 月，属龙山镇良塘管理区。1994 年 1 月，属龙山镇良塘管理区。1998 年 11 月，属龙山镇良塘行政村至今。

世居村民有高姓、李姓、陈姓、梁姓、冯姓、周姓。高姓，据《良塘高氏族谱》记载，高氏族人从南雄珠玑巷迁至佛山南海大沥，后迁至花都洋河。清代迁至良塘村大围，民国时期有一部分从大围搬到格海居住。李姓，据《李安厚堂族谱》记载，明代李氏族人从南雄珠玑巷迁至从化大坳村，1932 年李氏族人分房，一部分散落在龙山关前，有一分支在良塘大围村居住，而后又有部分人从大围搬到格海村居住。梁姓，中华人民共和国成立初期，梁姓孤儿跟随老母亲改嫁从关前搬迁至此地。陈姓，民

◎《良塘高氏族谱》（摄于 2016 年）

国时期从清远江口搬迁至此地。冯姓，于明天顺年间，由从化沙贝村徙居清远滘江汤塘，而后有少部分人迁至良塘格海。周姓，民国时期，从清远江口搬迁至此地。

2015 年末，户籍人口 557 人，其中男性 287 人，女性 270 人；80 岁以上 8 人，村中最年长者 90 岁（男）。实有居住人口 427 人，留守儿童有 9 人。生活主要依靠农业收入 427 人，常年在外生活的有 130 人。村民均为汉族，广府民系，使用粤方言。

村有耕地面积 35.53 公顷，山地面积 35 公顷。传统经济以农业为主，主要作物有水稻、番薯、木薯、花生、大豆等。现多种植水稻、番薯、花生、芥菜，以个体经营为主，产值较低。特色产品为滘江大鲩鱼。该村地处滘江下游，水域辽阔，水质优良，水域为沙质底，所以其养殖的野生大鲩鱼，味道鲜美，肉质爽脆，无污染，无泥味，广受民众食客追捧，甚至以吃鱼及养鱼闻名的顺德人，也前来采购。传统食品有清明节的艾糍，端午节的咸肉粽，春节的糖环、油角、炒米饼等。20 世纪 90 年代后期起，村民逐步扩种沙糖桔。2011 年种植沙糖桔面积达 300 多亩，总产值 150 多万元。2013 年起，沙糖桔产业衰退，村民改种其他果树。同时，有的农户办起养鹅场。1990 年以后，部分青壮年外出打工。村民主要收入来源为农业收入，务工工资收入。

◎ 格海村民居一角（摄于 2016 年）

◎ 村民祭拜祖祠（摄于 2016 年）

村于 1981 年通电，1990 年通电话，2008 年村道实现水泥硬底化，2012 年通网络。

该村属于搬迁村。搬迁初期民居多属于砖木结构的瓦房，面积较小，单间 20—30 平方米。村落呈棋盘形布局，房屋排列整齐有序，巷道纵横交错贯通全村。20 世纪 90 年代以后，村民在旧民居四周建造钢筋混凝土结构楼房。楼房多为三房一厅，一厨房，一卫生间布局，面积 80—110 平方左右。大部分居民迁入楼房居住，传统民居大多已闲置或堆放杂物。

◎ 格海村种植的芥菜（摄于 2016 年）

村中高氏与大

围高氏同宗同源，族谱《良塘高氏族谱》，由族人高公昌、高天义共同纂修。该村李氏与大围李氏同宗同源，族谱《李安厚堂族谱》，由族人李泽民于1949年重修。

民间习俗多为广府人习俗的延续。主要有：舞狮、上灯、拜祠堂等。民间节日以春节、元宵节、清明节、端阳节、中秋节、冬至节等节为主。该村的正月初十为该村的上灯日，正月十五下灯。男孩出生为"添丁"，因"丁"与"灯"谐音，为此正月初十到祠堂"上灯"，表示祝贺。上灯活动大致分为迎灯、接灯、摆放供品、挂灯等程序，体现出祈求人丁兴旺的心愿，显示出族人和谐共处的景象。清明节期间，村民们都会带上烧鹅、艾糍、糖、饼等供品到先人坟前扫墓，为先人烧衣纸、放鞭炮，一家大小齐齐拜祭，让祖先保佑一家大小平安健康。

在传统婚嫁习俗中，中原古制"六礼"，在该村已很少见到，但结婚前要担定婚茶、报日子、送聘金、定嫁妆等习俗依然存在。结婚时，男、女两家都要摆酒请客，女家摆酒用的肉米酒菜大多是男家筹备。迎亲和送亲时，男方要用车队到女方家迎接新娘和亲友。摆酒时，新郎新娘向亲友敬酒，宾客要向新郎新娘回赠红包。发生丧事时，传统以土葬为主，1990年以后逐步实行火葬。其过程为举丧、入殓、送葬、做法事，将亡灵牌位送入祠堂。举丧时，不能用电话而要登门报丧。死者外家前来吊唁，事主家必须到门前跪接，前来吊丧送爆竹纸钱以悼念死者。办丧事只煮白饭、花菜、黄豆煮猪肉等简单饭菜，用餐不坐高台凳，拆下主家门板放地上当饭台，以表哀痛。完丧次日，亲友要回访事主家。正月初十为该村上灯日，男孩出生为"添丁"，因"丁"与"灯"谐音，为此在当天到祠堂"上灯"，表示祝贺。上灯活动大致分为迎灯、接灯、摆放供品、挂灯等程序。

1964年，组织村民开展造林大会战，种植树木5.3公顷。1975年，进行改河造田，大搞农田基本建设，改造农田0.67公顷。1975年，良塘受暴雨天气影响，良塘河堤决堤，洪水涌进滘江河良塘段，村庄农田受浸。

该村的周瑞芳（1935—），曾任广州市交通局局长。

（资料填报：谭亚冰，初稿撰写：谭亚冰，总纂：李协湖）

幸福村

◎ 幸福村村貌（摄于 2016 年）

幸福村，位于龙山镇西部，距镇政府约 10 千米。该村始建于 1994 年，因为良塘各村经常遭受洪水灾害，村民受社会捐助，并多方筹资而新建村落。村落建成后，村民向往幸福生活，而取名叫幸福村。

该村落坐南向北，东邻粮头埔村，南靠旱冚山，西接格海村，北为滘江。滘江自东向西流入北江，流经该村河长 500 米。

该村形成时，属佛冈县龙山镇良塘管理区。1998 年 11 月，属龙山镇良塘行政村至今。

世居村民有陈姓、李姓、高姓。陈姓族人于中华人民共和国成立初期，从清远江口搬迁至良塘格海，因受洪水灾害，于 1994 年受社会资助搬迁到幸福村。李姓，据《李安厚堂族谱》记载，明代李氏族人从南雄珠玑巷迁至从化大坳村，1932 年李氏族人分房，一部分散落在良塘，有一分支在良塘大围村居住，而后有部分人搬到良塘其他村，因受洪水灾害，于 1994 年受社会资助搬迁到幸福村。高姓，据《良塘高氏族谱》记载，高氏族人从南雄珠玑巷迁至佛山南海大沥，后迁至花都洋河，清代迁至良塘村大围，后有一部分从大围搬到良塘其他村，因受洪水灾害，于 1994 年受社会资助搬迁到幸福村。

2015 年末，户籍人口 95 人，其中男性 51 人，女性 44 人;80 岁以上 2 人，村中最年长者 94 岁（女）。实有居住人口 85 人，留守儿童 1 人。生活主要依靠农业收入 85 人，常年在城镇居住和打工的 10 人。村民均为汉族，广府民系，使用粤方言。

村有耕地面积 7.6 公顷，山地面积 5.8 公顷。传统经济以农业为主，主要作物有水稻、番薯、木薯、花生、大豆等。现多种植水稻、番薯、花生、冬瓜，以个体经营为主，产值较低。传统食品有清明节的

◎ 养鹅场（摄于 2016 年）

艾糍，端午节的咸肉粽，春节的糖环、油角、炒米饼等。20世纪90年代后期起，村民逐步扩种沙糖桔。2011年种植沙糖桔面积达100多亩，总产值50多万元。2013年起，沙糖桔产业衰退，村民改种其他果树。同时，村民办起养鹅场，年产量1万多只。1994年以后，部分青壮年外出打工。村民主要收入来源为农业收入，务工工资收入。

村于1994年通电、通电话，2009年村道实现水泥硬底化，2010年通网络，2015年，村中设有垃圾收集桶，村居卫生得到改善。

民居为钢筋混凝土结构楼房。民居坐南向北，村落呈棋盘状，由3条纵巷、6条横巷组成，巷道宽阔，楼房布局多为三房一厅一厨一卫结构。面积在80—110平方米左右。

◎ 幸福村新民居一角（摄于2016年）

李氏族人与大围村李氏同宗同源，李氏族谱《李安厚堂族谱》，由族人李泽民于1949年重修。根据《李安厚堂族谱》记载，李氏始祖分为四房，族谱详细地记载了四房所有男丁的出生生辰八字。李氏族人十分重视长幼有序，名字一般按照辈分来起，据《李安厚堂族谱》的李氏族辈序歌为："祖泽承司理，宗功启伯阳，传家丕绪广，保世本源长，钟毓皆兰玉，贻留有义方，福由明德积，庆自太和彰，南国麟祥兆，西平骏业昌，慎修思父大，繁衍迪前光。"该村高氏族人跟大围高姓同根同源，高氏族谱《良塘高氏族谱》由族人高公昌、高天义共同纂修。

◎ 春节期间的祭拜活动（摄于2016年）

传统节令习俗有：春节前的祭灶、岁末守岁、张贴春联；春节的开门迎福和拜年；正月十五元宵节上灯；清明节祭祖扫墓；端午节裹粽子祭河神；中秋节团圆赏月；九月重阳节登高等。

传统婚嫁习俗中的中原古制"六礼"，在该村已很少见到，但结婚前要担定婚茶、报日子、送聘金、定嫁妆等习俗依然存在。结婚时，男、女两家都要摆酒请客，女家摆酒用的肉米酒菜大多是男家筹备。迎亲和送亲时，男方要用车队到女方家迎接新娘和亲友。摆酒时，向亲友敬酒，宾客向新郎新娘回赠红包。发生丧事时，传统以土葬为主，1990年以后逐步实行火葬。其过程为举丧、入殓、送葬、做法事，将亡灵牌位送入祠堂。举丧时，不能用电话而要登门向亲属报丧。死者外家前来吊唁，事主家必须到门前跪接，前来吊丧送爆竹、纸钱以悼念死者。办丧事只煮简单饭菜，用餐不坐高台凳，拆下主家门板放地上当饭台，以表哀痛。完丧次日，亲友要回访事主家。

1994年，因为良塘各村受洪水灾害的影响，村民受社会捐助，并多方筹资择地建成幸福村。

（资料填报：谭亚冰，初稿撰写：谭亚冰，总纂：李协湖）

农场村

◎ 农场村村貌（摄于 2016 年）

农场村，位于龙山镇西南部，距镇政府约 13 千米。该村始建于 1968 年，由格海部分村民迁入而形成。因龙山人民公社在此办农场，后来在此劳作的村民逐渐建成村落，故取名为农场村。

该村坐落于丘陵地带，地势平坦。村落坐南向北，东邻格海村，南靠白牛仔岭，西接飞来峡镇林塘村，北连良塘大围。

该村形成时，属佛冈县龙山人民公社良塘大队。1983 年 12 月，属龙山区良塘乡。1987 年 1 月，属龙山镇良塘行政村。1989 年 11 月，属龙山镇良塘管理区。1998 年 11 月，属龙山镇良塘行政村至今。

世居村民为有高姓、周姓。高姓，据《良塘高氏族谱》记载，高氏族人从南雄珠玑巷迁至佛山南海大沥，又从南海大沥迁至花都洋河。清代从花都洋河迁至良塘村大围，后有一部分从大围搬出在格海村居住。周姓，1949 年从清远江口搬迁至龙山良塘格海村。1968 年，龙山人民公社置办农场，格海村部分高姓、周姓村民在此劳作，并搬迁至农场居住，逐渐建成村落。

2015 年末，户籍人口 310 人，其中男性 169 人，女性 141 人；80 岁以上 10 人，村中最年长者 95 岁（男）。实有居住人口 160 人，留守儿童 8 人。生活主要依靠农业收入 160 人，常年在城镇居住和打工的 150 人。祖籍该村的香港同胞 20 人。村民均为汉族，广府民系，使用粤方言。

村有耕地面积 8.2 公顷，山地面积 21.33 公顷。传统经济以农业为主，主要作物有水稻、番薯、木薯、花生、大豆等。禽畜主要饲养有鸡、鸭、鹅、猪、牛等，渔业养殖有四大家鱼。现多种植水稻为主，兼种番薯、花生等作物。传统经济以农业为主，主要作物有水稻、

◎ 农场村养鹅场（摄于 2016 年）

◎ 农场村饲养的水牛（摄于 2016 年）

番薯、木薯、花生、大豆等。现以种植水稻、番薯、花生、蔬菜，以个体经营为主，产值较低。特色农产品为龙山乌鬃鹅。传统食品有清明节的艾糍，端午节的咸肉粽、春节的糖环、油角、炒米饼等。20 世纪 80 年代后，大部分青壮年外出打工，村民主要收入来源为农业收入、外出务工工资收入等。

村于 1981 年通电，1990 年通电话，2008 年村道实现水泥硬底化，2012 年通网络。村中除了建有垃圾收集池外，还在收集方便的地方设置垃圾桶，村里的卫生环境得到改善。

村属于 20 世纪 60 年代后期形成的村落，距今 40 多年，没有传统的古民居，大部分属于砖木结构的单间平房，面积较小，每间约 30 平方米。民居排列整齐，巷道井井有条，村落规划较好。20 世纪 80 年代以后，村民开始建造钢筋混凝土结构楼房。楼房多为三房一厅，一厨房一卫生间布局，面积大约 80—110 平方米。大部分居民迁入楼房居住，砖木结构的民居大多已闲置或堆放杂物。

◎ 农场村传统民居（摄于 2016 年）

村中高氏与大围高氏同宗同源，族谱《良塘高氏族谱》由族人高公昌、高天义共同纂修。

民间传统习俗为元宵上灯。男孩出生为“添丁”，因“丁”与“灯”谐音，为此在元宵节到祠堂“上灯”，表示祝贺。上灯活动大致分为迎灯、接灯、摆放供品、挂灯等程序，体现祈求人丁兴旺的心愿，显示族人和谐共处的景象。

传统婚嫁习俗的中原古制“六礼”，在该村已很少见到，但结婚前要担定婚茶、报日子、送聘金、定嫁妆等习俗依然存在。结婚时，男、女两家都要摆酒请客，女家摆酒用的肉米酒菜大多是男家筹备。迎亲和送亲时，男方要用车队上女方家迎接新娘和亲友。摆酒时，向亲友敬酒，宾客向新郎新娘回赠红包。发生丧事时，传统以土葬为主，1990 年以后逐步实行火葬。其过程为举丧、入殓、送葬、做法事，将亡灵牌位送入祠堂。举丧时，不能用电话而要登门向亲属报丧。死者外家前来吊唁，事主家必须到门前跪接，前来吊丧送爆竹、纸钱以悼念死者。办丧事时只煮白饭、花菜、黄豆煮猪肉等简单饭菜，用餐不坐高台凳，拆下主家门板放地上当饭台，以表哀痛。完丧次日，亲友要回访事主家。

2008 年 1 月，由于受严重的霜冻影响，京港澳高速公路曾一度结冰封路，北方南下采购的车辆受阻，致使村中 13.33 公顷已成熟的沙糖桔冻烂，村民经济损失 100 多万元。

（资料填报：邹志樑，初稿撰写：邹志樑，总纂：李协湖）

旧 围

◎ 旧围村貌（摄于 2016 年）

旧围，位于龙山镇西部，距镇政府 4 千米。该村始建于明末，徐氏族人由从化分支搬迁而形成。因该村是乐格地域最古老的围村，故称为旧围。

该村坐落于丘陵地带。山岭有水冚山，高 400 多米。滘江河在村北流过，流经该村河长 1000 米。村庄坐西南向东北，东与白沙塘镇华村接壤，南靠水冚山，西与乐格村毗邻，北面与滘江相望。

该村形成时，属清远县滘一乡。民国时期，属清远县滘江区忠安乡。中华人民共和国成立初期，属清远县第六区乐格乡。1958 年 7 月，属佛冈县龙山乡。1958 年 10 月，佛冈县并入从化县，属从化县滘江人民公社乐格大队。1959 年 5 月，属从化县龙山人民公社乐格大队。1961 年 5 月，佛冈由从化县分出，属佛冈县龙山人民公社乐格大队。1983 年 12 月，属龙山区乐格乡。1987 年 1 月，属龙山镇乐格行政村。1989 年 11 月，属龙山镇乐格管理区。1998 年，属龙山镇乐格行政村。2005 年 5 月，乐格村并入良塘村委，属龙山镇良塘行政村至今。

世居村民为徐姓。南宋中期，徐氏族人由江西南昌迁入广东，先后从广东南雄珠玑巷移居至花都三华镇、从化龙潭石古岭，明末迁至该地。

2015 年末，户籍人口 134 人，其中男性 70 人，女性 64 人；80 岁以上 7 人，最年长者 91 岁（女）。实有居住人口 60 人，留守儿童 3 人。生活主要依靠农业收入 60 人，常年在城镇居住和打工的 74 人。村民均为汉族，广府民系，使用粤方言。

村有耕地面积 6.2 公顷，山地面积 40.6 公顷。传统经济以农业收入为主，主要作物有水稻、番薯、芋头、花生、木薯、大豆、蔬菜等。现以种植粮食作物、果树、蔬菜、经济林木为主。20 世纪 90 年代以后，

◎ 旧围村民种植的茄子（摄于 2016 年）

大部分青壮年外出打工。村民主要经济收入来源为：农业收入、务工性工资收入等。该村传统节庆食品有：咸糖环、油炸角、炒米饼，元宵节的汤圆，清明节的糯米艾糍，端午节的粽子，中秋节的月饼，湛江醋等。妇女生小孩坐月子时，有喝糯米甜酒，吃猪脚甜醋的习惯。

村于1975年通电，1996年通电话，2006年村内道路实现水泥硬底化，2012年通光纤网络。

传统民居现存传统民居10多座，建于清末及民国时期。村落坐西北向东南，呈棋盘形。4条横巷，8条纵巷贯通全村。房屋排列整齐，民居多为广府式，一厅、两房、两廊、一天井布局。中间为厅，左右两边为房，东廊为门廊，西廊为厨房。若两户人家合住，则东西两廊都作厨房，厨房门面向巷道。天井连接大厅，厅门通常由两扇厚重大门板构成，厅两侧有住房，因两房门面对大厅，称之为“两门归厅”，也有少数是“四门归厅”布局。传统民居的建筑为硬山顶，盖灰瓦，青砖墙体，每座占地建筑面积120平方米。20世纪80年代后，村民陆续在旧民居四周建造钢筋混凝土结构楼房，大部分村民住入楼房。传统民居现大多作放置杂物使用。

◎ 旧围民居一角（摄于2016年）

传统节令习俗有：春节前的祭灶、岁末守岁、张贴春联；春节的开门迎福和拜年；正月十五元宵节上灯；清明节祭祖扫墓；端午节裹粽子祭河神；中秋节团圆赏月；九月重阳节登高等。村民有元宵上灯习俗。古代称男孩出生为“添丁”，因“丁”与“灯”谐音，为此在元宵节到祠堂“上灯”，表示祝贺。上灯是族人的喜事，上灯活动大致分为迎灯、接灯、

◎ 旧围村民在春节期间开展文艺活动（摄于2016年）

摆放供品、挂灯等程序，体现出祈求人丁兴旺的心愿，显示出族人和谐共处的景象。

传统婚嫁习俗中的中原古制“六礼”，在该村现已很少见到，但结婚前要担定婚茶、报日子、送聘金、定嫁妆等风俗依然存在。结婚时，要摆酒请客，男、女两家都要摆，女家摆酒用的肉米酒菜大多是男家筹备。迎亲和送亲时，男方要用车队上女方家迎接新娘和亲友。摆酒时，新郎新娘向亲友敬酒，宾客向新郎新娘回赠红包。发生丧事时，传统以土葬为主，1990年以后逐步实行火葬。其过程为举丧、入殓、送葬、做法事，将亡灵牌位送入祠堂。举丧时，不能用电话而要登门报丧。死者外家前来吊唁，事主家必须到门前跪接，前来吊丧送爆竹纸钱以悼念死者。办丧事时只煮白饭、花菜、黄豆煮猪肉等简单饭菜，用餐不坐高台凳，拆下主家门板放地上当饭台，以表哀痛。完丧次日，亲友要回访事主家。

1964年，组织村民造林大会战，种植松树、杉树等林木8公顷。1970年12月，兴建龙山良塘大堤，建成长4.8千米的大堤。1975年，进行改河造田，大搞农田基本建设，改造农田0.67公顷。1975年，该村受暴雨天气影响，良塘段的河堤决堤，农田受浸，损失很大。

（资料填报：邹志樑，初稿撰写：邹志樑，总纂：李协湖）

乐格村

◎ 乐格村村貌（摄于 2016 年）

乐格村，位于龙山镇西部，距镇政府 5 千米。该村始建于明末，由南雄珠玑巷徐氏族人搬迁而形成。因村地处滘江下游，故取名为乐格村。

该村坐落于丘陵地带，地势低洼。村落坐西南向东北，东面是旧围村，南面紧靠将军头山，西面是粮头埔村，北面是达清辽村。附近山岭有将军头山，高 500 米。滘江在村前流过，流经该村河长 4000 米。

该村形成时，属清远县滘一乡。民国时期，属清远县滘江区仁安乡。中华人民共和国成立初期，属清远县第六区乐格乡。1958 年 7 月，属佛冈县龙山乡。1958 年 10 月，属从化县滘江人民公社乐格大队。1959 年 5 月，属从化县龙山人民公社乐格大队。1961 年 5 月，属佛冈县龙山人民公社乐格大队。1983 年 12 月，属龙山区乐格乡。1987 年 1 月，属龙山镇乐格行政村。1989 年 11 月，属龙山镇乐格管理区。1998 年，属龙山镇乐格行政村。2005 年 5 月，乐格村并入良塘村，属龙山镇良塘行政村至今。

◎ 乐格门楼（摄于 2016 年）

世居村民为徐姓。南宋中期，徐氏族人由江西南昌迁入广东南雄珠玑巷。元代从南雄珠玑巷先后移居至花都三华、从化龙潭石古岭、清远县滘一乡（今佛冈县龙山镇）白沙塘。明末再迁至该地，其后代在乐格村繁衍生息，至今已有 400 多年。

2015 年末，户籍人口 765 人，其中男性 377 人，女性 388 人；80 岁以上 51 人，最年长者 94 岁（女）。实有居住人口 500 人，留守儿童 10 人。生活主要依靠农业收入 500 人，常年在城镇居住和打工的 265 人。村民均为汉族，广府民系，使用粤方言。

村有耕地面积 39.33 公顷，山地面积 40 公顷。传统经济以农业为主，粮食作物主要种植水稻。经济作物有番薯、芋头、花生、木薯、大豆等。现多

◎ 乐格村饲养的水牛（摄于 2016 年）

◎ 乐格村传统民居（摄于 2016 年）

种植粮食作物、果树、经济林木。水产养殖业以蓄水养殖四大家鱼为主，禽畜养殖有鸡、鸭、鹅、猪、牛、羊等。该村养猪专业户 5 户，年饲养量 800 多头。养鸡专业户 3 户，年饲养量 15000 多只。养鹅专业户 5 户，年饲养量 6000 多只。全村养殖水牛 150 多头，羊 400 多只。养鱼专业户 2 户，年产量 5 万千克。传统节庆食品有：春节的咸糖环、油炸角、炒米饼，元宵节的汤圆，清明节的糯米艾糍，端午节的粽子，中秋节的月饼。妇女生小孩坐月子时，有喝糯米甜酒，吃猪脚煲湛江醋的习惯。20 世纪 80 年代以后，大部分青壮年外出打工，村民主要经济收入来源为：农业收入、务工工资收入等。

村于 1975 年通电，2006 年通电话，同年实现道路硬底化，2008 年在将军头山引自来水接入家家户户，2012 年通网络。

传统民居现存传统民居 50 多座，建于清末及民国时期。村落坐西北向东南，呈棋盘形。5 条横巷，18 条纵巷贯通全村。房屋排列整齐，民居多为广府式结构，一厅、两房、两廊、一天井。中间为厅，左右两边为房，东廊为门廊，西廊为厨房。若两户人家合住，则东西两廊都作厨房，厨房门面向巷道。天井连接大厅，厅门通常由两扇厚重大门板构成，厅两侧有住房，有些是“两门归厅”，也有少数是“四门归厅”结构。其建筑为硬山顶，盖灰瓦，青砖墙体，每座占地面积 120 平方米。20 世纪 80 年代后，村民陆续在旧民居四周建造钢筋混凝土结构楼房，大部分村民住入新楼房。传统民居现大多作放置杂物使用。

徐氏祠堂为光远堂，始建于 1928 年。2015 年

◎ 乐格村光远堂（摄于 2016 年）

◎ 乐格村百年古榕（摄于 2016 年）

重修，占地面积 150 平方米。祠堂为两进布局，前为走廊，后为大厅，中间为天井。该村古建筑保存良好的有乐格牌坊，其建筑为硬山顶，盖灰瓦，青砖墙体。牌坊写有显眼的乐格两字，是此村的标志性建筑。村内主干道边有两棵大榕树，枝繁叶茂，树干需 8 人环抱，树龄已有 300 多年。

传统婚嫁习俗中的中原古制“六礼”，在该村现已很少见到，但结婚前要担定婚茶、报日子、送聘金、定嫁妆的习俗仍然存在。结婚时，男、女两家都要摆酒请客，女家摆酒用的肉米酒菜大多是男家筹备。迎亲和送亲时，男方要用车队上女方家迎接新娘和亲友。摆酒时，新郎新娘向亲友敬酒，宾客要给新郎新娘回赠红包。发生丧事时，传统以土葬为主，1990 年以后逐步实行火葬。其过程为举丧、入殓、送葬、做法事，将亡灵牌位送入祠堂。举丧时，不能用电话而要登门报丧。死者外家前来吊唁，事主家必须到门前跪接，前来吊丧送爆竹纸钱以悼念死者。办丧事时只煮白饭、花菜、黄豆煮猪肉等简单饭菜，用餐不坐高台凳，拆下主家门板放地上当饭台，以表哀痛。完丧次日，亲友要回访事主家。

民间习俗为元宵上灯，男孩出生为“添丁”，因“丁”与“灯”谐音，为此在元宵节到祠堂“上灯”，表示祝贺。上灯活动大致分为迎灯、接灯、摆放供品、挂灯等程序，体现祈求人丁兴旺的心愿，显示族人和谐共处的景象。

1934 年 11 月，清湛公路（后改为省道 S354 线）由源潭至龙山段通车。该公路从村前通过，是佛冈最早修建的公路之一。1970 年 12 月，兴建龙山良塘大堤，建成长 4.8 千米的大堤。1973 年春，龙山良塘电动排水站建成运行，装机 2 台共计 260 千瓦。1999 年 2 月 28 日，村中发生 17 头耕牛中毒事件，其中 5 头死亡，县有关部门组织人员进行抢救，其余的 12 头痊愈。2008 年 1 月，受低温阴雨及冰冻影响，村里 20 公顷已成熟的沙糖桔冻烂在树上，村民经济损失 150 万元。

该村的徐榕根（1921—1949），革命烈士，1949 年 11 月 28 日土匪袭击龙山区公所时牺牲。徐镜全（1949—），1987 年 3 月起当选佛冈县第八届、第九届、第十一届人大代表，并是第八届、第九届佛冈县人大常委会委员，曾当选清远市第三届人大代表。徐润权（1969—），中学高级教师，现任教于佛冈中学。

（资料填报：邹志樑，初稿撰写：邹志樑，总纂：李协湖）

达清辽村

◎ 达清辽村村貌（摄于 2016 年）

达清辽村，位于龙山镇西部，距镇政府 6 千米。该村始建于清末，由清远县江口东坝渔罗炮村张氏族人分支搬迁而形成。因张达清来到滘江河畔种甘蔗，置办糖厂，逐渐建成村落，为纪念开村始祖张达清，故取名为达清辽村。

该村坐落于滘江北岸，地势低洼。村庄坐西南向东北，东接黄塱凤洲村，南靠滘江边，西与关前河田船厂村接壤，北与关前中间辽村相连。滘江自东向西在村的南面流入北江，流经该村河长 1000 米。该村距良塘村委并不远，但隔着滘江，附近没有桥梁，村民到村委办事需绕道经凤洲大桥，路程长达 10 千米。如要渡河，坐简易的小木艇过渡。

清朝时期，该村属清远县滘一乡。民国时期，属清远县滘江区忠安乡。中华人民共和国成立初期，属清远县第六区乐格乡。1958 年 7 月，清远县第六区（今龙山镇）划归佛冈县管辖，属佛冈县龙山乡。1958 年 10 月，佛冈县并入从化县，属从化县滘江人民公社乐格大队。1959 年 5 月，属从化县龙山人民公社乐格大队。1961 年 5 月，佛冈由从化县分出，属佛冈县龙山人民公社乐格大队。1983 年 12 月，属龙山区乐格乡。1987 年 1 月，属龙山镇乐格行政村。1989 年 11 月，属龙山镇乐格管理区。1998 年 11 月，属龙山镇乐格行政村。2005 年 5 月，乐格行政村与良塘行政村合并，属龙山镇良塘行政村至今。

世居村民为张姓。张氏族人由河北分支搬迁到福建后，始祖养靖公迁入广东南雄珠玑巷乌山脚草坡尾村，后来迁移到清远江口东坝渔罗炮村定居。清末，迁至滘江该地。

2015 年末，户籍人口 251 人，其中男性 131 人，女性 120 人；80 岁以上 5 人，最年长者 92 岁（女）。实有居住人口 159 人，留守儿童 7 人。生活主要依靠农业收入 159 人，常年在城镇居住和打工的 92 人。村民均为汉族，广府民系，使用粤方言。

村有耕地面积 11.33 公顷，传统经济以农业为主，主要作物有水稻、番薯、芋头、花生、木薯、大豆、蔬菜等。现以种植粮食作物、果树、经济林木为主。传统节庆食品有：咸糖环、油炸角、炒米饼，元宵节的汤圆，清明节的糯米艾糍，端午节的粽子，中秋节的月饼，滘江醋等。妇女生小孩坐月子时，有喝糯米甜酒，吃猪脚煲滘江醋的习惯。20 世纪 80

年代以后，大部分青壮年外出打工。村民主要经济收入来源为：农业收入、务工工资收入等。

村于 1975 年通电，1995 年通电话，2006 年村内道路实现水泥硬底化，2012 年通光纤网络。

传统民居现存 30 多座，建于清末及民国时期。村落坐西北向东南，呈棋盘形。6 条横巷、8 条纵巷贯通全村。房屋排列整齐有序，民居多为广府式，一厅、两房、两廊、一天井布局。中间为厅，左右两边为房，东廊为门廊，西廊为厨房。若两户人家合住，则东西两廊都作厨房，厨房门面向巷道。天井连接大厅，厅门通常由两扇厚重大门板构成，厅两侧有住房，有些是“两门归厅”，也有少数是“四门归厅”布局。其建筑为硬山顶，盖灰瓦，青砖墙体，每座占地建筑面积 120 平方米。20 世纪 80 年代后，村民陆续在传统民居四周建造钢筋混凝土结构楼房，大部分村民住入楼房。传统民居现大多作放置杂物使用。

◎ 村民种植的蔬菜（摄于 2016 年）

◎ 村民乘小艇过河（摄于 2016 年）

村中现存宗祠两座，主要宗祠为乔茂祖宗祠和张氏祖堂。张氏祖堂始建于清咸丰年间。1960 年因火灾被烧毁，村民集资于 1989 年重建，2013 年遭龙卷风袭击倒塌，全体村民再次集资，同年再度重建。宗祠占地 60 平方米，因重修重建，建筑比较现代化，红砖砌墙，外贴瓷片，为两进一天井布局。

传统民间习俗，多为广府人习俗的延续。主要有：舞狮、上灯、拜祠堂等。节令习俗有：春节前的祭灶、岁末守岁、张贴春联；春节的开门迎福和拜年；正月十五元宵节上灯；清明节祭祖扫墓；端午节裹粽子祭河神；中秋节团圆赏月；九月重阳节登高等。

◎ 乔茂祖祠堂（摄于 2016 年）

◎ 村民书写春联（摄于 2016 年）

传统婚嫁习俗中的中原古制“六礼”，在该村现已很少见到，但结婚前要担定婚茶、报日子、送聘金、定嫁妆等风俗依然存在。结婚时，男、女两家都要摆酒请客，女家摆酒用的肉米酒菜大多是男家筹备。迎亲和送亲时，男方要用小汽车组成的车队到女方家迎接新娘和亲友。摆酒时，新郎新娘向亲友敬酒，宾客向新郎新娘回赠红包。发生丧事时，传统以土葬为主，1990 年以后逐步实行火葬。其过程为举丧、入殓、送葬、做法事，将亡灵牌位送入祠堂。举丧时，不能用电话而要登门报丧。死者外家前来吊唁，事主家必须到门前跪接，前来吊丧送爆竹纸钱以悼念死者。办丧事时煮白饭、花菜、黄豆煮猪肉等简单饭菜，用餐不坐高台凳，拆下主家门板放地上当饭台，以表哀痛。完丧次日，亲友要回访事主家。

1982 年 5 月 12—20 日连续降暴雨，受北江水倒灌 8 天，河堤决堤，洪水涌进，村庄、农田受浸，该村经济损失约 20 万元。1984 年 5 月 30 日，遭遇龙卷风及冰雹袭击，该村倒塌房屋 5 间，通信、电力设施受损严重。1994 年 6 月 10 至 12 日，受暴雨及北江水倒灌的影响，该村受灾严重，倒塌房屋 10 多间，经济损失 40 多万元。2013 年 5 月 15 日发生洪灾，全村受浸面积达 75%，倒塌房屋 8 间，直接经济损失 60 多万元。

（资料填报：邹志樑，初稿撰写：邹志樑，总纂：李协湖）

〇清水迳行政村

大笪村

◎ 大笪村村貌（摄于 2016 年）

大笪村，位于龙山镇的北部，距镇政府 15 千米。该村始建于清中期，由英德鱼湾分村迁入而形成。因村所在地势比较平坦，故取名为大笪村。

该村坐落于丘陵地带，地理位置相对偏僻，村庄坐北向南，村东与高路村相邻，南与铺仔村相望，西与大崩岗村接壤，北紧靠背后山。民安河在村南面自北向南流向滘江，流经该村河长 1000 米。

该村形成时，属清远县滘一乡，民国期间属清远县第四区。中华人民共和国成立初期，属清远县第六区龙山乡。1958 年 7 月，属佛冈县龙山乡。1958 年 10 月，属从化县滘江人民公社下迳大队。1961 年 5 月，佛冈由从化县分出，属佛冈县民安人民公社上迳大队。1983 年 12 月，属民安区上迳乡。1987 年 1 月，属民安乡上迳行政村。1989 年 11 月，属民安乡上迳管理区。1994 年 1 月，属民安镇上迳管理区。1998 年 11 月，属民安镇上迳行政村。2004 年 5 月，属龙山镇上迳行政村。2005 年 5 月，属龙山镇清水迳行政村至今。

世居村民为蓝姓、黄姓、陆姓、邝姓。蓝姓，根据英德鱼湾地区的《蓝氏族谱》记载，先祖蓝茂于明洪武二十六年（1393 年）因“兵多盗乱”（明史记载的蓝玉冤案），从福建龙岩上杭迁入广东翁源立籍，于清中期从英德鱼湾地区迁移至该村。黄姓，据记载，宋朝末年，黄氏族人由江西迁入广东。明景泰年间，黄镇全自南雄珠玑巷南迁，后移居该村。陆姓，明正统三年（1438 年）入粤，始祖陆太二郎从福建迁移至广东南雄珠玑巷，清末再从英德高砂岗迁移至该地。邝姓，元末从安徽迁入广东南雄、河源、从化，明永乐年间迁至英德下砯，清朝中期从英德下砯迁石角、高岗、汤塘、龙山、民安等地，清末时期，由石角迁至该村，开基祖邝玄秀。

2015 年末，户籍人口 210 人，其中男 118 人，女 92 人；80 岁以上 3 人，最年长者 89 岁（女）。实有居住 205 人，留守儿童 1 人。生活主要依靠农业收入的有 205 人，常年在城镇生活和打工的有 5 人。村民均为汉族，客家民系，使用客家方言。

◎ 大笪村种植的番石榴（摄于2016年）

◎ 蓝氏宗祠（摄于2016年）

村有耕地4公顷，森林36.67公顷。传统经营以农林业为主，主要粮食作物有水稻、番薯、木薯；经济作物有花生、粉葛、沙糖桔等。现多种植水稻、蔬菜、粉葛，利用山地种植番石榴50多亩。特色农产品有番薯、木薯、花生、粉葛、沙糖桔、番石榴。传统食品有糖环、糯米饼、油角、油糍、糯米糕、糯米糍、粽子等。20世纪80年代以后，大部分青壮年外出打工。村民主要收入来源为农业收入，林业收入，务工工资收入等。

村于1960年通电，1978年通电话，2005实现村道水泥硬底化，2010年通自来水，2012年通网络。村中建有垃圾收集池，每天有专人收集垃圾。

传统民居现存10座，建于清末。民居为砖木结构，整个村子呈棋盘状，巷道五横九纵，井井有条。正座为四房一厅，两廊，一天井布局。其建筑为悬山顶、盖灰瓦，三合土墙体，部分用青砖或泥砖砌成。每座占地面积120平方米。20世纪80年代以后，村民在旧民居四周建造钢筋混凝土结构楼房，楼房多为三房一厅、一厨、一卫布局，也有部分单间砖瓦房。大部分村民搬入新居。旧民居已闲置或堆放杂物。

蓝氏宗祠始建于清同治四年（1865年），重修于2005年，占地建筑200多平方米。宗祠为二进一天井布局，砖木结构。主要建筑特色为硬山顶，青砖灰瓦，屋脊双龙争珠。大门比前墙后移呈凹面型，宗祠门额有“蓝氏宗祠”4个大字。为蓝氏族人供奉先祖之场所。

主要民俗有：拜祭清平古庙。每年正月十八，清水迳村民到附近毛田地区清平古庙拜祭、叩首、上香，绕清平古庙外围供奉神灵，燃放鞭炮，祈求风调雨顺，全家安康。主要宗族活动有正月拜祭、清明祭祖、重阳祭祖等。

传统婚嫁习俗中的迎亲嫁娶等礼俗依然存在。男女双方开始交往时，女家要到男家探家，结婚前要担定婚茶，报日子、送礼金、定嫁妆，行结婚礼时，要摆酒请客，迎亲和送亲。传统丧葬风俗以土葬为主。葬后要为死者做“头七”“二七”“三七”的法事，神主牌送往入位，至此丧事才告完结。1990年后逐步实行火葬，其程序包括竖灵、收殓、引灵、接体、奠礼、出殡、火化、安葬等。

1964年组织村民开展造林大会战，种植松、杉树13.33公顷。1975年大搞农田基本建设，改造农田、坡地1.67公顷。1976年，实行养猪积肥一条龙，集体养猪80多头，为集体增加经济收入。

（资料填报：曹金红，初稿撰写：曹金红，总纂：李协湖）

二渡河村

◎ 二渡河村村貌（摄于 2016 年）

二渡河村，位于龙山镇北部，距镇政府 15 千米。该村始建于 1928 年，由清远县清城西门岗帽巷街林氏分支迁入而形成。根据《林氏得聪联谱》记载，因当地河流分成两条支流，村庄建在支流中间的草坝，故取名二渡河村，曾用名福兴里村。

该村坐落于丘陵地带，地理位置比较偏僻。村庄坐东向西，村东紧靠背后山，南与毛田村相邻，西临马柴山，北与大营村接壤。省道 S252 线从村西边穿过。

该村形成时，属清远县第四区。中华人民共和国成立初期，属清远县龙山乡。1958 年 7 月，属佛冈县龙山乡。1958 年 10 月，佛冈县并入从化县，属从化县滘江人民公社上迳大队。1961 年 5 月，属佛冈县民安人民公社上迳大队。1983 年 12 月，属民安区上迳乡。1987 年 1 月，属民安乡上迳行政村。1989 年 11 月，属民安乡上迳管理区。1994 年 1 月，属民安镇上迳管理区。1998 年 11 月，属民安镇上迳行政村。2004 年 5 月，属龙山镇上迳行政村。2005 年 5 月，属佛冈县龙山镇清水迳行政村至今。

世居村民为林姓。根据《林氏得聪联谱》记载，明洪武年间，林氏族人从福建迁入广东新丰，再迁入英德县虎山乡（今高岗镇）。又据《林家宗支家族流水簿》记载，清初高祖林玉光少年时与母亲始祖婆李氏由清远县清城西门岗帽巷街迁居至上迳村跟随一个蓝姓人家生活，在母亲归寿后林玉光公迁至上迳地区大营村，于 1928 年由上迳大营村迁至该地。1946 年以后，每逢重阳时节，林家宗支兄弟叔侄都有赴清城西门岗祭拜祖公祖婆的事记。

2015 年末，户籍人口 114 人，其中男性 63 人，女性 51 人；80 岁以上 2 人，村中最年长者 83 岁（女）。实际在村居住 76 人，留守儿童 3 人。生活主要依靠农业收入的有 76 人，常年生活在城镇和打工的有 38 人。村民均为汉族，所属民系为客家民系，使用客家方言。

该村山多地少，全村耕地面积 5.33 公顷，山地面积 50.67 公顷。传统经营以农林业为主，主要作物有水稻、番薯、木薯、花生、大豆等。随着农业布局调整，20 世纪 90 年代开始，种植沙糖桔，2012 年发展到 300 多亩，2013 年后，由于受黄龙病影响，沙糖桔失收，村民改种其他作物和兴办养殖场。特

◎ 二渡河村的桉树林（摄于 2016 年）

色农产品有沙糖桔、土薯。该村有养鸡专业户 1 户，年出产鸡 4000 只；有养鹅专业户 1 户，年出产鹅 2000 只。传统食品有炒米饼、艾糍、咸叶粽、角子、咸糖环等。20 世纪 80 年代以后，大部分青壮年外出打工。村民主要收入来源为农业收入，林业收入，务工工资收入等。

村于 1960 年通电，2008 年通电话，2011 年通网络和有线电视，2014 年全村道路基本实现水泥硬底化。村中建有垃圾收集池，每天有专人收集垃圾。

传统民居现存 15 座。门楼坐北向南。巷道宽 2.5 米，纵横交错，四横三纵，井井有条。民居为四房一厅或三房一厅，两廊，一天井布局。屋顶为硬山顶，盖灰瓦，三合土墙体，部分用青砖或泥砖砌成，建筑占地面积 80 多平方米。20 世纪 90 年代以后，村民逐步兴建钢筋混凝土楼房，楼房布局多为三房一厅一厨一卫，底层面积 120 多平方米。大部分村民迁入楼房居住，旧民居现已闲置或堆放杂物。

◎ 二渡河村传统民居（摄于 2016 年）

村修有《林氏宗支族谱流水簿》，由林志平主持编纂，于 2007 年成书。族谱记载林姓的起源、世系、辈序等。

村订有村规民约。一是对滥砍伐树木，除没收所得外，罚款 2—6 倍、对偷工程林的加重罚；二是在全封山地和笋场放牛的，每头牛罚款 200 元；三是“三鸟”牲畜践踏残害庄稼，每只“三鸟”罚 10 元，每头牛罚 50 元；四是偷盗果蔬或其他小财物，除没收所得外，罚款 2—10 倍；五是有意损坏集体或他人财物，除赔偿损失外，罚款 2—10 倍；六是对检举揭发者，按罚款所得奖 3%。

村无寺庙，逢年过节，民众烧香拜佛的场所主要为祖堂和伯公树等。

主要特色民俗与当地其他自然村落相同，正月十八到附近清平古庙拜祭“冯师爷”。主要宗族活动有正月拜祭、清明祭祖、重阳祭祖等。

传统婚嫁习俗中中原古制“六礼”，有部分仍然存在，如睇家风（看家风）、拣日子、送礼金、结婚迎亲、三朝回门等。该村传统丧葬风俗庄严繁杂，以土葬为主。50 岁以上病人临去世前要移至厅堂或廊下。去世后由子孙日夜守孝，死者入殓前，子孙要到河里取水（俗称“买水”），为死者擦身、更衣，亲视入殓。出殡时，请巫师开路，吹响牛角，送殡队敲锣打鼓、燃放爆竹送行。死者埋葬后，孝子孝女等从坟上抓回一把黄土，并且同牵一条寿红（红布）由另一路线回家。葬后要为死者做“头七”“二七”“三七”的法事，神主牌送往祠堂入位，至此丧事才告完终。1990 年后，实行火葬，也有响应环保号召，将先人骨灰撒放在树下，带头保护环境。

1964 年村种植集体林木 6.67 公顷。1976 年实行养猪积肥一条龙，集体养猪 100 多头，为生产队增加较大的经济收入。2008 年冬，受低温霜冻的影响，全村 9.33 公顷已成熟沙糖桔冻烂在树上，损失达 70 多万元。

（资料填报：曹金红，初稿撰写：曹金红，总纂：李协湖）

高路村

◎ 高路村村貌（摄于 2016 年）

高路村，位于龙山镇北部，距镇政府约 15 千米。该村始建于民国初期，由附近村姓氏族人分支搬迁而形成。因旁边的山路高于村庄，故取名为高路村，曾用名为倒流水村。

该村坐落于丘陵地带，村庄坐东向西，村东紧靠背后山，南与铺仔村相近，西与大笪村接壤，北与毛田村相望。省道 S252 线从村边穿过。

该村形成时，属清远县第四区。中华人民共和国成立初期，属清远县龙山乡。1958 年 7 月，属佛冈县龙山乡。1958 年 10 月佛冈并入从化县，属从化县湿江人民分社下迳大队。1961 年 5 月佛冈由从化分出，属佛冈县民安人民公社下迳大队。1983 年 12 月，属民安区下迳乡。1987 年 1 月，属民安乡下迳行政村。1989 年 11 月，属民安乡下迳管理区。1994 年 1 月，属民安镇下迳管理区。1998 年 11 月，属民安镇下迳行政村。2004 年 5 月，属龙山镇镇下迳行政村。2005 年，5 月，属龙山镇清水迳行政村至今。

世居村民为李姓、钟姓、黄姓、苏姓。李姓最早是从湖南长沙迁至广东南雄珠玑巷，后迁至英德，民国初期从英德迁至清远升平再迁至此地。钟姓，民国初期，钟氏 10 多人由佛冈凤围村迁至该村。黄姓，据《黄氏族谱》记载，清朝时期由顺德迁至清远县湿一乡（今佛冈县龙山镇）白沙塘村，后迁至该村。苏姓，由当地枫门村搬迁而来。

2015 年末，该村有户籍人口 187 人，其中男性 96 人，女性 91 人；80 岁以上 2 人，村中最年长者 88 岁（男）。实际在村居住 136 人，留守儿童 5 人。生活主要依靠农业收入的有 136 人，常年在城镇生活和打工的有 51 人。村民均为汉族，客家民系，使用客家方言。

传统经营以农林业为主，耕地面积 6 公顷，山地面积 60 公顷。主要林木有松树、桉树等，主要作物有水稻、番薯、木薯、花生、大豆、果树等。传统节庆食品有糯米糍、艾糍、粽子、油角、糖环、米饼等，当地特产为民安鸡。20 世纪 80 年代后，大部分青壮年外出打工，村民主要收入来源有：农业收入、林业收入、商业经营、务工工资收入等。

村于 1975 年通电，1990 年通电话，2003 年通网络，该村村道暂未实现全部水泥硬底化，村中建

◎ 高路村公益生态林（摄于 2016 年）

◎ 村民祭拜古庙（摄于 2016 年）

有垃圾收集池，每天有专人收集垃圾。

传统民居现存 18 座。村落呈棋盘形，门楼坐东向西。巷道五横四纵，宽 2.5 米。房屋整齐有序，均为单间排列，硬山顶，盖灰瓦、三合土墙体，部分用青砖或泥砖砌成。每间民居建筑占地面积 30 多平方米。20 世纪 90 年代以后，村民逐步兴建钢筋混凝土楼房，越来越多的村民迁入楼房居住。大部分楼房多为三房一厅一厨一卫布局，底层面积约 130 多平方米。传统民居已闲置或堆放杂物。

◎ 高路村传统民居（摄于 2016 年）

村无寺无庙，逢年过节，民众烧香拜佛的场所主要为祖堂和伯公树等。主要特色民俗与当地其他自然村落相同，正月十八到附近清平古庙拜祭“冯师爷”。主要宗族活动有正月拜祭、清明祭祖、重阳祭祖等。

传统婚嫁习俗中的迎亲嫁娶等礼俗依然存在。男女双方开始交往时，女家要到男家探家，结婚前要担定婚茶，报日子、送聘金、定嫁妆。结婚时，要摆酒请客，迎亲和送亲。传统丧葬风俗庄严繁杂，多沿用古中原的传统，以土葬为主。1990 年后逐步实行火葬，其程序包括竖灵、收殓、引灵、接体、奠礼、出殡、火化、安葬等。

1970 年，县道 X3221 线（后改为省道 S252 线）建成通车，起点于佛冈县城，终点于清新旧横石，接银英公路，该公路由村中经过，1996 年又对该线路进行升级改造，由原三级公路改造为二级水泥混凝土路面。2010 年 12 月，出现霜冻天，成熟的沙糖桔在树上冻烂，村民损失严重，损失面积约 13.33 公顷。

该村的李工贤（1973—），1993 年应征入伍，在部队曾立三等功。

（资料填报：曹金红，初稿撰写：曹金红，总纂：李协湖）

毛田村

◎ 毛田村村貌（摄于 2016 年）

毛田村，位于龙山镇北部，距镇政府 17 千米。该村始建于 1912 年，由附近村姓氏分支搬迁而形成。建村时，因当地盛产茅竹而取名为茅田村，后改名为毛田村。

该村坐落于丘陵地带，地理位置比较偏僻。村庄坐东向西，村东紧靠背后山，南与高路村相邻，西是一座座山岭，北与二渡河相望。主要山岭大窝山，高 300 多米。省道 S252 线从村西边经过。

该村形成时，属清远县第四区。中华人民共和国成立初期，属清远县龙山乡。1958 年 7 月，属佛冈县龙山乡。1958 年 10 月，佛冈县并入从化县，属从化县滘江人民公社下迳大队。1961 年 5 月，佛冈由从化县分出，属佛冈县民安人民公社下迳大队。1983 年 12 月，属民安区下迳乡。1987 年 1 月，属民安乡下迳行政村。1989 年 11 月，属民安乡下迳管理区。1994 年 1 月，属佛冈县民安镇下迳管理区。1998 年 11 月，属民安镇下迳行政村。2004 年 5 月，属龙山镇镇下迳行政村。2005 年 5 月，上迳村与下迳村合并，属龙山镇清水迳行政村至今。

世居村民为李姓、谢姓、唐姓、邝姓。李氏早期从湖南长沙迁移到广东，1930 年从清远升平迁移至该地。谢姓，其后裔一支迁到福建，另一支迁入广东，居南雄珠玑巷，胡妃事件后，谢六郎南迁到今广州市白云区江高镇大田村，民国初期，又迁到清远滘江地区，后迁至该地定居。唐姓，始祖峻福于清乾隆年间从广东南海唐边村迁移至广东从化太平镇南村，民国初期，再由从化市太平镇迁移至该地定居。邝姓于民国初期，从吉河乡（今佛冈县石角镇）龙南分支搬迁到该地定居。

2015 年末，该村有户籍人口 262 人，其中男性 151 人，女性 111 人；80 岁以上 12 人，村中最年长者 88 岁（男）。实际在村居住 258 人。生活主要依靠农业收入的有 258 人，常年在城镇生活和打工的有 4 人。村民均为汉族，所属民系为客家民系，使用客家方言。

自然资源丰富，有耕地面积 8 公顷，山地面积近 133.33 公顷。森林资源有桉、松、杉；野生动物有鸟类、哺乳类、爬行类等。传统经营以农林业为主，主要作物有水稻、番薯、木薯、花生、大豆、果树等，随着产业布局调整，村民大力发展沙糖桔种植，

◎ 毛田村的山林（摄于 2016 年）

种下沙糖桔 700 多亩，成为村民致富的支柱产业；2013 年后，沙糖桔由于黄龙病逐渐衰退，村民改种其他果树。现以种植水稻为主，兼种番薯、花生等作物。特色农产品有沙糖桔、土薯。传统食品有炒米饼、艾糍、咸水粽、角子、咸糖环等。20 世纪 80 年代以后，大部分青壮年外出打工。村民主要收入来源为农业收入、林业收入、务工工资收入等。

村于 1965 年通电，1998 年通电话，2000 年通网络和有线电视，2015 年全村道路基本实现水泥硬底化。村中建有垃圾收集池，每天有专人收集垃圾，还在收集方便的地方设置垃圾桶。

传统民居现存 13 座。村落呈棋盘状布局。门楼坐东向西。巷道纵横交错，四横三纵，井井有条。民居为四房一厅或两房一厅，两廊，一天井布局。硬山顶，盖灰瓦、三合土墙体，部分用青砖或泥砖砌成。每座占地面积 108 平方米。20 世纪 90 年代后，村民在传统民居四周建造钢筋混凝土结构楼房。大部分村民搬入楼房居住。传统民居仍保护良好，大部分闲置或堆放杂物。

位于村西 500 米处的清平古庙，建于清代。古庙坐南向北，砖木结构，青砖墙，盖灰瓦，硬山顶，龙船脊，山墙墙尾有草尾纹饰的灰塑。古庙为单间单进布局，面阔 5.7 米，进深 15 米，古庙前有二石柱将建筑分成三个门。中间门阔 2.2 米，门高为 2.85 米，两边门宽 0.9 米，门前有三道花岗岩台阶，门上有“清平古庙”灰塑文字，庙堂内灰沙铺地，内墙墙眉有壁画。庙堂内供奉冯师爷、三王爷等民间传说中的仙人。古庙曾多次重修，2011 年重修时建筑面积达到 85.5 平方米，为两进一天井，进深 15 米。在 2013 年重修时增加厨房。总体结构仍较完整，对研究当地民俗文化有一定参考价值。2012 年被录入佛冈县不可移动文物名录。

李氏宗祠，始建于 1938 年，重修于 2011 年，占地面积 200 多平方米。宗祠为二进一天井布局，主要建筑特色为硬山顶，盖灰瓦，屋脊有双龙争珠造型，砖木结构。大门比前墙后移呈凹面型，宗祠门额有“李氏宗祠”4 个大字，现仍作宗祠使用。

邝氏宗祠，始建于 1938 年，重修于 2012 年，占地面积 50 多平方米。宗祠为砖木结构，单间单进布局，门额有“邝氏宗祠”4 个大字。现仍作宗祠使用。

主要特色民俗与当地其他自然村落相同，正月十八到附近的清平古庙拜祭“冯师爷”。主要宗族活动有正月拜祭、清明祭祖、重阳祭祖等。

传统婚嫁习俗中的中原古制“六礼”还有部分存在，如睇家风（看家风）、拣日子、送聘礼、结婚迎亲、三朝回门等。传统丧葬风俗庄

◎ 清平古庙（摄于 2016 年）

◎ 李氏宗祠（摄于2016年）

◎ 邝氏宗祠（摄于2016年）

严繁杂，以土葬为主。中华人民共和国成立前，凡60岁以上的人去世叫“寿终”或“归天”，未成年人去世叫“夭折”或者“夭亡”，死后均以木棺土葬。未满16岁的用普通木料做棺材，竹杠抬，不上肩。50岁以上的病人临去世前要移至厅堂或廊下，去世后由子孙日夜守孝，死者入殓前，子孙要到河里取水（俗称“买水”），为死者擦身、更衣，亲视入殓。出殡时，请巫师开路，吹响牛角，送殡队敲锣打鼓、燃放爆竹送行。死者埋葬后，孝子孝女等从坟上抓回一把黄土，并且同牵一条寿红（红布）由另一路线回家。葬后要为死者做“头七”“二七”“三七”的法事，神主牌送往祠堂入位。至此丧事才告完终。1990年后，丧葬旧俗多已废除，已逐渐推行火葬，但一些安葬习俗仍保留。

2008年1月，由于受低温霜冻影响，京珠高速公路曾一度封闭，致使北方南下采购沙糖桔的货车受阻，该村21.33公顷已可采摘的沙糖桔在树上冻烂，村民经济损失近200万元。

（资料填报：曹金红，初稿撰写：曹金红，总纂：李协湖）

铺仔村

◎ 铺仔村村貌（摄于 2016 年）

铺仔村，位于龙山镇北部，距镇政府 13 千米。该村始建于清初，由当地附近村落分支搬迁而形成。村落形成时，因曾设有酒、米、杂货等小店铺，故取名铺仔村。曾用名石陂头村。

该村坐落于丘陵地带，地理位置相对偏僻。村庄坐东向西，村东靠坳子山，南与小皇洞村相望，西紧靠大崩岗村，北与高路村接壤。省道 S252 线经过该村。

该村形成时，属清远县滘一乡。民国时期，属清远县第四区。中华人民共和国成立初期，属清远县龙山乡。1958 年 7 月，属佛冈县龙山乡。1958 年 10 月，佛冈县并入从化县，属从化县滘江人民公社下迳大队。1961 年 5 月，佛冈由从化县分出，属佛冈县民安人民公社下迳大队。1983 年 12 月，属民安区下迳乡。1987 年 1 月，属民安乡下迳行政村。1989 年 11 月，属民安乡下迳管理区。1994 年 1 月，属佛冈县民安镇下迳管理区。1998 年 11 月，属民安镇下迳行政村。2004 年 5 月，民安镇并入龙山镇，属龙山镇下迳行政村。2005 年 5 月，上迳村与下迳村合并，属龙山镇清水迳行政村至今。

世居村民为曾姓、黎姓、朱姓。曾姓，明洪武年间，从江西吉阳迁至广东南雄珠玑巷，后迁南海九江、增城，明永乐年间，从增城迁至清远县吉河乡（今佛冈县）放牛洞、佛冈村、水头等地，1950 年从东坑迁移至该地。黎姓，宋末，从中原迁入广东南雄珠玑巷。明成化年间迁入从化韶洞，后迁清远吉河乡新田、三八诚迳、民安从化围、水头等地，1950 年从上格迁移至该地。朱姓，清初由清远县滘一乡（今佛冈县龙山镇）上下岳村朱氏后裔分支搬迁而来。

2015 年末，户籍人口 428 人，其中男性 235 人，女性 193 人；80 岁以上 11 人，村中最年长者 88 岁（女）。实际在村居住人口 258 人，留守儿童 12 人。生活主要依靠农业收入有 258 人，常年在城镇生活和打工 170 人。祖籍该村的香港同胞 22 人。村民均为汉族，客家民系，使用客家方言。

传统经营以林农为主，耕地面积 14.67 公顷，山地面积 140 公顷。林业资源丰富，有杉树、松树、桉树等。林业以植树造林、封山育林为主，保护生态环境。粮食作物主要有水稻、番薯、木薯；经济作物有花生、粉葛等。现多种植水稻、蔬菜、粉葛。

特色农产品有番薯、木薯、花生、粉葛、沙糖桔。曾种植沙糖桔1000多亩，成为村民致富的支柱产业。2013年后，沙糖桔由于受黄龙病感染而逐步衰退，村民改种其他作物。传统食品有糖环、糯米饼、油角、油糍、糯米糕，糯米糍，粽子等。20世纪80年代以后，大部分青壮年外出打工。村民主要收入来源为农业收入，林业收入、务工工资收入等。

村于1960年通电，1978年通电话，2005实现村道水泥硬底化，2010年通自来水，2012年通网络。村中建有垃圾收集池，每天还有专人驾驶环卫垃圾车收集垃圾。村里的卫生环境得到改善。

下迳小学位于铺仔村内。2015年，开设班级3个，在校学生38人，教职工3人。设有农村文化俱乐部、村民活动中心、清水迳公园，供村民娱乐休闲。

传统民居现存28座，始建于清初。整个村子呈棋盘状，巷道六横五纵，井井有条。民居为四房一厅，两廊，一天井布局。悬山顶、盖灰瓦，三合土墙体，部分用青砖或泥砖砌成。每座占地面积130平方米。20世纪80年代以后，村民在传统民居四周兴建钢筋混凝土结构楼房，多为三房一厅、一厨、一卫布局，也有部分单间砖瓦房。大部分村民搬入楼房居住。传统民居已闲置或堆放杂物。

◎ 传统民居（摄于2016年）

主要民俗有：拜祭清平古庙。每年正月十八，清水迳村民都到当地毛田地区清平古庙进行拜祭，各家各户会在清平古庙叩首、上香，并且绕清平古庙外围供奉神灵，最后燃放鞭炮，祈求风调雨顺，全家安康。主要宗族活动有正月拜祭、清明祭祖、

◎ 铺子村门楼（摄于2016年）

重阳祭祖等。

传统婚嫁习俗中的中原古制“六礼”已很少见到，但部分礼俗依然存在，男女双方开始交往时，女家要到男家探家，结婚前要担定婚茶，报日子、送聘金、定嫁妆。结婚时，要摆酒请客，敲锣打鼓迎亲和送亲。传统丧葬风俗，以土葬为主。中华人民共和国成立前，凡60岁以上的人去世叫“寿终”或“归天”，未成年人去世叫“夭折”或“夭亡”，死后均以木棺土葬。死者未满16周岁的用普通木料做棺材，竹杠抬，不上肩。50岁以上的病人临去世前要移至厅堂或廊下。去世后由子孙日夜守孝，死者入殓前，子孙要到河里取水（俗称“买水”），为死者擦身、更衣，亲视入殓。出殡时，请巫师开路，吹响牛角，送殡

◎ 村民迎亲队伍（摄于2016年）

队敲锣打鼓、燃放爆竹送行。埋葬后，孝子孝女等从坟上抓回一把黄土，并且同牵一条寿红（红布）由另一路线回家。葬后要为死者做“头七”“二七”“三七”的法事，神主牌送往入位，至此丧事才告完结。1990年后逐步实行火葬，其程序包括竖灵、收殓、引灵、接体、奠礼、出殡、火化、安葬等。

◎ 民安香粉水库（摄于2016年）

1964年开展造林大会战，植树造林20公顷。1970年8月，兴建民安香粉水库，1973年5月完成库区工程，该村受益面积7.33公顷。1970年，县道X3221线（佛旧线）建成通车。1976年，进行改河造田，大搞农田基本建设，改造农田、坡地2公顷。2008年1月，受极端霜冻天气影响，全村26.67公顷已成熟沙糖桔被冻烂在树上，农民损失200多万元。

（资料填报：曹金红，初稿撰写：曹金红，总纂：李协湖）

小皇洞村

◎ 小皇洞村村貌（摄于 2016 年）

小皇洞村，位于龙山镇北部，距镇政府 13 千米。该村始建于清末，由附近村族人分支搬迁而形成。因该村族长强势霸道，故取名为小皇洞村，曾用名为大皇洞村。

该村坐落于丘陵地带，村庄坐北向南，村东与大蛇冚山相邻，南与背仔山相近，西紧靠望神顶山，北与铺仔村相望。省道 S252 线从村南边经过。

该村形成时，属清远县滘一乡。民国初期属清远县滘江区仁安乡，1933 年属清远县第四区。中华人民共和国成立初期，属清远县龙山乡。1958 年 10 月，佛冈县并入从化县，属从化县滘江人民公社下迳大队。1961 年 5 月，佛冈由从化县分出，属佛冈县民安人民公社下迳大队。1983 年 12 月，属民安区下迳乡。1987 年 1 月，属民安乡下迳行政村。1989 年 11 月，属民安乡下迳管理区。1994 年 1 月，属民安镇下迳管理区。1998 年 11 月，属民安镇下迳行政村。2004 年 5 月，民安镇并入龙山镇，属龙山镇下迳行政村。2005 年 5 月，上迳村与下迳村合并，属龙山镇清水迳行政村至今。

世居村民为朱姓、曾姓、蓝姓。朱姓于清末由清远县滘一乡（今佛冈县龙山镇）上下岳村朱氏后裔分支搬迁至该地。曾姓，明洪武年间，从江西吉阳迁至广东南雄珠玑巷，后迁南海九江、增城，明永乐年间，从增城迁至吉河乡（今佛冈县石角镇）放牛洞、佛冈村、水头等地。1950 年从佛冈水头东坑迁移至该地。蓝姓，根据英德鱼湾地区的《蓝氏族谱》记载，蓝祖茂于明洪武二十六年（1393 年）因“兵多盗乱”（明史记载的蓝玉冤案），从福建龙岩上杭迁入广东翁源立籍，清末从英德鱼湾地区迁移至该地。

2015 年末，户籍人口 130 人，其中男性 69 人，女性 61 人；村中最年长者 79 岁（男）。实际在村居住 85 人，留守儿童 4 人。主要依靠农业收入 85 人，常年在城镇生活和打工的 45 人。村民均为汉族，客家民系，使用客家方言。

村有耕地面积 2 公顷，山地面积 26.67 公顷。传统经营以农林业为主，主要作物有水稻、番薯、木薯、花生、粉葛、果树等。传统节庆食品有民安鸡、糯米糍、艾糍、粽子、油角、糖环、米饼等。村民主要收入来源有：农业生产、林业收入、商业经营、务工工资收入等。

◎ 村民饲养的山地民安鸡（摄于 2016 年）

◎ 清平古庙内景（摄于 2016 年）

省道 252 线在该村南边经过。该村于 1960 年通电，1993 年通电话，2005 年村道实现水泥硬底化，2011 年通网络，2012 年通自来水，村中建有垃圾收集池，每天有专人收集垃圾。

传统民居现存 15 座。门楼坐北向南，巷道宽 2.5 米，纵横交错，四横三纵，井井有条。民居为四房一厅或三房一厅，两廊，一天井布局。硬山顶，盖灰瓦、三合土墙体，部分用青砖或泥砖砌成。每座建筑占地面积 80 多平方米。20 世纪 90 年代以后，村民逐步建成钢筋混凝土楼房，多为三房一厅一厨一卫布局，底层面积约 120 多平方米。大部分村民迁入楼房居住，传统民居现已闲置或堆放杂物。

◎ 小皇洞村民居（摄于 2016 年）

村无寺庙，逢年过节，民众烧香拜佛的场所主要为祖堂和伯公树等。

该村至今仍保留中原流传下来的一部分习俗。节令习俗有：春节前的祭灶、岁末守岁、张贴春联；春节的开门迎福和拜年；正月十五元宵节闹元宵；清明节祭祖扫墓；端午节裹粽子祭河神；中秋节团圆赏月；九月重阳节登高；冬至晒腊肉等。主要特色民俗与当地其他自然村落相同，正月十八到附近的清平古庙拜祭“冯师爷”。主要宗族活动有正月拜祭、清明祭祖、重阳祭祖等。

传统婚嫁习俗中的中原古制“六礼”，在该村已很少见到，但迎亲嫁娶等礼俗依然存在，开始交往时，女家要到男家探家，结婚前要担定婚茶，报日子、送聘金、定嫁妆。结婚时，要摆酒请客，迎亲和送亲。传统丧葬风俗庄严繁杂，多沿用古中原的传统，以土葬为主。1990 年后逐步实行火葬，其程序包括竖灵、收殓、引灵、接体、奠礼、出殡、火化、安葬等。

1964 年组织村民开展造林大会战，种植松树、杉树 6.67 公顷。1970 年 8 月，兴建民安香粉水库，1973 年 5 月完成库区工程。该村绝大部分农田用上香粉水库的水源，受益农田达 90% 以上。1976 年实行养猪积肥一条龙，集体养猪 100 多头，增加生产队经济收入。

（资料填报：曹金红，初稿撰写：曹金红，总纂：李协湖）

崩岗下村

◎ 崩岗下村村貌（摄于 2016 年）

崩岗下村，位于龙山镇北部，距镇政府约 16 千米。该村始建于清末，由清远飞来峡黄姓族人分支搬迁而形成。据该村老人讲述，清代后期，飞来峡黄氏分支为避免洪水侵袭，从清远县飞来峡江口地区迁徙到该地。因附近有吃水冚，而该村建在山岭斜坡之下，因而取名崩岗下村，曾用名枫树湾村。

该村坐落于背后山、背仔山和吃水冚之间，坐西向东，东有背后山和西坑口村，南有田心村和背仔山，西有枫门口村和石陂头山，北有高排村和吃水冚山。山间小溪流经该村、大崩岗村、铺仔村汇入民安河。省道 S252 线从村东边经过。

该村形成时，属清远县滘一乡。民国初期，属清远县滘江区仁安乡。1933 年，属清远县第四区。中华人民共和国成立后，属清远县龙山乡。1953 年，属清远县第六区。1958 年 7 月，清远县第六区划归佛冈县辖，属佛冈县滘江人民公社上迳大队。1959 年，属龙山人民公社上迳大队。1961 年，属佛冈县民安人民公社上迳大队。1983 年，属民安区上迳乡。1987 年，属民安乡上迳行政村。1989 年 11 月，属民安乡上迳管理区。1994 年，属民安镇上迳管理区。2004 年 5 月随民安镇并入龙山镇辖，属龙山镇上迳行政村。2005 年 5 月，上迳、下迳村合并成清水迳村，属龙山镇清水迳行政村至今。

世居村民为黄姓、陆姓。黄姓，元代从福建入粤，明朝初期迁入清远县吉河乡天降坪堡莲东坑村（今佛冈县水头镇），尊黄六峰为始祖。清朝后期，从清远县飞来峡镇江口地区黄氏分支迁移而来。陆姓，英德陆氏开基祖陆太二郎，其先世由浙江移居福建，至其祖父陆小郎，生万二郎、千七郎二子。千七郎于明正统三年（1438）携次子太二郎迁居广东梅县。后辗转来到英德下呔高砂岗，后裔又从高砂岗集居于石角地区。清后期从佛冈石角及大篁村迁至此地。

2015 年末，户籍人口 121 人，其中男性 61 人，女性 60 人；80 岁以上 4 人，最年长者 91 岁（女）。实际在村人口 121 人，依靠农业收入 121 人。村民均为汉族，客家民系，使用客家方言。

村有耕地面积 2.67 公顷，山地面积 93.33 公顷，是典型的小山村。传统经济以农林业为主，主要作物有水稻、番薯、花生、粉葛、果树等。随着农业布局的调整，至 2012 年种植沙糖桔 520 多亩，成为村经济支柱产业。2013 年后，沙糖桔受黄龙病影响，全部失收，村民改种其他经济作物。传统节庆食品有民安鸡、糯米糍、清明节的艾糍、端午节的粽子、春节的油角、糖环、米饼等。村民主要收入来源有：农业生产、林业收入、务工工资收入等。

村于 1980 年通电，1995 年通电话，2006 年通自来水和实现村道水泥硬底化，2007 年通网络。

传统民居现存 19 座。民居为四房一厅，两廊一天井布局。房屋整齐有序，9 条横巷贯通全村，具有光照充足，排水排污方便，出入便利的特点。20 世纪 90 年代以后，村民逐步兴建钢筋混凝土楼房，多为三房一厅一厨一卫布局，底层面积约 90 平方米，大部分村民迁入楼房居住，部分传统民居现已闲置或堆放杂物。

◎ 崩岗下村传统民居一角（摄于 2016 年）

村中原有黄氏宗祠，于 20 世纪 60 年代被毁坏，

◎ 黄氏祖堂（摄于 2016 年）

2015 年末，黄姓族人在原址重建宗族祠堂，称为黄氏祖堂。祖堂建筑为硬山顶，博古脊，墙体用火砖砌成，占地面积 70 多平方米。正门上方刻有“黄氏祖堂”四字，正中内有设有神龛，供奉黄姓族人先祖神灵，正门两侧刻有对联：“祖堂重建时代兴隆添富贵；宗屋复原人才辈出增荣华。”

据黄氏老人回忆，该村原有族谱，“文化大革命”时期，族谱交由暂到该村居住的客人代为保管，后客人离开带走，无法联系，故此该村黄氏族谱失存。

该村民俗与当地其他自然村落相同：每年正月十八到附近清平古庙拜祭“冯师爷”。各家各户上香、燃放鞭炮，祈求风调雨顺，幸福安康。其他宗族活动有：正月拜祭、清明祭祖、重阳祭祖等。

传统婚嫁习俗中的迎亲嫁娶等礼俗依然存在，男女双方开始交往时，女家要到男家探家，结婚前要担定婚茶，报日子、送聘金、定嫁妆。结婚时，要摆酒请客，迎亲和送亲。传统丧葬风俗以土葬为主。习俗中凡 60 岁以上的人去世叫“寿终”或“归天”，未成年人去世叫“夭折”或“夭亡”，死后均以木棺土葬。死者未满 16 周岁的用普通木料做棺材，竹杠抬，不上肩。50 岁以上的病人临去世前要移至厅堂或廊下。去世后由子孙日夜守孝，死者入殓前，子孙要到河里取水（俗称“买水”），为死者擦身、更衣，亲视入殓。出殡时，请巫师开路，吹响牛角，送殡队敲锣打鼓、燃放爆竹送行。死者埋葬后，孝子孝孙等从坟上抓回一把黄土，并且同牵一条寿红（红布）由另一路线回家。葬后要为死者做“头七”“二七”“三七”的法事，神主牌送入神位。至此丧事才告完结。1990 年后逐步实行火葬，其程序包括竖灵、收殓、引灵、接体、奠礼、出殡、火化、安葬等。

1964 年组织村民造林，种植松树、杉树 20 公顷。1970 年 8 月，参与兴建民安香粉水库，1973 年 5 月完成库区工程。2008 年冬，受低温霜冻影响，全村 13.33 公顷已成熟的沙糖桔被冻毁，损失达 100 万元。

（资料填报：李卓凡，初稿撰写：李卓凡，总纂：李协湖）

大崩岗村

◎ 大崩岗村村貌（摄于 2016 年）

大崩岗村，位于龙山镇北部，距镇政府约 17 千米。该村始建于清初，由英德县高台乡（今高岗镇）刘氏分支搬迁而形成。因村建在大崩岗山下，故取名大崩岗村。

该村坐落于大崩岗山和横岗山之间，村庄坐西向东，村东与铺仔村接壤，南与大崩岗山相靠，西与横岗山相近，北与上岳村毗邻，在村西有大崩岗山溪自北向南经村前汇入民安河，村道、省道 S252 线从村西边经过。

清朝时期，该村形成时，属清远县滘一乡。民国初期，属清远县滘江区仁安乡，1933 年，属清远县第四区。中华人民共和国成立初期，属清远县龙山乡，1953 年，属清远县第六区，1958 年 7 月，清远县第六区划归佛冈县辖，属佛冈县滘江人民公社下迳大队。1958 年 10 月，佛冈县并入从化县，属从化县滘江人民公社下迳大队。1959 年 5 月，属从化县龙山人民公社下迳大队。1961 年 5 月，佛冈由从化县分出，属佛冈县民安人民公社下迳大队。1983 年 12 月，属民安区下迳乡。1987 年 1 月，属民安乡下迳行政村。1989 年 11 月，属民安乡下迳管理区。1994 年 1 月，属民安镇下迳管理区。1998 年 11 月，属民安镇下迳行政村。2004 年 5 月，民安镇并入龙山镇，属龙山镇下迳行政村。2005 年 5 月，上迳、下迳村合并成清水迳村，属龙山镇清水迳行政村至今。

世居村民为刘姓、蓝姓、吴姓。根据《滘江刘氏族谱》记载，明朝初期，刘姓入粤始祖刘开七从福建迁入广东潮州、兴宁。清雍正年间，刘开七的六世孙刘从龙率族人由兴宁迁至从化，再由从化迁入清远县吉河乡龙蟠堡（今石角镇龙塘村），清初分村迁入该地定居。刘从龙为佛冈刘氏始祖。蓝姓，蓝祖茂于明朝洪武二十六年（1394），因“兵多盗乱”（明史记载的蓝玉冤案），从福建龙岩上杭迁入广东翁源立籍，清朝中期从英德鱼湾地区迁至该地。吴姓，吴氏祖先由福建迁英德，清初从英德下吰迁至该地，该村吴氏尊吴杖祖为开基祖。

2015 年末，户籍人口 548 人，其中男性 302 人，女性 246 人；80 岁以上 12 人，最年长者 97 岁（女）。实际在村 326 人，留守儿童 8 人。生活主要依靠农业收入 326 人，常年在城镇生活和打工的 222 人。

村民均为汉族，所属民系为客家民系，由于长期生活在粤语地区，因此该村民粤语与客家方言共用。

传统经济以农、林业为主，林业资源丰富，有耕地面积 17.33 公顷，山地面积 60 公顷。主要林木有杉树、松树、桉树等；粮食作物有水稻、番薯、木薯；经济作物有花生、粉葛等。果树主要有沙糖桔。2013 年后沙糖桔由于黄龙病逐渐衰退，村民改种其他作物。该村有村民办起养鸡场两个，每年可出产肉鸡 8000 多只；办起养鹅场 1 个，每年可出产鹅 2000 只，养蛇场 1 个，养蛇 700 多条。传统节庆食品有民安鸡、糯米糍、艾糍、粽子、油角、糖环、米饼等。村民主要收入来源有：农业生产、林业收入、商业经营、务工人员工资性收入等。

◎ 村民办起的养鸡场（摄于 2016 年）

村于 1970 年通电，1993 年通电话，2005 年通自来水和网络，2009 年全村基本实现水泥硬底化。村中建有垃圾收集池。

传统民居现存旧民居 22 座。旧民居多建于清代及民国时期，建筑年代距今 100 年以上的有 8 座。旧民居为四房、一厅、两廊、一天井布局，旧民居整齐有序，呈一字形排布，5 条纵巷贯通全村，具有光照充足，出入便利的特点。其中有代表性的有福兴里门楼和群芳室。福兴里门楼建于清末民国初，位于村西面，门楼坐西南向东北，采用青砖砌成，硬山顶、博古脊、盖灰瓦；正门最上方有两个炮眼，门牌匾处用石板镶嵌，石板分左右两边雕刻双凤呈祥图案，石板中间雕刻有书卷，福兴里三字浮刻于书卷之上，门口两侧分别刻有灰雕壁画，其富含装饰性以及灰雕、彩绘壁画、

◎ 大崩岗村群芳室（摄于 2016 年）

石刻的综合运用，形成浑然一体的效果。同时，正门装有趟拢，外侧门为四方门，进入门楼后内侧门则为拱门，其门设计方拱重叠，既均衡对称，又美观庄重，将广府传统门楼与客家门楼的风格融合为一。群芳室，建于民国初期，占地约 400 平方米。群芳室位于村东面，坐西向东，为当地蓝姓人氏兴建，曾用作私塾，其建筑特色是硬山顶、盖灰瓦、墙体外墙为青砖砌成，并建有三层附楼（炮楼），每层约 30 平方米。越过天井，可见一墙体嵌红毛泥（水泥）制作的炮眼 2 个，在群芳室正门刻有“群芳室”3 字，字体之上更有十字架模型。炮楼三层高，有炮眼 7 个，窗户 1 个，居于中心

◎ 福兴里门楼（摄于 2016 年）

的炮眼以十字形作状，将西方宗教文化融入于广府民居建筑之中，使群芳室具有中西结合的建筑特色。据当地老人讲述，当年群芳室主人希望村中学习者能成为社会有用之才，于是将群芳室打造成私塾，供当地孩子读书。群芳室在民国期间除作私塾外，也用于防御外敌侵犯。20世纪90年代以后，村民在旧民居四周建造钢筋混凝土楼房，多为三房一厅一厨一卫布局，底层面积约90平方米。有的楼房内外装修华丽，并留有停车位，现已有越来越多的村民迁入楼房居住。

村中刘姓人氏族谱在“文化大革命”时期遗失。当地老人回忆，始祖为尧帝之子明式，封于刘，以刘作姓。后因避黄巢战乱迁福建，再由福建迁至广东潮州，后裔由潮州迁从化。六世祖刘从龙由从化迁至清远龙蟠（今佛冈县龙南镇），后又迁科旺。至今已传二十余代，在佛冈县内居住约万余人。

蓝姓族人与附近自然村的大笪村蓝姓同族。据《蓝氏族谱》记载，佛冈清水迳村现有蓝氏后裔600余人皆为英德鱼湾地区迁入。族谱记载有祖宗咏辈歌：必昌联发达、自应衍兴宗、维文定时茂、振德与天同。到二十世辈时全姓建立中山义举祠咏辈歌曰：“忠厚传家美，和平处世良。积功先善事，福泽正绵长。”《蓝氏族谱》记有家训：“敦考悌，端士品。和宗族，睦乡邻。严律己，礼待人。讲仁义，重诚信。务正业，需勤奋。戒淫恶，循人伦。忌赌毒，要认真。上报国，下益民。”

主要民俗特色有：每年正月十八，村民到当地毛田的清平古庙进行拜祭，各家各户在清平古庙叩首、上香，绕清平古庙外围上香供奉神灵，燃放鞭炮，祈求风调雨顺，全家安康。主要宗族活动有正月拜祭、清明祭祖、重阳祭祖等。

在传统婚嫁习俗中，中原古制“六礼”在该村已很少见到，但迎亲嫁娶等礼俗依然存在。男女双方开始交往时，女家要到男家探家，结婚前要担定婚茶，报日子、送聘金、定嫁妆，行结婚礼时，要摆酒请客，迎亲和送亲。传统丧葬风俗庄严繁杂，以土葬为主。习俗中凡60岁以上的人去世叫“寿终”或“归天”，未成年人去世叫“夭折”或“夭亡”，死后均以木棺土葬。死者未满16周岁的用普通木料做棺材，竹杠抬，不上肩。1990年后逐步实行火葬，其程序包括竖灵、收殓、引灵、接体、奠礼、出殡、火化、安葬等，其中家族守孝，至亲戴孝，“头七”拜祭等依然存在。办丧事时只煮白饭、花菜、黄豆煮猪肉等简单的饭菜，用餐时不坐高台高凳，拆下事主家的门板放于门前的巷地上当饭台，以表哀痛。

1964年组织村民种植松树、杉树20公顷。1970年8月，兴建民安香粉水库，该村农田受益面积6.67公顷。2015年5月8日下午，佛冈县普降大雨，清水迳行政村大崩岗等自然村遭受内涝侵害，多处楼房严重受浸，群众纷纷撤离。当时正值小学生放学回村，形势较为危急，镇、村干部马上采取应急措施，包片将放学途中的小学生引领到村委集中，并提供应急食品、饮用水，安抚小学生情绪，直至家长到来把孩子接到相应安全地点。2015年10月开始，根据县政府的要求，在村里开展河道清淤疏通整治工作，全长约1千米，并修建排涝圳，提高防洪防涝能力。

（资料填报：李卓凡，初稿撰写：李卓凡，总纂：李协湖）

大营村

◎ 大营村村貌（摄于 2016 年）

大营村，位于龙山镇北部，距镇政府约 15 千米。该村始建于清初，由清远县清城西街口林氏分支搬迁而形成。建村时取名为大旺仔村。因民国时期，该地设有国民政府军军营，故改名为大营村。

该村坐落于大放、马柴和坐沟山之间的丘陵地带，坐西向东，村东与背仔山相望，省道 S252 线从村东边穿过；南与二渡河村、顶沟山相邻，西与西坑口村、马柴山相隔，北与石角镇小潭村、二坑山接壤，在村的西北处，大营沟山溪从村旁流向不远处的民安河。

该村形成时，属清远县湛一乡。民国初期，属清远县湛江区仁安乡。1933 年，属清远县第四区。中华人民共和国成立初期，属清远县龙山乡。1953年，属清远县第六区。1958 年 7 月清远县第六区划归佛冈县辖，属佛冈县湛江人民公社下迳大队。1958 年 10 月，佛冈县并入从化县，属从化县湛江人民公社下迳大队。1959 年 5 月，属从化县龙山人民公社下下迳大队。1961 年 5 月，佛冈由从化县分出，属佛冈县民安人民公社下迳大队。1983 年 12 月，属民安区下迳乡。1987 年 1 月，属民安乡下迳行政村。1989 年 11 月，属民安乡下迳管理区。1994 年 1 月，属民安镇下迳管理区。1998 年 11 月，属民安镇下迳行政村。2004 年 5 月，民安镇并入龙山镇，属龙山镇下迳行政村。2005 年 5 月，上迳、下迳村合并成清水迳村，属龙山镇清水迳行政村至今。

世居村民为林姓、邝姓、熊姓。林姓，根据《林氏得聪联谱》记载，明洪武年间，林氏族人从福建迁入广东新丰，再迁入英德县虎山乡（今高岗镇）。又据《林家宗支家族流水簿》记载，清初高祖林玉光少年时与母亲始祖婆李氏由清远县清城西门岗帽巷街迁居至上迳村跟随一个蓝姓人家生活，在母亲归寿后林玉光迁至该地。林玉光为该村林姓开村始祖。邝姓，根据《邝氏族谱》记载，元末从安徽迁广东南雄、河源、从化，明永乐年间迁英德下砝地区，后迁石角、高岗，清初从吉河乡龙蟠堡（今龙南地区）迁移至该地。熊姓，根据《熊氏族谱》记载，明初从福建永定县迁广东南雄珠玑巷，明万历年间迁翁源，清康熙年间迁英德下吠地区，清朝中期分支迁吉河乡龙蟠堡（今龙南地区），熊大成生有四子，第四子熊以顺于清末迁至该地。熊以顺为该村熊姓开村始祖。

2015年末，户籍人口398人，其中男性226人，女性172人;80岁以上的13人,最年长者90岁(女)。实际在村人口289人，留守儿童5人。生活主要依靠农业收入的有289人，常年在城镇生活和打工的有109人。村民均为汉族，所属民系为客家民系，使用客家方言。

村资源丰富，森林1300多亩，耕地210亩。主要森林资源有松树、杉树、桉树等。传统经济以农林业为主，粮食作物有水稻、番薯；经济作物有花生、木薯、粉葛、果树等。现多种植树木，兼种番薯、花生等。随着产业布局的调整，沙糖桔种植已形成规模化产业，达500多亩。2013年后，由于黄龙病侵害，沙糖桔产业逐步消失，村民改种其他经济作物。传统节庆食品有民安鸡、糯米糍、清明节的艾糍、端午节的粽子、春节的油角、糖环等。20世纪90年代以后，大部分青壮年外出打工。村民主要收入来源有农业收入、林业收入、务工工资收入等。

◎ 村民挖番薯（摄于2016年）

村于1970年通电，1993年通电话，2005年通自来水和网络，2014年全村道路基本实现水泥硬底化。村中建有垃圾收集池，村居卫生得到改善。

传统民居现存旧民居22间。保存基本完好，建筑年代距今150年以上的有1座,100年以下有21座。传统民居主要为四房一厅，两廊一天井布局，每座约80平方米。村落呈棋盘形，街巷纵横有序。旧民居为硬山顶、盖灰瓦，泥砖墙体，保留了岭南特有的建筑风格。20世纪90年代以后，村民逐步在传统民居四周建成钢筋混凝土楼房，多为三房一厅一厨一卫布局，底层面积约90平方米。有的楼房内外装修华丽,并留有停车位。大部分村民迁入楼房居住，部分传统民居已闲置或堆放杂物。

◎ 大营村旧民居（摄于2016年）

特色建筑有大营门楼和玉光林公祠。大营门楼位于村西边，门楼坐东南向西北，建筑特色为硬山顶，盖灰瓦，用青砖砌成墙体，大门上方有“大营”字样，比较完整地保存古村落门楼特色。玉光林公祠位于该村中心位置，为林家宗支后人修建，始建于清同治三年（1864年），2015年重修。公祠坐东向西，面宽15米，进深25米，占地380平方米。祠堂屋顶为硬山顶，盖灰瓦，博古脊，墙体青砖砌成，正门楣花岗岩石板刻有“玉光林公祠”5字，为先人郭钟熙题于清同治三年（1864年）；公祠共分两进，祠内两廊、一天井；屋檐装饰木雕、灰雕、壁画;第二进挂有镂空屏风，正中设有神龛，庄严凝重，为林姓族人供奉先祖神灵所用。

◎ 玉光林公祠（摄于2016年）

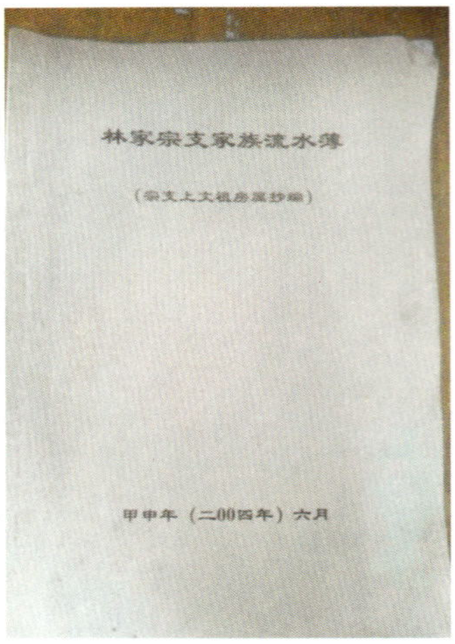

◎ 家族流水簿(摄于2016年)

村编修有《林家宗支家族流水簿》,2002年开始由族人林世光参考各房祖宗资料编写,2004年完成。该族谱分为三部分:林姓起源,林氏宗支家族流水记载抄编,祖宗来源且启后人家族等。大营林姓辈序为:"玉上昌明大,经纶济世邦。声名扬四海,文学永观光。"

据《林家宗支家族流水簿》记载,玉光祖公少年时原住清城帽巷街,后迁居上下迳(今清水迳),早年跟随母亲始祖婆李氏,后随母跟一个姓蓝家生活,始祖婆年老归寿,骨灰在原地处葬,每年清明时节,蓝家兄弟耻笑玉光小子是个牛尾仔,叫他担篮箩及其祭拜之具,青少年的玉光,忍受冷漠与讥笑。后来,他将母骨灰转移到清城西门岗将军地安放。1946年后每逢重阳时节,林家宗支中兄弟叔侄赴清城西门岗祭拜祖公祖婆。

据说始祖玉光、玉宝是同胞兄弟,玉宝远流佛山九江官田社,希望后代有经济基础时期,能采集祖宗流远资料,达成共同认识,将宗支各房汇编成比较完善的林家族谱,以启后人追念先祖之意,世世代代扬远声播永其保之。诗曰:"初始宗祖行密稀,后来远仁分两枝。总支玉光与玉宝,渊子凤女各阵居。源流清城玉耀祖,宗支世泽大营村。四上十昌明廿四,五祖明德建大业。六祖经纶行仿效,七祖为后家族兴。八祖之济勤积俭,为其立业九世珠。十邦为民是传统,声名扬播四海巡。"

主要特色民俗有:正月十八到附近的清平古庙拜祭"冯师爷"。主要宗族活动有正月拜祭、清明祭祖、重阳祭祖等。每年正月十八,村民到当地毛田清平古庙进行拜祭,各家各户在清平古庙叩首、上香,绕清平古庙外围供奉神灵上香,最后燃放鞭炮,以示履行拜祭仪式,祈求当年全家安康。

在传统婚嫁习俗中,介绍相识、求婚、看家风、定婚、送日子、接亲、迎亲等请客婚庆依然存在。传统丧事以土葬为主。1990年以后逐步实行火葬,其程序包括竖灵、收殓、引灵、接体、奠礼、出殡、火化、安葬等。办丧事时只煮白饭、花菜、萝卜、黄豆煮猪肉等简单的饭菜,用餐时不坐高台高凳,拆下事主家的门板放于门前的墓地上当饭台,以表哀痛。

民国时期,国民政府军曾在该村驻扎。1935年前后,大营村与民安其他村落发生械斗,大营村有7名村民伤亡。1964年组织村民造林大会战,种植松树、杉树20公顷。1970年县道X3221线(佛旧线)改建成4级公路,该村设有客运上落站,方便沿线村民出行,1991年和1996年先后两次改造扩建成2级水泥混凝土路面,改善村的交通条件。

(资料填报:李卓凡,初稿撰写:李卓凡,总纂:李协湖)

枫门村

◎ 枫门村村貌（摄于 2016 年）

枫门村，位于龙山镇北部，距镇政府约 19 千米。该村始建于清末，由英德高台乡（今佛冈高岗镇）刘姓分支搬迁而形成。因该村附近山岭长满枫树，故称为枫门村。

该村坐落于横冚山、上湾岭和大皇窝之间。村庄坐西向东，地处偏僻。村道从村东边迂回穿过。东与西坑口村相接，南是上湾岭，西与大皇窝相近，北与横冚山相邻。西坑沟山溪自北向南经村前流过，汇入民安河。

该村形成时，属清远县�一乡。民国初期，属清远县滘江区仁安乡，1933 年属清远县第四区。中华人民共和国成立初期，属清远县龙山乡。1953 年属清远县第六区，1958 年 7 月清远县第六区划归佛冈县辖，属佛冈县滘江人民公社上迳大队。1958 年 10 月，佛冈县并入从化县，属从化县滘江人民公社上迳大队。1959 年 5 月，属从化县龙山人民公社上迳大队。1961 年 5 月，佛冈由从化县分出，属佛冈县民安人民公社上迳大队。1983 年 12 月，属民安区上迳乡。1987 年 1 月，属民安乡上迳行政村。1989 年 11 月，属民安乡上迳管理区。1994 年 1 月，属民安镇上迳管理区。1998 年 11 月，属民安镇上迳行政村。2004 年 5 月，民安镇并入龙山镇，属龙山镇上迳行政村。2005 年 5 月，上迳、下迳村合并成清水迳村，属龙山镇清水迳行政村至今。

世居村民为刘姓、苏姓、曾姓。刘姓，宋末刘开七官授潮州都统，成为刘姓入粤的开基始祖。英德鱼湾刘氏先祖自粤东五华移居粤北翁源，后裔迁居英德鱼湾创业，清末迁至该地定居，开村始祖为刘原超。曾姓，从附近的小皇洞、铺仔村迁居而来。苏姓，根据《苏氏族谱》记载，苏氏族元代从福建迁居广东英德英东，明朝中期从英德迁至清远滘江地区，清后期从附近从化围分支搬迁而来。

2015 年末，户籍人口 139 人，其中男性 77 人，女性 62 人；80 岁以上 4 人，最年长者 93 岁（男）。实际在村人口 83 人，留守儿童 2 人。依靠农业收入的 83 人，常年在城镇生活和打工的有 56 人。村民均为汉族，所属于民系为客家民系，使用客家方言。

传统经济以农林业为主，耕地面积 7.33 公顷，山地面积 157.13 公顷，主要林木有松树、杉树、桉树。粮食作为有水稻、番薯、木薯。经济作物有花生、粉葛等。现多种植树木，水稻，兼种番薯、花生、果树等作物。果树种植形成规模化产业。到2012年，种植沙糖桔近1000亩，成为村民致富的支柱产业。2013年后，沙糖桔产业衰退，村民改种其他果树。20世纪90年代以后，大部分青壮年外出打工。村民主要收入来源有：农业收入、林业收入、务工工资收入等。传统节庆食品有春节的油角、糖环、民安白切鸡、糯米糍、清明节的艾糍、端午节的粽子等。

村于1970年通电，1993年通电话，2005年通自来水和网络，2014年全村道路基本实现水泥硬底化。

传统民居砖木结构，现存旧民居24座。传统民居为四房一厅，两廊一天井布局，村庄呈回字形排布，4条纵巷贯通全村。20世纪90年代末期，由于大部

◎ 枫门村传统民居（摄于2016年）

◎ 枫门村门楼（摄于2016年）

分村民向外搬迁，现尚有留守村民居住在传统民居。旧民居大多数已荒废，一部分已闲置或堆放杂物。

村中主要代表建筑为枫门村门楼，坐西向东，建于民国初期。门楼为硬山顶，盖灰瓦，墙体用青砖砌成，门上有两个炮眼，门楣处由右至左写有“枫门村”字样，占地面积80多平方米。

村里各姓均未编纂族谱。该村在1989年成立大围经济合作社，编有村规民约、文明公约。村规民约，因年久，字迹已难以辨认，而文明公约尚能看清。文明公约为：“爱国爱乡爱家、遵纪守法守约，坏人坏事不做，家美重教兴学，敬老爱幼爱民，邻里团结和谐，道德忠厚忠诚，助人为乐为荣，节俭勤奋兴家。”

传统特色民俗为正月十八参加附近的清平古庙拜祭“冯师爷”的活动、清明祭祖、重阳祭祖等。

传统婚嫁习俗中的迎亲嫁娶等礼俗依然存在。男女双方开始交往时，女家要到男家探家，结婚前要担定婚茶，报日子、送聘金、定嫁妆，行结婚礼时，要摆酒请客，迎亲和送亲。传统丧葬风俗以土葬为主，均以木棺土葬。50岁以上的多有下列习俗：病人临去世前要移至厅堂或廊下。去世后由子孙日夜守孝，死者入殓前，子孙要到河里取水（俗称“买水”），为死者擦身、更衣，亲视入殓。出殡时，请巫师开路，吹响牛角，送殡队敲锣打鼓、燃放爆竹送行。埋葬后，孝子孝女等从坟上抓回一把黄土，并且同牵一条寿红（红布）由另一路线回家。葬后要为死者做“头七”“二七”“三七”的法事，神主牌送入神位，至此丧事才告完结。1990年后逐步实行火葬，其程序包括竖灵、收殓、引灵、接体、奠礼、出殡、火化、安葬等。

1964年组织村民造林，种植松树、杉树26.67公顷。2008年1月由于受低温霜冻的影响，有300多亩已成熟的沙糖桔冻烂在树枝上，村民经济损失150多万元。2010年，该村村民，特别是外出务工青壮年，筹集资金修建水泥路，村的交通得到改善。

（资料填报：李卓凡，初稿撰写：李卓凡，总纂：李协湖）

高排村

◎ 高排村村貌（摄于 2016 年）

高排村， 位于龙山镇北部，距镇政府 17 千米。该村始建于清乾隆年间，由当地田心村蓝氏分支搬迁而形成。因地处较高，附近有山溪流经，故取名高排村。

该村坐落于吃水冚、石陂头和银坑底岭的丘陵地带，坐北向南。村道从村东边迂回穿过，东与吃水冚相近，南面与石陂头山接壤，西与田心村毗邻，北紧靠银坑底山岭。村南的田心沟小溪自北向南经村前汇入民安河，省道 S252 线从村东边经过。

该村形成时，属清远县潖一乡。民国初期，属清远县潖江区仁安乡。1933 年，属清远县第四区。中华人民共和国成立后，属清远县龙山乡。1953 年属清远县第六区。1958 年 7 月，清远县第六区划归佛冈县辖，属佛冈县潖江人民公社上迳大队。1958 年 10 月，佛冈县并入从化县，属从化县潖江人民公社上迳大队。1959 年 5 月，属从化县龙山人民公社上迳大队。1961 年 5 月，佛冈由从化县分出，属佛冈县民安人民公社上迳大队。1983 年 12 月，属民安区上迳乡。1987 年 1 月，属民安乡上迳行政村。1989 年 11 月，属民安乡上迳管理区。1994 年 1 月，属民安镇上迳管理区。1998 年 11 月，属民安镇上迳行政村。2004 年 5 月，民安镇并入龙山镇，属龙山镇上迳行政村。2005 年 5 月，上迳、下迳村合并成清水迳村，属龙山镇清水迳行政村至今。

世居村民为蓝姓，先祖蓝茂于明洪武二十六年（1393），因“兵多盗乱”（明史记载的蓝玉冤案），蓝氏兄弟祖茂、祖松、祖清等人由福建龙岩上杭入粤，分别择居广东翁源、兴宁等地，其中有分支迁到清远县潖二乡（今佛冈县汤塘镇）四九田心村，清乾隆年间分村迁至该地。

2015 年末，户籍人口 51 人。其中男性 27 人，女性 24 人；80 岁以上 2 人，最年长者 89 岁（女）。实际在村人口 51 人。村民均为汉族，所属民系为客家民系，使用客家方言。

村有耕地面积 2 公顷，山地面积 20 公顷。传统经济以农林业为主，主要作物有水稻、番薯、木薯、花生、粉葛、果树等。现多种植树木，兼种番薯、花生等作物。传统节庆食品有、春节的油角、糖环、民安鸡、糯米糍，清明节的艾糍，端午节的粽子等。20 世纪 90 年代以后，大部分青壮年外出打工，村民主要收入来源为农业收入、林业收入、务工工资收入等。

◎ 高排村的山林（摄于 2016 年）

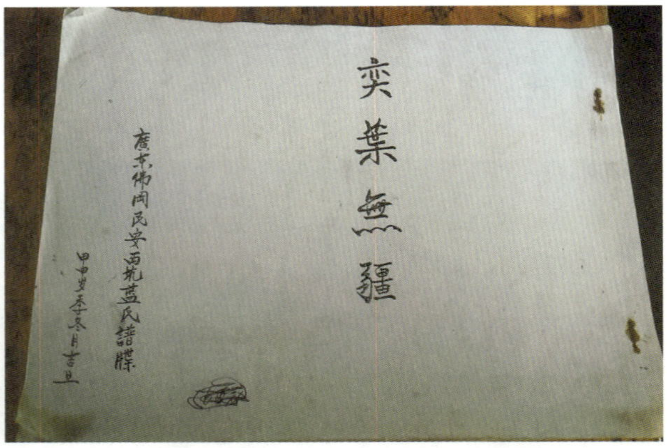

◎《奕叶无疆——佛冈民安西坑蓝氏谱牒》（摄于 2016 年）

村于 1980 年通电，1996 年通电话，2007 年通自来水，2008 年通网络，2010 年全村道路实现水泥硬底化。

传统民居为砖木结构，现存 9 座，建于清代、民国时期及中华人民共和国成立初期，保存基本完整。村落呈棋盘形，房屋排列整齐，3 条纵巷道贯穿全村，形成光照充足，排水排污方便，出入便利的特点。民居多为四房一厅，两廊一天井布局，一廊作为厨房，另一廊作为杂物房。房屋硬山顶，盖灰瓦，泥砖墙体，占地面积约 120 多平方米。

◎ 高排村传统民居（摄于 2016 年）

村修有《蓝氏谱牒》，2004 年由族人蓝宗煌主编。蓝姓祖宗咏辈歌为："必昌联发达，自应衍兴宗。维文定时茂，振德与天同。"到二十世辈时全姓建立中山义举祠咏辈歌曰："忠厚传家美，和平处世良。积功先善事，福泽正绵长。"

主要民俗有：正月十八参加清平古庙拜祭活动。每年正月十八，村民都到当地毛田清平古庙进行拜祭，各家各户会在清平古庙叩首、上香，并且绕清平古庙外围供奉神灵各上香，最后燃放鞭炮，祈求风调雨顺，全家安康。主要宗族活动有正月拜祭、清明祭祖、重阳祭祖等。

传统婚嫁习俗的迎亲嫁娶等礼俗依然存在。男女双方开始交往时，女家要到男家探家，结婚前要担定婚茶，报日子、送聘金、定嫁妆，行结婚礼时，要摆酒请客，迎亲和送亲。高排村传统丧葬风俗庄严繁杂，多沿用古中原的传统，以土葬为主。有村民死后，均以木棺土葬。死者未满 16 周岁的用普通木料做棺材，竹杠抬，不上肩。50 岁以上的多有下列习俗：病人临去世前要移至厅堂或廊下，去世后由子孙日夜守孝。死者入殓前，子孙要到河里取水（俗称"买水"），为死者擦身、更衣，亲视入殓。出殡时，请人开路，吹响牛角，送殡队敲锣打鼓、燃放爆竹送行。死者埋葬后，孝子孝女等从坟上抓回一把黄土，并且同牵一条寿红（红布）由另一路线回家。葬后要为死者做"头七""二七""三七"的法事，神主牌送往神位，至此丧事才告完结。1990 年后逐步实行火葬，其程序包括竖灵、收殓、引灵、接体、奠礼、出殡、火化、安葬等。

1970 年 8 月，参与兴建民安香粉水库。2014 年，高排村原道路均为沙石黄泥路，交通不便，后在南海区扶贫单位、村委会共同努力下筹集资金修建水泥路，实现村道水泥硬底化。

（资料填报：李卓凡，初稿撰写：李卓凡，总纂：李协湖）

田心村

◎ 田心村村貌（摄于 2016 年）

田心村，位于龙山镇北部，距镇政府 17.5 千米。该村始建于清乾隆年间，由英德鱼湾地区蓝氏分支搬迁而形成，因建村选址于田畴中心，故取名田心村。

该村坐落于丘陵地带，村庄坐西向东。村道从村东边迂回穿过。东南面与崩岗下村接壤，西紧靠横冚山岭，北与高排村毗邻。田心沟小溪自北向南经村前汇入民安河。

该村形成时，属清远县滘一乡。民国初期，属清远县滘江区仁安乡，1933 年，属清远县第四区。中华人民共和国成立后，属清远县龙山乡。1958 年 10 月，佛冈县并入从化县，属从化县滘江人民公社上迳大队。1961 年 5 月，佛冈由从化县分出，属佛冈县民安人民公社上迳大队。1983 年 12 月，属民安区上迳乡。1987 年 1 月，属民安乡上迳行政村。1989 年 11 月，属民安乡上迳管理区。1994 年 1 月，属民安镇上迳管理区。1998 年 11 月，属民安镇上迳行政村。2004 年 5 月，民安镇并入龙山镇，属龙山镇上迳行政村。2005 年 5 月，上迳、下迳村合并成清水迳村，属龙山镇清水迳行政村至今。

世居村民为蓝姓，与相邻的高排、大笪及大崩岗蓝姓族人为同根同宗。根据英德鱼湾地区的《蓝氏族谱》记载，蓝祖茂于明洪武二十六年（1393 年）因“兵多盗乱”（明史记载的蓝玉冤案），蓝氏兄弟祖茂、祖松、祖清等人由福建龙岩上杭入粤，分别择居广东翁源、兴宁等地，祖茂后代分迁英东鱼湾，请乾隆年间从英东鱼湾迁移至该地建村。

2015 年末，户籍人口 59 人，其中男性 28 人，女性 31 人；80 岁以上 3 人，最年长者 80 岁（男）。实际在村人口 39 人，留守儿童 1 人。生活主要依靠农业收入的人口有 39 人，常年在城镇生活和打工的人口有 20 人。村民均为汉族，所属民系为客家民系，使用客家方言。

村有耕地面积 2.4 公顷，山地面积 19.33 公顷。传统经营以农林业为主，主要作物有水稻、番薯、木薯、花生、粉葛、果树等。现多种植树木，兼种番薯、花生等作物。传统节庆食品有糯米糍、艾糍、粽子、油角、糖环等。特色农产品为民安鸡。20 世纪 90 年代以后，大部分青壮年外出打工。村民主要收入来源有：农业收入、林业收入、务工工资收入等。

省道 S252 线经过该村，1985 年通电，1998 年

◎ 村民饲养的民安鸡（摄于 2016 年）

通电话，2007 年通自来水，2008 年通网络，2010 年全村道路实现水泥硬底化。

传统民居现存旧民居 13 座，保存基本完好，村庄整齐有序，呈回字形排布，3 条纵巷道贯穿全村。旧民居正座为四房一厅，两廊一天井布局，每座约 90 平方米，建筑特色为硬山顶、盖灰瓦、泥砖墙体，保留着岭南特有的建筑韵味。20 世纪 90 年代以后，村民逐步在旧民居四周建成钢筋混凝土楼房 18 间，村民迁入楼房居住，楼房多为三房一厅一厨一卫布局，底层面积约 90 平方米。

◎ 田心村旧民居（摄于 2016 年）

村编修有《奕叶无疆——佛冈民安西坑蓝氏谱牒》，2004 年由族人蓝宗煌主编，水头镇郑中辉撰笔。该族谱分为四部分：序言、蓝氏渊源、蓝氏开祖、西坑蓝氏芳名册等。据《奕叶无疆——广东佛冈民安西坑蓝氏谱牒》记载，田心蓝姓开创始祖为蓝永富，距今十一世，约 250 年。当年蓝信公七世孙定公生二子：永富、永贵。开创始祖永富于清朝中期乱世之中，居无定所，流散到该地，邂逅一丧夫妇人，询其夫姓林，妇人姓李（经考究为大营村开创始祖林玉光母亲李氏），后与李氏结鸾共偕年老。阅岁不多，天降麟儿名玉光，并先后连生四子。永富、李氏归寿后，玉光归宗姓林，迁居大营村，为大营村林姓开创始祖。永富四儿子玉海，后定居邻近的高排村，为高排村蓝姓开创始祖。《奕叶无疆——佛冈民安西坑蓝氏谱牒》与《鱼湾蓝氏族谱》的祖宗咏辈歌相同：“必昌联发达，自应衍兴宗。维文定时茂，振德与天同。”到二十世辈时全姓建立中山义举祠咏辈歌：“忠厚传家美、和平处世良、积功先善事、福泽正绵长。”

村中至今保留中原文化流传下来的一部分习俗。节令习俗有：春节前的祭灶、岁末守岁、张贴春联；春节的开门迎福和拜年；正月十五元宵节闹元宵；清明节祭祖扫墓；端午节裹粽子祭河神；中秋节团圆赏月；九月重阳节登高；冬至晒腊肉等。传统民俗主要有：正月十八到附近的清平古庙拜祭“冯师爷”。每年正月十八，村民到当地毛田清平古庙进行拜祭，各家各户在清平古庙叩首、上香，并且绕清平古庙外围供奉神灵各上香，最后燃放鞭炮，祈求当年风调雨顺，全家安康。

传统婚嫁习俗中的迎亲嫁娶等礼俗依然存在。开始交往时女家要到男家探家，结婚前要担定婚茶，报日子、送聘金、定嫁妆，行结婚礼时，要摆酒请客，迎亲和送亲。田心村传统丧葬风俗庄严繁杂，多沿用古中原的传统，以土葬为主。1990 年后逐步实行火葬，其程序包括竖灵、收殓、引灵、接体、奠礼、出殡、火化、安葬等。

1970 年 8 月，参与兴建民安香粉水库。1976 年开展养猪积肥一条龙，生产队建猪栏。2010 年前后，外出务工青壮年认为地处偏僻，村道路不便，于是筹集资金修建水泥路，村交通得以改善。

（资料填报：李卓凡，初稿撰写：李卓凡，总纂：李协湖）

西坑口村

◎ 西坑口村村貌（摄于 2016 年）

西坑口村，位于龙山镇北部，距镇政府约 16 千米。该村始建于清乾隆年间，由当地大营村林姓族人分支迁入而形成。因该地西边有大水氹，氹口出水，故取名西坑口村，曾用名大水氹村。

该村坐落于大水氹和大芒窝之间的丘陵地带，地势低洼。村庄坐西向东，村道从村东边穿过，村东与背仔山相望，南与大芒窝毗邻，西与大水氹相近，北与田心村接壤。西坑沟小溪从村东流向不远处的民安河，民安河自北向南经村前汇入滘江，流经该村河长 1000 米。

该村形成时，属清远县滘一乡。民国初期，属清远县滘江区仁安乡，1933 年，属清远县第四区。中华人民共和国成立后，属清远县龙山乡。1958 年 10 月，佛冈县并入从化县，属从化县滘江人民公社上迳大队。1961 年 5 月，佛冈由从化县分出，属佛冈县民安人民公社上迳大队。1983 年 12 月，属民安区上迳乡。1987 年 1 月，属民安乡上迳行政村。1989 年 11 月，属民安乡上迳管理区。1994 年 1 月，属民安镇上迳管理区。1998 年 11 月，属民安镇上迳行政村。2004 年 5 月，民安镇并入龙山镇，属龙山镇上迳行政村。2005 年 5 月，上迳、下迳村合并成清水迳村，属龙山镇清水迳行政村至今。

世居村民为林姓。据《林家宗支家族流水簿》记载，林姓，清初由清远县清城西街口林氏分支搬迁到大旺仔村（今大营村），清乾隆年间林玉光第六世孙林奇昌分村迁到该地建村，林奇昌为该村林姓人氏的开村始祖。

2015 年末，户籍人口 54 人，其中男性 31 人，女性 23 人；80 岁以上的 1 人，最年长者 89 岁（男）。实际在村人口 39 人，留守儿童 1 人。生活主要依靠农业收入的有 39 人，常年在城镇生活和打工的有 15 人。村民均为汉族，所属民系为客家民系，使用客家方言。

村有耕地面积 1.93 公顷，山地面积 24 公顷。传统经营以农林业为主，主要林木有松树、杉树、桉树。农作物有水稻、番薯、木薯、花生、粉葛、沙糖桔等。现多种植树木，兼种番薯、花生等作物。传统节庆食品有民安鸡、糯米糍、艾糍、粽子、油角、糖环等。20 世纪 90 年代以后，大部分青壮年外出打工。村民主要收入来源有：农业收入、林业收入、

◎ 西坑口村杉树林（摄于2016年）

务工工资收入等。

村于1975年通电，1993年通电话，2005年通自来水和网络，2014年全村道路实现水泥硬底化。

传统民居为砖木结构，现存8座。民居为四房一厅，两廊一天井布局，村庄房屋整齐有序，呈回字形排布，主要建筑为硬山顶、盖灰瓦，泥砖墙体3条纵巷道贯通全村，形成出入便利的特点。20世纪90年代以后，村民逐步在旧民居四周建成钢筋混凝土结构楼房，现有13间，大部分村民迁入楼房居住，楼房多为三房一厅一厨一卫布局，底层面积约90平方米。有的楼房内外装修华丽，并留有停车位。

该村与大营村共用《林家宗支家族流水簿》，为2002年由族人林世光参考各房祖宗资料编写的，族谱于2004年完成。该族谱分为三部分：林姓起源，林氏宗支家族流水记载抄编，祖宗来源且启后人家族等。林姓字辈诗为："玉上昌明大，经纶济世邦，声名扬四海，文学永观光。"

主要特色民俗与附近村落相同，正月十八到附近的清平古庙拜祭"冯师爷"。主要宗族活动有正月拜祭、清明祭祖、重阳祭祖等。每年正月十八，清水迳村民会到当地毛田地区清平古庙进行拜祭，各家各户会在清平古庙叩首、上香，并且绕清平古庙外围供奉神灵各上香，最后燃放鞭炮，祈求当年风调雨顺，全家安康。

传统婚嫁习俗中的迎亲嫁娶等礼俗依然存在，开始交往时女家要到男家探家，结婚前要担定婚茶，报日子、送聘金、定嫁妆，行结婚礼时，要摆酒请客，迎亲和送亲。传统丧葬风俗庄严繁杂，多沿用

◎ 村民参加庙会（摄于2016年）

古中原的传统，以土葬为主。中华人民共和国成立前，凡60岁以上的人去世叫"寿终"或"归天"，未成年人去世叫"夭折"或"夭亡"，死后均以木棺土葬。死者未满16周岁的用普通木料做棺材，竹杠抬，不上肩。死者在50岁以上的多有下列习俗：病人临去世前要移至厅堂或廊下。去世后由子孙日夜守孝，死者入殓前，子孙要到河里取水（俗称"买水"），为死者擦身、更衣，亲视入殓。出殡时，请巫师开路，吹响牛角，送殡队敲锣打鼓、燃放爆竹送行。死者埋葬后，孝子孝女等从坟上抓回一把黄土，并且同牵一条寿红（红布）由另一路线回家。葬后要为死者做"头七""二七""三七"的法事，神主牌送往祠堂入位。至此丧事才告完结。1990年后逐步实行火葬，其程序包括竖灵、收殓、引灵、接体、奠礼、出殡、火化、安葬等。

1964年组织村民开展造林大会战，在村中种植松树、杉树等6.67公顷。1970年8月，兴建民安香粉水库。1973年5月完成库区工程，水库坝高32米，容量544万立方米。

（资料填报：李卓凡，初稿撰写：李卓凡，总纂：李协湖）

○上岳行政村

石仔岭村

◎ 石仔岭村村貌（摄于2016年）

石仔岭村， 位于龙山镇西北部，距镇政府10千米。该村始建于清代，由朱氏先祖朱子英后人从上岳村分村聚居而形成。相传因该村建于山岭下，地上有很多小石头而取名石仔岭村。

村坐落于丘陵地带，地势低洼，东靠省道S252线，南与从化围村相邻，西与黄镜岩村相望，北紧靠榨油岭村。

清朝时期，该村属清远县滘一乡。民国时期，属清远县滘江区仁安乡。中华人民共和国成立初期，属清远县第六区上岳乡。1958年7月，清远县第六区（今龙山镇）划归佛冈县辖，属佛冈县上岳乡。1958年10月，佛冈县并入从化县，属从化县滘江人民公社上岳大队。1959年5月，属从化县龙山人民公社上岳大队。1961年5月，佛冈由从化县分出，属佛冈县民安人民公社上岳大队。1983年12月，属民安区上岳乡。1987年1月，属民安乡上岳行政村。1989年11月，属民安乡上岳管理区。1994年1月，属民安镇上岳管理区。1998年11月，属民安镇上岳行政村。2004年5月，民安镇并入龙山镇，属龙山镇上岳行政村至今。

世居村民为朱姓。据《两岳朱家族谱》记载，因朱氏始太祖朱文焕抵抗元兵，后在英德与清远交界的旧横石以身殉职，其子朱继贤将父亲草草安葬后，在墓旁结庐守孝三年，其间置买上下岳田庄，作为隐居之用。朱继贤移居广州后繁衍生息至第六代，六世祖朱子英为避战乱，遂携妻儿回上岳居住，定居后繁衍生息。清代，其后裔分村迁至该地建村。

2015年末，户籍人口320人，其中男性168人，女性152人；80岁以上4人，最年长者87岁（男）。实际在村居住112人，留守儿童12人。生活主要依靠农业收入112人，常年在城镇生活和打工的有208人。村民均为汉族，广府民系，使用粤方言。

村有耕地面积8.67公顷。传统经济以农业为主，主要作物有水稻、番薯、木薯、花生、果树等。现多种植水稻、番薯、花生、果树。20世纪90年代后期，

◎ 村民种植的甜玉米（摄于 2016 年）

◎ 清明期间村民祭祖（摄于 2016 年）

村民逐步扩种沙糖桔。2013 年，沙糖桔产业衰退，村民改种其他果树。传统食品有白切鸡、烧鸭、焖鹅、粽子等。1990 年以后，部分青壮年外出打工。村民主要收入来源为农业收入、外出务工工资收入等。

村于 1960 年通电，1990 年通电话，1995 年村道实现水泥硬底化，2000 年通网络和 2013 年通自来水。

传统民居以广府式正座为主，呈“棋盘”型不规则布局。民居多为两进，四房一厅，两廊一天井布局，每座房屋占地 100 平方米，民居为硬山顶，盖灰瓦，墙体由青砖砌成，保留岭南特有的建筑风格，现保存完好，且有人居住。20 世纪 90 年代以后村民在传统民居的周边新建钢筋混凝土结构楼房。大部分村民搬入楼房居住，传统民居已闲置或堆放杂物。

村与上岳其他朱氏后人共用《两岳朱家族谱》，该族谱由朱氏 21 世祖朱云章主持修编，1925 年出版。族谱记载时限从宋淳祐年间上下岳朱氏始祖朱文焕起，至 1925 年上下岳第 26、27 世止，前后 600 多年。内容包括：序、目录、家训、乡规、世系图、世次纪、列传、行状、墓志、艺文、金石、建置、杂录共 12 卷。

传统习俗有清明祭祖。每年清明节期间，上岳村都到先人坟前扫墓。两岳族人对祭扫祖墓的程序和礼仪有严格的规定。清乾隆以前，清明祭始祖墓，上下岳始祖朱文焕坟墓位于旧横石簕竹坝（今清远市清城区飞来峡镇），由两岳子弟同时集中拜祭。乾隆后期，因族中人口增加，改为上岳村和下岳村轮年拜祭。每村在轮拜年必须邀请邻村长老参加，以示共同拜祭之义。祠堂祭祖分为春祭、秋祭和年祭，分别在二月春分日、八月秋分日和十二

◎ 石仔岭村民居一角（摄于 2016 年）

◎ 仙牛脚印（摄于 2016 年）

月下旬举行。祠堂祭祖从先祖祠堂起，再到各支族祠堂。祖祠堂祭祖是全村大事，老幼参加。祭祖时行三献礼，并设席宴。

传统婚嫁习俗已很少保留中原古制“六礼”，但结婚前要担定婚茶、报日子、送礼金、定嫁妆。结婚时，男、女两家都要摆酒请客，女家摆酒用的肉米酒菜大多是男家筹备。摆酒时，新郎新娘向亲友敬酒，宾客也要回赠红包。传统丧事习俗以土葬为主，1990 年以后逐步实行火葬。其过程为举丧、入殓、送葬、做法事，将亡灵牌位送入祠堂。举丧时，死者外家前来吊唁，事主家必须到门前跪接，前来吊丧要送爆竹纸钱以悼念死者。办丧事时只煮白饭、花菜、黄豆煮猪肉等简单饭菜，用餐不坐高台凳，拆下主家门板放地上当饭台，以表哀痛。完丧次日，亲友要回访事主家。

石仔岭有个仙牛脚迹的故事。相传很久前有仙人骑一白牛入山，路经此地，留下牛之脚迹，入至迳中，人牛杳然，今此迳称为白牛迳。在石颈（地名）的一块大石上，亦有小牛脚迹，迳中之小，土名又名牛屎迳者。仙牛脚迹在上岳村石仔岭（地名），其岭遍地皆石，石上多七星花点，行跳其上，隆隆如擂鼓。山旁有一石，长三尺许，宽二尺余，宛然牛脚印，中溢清泉，秋冬不涸，其味温香，小儿有患疮疥者，用此水洗即愈。如今，牛脚印依然深深地印在那块石头上。

（资料填报：钟天明，初稿撰写：钟天明，总纂：李协湖）

高禾塘村

◎ 高禾塘村村貌（摄于2016年）

高禾塘村，位于龙山镇西北部，距镇政府12千米。该村始建于清代，由先祖朱子英后人从上岳村分村聚居而形成。该村原为晒场（当地称禾塘）而且地势较高，故建村居后取名高禾塘村。

村坐落于丘陵地带，村庄坐北向南，东临石仔岭，南邻黄镜岩，西与横围接壤，北靠上岳一队，省道252线从村旁经过。

清代，该村属清远县潖一乡。民国时期，属清远县潖江区仁安乡。中华人民共和国成立初期，属清远县第六区上岳乡。1958年7月，清远县第六区（今龙山镇）划归佛冈县辖，属佛冈县上岳乡。1958年10月，佛冈县并入从化县，属从化县潖江人民公社上岳大队。1959年5月，属从化县龙山人民公社上岳大队。1961年5月，佛冈由从化县分出，属佛冈县民安人民公社上岳大队。1983年12月，属民安区上岳乡。1987年1月，属民安乡上岳行政村。1989年11月，属民安乡上岳管理区。1994年1月，属民安镇上岳管理区。1998年11月，属民安镇上岳行政村。2004年5月，民安镇并入龙山镇，属龙山镇上岳行政村至今。

世居村民为朱姓。据《两岳朱家族谱》记载，因朱氏始太祖朱文焕抵抗元兵，后在英德与清远交界的旧横石以身殉职，其子朱继贤将父亲草草安葬后，在墓旁结庐守孝三年，期间置买上下岳田庄，作为隐居之用。朱继贤移居广州后繁衍生息至第六代，六世祖朱子英为避战乱，遂携妻儿回上岳居住，定居后繁衍生息。清代，其后裔分村迁至该地建村。

2015年末，户籍人口1038人，其中男性592人，女性446人；80岁以上50人，村中最年长者103岁（男）。实有居住人口692人，留守儿童16人。生活主要依靠农业收入692人，常年在城镇生活和打工的有346人。村民均为汉族，广府民系，使用粤方言。

村有耕地面积31.2公顷。传统经济以农业为主，粮食作物主要种植水稻、番薯等，经济作物种植芋头、花生、木薯、大豆、蔬菜、果树、经济林木等，畜牧业以饲养鸡、鸭、鹅和猪、牛等，渔业主要蓄水养殖四大家鱼。传统节庆食品有：春节的咸糖环、油炸角、炒米饼，元宵节的汤圆，清明节的糯米艾糍，端午节的粽子，中秋节的月饼等。特色农产品有民安鸡。传统食品有艾糍、糯米糍、糖环、油角、米

◎ 高禾塘村饲养的民安鸡（摄于 2016 年）

饼等。90 年代以后，大部分青壮年外出打工。村民主要收入来源为农业收入、务工工资收入等。

村于 1960 年通电，1990 年通电话，1995 年实现村道水泥硬底化，2000 年通网络，2013 年通自来水。

传统民居现存 6 座，建于清末民初及中华人民共和国成立初期。民居以广府式正座为主，多为两进，四房一厅，两廊一天井布局，每座房屋占地 100 平方米，其建筑为悬山顶，盖灰瓦，墙体由青砖砌成，保留岭南特有的建筑风格，现保存完好，且有人居住。1990 年以后村民在旧民居的周边新建钢筋混凝土结构楼房，大部分村民搬入楼房居住。

◎ 传统民居（摄于 2016 年）

村与上岳其他朱氏后人共用《两岳朱氏族谱》，该族谱由朱氏 21 世祖朱云章主持修编，于 1925 年出版。族谱记载时限从宋淳祐年间上下岳朱氏始祖朱文焕起，至 1925 年上下岳第 26、27 世止，前后 600 多年。内容包括：序、目录、家训、乡规、世系图、世次纪、列传、行状、墓志、艺文、金石、建置、杂录共 12 卷。

村还保留一些当地特色民俗，如元宵上灯，古代称男孩出生为“添丁”，因“丁”与“灯”谐音，为此在元宵节到祠堂“上灯”，表示祝贺。上灯活动大致分为迎灯、接灯、摆放供品、挂灯等程序，体现出祈求人丁兴旺的心愿。清明扫墓，每年清明节期间，上岳村都到先人坟前扫墓。两岳族人对祭扫祖墓的程序和礼仪有严格的规定。清乾隆以前，清明祭始祖墓，上下岳始祖朱文焕坟墓位于旧横石簕竹坝（今清远市清城区飞来峡镇），由两岳子弟同时集中拜祭。清乾隆后期，因族中人口增加，改为上岳村和下岳村轮年拜祭。每村在轮拜年必须邀请邻村长老参加，以示共同拜祭之义。祠堂祭祖。祠堂祭祖分为春祭、秋祭和年祭，分别在二月春分日、八月秋分日和十二月下旬举行。祠堂祭祖从先祖祠堂起，再到各支族祠堂。祭祖时行三献礼，并设席宴。该村村民亦参加上岳祖祠（又名乡贤朝瑞朱公祠）的拜祭活动。

◎ 祖祠祭拜活动（摄于 2016 年）

传统婚嫁习俗已很少保留中原古制“六礼”，但结婚前要担定婚茶、报日子、送礼金、定嫁妆等习俗依然存在。结婚时，男、女两家都要摆酒请客，女家摆酒用的肉米酒菜大多是男家筹备。摆酒时，新郎新娘向亲友敬酒，宾客也要回赠红包。举办丧事，传统习俗以土葬为主，1990 年以后逐步实行火葬。其过程为举丧、入殓、送葬、做法事，将亡灵牌位送入祠堂。举丧时，死者外家前来吊唁，事主家必须到门前跪接，前来吊丧要送爆竹纸钱以悼念死者。办丧事时煮白饭、花菜、黄豆煮猪肉等简单饭菜，用餐不坐高台凳，拆下主家门板放地上当饭台，以表哀痛。完丧次日，亲友要回访事主家。

村有流传仙人床的传说。在村西北面的南便岻有一灵石，长约 3 米，宽近 1.5 米，厚三四十厘米，色蜡黄，质坚实。某日，秋高气爽，晴空万里。有一仙人骑仙鹤经此，时近中午，见山中有黄光熠熠，即驾仙鹤飞临发光之处，见一宽平大石。于是停鹤坐于石上休息，舒适非凡，不知不觉睡着了。便托梦上岳山主，说若有凡人坐得此石，精神立爽，小病可除，仕途畅顺。消息传开，很快吸引附近百姓前往坐石，热闹非凡。久而久之，此石被称为仙人床。顺德武将马公子到上岳游览，听闻此事，便想得到此床，掏出五十锭银两购买此床，雇请几十人去扛抬，但扛不动。马公子不服，再出多一倍的银两，增多一倍的人去扛抬，几经周折才扛至岻口，人人便再无力气将其搬动。于是，马公子叹息道：仙石只是为当地百姓所用，完全可以看出南便岻的山间灵气也。

1975 年，进行改河造田，改造农田 2 公顷，开展养猪积肥一条龙活动，生产队养猪 100 多头，增加集体经济收入。2014 年 4 月 23 日发生龙卷风，部分民居房顶被吹毁。

◎“仙人床”石（摄于 2016 年）

村代表人物有：朱庆忠（1904—1982），1930 年经营大小北江货运生意。他热心报国报乡，向清远城文化部门捐赠资金建设清城电影院。抗战时期，积极响应中国共产党号召，有钱出钱，有力出力，捐出轻机枪 2 挺（当时价值约 1.5 万千克谷），步枪 2 支，支援家乡抗击日本侵略者。朱业生（1947—），大校军衔，副师级，国家特级飞行员，曾立二等功一次，三等功两次。朱海湖（1949—），1969 年 2 月应征入伍，部队团级干部，转业后，曾任广州益晟建筑工程有限公司总经理，国家一级建筑工程师。

（资料填报：范锦柱，初稿撰写：范锦柱，总纂：李协湖）

横 围

◎ 横围村貌（摄于 2016 年）

横围，位于龙山镇西北部，距镇政府 10 千米。该村始建于清顺治年间，朱氏后裔朱瀚生从附近上岳自然村搬迁此地建村，朱瀚生成为该村始祖。建村时原计划建成坐东北向西南，后改为坐西北向东南，所以取名横围。

村坐落于丘陵地带，村东与上岳村相邻，南与高夫田村接壤，西与前村里相接，北靠敦厚里村。

该村形成时，属清远县滘一乡。民国时期，属清远县滘江区仁安乡。中华人民共和国成立初期，属清远县第六区上岳乡。1958 年 7 月，清远县龙山（今佛冈县龙山镇）划归佛冈县辖，属佛冈县上岳乡。1958 年 10 月，佛冈县并入从化县，属从化县滘江人民公社上岳大队。1959 年 5 月，属从化县龙山人民公社上岳大队。1961 年 5 月，佛冈由从化县分出，属佛冈县民安人民公社上岳大队。1983 年 12 月，属民安区上岳乡。1987 年 1 月，属民安乡上岳行政村。1989 年 11 月，属民安乡上岳管理区。1994 年 1 月，属民安镇上岳管理区。1998 年 11 月，属民安镇上岳行政村。2004 年 5 月，民安镇并入龙山镇，属龙山镇上岳行政村至今。

世居村民为朱姓。据《两岳朱家族谱》记载，因朱氏始太祖朱文焕抵抗元兵，后在英德与清远交界的旧横石以身殉职，其子朱继贤将父亲草草安葬后，在墓旁结庐守孝三年，其间置买上下岳田庄，作为隐居之用。朱继贤移居广州后繁衍生息至第六代，六世祖朱子英为避战乱，遂携妻儿回上岳居住，其后裔于清顺治年间迁至该村定居。

2015 年末，户籍人口 597 人，其中男性 286 人，女性 311 人；80 岁以上 16 人，最年长者 90 岁（女）。实际在村居住人口 256 人，其中留守儿童 10 人。生活主要依靠农业收入 256 人，常年在城镇居住和打工 341 人。村民均为汉族，广府民系，使用粤方言。

村有耕地面积 37.2 公顷。村传统经济以农业为主，主要作物有水稻、番薯、木薯、花生、大豆等。现多种植水稻、番薯、花生。20 世纪 90 年代后期，村民逐步扩种沙糖桔。2013 年，沙糖桔产业衰退，村民改种其他果树。传统食品有白切鸡、烧鸭、焖鹅、粽子等。1990 年以后，部分青壮年外出打工。村民主要收入来源为农业收入、务工工资收入等。

村于 1960 年通电，1990 年通电话，1995 年村道实现水泥硬底化，2000 年通网络，2013 年通自来水。

传统民居现存 35 座。村落呈“棋盘”型布局，民居主要以广府式正座为主，房屋排列整齐，二横十纵的巷道贯通全村。民居多为两进，四房一厅，两廊一天井布局，每座占地约 100 平方米，硬山顶，盖灰瓦，墙体由青砖砌成，保留岭南特有的建筑风格。现保存完好，且有人居住。该村相连在一起的上归仁里，中归仁里、下归仁里是其中保存最为完好的古建筑群，建于清雍正至乾隆年间。一个里有一个门楼，门楼的门匾上三个繁体“归”字各不相同，后两个“归”字分别少一横、一撇，以此区别建造时间的先后。上归仁里呈“回”字形，中归仁里和下归仁里呈“日”字形，均为三间两廊布局。古门楼的建筑风格大都一致，硬山顶式的屋顶，高大的趟栊门，青砖砌成都墙体，大门上方开有两个狭长的射击孔。部分门楼在两个射击孔的中间位置书写“里”的名称，正面墙上绘有精美的壁画，且有落款。

◎ 归仁里门楼（摄于 2016 年）

◎ 古民居里的巷道（摄于 2016 年）

◎ 朴山朱公祠（摄于 2016 年）

朴山朱公祠建于清乾隆四十六年（1781 年），是横围朱朴山的 5 个儿子为祀奉先人父亲而建。公祠为二进三间一天井布局，建筑占地面积 444 平方米，保存完好。

该村注重诗书教育，上归仁里的泗吉堂，就是以前村里的私塾，建于清末民初，村里的学童们都到这里念书。室内山墙顶上以花鸟为主题的壁画，历经百年，色彩依旧。下归仁里的四美楼（银楼），楼高三层，是村里最高、最坚固的建筑，曾经是村里的银楼，存放族中公家的钱银。银楼外墙厚实，大门是与门廊齐高的铁栅。沿堂屋的木梯上到二楼，墙上正面和侧面各两个方孔，通过方孔能环视全村，既是观察敌情的瞭望口，防御外袭的射击口，又能通风透气。在抗日战争时期，村民担心楼层太高会成为日机轰炸的目标，把顶层拆掉，如今只剩两层。2012 年，上归仁里、中归仁里、下归仁里、泗吉堂以及朴山朱公祠均被录入佛冈县不可移动文物名录。

◎ 横围泗吉堂（摄于 2016 年）

村与上岳其他朱氏后人共用《两岳朱家族谱》，该族谱由朱氏21世祖朱云章主持修编，于1925年出版。族谱记载时限从宋淳祐年间上下岳朱氏始祖朱文焕起，至1925年上下岳第26、27世止，前后600多年。内容包括：序、目录、家训、乡规、世系图、世次纪、列传、行状、墓志、艺文、金石、建置、杂录共12卷。载有朱氏两岳乡规："尽伦理、睦宗族、勤职业、正名分、教童蒙、完国课、息争诉、严守望、禁赌博、警为非。"

朱氏后人长期保留祭井的风俗，村中每个里都有一口井，每逢节气祭日，横围村民都要到井边拜祭井神，以祈求风调雨顺。为祭井方便，村民在井旁设立神龛，朴山朱公门前的水井还有小通道与一旁的神龛相连，据说是为了神龛与井底之神的气脉相通，所以会有给神龛上香，井里会冒烟的神奇景象。

抢花炮是该村传统习俗，每年正月十七举行这活动。花炮设有40个，分别代表不同的神灵和意义，其中头炮、二炮、二十四炮、尾炮为大炮，其余均为小炮。头炮代表洪圣大王，二炮代表墨水龙，二十四炮代表寿星，尾炮代表紫微大帝。二炮的名称繁多，用福、禄等命名的炮。每个花炮都用竹篾扎成，附上铁环，上面缀上彩色花及"公仔"人物，故称为花炮。当主持人点燃地墩的导火索引爆后把铁环射上半空，铁环跌落时，村民争相拾抢，抢到花炮者获得奖品。随后，全村群众敲锣打鼓迎回花炮，放置村里祠堂供奉，逢农历初一、十五，村民都前来烧香拜祭，祈求风调雨顺，五谷丰登。

◎ 省政协领导到横围进行历史文化资源调研（摄于2015年）

传统婚嫁习俗，在结婚前要担定婚茶、报日子、送礼金、定嫁妆。结婚时要摆酒请客。传统丧事习俗以土葬为主，1990年以后逐步实行火葬。其过程为举丧、入殓、送葬、做法事，将亡灵牌位送入祠堂。

在锣鼓岭岳山边，有两块大岩石。一石形似铜锣，高约1米，称为锣石；一石形似大鼓，可环坐七八人，称为鼓石。传说锣鼓石有预兆之功，先由鼓石鸣响，后由锣石和鸣，形成似锣鼓声警示世人。相传，清末，清远乱匪多次纠合数百余众企图洗劫上岳朱姓人，终因锣鼓石鸣响的警示，得以屡破乱匪，确保上岳朱姓人平安，传说颇为神奇。后来，乱匪究其原因，派出探子打听缘由，得知始末，大为恼火。于是，重金聘请一高法人，雇上一群石匠带上铁锤石凿，偷偷地在鼓石上凿出6个眼（洞），从此，鼓石不响，锣石不鸣。有诗为证："天生锣鼓岳山巅，两石看来像俨然。世乱相传鸣预兆，谁家曾听响何年。"

◎ 锣鼓石（摄于2016年）

2014年4月23日发生龙卷风，部分民居房顶被吹毁。2015年5月暴雨，低洼的农田被洪水淹没，造成水稻减产失收。

该村的朱伟初（1954—），曾任佛冈县体育局局长、佛冈县文化广电新闻出版局局长。在任期间，主持兴建县游泳场、文化馆，为市民提供健身和活动的环境，得到市民的赞许。

（资料填报：朱利生，初稿撰写：朱利生，统稿：李协湖）

前村里村

◎ 前村里村村貌（摄于 2016 年）

前村里村，位于龙山镇西北部，距镇政府 10 千米。该村始建于清中期，由朱氏先祖朱子英后人从上岳村分村聚居而形成。因该村建于上岳村的最前端位置而取名前村里村。

该村坐落于丘陵地带，地势低洼，村东面与横围毗邻，其余三面均为田畴。村旁为省道 252 线。

该村形成时属清远县湿一乡。民国时期，属清远县湿江区仁安乡。中华人民共和国成立初期，属清远县第六区上岳乡。1958 年 7 月，清远县第六区（今龙山镇）划归佛冈县辖，属佛冈县上岳乡。1958 年 10 月，佛冈县并入从化县，属从化县湿江人民公社上岳大队。1959 年 5 月，属从化县龙山人民公社上岳大队。1961 年 5 月，佛冈由从化县分出，属佛冈县民安人民公社上岳大队。1983 年 12 月，属民安区上岳乡。1987 年 1 月，属民安乡上岳行政村。1989 年 11 月，属民安乡上岳管理区。1994 年 1 月，属民安镇上岳管理区。1998 年 11 月，属民安镇上岳行政村。2004 年 5 月，民安镇并入龙山镇，属龙山镇上岳行政村至今。

世居村民为朱姓。据《两岳朱家族谱》记载，因朱氏始太祖朱文焕抵抗元兵，后在英德与清远交界的旧横石以身殉职，其子朱继贤将父亲草草安葬后，在墓旁结庐守孝三年，期间置买上下岳田庄，作为隐居之用。朱继贤移居广州后繁衍生息至第六代，六世祖朱子英为避战乱，遂携妻儿回上岳居住。清中期其后裔分村迁至该地建村。

2015 年末，户籍人口 183 人，其中男性 93 人，女性 90 人；80 岁以上 5 人，最年长者 86 岁（女）。实际在村居住人口 162 人，其中留守儿童 2 人。生活主要依靠农业收入的 162 人，常年在城镇居住和打工的 21 人。村民均为汉族，广府民系，使用粤方言。

村有耕地面积 10.53 公顷。传统经济以农业为主，主要作物有水稻、番薯、木薯、花生、大豆等。现多种植水稻、番薯、花生。20 世纪 90 年代后期，村民逐步扩种沙糖桔。2013 年，沙糖桔产业衰退，村民改种其他果树。传统食品有白切鸡、烧鸭、焖鹅、粽子等。1990 年以后，部分青壮年外出打工。村民主要收入来源为农业收入，外出务工工资性收入。

村于 1960 年通电，1990 年通电话，1995 年村道实现水泥硬底化，2000 年通网络，2013 年通自来水。

传统民居现存 10 余座，建于清末民初及中华人

◎ 收割机收割水稻（摄于2016年）

◎ 前村里村门楼（摄于2016年）

民共和国成立初期，建筑年代距今百年以上的有8座。以广府式正座为主，呈“棋盘”型不规则布局。民居多为两进，四房一厅，两廊一天井布局，每座房屋占地约100平方米，硬山顶，盖灰瓦，墙体由青砖砌成，保留岭南特有的建筑风格，现保存完好，且有人居住。20世纪90年代以后，村民在旧民居的周边陆续兴建钢筋混凝土结构楼房，大部分村民搬入楼房居住。

◎ 前村里村传统民居（摄于2016年）

村与上岳其他朱氏后人共用《两岳朱家族谱》，该族谱由朱氏21世祖朱云章主持修编，于1925年出版。族谱记载时限从宋淳祐年间上下岳朱氏始祖朱文焕起，至1925年上下岳第26、27世止，前后600多年。内容包括：序、目录、家训、乡规、世系图、世次纪、列传、行状、墓志、艺文、金石、建置、杂录共12卷。

村还保留一些当地特色民俗，如元宵上灯，男孩出生为“添丁”，因“丁”与“灯”谐音，为此在元宵节到祠堂“上灯”，表示祝贺。上灯活动大致分为迎灯、接灯、摆放供品、挂灯等程序，体现出祈求人丁兴旺的心愿。清明扫墓，每年清明节期间，上岳村都到先人坟前扫墓。两岳族人对祭扫祖墓的程序和礼仪有严格的规定。清乾隆以前，清明祭始祖墓，上下岳始祖朱文焕坟墓位于旧横石簕竹坝（今清远市清城区飞来峡镇），由两岳子弟同时集中拜祭。乾隆后期，因族中人口增加，改为上岳村和下岳村轮年拜祭。每村在轮拜年必须邀请邻村长老参加，以示共同拜祭之义。祠堂祭。祠堂祭祖分为春祭、秋祭和年祭，分别在二月春分、八月秋分和十二月下旬举行。祠堂祭祖从先祖祠堂起，再到各支族祠堂。祖祠堂祭祖是全村大事，老幼参加。祭祖时行三献礼，并设席宴。该村村民参加上岳祖祠的拜祭活动。

传统婚嫁习俗，担定婚茶、报日子、送礼金、定嫁妆。结婚时，男、女两家都要摆酒请客。举办丧事，传统习俗以土葬为主，1990年以后逐步实行火葬。其过程为举丧、入殓、送葬、做法事，将亡灵牌位送入祠堂。办丧事时煮白饭、花菜、黄豆煮猪肉等简单饭菜，用餐不坐高台凳，拆下主家门板放地上当饭台，以表哀痛。完丧次日，亲友要回访事主家。

1975年，进行改河造田，大搞农田基本建设，改造农田1.33公顷。2014年4月23日发生龙卷风，部分民居房顶被吹毁。2015年5月暴雨，低洼的农田被洪水淹没，造成水稻减产失收。

（资料填报：范锦柱，初稿撰写：范锦柱，总纂：李协湖）

坑口村

◎ 坑口村村貌（摄于 2016 年）

坑口村， 位于龙山镇西部，距镇政府 10 千米。该村始建于清乾隆年间，由上岳朱氏后裔迁居而成。因该村建在民安河的出口处，所以取名坑口村。

该村坐落于丘陵地带，村东靠后背山，南相邻关前村，西相邻潖江河，北相邻下岳坑口村。

村形成时，属清远县潖一乡。民国初期属清远县潖江区仁安乡，1933 年属清远县第四区。中华人民共和国成立后，属清远县龙山乡，1953 年属清远县第六区，1958 年 7 月清远县第六区划归佛冈县辖，属佛冈县潖江人民公社上岳大队。1958 年 10 月，佛冈并入从化县，属从化县潖江人民公社上岳大队。1959 年属从化县龙山人民公社上岳大队。1961 年 5 月，佛冈由从化分出，属佛冈县民安人民公社上岳大队。1983 年 12 月，属民安区上岳大队。1987 年 1 月，属民安乡上岳行政村。1989 年 11 月，属民安乡上岳管理区。1994 年，属民安镇上岳村。2004 年 5 月民安镇并入龙山镇辖，属龙山镇上岳行政村至今。

世居村民为朱姓。据《两岳朱家族谱》记载，南宋末期，元军攻陷临安，南宋皇帝赵昰（端宗）逃亡至珠江口，时任宋大理寺评事（相当于现代最高法院的大法官）朱文焕率兵护驾，被封为威远大将军，在清远北江沿岸与元军激战，后在英德与清远交界的旧横石以身殉职。其子朱继贤将父亲草草安葬后，在墓旁结庐守孝 3 年，期间置买上下岳田庄，作为隐居之用。朱继贤移居广州后繁衍生息至六代，六世祖朱子英为避战乱，遂携妻儿回上岳居住。清乾隆年间上岳横围朱氏族人为方便耕种，在民安河出口处建屋居住，后逐渐定居形成村落。

2015 年末，户籍人口 75 人，其中男性 40 人，女性 35 人；80 岁以上老人 3 人，最年长者 92 岁（女）。实际在村居住人口 52 人，其中留守儿童 2 人。生活主要依靠农业收入的 52 人，常年在城镇居住和打工的 23 人。村民均为汉族，广府民系，使用粤方言。

村有耕地面积 6 公顷。主要粮食作物有水稻、番薯，经济农作物花生、大豆、果树等。禽畜饲养鸡、鸭、鹅和猪、牛、羊等。渔业主要以蓄水养殖四大家鱼为主。20 世纪 90 年代后期，村民逐步扩种沙糖桔。2013 年，沙糖桔产业衰退，村民改种火龙果、香蕉等果树。传统食品有白切鸡、烧鸭、焖鹅、粽子等。

◎ 坑口村种植的火龙果（摄于 2016 年）

1990 年以后，部分青壮年外出打工。村民主要收入来源为农业收入、务工工资收入等。

村于 1960 年通电，1990 年通电话，1995 年村道实现水泥硬底化，2000 年通网络和 2013 年通自来水。村中建有垃圾收集站、农家书屋、农村文化俱乐部。

传统民居以广府式正座为主，村落呈“棋盘”型不规则布局。1990 年以后，村民在传统民居四周兴建钢筋混凝土结构楼房，大部分村民搬入楼房居住，传统民居现已闲置或堆放杂物。

◎ 村中民居（摄于 2016 年）

村与上下岳朱氏族人共用《两岳朱家族谱》，由朱氏 21 世祖朱云章主持编修，于 1925 年出版。记述时间跨度为宋代淳祐至 1925 年，前后 600 多年。族谱由清末榜眼朱汝珍作序。内容包括：序、弁言、目录、家训、乡规、世系图、世次纪、列传、行状、墓志、艺文、金石、建置、尝业、杂录共 12 卷。其中，《家训卷》收录《先贤文公家训》《柏庐公治家格言》和《劝言四则》，记载先贤朱熹、朱柏庐治家理学，传承孝悌、勤俭、读书、积德等儒学思想。该族谱在历史、内容、结构等方面，为佛冈境内保存较完好的族谱，为研究佛冈和湛江地区经济、风俗、文化提供宝贵的历史资料。《先贤文公家训》曰：“君之所贵者仁也，臣之所贵者忠也，父之所贵者慈也，子之所贵者孝也，兄之所贵者友也，弟之所贵者恭也，夫之所贵者和也，妇之所贵者柔也。事师长贵乎礼也，交朋友贵乎信也。合理之事当从，非理之事勿作。诗书不可不读，礼义不可不知，子孙不可不教，奴仆不可不恤。守我之公者理也，听我之命者天也。人能如是，天必相之，此乃日用常行之道，若衣服之于身体，饮食之于口腹，不可一日无者也，可不谨哉。”

村民有拜祭龙井的传统习俗。龙井并非位于坑口村，而是位于上岳村朴山朱公祠前，其中供奉有菩萨、先祖等多位神灵，是民众烧香拜佛的场所。每年正月十五，该村村民都会去龙井拜祭。

传统婚嫁习俗已很少保留中原古制“六礼”，但婚嫁礼仪中担定婚茶，报日子、送礼金、定嫁妆，行结婚礼，摆酒请客，迎亲和送亲等礼俗还存在。该村传统丧葬风俗庄严繁杂，多沿用古中原的传统，以土葬为主。1990 年后逐步实行火葬，其程序包括举丧、入殓、出殡、送葬、做法事，将亡灵送入祠堂等。

1968 年 6 月 19 日，佛冈全县普降大雨，由于北江水顶托多天，致使民安下岳大堤漫顶崩决，该村农田受损，有多间房屋倒塌，给农业生产带来很大的影响。2014 年 4 月 23 日发生龙卷风，部分民居房顶被吹毁。2015 年 5 月暴雨，低洼的农田被洪水淹没，造成水稻减产失收。

（资料填报：钟天明，初稿撰写：钟天明，总纂：李协湖）

上岳村

◎ 上岳村村貌（摄于 2016 年）

上岳村，位于龙山镇西部，距镇政府 10 千米。该村始建于元末明初，由北方南迁的朱氏族人聚居形成。因村后紧靠上岳山，而取名上岳村。

村坐落于丘陵地带，村庄坐东向西，东与高禾塘村为邻，南与横围村相连，西与高塱仔接壤，北是一大片山林，再往北就是清水迳村。该村背靠岳山，面临滘江支流民安河，是省道 S252 线和县道 X376 线（民龙线）的交汇处。

村形成时，属清远县滘一乡。清光绪十四年(1888 年）属仁安良安分局，民国初期属清远县滘江区仁安乡，1933 年属清远县第四区。中华人民共和国成立初期，属清远县龙山乡。1953 年属清远县第六区。1958 年 7 月清远县第六区划归佛冈县辖，属佛冈县滘江人民公社上岳大队。1958 年 10 月，佛冈县并入从化县，属从化县滘江人民公社上岳大队。1959 年 5 月属从化县龙山人民公社上岳大队。1961 年 5 月，佛冈由从化分出，属佛冈县民安人民公社上岳大队。1983 年 12 月，属民安区上岳大队。1987 年 1 月，属民安乡上岳行政村。1989 年 11 月，属民安乡上岳管理区。1994 年 1 月，属民安镇上岳管理区。1998 年 11 月，属民安镇上岳行政村。2004 年 5 月民安镇并入龙山镇辖，属龙山镇上岳行政村至今。

世居村民为朱姓。据《两岳朱家族谱》记载，南宋末期，元军攻陷临安，南宋皇帝赵昰（端宗）逃亡至珠江口，时任宋大理寺评事朱文焕率兵护驾，被封为威远大将军，在清远北江沿岸与元军激战，后在英德与清远交界的旧横石以身殉职。其子朱继贤将父亲草草安葬后，在墓旁结庐守孝 3 年，其间置买上下岳田庄，作为隐居之用。朱继贤移居广州后繁衍生息至六代。元末明初，六世祖朱子英为避战乱，遂携妻儿回该地建村居住。

2015 年末，户籍人口 928 人，其中男性 503 人，女性 425 人；80 岁以上老人 30 人，最年长者 103 岁（男）。实际在村居住人口 649 人，其中留守儿童 8 人。生活主要依靠农业收入的 649 人，常年在城镇居住和打工的 279 人。祖籍该村的香港同胞有 55 人。村民均为汉族，广府民系，使用粤方言。

村有耕地面积 9.6 公顷。传统经济以农业为主，主要作物有水稻、番薯、木薯、花生、果树等。传统食品有民安鸡、咸肉粽等。1980 年后，大部分青壮年外出打工。村民主要收入来源为农业收入、务工工资收入等。

村于1960年通电，1990年通电话，1995年村道实现水泥硬底化，2000年通网络，2013年通自来水。村中建有垃圾收集站。文化设施有农家书屋、农村文化俱乐部 。

现存传统民居108座，房屋多为舂墙瓦面结构。明朝中期，上岳古村逐步建成十八里，建筑规模庞大，设计时既考虑村落的统一布局，又考虑各个支系集中居住。把古村分为若干个既独立又互相联系的单位，叫作“里”。古村建成后的十八里为：村心里、万兴里、龙井里、上东山里、下东山里、厚元里、广厚里、左桥头里、右桥头里、敦厚里、上归仁里、中归仁里、下归仁里、新前村里、旧前村里、右东山里、迎恩里、厚兴里。每个里均有一个门楼和一口鱼塘，十八里共有37栋108座古屋，每座古屋面积为120平方米。古屋排列呈三座相连、三个门楼相隔，互不相通。整座古屋建筑风格是青砖到顶，砖木结构，并建有围墙，山墙顶部弯曲如镬耳，所以称为“镬耳楼”，屋檐刻有花鸟、动物等多种图案。

◎ 五龙过脊建筑（摄于2015年）

村建有朴山朱公祠，朴山朱公祠建于清乾隆四十六年（1781年），是朱朴山的5个儿子（其中朱美繁曾任清廷武略骑都尉）为祀奉先人朱朴山而建，是古村内6座祠堂保存最好的祠堂之一，已列入广东省第七批文物保护单位。

村中还有乡贤朝瑞朱公祠，乡贤朝瑞朱公祠建于清同治年间，建筑占地面积1120平方米。祠堂是

◎ 村心里门楼（摄于2016年）

◎ 镬耳楼群（摄于2016年）

上岳古村朱氏族人为祀奉先人朱朝瑞（朱璧，上岳始祖）而建。祠堂坐北向南，广三路，中路为两进三间两廊建筑，两边有衬祠，两侧青云巷。总面阔28.42米，中路面阔12.65米，总进深39.4米，高5.8米。属砖木结构。该宗祠为乡贤祠，建成时大门匾额“乡贤朝瑞朱公祠”为族孙朱润芳所书。在20世纪70年代重修时，镌刻门联为：“上含万丈春光沛国两朝天子；岳集千层旭日紫阳一代圣人”。此对联由族孙朱吉兴所撰，为鹤顶格，嵌入“上岳”村名。“沛国两朝天子”揭示朱氏沛国堂曾经出过朱温（五代后梁朱全忠，称帝后改名晃）、朱元璋两朝皇帝；“紫阳一代圣人”所指南宋著名理学家、教育家、思想家朱熹。“乡贤祠”是朱璧、朱琳祖孙两人为朝廷清官，且乐做善事，常为乡民造福，由地方官写成奏折，上报朝廷，经皇上特许建“乡贤祠”，同时在清远旧城南门街建“科第名贤坊”。

村修有《两岳朱家族谱》，由朱氏21世祖朱云章主持编修，1925年出版。记述时间跨度为宋代淳祐至1925年，前后600多年。族谱分为上下册共计50多万字，并由清末榜眼朱汝珍作序。

上岳村古韵新貌展厅是省立地方志资源开发利用项目。2014年12月在原上岳乡贤朝瑞朱公祠主祠改建布展而成。展厅内的主体部分为三面墙壁大型喷画，除前言、后记外，分为古村渊源、建筑特色、文化源流、民情风俗、史事纪略、古迹景点、人物传记、新貌剪影8个部分展示，采取以文配图的形式，记述反映上岳古村自古至今的历史发展轨迹。

◎ 上岳村古韵新貌展厅（摄于2016年）

村民自明代以来酷爱中国象棋对弈活动，历代不衰。村民不论男女老少，在农闲时节或茶余饭后，处处摆开“楚河汉界”博弈战场，对弈者、围观者都神情专注，成为村里经常性的文体活动。中华人民共和国成立以来，每逢区域举办象棋赛事，上岳村的参赛者大多名列前茅。省、市、县的象棋高手也喜欢到上岳村切磋棋艺，对弈表演。近年来，为更好传承和弘扬这一文体活动，在中小学生中开展棋艺培训普及活动。

抢花炮是该村传统习俗，每年正月十七举行这活动。花炮设有40个，分别代表不同的神灵和意义，其中头炮、二炮、二十四炮、尾炮为大炮，其余均为小炮。头炮代表洪圣大王，二炮代表墨水龙，二十四炮代表寿星，尾炮代表紫微大帝。二炮的名称繁多，用福、禄等命名的炮。每个花炮都用竹篾扎成，附上铁环，上面缀上彩色花及“公仔”人物，故称为花炮。当主持人点燃地墩的导火索引爆后把铁环射上半空，铁环跌落时，村民争相拾抢，抢到花炮者获得奖品。随后，全村群众敲锣打鼓迎回花炮，放置村里祠堂供奉，逢农历初一、十五，村民都前来烧香拜祭，祈求风调雨顺，五谷丰登。

在传统婚嫁习俗中，中原古制“六礼”在上岳村已很少见到，但婚嫁礼仪中的探家，要担定婚茶，报日子、送礼金、定嫁妆等习俗依然存在。行结婚礼要摆酒请客，迎亲和送亲等礼俗还存在。该村传统丧葬风俗庄严繁杂，多沿用古中原的传统，以土葬为主。1990年后逐步实行火葬，其程序包括举丧、入殓、出殡、送葬、做法事，将亡灵送入祠堂等。

1938年，上岳村曾组织抗日自卫队。1940年12月，日本侵略军300多人侵犯从化鳌头，自卫队配合国民党军152师911团，在蔗园击退日本侵略军。1942年5月和11月，先后4次迎击日本侵略军。

◎ 上岳村老人茶余饭后对弈（摄于2016年）

◎ 省、市、县史志部门领导考察该村（摄于2013年）

2008 年 9 月，上岳古村被广东省文学艺术界联合会、广东省民俗协会评为“广东省古村落”；2009 年 12 月，被广东省住房和城乡建设厅、广东省文化厅评为“广东省历史文化名村”；2010 年 7 月，被住房和城乡建设部、国家文物局评为“中国历史文化名村”。

明清时期，村代表人物有：朱璧，明洪武年间人，为两岳始祖朱文焕的第 6 代孙，任福建兴化府判，代理莆田县政事。朱琳（1429—1505），任福建漳洲府龙溪县知县；朱琳去世后，粤督林富嘉其循良之绩、孝友之行、赈恤之义，上奏朝廷批准，为朱璧、朱琳祖孙在上岳建祠，并在清远县城中道建造“科第名贤坊”，另为朱琳建造“青云坊”。朱应遴，为高等补廪生，清顺治四年（1647 年）清兵围攻清远县城，朱应遴当时在县城居住，与朱学熙率领的两岳忠义军合力守城。朱应选，明末至清初人，明崇祯末年任南京都司。

民国时期及中华人民共和国成立后，村代表人物有：朱佑汉（1912—1973），又名汝汉，曾就读黄埔军校，1946 年，任广东省民政厅督察；1949 年，赴台湾。朱世锋（1920—1995），民间艺人，擅长象棋，连获民安地区春节象棋对抗赛三届冠军，1984 年获佛冈县象棋对抗赛冠军。朱吉兴（1926—2014），民间艺人，擅长诗词、对联创作，以及象棋对弈、说书，出版有《朱吉兴诗联选编》，曾获民安、龙山地区象棋对抗赛冠军两次。朱锡权（1946—1998），曾任政协佛冈县委办公室主任。朱金玲（1948—），中国民航职业飞行员，国家一级飞行员（高级技术职称），安全飞行 44 年，获中国民航安全飞行最高荣誉：功勋飞行员。朱根尤（1950—2010），1979 年参加南疆保卫战，荣立三等功；1989 年任某部团长。1993 年转业到花都市工作先后任商业局局长、花都政协委常委和政协经济技术联络委员会主任。

◎ 朱金玲获得的金质奖章（摄于 2016 年）

（资料填报：钟天明，初稿撰写：钟天明，总纂：李协湖）

鹤咀村

◎ 鹤咀村村貌（摄于 2016 年）

鹤咀村，位于龙山镇西北部，距镇政府 10 千米。该村始建于清中期，由先祖朱子英后人从上岳村分村聚居而形成。因该村后面的山是鹤形山而村庄又是建在鹤嘴的部位而取名鹤咀村。

该村坐落于丘陵地带，地势低洼，村庄坐北向南，东与横围毗邻，南、西、北均为田畴。

村形成时，属清远县滘一乡。民国时期，属清远县滘江区仁安乡。中华人民共和国成立初期，属清远县第六区上岳乡。1958 年 7 月，清远县第六区（今龙山镇）划归佛冈县辖，属佛冈县上岳乡。1958 年 10 月，佛冈县并入从化县，属从化县滘江人民公社上岳大队。1959 年 5 月，属从化县龙山人民公社上岳大队。1961 年 5 月，佛冈由从化县分出，属佛冈县民安人民公社上岳大队。1983 年 12 月，属民安区上岳乡。1987 年 1 月，属民安乡上岳行政村。1989 年 11 月，属民安乡上岳管理区。1994 年 1 月，属民安镇上岳管理区。1998 年 11 月，属民安镇上岳行政村。2004 年 5 月，民安镇并入龙山镇，属龙山镇上岳行政村至今。

世居村民为朱姓。据《两岳朱家族谱》记载，因朱氏始太祖朱文焕抵抗元兵，后在英德与清远交界的旧横石以身殉职，其子朱继贤将父亲草草安葬后，在墓旁结庐守孝三年，其间置买上下岳田庄，作为隐居之用。朱继贤移居广州后繁衍生息至第六代，六世祖朱子英为避战乱，遂携妻儿回上岳居住。清中期，其后裔分村至该地建村。

2015 年末，户籍人口 192 人，其中男性 108 人，女性 84 人；80 岁以上 2 人，最年长者 93 岁（男）。实际在村居住人口 180 人，其中留守儿童 1 人。生活主要依靠农业收入的 180 人，常年在城镇居住和打工的 12 人。村民均为汉族，广府民系，使用粤方言。

村有耕地面积 13.87 公顷。传统经济以农业为主，粮食作物主要种植水稻、番薯等，经济作物种植芋头、花生、木薯、大豆、蔬菜、果树、经济林木等，畜牧业以饲养鸡、鸭、鹅和猪、牛等，渔业主要蓄水养殖四大家鱼。传统节庆食品有：春节的咸糖环、油炸角、炒米饼，元宵节的汤圆，清明节的糯米艾糍，端午节的粽子，中秋节的月饼等。20 世纪 90 年代后期，村民逐步扩种沙糖桔。2013 年，沙糖桔产业衰退，村民改种其他果树。传统食品有白切鸡、烧鸭、

◎ 民居一角（摄于 2016 年）

焖鹅、粽子等。1990 年以后，部分青壮年外出打工。村民主要收入来源为农业收入、务工工资收入。

村于 1960 年通电，1990 年通电话，1995 年村道实现水泥硬底化，2000 年通网络，2013 年通自来水。

传统民居现存 11 座，建于清末民初及中华人民共和国成立初期。民居以广府式正座为主，村落呈“棋盘”型不规则布局，房屋排列整齐，二横三纵的巷道贯通全村。民居多为两进，四房一厅两廊一天井布局，每座房屋占地约 100 平方米，其建筑为硬山顶，盖灰瓦，墙体由青砖砌成，保留岭南特有的建筑风格，现保存完好，且有人居住。1990 年后，村民在传统民居的周边新建钢筋混凝土结构楼房，大部分村民搬入楼房居住。

村与上岳其他朱氏后人共用《两岳朱家族谱》，该族谱由朱氏 21 世祖朱云章主持修编，于 1925 年出版。族谱记载时限从宋淳祐年间上下岳朱氏始祖朱文焕起，至上下岳第 26、27 世止，前后600多年。内容包括：序、目录、家训、乡规、世系图、世次纪、列传、行状、墓志、艺文、金石、建置、杂录共 12 卷。

村中至今保留中原文化流传下来的一部分习俗。节令习俗有：春节前的祭灶、岁末守岁、张贴春联；春节的开门迎福和拜年；正月十五元宵节上灯；清明节祭祖扫墓；端午节裹粽子祭河神；中秋节团圆赏月；九月重阳节登高等。清明扫墓，每年清明节期间，上岳村都到先人坟前扫墓。两岳族人对祭扫祖墓的程序和礼仪有严格的规定。清乾隆以前，清明祭始祖墓，上下岳始祖朱文焕坟墓位于旧横石簕竹坝（今清远市清城区飞来峡镇），由两岳子弟同时集中拜祭。乾隆后期，因族中人口增加，改为上岳村和下岳村轮年拜祭。每村在轮拜年必须邀请邻村长老参加，以示共同拜祭之义。祠堂祭。祠堂祭祖分为春祭、秋祭和年祭，分别在二月春分日、八月

◎《两岳朱家族谱》（摄于 2016 年）

◎ 村民祭拜祖墓（摄于 2016 年）

◎ 古井（摄于 2016 年）

秋分日和十二月下旬举行。祠堂祭祖从先祖祠堂起，再到各支族祠堂。祖祠堂祭祖是全村大事，老幼参加。祭祖时行三献礼，并设席宴。该村村民参加上岳祖祠的拜祭活动。

祭井神是该村的传统习俗，每年正月十五或重大节日，各家各户自行上香拜祭，祈求合家平安，丰衣足食。

传统婚嫁习俗已很少保留中原古制“六礼”，但结婚前要担定婚茶、报日子、送礼金、定嫁妆等习俗依然存在。结婚时，男、女两家都要摆酒请客，女家摆酒用的肉米酒菜大多是男家筹备。摆酒时，新郎新娘向亲友敬酒，宾客也要回赠红包。举办丧事，传统习俗以土葬为主，1990 年以后逐步实行火葬。其过程为举丧、入殓、送葬、做法事，将亡灵牌位送入祠堂。举丧时，死者外家前来吊唁，事主家必须到门前跪接，前来吊丧要送爆竹纸钱以悼念死者。办丧事时煮白饭、花菜、黄豆煮猪肉等简单饭菜，用餐不坐高台凳，拆下主家门板放地上当饭台，以表哀痛。完丧次日，亲友要回访事主家。

1975 年，进行改河造田，改造农田 1.33 公顷。2014 年 4 月 23 日发生龙卷风，部分民居房顶被吹毁。2015 年 5 月暴雨，低洼的农田被洪水淹没，造成水稻减产失收。

（资料填报：范锦柱，初稿撰写：范锦柱，总纂：李协湖）

坟前埔村

◎ 坟前埔村村貌（摄于 2016 年）

坟前埔村，位于龙山镇西北部，距镇政府 10 千米。该村始建于 20 世纪 90 年代初，从横围分村迁入而形成。因村民去世后大多埋葬于该地，两岳共祖子英公与其长子璧公之墓均在该地，故取名坟前埔村。

该村坐落于丘陵地带，村庄坐东北向西南，村东与高禾塘村毗邻，村南是秧坎咀村，西与榨油岭村相邻，北与鹤咀村接壤 。

村形成时，属民安乡上岳管理区。1994 年 1 月，属民安镇上岳管理区。1998 年 11 月，属民安镇上岳行政村。2004 年 5 月，民安镇并入龙山镇，属龙山镇上岳行政村至今。

世居村民为朱姓。在 20 世纪 90 年代左右，上岳行政村横围片的朱氏后人分村迁至该地建村。

2015 年末，户籍人口 257 人，其中男性 145 人，女性 112 人;80 岁以上 15 人，最年长者 92 岁（女）。实际在村居住人口 234 人，其中留守儿童 2 人。生活主要依靠农业收入的 234 人，常年在城镇居住和打工的 23 人。村民均为汉族，广府民系，使用粤方言。

村有耕地面积 16.5 公顷。传统经济以农业为主，主要作物有水稻、番薯、木薯、花生、大豆等。现多种植水稻、番薯、花生。20 世纪 90 年代后期，村民逐步扩种沙糖桔。2013 年，沙糖桔产业衰退，村民改种其他果树，办起养鸡场，养猪场，养鸡 2000 多只，猪年出栏量 800 多头。传统食品有白切鸡、烧鸭、焖鹅、粽子等。1990 年以后，部分青壮年外出打工。村民主要收入来源为农业收入、务工工资收入等。

村于 1990 年通电，1992 年通电话，1995 年村道实现水泥硬底化，2000 年通网络，2013 年通自来水。

◎ 坟前埔村养猪场（摄于 2016 年）

◎ 坟前埔村民居（摄于 2016 年）

该村因 20 世纪 90 年代形成村落，房屋全是钢筋混凝土结构楼房，楼房普遍为两三层，多为三门归厅一天井布局，面积为 80—120 平方米。

村修有《两岳朱家族谱》，由朱氏 21 世祖朱云章主持修编，于 1925 年出版。族谱记载时限从宋淳祐年间上下岳朱氏始祖朱文焕起，至上下岳第 26、27 世止，前后 600 多年。内容包括：序、目录、家训、乡规、世系图、世次纪、列传、行状、墓志、艺文、金石、建置、杂录共 12 卷。族谱由广州十八甫东雅公司石印出版，分上下两册共 50 多万字。族谱载有朱瑞佳的《孝祖悟训》，有一段曰：“饱食终日智亦愚，勤读经书愚亦贤。勤俭精简未雨缪，他日定会百业昌。百般技艺藏一身，何愁人生无彩霞。施恩勿望他人报，受惠大小不可忘。”

传统习俗主要有：元宵上灯。男孩出生为“添丁”，因“丁”与“灯”谐音，为此在元宵节到祠堂“上灯”，表示祝贺。上灯是族人的喜事，上灯活动大致分为迎灯、接灯、摆放供品、挂灯等程序，体现出祈求人丁兴旺的心愿，显示出族人和谐共处的景象。清明扫墓。每年清明节期间，上岳村民都到先人坟前扫墓。两岳族人对祭扫祖墓的程序和礼仪有严格的规定。清乾隆以前，清明祭始祖墓，上下岳始祖朱文焕坟墓位于旧横石簕竹坝（今清远市清城区飞来峡镇），由两岳子弟同时集中拜祭。乾隆后，因族中人口增加，改为上岳村和下岳村轮年拜祭。每村在轮拜年必须邀请邻村长老参加，以示共同拜祭之义。祠堂祭祖。坟前埔没有宗祠，但村民皆去上岳村的宗祠拜祭先祖。两岳大宗祠，是两岳族人最早的祠堂，建于明代，后来毁于兵火。现在的上岳祖祠（又名乡贤朝瑞朱公祠），建于清同治年间，为上岳村首先祭拜的祠堂。祠堂祭祖是全村大事，老幼参加。祠堂祭祖分为春祭、秋祭和年祭，分别在二月春分日、八月秋分日和十二月下旬举行。祭祖时行三献礼，并设席宴。祠堂祭祖从先祖祠堂起，再到各支族祠堂。

◎ 村民集体祭祖（摄于 2016 年）

抢花炮是该村传统习俗，每年正月十七举行这活动。花炮设有 40 个，分别代表不同的神灵和意义，其中头炮、二炮、二十四炮、尾炮为大炮，其余均为小炮。头炮代表洪圣大王，二炮代表墨水龙，二十四炮代表寿星，

◎ 村民抢花炮热闹场景（摄于 2016 年）

尾炮代表紫微大帝。二炮的名称繁多，用福、禄等命名的炮。每个花炮都用竹篾扎成，附上铁环，上面缀上彩色花及“公仔”人物，故称为花炮。当主持人点燃地墩的导火索引爆后把铁环射上半空，铁环跌落时，村民争相拾抢，抢到花炮者获得奖品。随后，全村群众敲锣打鼓迎回花炮，放置村里祠堂供奉，逢农历初一、十五，村民都前来烧香拜祭，祈求风调雨顺，五谷丰登。

传统婚嫁习俗已很少保留中原古制“六礼”，但结婚前要担定婚茶、报日子、送礼金、定嫁妆等习俗依然存在。结婚时，男、女两家都要摆酒请客，女家摆酒用的肉米酒菜大多是男家筹备。摆酒时，新郎新娘向亲友敬酒，宾客也要回赠红包。举办丧事，已实行火葬。其过程为举丧、入殓、送葬、做法事，将亡灵牌位送入祠堂。举丧时，死者外家前来吊唁，事主家必须到门前跪接，前来吊丧要送爆竹纸钱以悼念死者。办丧事煮白饭、花菜、黄豆煮猪肉等简单饭菜，用餐不坐高台凳，拆下主家门板放地上当饭台，以表哀痛。完丧次日，亲友要回访事主家。

1999 年 12 月，受北方冷空气影响，龙眼树被霜冻死，绝大部分果农损失严重。2008 年 1 月，由于受低温霜冻影响，京珠高速公路曾一度封锁，致使北方南下采购沙糖桔的车辆受阻，村中 6.67 公顷可采摘的沙糖桔在树上冻烂，村民损失 50 多万元。

（资料填报：谭淑敏，初稿撰写：谭淑敏，总纂：李协湖）

财吉厂村

◎ 财吉厂村村貌（摄于 2016 年）

财吉厂村，位于龙山镇西北部，距镇政府 10 千米。该村始建于清末，由上岳村朱氏后人分支搬迁聚居而形成。因到该地耕种的人叫财吉，且寓意为财运亨通，如意吉祥。故取名为财吉厂村，

该村坐落于丘陵地带，地势低洼，有民安河从村旁流向不远处的滘江，村庄坐北向南，村东与石仔岭村毗邻，南是省道 S252 线，西与秧坎咀村相邻，北与上岳村接壤。

村形成时，属清远县滘一乡。民国时期，属清远县滘江区仁安乡。中华人民共和国成立初期，属清远县第六区上岳乡。1958 年 7 月，清远县第六区（今龙山镇）划归佛冈县辖，属佛冈县上岳乡。1958 年 10 月，佛冈县并入从化县，属从化县滘江人民公社上岳大队。1959 年 5 月，属从化县龙山人民公社上岳大队。1961 年 5 月，佛冈由从化县分出，属佛冈县民安人民公社上岳大队。1983 年 12 月，属民安区上岳乡。1987 年 1 月，属民安乡上岳行政村。1989 年 11 月，属民安乡上岳管理区。1994 年 1 月，属民安镇上岳管理区。1998 年 11 月，属民安镇上岳行政村。2004 年 5 月，民安镇并入龙山镇，属龙山镇上岳行政村至今。

世居村民为朱姓。据《两岳朱家族谱》记载，因朱氏始太祖朱文焕抵抗元兵，后在英德与清远交界的旧横石以身殉职，其子朱继贤将父亲草草安葬后，在墓旁结庐守孝三年，其间置买上下岳田庄，作为隐居之用。朱继贤移居广州后繁衍生息至第六代，六世祖朱子英为避战乱，遂携妻儿回上岳居住。清末，其族人后裔分村迁至该地建村。

2015 年末，户籍人口 104 人，其中男性 51 人，女性 53 人；80 岁以上 2 人，最年长者 87 岁（女）。实际在村居住人口 91 人，其中留守儿童 1 人。生活主要依靠农业收入的 91 人，常年在城镇居住和打工的 13 人。村民均为汉族，广府民系，使用粤方言。

村有耕地面积 8 公顷。传统经济以农业为主，主要作物有水稻、番薯、木薯、花生、大豆等。渔业养殖有四大家鱼。禽畜主要饲养有鸡、鸭、鹅、猪、牛等。现多种植水稻、番薯、花生。20 世纪 90 年代后期，村民逐步扩种沙糖桔。2013 年，沙糖桔产业衰退，村民改种其他果树，办起养鹅场，养殖量 1000 多只。传统食品有白切鸡、烧鸭、焖鹅、粽子等。

◎ 财吉厂村养鹅场（摄于 2016 年）

1990 年以后，部分青壮年外出打工。村民主要收入来源为农业收入，务工工资收入等。

村于 1960 年通电，1990 年通电话，1995 年村道实现水泥硬底化，2000 年通网络，2013 年通自来水。

传统民居以广府式正座为主。村落呈“棋盘”型布局，房屋排列整齐，二横三纵的巷道贯通全村。民居多为两进，四房一厅，两廊一天井形制，每座房屋占地约 100 平方米，其建筑为硬山顶，盖灰瓦，墙体由青砖砌成，保留岭南特有的建筑风格。20 世纪 90 年代后，村民在旧民居的周边兴建钢筋混凝土结构楼房。楼房普遍为两三层，多为三门归厅一天井布局，面积为 80—120 平方米。

村与上岳其他朱氏后人共用《两岳朱家族谱》，该族谱由朱氏 21 世祖朱云章主持修编，于 1925 年出版。族谱记载时限从宋淳祐年间上下岳朱氏始祖朱文焕起，至 1925 年上下岳第 26、27 世止，前后 600 多年。内容包括：序、目录、家训、乡规、世系图、世次纪、列传、行状、墓志、艺文、金石、建置、杂录共 12 卷。

节庆习俗有：春节前的祭灶、岁末守岁、张

◎ 财吉厂村门楼（摄于 2016 年）

◎《两岳朱家族谱》（摄于 2016 年）

◎ 村民在春节期间写春联（摄于 2016 年）

贴春联；春节的开门迎福和拜年；正月十五元宵节上灯；清明节祭祖扫墓；端午节裹粽子祭河神；中秋节团圆赏月；九月重阳节登高等。清明扫墓，每年清明节期间，上岳村都到先人坟前扫墓。两岳族人对祭扫祖墓的程序和礼仪有严格的规定。清乾隆以前，清明祭始祖墓，上下岳始祖朱文焕坟墓位于旧横石簕竹坝（今清远市清城区飞来峡镇），由两岳子弟同时集中拜祭。乾隆后期，因族中人口增加，改为上岳村和下岳村轮年拜祭。每村在轮拜年必须邀请邻村长老参加，以示共同拜祭之义。祠堂祭。祠堂祭祖分为春祭、秋祭和年祭，分别在二月春分日、八月秋分日和十二月下旬举行。祠堂祭祖从先祖祠堂起，再到各支族祠堂。祖祠堂祭祖是全村大事，老幼参加。祭祖时行三献礼，并设席宴。该村村民参加上岳祖祠的拜祭活动。

传统婚嫁习俗已很少保留中原古制“六礼”，但结婚前要担定婚茶、报日子、送聘金、定嫁妆。结婚时，男、女两家都要摆酒请客，女家摆酒用的肉米酒菜大多是男家筹备。摆酒时，新郎新娘向亲友敬酒，宾客也要回赠红包。传统丧事习俗以土葬为主，1990 年以后逐步实行火葬。其过程为举丧、入殓、送葬、做法事，将亡灵牌位送入祠堂。举丧时，死者外家前来吊唁，事主家必须到门前跪接，前来吊丧要送爆竹纸钱以悼念死者。办丧事时只煮白饭、花菜、黄豆煮猪肉等简单饭菜，用餐不坐高台凳，拆下主家门板放地上当饭台，以表哀痛。完丧次日，亲友要回访事主家。

2007 年，部分村民募捐资金重建上岳担水埔桥。2014 年 4 月 23 日发生龙卷风，部分民居房顶被吹毁。2015 年 5 月暴雨，低洼的农田被洪水淹没，造成水稻减产失收。

（资料填报：谭淑敏，初稿撰写：谭淑敏，总纂：李协湖）

高塱仔村

◎ 高塱仔村村貌（摄于 2016 年）

高塱仔村，位于龙山镇西北部，距镇政府 10 千米。该村始建于清初，由上岳朱氏族人分村搬迁而形成，因村庄地势高，故取名高塱仔村。

村坐落于丘陵地带，坐西北向东南，村东是吊筒岭，南与上岳村相邻，西紧挨榨油岭村，北面是崩山岭。

村形成时，属清远县滘一乡。民国时期，属清远县滘江区仁安乡。中华人民共和国成立初期，属清远县第六区上岳乡。1958 年 7 月属佛冈县龙山乡。1958 年 10 月，佛冈县并入从化县，属从化县滘江人民公社榨油岭大队。1959 年 5 月，属从化县龙山人民公社榨油岭大队。1961 年 5 月，佛冈由从化县分出，属佛冈县民安人民公社榨油岭大队。1983 年 12 月，属民安区榨油岭乡。1987 年 1 月，属民安乡榨油岭行政村。1989 年 11 月，属民安乡榨油岭管理区。1994 年 1 月，属民安镇榨油岭管理区。1998 年 11 月，属民安镇榨油岭行政村。2004 年 5 月，民安镇并入龙山镇，属龙山镇榨油岭行政村。2005 年 5 月，榨油岭行政村并入上岳行政村，属龙山镇上岳行政村至今。

世居村民为朱姓。据《两岳朱家族谱》记载，因朱氏始太祖朱文焕抵抗元兵，后在英德与清远交界的旧横石以身殉职，其子朱继贤将父亲草草安葬后，在墓旁结庐守孝三年，其间置买上下岳田庄，作为隐居之用。朱继贤移居广州后繁衍生息至第六代，六世祖朱子英为避战乱，遂携妻儿回上岳居住。清初，其后裔分村迁至该地建村。

2015 年末，户籍人口 179 人，其中男性 84 人，女性 95 人；80 岁以上 3 人，该村最年长者 92 岁（男）。实际在村居住人口 151 人，其中留守儿童 2 人。生活主要依靠农业收入的 151 人，常年在城镇居住和打工的 28 人。村民均为汉族，广府民系，使用粤方言。

村有耕地面积 8.13 公顷。传统经济以农业为主，主要作物有水稻、番薯、木薯、花生、大豆等。现多种植水稻、番薯、花生。20 世纪 90 年代后期，村民逐步扩种沙糖桔。2013 年，沙糖桔产业衰退，村民改种其他果树。传统食品有白切鸡、烧鸭、焖鹅、粽子等。1990 年以后，部分青壮年外出打工。村民主要收入来源为农业收入，务工工资收入等。

村于 1960 年通电，1990 年通电话，1995 年村

◎ 高塱仔村新民居（摄于 2016 年）

道实现水泥硬底化，2000 年通网络，2013 年通自来水。

传统民居大多为广府民居，多为三门归厅一天井布局，现已全部拆除。1990 年以后，村民兴建钢筋混凝土结构楼房。楼房多为 2—3 层，三房一厅，一厨一卫布局。

村与上岳其他朱氏后人共用《两岳朱家族谱》，该族谱由朱氏 21 世祖朱云章主持修编，于 1925 年出版。族谱记载时限从宋淳祐年间上下岳朱氏始祖朱文焕起，至上下岳第 26、27 世止，前后 600 多年。内容包括：序、目录、家训、乡规、世系图、世次纪、列传、行状、墓志、艺文、金石、建置、杂录共 12 卷。族谱由广州十八甫东雅公司石印出版，分上下两册共 50 多万字。族谱载有《先贤文公家训》曰：“君之所贵者仁也，臣之所贵者忠也，父之所贵者慈也，子之所贵者孝也，兄之所贵者友也，弟之所贵者恭也，夫之所贵者和也，妇之所贵者柔也。事师长贵乎礼也，交朋友贵乎信也。合理之事当从，非理之事勿作。诗书不可不读，礼义不可不知，子孙不可不教，奴仆不可不恤。守我之公者理也，听我之命者天也。人能如是，天必相之，此乃日用常行之道，若衣服之于身体，饮食之于口腹，不可一日无者也，可不谨哉。”

◎《两岳朱家族谱》（摄于 2016 年）

传统习俗与上下岳朱氏各村基本相同：清明扫墓，每年清明节期间，上岳村都到先人坟前扫墓。两岳族人对祭扫祖墓的程序和礼仪有严格的规定。清乾隆以前，清明祭始祖墓，上下岳始祖朱文焕坟墓位于旧横石簕竹坝（今清远市清城区飞来峡镇），由两岳子弟同时集中拜祭。乾隆后期，因族中人口增加，改为上岳村和下岳村轮年拜祭。每村在轮拜年必须邀请邻村长老参加，以示共同拜祭之义。祠堂祭。祠堂祭祖分为春祭、秋祭和年祭，分别在二月春分日、八月秋分日和十二月下旬举行。祠堂祭祖从先祖祠堂起，再到各支族祠堂。祖祠堂祭祖是全村大事，老幼参加。

◎ 清明期间家族祭祖（摄于 2016 年）

◎ 村民自办养猪场（摄于 2016 年）

传统婚嫁习俗已很少保留中原古制“六礼”，但结婚前要担定婚茶、报日子、送礼金、定嫁妆等习俗依然存在。结婚时，男、女两家都要摆酒请客，女家摆酒用的肉米酒菜大多是男家筹备。摆酒时，新郎新娘向亲友敬酒，宾客也要回赠红包。举办丧事，传统习俗以土葬为主，1990 年以后逐步实行火葬。其过程为举丧、入殓、送葬、做法事，将亡灵牌位送入祠堂。举丧时，死者外家前来吊唁，事主家必须到门前跪接，前来吊丧要送爆竹纸钱以悼念死者。办丧事时煮白饭、花菜、黄豆煮猪肉等简单饭菜，用餐不坐高台凳，拆下主家门板放地上当饭台，以表哀痛。完丧次日，亲友要回访事主家。

1975 年，改河造田，改造农田 1.33 公顷，实行养猪积肥一条龙，生产队建有猪栏 10 多间，饲养生猪 100 多头，增加集体经济收入。2014 年 4 月 23 日发生龙卷风，部分民居房顶被吹毁。2015 年 5 月暴雨，低洼的农田被洪水淹没，造成水稻减产失收。

（资料填报：谭淑敏，初稿撰写：谭淑敏，总纂：李协湖）

榨油岭村

◎ 榨油岭村村貌（摄于 2016 年）

榨油岭村，位于龙山镇西北部，距镇政府 10 千米。该村始建于明嘉靖年间，由上岳村朱氏族人分村搬迁而形成。因地形如榨油槽而取名榨油岭村。

该村坐落于丘陵地带，坐东北向西南，村东与横围接壤，南与秧坎咀村相邻，西邻定家塘村，北与下池村相望。

村形成时，属清远县滘江乡。清朝时期属清远县滘一乡。民国时期，属清远县滘江区仁安乡。中华人民共和国成立初期，属清远县第六区上岳乡。1958 年从上岳大队分出成立榨油岭大队。1958 年 10 月，佛冈县并入从化县，属从化县滘江人民公社榨油岭大队。1959 年 5 月，属从化县龙山人民公社榨油岭大队。1961 年 5 月，佛冈由从化县分出，属佛冈县民安人民公社榨油岭大队。1983 年 12 月，属民安区榨油岭乡。1987 年 1 月，属民安乡榨油岭行政村。1989 年 11 月，属民安乡榨油岭管理区。1994 年 1 月，属民安镇榨油岭管理区。1998 年 11 月，属民安镇榨油岭行政村。2004 年 5 月，民安镇并入龙山镇，2005 年 5 月，榨油岭行政村并入上岳行政村，属龙山镇上岳行政村至今。

世居村民为朱姓及唐姓。据《两岳朱家族谱》记载，因朱氏始太祖朱文焕抵抗元兵，后在英德与清远交界的旧横石以身殉职，其子朱继贤将父亲草草安葬后，在墓旁结庐守孝三年，其间置买上下岳田庄，作为隐居之用。朱继贤移居广州后繁衍生息至第六代，六世祖朱子英为避战乱，遂携妻儿回上岳居住，定居后繁衍生息，其后裔陆续分村而居。唐氏族人于明末时期从江西迁入广东南雄珠玑巷，后迁英德县大陂都迳头乡鸭蝈坑（今迳头镇甲名村），其后裔分枝于清末迁至该地。

2015 年末，户籍人口 508 人，其中男性 265 人，女性 243 人;80 岁以上 21 人，最年长者 89 岁（女）。实际在村居住人口 236 人，其中留守儿童 8 人。生活主要依靠农业收入的 236 人，常年在城镇居住和打工的 272 人。祖籍该村的香港同胞有 23 人。村民均为汉族，广府民系，使用粤方言。

村有耕地面积 42.07 公顷。传统经济以农业为主，主要作物有水稻、番薯、木薯、花生、大豆等。现多种植水稻、番薯、花生。水稻亩产 400 多千克。20 世纪 90 年代后期，村民逐步扩种沙糖桔。2013

年，沙糖桔产业衰退，村民改种其他果树。传统食品有白切鸡、烧鸭、焖鹅、粽子等。1990 年以后，部分青壮年外出打工。村民主要收入来源为农业收入、外出务工工资性收入。

村于 1960 年通电，1990 年通电话，1995 年村道实现水泥硬底化，2000 年通网络，2013 年通自来水。村中有榨油岭文化室，面积约 90 平方米。

◎ 榨油岭村传统民居（摄于 2016 年）

◎ 收割机收割稻子（摄于 2016 年）

传统民居现存 12 座，始建于明代。民居以广府式正座为主，也有部分单间砖瓦房（俗称围水屋）。

◎ 榨油岭村文化室（摄于 2016 年）

村庄呈“棋盘”型不规则布局，巷道纵横交错。1990 年以后，村民在旧民居四周兴建钢筋混凝土结构楼房，楼房多为三房一厅一厨一卫布局，大部分村民搬入楼房居住。传统民居大多已闲置或堆放杂物。

村修有《两岳朱家族谱》，由朱氏 21 世祖朱云章主持编修，于 1925 年出版。记述时间为宋代淳祐至 1925 年，前后 600 多年。族谱分为上下册共计 50 多万字，并由清末榜眼朱汝珍作序。内容包括：序、弁言、目录、家训、乡规、世系图、世次纪、列传、行状、墓志、艺文、金石、建置、尝业、杂录共 12 卷。其中，《家训卷》收录《先贤文公家训》《柏庐公治家格言》和《劝言四则》记载先贤朱熹、朱柏庐治家理学，传承孝悌、勤俭、读书、积德等儒学思想。

传统习俗有：元宵上灯。俗称男孩出生为“添丁”，因“丁”与“灯”谐音，为此在元宵节到祠堂“上灯”，表示祝贺。上灯活动大致分为迎灯、接灯、摆放供品、挂灯等程序，体现出祈求人丁兴旺的心愿。清明扫墓，每年清明节期间，上岳村都到先人坟前扫墓。两岳族人对祭扫祖墓的程序和礼仪有严格的规定。清乾隆以前，清明祭始祖墓——上下岳始祖朱文焕坟墓位于旧横石簕竹坝（今清城区飞来峡镇）由两岳子弟同时集中拜祭。乾隆后期，因族中人口增加，改为上岳村和下岳村轮年拜祭。每村在轮拜年必须邀请邻村长老参加，以示共同拜祭之义。祠

◎ 村民祭拜祖祠（摄于 2016 年）

堂祭。祠堂祭祖分为春祭、秋祭和年祭，分别在二月春分日、八月秋分日和十二月下旬举行。祠堂祭祖从先祖祠堂起，再到各支族祠堂。祖祠堂祭祖是全村大事，老幼参加。祭祖时行三献礼，并设席宴。该村村民参加上岳祖祠的拜祭活动。

传统婚嫁习俗已很少保留中原古制"六礼"，但结婚前要担定婚茶、报日子、送礼金、定嫁妆等习俗依然存在。结婚时，男、女两家都要摆酒请客，女家摆酒用的肉米酒菜大多是男家筹备。摆酒时，新郎新娘向亲友敬酒，宾客也要回赠红包。举办丧事，传统习俗以土葬为主，1990 年以后逐步实行火葬。其过程为举丧、入殓、送葬、做法事，将亡灵牌位送入祠堂。举丧时，死者外家前来吊唁，事主家必须到门前跪接，前来吊丧要送爆竹纸钱以悼念死者。办丧事时只煮白饭、花菜、黄豆煮猪肉等简单饭菜，用餐不坐高台凳，拆下主家门板放地上当饭台，以表哀痛。完丧次日，亲友要回访事主家。

1975 年，改河造田，改造农田 2 公顷。2014 年 4 月 23 日发生龙卷风，部分民居房顶被吹毁。2015 年 5 月暴雨，低洼的农田被洪水淹没，造成水稻减产失收。

该村的朱贵臻（1947—），曾任中共佛冈县委组织部副部长。朱家辉（1968—），物理高级教师职称，现任佛冈一中教师。朱剑飞（1974—），广州大学团委副书记。

（资料填报：谭淑敏，初稿撰写：谭淑敏，总纂：李协湖）

敦厚里村

◎ 敦厚里村村貌（摄于 2016 年）

敦厚里村，位于龙山镇西北部，距镇政府 10 千米。该村始建于民国初期，由先祖朱子英后人分村聚居而形成。因当年上岳古村分为十八里，该村为其中一里，故取名敦厚里村。

该村坐落于丘陵地带，坐北向南，村东与上岳村相邻，南与横围毗邻，西与前村里紧靠，北为一片田畴。

村形成时，属清远县滘江区仁安乡。中华人民共和国成立初期，属清远县第六区上岳乡。1958 年 7 月，清远县第六区（今龙山镇）划归佛冈县辖，属佛冈县上岳乡。1958 年 10 月，佛冈县并入从化县，属从化县滘江人民公社上岳大队。1959 年 5 月，属从化县龙山人民公社上岳大队。1961 年 5 月，佛冈由从化县分出，属佛冈县民安人民公社上岳大队。1983 年 12 月，属民安区上岳乡。1987 年 1 月，属民安乡上岳行政村。1989 年 11 月，属民安乡上岳管理区。1994 年 1 月，属民安镇上岳管理区。1998 年 11 月，属民安镇上岳行政村。2004 年 5 月，民安镇并入龙山镇，该村属龙山镇上岳行政村至今。

世居村民为朱姓。据《两岳朱家族谱》记载，因朱氏始太祖朱文焕抵抗元兵，后在英德与清远交界的旧横石以身殉职，其子朱继贤将父亲草草安葬后，在墓旁结庐守孝三年，其间置买上下岳田庄，作为隐居之用。朱继贤移居广州后繁衍生息至第六代，六世祖朱子英为避战乱，遂携妻儿回上岳居住。民国初期，其后裔分村迁至该地建村。

2015 年末，户籍人口 18 人，其中男性 11 人，女性 7 人；80 岁以上 9 人，最年长者 91 岁（男）。实际在村居住人口 18 人，生活主要依靠农业收入（敦厚里绝大部分人已搬迁出去）。村民均为汉族，广府民系，使用粤方言。

村有耕地面积 44.53 公顷。传统经济以农业为

◎ 村民饲养的鸭（摄于 2016 年）

主，粮食作物主要种植水稻、番薯等，经济作物种植芋头、花生、木薯、大豆、蔬菜、果树、经济林木等，畜牧业以饲养鸡、鸭、鹅和猪、牛等，渔业主要蓄水养殖四大家鱼。传统节庆食品有：春节的咸糖环、油炸角、炒米饼，元宵节的汤圆，清明节的糯米艾糍，端午节的粽子，中秋节的月饼，湛江醋等。妇女生小孩坐月子时，有喝糯米甜酒，吃猪脚甜醋的习惯。20 世纪 90 年代后期，村民逐步扩种沙糖桔。2013 年，沙糖桔产业衰退，村民改种其他果树。传统食品有白切鸡、烧鸭、焖鹅、粽子等。1990 年以后，部分青壮年外出打工。村民主要收入来源为农业收入，务工工资收入等。

村于 1960 年通电，1990 年通电话，1995 年实现村道水泥硬底化，2000 年通网络，2013 年通自来水。

传统民居现存 18 座，保存基本完好。民居以广府式正座为主，也有部分单间砖瓦房（俗称围水屋）。村庄呈“棋盘”型不规则布局，巷道纵横交错。1990 年以后，村民在传统民居四周兴建钢筋混凝土结构楼房，楼房多为三房一厅一厨一卫布局，大部分村民搬入楼房居住。传统民居大多已闲置或堆放杂物。

◎ 敦厚里村门楼（摄于 2016 年）

该村与上岳其他朱氏后人共同拥有《两岳朱家族谱》，该族谱主要由朱氏 21 世祖朱云章主持修编，于 1925 年出版。族谱记载时限从宋淳祐年间上下岳朱氏始祖朱文焕起，至 1925 年上下岳第 26、27 世止，前后 600 多年。内容包括：序、目录、家训、乡规、世系图、世次纪、列传、行状、墓志、艺文、金石、建置、杂录共 12 卷。

敦厚里原叫敦厚堂，敦厚里始建于 1925 年农历十一月初六，由该村有一定经济实力的朱世霖为总管，以该村第十九世祖“雄光”的田业收租为基础，朱世霖捐资一部分和本村宗族兄弟合资而建成。上岳原来只有十七里，后来上下两岳的族谱诞生之后，再加上“敦厚里”共十八里，于是将敦厚里与其他十七里合称为上岳十八里。该门楼内官神位有一块樟木板，刻上一门官土地福德正神和一副写在两边神位的对联，对联是：“春风

◎ 敦厚里村传统民居（摄于 2016 年）

先及第；旭日正当门。”字体出自该村二十世朱用牛之手，而三字“敦厚里”之村名，山水画和门楼正面提诗分别为横围朴山公之后的二十四祖朱照祖（化名是天照之手）其兄朱仲玲和上岳一位村贤所书。

村中至今保留中原文化流传下来的一部分习俗。节令习俗有：春节前的祭灶、岁末守岁、张贴春联；春节的开门迎福和拜年；正月十五元宵节上灯；清明节祭祖扫墓；端午节裹粽子祭河神；中秋节团圆赏月；九月重阳节登高等。清明扫墓，每年清明节期间，上岳村都到先人坟前扫墓。两岳族人对祭扫祖墓的程序和礼仪有严格的规定。清乾隆以前，清明祭始祖墓由两岳子弟同时集中拜祭。乾隆后期，因族中人口增加，改为上岳村和下岳村轮年拜祭。每村在轮拜年必须邀请邻村长老参加，以示共同拜祭之义。祠堂祭，祠堂祭祖分为春祭、秋祭和年祭，分别在二月春分日、八月秋分日和十二月下旬举行。祠堂祭祖从先祖祠堂起，再到各支族祠堂。祭祖时行三献礼，并设席宴。祖祠堂祭祖是全村大事，老幼参加。该村村民亦参加上岳祖祠（又名乡贤朝瑞朱公祠）的拜祭活动。

传统婚嫁习俗已很少保留中原古制“六礼”，但结婚前要担定婚茶、报日子、送礼金、定嫁妆等习俗依然存在。结婚时，男、女两家都要摆酒请客，女家摆酒用的肉米酒菜大多是男家筹备。摆酒时，新郎新娘向亲友敬酒，宾客也要回赠红包。举办丧事时，传统习俗以土葬为主，1990 年以后逐步实行火葬。其过程为举丧、入殓、送葬、做法事，将亡灵牌位送入祠堂。举丧时，死者外家前来吊唁，事主家必须到门前跪接，前来吊丧送爆竹纸钱以悼念死者。

2014年4月23日敦厚里门楼被龙卷风吹毁瓦面，村民捐资 1200 元重新修复门楼。2015 年 5 月暴雨，低洼的农田被洪水淹没，造成水稻减产失收。

该村的朱允宽（1924—），抗战老兵。朱佐常（1950—），曾任广东省湛江市第一人民医院主任医师。

（资料填报：范锦柱，初稿撰写：范锦柱，总纂：李协湖）

下池村

◎ 下池村村貌（摄于 2016 年）

下池村，位于龙山镇西北部，距镇政府 13 千米。始建于民国初期，由清远飞来峡三鱼坑村分村迁入而形成。因该村与清远下池围相邻而取名下池村。

该村坐落于丘陵地带，坐西北向东南，村东与榨油岭村相邻，南紧靠下岳八队，西与洞企石村毗邻，北与清远下池围村接壤。

民国时期，该村属清远县滘江区仁安乡。中华人民共和国成立初期，属清远县第六区上岳乡。1958 年从上岳大队分出成立榨油岭大队。1958 年 10 月，佛冈县并入从化县，属从化县滘江人民公社榨油岭大队。1959 年 5 月，属从化县龙山人民公社榨油岭大队。1961 年 5 月，佛冈由从化县分出，属佛冈县民安人民公社榨油岭大队。1983 年 12 月，属民安区榨油岭乡。1987 年 1 月，属民安乡榨油岭行政村。1989 年 11 月，属民安乡榨油岭管理区。1994 年 1 月，属民安镇榨油岭管理区。1998 年 11 月，属民安镇榨油岭行政村。2004 年 5 月，民安镇并入龙山镇，2005 年 5 月，榨油岭行政村并入上岳行政村，属龙山镇上岳行政村至今。

世居村民为黎姓、朱姓。黎氏源自南雄珠玑巷，黎氏六人（孔昭、元海、圣进、文达、成初、人杰）南迁，在南海九江大洋湾登陆，散居于南海、番禺、顺德、东莞等地。民国初期，其子孙从清远飞来峡三鱼坑村迁移到该地耕田定居，朱氏部分后人于民国时期迁至该地耕田定居。

2015 年末，户籍人口 94 人，其中男性 49 人，女性 45 人；80 岁以上 2 人。最年长者 82 岁（男）。实际在村居住人口 85 人，其中留守儿童 1 人。生活主要依靠农业收入的 85 人，常年在城镇居住和打工的 9 人。村民均为汉族，广府民系，使用粤方言。

村有耕地面积 4.6 公顷，山地面积 6.67 公顷。

◎ 村民饲养的民安鸡（摄于 2016 年）

◎ 下池村民种植的香蕉（摄于 2016 年）

◎ 下池村传统民居（摄于 2016 年）

传统经济以农业为主，主要作物有水稻、番薯、木薯、花生、大豆等。禽畜主要饲养有鸡、鸭、鹅、猪、牛等。渔业养殖有四大家鱼。现多种植水稻、番薯、花生、水果等。20 世纪 90 年代后期，村民逐步扩种沙糖桔。2013 年，沙糖桔产业衰退，村民改种其他果树。传统食品有白切鸡、烧鸭、焖鹅、粽子等。1990 年以后，部分青壮年外出打工。村民主要收入来源为农业收入，务工工资收入等。

村于 1960 年通电，1990 年通电话，1995 年村道实现水泥硬底化，2000 年通网络，2013 年通自来水。

传统民居大多为广府民居，也有部分单间砖瓦房（俗称围水屋），保存且完整。1990 年以后，村民兴建钢筋混凝土结构楼房，楼房普遍为 2—3 层，多为三门归厅一天井布局，面积约为 80—120 平方米。

该村的传统节令习俗有：春节前的祭灶、岁末守岁、张贴春联；春节的开门迎福和拜年；正月十五元宵节上灯；清明节祭祖扫墓；端午节裹粽子祭河神；中秋节团圆赏月；九月重阳节登高等。清明扫墓。清明节是悼念祖先的节日，家家户户门楣插柳枝和桃叶以驱邪，有些人家还会采艾（一种植物）做糍，名为“艾糍”。在外地谋生的人都尽可能赶回来祭扫祖墓。七夕，农历七月初七为七夕。传说这天是七仙女“下凡”的日子，村民杀鸡鸭聚餐。另外，这天，各家都会贮存一些水，叫“七月七水”。传说“七月七水”可长期贮存而不变质，是夏天的清凉饮料，还可治病。

传统婚嫁习俗已很少保留中原古制“六礼”，但结婚前要担定婚茶、报日子、送礼金、定嫁妆等习俗依然存在。结婚时，男、女两家都要摆酒请客，女家摆酒用的肉米酒菜大多是男家筹备。摆酒时，新郎新娘向亲友敬酒，宾客也要回赠红包。举办丧事，传统习俗以土葬为主，1990 年以后逐步实行火葬。其过程为举丧、入殓、送葬、做法事，将亡灵牌位送入祠堂。举丧时，死者外家前来吊唁，事主家必须到门前跪接，前来吊丧要送爆竹纸钱以悼念死者。办丧事时只煮白饭、花菜、黄豆煮猪肉等简单饭菜，用餐不坐高台凳，拆下主家门板放地上当饭台，以表哀痛。完丧次日，亲友要回访事主家。

1964 年，组织村民种植松树、杉树 2 公顷。1975 年，进行改河造田改造农田 0.67 公顷。以及开展养猪积肥一条龙，生产队建有猪栏十多间。

（资料填报：谭淑敏，初稿撰写：谭淑敏，总纂：李协湖）

定家塘村

◎ 定家塘村村貌（摄于 2016 年）

定家塘村，位于龙山镇西北部，距镇政府 10 千米。该村始建于清康熙年间，由清远飞来峡三鱼坑村分村迁入而形成。因村民到此耕种并在此定家居住，而取名为定家塘村。

村庄坐落于丘陵地带，坐西北向东南，村东与榨油岭村相邻，南紧靠大岭顶，西与下池村毗邻，北与双马岭村接壤。

村形成时，属清远县潖一乡。民国时期，属清远县潖江区仁安乡。中华人民共和国成立初期，属清远县第六区上岳乡。1958 年从上岳大队分出成立榨油岭大队。1958 年 10 月，佛冈县并入从化县，属从化县潖江人民公社榨油岭大队。1959 年 5 月，属从化县龙山人民公社榨油岭大队。1961 年 5 月，佛冈由从化县分出，属佛冈县民安人民公社榨油岭大队。1983 年 12 月，属民安区榨油岭乡。1987 年 1 月，属民安乡榨油岭行政村。1989 年 11 月，属民安乡榨油岭管理区。1994 年 1 月，属民安镇榨油岭管理区。1998 年 11 月，属民安镇榨油岭行政村。2004 年 5 月，民安镇并入龙山镇，2005 年 5 月，榨油岭行政村并入上岳行政村，属龙山镇上岳行政村至今。

世居村民为黎姓、朱姓。黎姓，源自南雄珠玑巷，黎氏六人（孔昭、元海、圣进、文达、成初、人杰）南迁，在南海九江大洋湾登陆，散居于南海、番禺、顺德、东莞等地，清康熙年间，从清远飞来峡三鱼坑村迁来该地建村定居。朱姓，上岳朱氏后人在该地耕田，后来建村定居。

2015 年末，户籍人口 266 人，其中男性 143 人，女性 123 人；80 岁以上 10 人，该村最年长者 95 岁（女）。实际在村居住人口 253 人，其中留守儿童 1 人。生活主要依靠农业收入的 253 人，常年在城镇居住和打工的 13 人。村民均为汉族，广府民系，使用粤方言。

村有耕地面积 8.2 公顷。传统经济以农业为主，主要作物有水稻、番薯、木薯、花生、大豆等。现多种植水稻、番薯、花生。20 世纪 90 年代后期，村民逐步扩种沙糖桔。2013 年，沙糖桔产业衰退，村民改种其他果树。传统食品有白切鸡、烧鸭、焖鹅、粽子等。1990 年以后，部分青壮年外出打工。村民主要收入来源为农业收入，务工工资收入等。

村于 1960 年通电，1990 年通电话，1995 年村

◎ 定家塘村的绿化树培育场（摄于 2016 年）

道实现水泥硬底化，2000 年通网络，2013 年通自来水。村中建有定家塘文化室，面积约 90 平方米。

传统民居大多为广府民居，也有部分单间砖瓦房（俗称围水屋）。村落呈棋盘形，巷道为 6 横 4 纵。1990 年以后，村民兴建钢筋混凝土结构楼房，楼房普遍为 2—3 层，多为三门归厅一天井布局，面积约 80—120 平方米。

村中朱姓修有《两岳朱家族谱》，由朱氏 21 世祖朱云章主持编修，于 1925 年出版。记述时间跨度为宋代淳祐年间至 1925 年，前后 600 多年。族谱分为上下册共计 50 多万字，并由清末榜眼朱汝珍作序。

◎ 定家塘村传统民居（摄于 2016 年）

村仍保留部分传统习俗：元宵上灯。男孩出生为“添丁”，因“丁”与“灯”谐音，为此在元宵节到祠堂“上灯”，表示祝贺。上灯活动大致分为迎灯、接灯、摆放供品、挂灯等程序，体现出祈求人丁兴旺的心愿。清明扫墓。清明节家家户户门楣插柳枝和桃叶以驱邪，有些人家还会采艾（一种植物）做糍，名为“艾糍”。在外地谋生的人都尽可能赶回来祭扫祖墓。祭井神，每年正月十五或重大节日，各家各户自行上香拜祭，祈求合家平安，丰衣足食。

传统婚嫁习俗，结婚前要担定婚茶、报日子、送礼金、定嫁妆。结婚时，男、女两家都要摆酒请客，女家摆酒用的肉米酒菜大多是男家筹备。摆酒时，新郎新娘向亲友敬酒，宾客也要回赠红包。传统丧事习俗以土葬为主，1990 年以后逐步实行火葬。办丧事时只煮白饭、花菜、黄豆煮猪肉等简单饭菜，用餐不坐高台凳，拆下主家门板放地上当饭台，以表哀痛。完丧次日，亲友要回访事主家。

1950 年，连日骤降暴雨，引发定家塘村背后山顶旁大面积山体滑坡。2014 年 5 月 26 日，骤降暴雨，引发定家塘村背后山到石挟冚一带的近 20 处山体滑坡。

该村的朱杰连（1950—），退伍后在广东溢香化工研究所任高级工程师、总经理职务，先后主持研究多个化妆品技术，其中有 6 个产品获国家发明专利，8 个产品获包装设计专利。2012 年被暨南大学生命科学技术学院聘为硕士研究生导师，2013 年又受聘为博士生导师。

（资料填报：谭淑敏，初稿撰写：谭淑敏，总纂：李协湖）

南坑村

◎ 南坑村村貌（摄于 2016 年）

南坑村，位于龙山镇西北部，距镇政府 7 千米。该村始建于清末。朱氏后裔从附近上岳村分村迁入而形成。因村位于溪流南面，故取名南坑村。

该村坐落于丘陵地带，村庄坐北向南，村东与从化围相邻，南毗邻关前村，西与七叶车村相望，北是民安圩。

村形成时，属清远县滙一乡。民国时期，属清远县滙江区仁安乡。中华人民共和国成立初期，属清远县第六区上岳乡。1958 年 7 月，属佛冈县龙山乡。1958 年 10 月，佛冈县并入从化县，属从化县滙江人民公社秧坎咀大队。1959 年 5 月，属从化县龙山人民公社秧坎咀大队。1961 年 5 月，佛冈由从化县分出，属佛冈县民安人民公社秧坎咀大队。1983 年 12 月，属民安区秧坎咀乡。1987 年 1 月，属民安乡秧坎咀行政村。1989 年 11 月，属民安乡秧坎咀管理区。1994 年 1 月，属民安镇秧坎咀管理区。1998 年 11 月，属民安镇秧坎咀行政村。2004 年 5 月，民安镇并入龙山镇，2005 年 5 月，秧坎咀行政村并入上岳行政村，属龙山镇上岳行政村至今。

世居村民为朱姓。据《两岳朱家族谱》记载，因朱氏始太祖朱文焕抵抗元兵，后在英德与清远交界的旧横石以身殉职，其子朱继贤将父亲草草安葬后，在墓旁结庐守孝三年，其间置买上下岳田庄，作为隐居之用。朱继贤移居广州后繁衍生息至第六代，六世祖朱子英为避战乱，遂携妻儿回上岳居住。清末，其后人分村迁至该地建村。

2015 年末，户籍人口 294 人，其中男性 153 人，女性 141 人；80 岁以上 3 人，最年长者 85 岁（男）。实际在村居住 263 人，其中留守儿童 2 人。生活主要依靠农业收入的 263 人，常年在城镇居住和打工的 31 人。村民均为汉族，广府民系，使用粤方言。

村有山地面积 8 公顷，耕地面积 8 公顷。传统经济以农业为主，主要作物有水稻、番薯、木薯、花生、大豆等。现多种植水稻、番薯、花生。20 世纪 90 年代后期，村民逐步扩种沙糖桔。2013 年，沙糖桔产业衰退，村民改种其他果树。传统食品有白切鸡、烧鸭、焖鹅、粽子等。1990 年以后，部分青壮年外出打工。村民主要收入来源为农业收入、务工工资收入等。

村于 1960 年通电，1990 年通电话，1995 年村道

◎ 村民种植的番石榴（摄于 2016 年）

实现水泥硬底化，2000 年通网络，2013 年通自来水。

传统民居大多为广府民居，也有部分单间砖瓦房（俗称围水屋）。村落呈棋盘形，巷道为九横三纵。1990 年以后，村民兴建钢筋混凝土结构楼房，楼房普遍为 2—3 层，多为三门归厅一天井布局，面积约 80—120 平方米。

◎ 传统民居（摄于 2016 年）

村与上岳其他朱氏后人共同拥有《两岳朱家族谱》，该族谱由朱氏 21 世祖朱云章主持修编，内容包括：序、目录、家训、乡规、世系图、世次纪、列传、行状、墓志、艺文、金石、建置、杂录共 12 卷。另外朱瑞佳经多年感悟，写有《孝祖悟训》，其中一段："祈求多福人常情，孝祖悟训须先行。家训乡规祖已定，常常读读务修身。父母恩深终有别，起居饮食多关心。只重资财薄父母，须知天理也难容。"

该村是上岳村分房，其习俗与上岳村相同：清明扫墓，每年清明节期间，上岳村都到先人坟前扫墓。两岳族人对祭扫祖墓的程序和礼仪有严格的规定。清乾隆以前，清明祭始祖墓，由两岳子弟同时集中拜祭。乾隆后期，因族中人口增加，改为上岳村和下岳村轮年拜祭。每村在轮拜年必须邀请邻村长老参加，以示共同拜祭之义。祠堂祭。祠堂祭祖分为春祭、秋祭和年祭，分别在二月春分日、八月秋分日和十二月下旬举行。祠堂祭祖从先祖祠堂起，再到各支族祠堂。祖祠堂祭祖是全村大事，老幼参加。祭祖时行三献礼，并设席宴。

◎ 清明祭祖（摄于 2016 年）

传统婚嫁习俗有担定婚茶、报日子、送聘金、定嫁妆。结婚时，男、女两家要摆酒请客，但女家摆酒用的肉米酒菜大多是男家筹备。摆酒时，新郎新娘向亲友敬酒，宾客也要回赠红包。传统丧事习俗以土葬为主，1990 年以后逐步实行火葬。其过程为举丧、入殓、送葬、做法事，将亡灵牌位送入祠堂。举丧时，死者外家前来吊唁，事主家必须到门前跪接，前来吊丧要送爆竹纸钱以悼念死者。办丧事时只煮白饭、花菜、黄豆煮猪肉等简单饭菜，用餐不坐高台凳，拆下主家门板放地上当饭台，以表哀痛。完丧次日，亲友要回访事主家。

1964 年，组织全村开展造林大会战，种植松树、杉树 3.33 公顷。1975 年，进行改河造田，改造农田 2 公顷。

（资料填报：谭淑敏，初稿撰写：谭淑敏，总纂：李协湖）

黄镜岩村

◎ 黄镜岩村村貌（摄于 2016 年）

黄镜岩村，位于龙山镇西北部，距镇政府 10 千米。该村始建于清中期，由先祖朱子英后人分村聚居而形成。因村位于黄镜岩山旁，故取名黄镜岩村，曾用名黄姜岩村。

该村坐落于丘陵地带，地势低洼，东与高禾塘毗邻，南是民安河，西是普美小学，北与横围相邻。

村形成时，属清远县滘一乡。民国时期，属清远县滘江区仁安乡。中华人民共和国成立初期，属清远县第六区上岳乡。1958 年 7 月，清远县第六区（今龙山镇）划归佛冈县辖，属佛冈县上岳乡。1958 年 10 月，佛冈县并入从化县，属从化县滘江人民公社上岳大队。1959 年 5 月，属从化县龙山人民公社上岳大队。1961 年 5 月，佛冈由从化县分出，属佛冈县民安人民公社上岳大队。1983 年 12 月，属民安区上岳乡。1987 年 1 月，属民安乡上岳行政村。1989 年 11 月，属民安乡上岳管理区。1994 年 1 月，属民安镇上岳管理区。1998 年 11 月，属民安镇上岳行政村。2004 年 5 月，民安镇并入龙山镇，属龙山镇上岳行政村至今。

世居村民为朱姓、卢姓。据《两岳朱家族谱》记载，因朱氏始太祖朱文焕抵抗元兵，后在英德与清远交界的旧横石以身殉职，其子朱继贤将父亲草草安葬后，在墓旁结庐守孝三年，期间置买上下岳田庄，作为隐居之用。朱继贤移居广州后繁衍生息至第六代，六世祖朱子英为避战乱，遂携妻儿回上岳居住，定居后繁衍生息。卢姓由广东英德迁移至该地定居。

2015 年末，户籍人口 139 人，其中男性 75 人，女性 64 人；80 岁以上 2 人，最年长者 85 岁（女）。实际在村居住人口 104 人，其中留守儿童 2 人。生活主要依靠农业收入的 104 人，常年在城镇居住和打工的 35 人。村民均为汉族，广府民系，使用粤方言。村民均为汉族，广府民系，使用粤方言。

村有山地面积 8.67 公顷，耕地面积 11.07 公顷。主要作物有水稻、番薯、木薯、花生、大豆等。现多种植水稻、番薯、花生。20 世纪 90 年代后期，村民逐步扩种沙糖桔。2013 年，沙糖桔产业衰退，村民改种其他果树，办起塘鱼养殖业，塘鱼年产 800 多千克。传统食品有白切鸡、烧鸭、焖鹅、粽子等。1990 年以后，部分青壮年外出打工。村民主要收入来源为农业收入，务工工资收入等。

◎ 黄镜岩村的塘鱼养殖（摄于 2016 年）

居闲置或堆放杂物。

村与上岳其他朱氏后人共同拥有《两岳朱家族谱》，该族谱由朱氏 21 世祖朱云章主持修编，于 1925 年出版。族谱记载时限从宋淳祐年间上下岳朱氏始祖朱文焕起，至 1925 年上下岳第 26、27 世止，前后 600 多年。内容包括：序、目录、家训、乡规、世系图、世次纪、列传、行状、墓志、艺文、金石、建置、杂录共 12 卷。其中《先贤文公家训》曰："君之所贵者仁也，臣之所贵者忠也，父之所贵者慈也，子之所贵者孝也，兄之所贵者友也，弟之所贵者恭也，夫之所贵者和也，妇之所贵者柔也。事师长贵乎礼也，交朋友贵乎信也。合理之事当从，非理之事勿作。诗书不可不读，礼义不可不知，子孙不可不教，奴仆不可不恤。守我之公者理也，听我之命者天也。人能如是，天必相之，此乃日用常行之道，若衣服之于身体，饮食之于口腹，不可一日无者也，可不谨哉。"

村还保留部分当地特色民俗，如元宵上灯，男孩出生为"添丁"，因"丁"与"灯"谐音，为此在元宵节到祠堂"上灯"，表示祝贺。上灯活动大致分为迎灯、接灯、摆放供品、挂灯等程序，体现出祈求人丁兴旺的心愿。清明扫墓，每年清明节期

村于 1960 年通电，1990 年通电话，1995 年村道实现水泥硬底化，2000 年通网络，2013 年通自来水。

普美小学于 1948 年建成，校址选在该村地域。校舍为四合院式，面积 2500 平方米，是当时湛江地区规模较大，设施较完备的乡村小学，时任国民党军将领陈诚亲笔题写"普美学校"的校名和礼堂的匾额。普美学校创建至今一直坚持办学，逐步扩建。2015 年校舍面积扩大到 2.5 万平方米，开设 6 个年级 20 个教学班，在校学生 843 人，教职工 39 人。幼儿园在园幼儿 239 人，教职工 25 人。

◎ 普美小学（摄于 2016 年）

传统民居现存 15 座，建于清代。民居主要以广府式正座为主，呈"棋盘"形，巷道六横十纵，贯通全村。1990 年以后，村民在传统民居周围兴建钢筋混凝土结构楼房，大部分村民搬入楼房，传统民

◎ 黄镜岩村民居（摄于 2016 年）

◎ 祖祠祭拜活动（摄于 2016 年）

间，上岳村都到先人坟前扫墓。两岳族人对祭扫祖墓的程序和礼仪有严格的规定。清乾隆以前，清明祭始祖墓，上下岳始祖朱文焕坟墓位于旧横石簕竹坝（今清远市清城区飞来峡镇）由两岳子弟同时集中拜祭。乾隆后期，因族中人口增加，改为上岳村和下岳村轮年拜祭。每村在轮拜年必须邀请邻村长老参加，以示共同拜祭之义。祠堂祭。祠堂祭祖分为春祭、秋祭和年祭，分别在二月春分日、八月秋分日和十二月下旬举行。祠堂祭祖从先祖祠堂起，再到各支族祠堂。祖祠堂祭祖是全村大事，老幼参加。祭祖时行三献礼，并设席宴。该村村民参加上岳祖祠的拜祭活动。

传统婚嫁习俗已很少保留中原古制“六礼”，但结婚前要担定婚茶、报日子、送礼金、定嫁妆等习俗依然存在。结婚时，男、女两家都要摆酒请客，女家摆酒用的肉米酒菜大多是男家筹备。摆酒时，新郎新娘向亲友敬酒，宾客也要回赠红包。传统丧事习俗以土葬为主，1990 年以后逐步实行火葬。其过程为举丧、入殓、送葬、做法事，将亡灵牌位送入祠堂。举丧时，死者外家前来吊唁，事主家必须到门前跪接，前来吊丧要送爆竹纸钱以悼念死者。办丧事时只煮白饭、花菜、黄豆煮猪肉等简单饭菜，用餐不坐高台凳，拆下主家门板放地上当饭台，以表哀痛。完丧次日，亲友要回访事主家。

1964 年，组织村民开展造林大会战，种植松树、杉树 6.67 公顷。1975 年，进行改河造田，改造农田 2 公顷。

该村的朱日林（1948—），曾任广东人民出版社干部。他的多篇文学作品在省级的报刊杂志发表，编辑出版的《蔡廷锴》获 1995 年首届中国优秀传记文学作品奖，《三资企业的法律与实践》获广东省社会科学“七五”项目科研成果奖，《三来一补企业的法律与实践》获广东省社会科学“八五”项目科研成果奖。

（资料填报：钟天明，初稿撰写：钟天明，总纂：李协湖）

横岭村

◎ 横岭村村貌（摄于 2016 年）

横岭村，位于龙山镇西北部，距镇政府 10 千米。该村始建于清中期，由附近上岳朱氏先祖朱子英后人分村聚居而形成。因该村后背山叫司马岭，而村庄建在司马岭的前面，而取名横岭村。

该村坐落于丘陵地带，地势低洼，村东与南坑村毗邻，南和西相邻下岳村，北靠七页车村。

村形成时，属清远县滘一乡。民国时期，属清远县滘江区仁安乡。中华人民共和国成立初期，属清远县第六区上岳乡。1958 年 7 月，清远县第六区（今龙山镇）划归佛冈县辖，属佛冈县上岳乡。1958 年 10 月，佛冈县并入从化县，属从化县滘江人民公社上岳大队。1959 年 5 月，属从化县龙山人民公社上岳大队。1961 年 5 月，佛冈由从化县分出，属佛冈县民安人民公社上岳大队。1983 年 12 月，属民安区上岳乡。1987 年 1 月，属民安乡上岳行政村。1989 年 11 月，属民安乡上岳管理区。1994 年 1 月，属民安镇上岳管理区。1998 年 11 月，属民安镇上岳行政村。2004 年 5 月，民安镇并入龙山镇，属龙山镇上岳行政村至今。

世居村民为朱姓、黄姓、曾姓。朱姓，据《两岳朱家族谱》记载，因朱氏始太祖朱文焕抵抗元兵，后在英德与清远交界的旧横石以身殉职，其子朱继贤将父亲草草安葬后，在墓旁结庐守孝三年，其间置买上下岳田庄，作为隐居之用。朱继贤移居广州后繁衍生息至第六代，六世祖朱子英为避战乱，遂携妻儿回上岳居住。清中期，其后人分村迁至该地建村。黄姓与曾姓皆是 20 世纪 70 年代从横岭附近村庄搬迁至此建屋定居。

2015 年末，户籍人口 183 人，其中男性 98 人，女性 85 人；80 岁以上 4 人，最年长者 87 岁（男）。实际在村居住人口 104 人，其中留守儿童 6 人。生活主要依靠农业收入的 104 人，常年在城镇居住和打工的 79 人。村民均为汉族，广府民系，使用粤方言。

村有山地面积 8 公顷，耕地面积 37.4 公顷。传统经济以农业为主，主要作物有水稻、番薯、木薯、花生、大豆等。现多种植水稻、番薯、花生。20 世纪 90 年代后期，村民逐步扩种沙糖桔。2013 年，沙糖桔产业衰退，村民改种其他果树，办起火龙果种植基地。传统食品有白切鸡、烧鸭、焖鹅、粽子等。1990 年以后，部分青壮年外出打工。村民主要收入

◎ 火龙果种植基地（摄于 2016 年）

来源为农业收入，务工工资收入等。

村于 1960 年通电，1990 年通电话，1995 年村道实现水泥硬底化，2000 年通网络，2013 年通自来水。文化设施有文化室、休闲公园。园内有乒乓球桌、休闲椅、健身器材等康乐设施，丰富村民的文化生活。

◎ 横岭村公园（摄于 2016 年）

传统民居大多为广府民居，也有部分单间砖瓦房（俗称围水屋）。村落呈棋盘形，巷道为六横四纵。1990 年以后，村民兴建钢筋混凝土结构楼房，楼房普遍为 2—3 层，多为三门归厅一天井布局，面积约 80—120 平方米。

◎ 横岭村一角（摄于 2016 年）

村与上岳其他朱氏后人共同拥有《两岳朱家族谱》，该族谱由朱氏 21 世祖朱云章主持修编，于 1925 年出版。族谱记载时限从宋淳祐年间上下岳朱氏始祖朱文焕起，至 1925 年上下岳第 26、27 世止，前后 600 多年。内容包括：序、目录、家训、乡规、世系图、世次纪、列传、行状、墓志、艺文、金石、建置、杂录共 12 卷。

村还保留部分当地特色民俗：如元宵上灯，男孩出生为“添丁”，因“丁”与“灯”谐音，为此在元宵节到祠堂“上灯”，表示祝贺。上灯活动大致分为迎灯、接灯、摆放供品、挂灯等程序，体现出祈求人丁兴旺的心愿。祭井神是该村的传统习俗，每年正月十五或重大节日，各家各户自行上香拜祭，祈求合家平安，丰衣足食。

传统婚嫁习俗，结婚前要担定婚茶、报日子、送聘金、定嫁妆。结婚时，男、女两家都要摆酒请客，女家摆酒用的肉米酒菜大多是男家筹备。摆酒时，新郎新娘向亲友敬酒，宾客也要回赠红包。传统丧事习俗以土葬为主，1990 年以后逐步实行火葬。其过程为举丧、入殓、送葬、做法事，将亡灵牌位送入祠堂。举丧时，死者外家前来吊唁，事主家必须到门前跪接，前来吊丧要送爆竹纸钱以悼念死者。办丧事时只煮白饭、花菜、黄豆煮猪肉等简单饭菜，用餐不坐高台凳，拆下主家门板放地上当饭台，以表哀痛。完丧次日，亲友要回访事主家。

1964 年，组织村民开展造林大会战，种植松树、杉树 13.33 公顷。1975 年，进行改河造田，大搞农田基本建设、以及开展养猪积肥一条龙。2014 年 4 月 23 日发生龙卷风，部分民居房顶被吹毁。2015 年 5 月暴雨，低洼的农田被洪水淹没，造成水稻减产失收。

该村的黄镇生（1964—），曾任佛冈县常务副县长、清远市安全生产监督局局长，现任英德市市长。

（资料填报：钟天明，初稿撰写：钟天明，总纂：李协湖）

旧民安村

◎ 旧民安村村貌（摄于 2016 年）

旧民安村，位于龙山镇西北部，距镇政府 10 千米。该村始建于清初，由上岳朱氏后裔朱子英后人分村迁居而形成。中华人民共和国成立前，该村叫民安村，是民安圩的政治、经济、文化中心，中华人民共和国成立后是人民公社管事会所在地，因为交通落后，地势低洼，常受洪水灾害影响，所以民安人民公社管事会搬到地势较高的地方（今民安圩）办公，该村改名为旧民安村。

该村坐落于丘陵地带，村庄坐北向南，东与七页车村相邻，南近民安河，西为农田，北靠大岭佬（地名）。

村形成时，属清远县滙一乡。民国时期，属清远县滙江区仁安乡。中华人民共和国成立初期，属清远县第六区上岳乡。1958 年 10 月，佛冈县并入从化县，属从化县滙江人民公社秧坎咀大队。1959 年 5 月，属从化县龙山人民公社秧坎咀大队。1961 年 5 月，佛冈由从化县分出，属佛冈县民安人民公社秧坎咀大队。1983 年 12 月，属民安区秧坎咀乡。1987 年 1 月，属民安乡秧坎咀行政村。1989 年 11 月，属民安乡秧坎咀管理区。1994 年 1 月，属民安镇秧坎咀管理区。1998 年 11 月，属民安镇秧坎咀行政村。2004 年 5 月，民安镇并入龙山镇，属龙山镇秧坎咀行政村。2005 年 5 月，秧坎咀行政村并入上岳行政村，属龙山镇上岳行政村至今。

世居村民为朱氏。据《两岳朱家族谱》记载，因朱氏始太祖朱文焕抵抗元兵，后在英德与清远交界的旧横石以身殉职，其子朱继贤将父亲草草安葬后，在墓旁结庐守孝三年，其间置买上下岳田庄，作为隐居之用。朱继贤移居广州后繁衍生息至第六代，六世祖朱子英为避战乱，遂携妻儿回上岳居住。清初，其后裔由上岳分出到该地定居。

2015 年末，户籍人口 69 人，其中男性 37 人，女性 32 人；80 岁以上 2 人，最年长者 85 岁（女）。实际在村居住人口 33 人，其中留守儿童 2 人。生活主要依靠农业收入的 33 人，常年在城镇居住和打工的 36 人。祖籍该村的香港同胞有 55 人。村民均为汉族，广府民系，使用粤方言。

村有山地面积 8.67 公顷，耕地面积 4.4 公顷。该村主要粮食作物有水稻、番薯，经济农作物花生、大豆、果树等。禽畜饲养鸡、鸭、鹅和猪、牛、羊等。渔业主要以蓄水养殖四大家鱼。20 世纪 90 年代后

◎ 旧民安村养猪场（摄于 2016 年）

期，村民逐步扩种沙糖桔。2013 年，沙糖桔产业衰退，村民改种其他果树，办起养猪场，生猪年出栏量 500 多头。传统食品有白切鸡、烧鸭、焖鹅、粽子等。1990 年以后，部分青壮年外出打工。村民主要收入来源为农业收入，务工工资收入等。

◎ 旧民安门楼（摄于 2016 年）

村于 1960 年通电，1990 年通电话，1995 年村道实现水泥硬底化，2000 年通网络，2013 年通自来水。

传统民居为广府民居，主要以广府式正座为主，村庄呈“棋盘”形，巷道横竖有序，井井有条。1990 年以后，村民逐渐外迁，原传统民居只有少数人居住，大部分已经闲置或堆放杂物。

特色民俗有元宵上灯，男孩出生为“添丁”，元宵节到祠堂“上灯”。上灯活动大致分为迎灯、接灯、摆放供品、挂灯等程序，体现出祈求人丁兴旺的心愿。清明期间，家家户户门楣插柳枝和桃枝以驱邪，有些人家还会采艾（一种植物）做糍，名为“艾糍”，并扫墓的供品。扫墓期间，在外地谋生的人都尽可能赶回来祭扫祖墓。

◎ 旧民安村传统民居（摄于 2016 年）

传统婚嫁习俗已很少保留中原古制“六礼”，但结婚前要担定婚茶、报日子、送礼金、定嫁妆等习俗依然存在。结婚时，男、女两家都要摆酒请客，女家摆酒用的肉米酒菜大多是男家筹备。摆酒时，新郎新娘向亲友敬酒，宾客要回赠红包。传统丧事习俗以土葬为主，1990 年以后逐步实行火葬。其过程为举丧、入殓、送葬、做法事，将亡灵牌位送入祠堂。举丧时，死者外家前来吊唁，事主家必须到门前跪接，前来吊丧要送爆竹、纸钱以悼念死者。办丧事时只煮白饭、花菜、黄豆煮猪肉等简单饭菜招待。

1997 年 7 月 14 日，由于连续几天普降暴雨，加上受北江水倒灌影响，鱼塘、农田受浸，损失严重。

该村的朱世雄（1949—），曾任韶关市人民医院主任医师，现已退休。

（资料填报：钟天明，初稿撰写：钟天明，总纂：李协湖）

七页车村

◎ 七页车村村貌（摄于 2016 年）

七页车村，位于龙山镇西北部，距镇政府 10 千米。该村始建于清中期，由上岳村分村移民聚居而形成。因村域内建有一座灌溉用的转动水车，水车有七个水斗，故取名七页车村。

该村坐落于丘陵地带，村庄坐西向东，东与民安圩相邻，南是一片田畴，西与旧民安村接壤，北靠背后山。

村形成时，属清远县滘一乡。清嘉庆十八年(1813 年)，属清远县滘一乡。民国时期，属清远县滘江区仁安乡。中华人民共和国成立初期，属清远县第六区上岳乡。1958 年 10 月，佛冈县并入从化县，属从化县滘江人民公社秧坎咀大队。1959 年 5 月，属从化县龙山人民公社秧坎咀大队。1961 年 5 月，佛冈由从化县分出，属佛冈县民安人民公社秧坎咀大队。1983 年 11 月，属民安乡秧坎咀管理区。1994 年 1 月，属民安镇秧坎咀管理区。1998 年 11 月，属民安镇秧坎咀行政村。2004 年 5 月，民安镇并入龙山镇，属龙山镇秧坎咀行政村。2005 年 5 月，秧坎咀行政村并入上岳行政村，属龙山镇上岳行政村至今。

世居村民为朱姓，据《两岳朱家族谱》记载，因朱氏始太祖朱文焕抵抗元兵，后在英德与清远交界的旧横石以身殉职，其子朱继贤将父亲草草安葬后，在墓旁结庐守孝三年，其间置买上下岳田庄，作为隐居之用。朱继贤移居广州后繁衍生息至第六代，六世祖朱子英为避战乱，遂携妻儿回上岳居住。清中期，其后裔分村迁至该地建村。

2015 年末，户籍人口 289 人，其中男性 145 人，女性 144 人；80 岁以上 3 人，最年长者 87 岁（女）。实际在村居住人口 223 人，其中留守儿童 5 人。生活主要依靠农业收入的 223 人，常年在城镇居住和打工的 66 人。村民均为汉族，广府民系，使用粤方言。

村有山地面积 8 公顷，耕地面积 7.5 公顷。传统经济以农业为主，主要作物有水稻、番薯、木薯、花生、大豆等。现多种植水稻、番薯、花生。禽畜饲养鸡、鸭、鹅和猪、牛、羊等。渔业主要以蓄水养殖四大家鱼为主。20 世纪 90 年代后期起，村民逐步扩种沙糖桔。2013 年起，沙糖桔产业衰退，村民改种其他果树。传统食品有白切鸡、烧鸭、焖鹅、粽子等。1990 年以后，部分青壮年外出打工。村民主要收入来源为农业收入，务工工资收入等。

◎ 村民种植沙糖桔（摄于 2012 年）

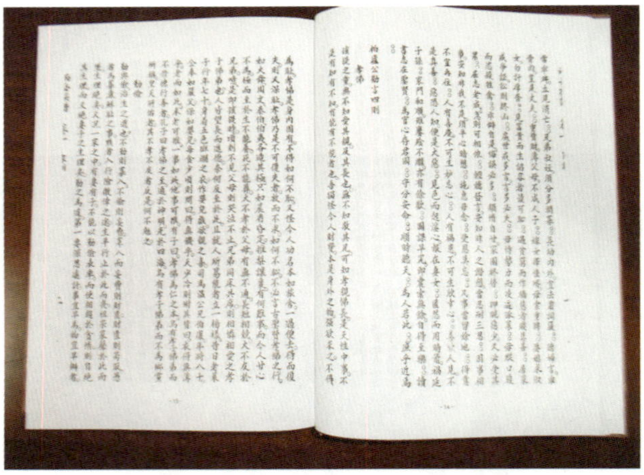

◎《先贤文公家训》（摄于 2016 年）

村于 1960 年通电，1990 年通电话，1995 年村道实现水泥硬底化，2000 年通网络，2013 年通自来水。

传统民居为广府民居，主要以正座为主，现存 10 座。村庄呈“棋盘”形状，巷道横竖有序，井井有条。20 世纪 90 年代以后，村民在传统民居周围建造钢筋混凝土结构楼房。楼房普遍为 2—3 层，面积约 80—120 平方米，多为三门归厅一天井布局。

村与上岳村朱姓共用《两岳朱氏族谱》，该族谱由朱氏 21 世祖朱云章主持修编，于 1925 年出版。族谱记载时限从上下岳朱氏始祖朱文焕起，至上下岳第 26、27 世止，时间跨度为宋淳祐年间至 1925 年，前后 600 多年。其中，《家训卷》收录《先贤文公家训》《柏庐公治家格言》和《劝言四则》记载先贤朱熹、朱柏庐治家理学，传承孝悌、勤俭、读书、积德等儒学思想。《先贤文公家训》曰：“君之所贵者仁也，臣之所贵者忠也，父之所贵者慈也，子之所贵者孝也，兄之所贵者友也，弟之所贵者恭也，夫之所贵者和也，妇之所贵者柔也。事师长贵乎礼也，交朋友贵乎信也。合理之事当从，非理之事勿作。诗书不可不读，礼义不可不知，子孙不可不教，奴仆不可不恤。守我之公者理也，听我之命者天也。人能如是，天必相之，此乃日用常行之道，若衣服之于身体，饮食之于口腹，不可一日无者也，可不谨哉。”

◎ 七页车村传统民居（摄于 2016 年）

村除保留传统习俗（元宵上灯，清明扫墓）外，也有属于自己的村域习俗（祭井神，祠堂祭祖）。元宵上灯。男孩出生为“添丁”，因“丁”与“灯”谐音，为此在元宵节到祠堂“上灯”，表示祝贺。上灯是族人的喜事，上灯活动大致分为迎灯、接灯、摆放供品、挂灯等程序，体现出祈求人丁兴旺的心愿，显示出族人和谐共处的景象。清明扫墓。每年清明节期间，上岳村都举行到先人坟前扫墓的活动。清乾隆后，因族中人口增加，改为上岳村和下岳村轮年拜祭。每村在轮拜年必须邀请邻村长老参加，以示共同拜祭之义。祭井神。古上岳村时每个里都有一口古井，建成于明朝时期，古井旁都设有神龛。朴山朱公祠门前的古井内还有小通道与旁边的神龛相通，据说是便于神龛与井神相互沟通。祭井神是村民的传统习惯，每年正月十五和重大节日，过去由族中组织祭井神，村民各自参与所在各里的祭祀。现在改由各家各户自行上香拜祭，表达祈求合家平安、丰衣足食的愿望。

传统婚嫁习俗仍保留担定婚茶、报日子、送礼金、定嫁妆等礼节。结婚时，男、女两家都要摆酒请客，女家摆酒用的肉米酒菜大多是男家筹备。迎亲和送亲时，男方要用车队到女方家迎接新娘和亲友。传统丧事以土葬为主，1990 年以后逐步实行火葬。其过程为举丧、入殓、送葬、做法事，将亡灵牌位送入祠堂。举丧时，办丧事时只煮白饭、花菜、黄豆煮猪肉等简单饭菜，用餐不坐高台凳，拆下主家门板放地上当饭台，以表哀痛。完丧次日，亲友要回访事主家。

◎ 朱志威获得的勋章（摄于 2016 年）

1964 年，组织村民参加民安人民公社的植树造林大会战，种植松树、杉树 5.33 公顷。1975 年，进行改河造田，大搞农田基本建设，改造农田 2 公顷。

该村的朱秀英（1936—），上岳扩建普美学校，朱秀英夫妇鼓励其三子袁海灵为普美学校捐款捐物 80 多万元。2014 年，其儿子袁海灵又捐助 40 万元支持上岳村和下岳村的路灯设施建设。朱淼强（1947—），曾任佛山市直属科技线党委委员。朱志威（1955—），1979 年 2 月参加中越边境自卫还击战，因带领全班战士服从命令，英勇顽强，为部队进攻开辟通道勇敢作战，荣立一等功。当年《解放军报》《羊城晚报》《南方日报》曾有报道，广州军区编辑的《英雄赞》一书也有记载。现已退休，享受省部级劳模待遇。

（资料填报：钟天明，初稿撰写：钟天明，总纂：李协湖）

新围仔村

◎ 新围仔村村貌（摄于2016年）

新围仔村，位于龙山镇西北部，距镇政府10千米。该村始建于1969年，从牛角冚、锣鼓石村分村迁入而形成。因村落是新建的，而取名新围仔村。

村坐落于丘陵地带，地势低洼，村东西均为一片田畴，南与新香粉相邻，北与下岳村接壤。

村形成时，属佛冈县民安人民公社上岳大队。1983年12月，属民安区上岳乡。1987年1月，属民安乡上岳行政村。1989年11月，属民安乡上岳管理区。1994年1月，属民安镇上岳管理区。1998年11月，属民安镇上岳行政村。2004年5月，民安镇并入龙山镇，属龙山镇上岳行政村至今。

世居村民为唐姓、曾姓、麦姓、朱姓。据《唐氏族谱》记载，唐氏族人于明末从江西迁入广东南雄珠玑巷，后迁英德县大陂都迳头乡鸭嵧坑（今迳头镇），其后裔分支唐尧相长子唐奇材迁至上岳村龟头岭，1969年迁新围仔定居。曾、麦、朱姓氏族人于1969年从牛角冚、锣鼓石村迁居该村。

2015年末，户籍人口137人，其中男性70人，女性67人；80岁以上3人，最年长者88岁（女）。实际在村居住人口70人，其中留守儿童4人。生活主要依靠农业收入的70人，常年在城镇居住和打工的67人。村民均为汉族，广府民系，使用粤方言。

村有山地面积8公顷，耕地面积4.23公顷。传统经济以农业为主，主要作物有水稻、番薯、木薯、花生、大豆等。禽畜主要饲养有鸡、鸭、鹅、猪、牛等，渔业养殖有四大家鱼。现多种植水稻、蔬菜、莲藕等。特色农产品有沙葛，自然资源主要有瓷泥。传统食品有糖环、油角、油糍、糯米糍、艾糍、粽子等。特色食品有湛江醋。湛江猪脚醋制作十分简单，将焯过水的猪手，放入陶瓷牛头煲里，加上蒜头、生

◎ 新围仔村种植的莲藕（摄于2016年）

姜和湛江醋煮上一个小时左右，食用时加上少量红糖、盐即可，湛江猪脚醋鲜而不腐，酸辣开胃，是当地妇女生小孩坐月子期间不可缺少的饮食护理食品。20 世纪 90 年代以后，大部分青壮年外出打工。村民主要收入来源为农业收入，务工工资收入等。

村于 1969 年通电，1990 年通电话，1995 年村道实现水泥硬底化，2000 年通网络，2013 年通自来水。

传统民居大多为广府民居，也有部分单间砖瓦房（俗称围水屋）。村落呈棋盘形，巷道 4 横 5 纵，贯通全村。1990 年以后，村民兴建钢筋砖混凝土结构楼房，普遍为 2—3 层，多为三门归厅一天井布局，面积约 80—120 平方米。

◎ 新围仔村传统民居（摄于 2016 年）

该村是多姓氏的村庄，传统习俗基本相同。元宵上灯，男孩出生为“添丁”，因“丁”与“灯”谐音，为此在元宵节到祠堂“上灯”，表示祝贺。上灯活动大致分为迎灯、接灯、摆放供品、挂灯等程序，体现出祈求人丁兴旺的心愿。传统习俗还有正月拜祭、清明祭祖、重阳祭祖等。

◎ 新围仔新村（摄于 2016 年）

传统婚嫁习俗已很少保留中原古制“六礼”，但结婚前要担定婚茶、报日子、送聘金、定嫁妆。结婚时，要摆酒请客，男、女两家都要摆，女家摆酒用的肉米酒菜大多是男家出的。摆酒时，新郎新娘向亲友敬酒，宾客也要回赠红包。传统丧事习俗以土葬为主，1990 年以后逐步实行火葬。其过程为举丧、入殓、送葬、做法事，将亡灵牌位送入祠堂。举丧时，死者外家前来吊唁，事主家必须到门前跪接，前来吊丧要送爆竹纸钱以悼念死者。办丧事时只煮白饭、花菜、黄豆煮猪肉等简单饭菜，用餐不坐高台凳，拆下主家门板放地上当饭台，以表哀痛。完丧次日，亲友要回访事主家。

1975 年，大搞农田基本建设，进行改河造田，改造农田 0.67 公顷。1976 年，开展养猪积肥一条龙，饲养生猪 50 多头，增加集体经济收入。2014 年 4 月 23 日发生龙卷风，部分民居房顶被吹毁。2015 年 5 月暴雨，低洼的农田被洪水淹没，造成水稻减产失收。

（资料填报：钟天明，初稿撰写：钟天明，总纂：李协湖）

新香粉村

◎ 新香粉村全貌（2017 年）

新香粉村，位于龙山镇西北部，距镇政府 10 千米。该村始建于 1969 年，因修建香粉水库，原来在香粉村范围居住的村民迁到该地建村，按原地名取名新香粉村。

该村坐落于丘陵地带，地势低洼，村东为一片田畴，南与从化围芋荚坑村相邻，西与南坑村接壤，北靠新围仔村。

村形成时，属佛冈县民安人民公社上岳大队。1987 年 1 月，属民安乡上岳行政村。1989 年 11 月，属民安乡上岳管理区。1994 年 1 月，属民安镇上岳管理区。1998 年 11 月，属民安镇上岳行政村。2004 年 5 月，民安镇并入龙山镇，属龙山镇上岳行政村至今。

世居村民为袁氏及温氏。据袁世忠修的《袁氏族谱》记载，始祖袁玩斌、祖妣朱氏原居住在福建汀洲府上杭县白沙乡，曾祖字广公、祖妣李氏移居连平州后，再移居广东英德县下砝乡，后来八世祖的第五个儿子迁到佛冈民安清水迳香粉村居住，其后袁氏又分房到从化围袁宅居住。后在香粉村建水库，1969 年原香粉村民搬迁至该地建村。温氏族人于明中期由新丰遥田迁至该地。

2015 年末，户籍人口 280 人，其中男性 147 人，女性 133 人；80 岁以上 5 人，最年长者 88 岁（女）。实际在村居住人口 153 人，其中留守儿童 8 人。生活主要依靠农业收入的 153 人，常年在城镇居住和打工的 127 人。村民均为汉族，广府民系，使用粤方言。

村有山地面积 166.67 公顷，耕地面积 16.87 公顷。传统经济以农业为主，主要作物有水稻、番薯、木薯、花生、大豆等。禽畜主要饲养有鸡、鸭、鹅、

◎ 新香粉村养鹅场（摄于 2016 年）

猪、牛等，渔业养殖有四大家鱼。20 世纪 90 年代后期，村民逐步扩种沙糖桔。2013 年，沙糖桔产业衰退，村民改种其他果树。传统食品有白切鸡、烧鸭、焖鹅、粽子等。1990 年以后，部分青壮年外出打工。村民主要收入来源为农业收入，务工工资收入等。

村于 1969 年通电，1990 年通电话，1995 年村道实现水泥硬底化，2000 年通网络，2013 年通自来水。村中建有垃圾收集池、文化室及休闲公园。

◎ 新香粉村文化休闲公园（摄于 2017 年）

传统民居大多为广府民居，也有部分单间砖瓦房（俗称围水屋）。村落呈棋盘形，巷道为 6 横 6 纵。1990 年以后，村民兴建钢筋混凝土结构楼房，楼房普遍为 2—3 层，多为三门归厅一天井布局，面积约 80—120 平方米。

该村于 1969 年搬迁该地，所以没有宗祠，从化围的袁氏支族在从化围村建有袁氏宗祠，村民逢年过节都到从化围袁氏宗祠祭拜。该祠始建于 1948 年，2013 年重修。屋顶为硬山顶，盖灰瓦、三合土墙体，用青砖砌成；宗祠为一进，两边有厢房，中间是天井，天井由花岗岩条石镶嵌，宗祠中间设神龛，祠堂屋檐画有多副壁画，门口两旁建有花圃。

袁氏族人只有简易手写《袁氏族谱》，于 2002 年撰写。族谱简单分为序言、前派老辈、新咏辈列、姓氏源流、袁氏世系、祖坟位置等。前派老辈为："胜万德昌富，如友廷自宗。玉麟有上祖，奕世其长昌。"新咏辈列为："家国兴隆文，荣华大发祥。奇英超特品，俊士占群芳。文武联番盛，勋名定吉康。诗书贤继圣，福禄永辉光。"

传统节日以春节、元宵、清明、端午、中秋、冬至等节为主。村民注重清明扫墓，每年清明节期间，村民们都会带上鹅、艾糍、糖、饼等供品到先人坟前扫墓，为先人烧衣纸、放鞭炮、上供品，一家大小齐齐拜祭。传统婚嫁习俗已很少保留中原古制"六礼"，但结婚前要担定婚茶、报日子、送聘金、定嫁妆。传统丧事习俗以土葬为主。1990 年以后逐步实行火葬。其程序为举丧、入殓、出殡、送葬、做法事，将亡灵送入祠堂。葬后，神主牌由子孙送往祠堂入位，至此丧事才告完结。

1970 年 8 月，在原村域动工兴建香粉水库，水库于 1973 年 5 月竣工，水库坝高 32 米，总库容 544 万立方米。1997 年 7 月 14 日，受北江水涨倒灌影响，该村养殖业和农业损失严重。1999 年 12 月，受北方冷空气影响，龙眼树被霜冷死，绝大部分果农损失严重。

◎ 香粉水库（摄于 2016 年）

（资料填报：钟天明，初稿撰写：钟天明，总纂：李协湖）

秧坎咀村

◎ 秧坎咀村全貌（2016 年）

秧坎咀村，位于龙山镇西北部，距镇政府 10 千米。该村始建于清末，由上岳村朱氏后人分村聚居而形成。因该村建在一片常年用来育秧的田地，故取名秧坎咀。

该村坐落于丘陵地带，东相邻上岳村，西毗邻前村里，南相邻横围村，北为一片田畴。

该村形成时，属清远县滃一乡。民国时期，属清远县滃江区仁安乡。中华人民共和国成立初期，属清远县第六区上岳乡。1958 年 10 月，佛冈县并入从化县，属从化县滃江人民公社秧坎咀大队。1959 年 5 月，属从化县龙山人民公社秧坎咀大队。1961 年 5 月，佛冈由从化县分出，属佛冈县民安人民公社秧坎咀大队。1983 年 12 月，属民安区秧坎咀乡。1987 年 1 月，属民安乡秧坎咀行政村。1989 年 11 月，属民安乡秧坎咀管理区。1994 年 1 月，属民安镇秧坎咀管理区。1998 年 11 月，属民安镇秧坎咀行政村。2004 年 5 月，民安镇并入龙山镇，属龙山镇秧坎咀行政村。2005 年 5 月，秧坎咀行政村并入上岳行政村，属龙山镇上岳行政村至今。

世居村民为朱氏。据《两岳朱家族谱》记载，因朱氏始太祖朱文焕抵抗元兵，后在英德与清远交界的旧横石以身殉职，其子朱继贤将父亲草草安葬后，在墓旁结庐守孝三年，期间置买上下岳田庄，作为隐居之用。朱继贤移居广州后繁衍生息至第六代，六世祖朱子英为避战乱，遂携妻儿回上岳居住。清末，其后裔分村迁入该地建村。

2015 年末，户籍人口 234 人，其中男性 116 人，女性 118 人；80 岁以上 5 人，最年长者 86 岁（女）。实际在村居住人口 150 人，其中留守儿童 6 人。生活主要依靠农业收入的 150 人，常年在城镇居住和打工的 84 人。村民均为汉族，广府民系，使用粤方言。

村有山地面积 8 公顷，耕地面积 6.27 公顷。传统经济以农业为主，主要作物有水稻、番薯、木薯、花生、大豆等。禽畜主要饲养有鸡、鸭、鹅、猪、牛等，渔业养殖有四大家鱼。现多种植水稻、番薯、花生。20 世纪 90 年代后期，村民逐步扩种沙糖桔。2013 年，沙糖桔产业衰退，村民改种其他果树。传统食品有白切鸡、烧鸭、焖鹅、粽子等。1990 年以后，部分青壮年外出打工。村民主要收入来源为农业收入，务工村民为工资收入等。

村于1960年通电，1990年通电话，1995年村道实现水泥硬底化，2000年通网络，2013年通自来水。

传统民居大多为广府民居，主要以广府式正座为主。村庄呈“棋盘”型不规则布局，民居多为两进，四房一厅，两廊一天井布局，每座房屋占地约100平方米，房屋为硬山顶，盖灰瓦，墙体由青砖砌成，20世纪90年代以后村民在旧民居的四周兴建钢筋混凝土结构楼房。楼房普遍为2—3层，多为三门归厅一天井布局，面积约80—120平方米。

◎ 新香粉村养鹅场（摄于2016年）

在村的西南方800米处有一座古庙，叫地藏王菩萨庙，建于清朝时期，占地面积约30平方米，于“文化大革命”期间废除。2015年，村民在庙的遗址，重立地藏王菩萨雕像。附近村民逢年过节前来叩拜，祈求风调雨顺，全家安康。

◎ 南无地藏王菩萨雕像（摄于2016年）

村还保留部分当地特色民俗，如元宵上灯，男孩出生为“添丁”，因“丁”与“灯”谐音，为此在元宵节到祠堂“上灯”，表示祝贺。上灯活动大致分为迎灯、接灯、摆放供品、挂灯等程序，体现出祈求人丁兴旺的心愿。清明扫墓，每年清明节期间，上岳村都到先人坟前扫墓。两岳族人对祭扫祖墓的程序和礼仪有严格的规定。清乾隆以前，清明祭始祖墓，上下岳始祖朱文焕坟墓位于旧横石簕竹坝（今清远市清城区飞来峡镇）由两岳子弟同时集中拜祭。乾隆后期，因族中人口增加，改为上岳村和下岳村轮年拜祭。每村在轮拜年必须邀请邻村长老参加，以示共同拜祭之义。祠堂祭。祠堂祭祖分为春祭、秋祭和年祭，分别在二月春分日、八月秋分日和十二月下旬举行。祠堂祭祖从先祖祠堂起，再到各支族祠堂。

传统婚嫁习俗已很少保留中原古制“六礼”，但结婚前要担定婚茶、报日子、送礼金、定嫁妆等习俗依然存在。结婚时，男、女两家都要摆酒请客，女家摆酒用的肉米酒菜大多是男家筹备。摆酒时，新郎新娘向亲友敬酒，宾客要回赠红包。传统丧事习俗以土葬为主，1990年以后逐步实行火葬。其过程为举丧、入殓、送葬、做法事，将亡灵牌位送入祠堂。举丧时，死者外家前来吊唁，事主家必须到门前跪接，前来吊丧要送爆竹纸钱以悼念死者。办丧事时只煮白饭、花菜、黄豆煮猪肉等简单饭菜，用餐不坐高台凳，拆下主家门板放地上当饭台，以表哀痛。完丧次日，亲友要回访事主家。

1997年7月14日，受北江水涨倒灌影响，该村养殖业和农作物损失严重。1999年12月，受北方冷空气影响，龙眼树被霜冻死，大部分果农损失严重。

（资料填报：范锦柱，初稿撰写：范锦柱，总纂：李协湖）

○下岳行政村

大 围

◎ 大围村貌（摄于 2016 年）

大围，位于龙山镇西北部，距镇政府 15 千米。该村始建于明嘉靖年间，由上岳村朱氏后裔分村迁居而形成。因村聚居的人口多、占地广，故取名大围。

该村坐落于丘陵地带，地势低洼，民安河自北向南从村旁流向不远处的滘江。村庄坐西向东，村东与大坑村相邻，南与塘沙口村相望，西靠背底山，北与锣鼓石岭接壤。

该村形成时，属清远县滘江乡。清朝时期，属清远县滘一乡。民国时期，属清远县滘江区仁安乡。中华人民共和国成立初期，属清远县第六区下岳乡。1958 年 7 月，清远县第六区（今龙山镇）划归佛冈县辖，属佛冈县下岳乡。1958 年 10 月，佛冈县并入从化县，属从化县滘江人民公社下岳大队。1959 年 5 月，属从化县龙山人民公社下岳大队。1961 年 5 月，佛冈由从化县分出，属佛冈县民安人民公社下岳大队。1983 年 12 月，属民安区下岳乡。1987 年 1 月，属民安乡下岳行政村。1989 年 11 月，属民安乡下岳管理区。1994 年 1 月，属民安镇下岳管理区。1998 年 11 月，属民安镇下岳行政村。2004 年 5 月，民安镇并入龙山镇，属龙山镇下岳行政村至今。

世居村民为朱姓、周姓。据《两岳朱氏族谱》记载，上下岳朱氏族人为南宋著名的理学家、教育家朱熹的后裔。两岳始祖朱文焕是朱熹的第六世孙。明嘉靖年间，因原居住的上岳村人口增多，朱莹之子朱南庄遂携妻儿迁移至与上岳相连的下岳大围，朱莹被尊为下岳村开村始祖。周姓于 20 世纪 50 年代随母改嫁迁居至该村。

2015 年末，户籍人口 2022 人，其中男性 1032 人，女性 990 人；80 岁以上 54 人，最年长者 96 岁（女）。实际在村 1816 人，留守儿童 8 人。生活主要依靠农业收入的有 1816 人，常年在城镇生活和打工的有 206 人。祖籍该村的香港同胞 65 人。村民均为汉族，广府民系，使用粤方言。

村有耕地面积 48.47 公顷。传统经济以农业为主，主要作物有水稻、番薯、木薯、花生、大豆等。现多种植水稻、番薯、花生、果树，以个体经营为主，

◎ 连片塘鱼养殖场（摄于 2016 年）

产值较低。1991 年，民安镇与中山亚大发展公司联合在下岳村兴办海龙公司，办起连片塘鱼养殖场，鱼塘 46.67 公顷，主要养殖桂花鱼、罗氏沼虾等名优品种，产品远销省内外。20 世纪 90 年代后期起，村民逐步扩种沙糖桔。2011 年种植沙糖桔面积达 16 公顷，总产值 100 多万元。2013 年后，沙糖桔产业衰退，村民改种其他果树。同时，有农户办起猪场，饲养温氏猪。传统食品有清明节的艾糍，端午节的咸肉粽、春节的油角、咸糖环等。1990 年以后，部分青壮年外出打工。村民主要收入来源为农业收入、务工工资收入等。

村于 1960 年通电，1990 年通电话，2000 年通网络，2003 年村道实现水泥硬底化，2013 年通自来水。村中建有垃圾收集站，文化设施有文化室、篮球场、休闲公园等。

传统民居现存 70 座。建筑年代距今 200 年以上的有 30 座，其建筑为硬山顶，龙船脊，盖灰瓦，青砖砌成的墙体，属广府式正座形制，普遍为两房一厅，两廊一天井布局，具有岭南建筑风格和特色。20 世纪 90 年代以后，村民逐步在旧民居四周建造钢筋混凝土结构楼房，楼房多为三房一厅一厨一卫布局。大部分村民已迁入楼房居住，传统民居大多已闲置或堆放杂物。

村中现存宗祠有 2 座。一是梅轩朱公祠，始建于清光绪三十年（1905 年），重修于 20 世纪 70 年代，建筑面积 306 平方米。主要建筑特色：硬山顶，博古脊，砖木结构。二进一天井布局，大门比前墙后移呈凹面型，宗祠门额有“梅轩朱公祠”5 个大字，屋檐有花鸟虫鱼灰雕。宗祠保存良好，现仍作宗族活动使用。二是松轩朱公祠，始建于明朝，朱士谅共建，明末被烧毁，清初修复，1915 年水灾被毁，由裔孙筹款修复。主要建筑为硬山顶，博古脊，砖木结构。二进一天井布局，宗祠修复后，宗祠大门比前墙后移，为凹面型，总面阔 9.7 米，进深 23.21 米，总面积 225.14 平方米，门额有“松轩朱公祠”5 个大字，屋檐有花鸟虫鱼灰雕。现仍作宗祠使用。

◎ 积善里门楼（摄于 2016 年）

◎ 梅轩朱公祠（摄于 2016 年）

◎ 松轩朱公祠（摄于 2016 年）

◎ 芳庐（摄于 2016 年）

村较有名的传统建筑为芳庐和积善里门楼。芳庐是该村知名人士朱祺（又名朱履吉）从法国留学回来后，1930 年建造的，距今已有 80 多年的历史。主要建筑特色是屋内以红砖铺地。正面前檐顶有仿欧式山花，正中间灰塑有“芳庐”两个大字，落款为“壬午仲冬，朱念慈书”。山墙墙棍有草尾，窗上灰塑的花卉工艺精湛。该建筑保存完整，是研究佛冈现代中西合璧建筑特色的宝贵参考。2010 年，被列入佛冈县不可移动文物名录。积善里门楼，建于明朝。主要建筑特色：屋顶统一盖天花瓦，且分天花瓦和接水瓦两层。大多为二进三间两廊、属四门归厅布局，具有岭南建筑风格。积善里门楼的门框、梯级均为花岗岩石板。门额上刻有“积善里”3 个大字。2010 年，积善里列入佛冈县不可移动文物名录。

村曾办有私塾（学堂）。私塾设在岳溪古庙内。古庙门前为麻石板铺成的石阶，庙内供奉的是下岳开村始祖朱南庄及其五个儿子的神像、牌位，庙门两侧墙上有捐资芳名榜。该古庙已于 1973 年被毁。

村修有《两岳朱氏族谱》，是由朱氏 21 世祖朱云章主持编纂，于 1925 年出版。族谱记载时限从上下岳朱氏始祖朱文焕起，至上下岳第 26、27 世止，时间跨度为宋淳祐年间至 1925 年，前后 600 多年。内容包括：序、目录、家训、乡规、世系图、世次纪、列传、行状、墓志、艺文、金石、建置、杂录共 12 卷。朱氏族人尊奉《先贤文公家训》，《家训》曰：“君之所贵者仁也，臣之所贵者忠也，父之所贵者慈也，子之所贵者孝也，兄之所贵者友也，弟之所贵者恭也，夫之所贵者和也，妇之所贵者柔也。事师长贵乎礼也，交朋友贵乎信也。合理之事当从，非理之事勿作。诗书不可不读，礼义不可不知，子孙不可不教，奴仆不可不恤。守我之公者理也，听我之命者天也。人能如是，天必相之，此乃日用常行之道，若衣服之于身体，饮食之于口腹，不可一日无者也，可不谨哉。”

村民自明代以来酷爱中国象棋对弈活动，历代不衰。村民不论男女老少，在农闲时节或茶余饭后，处处摆开“楚河汉界”博弈战场，对弈者、围观者都神情专注，成为村里经常性的文体活动。中华人民共和国成立以来，每逢区域举办象棋赛事，下岳村的参赛者大多名列前茅。省、市、县的象棋高手也喜欢到上岳村切磋棋艺，对弈表演。近年来，为更好传承和弘扬这一文体活动，在中小学生中开展棋艺培训普及活动。

◎ 岳溪古庙额匾（摄于 2016 年）

◎ 老人在村文化室对弈（摄于 2016 年）

据下岳村民讲述，清代期间有一条古道（含陆道和水路）经过该村，驿铺往西南方为清远县府所在地，往东北方向为吉河乡（今佛冈县府）所在地。下岳铺所属地域在1958年7月前为清远县辖区内。1958年7月后划归佛冈县辖区。据《清远县志》（1994年版）载：明洪武年间设有安远驿丞掌管驿站，下设一所四驿二十六铺，下岳铺为清远县二十六铺之一。据《清远县志》（清康熙二十六年版）载："下岳铺（东一百三十里）是广州府清远县递铺十八处之一"。而《清远县志》（清乾隆元年版）则载："到清代，下岳铺（东一百三十里）是广州府清远县递铺十七处之一。其驿铺具体地址，附近村民都不清楚。"

传统节庆习俗活动为元宵上灯。古代称男孩出生为"添丁"，因"丁"与"灯"谐音，为此在元宵节到祠堂"上灯"，表示祝贺。上灯活动大致分为迎灯、接灯、摆放供品、挂灯等程序，表达祈求人丁兴旺的心愿，显示出族人和谐共处的景象。清明扫墓，每年清明节期间，下岳村都举行到先人坟前扫墓的活动。上下岳始祖朱文焕坟墓位于旧横石簕竹坝（今清城区飞来峡镇）。两岳族人对祭扫祖墓的程序和礼仪有严格的规定。清乾隆以前，清明祭始祖墓由两岳子弟同时集中拜祭。乾隆后，因族中人口增加，改为上岳村和下岳村轮年拜祭。每村在轮拜年必须邀请邻村长老参加，以示共同拜祭之义。

在传统婚嫁习俗中，中原古制"六礼"在该村已很少见到，但结婚前要担定婚茶、报日子、送金、定嫁妆等习俗依然存在。结婚时，男、女两家都要摆酒请客，女家摆酒用的肉米酒菜大多是男家筹备。迎亲和送亲时，男方要用车队上女方家迎接新娘和亲友。摆酒时，新郎新娘向亲友敬酒，宾客也要回赠红包。举办丧事，传统习俗以土葬为主，1990年以后逐步实行火葬。其过程为举丧、入殓、送葬、做法事，将亡灵牌位送入祠堂。举丧时，尽可能不用电话而要登门报丧。死者外家前来吊唁，事主家必须到门前跪接，前来吊丧送爆竹纸钱以悼念死者。办丧事时只煮白饭、花菜、黄豆煮猪肉等简单饭菜，用餐不坐高台凳，拆下主家门板放地上当饭台，以表哀痛。完丧次日，亲友要回访事主家。

该村是龙山地区水灾重灾区之一。1919年农历四月，因农田水浸失收，导致米价昂贵，村民难以糊口充饥。下岳村朱叔平叔侄为村民赈粥五天，济美堂赈粥十天，福三介兄弟派发米三天，永盛堂派发两天。族人得此赈恤，得以度过饥荒。1982年5月12—20日，民安受北江水倒灌8天，下岳河堤决堤，决口111米，洪水涌进民安河下岳地域，不少村庄农田受浸，损失很大。2013年5月15日发生洪灾，全村75%的面积受浸，倒塌房屋20多间，直接经济损失200多万元。

该村的朱傅华（1890—1952），曾任清远县参议员。朱履吉（1896—1952），原名朱贵良，又名朱祺，赴法勤工俭学期间认识周恩来、邓希贤（即邓小平）等，曾与周恩来一起办《赤光》半月刊，他负责编印工作。1930年加入国民党，先后任滘江事务委员会委员、清远县参议员、清远县简易师范学校校长、抗日自卫团滘江办事处主任、滘江区区长兼滘江自卫团副主任，筹建滘江中学。朱炯如（1916—1948），1940年加入中国共产党，1947年参加中国人民解放军，曾任东三支四团中队指导员，1948年7月在从化石岭战斗中牺牲，被授予革命烈士称号。朱洛培（1945—），曾任广州市卫生局人事处处长。朱志星（1950—1973），英德县公安中队战士，1973年在英德县因公牺牲。朱桂生（1965—），现任广州市太阳能公司高级工程师。

（资料填报：郑维，初稿撰写：郑维，总纂：李协湖）

全兴村

◎ 全兴村村貌（摄于 2016 年）

全兴村，位于龙山镇西北部，距镇政府 15 千米。该村始建于明嘉靖年间，由下岳大围分村迁居而形成。因族人希望全村人丁兴旺，因而取名为全兴村。

该村坐落于丘陵地带，地势低洼，民安河自北向南从村旁流向不远处的潖江。村庄坐西向东，村东与西瓜埔相邻，南与坑口村相望，西紧靠松山村，北与麻禾冚接壤。

村形成时，属清远县潖江乡。清朝时期，属清远县潖一乡。民国时期，属清远县潖江区仁安乡。中华人民共和国成立初期，属清远县第六区下岳乡。1958 年 7 月，清远县第六区（今龙山镇）划归佛冈县辖，属佛冈县下岳乡。1958 年 10 月，佛冈县并入从化县，属从化县潖江人民公社下岳大队。1959 年 5 月，属从化县龙山人民公社下岳大队。1961 年 5 月，佛冈由从化县分出，属佛冈县民安人民公社下岳大队。1983 年 12 月，属民安区下岳乡。1987 年 1 月，属民安乡下岳行政村。1989 年 11 月，属民安乡下岳管理区。1994 年 1 月，属民安镇下岳管理区。1998 年 11 月，属民安镇下岳行政村。2004 年 5 月，民安镇并入龙山镇，属龙山镇下岳行政村至今。

世居村民为朱姓、黄姓。《两岳朱氏族谱》记载，南宋期，朱氏族人由福建迁入广东潖江。明代初期，由于后裔人口众多，朱莹遂携妻儿迁移至与上岳相连的下岳大围，后从大围分迁形成全兴村。黄姓于 20 世纪 50 年代随母改嫁迁居至该村。

2015 年末，户籍人口 242 人，其中男性 136 人，女性 106 人；80 岁以上 10 人，最年长者 91 岁（男）。实际在村居住 215 人，留守儿童 2 人。生活主要依靠农业收入的人口有 215 人，常年在城镇生活和打工的人口有 27 人。村民均为汉族，广府民系，使用粤方言。

村有耕地面积 8.6 公顷。传统经济以农业为主，主要作物有水稻、番薯、木薯、花生、大豆等。现多种植水稻、番薯、花生，以个体经营为主，产值较低。村民根据气候温和，土地肥沃的地理条件，20 世纪 90 年代后期起，逐步扩种沙糖桔。2011 年种植沙糖桔面积达 8 公顷，总产值 50 多万元。2013 年起，沙糖桔产业衰退，村民改种其他果树。同时，有农户办起猪场，饲养温氏猪，年出栏量 1000 头。传统食品有清明节的艾糍，端午节的咸肉粽、春节

◎ 全兴村养猪场（摄于 2016 年）

◎《两岳朱家族谱》（摄于 2016 年）

的油角、咸糖环等。1990 年以后，部分青壮年外出打工。村民主要收入来源为农业收入，务工工资收入等。

村于 1960 年通电，1990 年通电话，2000 年通网络，2003 年村道实现水泥硬底化，2013 年通自来水。村中建有垃圾收集站，文化设施有文化室、篮球场、休闲公园等。

传统民居现存传统民居 35 座，建筑年代距今 200 年以上的有 15 座，保存基本完好。其建筑为硬山顶，一部分为龙船脊，盖灰瓦，青砖砌成的墙体，属广府式正座形制，普遍为两房一厅，两廊一天井布局，具有岭南建筑风格和特色。20 世纪 90 年代以后，村民逐步在旧民居四周建造钢筋混凝土结构楼房，楼房多为三房一厅一厨一卫布局。大部分村民已迁入楼房居住，传统民居大多已闲置或堆放杂物。

村修有《两岳朱氏族谱》，是由朱氏 21 世祖朱云章主持编纂，于 1925 年出版。族谱记载时限从上下岳朱氏始祖朱文焕起，至上下岳第 26、27 世止，时间跨度为宋淳祐年间至 1925 年，前后 600 多年。内容包括：序、目录、家训、乡规、世系图、世次纪、列传、行状、墓志、艺文、金石、建置、杂录共 12 卷。朱氏族人尊奉《先贤文公家训》，《家训》曰：“君之所贵者仁也，臣之所贵者忠也，父之所贵者慈也，子之所贵者孝也，兄之所贵者友也，弟之所贵者恭也，夫之所贵者和也，妇之所贵者柔也。事师长贵乎礼也，交朋友贵乎信也。合理之事当从，非理之事勿作。诗书不可不读，礼义不可不知，子孙不可不教，奴仆不可不恤。守我之公者理也，听我之命者天也。人能如是，天必相之，此乃日用常行之道，若衣服之于身体，饮食之于口腹，不

◎ 全兴村民居（摄于 2016 年）

◎ 村民敲锣打鼓迎亲（摄于 2016 年）

可一日无者也，可不谨哉。”

村中至今保留中原文化流传下来的一部分习俗。节令习俗有：春节前的祭灶、岁末守岁、张贴春联；春节的开门迎福和拜年；正月十五元宵节闹元宵；清明节祭祖扫墓；端午节裹粽子祭河神；中秋节团圆赏月；九月重阳节登高；冬至晒腊肉等。传统民俗活动有：元宵上灯，男孩出生为“添丁”，因“丁”与“灯”谐音，为此在元宵节到祠堂“上灯”，表示祝贺。上灯是族人的喜事，上灯活动大致分为迎灯、接灯、摆放供品、挂灯等程序，表达祈求人丁兴旺的心愿，显示出族人和谐共处的景象。清明扫墓，每年清明节期间，下岳村都举行到先人坟前扫墓的活动。上下岳始祖朱文焕坟墓位于旧横石簕竹坝（今清城区飞来峡镇）。两岳族人对祭扫祖墓的程序和礼仪有严格的规定。清乾隆以前，清明祭始祖墓由两岳子弟同时集中拜祭。乾隆后，因族中人口增加，改为上岳村和下岳村轮年拜祭。每村在轮拜年必须邀请邻村长老参加，以示共同拜祭之义。

传统婚嫁习俗中，中原古制“六礼”，在该村已很少见到，但结婚前要担定婚茶、报日子、送礼金、定嫁妆等习俗依然存在。结婚时，男、女两家都要摆酒请客，女家摆酒用的肉米酒菜大多是男家出的。迎亲和送亲时，男方要用车队上女方家迎接新娘和亲友。摆酒时，新郎新娘向亲友敬酒，宾客也要回赠红包。传统丧事习俗以土葬为主，1990 年以后逐步实行火葬。其过程为举丧、入殓、送葬、做法事，将亡灵牌位送入祠堂。举丧时，尽可能不用电话而要登门报丧。死者外家前来吊唁，事主家必须到门前跪接，前来吊丧送爆竹纸钱以悼念死者。办丧事时只煮白饭、花菜、黄豆煮猪肉等简单饭菜，用餐不坐高台凳，拆下主家门板放地上当饭台，以表哀痛。完丧次日，亲友要回访事主家。

该村是龙山地区水灾重灾区之一。1919 年农历四月，因农田水浸失收，导致米价昂贵，族人难以糊口充饥。下岳村朱叔平叔侄为村民赈粥五天，济美堂赈粥十天，福三介兄弟派发米三天，永盛堂派发两天。族人得此赈恤，得以度过饥荒。1982 年 5 月 12—20 日，民安受北江水倒灌 8 天，下岳河堤决堤 100 米。洪水涌进民安河下岳地域，不少村庄农田受浸。1994 年 6 月 10—12 日，受暴雨及北江水倒灌的影响，全兴村受灾严重，倒塌房屋 40 多间，经济损失 160 多万元。2013 年 5 月 15 日发生洪灾，全村 75% 面积受浸，倒塌房屋 20 多间，直接经济损失 200 多万元。

（资料填报：郑维，初稿撰写：郑维，总纂：李协湖）

三凤里村

◎ 三凤里村村貌（摄于 2016 年）

三凤里村，位于龙山镇西部，距镇政府 15 千米。该村始建于清康熙五年（1666 年），从英德、清远江口等地迁入而形成。因该村地形像三只凤凰盘踞，故取名三凤里村。

该村坐落于丘陵地带，地势低洼，有民安河从村北面流向不远处的滘江。村庄坐东南向西北，村东与背仔岭相靠，南是一大片田畴，西与全兴、松山村相望，北面与西瓜埔村相邻。

村形成时，属清远县滘江乡。清朝时期，属清远县滘一乡。民国时期，属清远县滘江区仁安乡。中华人民共和国成立初期，属清远县第六区下岳乡。1958 年 7 月，清远县第六区（今龙山镇）划归佛冈县辖，属佛冈县下岳乡。1958 年 10 月，佛冈县并入从化县，属从化县滘江人民公社下岳大队。1959 年 5 月，属从化县龙山人民公社下岳大队。1961 年 5 月，佛冈由从化县分出，属佛冈县民安人民公社下岳大队。1983 年 12 月，属民安区下岳乡。1987 年 1 月，属民安乡下岳行政村。1989 年 11 月，属民安乡下岳管理区。1994 年 1 月，属民安镇下岳管理区。1998 年 11 月，属民安镇下岳行政村。2004 年 5 月，民安镇并入龙山镇，属龙山镇下岳行政村至今。

世居村民有张姓、程姓、何姓、廖姓、王姓、陆姓。张姓于明末从福建迁移至广东南雄珠玑巷，后迁英德鱼湾，清康熙五年（1666 年）再从英德县鱼湾迁移至本地。程姓于元末时期从河南开封迁移至广东，清光绪十二年（1886 年）从清远县江口迁移至该地。何姓于宋咸淳九年（1273 年）从福建迁移至广东南雄珠玑巷，后迁汤塘脉塘大岴村，清朝末年再迁移至该地。廖姓是入粤始祖廖坚的后裔，宋庆元三年（1197 年）从江西迁移至广东西林都丫髻山迳口村，后迁龙山官路唇村，清朝末年迁移至该地。王姓于明中期从江西迁移至广东南雄珠玑巷，后迁烟岭，清朝末年迁移至该地。陆姓于明正统三年（1437 年）从福建迁移至广东南雄珠玑巷，后迁英德高砂岗，清朝末年再迁移至该地。

2015 年末，户籍人口 556 人，其中男性 286 人，女性 270 人；80 岁以上 15 人，最年长者 89 岁（女）。实际在村居住 502 人，留守儿童 3 人。生活主要依靠农业收入的人口有 502 人，常年在城镇生活和打工的人口有 54 人。村民均为汉族，广府民系，使用粤方言。

村有耕地面积24.6公顷。传统经济以农业为主，主要作物有水稻、番薯、木薯、花生、大豆等。现多种植水稻、番薯、花生，以个体经营为主，产值较低。20世纪90年代后期起，村民逐步扩种沙糖桔。2011年沙糖桔面积达5.33公顷，总产值40多万元。2013年起，沙糖桔产业衰退，村民改种其他果树。同时，有农户办起猪场，饲养温氏猪、渔业养殖场等。传统食品有清明节的艾糍，端午节的咸肉粽、春节的油角、咸糖环等。1990年以后，部分青壮年外出打工。村民主要收入来源为农业收入，务工工资收入等。

◎ 村中老人在打牌（摄于2016年）

◎ 艾糍（摄于2016年）

◎ 三凤里村传统民居（摄于2016年）

村于1960年通电，1990年通电话，2000年通网络，2010年村道实现水泥硬底化，2013年通自来水。村中建有垃圾收集站，文化设施有文化室、篮球场、乒乓球台等，丰富村民文娱体育生活。

传统民居现存40座，建筑年代距今200年以上的有10座，其建筑为硬山顶，盖灰瓦，墙体多用青砖，也有部分用泥砖砌成，每座占地面积200多平方米，多为广府式正座形制，两房、一厅、两廊，一天井布局。村落房屋呈“井”字形分布，街道纵横有序。20世纪90年代以后，村民逐步在旧民居四周建造钢筋混凝土结构楼房，楼房多为三房一厅一厨一卫布局。大部分村民已迁入楼房居住，传统民居大多已闲置或堆放杂物。

◎ 塘鱼养殖场（摄于2016年）

传统民俗活动有：元宵上灯，上灯活动大致分为迎灯、接灯、摆放供品、挂灯等程序，表达祈求人丁兴旺的心愿，显示出族人和谐共处的景象。其中张姓家族上灯时间为正月初十挂灯，十六落灯。清明扫墓，三凤里村民家家户户门楣插柳枝和桃叶以驱邪，采艾（一种植物）制作“艾糍”，并进行扫墓活动。扫墓一般从清明前的春分起到农历四月初八，改革开放后，民间的扫墓祭祖活动逐渐恢复。扫墓期间在外地谋生的人都尽可能赶回来祭扫祖墓。

在传统婚嫁习俗中，中原古制“六礼”已很少见到，但结婚前要担定婚茶、报日子、送礼金、定嫁妆等习俗依然存在。结婚时，男、女两家都要摆酒请客，女家摆酒用的肉米酒菜大多由男家提供。迎亲和送亲时，男方要用车队上女方家迎接新娘和亲友。摆酒时，新郎新娘向亲友敬酒，宾客也要回赠红包。传统丧事习俗以土葬为主，1990 年以后逐步实行火葬。其过程为举丧、入殓、送葬、做法事，将亡灵牌位送入祠堂。举丧时，尽可能不用电话而要登门报丧。死者外家前来吊唁，事主家必须到门前跪接，前来吊丧送爆竹纸钱以悼念死者。办丧事时只煮白饭、花菜、黄豆煮猪肉等简单饭菜，用餐不坐高台凳，拆下主家门板放地上当饭台，以表哀痛。完丧次日，亲友要回访事主家。

该村是龙山地区水灾重灾区之一。1982 年 5 月 12—20 日，民安受北江水倒灌顶托 8 天，下岳河堤决堤 111 米。洪水涌进民安河下岳段，不少村庄农田受浸，损失很大。1994 年 6 月 10—12 日，受暴雨及北江水倒灌的影响，三凤里村受灾严重，倒塌房屋 10 间，经济损失 60 多万元。同时，海龙公司养殖鱼虾的 50 口鱼塘全部漫顶过水，鱼虾随水流失，损失严重，致使海龙公司倒闭。2013 年 5 月 15 日发生洪灾，全村受浸面积达 75%，倒塌房屋 8 间，直接经济损失 60 多万元。

该村的张达辉（1936—），曾任韶关大学党委书记、始兴县委书记。张镜文（1954—），曾任佛冈县供销社副主任。张锦镜（1956—），2003 年 4 月创建广东省黄花硅石有限公司并任董事长，2007 年 1 月当选清远市第五届人大代表，先后为兴建下岳小学教学楼、修建下岳村进村道路以及抗灾复产等公益事业捐资 76 万元，曾获龙山镇党委、政府授予“乐善好施”的荣誉称号。

（资料填报：郑维，初稿撰写：郑维，总纂：李协湖）

松山村

◎ 松山村村貌（摄于 2016 年）

松山村，位于龙山镇西北部，距镇政府 15 千米。该村始建于清乾隆二十五年（1760 年），由英德县虎山乡（今高岗镇）林氏族人分支迁移入而形成。因村后山上生长有两棵老松树，故取名松山村。

该村坐落于丘陵地带，地势低洼，有民安河自北向南从村旁流向不远处的滘江，流经该村 1500 米。村庄坐西北向东南，村东与大坑河相邻，南是一片田畴，西靠和叉冚，北与全兴村接壤。

村形成时，属清远县滘江乡。清朝时期，属清远县滘一乡。民国时期，属清远县滘江区仁安乡。中华人民共和国成立初期，属清远县第六区下岳乡。1958 年 7 月，清远县第六区（今龙山镇）划归佛冈县辖，属佛冈县下岳乡。1958 年 10 月，佛冈县并入从化县，属从化县滘江人民公社下岳大队。1959 年 5 月，属从化县龙山人民公社下岳大队。1961 年 5 月，佛冈由从化县分出，属佛冈县民安人民公社下岳大队。1983 年 12 月，属民安区下岳乡。1987 年 1 月，属民安乡下岳行政村。1989 年 11 月，属民安乡下岳管理区。1994 年 1 月，属民安镇下岳管理区。1998 年 11 月，属民安镇下岳行政村。2004 年 5 月，民安镇并入龙山镇，属龙山镇下岳行政村至今。

世居村民为林姓。据《林氏得聪联谱》记载，下岳林氏族人为殷朝相父比干的后裔。林姓入粤始祖为林得聪，于明洪武三年（1370 年）从福建迁入广东新丰，再迁入英德县虎山乡（今高岗镇）周洞村，林得聪第十六世孙林大文于清朝中期迁入清远县滘一乡（今龙山镇下岳村），形成松山村，林大文被尊为下岳村林氏始祖。

2015 年末，户籍人口 205 人，其中男性 116 人，女性 89 人；80 岁以上 7 人，最年长者 93 岁（女）。实际在村居住 186 人，留守儿童 2 人。生活主要依

◎ 沙糖桔（摄于 2010 年）

靠农业收入的人口有186人，常年在城镇生活和打工的人口有19人。村民均为汉族，广府民系，使用粤方言。

村有耕地面积10公顷。农业是该村传统经济的主要产业，粮食作物种植双季水稻、番薯，经济作物种植花生、大豆、果树等。禽畜以饲养鸡、鸭、鹅、猪、牛、羊等。渔业以蓄水养殖。20世纪90年代后期起，村民逐步扩种沙糖桔。2013年起，沙糖桔产业衰退，村民改种其他果树。同时，有农户办起猪场，养鸡场、名贵鱼养殖场等。传统食品有清明节的艾糍，端午节的咸肉粽、春节的炒米饼、油角、咸糖环等。20世纪90年代以后，部分青壮年外出打工。村民主要收入来源为农业收入，务工工资收入等。

村于1960年通电，1990年通电话，2013年通自来水，2000年通网络，2003年村道实现水泥硬底化。村中建有垃圾收集站。

传统民居现存传统民居20座，建筑年代距今200年以上的有5座。其建筑为硬山顶，一部分为龙船脊，盖灰瓦，青砖砌成的墙体，属广府式正座布局，普遍为两房一厅，两廊一天井，具有岭南建筑风格和特色。20世纪90年代以后，村民逐步在传统民居四周建造钢筋混凝土结构楼房，楼房多为三房一厅一厨一卫布局。大部分村民已迁入楼房居住，传统民居大多已闲置或堆放杂物。

◎ 养鸭场（摄于2016年）

村内保留有建于清末民初的松山牌楼，据村中老人说，该村门楼在当时抵御外敌侵略起了巨大作用。其建筑为：龙船脊牌楼顶，盖灰瓦，青砖结构，门额边上刻有花草图案的镂空壁画，并题有相应的诗句。壁画下方有两个炮眼，其门额花岗岩石板从右至左还刻有1944年所书的“松山”两个大字。

传统民俗活动有：清明祭祖，家家户户门楣插柳枝和桃叶以驱邪，采艾（一种植物）制作“艾糍”，作为扫墓供品。扫墓一般从清明前的春分起到农历四月初八日，扫墓期间在外地谋生的人都尽可能赶回来祭扫祖墓。改革开放后，民间的扫墓祭祖活动逐渐恢复。

◎ 松山村传统民居（摄于2016年）

传统婚嫁习俗中，中原古制“六礼”已很少见到，但结婚前要担定婚茶、报日子、送礼金、定嫁妆等习俗依然

◎ 松山村门楼（摄于 2016 年）

存在。结婚时，男、女两家都要摆酒请客，女家摆酒用的肉米酒菜大多是男家出的。迎亲和送亲时，男方要用车队上女方家迎接新娘和亲友。摆酒时，新郎新娘向亲友敬酒，宾客也要回赠红包。传统丧事习俗以土葬为主，1990 年以后逐步实行火葬。其过程为举丧、入殓、送葬、做法事，将亡灵牌位送入祠堂。举丧时，尽可能不用电话而要登门报丧。死者外家前来吊唁，事主家必须到门前跪接，前来吊丧送爆竹纸钱以悼念死者。办丧事时只煮白饭、花菜、黄豆煮猪肉等简单饭菜，用餐不坐高台凳，拆下主家门板放地上当饭台，以表哀痛。完丧次日，亲友要回访事主家。

该村是龙山地区水灾重灾区之一。1982 年 5 月 12—20 日，民安受北江水倒灌 8 天，下岳河堤决堤，洪水涌进民安河下岳地域，不少村庄农田受浸，损失很大。1994 年 6 月 10 至 12 日，受暴雨及北江水倒灌的影响，松山村受灾严重，倒塌房屋 40 多间，经济损失 160 多万元。2013 年 5 月 15 日发生洪灾，全村受浸面积达 75%，倒塌房屋 4 间，直接经济损失 30 多万元。

（资料填报：郑维，初稿撰写：郑维，总纂：李协湖）

塘沙口村

◎ 塘沙口村村貌（摄于 2016 年）

塘沙口村，位于龙山镇西部，距镇政府 15 千米。该村始建于清咸丰年间，由上岳村龟头岭唐氏分支迁居而形成。因村位于水塘口附近，故取名塘沙口村。

该村坐落于丘陵地带，地势低洼，有民安河从村旁流向不远处的滘江。村庄坐东向西，村东与湖口岭相靠，南与西瓜埔村相望，西与大围相接，北与上岳横岭村毗邻。

村形成时，属清远县滘江乡。清朝时期，属清远县滘一乡。属清远县滘江区仁安乡。中华人民共和国成立初期，属清远县第六区下岳乡。1958 年 7 月，清远县第六区（今龙山镇）划归佛冈县辖，属佛冈县下岳乡。1958 年 10 月，佛冈县并入从化县，属从化县滘江人民公社下岳大队。1959 年 5 月，属从化县龙山人民公社下岳大队。1961 年 5 月，佛冈由从化县分出，属佛冈县民安人民公社下岳大队。1983 年 12 月，属民安区下岳乡。1987 年 1 月，属民安乡下岳行政村。1989 年 11 月，属民安乡下岳管理区。1994 年 1 月，属民安镇下岳管理区。1998 年 11 月，属民安镇下岳行政村。2004 年 5 月，民安镇并入龙山镇，属龙山镇下岳行政村至今。

世居村民为唐姓、朱姓。据《唐氏族谱》记载，唐氏族人于明末时期从江西迁入广东南雄珠玑巷，后迁英德县大陂都迳头乡鸭螂坑（今迳头镇），其后裔分枝唐尧相长子唐奇材迁至上岳村龟头岭，清咸丰年间迁塘沙口定居。朱姓于 1935 年随母改嫁迁居该村。

2015 年末，户籍人口 187 人，其中男性 106 人，女性 81 人；80 岁以上 6 人，最年长者 90 岁（女）。实际在村居住 154 人，留守儿童 2 人。生活主要依靠农业收入的人口有 154 人，常年在城镇生活和打工的人口有 33 人。村民均为汉族，广府民系，使用粤方言。

村有耕地面积 10.53 公顷。传统经济以农业为主，主要作物有水稻、番薯、木薯、花生、大豆等。现多种植水稻、番薯、花生，以个体经营为主，产值较低。20 世纪 90 年代后期起，村民逐步扩种沙糖桔。2011 年种植沙糖桔面积达 80 多亩，总产值 30 多万元。2013 年起，沙糖桔产业衰退，村民改种其他果树。同时，有农户办起猪场，饲养温氏猪。传统食品有清明节的艾糍，端午节的咸肉粽、春节的炒米饼、油角、咸糖环等。20 世纪 90 年代以后，部分青壮年外出打工。村民主要收入来源为农业收入，务工工资收入等。

村于 1960 年通电，1990 年通电话，2000 年通网络，2003 年村道实现水泥硬底化，2013 年通自来水，村中建有垃圾收集站。

传统民居现存 25 座，建筑年代距今 200 年以上的有 10 座。村落坐北向南，呈棋盘形，街道纵横有致。古民居建筑为硬山顶，一部分为龙船脊，盖灰瓦，青砖砌成的墙体，属广府式正座布局，普遍为两房一厅，两廊一天井，具有岭南建筑风格和特色。20 世纪 90 年代以后，村民逐步在旧民居四周建造钢筋混凝土结构楼房，楼房多为三房一厅一厨一卫布局。大部分村民已迁入楼房居住，传统民居大多已闲置或堆放杂物。

村中现存宗祠有 1 座，为塘沙口唐氏宗祠，始建于清光绪年间。2005 年投资 2 万多元，在原址拆旧重建，占地 206 平方米。同年举行新宗祠贺庆，近亲好友前来志庆。

村民与从化、增城、龙门、佛冈等地的唐氏族人共用《唐氏族谱》。该族谱是由唐氏唐万五郎裔孙发起编修，于 2011 年 10 月成稿，12 月底付印成书。族谱记载唐氏迁徙南粤，开宗之祖唐国玺于南宋末期从南雄珠玑巷入粤始记至今，前后 700 多年的世代繁衍。内容包括：序、目录、族训、始祖起源、广东唐氏探源、景一公族系、编后记共 7 部分。

传统民俗活动有：正月十二上灯，男孩出生为“添丁”，因“丁”与“灯”谐音，为此在元宵节到祠堂“上灯”，表示祝贺。上灯活动大致分为迎

◎ 传统民居（摄于 2016 年）

◎ 塘沙口宗祠（摄于 2016 年）

◎《唐氏族谱》（摄于 2016 年）

灯、接灯、摆放供品、挂灯等程序，体现出祈求人丁兴旺的心愿，显示出族人和谐共处的景象。清明扫墓，每年清明节期间，村民家家户户门楣插柳枝和桃叶以驱邪，采艾（一种植物）做糍，名为“艾糍”，并进行扫墓活动。扫墓一般从清明前的春分起到农历四月初八日，扫墓期间在外地谋生的人都尽可能赶回来祭扫祖墓。

传统婚丧习俗。在传统婚嫁习俗中有哭嫁对歌习俗，20 世纪 70 年代前，唐氏族人嫁女前夕，流行对唱习俗。女儿在夜间“哭妈喊娘”地唱着，母女对唱 2 至 3 晚，抒情怀旧，歌功颂德，并借此进行族训深化教育。婚嫁习俗中，中原古制的“六礼”，在该村已很少见到，但结婚前要担定婚茶、报日子、送礼金、定嫁妆等习俗依然存在。结婚时，男、女两家都要摆酒请客，女家摆酒用的肉米酒菜大多是男家筹备。迎亲和送亲时，男方要用车队上女方家迎接新娘和亲友。摆酒时，新郎新娘向亲友敬酒，宾客要回赠红包。传统丧事习俗以土葬为主，1990 年以后逐步实行火葬。其过程为举丧、入殓、送葬、做法事，将亡灵牌位送入祠堂。举丧时，尽可能不用电话而要登门报丧。死者外家前来吊唁，事主家必须到门前跪接，亲友前来吊丧送爆竹纸钱以悼念死者。办丧事煮白饭、花菜、黄豆煮猪肉等简单饭菜，用餐不坐高台凳，拆下主家门板放地上当饭台，以表哀痛。完丧次日，亲友要回访事主家。

◎ 上灯民俗（摄于 2016 年）

据《唐氏族谱》记载，传说明代期间，有两位奇人，居住在村后的对面山。一位面如黑色，另一位面如火红。黑色为刘姓，红色为罗姓；刘、罗结为金兰。他俩修筑水塘，村落易守难攻。

民国期间，下岳村（含塘沙口）只有一间私塾，借用私人房屋作校舍，当时私塾由唐北水任教。

该村是龙山地区水灾重灾区之一。1982 年 5 月 12 至 20 日，民安受北江水倒灌 8 天，下岳河堤决堤，洪水涌进民安河下岳段，不少村庄农田受浸，损失很大。1994 年 6 月 10 至 12 日，受暴雨及北江水倒灌的影响，塘沙口村受灾严重，倒塌房屋 10 多间，经济损失 50 多万元。2013 年 5 月 15 日发生洪灾，全村受浸面积达 75%，倒塌房屋十多间，直接经济损失 70 多万元。

（资料填报：郑维，初稿撰写：郑维，总纂：李协湖）

西瓜埔村

◎ 西瓜埔村村貌（摄于 2016 年）

西瓜埔村，位于龙山镇西北部，距镇政府 15 千米。该村始建于明嘉靖年间，由下岳朱姓族人从大围分支而形成。因该村种植西瓜出名，故取名西瓜埔村。

该村坐落于丘陵地带，地势低洼，民安河从村旁流向不远处的滘江。村庄坐东北向西南，村东与大冚相邻，南与三凤里村相望，西为一片大鱼塘，北与塘沙口村接壤。

村形成时，属清远县滘江乡。清朝时期，属清远县滘一乡。民国时期，属清远县滘江区仁安乡。中华人民共和国成立初期，属清远县第六区下岳乡。1958 年 7 月，清远县第六区（今龙山镇）划归佛冈县辖，属佛冈县下岳乡。1958 年 10 月，佛冈县并入从化县，属从化县滘江人民公社下岳大队。1959 年 5 月，属从化县龙山人民公社下岳大队。1961 年 5 月，佛冈由从化县分出，属佛冈县民安人民公社下岳大队。1983 年 12 月，属民安区下岳乡。1987 年 1 月，属民安乡下岳行政村。1989 年 11 月，属民安乡下岳管理区。1994 年 1 月，属民安镇下岳管理区。1998 年 11 月，属民安镇下岳行政村。2004 年 5 月，民安镇并入龙山镇，属龙山镇下岳行政村至今。

世居村民为朱姓。据《两岳朱氏族谱》记载，明代中期，朱文焕后裔人口众多，朱莹之子朱南庄遂携妻儿迁移至与上岳相连的下岳大围，明嘉靖年间从大围分村迁居而形成西瓜埔村。

2015 年末，户籍人口 290 人，其中男性 156 人，女性 134 人；80 岁以上 9 人，最年长者 93 岁（男）。实际在村居住 255 人，留守儿童 2 人。生活主要依靠农业收入的人口有 255 人，常年在城镇生活和打工的人口有 35 人。村民均为汉族，广府民系，使用粤方言。

村有耕地面积 10.8 公顷。传统经济以农业为主，主要作物有水稻、番薯、木薯、花生、大豆等。现多种植水稻、番薯、花生，以个体经营为主，产值较低。20 世纪 90 年代后期起，村民逐步扩种沙糖桔。2011 年种植沙糖桔面积达 8.67 公顷，总产值 60 多万元。2013 年起，沙糖桔产业衰退，村民改种其他果树。同时，有农户办起猪场，饲养温氏猪。传统食品有清明节的艾糍，端午节的咸肉粽、春节的炒米饼、油角、咸糖环等。20 世纪 90 年代以后，部

◎ 村民种植的沙糖桔（摄于2012年）

200年以上的有16座，其建筑为硬山顶，一部分为龙船脊，盖灰瓦，青砖砌成的墙体，属广府式正座布局，普遍为两房一厅，两廊一天井，具有岭南建筑风格和特色。20世纪90年代以后，村民逐步在旧民居四周建造钢筋混凝土结构楼房，楼房多为三房一厅一厨一卫布局。大部分村民已迁入楼房居住，传统民居大多已闲置或堆放杂物。

村与下岳诸村及上岳村朱姓合修有《两岳朱氏族谱》，是由朱氏21世祖朱云章主持编纂，于1925年出版。族谱记载时限从上下岳朱氏始祖朱文焕起，至上下岳第26、27世止，时间跨度为宋淳祐年间至1925年，前后600多年。内容包括：序、目录、家训、乡规、世系图、世次纪、列传、行状、墓志、艺文、金石、建置、杂录共12卷。《先贤文公家训》曰："君之所贵者仁也，臣之所贵者忠也，父之所贵者慈也，子之所贵者孝也，兄之所贵者友也，弟之所贵者恭也，夫之所贵者和也，妇之所贵者柔也。事师长贵乎礼也，交朋友贵乎信也。合理之事当从，非理之事勿作。诗书不可不读，礼义

分青壮年外出打工。村民主要收入来源为农业收入，务工工资收入等。

村于1960年通电，1990年通电话，2000年通网络，2003年村道实现水泥硬底化，2013年通自来水，村中建有垃圾收集站。

传统民居现存传统民居37座，建筑年代距今

◎ 西瓜埔村传统民居（摄于2016年）

不可不知，子孙不可不教，奴仆不可不恤。守我之公者理也，听我之命者天也。人能如是，天必相之，此乃日用常行之道，若衣服之于身体，饮食之于口腹，不可一日无者也，可不谨哉。”

传统的节日为春节、元宵节、清明节、四月八、端午节、七夕、七月半、中秋节、重阳节、十月朝、冬至。该村的“十月朝”节庆习俗独特，农历十月初一叫“十月朝”或“牛生日”。过去牛是农村耕作的畜力，村民均有做“牛生日”的习俗。由农家做糯米糍粑贴在牛角、牛额、牛背脊、牛腰、牛尾部位，贴三四天后，村民从牛身上将糯米糍粑剥下用火烤熟来吃。传说吃了“牛生日”贴在牛身上的糍粑，能像牛一样力气大。中华人民共和国成立后，吃糍粑的习俗已取消。

在传统婚嫁习俗中，中原古制“六礼”，在该村已很少见到，但结婚前要担定婚茶、报日子、送礼金、定嫁妆等习俗依然存在。结婚时，男、女两家都要摆酒请客，女家摆酒用的肉米酒菜大多是男家筹备。迎亲和送亲时，男方要用车队上女方家迎接新娘和亲友。摆酒时，新郎新娘向亲友敬酒，宾客也要回赠红包。传统丧事以土葬为主，1990 年以后逐步实行火葬。其过程为举丧、入殓、送葬、做法事，将亡灵牌位送入祠堂。举丧时，尽可能不用电话而要登门报丧。死者外家前来吊唁，事主家必须到门前跪接，前来吊丧送爆竹纸钱以悼念死者。办丧事时只煮白饭、花菜、黄豆煮猪肉等简单饭菜，用餐不坐高台凳，拆下主家门板放地上当饭台，以表哀痛。完丧次日，亲友要回访事主家。

该村是龙山地区水灾重灾区之一。1919 年农历四月，因农田水浸失收，导致米价昂贵，难以糊口充饥。下岳村朱叔平叔侄为村民赈粥五天，济美堂赈粥十天，福三介兄弟派发米三天，永盛堂派发两天。族人得此赈恤，得以度过饥荒。1982 年 5 月 12—20 日，民安受北江水倒灌 8 天，下岳河堤决堤，决口处 111 米，洪水涌进民安河下岳地域，不少村庄农田受浸，损失很大。1994 年 6 月 10—12 日，受暴雨及北江水倒灌的影响，西瓜埔村受灾严重，倒塌房屋 40 多间，经济损失 160 多万元。2013 年 5 月 15 日发生洪灾，全村受浸面积 75%，倒塌房屋 10 多间，直接经济损失 110 多万元。

（资料填报：郑维，初稿撰写：郑维，总纂：李协湖）

坑口村

◎ 坑口村村貌（摄于 2016 年）

坑口村，位于龙山镇西北部，距镇政府 15 千米。该村始建于明嘉靖年间，由下岳大围分村迁居而形成。因村位于水路运输船只停泊的码头出口，故取名为坑口村。

该村坐落于丘陵地带，地势低洼，有民安河从自北向南从村旁流向不远处的潖江。村庄坐北向南，村东与关前的荷田村相邻，南与良塘村相望，西为旧渡头村（今大坑村），北与三凤里村接壤。

村形成时，属清远县潖江乡。清朝时期，属清远县潖一乡。民国时期，属清远县潖江区仁安乡。中华人民共和国成立初期，属清远县第六区下岳乡。1958 年 7 月，清远县第六区（今龙山镇）划归佛冈县辖，属佛冈县下岳乡。1958 年 10 月，佛冈县并入从化县，属从化县潖江人民公社下岳大队。1959 年 5 月，属从化县龙山人民公社下岳大队。1961 年 5 月，佛冈由从化县分出，属佛冈县民安人民公社下岳大队。1983 年 12 月，属民安区下岳乡。1987 年 1 月，属民安乡下岳行政村。1989 年 11 月，属民安乡下岳管理区。1994 年 1 月，属民安镇下岳管理区。1998 年 11 月，属民安镇下岳行政村。2004 年 5 月，民安镇并入龙山镇，属龙山镇下岳行政村至今。

世居村民为朱姓。据《两岳朱氏族谱》记载，明代中期，朱文焕后裔人口众多，朱莹之子朱南庄遂携妻儿迁移至与上岳相连的下岳，明嘉靖年间从大围分村迁居而形成坑口村。

2015 年末，户籍人口 174 人，其中男性 94 人，女性 80 人；80 岁以上 8 人，最年长者 87 岁（女）。实际在村 145 人，留守儿童 2 人。生活主要依靠农业收入的人口有 145 人，常年在城镇生活和打工的人口有 29 人。村民均为汉族，广府民系，使用粤方言。

村有耕地面积 9.4 公顷。传统经济以农业为主，主要作物有水稻、番薯、木薯、花生、大豆等。现多种植水稻、番薯、花生，以个体经营为主，产值较低。20 世纪 90 年代后期起，村民逐步扩种沙糖桔。2011 年种植沙糖桔面积达 80 多亩，总产值 30 多万元。2013 年后，沙糖桔产业衰退，村民改种其他果树。同时，有农户办起猪场，饲养温氏猪，渔业养殖场等。传统节庆食品有清明节的艾糍，端午节的咸肉粽、春节的油角、咸糖环等。1990 年以后，部分青壮年外出打工。村民主要收入来源为农业收入，务工工

◎ 村民捕捞塘鱼（摄于 2016 年 ）

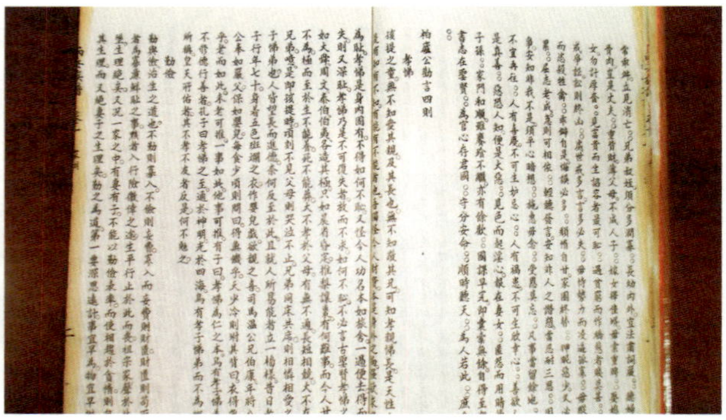

◎《先贤文公家训》（摄于 2016 年）

资收入等。

村于 1960 年通电，1990 年通电话，2000 年通网络，2003 年村道实现水泥硬底化。2013 年通自来水。村中建有垃圾收集站，文化设施有文化室、篮球场、休闲公园等。

传统民居现存传统民居 25 座，建筑年代距今 200 年以上的有 10 座，其建筑为硬山顶，一部分为龙船脊，盖灰瓦，青砖砌成的墙体，属广府式正座形制，普遍为两房一厅，两廊一天井布局，具有岭南建筑风格和特色。20 世纪 90 年代以后，村民逐步在旧民居四周建造钢筋混凝土结构楼房，楼房多为三房一厅一厨一卫布局。大部分村民已迁入楼房居住，传统民居大多已闲置或堆放杂物。

◎ 传统民居广元里（摄于 2016 年）

村修有《两岳朱氏族谱》，是由朱氏 21 世祖朱云章主持编纂，于 1925 年出版。族谱记载时限从上下岳朱氏始祖朱文焕起，至上下岳第 26、27 世止，时间跨度为宋淳祐年间至 1925 年，前后 600 多年。内容包括：序、目录、家训、乡规、世系图、世次纪、列传、行状、墓志、艺文、金石、建置、杂录共 12 卷。族谱由广州十八甫东雅公司石印出版，分上下两册共 50 多万字。

传统民俗活动为元宵上灯。男孩出生为“添丁”，因“丁”与“灯”谐音，为此在元宵节到祠堂“上灯”，表示祝贺。上灯是族人的喜事，上灯活动大致分为迎灯、接灯、摆放供品、挂灯等程序，体现出祈求人丁兴旺的心愿，显示出族人和谐共处的景象。每年清明节期间，下岳村都举行到先人坟前扫墓的活动。上下岳始祖朱文焕坟墓位于旧横石簕竹坝（今清城区飞来峡镇）。两岳族人对祭扫祖墓的程序和礼仪有严格的规定。清乾隆以前，清明祭始祖墓由两岳子弟同时集中拜祭。乾隆后，因族中人口增加，改为上岳村和下岳村轮年拜祭。每村在轮拜年必须邀请另一村长老参加，以示共同拜祭之义。

在传统婚嫁习俗中，中原古制“六礼”，在坑口村已很少见到，但结婚前要担定婚茶、报日子、送礼金、定嫁妆等习俗依然存在。

◎ 上灯习俗（摄于 2016 年）

结婚时，男、女两家都要摆酒请客，女家摆酒用的肉米酒菜大多是男家筹备。迎亲和送亲时，男方要用车队上女方家迎接新娘和亲友。摆酒时，新郎新娘向亲友敬酒，宾客也要回赠红包。传统丧事以土葬为主，1990 年以后逐步实行火葬。其过程为举丧、入殓、送葬、做法事，将亡灵牌位送入祠堂。举丧时，尽可能不用电话而要登门报丧。死者外家前来吊唁，事主家必须到门前跪接，前来吊丧送爆竹纸钱以悼念死者。办丧事时只煮白饭、花菜、黄豆煮猪肉等简单饭菜，用餐不坐高台凳，拆下主家门板放地上当饭台，以表哀痛。完丧次日，亲友要回访事主家。

该村是龙山地区水灾重灾区之一。1982 年 5 月 12—20 日，民安受北江水倒灌 8 天，下岳河堤决堤，决口处 111 米，洪水涌进民安河下岳地域，不少村庄农田受浸，损失很大；1994 年 6 月 10—12 日，受暴雨及北江水倒灌的影响，该村受灾严重，倒塌房屋 40 多间，经济损失 160 多万元；2013 年 5 月 15 日发生洪灾，全村受浸面积 75%，倒塌房屋 20 多间，直接经济损失 200 多万元。

该村的朱灿炉（1958—），曾任佛冈县教育局党组副书记、副局长、县政协常委。他作风务实，敢于创新，负责创办佛冈县振兴小学，并把学校打造成省级绿色学校，还创办清远市第一所特殊教育学校——佛冈县启智学校，曾获全国特殊教育先进工作者称号。

（资料填报：郑维，初稿撰写：郑维，总纂：李协湖）

○从化围行政村

大冚窝村

◎ 大冚窝村村貌（摄于 2016 年）

大冚窝村，位于龙山镇西部，距镇政府 12 千米。该村始建于民国初期，由清远滘江（今佛冈县汤塘镇）荣埔村何姓分支迁入而形成。因该村建在山冚，山冚有一巨石，传说经常有天鹅飞停在巨石上，天长日久巨石被天鹅磨成窝状，故取名为大冚窝村。

该村坐落于丘陵地带，地理位置相对偏僻。村庄坐东向西，东是松仔坳村，南是芋荚坑村，西是先鸡田村，北是元岭仔村。

民国时期，该村属清远县滘江区仁安乡。中华人民共和国成立初期，属清远县第六区从化围乡。1958 年 7 月，清远县第六区（今龙山镇）划归佛冈县辖，属佛冈县从化围乡。1958 年 10 月，佛冈县并入从化县，属从化县滘江人民公社从化围大队。1959 年 5 月，属从化县龙山人民公社从化围大队。1961 年 5 月，佛冈由从化县分出，属佛冈县民安人民公社从化围大队。1983 年 12 月，属民安区从化围乡。1987 年 1 月，属民安乡从化围行政村。1989 年 11 月，属民安乡从化围管理区。1994 年 1 月，属民安镇从化围管理区。1998 年 11 月，属民安镇从化围行政村。2004 年 5 月，民安镇并入龙山镇，属龙山镇从化围行政村至今。

世居村民为何姓。先秦时，何姓发源于安徽的姬姓何氏世居庐江郡，子孙繁衍，遂成望族。汉晋时期，何姓已分布于长江南北的江苏、江西、湖北、四川，东汉时何姓已经越过武夷山进入福建，翻越南岭进入广东。唐朝时二次中原南迁移民，何姓大批进入江西、浙江和福建。何氏一支南迁入广东南雄珠玑巷。清末，何姓迁入清远县滘一乡（今佛冈县汤塘荣埔村）。民国初期，何姓分支一部分迁移至该地。

2015 年末，户籍人口 143 人，其中男性 79 人，女性 64 人；80 岁以上 1 人，其中最年长者 82 岁（女）。实际在村居住 103 人，留守儿童 2 人。生活主要依靠农业收入 103 人，常年在城镇居住和打工的 40 人。村民均为汉族，广府民系，使用粤方言。

村有耕地面积 6.67 公顷，山地面积 10 公顷。

◎ 大冚窝村家养的民安鸡（摄于 2016 年）

传统经济以农业为主，主要作物有水稻、番薯、木薯、花生、大豆、芋头、水果等，现多种植水稻、蔬菜、水果。自然资源有白泥和黑泥（瓷泥）。传统节庆食品主要有过年的糖环、米饼、油角、油糍，清明节的糯米糍、艾糍，端午节的粽子等。特色美食为民安白切鸡。清远鸡在粤菜中是作为三大名种鸡，名扬海内外。佛冈民安鸡是清远鸡系列中重要的支系，尤以民安镇为盛产。普遍鸡只放养 4—5 个月，饲料以玉米、米糠等食品，其肉质结实，鸡皮脆嫩，鲜味形美，是鸡中上品。20 世纪 80 年代以后，大部分青壮年外出打工。村民主要收入来源为农业收入，外出务工收入等。

村于 1970 年通电，1976 年通电话，2005 实现村道水泥硬底化，2010 年通网络。村中建有垃圾收集池及垃圾桶，每天有专人收集垃圾。

传统民居现存 6 座。村落呈棋盘状布局。门楼坐东向西。巷道纵横交错，二横七纵排列，井井有条。当地称正座的布局为四房一厅或两房一厅，两廊，一天井。其建筑为硬山顶，盖灰瓦、三合土墙体。每座占地面积 120 平方米。20 世纪 80 年代后，村民们在传统瓦房旧居四周建造钢筋混凝土楼房。楼房多为三房一厅一厨一卫布局，底层面积约 90 平方米。有的楼房内外装修华丽，并留有停车位。大部分村民迁入楼房居住。村落旧居仍保护良好，出租给外来工居住，增加经济收入。

传统习俗仍有保留，如春节拜年、元宵上灯、清明祭祖、端午包粽、中秋赏月、重阳登高、冬至腊肉等习俗。该村正月初十上灯，十五落灯，男孩出生俗称为“添丁”，因“丁”与“灯”谐音，为此在年初十到祠堂“上灯”，表示庆贺。上灯活动大致分为迎灯、接灯、摆放供品、挂灯等程序，体现出祈求人丁兴旺的心愿，显示出族人和谐共处的景象。婴儿出生的第三天叫“三朝”，家中会煮一大煲甜酒或甜醋，邀请亲戚朋友吃。满一个月时叫满月，很多人家在家中或酒店摆满月酒，设宴款待前来庆贺的亲友，来庆贺的亲友都会给小孩一个红包，以祝福孩子健康成长。清明扫墓，村民重视祭拜祖先，清明节前一两天，就算在外面工作的人也会赶回来。村民们采艾（一种植物）做糍，名为“艾糍”。在清明节这天，村民带上艾糍、烧鹅等祭品祭拜祖先。家家户户的门楣都会插上桃叶以驱邪。

◎ 大冚窝村传统民居（摄于 2016 年）

传统婚嫁习俗中

◎ 大冚窝村何氏祖先神位（摄于 2016 年）

的中原古制“六礼”，在该村有部分习俗仍然存在，如“睇家风”、拣日子、送聘礼、结婚迎亲，送彩礼，三朝回门等。20 世纪 90 年代后，婚俗有所改变，在家中或到酒店宴请宾客，婚礼仪式也是中西结合，新郎新娘一般穿西式婚纱礼服迎宾，敬茶时新娘会换上中式的旗袍。传统丧葬风俗比较繁杂，多沿用古中原的传统，以土葬为主。1990 年后逐步实行火葬，其程序包括竖灵、收殓、引灵、接体、奠礼、出殡、火化、安葬，其中家族守孝，至亲戴孝，“头七”等依然存在。

1964 年组织村民开展造林大会战，种植松、杉树 10 公顷。1975 年进行改河造田，大搞农田基本建设改造农田 0.67 公顷。1976 年实行养猪积肥一条龙，集体养猪积肥，饲养生猪 100 多头，增加集体经济收入。

（资料填报：李瑛鎏，初稿撰写：李瑛鎏，总纂：李协湖）

横江村

◎ 横江村村貌（摄于 2016 年）

横江村，位于龙山镇西部，距镇政府 12 千米。该村始建于民国初期，由汤塘上下黎村邓姓分支迁入而形成。村落形成时，因有河流横穿村前，故取名横江村。

该村坐落于丘陵地带，地理位置比较偏僻。村庄坐北向南，东与乌石古村相望，南靠元岭山（山名），西与袁宅村毗邻，北与背后山（山名）相连。

民国时期，该村属清远县滘江区仁安乡。中华人民共和国成立初期，属清远县第六区从化围乡。1958 年 7 月，第六区（今龙山镇）划归佛冈县辖，属佛冈县从化围乡。1958 年 10 月，佛冈县并入从化县，属从化县滘江人民公社从化围大队。1959 年 5 月，属从化县龙山人民公社从化围大队。1961 年 5 月，佛冈由从化县分出，属佛冈县民安人民公社从化围大队。1983 年 12 月，属民安区从化围乡。1987 年 1 月，属民安乡从化围行政村。1989 年 11 月，属民安乡从化围管理区。1994 年 1 月，属民安镇从化围管理区。1998 年 11 月，属民安镇从化围行政村。2004 年 5 月，民安镇并入龙山镇，属龙山镇从化围行政村至今。

世居村民为邓姓，发源于河南邓州。清末，部分邓姓从广东南雄珠玑巷迁入清远县滘一乡（今佛冈县汤塘镇四九上下黎村）。民国初期，再由上下黎迁移至该地。

2015 年末，户籍人口 245 人，其中男性 134 人，女性 111 人；80 岁以上 1 人，最年长者 81 岁（女）。实际在村居住人口 206 人，留守儿童 9 人。生活主要依靠农业收入 206 人，常年在城镇居住和打工的 39 人。村民均为汉族，客家民系，由于长期居住在粤方言地域，村民现使用粤方言。

村自然资源有白泥和黑泥（瓷泥）。山地面积 10 公顷，耕地面积 14 公顷。传统经济以农业为主，粮食作物主要种植有水稻、番薯等，经济作物有木薯、花生、大豆、芋头等，果树种植有龙眼、黄皮、杨桃等岭南果品，渔业主要蓄水养殖四大家鱼。现多种植水稻、蔬菜、水果等。引进惟德无土蔬菜培植项目，种植面积 100 多亩。村民办起养鸡场，每年可出产 1.5 万只。传统节庆食品主要有过年的糖环、米饼、油角、油糍，清明节的糯米糍、艾糍，端午节的粽子等。20 世纪 80 年代以后，大部分青壮年外出打工。村民主要收入来源为农业收入，外出务

◎ 惟德无土蔬菜培植基地（摄于2016年）

工收入。

村于1970年通电，1976年通电话，2005实现村道水泥硬底化，2010年通网络。村中建有垃圾收集池及垃圾桶，每天有专人收集垃圾。

传统民居大多为广府民居。村庄坐北向南，民居呈井字形布局，房屋排列整齐。七横两纵的巷道贯通全村。正座为两房一厅、两廊、一天井布局，民居为硬山顶，盖灰瓦，墙体多用青砖，也有部分用泥砖砌成，每座占地面积100多平方米，保留岭南特有的建筑风格。20世纪80年代开始，村民陆续在围屋四周建造钢筋混凝土楼房，大部分居民迁入楼房居住，只有少部分人仍在传统民居，大部分旧民居已闲置用于堆放杂物。

村无寺无庙，逢年过节村民烧香拜佛的场所主要为祖堂和柏公树等。现村民自行集资筹建邓氏宗祠。

传统民间习俗多为广府人习俗的延续。主要有：舞狮、上灯、拜祠堂等。民间节日以春节、元宵节、清明节、端阳节、中秋节、冬至节等节为主。村民重视清明节悼念祖先，家家户户门楣插柳枝和桃叶以驱邪，采艾（一种植物）做糍，名为“艾糍”，并进行扫墓活动。扫墓一般从清明前的春分起到农历四月初八日，扫墓期间在外地谋生的人都尽可能赶回来祭扫祖墓。

◎ 横江村民居（摄于2016年）

◎ 村民张贴春联（摄于2016年）

传统婚嫁习俗中的中原古制“六礼”，在该村已很少见到，但结婚前要担定婚茶、“睇家风”、报日子、送聘金、定嫁妆这些礼节仍然存在。传统丧葬风俗庄严繁杂，以土葬为主。1990年后逐步实行火葬，其程序包括竖灵、收殓、引灵、接体、奠礼、出殡、火化、安葬等。此外，村中仍然沿袭一些丧葬的旧习，如死者未满16岁的死后用普通木料做棺材，竹杠抬，不上肩；死者在50岁以上的，去世后由子孙日夜守孝。死者入殓前，子孙要到河里取水（俗称“买水”），为死者擦身、更衣，亲视入殓。出殡时送殡队敲锣打鼓、燃放爆竹送行。死者埋葬后，神主牌由子孙送往祠堂入位，至此，丧事才告结束。办丧事时只煮白饭、豆腐、猪肉焖笋干等简单的饭菜。

1964年组织村民参加造林大会战，植树造林3.3公顷。2013年该村与白溢冚村通过土地整合，与惟德蔬菜种植公司签订土地租赁合同，用于无土培植蔬菜，合同定为10年，每亩年租金1000元。该村每年可获取5万元的经济收入。

该村的邓煜纯（1946—），从事建筑业，是当地出名的建筑师傅。

（资料填报：李瑛鎏，初稿撰写：李瑛鎏，总纂：李协湖）

白溢冚村

◎ 白溢冚村村貌（摄于 2016 年）

白溢冚村，位于龙山镇西部，距镇政府 11 千米。该村始建于清道光十七年（1837 年），由邓氏族人分支搬迁而形成。建村时，因附近多白稀泥（瓷泥）而取名白溢冚村，曾用名塘尾村。

该村坐落于丘陵地带，位置较偏僻。村落坐北向南，东与松仔坳村相邻，南靠长冚岭（山名），西与大冚窝村接壤，北是背后山（山名）。县道 X376 线从村前经过。

清朝时期，该村属清远县滘一乡。民国时期，属清远县滘江区仁安乡。中华人民共和国成立初期，属清远县第六区从化围乡。1958 年 7 月，第六区（今龙山镇）划归佛冈县辖，属佛冈县从化围乡。1958 年 10 月，佛冈县并入从化县，属从化县滘江人民公社从化围大队。1959 年 5 月，属从化县龙山人民公社从化围大队。1961 年 5 月，佛冈由从化县分出，属佛冈县民安人民公社从化围大队。1983 年 12 月，属民安区从化围乡。1987 年 1 月，属民安乡从化围行政村。1989 年 11 月，属佛民安乡从化围管理区。1994 年 1 月，属民安镇从化围管理区。1998 年 11 月，属民安镇从化围行政村。2004 年 5 月，民安镇并入龙山镇，属龙山镇从化围行政村至今。

世居村民为邓姓，清道光十七年（1837 年）从惠州迁移至该地。

2015 年末，户籍人口 153 人，其中男性 78 人，女性 75 人；80 岁以上 4 人，村最年长者 89 岁（女）。实有居住人口 153 人。祖籍该村的香港同胞 23 人。村民均为汉族，广府民系，使用粤方言。

自然资源有白泥和黑泥（瓷泥）。山地面积 10 公顷，耕地面积 6.67 公顷。传统经济以农业为主，主要作物有水稻、番薯、木薯、花生、大豆、果树

◎ 惟德无土蔬菜（摄于 2016 年）

等。随着产业布局的调整，果树种植形成规模化产业。种植沙糖桔面积达到200多亩，成为村民致富的支柱产业。但2013年后，由于黄龙病侵害，沙糖桔产业逐步消失，村民转种蔬菜等经济作物，引进惟德无土蔬菜培植项目，种植面积100多亩。传统节庆食品主要有过年的糖环、米饼、油角、油糍，清明节的糯米糍、艾糍，端午节的粽子等。20世纪80年代以后，大部分青壮年外出打工。村民主要收入来源为农业收入，外出务工收入。

村于1970年通电，1976年通电话，2005实现村道水泥硬底化，2010年通网络。文化设施有白溢冚图书馆。

村民注重传承和发扬尊老爱幼的传统，每年重阳节都组织敬老活动，慰问老人，并于2016年5月建立老人服务中心。中心占地面积约300平方米，有多功能办公室、文体小广场。老人活动中心有老人80多人配有工作人员5名。在敬老热心人士邓桂洪等支持下，添置柜式空调等设备，建设篮球场等娱乐设备，改善老人的居住生活环境。

传统民居现存6座。村落呈棋盘状布局。门楼坐北向南。巷道纵横交错，三横十纵排列，井井有条。当地称为正座的民居为四房一厅或两房一厅，两廊，一天井布局。房屋为硬山顶，盖灰瓦、三合土墙体。每座占地面积120平方米。20世纪80年代后，村民们在传统瓦房旧居四周建造钢筋混凝土楼房。楼房多为三房一厅一厨一卫布局，底层面积约90平方米。有的楼房内外装修华丽，并留有停车位。大部分村民迁入楼房居住。旧居仍保存良好，出租给外来工居住。

◎ 白溢冚村传统民居（摄于2016年）

村修有《流溪邓氏家史》，由孙锦球于1988年撰写，2000年由邓会民编纂。家史记载从商朝以来流溪邓氏世系源流。该族谱的撰写得到当时港澳台同胞及村民的大力支持，并写有编序，记有："社积贫弱，群策群力以振兴之；文物贫缺，集才集资以修辑之。"

该村无寺无庙，逢年过节村民烧香拜佛的场所主要为祖堂和伯公树等。

传统民间习俗多为广府人习俗的延续。主要有：舞狮、上灯、拜祠堂等。民间节日以春节、元宵节、清明节、端阳节、中秋节、冬至节等节为主。正月初十到祠堂"上灯"，表示祝贺。清明扫墓：每年清明节期间，村民们都会带上鹅、艾糍、糖、饼等供品到先人坟前扫墓，为先人烧衣纸、放鞭炮，一家大小齐齐拜祭，祈求保佑一家大小平安健康。

◎ 村老年服务中心（摄于2016年）

传统婚嫁习俗中的

◎《流溪邓氏家史》（摄于 2016 年）

中原古制“六礼”，在该村已很少见到，但结婚前要担定婚茶、“睇家风”、报日子、送聘金、定嫁妆这些礼节仍然存在。结婚时，男、女两家都要摆酒请客，女家摆酒用的肉、米、酒、菜大多是男家出的。迎亲和送亲时，男方要用车队上女方家迎接新娘和亲友。摆酒时，新郎新娘向亲友敬酒，宾客也要回赠红包。

传统丧葬风俗庄严繁杂，以土葬为主。1990 年后逐步实行火葬，其程序包括竖灵、收殓、引灵、接体、奠礼、出殡、火化、安葬等。村中仍然沿袭一些丧葬的旧习，如死者未满 16 岁的死后用普通木料做棺材，竹杠抬，不上肩；死者在 50 岁以上的去世后由子孙日夜守孝，死者入殓前，子孙要到河里取水（俗称“买水”），为死者擦身、更衣，亲视入殓。出殡时送殡队敲锣打鼓、燃放爆竹送行。死者埋葬后，神主牌由子孙送往祠堂入位，至此丧事才告完结。办丧事时只煮白饭、豆腐、猪肉焖笋干等简单的饭菜。

1991 年，村民配合县交通部门开展乡村公路建设，将原乡村小路改造为县道 X376 线（民龙线），2001 年进行扩建，改造成 2 级混凝土公路，方便村民出行。1999 年 1 月，由于长期低温阴雨，村里种植的 6.67 公顷石硖龙眼受霜冻全部死亡。2013 年该村与横江村通过土地整合，与惟德蔬菜种植公司签订土地租赁合同，用于无土培植蔬菜，合同定为 10 年，每亩年租金 1000 元。该村每年可获取 10 万元的经济收入。

该村的邓伟其（1961—），现任佛冈县民政局副局长。

（资料填报：李瑛鎏，初稿撰写：李瑛鎏，总纂：李协湖）

元岭仔村

◎ 元岭仔村村貌（摄于 2016 年）

元岭仔村，位于龙山镇西部，距镇政府 12 千米。该村始建于清道光二十年（1840 年），由清远滘江汤塘杨氏、龚氏分支搬迁而形成。因村庄建在圆形的山岗上，故取名为元岭仔村，曾用名圆岭仔村。

该村坐落于丘陵地带，位置较偏僻。村庄坐东向西。东是背底岭山（山名），南是瓦厂村，西是大塘村，北是新屋村。

清朝时期，该村属清远县滘一乡。民国时期，属清远县滘江区仁安乡。中华人民共和国成立初期，属清远县第六区从化围乡。1958 年 7 月，第六区（今龙山镇）划归佛冈县辖，属佛冈县从化围乡。1958 年 10 月，佛冈县并入从化县，属从化县滘江人民公社从化围大队。1959 年 5 月，属从化县龙山人民公社从化围大队。1961 年 5 月，佛冈由从化县分出，属佛冈县民安人民公社从化围大队。1983 年 12 月，属民安区从化围乡。1987 年 1 月，属民安乡从化围行政村。1989 年 11 月，属民安乡从化围管理区。1994 年 1 月，属民安镇从化围管理区。1998 年 11 月，属民安镇从化围行政村。2004 年 5 月，民安镇并入龙山镇，属龙山镇从化围行政村至今。

世居村民为杨姓和龚姓。元末明初，大批江西、浙江的杨姓宗族，迁往湖广地区。清末初，杨姓迁入广东南雄珠玑巷，后迁移至清远县滘一乡（今佛冈县汤塘镇上黎村）定居。清道光二十年（1840 年），部分族人再迁移至该地。龚姓 20 世纪 40 年代，由湖南常德迁至佛冈县汤塘四九村，后又迁移至该地。

2015 年末，户籍人口 208 人，其中男性 113 人，女性 95 人；80 岁以上 2 人，村最年长者 86 岁（男）。实际在村居住人口 206 人，留守儿童 1 人。生活主要依靠农业收入 206 人，常年在城镇居住和打工的 2 人。村民均为汉族，广府民系，使用粤方言。

◎ 元岭仔村门楼（摄于 2016 年）

自然资源有白泥和黑泥（瓷泥），耕地面积 8.67 公顷，传统经济以农业为主，山地面积 4 公顷。主要作物有水稻、番薯、木薯、花生、果树等，现多种植水稻、蔬菜。村民办起养猪场，年出栏量 1000 多头。传统节庆食品主要有春节的糖环、米饼、油角、油糍，清明节的糯米糍、艾糍，端午节的粽子等。20 世纪 80 年代以后，大部分青壮年外出打工。村民主要收入为农业收入，外出务工收入等。

◎ 元岭仔村养猪场（摄于 2016 年）

村于 1970 年通电、1976 年通电话，2005 实现村道水泥硬底化，2010 年通网络。村中建有垃圾收集池及垃圾桶，每天有专人收集垃圾。

传统民居现存 5 间，保存基本完好。村庄呈井字形布局，房屋排列整齐。七横二纵的巷道贯通全村。房屋为两房一厅、两廊、一天井布局，民居为硬山顶，盖灰瓦，墙体多用青砖，也有部分用泥砖砌成，每座占地面积约 120 平方米，保留岭南特有的建筑风格。20 世纪 80 年代开始，村民陆续在围屋四周建造钢筋混凝土楼房，大部分居民迁入楼房居住，只有少部分人仍在传统民居居住，大部分旧民居已闲置或堆放杂物。

◎ 元岭仔村一角（摄于 2016 年）

该村无寺无庙，逢年过节村民烧香拜佛的场所主要为祖堂和柏公树。

民间习俗主要有：舞狮、太公济饥粥、上灯分猪肉、拜观音、拜土地公、正月十五抢花炮（其中太公济饥粥、正月十五抢花炮此两个习俗在 1949 年后已消失）。民间传统节日以春节、元宵、清明、端阳、中秋、冬至等节为主。清明扫墓，每年清明节期间，村民们都会带上鹅、艾糍、糖、饼等供品到先人坟前扫墓，为先人烧衣纸、放鞭炮，一家大小齐拜祭。

传统婚嫁习俗中的中原古制“六礼”，在该村已很少见到，但结婚前要担定婚茶、“睇家风”、报日子、送聘金、定嫁妆这些礼节仍然存在。结婚时，男、女两家都要摆酒请客，女家摆酒用的肉、米、酒、菜大多是男家筹备。迎亲和送亲时，男方要用车队上女方家迎接新娘和亲友。摆酒时，新郎新娘向亲友敬酒，宾客也要回赠红包。元岭仔村传统丧葬风俗庄严繁杂，以土葬为主。1990 年后逐步实行火葬，其程序包括竖灵、收殓、引灵、接体、奠礼、出殡、火化、安葬等。村中仍然沿袭一些丧葬的旧习，如死者未满 16 岁的死后用普通木料做棺材，竹杠抬，不上肩；死者在 50 岁以上的去世后由子孙日夜守孝。入殓前，子孙要到河里取水为死者擦身、更衣，亲视入殓。出殡时送殡队敲锣打鼓、燃放鞭炮送行。死者埋葬后，神主牌由子孙送往祠堂入位，至此丧事才告结束。

1964 年，组织村民开展造林，种植松、杉树 6.67 公顷。1975 年，进行改河造田，改造农田 1.2 公顷。

（资料填报：李瑛鎏，初稿撰写：李瑛鎏，总纂：李协湖）

茅岗村

◎ 茅岗村村貌（摄于 2016 年）

茅岗村，位于佛冈县龙山镇西部，距镇政府 13 千米。该村始建于民国初期，由附近村肖姓、陈姓分支迁入而形成。因村落建于长满茅草的山岗上，故名为茅岗村。曾用名毛岗村、南胜围。

该村坐落于丘陵地带，比较偏僻。坐东北向西南，东面紧靠背底岭（山名），南与新围仔村相邻，西与红坟村毗邻，北与乌石古村相望。

民国时期，该村属清远县湿江区仁安乡。中华人民共和国成立后，属清远县第六区从化围乡。1958 年 7 月，第六区（今龙山镇）划归佛冈县辖，属佛冈县从化围乡。1958 年 10 月，佛冈县并入从化县，属从化县湿江人民公社从化围大队。1959 年 5 月，属从化县龙山人民公社从化围大队。1961 年 5 月，佛冈由从化县分出，属佛冈县民安人民公社从化围大队。1983 年 12 月，属民安区从化围乡。1987 年 1 月，属民安乡从化围行政村。1989 年 11 月，属民安乡从化围管理区。1994 年 1 月，属民安镇从化围管理区。1998 年 11 月，属民安镇从化围行政村。2004 年 5 月，属佛冈县龙山镇从化围行政村至今。

世居村民为肖姓、陈姓。肖姓最早发源于今山东省。后经历代变迁，民国初期，肖姓由从化民乐迁移至清远湿江民安茅岗村。陈姓发源于今河南柘城胡襄镇。宋嘉祐七年（1062 年），宋仁宗将陈氏分流至江西、河南、浙江、广东等 16 个省 125 个县市。20 世纪 50 年代，陈氏族人分支由民安附近村庄迁至该地。

2015 年末，户籍人口 571 人，其中男性 324 人，女性 247 人；80 岁以上 12 人，村最年长者 85 岁（男）。实际在村居住人口 564 人，留守儿童 1 人。生活主要依靠农业收入 564 人，常年在城镇居住和打工的 7 人。村民均为汉族，广府民系，使用粤方言。

传统经济以农林业为主，林业资源丰富，山地地面积 36.67 公顷，主要资源有杉树、松树、桉树等。耕地面积 26.67 公顷，主要粮食作物有水稻、番薯，经济作物有芋头、木薯、花生、大豆等，果树种有龙眼、荔枝、沙糖桔等。养殖业有民安鸡、湿江乌鬃鹅等。渔业为蓄水养殖四大家鱼。特色美食为湿江大鲩鱼。该村出产的大鲩鱼，采用水煮鱼或清蒸或水浸的烹饪方法，食之肉质爽脆可口，性不温不凉，村民喜欢食用。传统食品有清明节的艾糍，端午节的咸肉粽、春节的油角、咸糖环等。自然资源为黑瓷泥。村民主要收入来源有：农业生产、商业经营、务工工资收入等。

村于1976年通电，1995年通电话，2005年通网络，2015年村道实现水泥硬底化。村中建有垃圾收集池及垃圾桶，每天有专人收集垃圾。

传统民居现存28座，其中特色民居8座。旧民居多建于民国初期及20世纪50—60年代，建筑年代距今100年以上的有8座。旧民居保留着浓厚广府民居特色，房屋为四房、一厅、两廊、一天井布局，每座占地面积约120平方米，呈形状形排布，横8纵16巷道贯通全村。

◎ 茅岗村民居（摄于2016年）

村修有《兰陵萧氏历代流传家谱》，2003年由萧开华结合兰陵萧氏资料重修。该族谱分为三部分：萧姓起源，萧氏宗支家族，祖宗来源等。

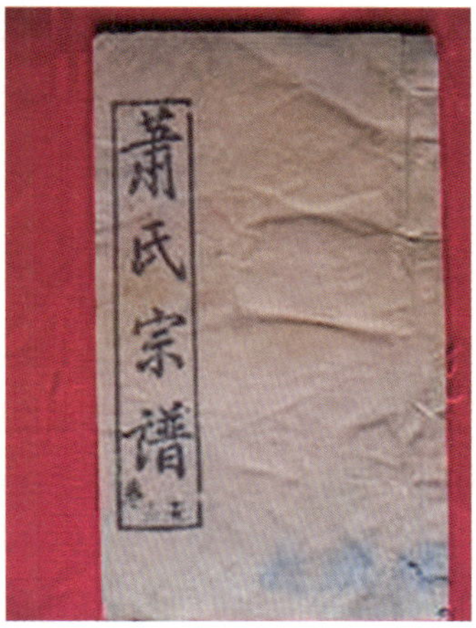

◎《萧氏宗谱》（摄于2016年）

村无寺无庙，逢年过节，村民烧香祭拜的场所主要为祖堂和伯公树等。

传统民间习俗多为广府人习俗的延续。主要有：舞狮、上灯、拜祠堂等。民间传统节日以春节、元宵节、清明节、端阳节、中秋节、冬至等节为主。村民清明扫墓时，带上鹅、艾糍、糖、饼等供品到先人坟前，为先人烧衣纸、放鞭炮，一家大小齐齐拜祭，让祖先保佑一家大小平安健康。

◎ 新郎喜接新娘（摄于1980年）

在传统婚嫁习俗中的中原古制“六礼”，在该村已很少见到，但结婚前要担定婚茶、“睇家风”、报日子、送聘金、定嫁妆这些礼节仍然存在。2010年后，部分青年采取旅行结婚度蜜月或者参加集体婚礼。在婚礼服饰上，也体现出中西结合现代气派，新郎新娘拍结婚照、接新娘时花车巡游、婚宴上西装婚纱迎客，已成为新的婚嫁潮流。传统丧事习俗以土葬为主。1990年以后逐步实行火葬。其程序为举丧、入殓、出殡、送葬、做法事，将亡灵送入祠堂。村中仍然沿袭一些丧葬的旧习，出殡时送殡队敲锣打鼓、燃放爆竹送行。埋葬后，神主牌由子孙送往祠堂入位，至此丧事才告完结。办丧事时只煮白饭、豆腐、猪肉炆笋干等简单的饭菜。

1990年后，随着产业布局调整，种植业逐渐形成规模，种植石硖龙眼13.33公顷，沙糖桔23.33公顷，每年可给村民带来几百万元的经济收入。1999年1月，由于长期低温阴雨，村里种植的6.67公顷石硖龙眼受霜冻全部死亡。2008年冬，受低温霜冻影响，全村11.33公顷已成熟的沙糖桔被冻毁于树上，损失达80多万元。

（资料填报：李瑛鎏，初稿撰写：李瑛鎏，总纂：李协湖）

从化围

◎ 从化围村貌（摄于 2016 年）

从化围，位于龙山镇西部，距镇政府 11 千米。该村始建于明中期，由从新丰、广州、从化等地区各姓分支迁入而形成。因村民怀念搬迁前的故地，故取名从化围。

该村坐落于丘陵地带，地势低洼。村庄坐东向西，村东与白溓冚相邻，南与门楼富的南坑村相望，西与大围村毗邻，北与红坟村接壤。

清朝时期，该村属清远县滘一乡。民国时期，属清远县滘江区仁安乡。中华人民共和国成立初期，属清远县第六区从化围乡。1958 年 7 月，清远县第六区（今龙山镇）划归佛冈县辖，属佛冈县从化围乡。1958 年 10 月，佛冈县并入从化县，属从化县滘江人民公社从化围大队。1959 年 5 月，属从化县龙山人民公社从化围大队。1961 年 5 月，佛冈由从化县分出，属佛冈县民安人民公社从化围大队。1983 年 12 月，属民安区从化围乡。1987 年 1 月，属民安乡从化围行政村。1989 年 11 月，属民安乡从化围管理区。1994 年 1 月，属民安镇从化围管理区。1998 年 11 月，属民安镇从化围行政村。2004 年 5 月，民安镇并入龙山镇，属龙山镇从化围行政村至今。

该村是一个多姓氏的村落。世居村民有 8 个姓氏，分别为温姓、何姓、陈姓、谢姓、孙姓、邝姓、杨姓、龚姓。据《温馀公系续谱》记载，明朝成化六年（1470 年），温姓始祖万一郎携妻吕氏、长子百一郎和弟弟万四郎弟媳龚氏一行五人，从福建上杭迁入广东韶州府（今韶关市）翁源县墨岭村开基，万一郎的后裔又从翁源墨岭迁到长宁（今新丰遥田镇大马村富头）开基立业，明中期，其后裔从新丰遥田迁到该地。何姓开基祖何万培的后裔由翁源新江移居英德县高台（今佛冈高岗）墩下。清末，一部分族人由高岗墩下迁入该地；陈姓先祖陈思盛由龙川迁往今英东桥头板铺，其后裔分支散布各地，有部分族人迁入该地。邝氏家族在英德上下砝繁衍几代后，裔孙陆续向外迁移，其中以迁居佛冈的后裔为多，散布在石角、高岗、汤塘、龙山等地，有分支迁入该地。谢姓开基祖谢六郎从河南迁移至广州白云区江高大田村，后来再迁到该地；杨姓开基祖杨德裕在明中期南海大沙堤迁来龙山、汤塘等地，有分支迁入该地；龚姓村民是龚文立第 4 代孙龚帝仲，由从化迁到汤塘四九，龚帝谦迁往汤塘荣埔，然后分支到该地。孙姓等人都是从附近地区分支迁移过来的。

2015年末，户籍人口771人，其中男性405人，女性366人;80岁以上7人,村中最年长者95岁(女)。实际在村居住人口621人，留守儿童12人。生活主要依靠农业收入621人，常年在城镇居住和打工的150人。祖籍该村的香港同胞35人。村民均为汉族，广府民系，使用粤方言。

传统经济以农业为主，耕地面积34.67公顷，粮食作物有水稻、番薯，经济作物有木薯、花生、大豆等。现多种植水稻为主，兼种番薯花生等作物。特色农产品有沙糖桔、土薯。随着产业布局调整，沙糖桔种植已形成规模产业，种植面积达43.33公顷。2013年后，由于黄龙病侵害，沙糖桔产业逐步消失，村民改种其他经济作物。传统食品有炒米饼、艾糍、咸叶粽、角子、咸糖环等。20世纪80年代以后，大部分青壮年外出打工。村民主要收入来源为农业收入、外出务工收入等。

村于1975年通电，1985年通电话，2006年通网络和有线电视，2015年全村基本实现水泥硬底化。除建有垃圾收集池外，还在收集方便的地方设置垃圾桶。省道S252线、县道X376线从村旁经过。

村区域内办有从化围小学，于1956年创建，占地面积有7230平方米，校舍建筑面积1965平方米。2015年，有6个教学班，在校学生187人。教职员工共9人，其中专任教师8人。

传统民居现存33座。门楼坐东北向西南，村落呈棋盘状布局。巷道纵横交错，7条纵巷，巷宽约2米。旧民居呈一字型排列，都是广府式的正座，四房一厅或二房一厅，两廊，一天井布局。其建筑为硬山顶，盖灰瓦、三合土墙体。每座占地面积约120平方米。20世纪90年代以后，村民们在传统瓦房旧居四周建造钢筋混凝土楼房。楼房多为三房一厅一厨一卫布局，底层面积约90平方米。有的楼房内外装修华丽，并留有停车位。越来越多的村民迁入楼房居住。村落旧居仍保护良好的有33座，有35人居住，部分出租给外来工居住，增加村民的经济收入。

村中现存宗祠有4座，分别为温氏宗祠、何氏宗祠、孙氏宗祠、杨公祠。温氏宗祠于2011年重修，宗祠为一进一天井，占地约140平方米，砖土墙，盖灰瓦；何氏宗祠于2011年重修，该宗祠为两进一天井，占地约120平方米，正门由三条条形麻石砌成，屋顶为硬山顶，盖灰瓦，青砖砌墙，整个宗祠由8条大红柱支撑，大门两侧各一根，两廊各一根，主堂各两根，两侧还设有两个小拱门方便进出。孙氏宗祠于2011年重修，占地约50平方米；仲魁杨公祠于2013年重修，占地约40平方米。

村修有《温馀公系续谱》，2004年由温阳光编纂。该续谱描述家族发展历史，内容有世系篇、村史篇、文物篇、人事篇、世系歌、温姓起源、发祥及迁徙线

◎ 温氏宗祠（摄于2016年）

◎ 何氏宗祠（摄于2016年）

◎《温馀公系续谱》(摄于2016年)

路等。族谱赞：晋公族号太原堂，始自周朝文武王。温邑封基为姓氏，叔虞后裔放豪光。太原世系几千秋，溯自周泰汉宋流。温族根源须切记，光前裕后绍箕裘。该续谱为研究佛冈和湛江地区经济、风俗、文化提供宝贵的历史资料。

传统婚嫁习俗中很少见到中原古制“六礼”，但结婚前要担定婚茶、“睇家风”、报日子、送聘金、定嫁妆这些礼节仍然存在。结婚时，男、女两家都要摆酒请客，女家摆酒用的肉、米、酒、菜大多是男家筹备。迎亲和送亲时，男方用车队到女方家迎接新娘和亲友。摆酒时，新郎新娘向亲友敬酒，宾客要回赠红包。传统丧葬风俗庄严繁杂，以土葬为主。20世纪90年代后逐步实行火葬，其程序包括竖灵、收殓、引灵、接体、奠礼、出殡、火化、安葬等。村中仍然沿袭一些丧葬的旧习。

传统民俗有：正月初十上灯活动。俗称男孩出生为“添丁”，因“丁”与“灯”谐音，为此在正月初十到祠堂“上灯”，表示祝贺。上灯是族人的喜事，上灯活动大致分为迎灯、接灯、摆放供品、挂灯等程序，体现出祈求人丁兴旺的心愿，显示出族人和谐共处的景象。清明扫墓，每年清明节期间，村民们都会带上鹅、艾糍、糖、饼等供品到先人坟前扫墓，为先人烧衣纸、放鞭炮，一家大小齐齐拜祭，让祖先保佑一家大小平安健康。

村中温氏族人重视宗族活动，有重阳祭祖习俗。据《温馀公系续谱》记载，1998年重阳节当天，从化围与从化市北星村、横江农场田心村宗亲约500人，前往佛冈县黄花镇黄花岗圹口村车头屋后，拜祭德廉公祖墓及德廉公妾钟氏（该墓葬在黄花中心小学和黄花岗中心屋场墙角右边）。该次拜祭是几百年来最隆重的拜祭。可是这次拜祖误拜一座空穴，真正的德廉公墓并不在此。2002年6月9日在广州市教育局退休的温日明（从化围人）兄弟的带领下前往黄花镇找回德廉公墓的真实碑文，纠正1998年误拜、错拜的位置，并重新拍照片。2003年4月5日清明节，从化北星村乔仕公的后裔70人乘坐4台车来到从化围村，与从化围村全村近200人一齐拜祭伯朝公夫人梁氏太婆和乔仕公夫妇。2004年2月26日，从化围村、铜溪村、北星村等村的温馀公后裔52位宗亲，参加温馀公宗亲会议。

◎ 村民祭祖活动（摄于2016年）

1991年，村民配合县交通部门开展乡村公路建设，将原乡村小路改造为县道X376线（民龙线），2001年进行扩建，改造成2级混凝土公路，方便村民出行。2008年1月，由于长期低温霜冻，村中有22公顷已成熟的沙糖桔被冻烂在树上，村民造成160多万元的经济损失。

该村的杨奉冠（1961—），曾任佛冈县政协委员。他热心为支教助学、救灾抢险、修桥造路和扶贫济困等捐资30多万元。从1999年起，每年重阳节坚持举办敬老宴，集中该村60岁以上老人共同进餐，并发放大米、慰问金，还给敬老院捐款、捐物。2001年被评为佛冈县第一届十大杰出青年，2007年龙山镇政府授予“敬老、爱老、助老”牌匾。陈少霞（1967—，女），现任佛冈县石角镇党委委员，2007年被评为清远市精神文明建设先进工作者，2014年5月被评为广东省精神文明建设先进工作者。

（资料填报：郑银春，初稿撰写：郑银春，总纂：李协湖）

红坟村

◎ 红坟村村貌（摄于2016年）

红坟村，位于龙山镇西部，距镇政府14千米。该村始建于明中期，由清远县吉河乡（今佛冈县石角镇）程氏族人搬迁而形成。因村旁有一座红色山坟，而取名为红坟村。

该村坐落于丘陵地带，村落坐东向西，东与浮良村相望，南与茅岗村毗邻，西与飞鼠眼村相邻，北靠枫木冚山。

该村形成时，属清远县滘江乡。清朝时期，属清远县滘一乡。民国时期，属清远县滘江区仁安乡。中华人民共和国成立初期，属清远县第六区从化围乡。1958年7月，属佛冈县从化围乡。1958年10月，属从化县滘江人民公社从化围大队。1959年5月，属从化县龙山人民公社从化围大队。1961年5月，属佛冈县民安人民公社从化围大队。1983年12月，属民安区从化围乡。1987年1月，属民安乡从化围行政村。1989年11月，属民安乡从化围管理区。1994年1月，属民安镇从化围管理区。1998年11月，属民安镇从化围行政村。2004年5月，属龙山镇从化围行政村至今。

世居村民为程姓。明前期，由新丰沙田迁至清城源谭黄茅村、清新太平新田围为其主要聚居点，并迁到清远县吉河乡（今佛冈县石角镇）石角油草冚，明中期由石角油草冚迁到民安从化围再迁该村。

2015年末，户籍人口180人，其中男性96人，女性84人；80岁以上9人，最年长者95岁（男）。实际在村居住人口132人，留守儿童2人。生活主要依靠农业收入132人，常年在城镇居住和打工的48人。村民均为汉族，客家民系，由于长期生活在粤方言地区，现使用粤方言。

传统经济以农林业为主，耕地面积8公顷，山

◎ 红坟村沙糖桔果园（摄于2011年）

地面积80公顷。林业资源丰富，主要资源有松树、杉树、桉树等。粮食作物主要种植水稻、番薯、芋头、木薯等。经济作物有花生、大豆等。果树有荔枝、龙眼、黄皮、香蕉等岭南水果。禽畜以饲养鸡、鸭、鹅和猪、牛等。20世纪90年代后期起，村民逐步扩种沙糖桔。2011年种植沙糖桔面积达16公顷，总产值100多万元。2013年起，沙糖桔产业衰退，村民改种其他果树。同时，有农户办起猪场，饲养温氏猪。传统食品有清明节的艾糍，端午节的咸肉粽、春节的油角、咸糖环等。20世纪80年代以后，大部分青壮年外出打工。村民主要收入来源为农业收入、外出务工工资收入。

村于1975年通电，1985年通电话，2006年通网络和有线电视，2015年村道基本实现水泥硬底化。村中建有垃圾收集池。县道民安至龙山376线从村西经过。

◎ 红坟村民居（摄于2016年）

传统民居保存完好的只有5座。村落坐北向南，围屋呈“井”字形布局，二横五纵的巷道贯通全村。门楼居中，四周的围水屋包围中间的正座。正座为一房两廊一天井布局，每座建筑面积约110平方米，主要建筑为硬山顶，盖灰瓦，较早的都是泥砖墙体，较迟建筑的是泥砖和青砖的混合墙体，保留岭南特有的建筑风格。20世纪80年代开始，村民陆续在围屋四周建造钢筋混凝土楼房，越来越多的居民迁入楼房居住，传统民居大多已闲置或堆放杂物。

传统节令习俗有：春节前的祭灶、岁末守岁、张贴春联；春节的开门迎福和拜年；正月十五元宵节上灯；清明节祭祖扫墓；端午节裹粽子祭河神；中秋节团圆赏月；九月重阳节登高；冬至腊肉等。元宵节，村民有蒸发糕、做汤圆的习俗，以示庆贺春节圆满结束。清明节期间，村民带上烧鹅、艾糍、糖、饼等供品到先人坟前扫墓，为先人烧衣纸、放鞭炮，一家大小齐齐拜祭，祈求祖先保佑一家大小平安健康。

◎ 红坟村传统民居（摄于2016年）

在传统婚嫁习俗中的中原古制“六礼”，在该村已很少见到，但结婚前要担定婚茶、“睇家风”、报日子、送聘金、定嫁妆这些礼节仍然存在。2010年后，部分青年采取旅行结婚度蜜月或者参加集体婚礼。在婚礼服饰上，也体现出中西结合现代气派，宴请前新郎新娘拍结婚照、接新娘时花车巡游、婚宴上西装婚纱迎客，已成为新的婚嫁潮流。传统丧事习俗以土葬为主。1990年以后逐步实行火葬。其程序为举丧、入殓、出殡、送葬、做法事，将亡灵送入祠堂。村中仍然沿袭一些丧葬的旧习，死者入殓前，子孙要到河里取水（俗称“买水”），为死者擦身、更衣，亲视入殓。出殡时送殡队敲锣打鼓、燃放爆竹送行。埋葬后，神主牌由子孙送往祠堂入位，至此丧事才告完结。办丧事时只煮白饭、豆腐、猪肉焖笋干等简单的饭菜。

1964年，组织村民开展造林大会战，造林13.33公顷。1975年，大搞农田基本建设，改造农田0.67公顷。2008年冬，受低温霜冻影响，全村8公顷已成熟的沙糖桔被冻毁于树上，损失达50多万元。

（资料填报：郑银春，初稿撰写：郑银春，总纂：李协湖）

横 围

◎ 横围村貌（摄于 2016 年）

横围，位于龙山镇西部，距镇政府 12 千米。该村始建于清中期，由英德、湛江等地移民迁居而形成。据村中老人讲述，开基始祖陈大即率领族人在该地建村，村落建成后，村民为纪念始祖陈大即，取名为大即围，直至中华人民共和国成立初期，改名为横围。

该村坐落于丘陵地带，地势低洼。村落坐西北向东南，东与先鸡田村接壤，南与上岳新香粉村相望，西紧挨民安街，北与袁宅村相邻。

清朝时期，该村属清远县湛一乡。民国时期，属清远县湛江区仁安乡。中华人民共和国成立初期，属清远县第六区从化围乡。1958 年 7 月，清远县第六区（今龙山镇）划归佛冈县辖，属佛冈县从化围乡。1958 年 10 月，佛冈县并入从化县，属从化县湛江人民公社从化围大队。1959 年 5 月，属从化县龙山人民公社从化围大队。1961 年 5 月，佛冈由从化县分出，属佛冈县民安人民公社从化围大队。1983 年 12 月，属民安区从化围乡。1987 年 1 月，属民安乡从化围行政村。1989 年 11 月，属民安乡从化围管理区。1994 年 1 月，属民安镇从化围管理区。1998 年 11 月，属民安镇从化围行政村。2004 年 5 月，民安镇并入龙山镇，横围属龙山镇从化围行政村至今。

世居村民为张姓、何姓。据《清远姓氏》记载，张姓于明隆庆四年（1570 年）从福建迁移至广东南雄珠玑巷，后迁英德鱼湾，清乾隆二十五年（1760 年）再从英德县鱼湾迁移至今佛冈水头，清嘉庆年间再由水头迁至该地。何氏族人于清中期由英德县高台乡（今佛冈县高岗镇）迁移该地。

2015 年末，户籍人口 110 人，其中男性 60 人，女性 50 人；80 岁以上的 1 人，村中最年长者 91 岁（男）。实际在村居住人口 85 人，留守儿童 1 人。生活主要依靠农业收入 85 人，常年在城镇居住和打工的 25 人。村民均为汉族，广府民系，使用粤方言。

村有耕地面积 2.67 公顷，传统经济以农业为主，主要作物以水稻、番薯为主，兼种大豆、花生水果等作物。特色农产品有石硖龙眼。自 20 世纪 90 年代后期开始种植沙糖桔并逐步扩大，村里的经济有很大起色，最高峰时村里年人均收入达 8000 多元。2013 年以后，沙糖桔黄龙病不断蔓延发展，出现大片枯萎，沙糖桔收成逐渐减产，到 2014 基本全面失

◎ 横围葡萄园（摄于 2016 年）

◎ 民安渡槽（摄于 2016 年）

收。果农已经开始改种其他水果作物，如大果山楂、香芋、葡萄、火龙果、莲藕、粉葛等。传统食品有炒米饼，炸糖环、油角、油糍、艾糍、碱水粽等。20 世纪 90 年代以后，村中青壮年外出打工，村民主要经济来源为农业收入、务工工资收入等。

村于 1975 年通电，1985 年通电话，2006 年通网络和有线电视，2015 年全村基本实现水泥硬底化。村中建有垃圾收集池，村里的卫生环境得到改善。村西面 2 千米处有县道 X376 线，村前西北方约 2 千米处有省道 S252 线，形成便利的交通网络。

传统民居现存 5 座。门楼坐西北向东南，村落呈“井”字形布局。4 条横巷和 4 条纵巷相互交错，通风透气，排水及出入方便。该村民居多为正座。正座为两房一厅、两廊、一天井布局。其建筑为硬山顶，盖灰瓦，泥砖墙体，青砖门框，每座占地面积约 120 平方米，现存最长时间的一座旧民居建于 1938 年，保存完好，仍可住人。20 世纪 90 年代以后，该村民逐步在旧民居四周建成钢筋混凝土楼房，大部分村民迁入楼房居住，楼房多为三房一厅一厨一卫布局，底层建筑面积约 90 平方米。有的楼房内外装修华丽，并留有停车位。旧民居现大多数闲置或堆放杂物。

村中原有一座宗祠，20 世纪 50 年代末被毁坏，至今还未重修。逢年过节，村民均在自己门前摆上祭品祭宗拜祖。

民安渡槽从该村经过，为现代重要史迹及代表性建筑，1971 年建成。渡槽呈西南、东北走向，长 743 米，高约 3 米，宽为 0.8 米，共有 99 个墩，最大跨度为 7.5 米，呈半圆形。柱是块石结构，槽是钢筋混凝土修筑，采用梁式结构。渡槽是为浇灌民安圩周围农田和果树而建造的，是佛冈县内最大的引水渡槽，该渡槽于 2012 年被列入佛冈县不可移动文物名录。

◎ 横围旧民居（摄于 2016 年）

很多传统习俗在该村仍然存在，如婴儿做“满月”习俗一直沿袭至今。婴儿出生的第三

◎ 猪脚醋（摄于 2016 年）

天叫“三朝”，家中会煮一大煲甜酒或甜醋，邀请亲戚朋友过来吃。满一个月时叫满月，很多人家在家中或酒店摆满月酒，设宴款待前来庆贺的亲友，来庆贺的亲友都会给小孩一个红包利是，以祝福孩子健康成长。清明扫墓，每年清明节期间，村民们都会带上鹅、艾糍、糖、饼等供品到先人坟前扫墓，为先人烧衣纸、放鞭炮，一家大小齐齐拜祭，让祖先保佑一家大小平安健康。清明扫墓，清明节前一两天，就算在外面工作的人都会赶回来，村民们采艾（一种植物）做糍，名为“艾糍”。家家户户的门楣都会插上桃叶以驱邪。端午节，村民有挂菖蒲的风俗，在端午节，人们把菖蒲插于门楣，悬于堂中，用以驱瘴。除挂菖蒲外，村民还会用糯米、红豆或眉豆、猪肉等材料裹粽子。

传统婚嫁习俗中的中原古制“六礼”，在该村有部分仍然存在，如“睇（看）家风”、拣日子、送彩礼、结婚迎亲、三朝回门等礼俗还保留。20 世纪 90 年代后，婚俗有所改变，一般都到酒店或在家中宴请宾客，婚礼仪式也是中西结合。新郎、新娘一般穿西式婚纱礼服迎宾，敬茶时新娘会换上中式的旗袍。传统丧葬风俗比较繁杂，多沿用古中原的传统，以土葬为主。1990 年后逐步实行火葬，其程序包括竖灵、收殓、引灵、接体、奠礼、出殡、火化、安葬，其中家族守孝，至亲戴孝，“头七”等习俗依然存在。

1964 年，参加民安人民公社组织的造林大会战，种植松、杉树 6.67 公顷。1975 年，大搞农田基本建设，改造农田 0.67 公顷。

（资料填报：郑银春，初稿撰写：郑银春，总纂：李协湖）

新围仔村

◎ 新围仔村村貌（摄于 2016 年）

新围仔村，位于龙山镇西部，距镇政府 11 千米。该村始建于清末，由英德黎溪苏氏族人分支搬迁而形成。村落形成后，因苏姓族人与上岳村朱姓发生姓氏械斗，房屋被烧毁，后来重建，故取名为新围仔村。

该村坐落于丘陵地带，村中坐东北向西南，东与茅岗村接壤，南与袁宅村相望，西靠高岭头（山名），北与红坟村毗邻。

清朝时期，该村属清远县潖一乡。民国时期，属清远县潖江区仁安乡。中华人民共和国成立初期，属清远县第六区从化围乡。1958 年 7 月，属佛冈县从化围乡。1958 年 10 月，属从化县潖江人民公社从化围大队。1959 年 5 月，属从化县龙山人民公社从化围大队。1961 年 5 月，属佛冈县民安人民公社从化围大队。1983 年 12 月，属民安区从化围乡。1987 年 1 月，属民安乡从化围行政村。1989 年 11 月，属民安乡从化围管理区。1994 年 1 月，属民安镇从化围管理区。1998 年 11 月，属民安镇从化围行政村。2004 年 5 月，属龙山镇从化围行政村至今。

世居村民为苏姓。根据《苏氏族谱》记载，从福建徙居英东的苏氏家族，开基祖叫苏者。于明洪武十四年（1381 年）背着祖父源达、父亲子卿的骨骸迁居于英东白沙车头村，并将父祖两代的骨骸安葬在居地附近，后子孙陆续外迁，清末，苏姓族人由英德黎溪迁移此地。

2015 年末，户籍人口 150 人，其中男性 85 人，女性 65 人；80 岁以上 4 人，村中最年长者 94 岁（男）。实际在村居住人口 105 人，留守儿童 4 人。生活主要依靠农业收入 105 人，常年在城镇居住和打工的 45 人。村民均为汉族，客家民系，由于长期生活在粤方言地区，现使用粤方言。

村有山地面积 23.33 公顷，耕地面积 9.33 公顷。传统经济以农业为主，主要粮食作物有水稻、番薯，经济作物木薯、花生、果树等。禽类饲养鸡、鸭、鹅和畜类猪、牛等，渔业以蓄水养殖四大家鱼为主。随着产业的布局调整，90 年代后期发展沙糖桔种植，至 2011 年种植沙糖桔面积达 11.3 公顷，总产值 80 多万元。2013 年起，由于沙糖桔黄龙病导致该产业衰退，村民开始改种其他农作物，有些种上了如丝瓜、冬瓜、香芋等；有些农户还办起养猪场，饲养温氏猪；有些养鹅、养鸡，不断拓宽收入渠道。该村节

◎ 新围仔村温氏猪场（摄于 2016 年）

日食品种类繁多，春节做油炸食品，如糖环、油角、油糍；端午节裹粽子；清明节村做艾糍等。20 世纪 80 年代以后，大部分青壮年外出打工。村民主要收入来源为农业收入、外出务工工资收入。

村于 1975 年通电，1985 年通电话，2006 年通网络和有线电视，2015 年村道基本实现水泥硬底化。该村建有垃圾收集池，环境卫生得到改善。民安至龙山的县道 X376 线从村西通过，省道 S252 线在村前约 2 千米的西北方。

◎ 新围仔民居（摄于 2016 年）

传统民居现存 25 间，保存基本完好。村落坐东北向西南，围屋呈棋盘形布局，房屋排列整齐。7 横 5 纵的巷道贯通全村。房屋为两房一厅、两廊、一天井布局，建筑为硬山顶，盖灰瓦，墙体多用青砖，也有部分用泥砖砌成，每座占地面积 100 多平方米，保留岭南特有的建筑风格。20 世纪 80 年代开始，村民陆续在围屋四周建造了钢筋混凝土楼房，大部分村民已迁入楼房居住，保存较好的旧民居中还有 8 座有人居住，其余大部分旧民居已闲置或堆放杂物。

◎ 新围仔村一角（摄于 2016 年）

村修有《苏氏族谱》。该族谱是简本线装，内容比较简单，只介绍姓氏渊源，迁徙时间及线路，苏氏世系繁衍，先祖墓地等内容。

村中至今保留中原文化流传下来的一部分习俗。节令习俗有：春节前的祭灶、岁末守岁、张贴春联；春节的开门迎福和拜年；正月十五元宵节上灯；清明节祭祖扫墓；端午节裹粽子祭河神；中秋节团圆赏月；九月重阳节登高等。

传统婚嫁习俗的中原古制的“六礼”已很少见到，但迎亲嫁娶的习俗仍然存在，如“睇（看）家风”、拣日子、送聘礼、结婚迎亲，闹洞房，三朝回娘家等礼俗还存在，大多数年轻人都是采用现代的婚嫁习俗，结婚时，摆结婚酒席新郎新娘向亲友敬酒，宾客也要回赠红包等。

传统丧葬风俗庄严繁杂，多沿用古中原的习俗，以土葬为主。20 世纪 90 年代后逐步实行火葬，其程序包括竖灵、收敛、引灵、接体、奠礼、出殡、火化、安葬，其中家族守孝，至亲戴孝，“头七”祭拜等依然存在。办丧事时只煮白饭、花菜、黄豆煮猪肉等简单的饭菜，用餐时不坐高台凳，拆下事主家的门板放于门前的巷地上当饭台，以表哀痛。

1964 年，组织村民植树造林，种植松、杉树 5.33 公顷。1975 年，进行改河造田，大搞农田基本建设，改造农田 0.67 公顷。2008 年冬，受低温霜冻影响，全村 6.67 公顷已成熟的沙糖桔被冻毁于树上，损失达 40 多万元。

（资料填报：郑银春，初稿撰写：郑银春，总纂：李协湖）

先鸡田村

◎ 先鸡田村村貌（摄于 2016 年）

先鸡田村，位于龙山镇西部，距镇政府 13 千米。该村建于清初，由附近村落各姓分支搬迁而形成。因村落建在地形如同仙鸡一样的地方，故取名为仙鸡田村，后改名为先鸡田村。

该村坐落于丘陵地带，村庄坐东向西，东靠背后山，南与高屋村接壤，西是一片田畴，北与瓦厂相邻。小溪从村子西面流过，流经该村溪长 1000 米，溪水干涸很多，同时溪水污染已经不能作为生活用水。

清朝时期，该村属清远县浛一乡。民国时期，属清远县浛江区仁安乡。中华人民共和国成立初期，属清远县第六区从化围乡。1958 年 7 月，清远县第六区（今龙山镇）划归佛冈县辖，属佛冈县从化围乡。1958 年 10 月，佛冈县并入从化县，属从化县浛江人民公社从化围大队。1959 年 5 月，属从化县龙山人民公社从化围大队。1961 年 5 月，佛冈由从化县分出，属佛冈县民安人民公社从化围大队。1983 年 12 月，属民安区从化围乡。1987 年 1 月，属民安乡从化围行政村。1989 年 11 月，属民安乡从化围管理区。1994 年 1 月，属民安镇从化围管理区。1998 年 11 月，属民安镇从化围行政村。2004 年 5 月，民安镇并入龙山镇，属龙山镇从化围行政村至今。

世居村民为谢姓、唐姓、邓姓。龙山谢氏原姓姜，出自周朝国舅姜申伯，因其护驾有功，赐姓谢，居河南谢家庄。其后裔一支迁到福建居住，另一支迁入广东南雄珠玑巷。胡妃事件后，谢六郎南迁到番禺大田乡（今广州市白云区江高镇大田村），明初，又迁清远浛江浮梁村（今佛冈县龙山镇浮良村），清初迁至该地。唐姓始祖峻福在清乾隆年间从广东南海唐边村迁移至从化太平南村，1926 年，再从太平镇南村迁移至该地。邓姓是从其他村分支搬迁该地。

2015 年末，户籍人口 591 人，其中男性 310 人，女性 281 人；80 岁以上 6 人，村中最年长者 92 岁（女）。实际在村居住人口 371 人，留守儿童 13 人。生活主要依靠农业收入 371 人，常年在城镇居住和打工的 220 人。祖籍该村的香港同胞 25 人。村民均为汉族，所属民系为广府民系，使用粤方言。

自然资源为黑瓷泥和白瓷泥。耕地面积 40 公顷，传统经济以农业为主，主要作物有水稻、番薯、木薯、花生、甘蔗、果树等，90 年代初，随着产业布局的调整，村民种植沙糖桔，直到 2013 年，由于沙糖桔黄龙病蔓延，导致果树枯黄病死。村民改种冬瓜、丝瓜、芋头、甘蔗等农作物增加收入。传统食品主要有糯米饼、油角、咸糖环，炆鹅，清明节的糯米糍、艾糍，端午节的粽子等。20 世纪 80 年代以后，大部分青壮年外出打工。村民主要收入来源为农业收入、外出务工收入等。

村于 1975 年通电，1985 年通电话，2006 年通网络和有线电视，2015 年全村基本实现水泥硬底化。村中建有垃圾收集池，还设置垃圾桶。

传统民居现存 22 座，保存基本完好。旧民居保留着浓厚广府民居特色，正座为四房、一厅、两廊、一天井布局，旧民居整齐有序，呈棋盘形布局，6 横 5 纵的巷道贯通全村。旧民居建筑为硬山顶，盖灰瓦，墙体多用青砖，也有部分用泥砖砌成，每座占地面积 110 多平方米，保留岭南特有的建筑风格。20 世纪 80 年代开始，村民陆续在围屋四周建造钢筋混凝土结构楼房，越来越多的居民迁入楼房居住，只剩下少部分人仍在传统民居居住，大部分旧民居已闲置或堆放杂物。

◎ 先鸡田村传统民居（摄于 2016 年）

围屋门楼坐东向西，至今保存良好。据村中老人说：该村门楼在当时抵御外侵起巨大作用。门楼墙体由青砖砌成，门框由三块条形麻石砌成，正门最上方从左至右是翠竹、飞鸟、腊梅三幅壁画，以示族人高风亮节、和谐共处、坚强高雅。正门上方有两个炮眼，炮眼下方的条形麻石从右至左雕刻“仁

◎ 先鸡田村门楼（摄于 2016 年）

和村”三个大字，左右两边的砖柱上还有灰雕壁画。同时，正门装有趟拢，外侧门为四方门，进入门楼后内侧门则为拱门，其门设计方拱重叠，既均衡对称，又美观庄重，将广府传统门楼与客家门楼的风格融合为一。

村中现存通礼谢公祠一座，建于清末民初，谢公祠为两进一天井，整个宗祠占地 360 平方米，全部青砖墙体，第一进的前门为拱门设计，后门为方门，上方用条形麻石砌成，麻石上雕刻“通礼谢公祠”五字，后门两边分别摆放有香炉，供后人烧香祭拜。第二进主要为后人烧香祭拜的地方，两边各设有供人进出的小拱门，宗祠中间设有神龛。谢公祠的第一进的房顶像一顶官帽，以示族人希望子孙后代官运亨通，光宗耀祖。正门最上方有两个炮眼，门匾用石板镶嵌，两边雕刻双凤呈祥图案，中间石板雕刻为书卷，“福兴里”三字浮刻书卷中。门口两侧有

◎ 通礼谢公祠（摄于 2016 年）

灰雕壁画，正门为方门，后门则为拱门，设计均衡对称，美观庄重。谢公祠在解放后部分墙体受到严重损毁，在 60 年代期间，谢氏后人曾用红砖修补，由于种种原因仍未能修复原样。

民国时期，村曾开办仙鸡田私塾，由族人谢基业负责教学，学生有 20 多人。教学内容主要以《孝经》为主，也把御制大诰（公文），朝廷律令以及婚、丧、祭等仪礼列入教学之中。中华人民共和国成立初期，提倡办学校废私塾，先鸡田私塾因此停办。

位于民安圩从化围村的民安渡槽，从该村域经过，为现代重要史迹及代表性建筑，2012 年被列入佛冈县不可移动文物名录。

村修有《唐氏族谱》，由唐氏唐万五郎裔孙发起编修，于 2011 年 10 月成稿，12 月底付印成书。族谱记载唐氏迁徙南粤，开山之祖国玺公于南宋末期景琰年间从南雄珠玑巷入粤至今，前后 700 多年世系繁衍。内容包括：序、目录、族训、始祖起源、广东唐氏探源、景一公族系、编后记共 7 部分。

◎《唐氏族谱》（摄于 2016 年）

村中至今保留中原文化流传下来的一部分习俗。节令习俗有：春节前的祭灶、岁末守岁、张贴春联；

◎ 春节期间村民购买花卉（摄于 2016 年）

春节的开门迎福和拜年；正月十五元宵节上灯；清明节祭祖扫墓；端午节裹粽子祭河神；中秋节团圆赏月；九月重阳节登高等。

传统婚嫁习俗有担定婚茶、“睇家风”、报日子、送聘金、定嫁妆等。结婚时，男、女两家要摆酒请客，女家摆酒用的肉米酒菜大多是男家筹备。迎亲和送亲时，男方要用车队上女方家迎接新娘和亲友。传统丧事以土葬为主，1990 年以后逐步实行火葬，其程序为举丧、入殓、出殡、送葬、做法事，将亡灵送入祠堂。

2008 年 1 月，由于受低温霜冻影响，京珠高速公路曾一度封路，致使北方南下采购沙糖桔的大货车受阻，全村 13.33 公顷已成熟的沙糖桔被冻毁于树上，损失达 100 多万元。

（资料填报：郑银春，初稿撰写：郑银春，总纂：李协湖）

莲塘村

◎ 莲塘村村貌（摄于 2016 年）

莲塘村，位于龙山镇西部，距镇政府 12 千米。该村始建于清中期，由英德上呔邝氏分支搬迁而形成。因开村始祖邝定全择地建村时，选址于长满莲藕的水塘附近，故取名为莲塘村。

该村坐落于丘陵地带，地势低洼。村落坐北向南，东与茅岗村接壤，南与大塘村毗邻，北紧靠背底岭，县道 X376 线从村西通过。

清朝时期，该村属清远县滘一乡。民国时期，属清远县滘江区仁安乡。中华人民共和国成立初期，属清远县第六区从化围乡。1958 年 7 月，清远县第六区（今龙山镇）划归佛冈县辖，属佛冈县从化围乡。1958 年 10 月，佛冈县并入从化县，属从化县滘江人民公社从化围大队。1959 年 5 月，属从化县龙山人民公社从化围大队。1961 年 5 月，佛冈由从化县分出，属佛冈县民安人民公社从化围大队。1983 年 12 月，属民安区从化围乡。1987 年 1 月，属民安乡从化围行政村。1989 年 11 月，属民安乡从化围管理区。1994 年 1 月，属民安镇从化围管理区。1998 年 11 月，属民安镇从化围行政村。2004 年 5 月，民安镇并入龙山镇，属龙山镇从化围行政村至今。

世居村民为邝姓。根据《邝氏族谱》记载，宋末时期，邝氏族人从南京宁国府迁移至广东河源，清嘉庆年间，又从河源迁徙英德上下砝。后来，裔孙分支陆续向外播迁，其中以迁居佛冈的后裔为多，散布在石角、高岗、汤塘、龙山等地，一部分族人迁至该地，邝定全成为莲塘村的开村始祖。

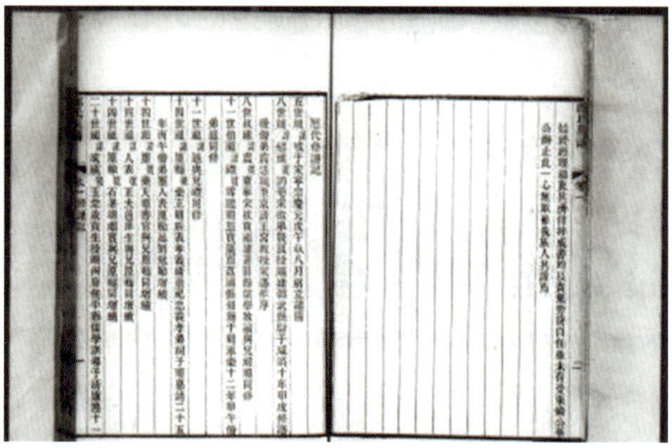

◎《邝氏族谱》（摄于 2016 年）

2015 年末，户籍人口 300 人，其中男性 161 人，女性 139 人；80 岁以上 4 人，村中最年长者 89 岁（男）。实际在村居住人口 300 人。村民均为汉族，客家民系，由于长期生活在粤方言地区，现使用粤方言。

◎ 莲塘村传统民居（摄于2016年）

村有山地面积16.67公顷，耕地面积6.67公顷。传统经济以农业为主，主要作物有水稻、番薯、芋头、木薯、花生、大豆等，兼种龙眼、荔枝、沙糖桔。养殖业有民安鸡、湛江乌鬃鹅等。传统食品有清明节的艾糍，端午节的咸肉粽、春节的油角、咸糖环等。特色美食为民安白切鸡。清远鸡在粤菜中是作为三大名种鸡，名扬海内外。佛冈民安鸡是清远鸡系列中重要的支系，尤以民安镇为盛产。鸡只普遍放养4—5个月，饲以玉米、米糠等天然食品，其肉质结实，鸡皮脆嫩，鲜味形美，是鸡中上品。20世纪80年代以后，大部分青壮年外出打工。村民主要收入来源为农业收入、外出务工收入等。

◎ 莲塘村民居一角（摄于2016年）

◎ 莲塘村饲养的民安鸡（摄于2016年）

村于1975年通电，1985年通电话，2006年通网络和有线电视，2015年全村基本实现水泥硬底化。村中建有垃圾收集池，村里的卫生环境得到改善。县道X376线从村西通过，省道S252线在村前约2千米的西北方经过，形成便利的交通网络。

传统民居现存30多间，保存基本完好。围屋呈棋盘形布局，房屋排列整齐。五横六纵的巷道贯通全村，形成光照充足，排水排污方便，出入便利的特点。该村门楼居中，四周的围水屋包围中间的正座。正座为四房一厅，两廊一天井布局，每座建筑面积约150平方米，其建筑为硬山顶，盖灰瓦，泥砖墙体，保留了岭南特有的建筑风格。20世纪80年代开始，村民陆续在围屋四周建造钢筋混凝土结构楼房，大部分居民迁入楼房居住，传统民居大多已闲置或堆放杂物。

传统习俗有正月十六上灯，俗称男孩出生为“添丁”，因“丁”与“灯”谐音，为此在正月十六到祠堂“上灯”，表示祝贺。上灯是族人的喜事，上灯活动大致分为迎灯、接灯、摆放供品、挂灯等程序，

◎ 上灯日村民迎灯（摄于 2016 年）

体现出祈求人丁兴旺的心愿，显示出族人和谐共处的景象。清明祭祖，每年清明节期间，村民们都会带上鹅、艾糍、糖、饼等供品到先人坟前扫墓，为先人烧衣纸、放鞭炮，一家大小齐齐拜祭，让祖先保佑一家大小平安健康。

在传统婚嫁习俗中，已很少见到中原古制的“六礼”，但迎亲嫁娶的习俗仍然存在，如“睇家风”、拣日子、送聘礼、结婚迎亲，闹洞房，三朝回娘家等礼俗还存在。传统丧葬风俗庄严繁杂，多沿用古中原的传统，以土葬为主。该村与附近地区一样，凡 60 岁以上的人去世叫“寿终”或“归天”，未成年人去世叫“夭折”或“夭亡”，死后均以木棺土葬。死者未满 16 周岁的用普通木料做棺材，竹杠抬，不上肩。20 世纪 90 年代后逐步实行火葬，其程序包括竖灵、收殓、引灵、接体、奠礼、出殡、火化、安葬，其中家族守孝，至亲戴孝，“头七”祭拜等依然存在。办丧事时只煮白饭、花菜、冬瓜、豆腐等简单的饭菜，用餐时不坐高台凳，拆下事主家的门板放于门前的巷地上当饭台，以表哀痛。

1964 年，组织村民植树造林，种植松、杉树 10 公顷。1975 年进行改河造田，大搞农田基本建设，改造农田 1.33 公顷。2008 年 1 月，由于受低温霜冻影响，京珠高速公路曾一度封路，致使北方南下采购沙糖桔的大货车受阻，全村 13.33 公顷已成熟的沙糖桔被冻毁于树上，损失达 100 多万元。

该村的邝钊源（1940—2008），曾任从化龙潭武装部部长、城郊党委书记、从化公路局局长、从化矿务局局长。

（资料填报：郑银春，初稿撰写：郑银春，总纂：李协湖）

芋荚坑村

◎ 芋荚坑村村貌（摄于 2016 年）

芋荚坑村，位于龙山镇西部，距镇政府 8 千米。该村始建于清乾隆十五年（1750 年），由英德盘古岭的高姓分支搬迁而形成。建村时，因村四周的田边、山边生长许多芋荚，村民们把芋荚叶采集回来后，腌制成又酸又爽的芋荚拿出去卖，故取名为芋荚坑村。因谐音相近，曾用名为户合坑村。

该村坐落于丘陵地带，村东与白溢冚接壤，南是关前行政村的船厂村，西与南坑村相连，北是大冚窝。县道 X376 线从村西经过，省道 S252 线在村前的 2 千米西北方，形成了便利的交通网络。

清朝时期，该村属清远县滘一乡。民国时期，属清远县滘江区仁安乡。中华人民共和国成立初期，属清远县第六区从化围乡。1958 年 7 月，属佛冈县从化围乡。1958 年 10 月，属从化县滘江人民公社从化围大队。1959 年 5 月，属从化县龙山人民公社从化围大队。1961 年 5 月，属民安人民公社从化围大队。1983 年 12 月，属民安区从化围乡。1987 年 1 月，属民安乡从化围行政村。1989 年 11 月，属民安乡从化围管理区。1994 年 1 月，属民安镇从化围管理区。1998 年 11 月，属从化围行政村。2004 年 5 月，属龙山镇从化围行政村至今。

世居村民为高姓、谢姓。高姓，根据《高氏族谱》记载，高氏族人在南宋初年，从中原迁南雄珠玑巷，后迁珠三角。明代中期迁清远，其后裔后来分支迁移到英德盘古岭。清乾隆十五年（1750 年）再从英德盘古岭迁徙到该地；谢姓，明初，谢六郎从河南迁广州白云区高大田村，其后裔后迁清远滘江浮梁（浮良）、门楼富、从化围、官路唇、三八岭背等地，谢六郎成为谢姓人氏的开基祖，有分支迁至该地。

2015 年末，户籍人口 400 人，其中男性 210 人，女性 190 人；80 岁以上 7 人，村中最年长者 93 岁（女）。实际在村居住 350 人，留守儿童 5 人。生活主要依靠农业收入 350 人，常年在城镇居住和打工的 50 人。村民均为汉族，广府民系，使用粤方言。

村有耕地面积 19.33 公顷，传统经济以农业为主，主要作物有水稻、番薯、芋头、木薯、花生、大豆等，兼种龙眼、沙糖桔等果树。特色农产品有民安鸡、沙糖桔、土薯。2013 年之后，沙糖桔由于黄龙病全部枯萎，村民开始改种其他农作物和发展养殖业，逐步建立养猪、养鸡等规模化生产基地。

该村有养鸡专业户2户，每年出产鸡4000只；养猪专业户1户，年出栏量1000头。传统食品有清明节的艾糍，端午节的咸肉粽、春节的油角、咸糖环等。20世纪80年代以后，大部分青壮年大部分外都到广州、深圳、珠三角等地方打工。村民主要靠农业收入、务工收入等。

村于1975年通电，1985年通电话，2006年通网络和有线电视，2015年全村道路基本实现水泥硬底化。村中建有垃圾收集池，村居卫生得到改善。

传统民居现存20多间，保存基本完好。村落坐北向南，呈棋盘形布局，房屋排列整齐。五横六纵的巷道贯通全村，光照充足，排水排污方便，出入便利。门楼居中，四周的围水屋包围中间的正座。正座为四房一厅，两廊一天井布局，每座建筑面积约130平方米，其建筑为硬山顶，盖灰瓦，泥砖墙体，保留岭南特有的建筑风格。20世纪80年代开始，村民陆续在旧民居四周建造钢筋混凝土结构楼房，大部分村民已迁入楼房居住，传统民居大多已闲置或堆放杂物。

村中现存谢氏宗祠。宗祠始建于清乾隆五十五年（1790年），2013年重修。2016年仍作使用。该村谢氏后人逢年过节或办喜事，都会带上祭品到祠堂拜祭，燃放鞭炮，以增加喜庆气氛。

村修有《谢氏家谱》，由谢太文、谢太绍两人于2008年纂修。族谱简单分为序言、前派老辈、新咏辈列、姓氏源流、袁氏世系、祖坟位置等。

在该村地域有1口石棺材。相传是下岳朱姓埋葬先祖的，至今有几百年。在该村北边的2千米的红围岭上，整个石棺埋在地下，只露出40—50厘米在地面。

◎ 芋荚坑村传统民居（摄于2016年）

◎ 芋荚坑新民居（摄于2016年）

主要习俗有正月十六上灯，清明祭祖等。清明节，家家户户都在门楣插上桃叶以示驱邪，还会采艾叶做糍。扫墓活动一般从清明前的春分起到农历四月初八。该村谢氏族人从2010年起，由理事会牵头，在每年的农历十二月二十八，均邀请全村60岁以上的老人集中聚餐，并每人派发红包50元，该习俗一直延续到现在。

传统婚嫁习俗中，中原古制的“六礼”已很少见到，但迎亲嫁娶的习俗仍然存在，如“睇家风”、拣日子、送聘礼、结婚迎亲，闹洞房，三朝回娘家等。传统丧葬风俗以土葬为主。20世纪90年代后逐步实行火葬，其程序包括竖灵、收殓、引灵、接体、奠礼、出殡、火化、安葬，其中家族守孝，至亲戴孝，“头七”祭拜等依然存在。办丧事煮白饭、花菜、黄豆煮猪肉等简单的饭菜，用餐时不坐高台凳，拆下事主家的门板放于门前的巷地上当饭台，以表哀痛。

1964年，组织村民参加民安人民公社组织的造林大会战，种植松、杉树4公顷。1975年，进行改河造田，大搞农田基本建设，改良农田0.67公顷。2008年1月，由于受低温霜冻影响，全村6.67公顷已成熟的沙糖桔被冻毁于树上，损失达50多万元。

（资料填报：郑银春，初稿撰写：郑银春，总纂：李协湖）

松仔坳村

◎ 松仔坳村（摄于 2016 年）

松仔坳村，位于龙山镇西部，距镇政府 7 千米。该村始建于清末，由从清远县滘一乡（今佛冈县汤塘镇）大埔张氏分支搬迁而形成。因村庄附近山上生长许多松树，故取名松仔坳村。

该村坐落于丘陵地带，村庄坐北向南，东与良塘深水村相邻；南靠背后山；西与白饭屲接壤；北是松仔山。县道 X376 线从村西经过，省道 S252 线在村前约 2 千米的西北方。

清朝时期，该村属清远县滘一乡。民国时期，属清远县滘江区仁安乡。中华人民共和国成立初期，属清远县第六区从化围乡。1958 年 7 月，属佛冈县从化围乡。1958 年 10 月，属从化县滘江人民公社从化围大队。1959 年 5 月，属从化县龙山人民公社从化围大队。1961 年 5 月，属佛冈县民安人民公社从化围大队。1983 年 12 月，属民安区从化围乡。1987 年 1 月，属民安乡从化围行政村。1989 年 11 月，属民安乡从化围管理区。1994 年 1 月，属民安镇从化围管理区。1998 年 11 月，属民安镇从化围行政村。2004 年 5 月，属龙山镇从化围行政村至今。

世居村民为张姓。明初，张化孙第 5 代孙张吴宝的后裔，由江西吉安入粤，迁南雄珠玑巷，后迁惠州博罗，再迁英东鱼湾，最后迁佛冈高岗、水头、汤塘等地。清末，张姓从清远县滘一乡（今佛冈县汤塘镇）大埔分支迁至该地。

2015 年末，户籍人口 76 人，其中男性 42 人，女性 34 人；80 岁以上的 1 人，最年长者 81 岁（男）。实际在村居住 56 人，留守儿童 1 人。生活主要依靠农业收入 56 人，常年在城镇居住和打工的 20 人。村民均为汉族，广府民系，使用粤方言。

村有耕地面积 2.67 公顷，山地面积 6.67 公顷。传统经济以农业为主，主要作物有水稻、水果等。

◎ 松仔坳村种植的油茶（摄于 2016 年）

兼种番薯、花生、油茶等经济作物。禽畜饲养鸡、鸭、鹅和猪、牛等。传统食品比较多，春节家家户户都做炒米饼，炸糖环、油角、油糍。清明节做艾糍。端午节村民会裹咸肉粽和碱水粽等。20 世纪 80 年代后，村中青壮年都纷纷到广州、深圳、珠海、东莞等地方打工。村民主要收入为种养收入、务工工资性收入等。

村于 1975 年通电，1985 年通电话，2006 年通网络和有线电视，2015 年全村道路基本实现水泥硬底化。村中建有垃圾收集池。

传统民居现存 10 座。村落呈棋盘状布局。门楼坐东北向西南。巷道纵横交错，五横六纵排列，井井有条。正座为四房一厅或两房一厅，两廊，一天井布局。其建筑为硬山顶，盖灰瓦、三合土墙体。20 世纪 80 年代后，村民在传统旧居四周建造钢筋混凝土结构楼房。楼房多为三房一厅一厨一卫布局，底层建筑面积约 90 平方米。有的楼房内外装修华丽，并留有停车位。大部分村民迁入楼房居住。村落旧民居仍保护良好，出租给外来工居住。

◎ 松仔坳村传统民居（摄于 2016 年）

村中原有张氏宗祠，于 20 世纪 50 年代末被破坏，至今还未重修。逢年过节，村民均在自家门前摆上祭品，祭宗拜祖。

传统习俗仍然存在。正月初十上灯，十五落灯，男孩出生为“添丁”，故年初十到祠堂“上灯”，上

◎ 松仔坳新民居一角（摄于 2016 年）

灯活动大致分为迎灯、接灯、摆放供品、挂灯等。“满月”，婴儿出生的满一个月时叫满月，主人在家中或酒店摆满月酒，设宴款待前来庆贺的亲友，庆贺的亲友都会给满月小孩一个红包。清明扫墓，在外面工作的人都会回来。在清明节这天，村民带上艾糍、烧鹅等祭品祭拜祖先，并且家家户户的门楣都会插上桃叶驱邪。

传统婚嫁习俗中的中原古制“六礼”，在该村有部分仍然存在，如“睇家风”、拣日子、送聘礼、结婚迎亲，送彩礼，三朝回门等。90 年代后，婚俗有所改变，在家中或到酒店宴请宾客，婚礼仪式也是中西结合，新郎新娘一般穿西式婚纱礼服迎宾，敬茶时新娘会换上中式旗袍。传统丧葬风俗比较繁杂，多沿用古中原的传统，以土葬为主。1990 年后逐步实行火葬，其程序包括竖灵、收殓、引灵、接体、奠礼、出殡、火化、安葬，其中家族守孝，至亲戴孝，“头七”等习俗依然存在。

1964 年，组织村民开展造林，种植松、杉树 5.33 公顷。1999 年 1 月，由于长期低温阴雨，村里种植的 8 公顷石硖龙眼受霜冻全部死亡。2008 年 1 月，由于受低温霜冻影响，3.33 公顷已成熟的沙糖桔被冻毁于树上，损失达 20 多万元。

（资料填报：郑银春，初稿撰写：郑银春，总纂：李协湖）

袁宅村

◎ 袁宅村村貌（摄于 2016 年）

袁宅村，位于龙山镇西部，距镇政府 10 千米。该村始建于清初，由清远县滘一乡（今佛冈县龙山镇）民安上下迳村袁氏族人分支搬迁而形成。因世居村民均为袁姓，故取名为袁宅村。

该村坐落于丘陵地带，村中地势平坦。村庄坐东向西，村东北面与新围仔相邻，南面是县道 X376 线，西南面与大塘村相邻，省道 S252 线从村庄西北面穿过。

清朝时期，该村属清远县滘一乡。民国时期，属清远县滘江区仁安乡。中华人民共和国成立初期，属清远县第六区从化围乡。1958 年 7 月，清远县第六区（今龙山镇）划归佛冈县辖，属佛冈县从化围乡。1958 年 10 月，佛冈县并入从化县，属从化县滘江人民公社从化围大队。1959 年 5 月，属从化县龙山人民公社从化围大队。1961 年 5 月，佛冈由从化县分出，属佛冈县民安人民公社从化围大队。1983 年 12 月，属民安区从化围乡。1987 年 1 月，属民安乡从化围行政村。1989 年 11 月，属民安乡从化围管理区。1994 年 1 月，属民安镇从化围管理区。1998 年 11 月，属民安镇从化围行政村。2004 年 5 月，民安镇并入龙山镇，袁宅村属龙山镇从化围行政村至今。

世居村民为袁姓。据《袁氏族谱》记载，始祖袁玩斌、祖妣朱氏原居住在福建汀州府上杭县白沙乡，曾祖字广公、祖妣李氏移居连平州后，再移居广东英德县下砵乡居住，直到八世祖的第五个儿子迁到清远县滘一乡（今佛冈县龙山镇）民安上下迳村居住，清初，由民安上下迳村再迁移到该地。

2015 年末，户籍人口 165 人，其中男性 89 人，女性 76 人；80 岁以上 5 人，村中最年长者 94 岁（女）。实际在村居住 115 人，留守儿童 12 人。生活主要依靠农业收入 115 人，常年在城镇居住和打工的 50 人。村民均为汉族，广府民系，使用粤方言。

村有耕地面积 5.33 公顷，山地面积 16.67 公顷。传统经济以农业为主，主要作物有水稻、番薯、木薯、花生、大豆等。兼种果树等经济作物。传统食品有炒米饼、艾糍、咸肉粽、油角、咸糖环等。20 世纪 80 年代以后，大部分青壮年外出打工，村民主要收入来源为农业收入、务工工资性收入。

村于 1975 年通电，1985 年通电话，2006 年通网络和有线电视，2015 年全村道路基本实现水泥

◎ 袁宅村文化室（摄于 2016 年）

◎ 袁宅村崇本书室（摄于 2016 年）

硬底化。村中除建有垃圾收集池，还在收集方便的地方设置垃圾桶，村里的卫生环境得到改善。县道 X376 经过该村。村中建有农家书屋，藏书约 800 册，村内还设有村民活动中心、健身公园及篮球场，丰富村民的娱乐生活。

传统民居现存 10 座。村落呈棋盘状布局。门楼坐东北向西南。巷道纵横交错，六横五纵，井井有条。正座为四房一厅或两房一厅，两廊，一天井布局。其建筑为硬山顶，盖灰瓦、三合土墙体。每座占地面积 120 平方米。村中有一口椭圆形的风水塘。该村热心人士、企业家袁海灵，为防止小孩溺水出资在水塘边加上不锈钢栅栏。水塘的东北面种有花草，美化、绿化村中环境。20 世纪 90 年代后，村民住进钢筋混凝土结构楼房。村落旧居仍保护良好，出租给外来工居住，增加村民的经济收入。

位于村中央的袁氏宗祠始建于 1948 年，2013 年重修。面宽约 10 米，进深约 10 米，建筑面积 100 平方米。其建筑为硬山顶，盖灰瓦，墙体青砖砌成。宗祠为一进，两边有厢房，中间是天井，天井由花岗岩条石镶嵌，宗祠中间设神龛，祠堂屋檐画有多幅壁画，门口两旁建有花圃。宗祠门前有 200 平方米的空地，地面都用广场砖铺砌而成，因该宗祠原曾作为书屋使用，命名为“崇本书室”，正门上方至今仍保存“书山有路勤为径，学海无涯苦作舟”字样。逢年过节或家里办喜事，村民都到宗祠烧香祈拜，尤其是添丁的人家，都会在宗祠燃放鞭炮以表庆贺。

村有简易手写《袁氏族谱》，由袁世忠于 2002 年撰写。族谱简单分为序言、前派老辈、新咏辈列、姓氏源流、袁氏世系、祖坟位置等。前派老辈序为：“胜万德昌富，如友廷自宗。玉麟有上祖，奕世其长昌。”新咏辈列为：“家国兴隆文，荣华大发祥。奇英超特品，俊士占群芳。文武联番盛，勋名定吉康。诗书贤继圣，福禄永辉光。”

传统的节日为春节、元宵节、清明节、四月八、端午节、七夕、七月半、中秋节、重阳节、十月朝、冬至。该村的“十月朝”节庆习俗独特，农历十月初一叫“十月朝”或“牛生日”。过去牛是农村耕作的畜力，村民均有做“牛生日”的习俗。由农家做糯米糍粑贴在牛角、牛额、牛背

◎ 袁宅村休闲公园（摄于 2016 年）

脊、牛腰、牛尾部位，贴三四天后，村民从牛身上将糯米糍粑剥下用火烤熟来吃。传说吃了“牛生日”贴在牛身上的糍粑，能像牛一样力气大。中华人民共和国成立后，吃糍粑的习俗已消失。

在传统婚嫁习俗中的中原古制“六礼”在该村已很少见到，但结婚前要担定婚茶、“睇家风”、报日子、送聘金、定嫁妆这些礼节仍然存在。结婚时，男、女两家都要摆酒请客，女家摆酒用的肉米酒菜大多是男家筹备。迎亲和送亲时，男方要用车队到女方家迎接新娘和亲友。摆酒时，新郎新娘向亲友敬酒，宾客也要回赠红包。

举办丧事时，传统以土葬为主。1990 年以后逐步实行火葬。其程序为举丧、入殓、出殡、送葬、做法事，将亡灵送入祠堂。村中仍然沿袭一些丧葬的旧习，如死者未满 16 岁的死后用普通木料做棺材，竹杠抬，不上肩；死者在 50 岁以上的去世后，由子孙日夜守孝，死者入殓前，子孙要到河里取水（俗称“买水”），为死者擦身、更衣，亲视入殓。出殡时送殡队敲锣打鼓、燃放爆竹送行。死者埋葬后，神主牌由子孙送往祠堂入位，至此丧事才告完结。办丧事时只煮白饭、豆腐、猪肉焖笋干等简单的饭菜。

1997 年，青年企业家袁海灵在当地办起万兴玩具厂，年产值 1 亿多元，并解决当地大量青年就业。1999 年 1 月，由于长期低温阴雨，村里种植的 8 公顷石硖龙眼受霜冻全部死亡。2008 年 1 月，由于受低温霜冻影响，全村 3.33 公顷已成熟的沙糖桔被冻毁于树上，损失达 20 多万元。

◎ 万兴玩具厂生产车间（摄于 2016 年）

2015 年，该村被广东省爱国卫生运动委员会评为广东省卫生村。

该村的袁海灵（1966—），他热心公益事业，曾先后为龙山普美小学、龙山民安中学捐赠款项及物资，累计 170 多万元；资助敬老院，慰问村中老人款项及物资，累计价值总额超过 400 万元；在全国老龄办、民政部、教育部、国家新闻出版广电总局、团中央、全国妇联和中国关心下一代工作委员会七部门联合开展的 2014 年度第六届全国敬老模范人物和模范单位比活动中，被评选为“全国孝亲敬老之星”，为全省 85 位获此殊荣的爱心人士之一。袁卫国（1969—），任佛冈县委常委、政法委书记，2010 年 12 月被评为第六届“清远市十大杰出青年”。

（资料填报：郑银春，初稿撰写：郑银春，总纂：李协湖）

汤塘镇

汤塘镇地图

比例尺 1:105000

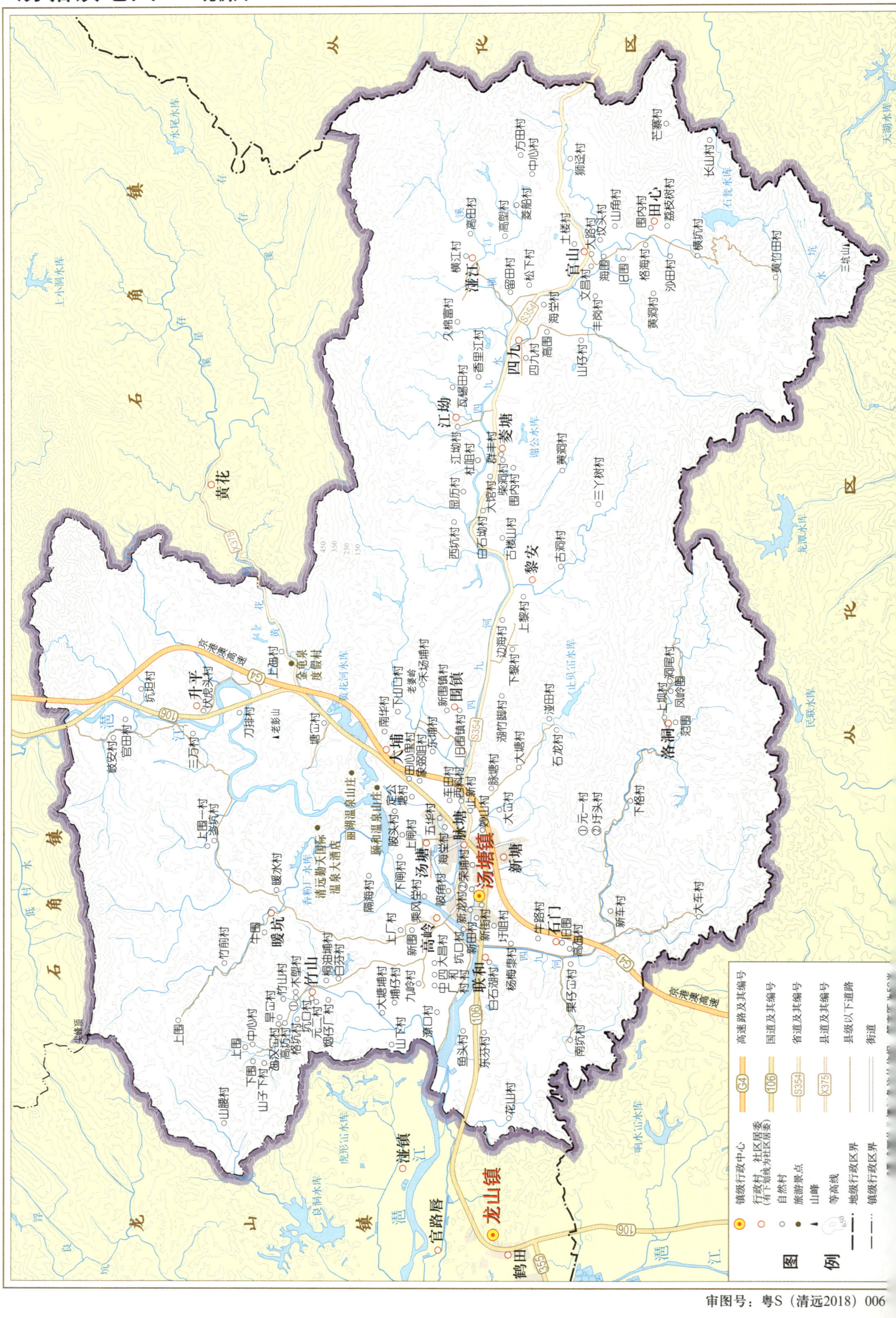

审图号：粤S（清远2018）006

○汤塘行政村

陂头村

◎ 陂头村村貌（摄于 2016 年）

陂头村，位于汤塘镇中部，距镇政府 2 千米，建于明正德年间，因周氏先祖从汤塘上闸村迁移至此而形成。因地处黄花河口，古人在河上游筑坝蓄水灌溉而取名陂头村。

该村坐落于丘陵地带，东临塘㽘村，南与海坣村毗邻，西与上闸村相邻，北与金光坝村接壤。主要山岭有金圣顶山，高 60 米。滘江从村西北流过。国道 G106 经过该村。

该村形成时，属清远县滘江乡。清代属清远县滘江二乡。民国时期，属清远县第七区。中华人民共和国成立初期，属清远县第七区。1953 年属佛冈县第四区，1958 年属从化县滘江人民公社汤塘大队，1959 年属从化县汤塘人民公社汤塘大队，1961 年属佛冈县汤塘人民公社汤塘大队，1983 年属汤塘区汤塘乡，1987 年属汤塘镇汤塘行政村，1989 年属汤塘镇汤塘管理区，1998 年属汤塘镇汤塘行政村至今。

◎ 陂头村门楼（摄于 2016 年）

世居村民为周姓。宋元祐七年（1092 年）从湖南迁移至广东广州，明正统年间由从化上塘村迁移至汤塘上闸，后由上闸村迁至该地。

2015 年末，户籍人口 546 人，其中男性 255 人，女性 291 人;80 岁以上 11 人，最年长者 93 岁（女）。实际在村居住人口 426 人，留守儿童 3 人。生活主要依靠农业收入的有 426 人，常年在城镇生活和打工的有 120 人。祖籍该村的香港同胞有 15 人。世居民族为汉族，广府民系，使用粤方言。

村有山地面积 35.47 公顷，耕地面积 17.40 公顷。传统经营以农业为主，主要种植水稻、番薯、花生、

◎ 陂头村古榕树（摄于 2016 年）

◎ 陂头村宗祠（摄于 2016 年）

果树和养鱼。随着农业布局的调整和大力招商引资，先后办起矿泉水厂、水力发电站、农家乐等。主要经济来源：农业生产、外出务工收入、运输业、村集体经济分红。农产品有龙眼、荔枝。传统食品有糯米糍、米粉、咸肉粽、发糍、油糍。其中，咸肉粽为特色美食，其制作方法：用粽叶将糯米、猪肋条肉、香菇、花生仁等包成立体三角形，用湿咸水草或细篾片拦腰捆好。将包好的粽子放入锅内，加入清水用旺火煮约 2 小时，再用文火焖 3 小时，即可食用。

村于 1967 年通电，1998 年通电话，2006 年全村村道实现水泥硬底化，2008 年通自来水，2012 年通网络。体育设施有篮球场、乒乓球场。建有陂头文化公园、陂头村文化室，文化室内设图书室，藏书 200 册。

传统民居现存 24 座。民居为硬山顶、青砖墙、盖灰瓦，多为正座形制，砖木结构，有通风、清凉、防潮、防晒的特点。新建楼房多为钢筋水泥混凝土结构，有些楼房是框架结构，占地面积 90 平方米左右，一至二层较普遍，有的三层四层，布局为三房一厅一厨房，一至两个卫生间。有些家庭单独建楼房，还有院子。现存宗祠有周夷清公祠，始建于民国初期，现仍作宗祠使用。该村修有族谱《汤塘周氏族谱》。

主要民间活动有清明祭祖、重阳祭祖，每逢初一、十五到庙宇烧香拜神，新添男丁年初要到祠堂挂灯等。传统婚嫁习俗中男女相识，开始交往后女家要到男家看家风，结婚前要担定婚茶，报日子，送聘金，定嫁妆。行结婚礼时，要摆酒请客，迎亲和送亲。传统丧事以土葬为主，1990 年后逐步实行火化。其程序为举丧、入殓、出殡、送葬、做法事，将亡灵送入祖堂。

抗日战争时期，日本侵略军由从化良口经过黄花河途经围镇村、大埔村。村民得知日本侵略军的到来及时将该村内的粮食及牲畜转移到偏远后山，留下一青年周项飞与日兵斗智斗勇的事迹传诵至今。

该村的周志军（1958—），曾任乳源县人民政府副县长。周庆忠（1973—），1991 年被授予“第四次人口普查国家级先进个人”。

（资料填报：周智生，初稿撰写：黄丽娟，总纂：李协湖）

隔海村

◎ 隔海村村貌（摄于 2016 年）

隔海村，又叫背底海村，位于汤塘镇中部，距镇政府 2 千米。清乾隆十年（1745 年）汤塘围部分村民迁至该地建村。因与原迁出的汤塘围隔河（当地人称海）而改名隔海村。

村坐落于丘陵地带，潖江在村东南方流过。村东与汤塘塘冚村相邻，西与高岭大围相邻，南与汤塘围相望，北与暖坑村毗邻。

村形成时，属清远县潖江乡。清代属清远县潖江二乡。民国时期，属清远县第七区。中华人民共和国成立初期，属清远县第七区。1953 年属佛冈县第四区，1958 年属从化县潖江人民公社汤塘大队，1959 年属从化县汤塘人民公社汤塘大队，1961 年属佛冈县汤塘人民公社汤塘大队，1983 年属汤塘区汤塘乡，1987 年属汤塘镇汤塘行政村，1989 年属汤塘镇汤塘管理区，1998 年属汤塘镇汤塘行政村至今。

世居村民有黄姓、廖姓、郭姓、冯姓、欧姓、周姓、刘姓、林姓、伍姓共 8 个姓氏。黄氏，于宋嘉定四年（1211 年）从福建迁移至广东汤塘围，清乾隆十年（1745 年）从汤塘村汤塘围迁移至该地。廖氏、郭氏、冯氏、欧氏、周氏、刘氏、林氏、伍氏分别从各地迁来。

2015 年末，户籍人口 918 人，其中男性 441 人，女性 477 人；80 岁以上 27 人，最年长者 95 岁（女）。实际在村居住和生活主要依靠农业收入的有 799 人，留守儿童 4 人。常年在城镇生活和打工的有 118 人。世居村民为汉族，世居民系为广府，使用粤方言。

村气候宜人，雨量充沛，资源丰富，适合动物繁殖和各种植物生长。有山地面积 86.67 公顷，耕地面积 26.67 公顷，山上种有杉、松、杂树等。传统经营以农业耕作及家庭种养为主，种植以水稻、薯类、花生等农作物。养殖有猪、鸡、鸭等。特色传统食品有糯米糍、艾糍。随着经济的发展，现时保留传统经营外，还通过招商引资发展工业；部分村民到附近的工厂打工，有些到珠江三角洲城市务工。以从事建筑、餐饮、化工等。村民主要收入来源农业生产、外出务工收入。

20 世纪 70 年代初建有香粉厂水库，主要用于蓄水发电和农田灌溉。1970 年通电，2005 年全村村道实现水泥硬底化，2010 年通电话，2013 年通自来

◎ 文化室（摄于 2016 年）

◎ 勤天 · 熹乐谷温泉度假村（摄于 2015 年）

水，2015 年通网络。村民活动中心有公共文化室，藏书 200 多册。

传统民居现存 10 座。民居为硬山顶和青砖墙、盖灰瓦，多为正座形制，有通风、清凉、防潮、防晒的特点。1990 年以后，村民新建楼房多为钢筋水泥混凝土结构，有些楼房是框架结构，90 平方米左右，一至二层较普遍，有的三层四层，布局为三房一厅一厨房，一至两个卫生间。

传统民间习俗主要有：舞狮、上灯、拜祠堂等。民间节日以春节、元宵节、清明节、端午节、中秋节、冬至节等节为主。该村有正月初十上灯传统习俗。古代称男孩出生为“添丁”，因“丁”与“灯”谐音，为此正月初十到祠堂“上灯”。上灯活动大致分为迎灯、接灯、拜访供品、挂灯等程序，表达族人祈求人丁兴旺的心愿。传统婚嫁习俗中中原古制“六礼”已经很少见到，但仍保留部分传统结婚礼仪。婚嫁礼仪，开始交往后女家要到男家看家风，结婚前要担定婚茶，报日子，送聘金，定嫁妆。行结婚礼时，要摆酒请客，迎亲和送亲。发生丧事时，传统以土葬为主，1990 年后逐步实行火化。其程序为举丧、入殓、出殡、送葬、做法事，将亡灵送入祖堂。

◎ 勤天城别墅区（摄于 2015 年）

2007 年，勤天城体育公园项目落户该村，建有勤天城大酒店，占地 133.33 公顷，计划投入 30 亿元，经营旅游、房地产。

该村的冯福祥（1954—），曾任中共佛冈县委副书记、县政协主席。廖列辉（1970—），现任广东省中医院主任医师、教授。

（资料填报：周智生，初稿撰写：黄丽娟，总纂：李协湖）

海坣村

◎ 海坣村村貌（摄于2016年）

海坣村，位于汤塘镇中部，距镇政府1千米，始建于清末。因村建在四九河河堤（俗称坣）旁而取名海坣村。村坐落于丘陵地带，该村东与大埔定公塘村相望，西与新塘陂角村相邻，南与脉塘妙山村接壤，北与汤塘上闸村毗邻。在村正前方为四九河，国道G106线经过该村。

该村形成时，属清远县滘江乡。清代属清远县滘江二乡。民国时期，属清远县第七区。中华人民共和国成立初期，属清远县第七区。1953年属佛冈县第四区，1958年属从化县滘江人民公社汤塘大队，1959年属从化县汤塘人民公社汤塘大队，1961年属佛冈县汤塘人民公社汤塘大队，1983年属汤塘区汤塘乡，1987年属汤塘镇汤塘行政村，1989年属汤塘镇汤塘管理区，1998年属汤塘镇汤塘行政村至今。

世居村民有冯姓、周姓、郭姓。冯氏于清末从当地的汤塘村上闸迁移至该地；周氏于清末由当地的汤塘村陂头迁移至该地；郭氏于清末由当地的汤塘村上闸迁移至该地。

2015年末，户籍人口1468人，其中男性707人，女性761人；80岁以上34人，最年长者95岁（女）。实际在村居住和生活主要依靠农业收入的有1216人，留守儿童有7人。常年在城镇生活和打工的人口有252人。世居民族为汉族，广府民系，使用粤方言。

村有山地面积5.67公顷，山上种有松、杉、杂树等，耕地面积27.20公顷。传统经营以农业耕作及家庭种养为主，主要种植水稻、薯类、花生等农作物；养殖有猪、鸡、鸭等。随着经济的发展，村村民主要收入来源农业生产、村集体经济分红、房屋出租、务工性收入。特色传统食品有糯米糍、米粉、艾糍、发糍、油糍。

聚龙湾天然温泉度假村位于该村东面，总占地25.33公顷，由东新（佛冈）温泉开发有限公司开发投资。2006年9月开业，并于当年被授予“中国温泉度假村十佳影响力品牌”“中国最佳天然园林式温泉”“广东省2006年最具风情温泉”等称号。

村于1966年通电，2001年通电话，2005年全村村道实现水泥硬底化，2011年通自来水，2013年通网络。

◎ 聚龙湾天然温泉度假村（摄于 2016 年）

◎“汤塘村”标志石（摄于 2016 年）

◎ 海坣村门楼（摄于 2016 年）

传统民居现存 8 座。民居为硬山顶和青砖墙、盖灰瓦，多为正座形制。房屋砖木结构，墙体多用青砖和混合土，有通风、清凉、防潮、防晒的特点。新建楼房多为钢筋水泥混凝土结构，有些楼房是框架结构，90 平方米左右，一至二层较普遍，有的三层四层，布局为三房一厅一厨房，一至两个卫生间。有些家庭单独建楼房，并有院子和停车位。

节令习俗有：春节的祭灶、岁末守岁、张贴春联，开门迎福和拜年；正月十五元宵节上灯；清明节祭祖扫墓；端午节裹粽子祭河神；中秋节团圆赏月；九月重阳节登高等。

传统婚嫁习俗中男女相识交往后，女家要到男家看家风，结婚前要担定婚茶，报日子，送聘金，定嫁妆。行结婚礼时要摆酒请客。迎亲和送亲。传统丧事以土葬为主，1990 年后逐步实行火化。其程序为举丧、入殓、出殡、送葬、做法事，将亡灵送入祖堂。

村里流传着“九斗种”的故事。汤塘温泉附近有块稻田叫“九斗种”，是一块良田，被当地一个财主冯仕庆霸占着，由佃户耕种。冯财主生性蛮横，做尽坏事，是当地人见人恨的小霸王，村民背后骂他是“逢（冯）人憎”。谭永诚是冯财主雇的一个年轻力壮的长工，对人忠厚诚实，生相英俊，他的妻子叫钟新爱，十分漂亮。后来，冯财主将谭永诚灌醉，连激带骗地和谭永诚打赌，说如果谭永诚一个人一天内插完“九斗种”的秧，冯财主就把那块田输给他，如果插不完，就把妻子输给冯财主。插秧时，乡亲们不停地给谭永诚加油鼓劲，谭永成咬紧牙关，一鼓作气，在太阳下山前，终于把“九斗种”插满秧苗。财主的诡计失败，长期霸占的“肥田”回到穷人手中。

1986 年 8 月至 10 月下旬，发生旱灾，村受旱面积 0.87 公顷，成灾面积 0.33 公顷，全村出动劳力抗旱保苗。

村的周有生（1956—），曾任佛冈县植保植检站站长、县政协常委。

（资料填报：周智生，初稿撰写：黄丽娟，总纂：李协湖）

上闸村

◎ 上闸村村貌（摄于 2016 年）

上闸村，位于汤塘镇中部，距镇政府 1.6 千米，始建于明天顺年间，由从化迁入而形成，因处于下闸村上方而取名上闸村。村东与陂头村相邻，西与下闸村相望，南与海坐村接壤，北与隔海村毗邻。村位于丘陵地带，主要山岭有大岭头山，高 200 米，滘江河从村北流过。

村形成时，属清远县滘江乡。清代属清远县滘江二乡。民国时期，属清远县第七区。中华人民共和国成立初期，属清远县第七区。1953 年属佛冈县第四区，1958 年属从化县滘江人民公社汤塘大队，1959 年属从化县汤塘人民公社汤塘大队，1961 年属佛冈县汤塘人民公社汤塘大队，1983 年属汤塘区汤塘乡，1987 年属汤塘镇汤塘行政村，1989 年属汤塘镇汤塘管理区，1998 年属汤塘镇汤塘行政村至今。

世居村民有冯姓、罗姓、郭姓。冯氏于天顺年间由从化迁来。其后，罗氏、郭氏从英德等地迁来。

2015 年末，户籍人口 1258 人，其中男性 591 人，女性 667 人；80 岁以上 43 人，最年长者 92 岁（女）。实际在村居住和生活主要依靠农业收入的有 1180 人，留守儿童有 8 人。常年在城镇生活和打工的有 78 人。祖籍该村的香港同胞有 43 人。祖籍该村的华人华侨有 8 人。村民为汉族，广府民系，使用粤方言。

村有山地面积 28.67 公顷，山上种有杉、松、杂树等，耕地面积 41.93 公顷。传统经营以农业为主，主要种植水稻、薯类、花生等农作物。养殖有猪、鸡、鸭等。村民主要收入来源以农业生产、外出务工收入为主。特色农产品有石硖龙眼。特色传统食品有糯米糍、艾糍、发糍、油糍。自然资源主要有温泉。温泉最早记载于宋代《太平寰宇记》，文

◎ 温泉井（摄于 2016 年）

称："泉流不绝，气蒸如雾，可热食物，疮患洗之即愈。"据村里老人忆述，温泉泉眼原来是一个烂泥坑，后来是国民党地方政府抓了一批壮丁做苦工，把泉眼砌成3个池子，供人们洗菜、洗澡、洗衣服。村民从来不用烧热水洗澡，只是用桶挑温泉水回家即可，如要宰杀鸡鸭，可到温泉口打水直接浸烫脱毛。利用高热温泉将鲜鸡蛋放入浸泡，约25分钟，捞起去壳后食用。温泉蛋嫩滑、鲜香。

村于1986年通电，2005年通电话，2008年通自来水，2009年全村村道实现水泥硬底化，2010年通网络。村建有上闸文化公园，内设有村民活动中心，有篮球场、乒乓球桌等健身设施。图书室藏书300多册，供村民借阅、学习。

村于1931年创办有湛江区私立汤一小学，中华人民共和国成立后撤销。2015年，有汤塘村小学，6个级，6个班，在校学生321人，教职工24人。幼儿园有汤塘中心幼儿园分校，在园幼儿80人，教职工5人。

传统民居现存78座。民居为正座形制，两房一厅一天井布局，有通风、清凉、防潮、防晒的特点。屋顶为硬山顶，墙体多用青砖。新建楼房多为钢筋水泥混凝土结构，有些楼房是框架结构，90平方米左右，一至二层较普遍，有的三层四层，布局为三房一厅一厨房，一至两个卫生间。

◎ 上闸村门楼（摄于2016年）

◎ 上闸村传统民居（摄于2016年）

◎ 冯氏宗祠（摄于2016年）

现存宗祠有冯氏宗祠和罗氏宗祠。冯氏宗祠始建于明代，祠堂坐西北向东南，面阔14.95米，进深40.4米，建筑占地面积604平方米。建筑体为三进两天井结构，祠堂门口有虾拱梁，上有石狮子撑托上梁。外墙有栩栩如生的人物壁画，并有以故事为题材的人物灰雕。屋顶为博古脊、硬山顶。该祠堂于清光二十九年（1849年）重修，堂内有牌匾"敦睦堂"。据"敦睦堂"牌匾刻录的文字说明，牌匾是由清乾隆年间钦点状元冯成修所赠。宗祠于2007年再次重修翻新，包括将其壁画、墙体等进行修复，地面用了现代材料的耐磨砖。现仍然作宗祠使用。

罗氏宗祠建于明末，祠堂坐西北向东南，面阔14.8米，进深26.8米，建筑占地面积396平方米。建筑体为两进一天井结构，第二进面积比第一进略大。祠堂门口屋檐由石柱木梁支撑，屋檐下的木雕栩栩如生，屋顶为硬山顶。大门上方"罗氏宗祠"4个大字，在"文化大革命"期间被人用石灰抹掉。1938年，罗氏宗祠曾为国民党某师抗日驻军指挥部，至今在其断墙残壁上仍残存着驻军留下的字迹和军械分解知识图。宗祠经历了几百的风雨侵蚀，加上没有进行维护修缮，现已坍塌了一部分，而大部分已为危房。其他建筑有上闸门楼，村门楼结构是拱形门楣。门楼的大门是两扇耳门，均设有应急木栅栏（俗称“趟栊”）。门楼外墙厚而结实，一旦有盗贼侵扰，村民就关严耳门，拉好木栅栏以作防守。门楼四周墙体还有瞭望孔，用于观察外部情况和射击入侵之敌。

传统节日以春节、清明节、端午节、中秋节、冬至节等为主。

传统习俗有舞龙和舞狮。当地有“上闸舞龙，下闸舞狮”的说法。村舞龙始于清乾隆年间。龙有软甲和硬甲之分，硬甲色彩鲜明，舞动时硬甲相碰，叮当作响，平时作游龙用。软甲用于表演各种龙的造型，如走龙门、串五星、穿花篮、抢珠、戏珠、走鹿耳等。传统民俗活动还有赛龙舟。每逢端午节这天，村民们就会聚集在村前大池塘旁边看赛龙舟。因为场地有限制，龙舟用村民平时使用的小艇代替。这种小艇类似于清新山塘镇的“燕尾艇”，又叫“禾艇”，尖头燕尾式，一般可容纳 3 人。此类龙舟轻盈快速，适合在河涌或山塘竞渡。

传统婚嫁习俗，男女双方开始交往后，女家要到男家看家风，结婚前要担定婚茶，报日子，送聘金，定嫁妆。行结婚礼时，要摆酒请客，迎亲和送亲。传统丧事以土葬为主，1990 年后逐步实行火化。其程序为举丧、入殓、出殡、送葬、做法事，将亡灵送入祖堂。

◎ 村民表演舞龙（摄于 2015 年）

村里流传热水塘形成的传说：在很久以前，四海龙王赴王母娘娘宴请各路神仙的蟠桃会，大醉而归。驾云途径岭南时，俯瞰汤塘山峦起伏，景色奇秀，于是按下云头在此酣睡。熟睡的龙王从口中淌流出龙涎水渗入地下，经日久天长便形成今天的汤塘温泉。另外一种民间传说：相传，托塔李天王的三太子哪吒奉玉皇大帝之命到凡界巡视。他踏着风火轮经过滘江上空，俯视大地，只见滘江两岸树木萧条，人烟稀少，便按下云头察看。原来当地不少村民患上皮肤病，痛痒难忍。看见村民疾苦，三太子顿起仁慈之心，于是用脚下的两只风火轮擦出一团真火，甩下地面。真火把地下水烧开，咕噜咕噜冒出地面，成了一个热水塘。

1938 年 10 月，侵华日军飞机炸毁新冯氏宗祠。该日日本侵略军为封锁中国的海上交通线，配合武汉会战，在广州及其附近地区与中国驻防部队展开激战，史称“广州会战”。1939 年，广东省青年抗日先锋队总队部派队员刘渭章（中共党员）回家乡开展抗日救亡宣传活动。同年 4 月，经广东省青年抗日先锋队总队部批准，建立广东青年抗日先锋队滘江支队，人数六七百人，隶属省抗日先锋总队部领导。1940 年春夏，因国民党当局掀起“反共逆流”，滘江青年抗日先锋支队活动受到限制，支队长黄劲秋被捕，抗日先锋支队驻地被迫从国民党滘江区公所撤回汤塘村。1949 年 9 月 3 日，中国人民解放军粤赣湘边纵队东江第三支队第四团取得了解放汤塘战斗的胜利。2014 年 10 月，该村被广东省建设厅、农业厅等机构评为广东省名村。2015 年 6 月被广东爱国卫生运动委员会评为广东省卫生村。

村代表人物冯克芝（1931—），曾任中共佛冈县委副书记、中共连南县委书记、中共广东民族学院委员会书记。

（资料填报：周智生，初稿撰写：黄丽娟，总纂：李协湖）

塘㽘村

◎ 塘㽘村村貌（摄于 2016 年）

塘㽘村，位于汤塘镇北部，距镇政府 3.4 千米，始建于明中期，由汤塘陂头村及大埔村搬迁而形成。因位于山地而取名塘㽘村。村位于丘陵地带，主要山岭有长㽘山，高 100 多米，潖江河在村以南流过，村域有黄花湖水库。村西与隔海村相望，南与陂头村相邻，东与大埔村接壤，北与升平毗邻。

村形成时，属清远县潖江乡。清代属清远县潖江二乡。民国时期，属清远县第七区。中华人民共和国成立初期，属清远县第七区。1953 年属佛冈县第四区，1958 年属从化县潖江人民公社汤塘大队，1959 年属从化县汤塘人民公社汤塘大队，1961 年属佛冈县汤塘人民公社汤塘大队，1983 年属汤塘区汤塘乡，1987 年属汤塘镇汤塘行政村，1989 年属汤塘镇汤塘管理区，1998 年属汤塘镇汤塘行政村至今。

◎ 塘㽘村门楼（摄于 2016 年）

世居村民为周、冯、郭姓。周氏于宋元祐七年（1092 年）从湖南迁移至广东广州，明正统年间由从化上塘村迁移至该地；冯氏于宋元丰八年（1085 年）从广西迁移至广东，清顺治十二年（1655 年）从汤塘大埔村迁移至该地；郭氏于元至正十九年（1359 年）从江西迁到潖江地区，后迁移至该地。

2015 年末，户籍人口 658 人，其中男性 317 人，女性 341 人；80 岁以上 12 人，最年长者 97 岁（女）。实际在村居住人口 580 人，留守儿童 5 人。生活主要依靠农业收入的有 580 人，常年在城镇生活和打工的有 78 人。世居民族为汉族，广府民系，使用粤方言。

村有山地面积 30 公顷，山上种有杉、松、杂树。耕地面积 18.67 公顷。传统经济以农业为主，种植水稻、薯类、花生和龙眼、荔枝、火龙果等果树。养殖有猪、鸡、鸭等。20 世纪 90 年代后，大力招商引资，2007 年引进幸运五金塑胶有限公司，占地

◎ 火龙果种植（摄于 2016 年）

面积 14.67 公顷，投资 800 万元，主要生产玩具，有员工 1200 人。村民主要收入来源农业生产、务工外出务工收入，特色农产品有火龙果等。传统特色美食有糯米糍、艾糍等。村几乎家家会做糯米糍，节假日、亲朋来访或收花生、豆子的时节都会做上一些糯米糍。它的馅料和艾糍的大同小异，可咸可甜，有红豆馅、眉豆馅、花生白糖馅、猪肉韭菜馅等。制作过程并不复杂，首先将糯米粉倒入容器中，放入适当的水和碱砂，搅拌成糊状后，装入盘中（盘底放少许花生油）用锅蒸约 20 分钟。蒸熟后，将糯米糍搓成糯团，用手指捏成勺子形状，把馅料放进去，再包成饼状，即可食用，其质感嫩滑可口。由于汤塘糯米糍远近闻名，凡到汤塘旅游的游客，都会品尝这一美食。

村于 1968 年通电，1996 年通电话，2005 年全村村道实现水泥硬底化，2007 年通网络，2008 年通自来水。文体设施有塘屲文化室。

传统民居现存 1 座。民居为硬山顶、青砖墙和混合泥土墙、盖灰瓦。新建楼房多为钢筋水泥混凝土结构，有些楼房是框架结构，90 平方米左右，一至二层较普遍，有的三至四层，布局为三房一厅一

◎ 文化室（摄于 2016 年）

厨房，一至两个卫生间。

传统节日有春节、元宵节、端午节、中秋节、冬至节等。冬至俗称“过冬”。村有“冬大过年”之说，极其重视。这个节日意味着一年农事已做完，全家应欢聚吃一顿丰盛晚餐表示庆贺。主要宗族活动有清明祭祖、重阳祭祖，每逢初一、十五到庙宇烧香拜神，新添男丁年初要到祠堂挂灯等。

婚嫁礼仪，开始交往后女家要到男家看家风，结婚前要担定婚茶，报日子，送聘金，定嫁妆。行结婚礼时，要摆酒请客，迎亲和送亲。传统丧俗以土葬为主，20 世纪 90 年代后逐步实行火化。其程序为举丧、入殓、出殡、送葬、做法事，将亡灵送入祖堂。

1954 年，塘屲村成立塘屲农业合作社，是汤塘地区较早成立的一个合作社。

（资料填报：周智生，初稿撰写：黄丽娟，总纂：李协湖）

五华村

◎ 五华村村貌（摄于 2016 年）

五华村，位于汤塘镇中部，距镇政府 1 千米。始建于清末，由汤塘上闸、下闸村搬迁而形成。因分为多个居住点而取名五华村。该村坐落于丘陵地带，四九河在村前方经过。村东与大埔定公塘村相望，西与汤塘车桥村相邻，南与脉塘车田村接壤，北与汤塘红明村毗邻。

村形成时，属清远县滘江乡。清代属清远县滘江二乡。民国时期，属清远县第七区。中华人民共和国成立初期，属清远县第七区。1953 年属佛冈县第四区，1958 年属从化县滘江人民公社汤塘大队，1959 年属从化县汤塘人民公社汤塘大队，1961 年属佛冈县汤塘人民公社汤塘大队，1983 年属汤塘区汤塘乡，1987 年属汤塘镇汤塘行政村，1989 年属汤塘镇汤塘管理区，1998 年属汤塘镇汤塘行政村至今。

世居村民为周姓、冯姓。周氏，于清末由当地的汤塘陂头村迁移至该地。冯氏，清末从当地的汤塘上闸村迁移至该地。

2015 年末，户籍人口 191 人，其中男性 85 人，女性 106 人；80 岁以上 3 人，最年长者 94 岁（女）。实际在村居住 110 人。生活主要依靠农业收入的人口有 110 人，常年在城镇生活和打工的人口有 81 人。村民为汉族，广府民系，使用粤方言。

村有山地面积 10 公顷，山上有杉、松、杂树等。耕地 4.33 公顷。传统经济以农业为主，主要种植水稻、番薯、花生和龙眼、荔枝、蔬菜等。养殖有鸡、鸭、鹅和鱼等。20 世纪 90 年代后，县镇大力招商引资，发展工业。2003 年，外商在村建立强丰鞋厂，投资 700 万元，占地面积 10 公顷，各类鞋制品出口欧美市场，吸收工人 1200 人。附近村民大都在鞋厂做工。村民闲置房屋大多出租外来人员，增加村民

◎ 强丰鞋厂正门（摄于 2016 年）

◎ 强丰鞋厂车间一角（摄于 2016 年）

◎ 五华村民居与荷塘相映（摄于 2016 年）

收入。2013 年村民在农村综合改革中，参与“三资”整合工作，调整产业结构，使全村产业、收入发生新的变化，村里的一些村民在附近的厂务工。村民主要收入来源村集体经济分红、房屋出租、务工外出务工收入。特色传统（节庆）食品有糯米糍、米粉、艾糍、发糍、油糍。

1965 年通电，2001 年通电话，2006 年全村村道实现水泥硬底化，2009 年通自来水，2014 年通网络。国道 G106 线经过该村。

传统民居现存 1 座。民居为硬山顶和青砖、混合土墙，盖灰瓦，有通风、清凉、防潮、防晒的特点。新建楼房多为钢筋水泥混凝土结构，有些楼房是框架结构，90 平方米左右，一至二层较普遍，有的三层四层，布局为三房一厅一厨房，一至两个卫生间。有些家庭单独建楼房，还有院子，种有花草，环境优美。

主要民俗活动有清明祭祖、重阳祭祖，每逢初一、十五到庙宇烧香拜神，新添男丁年初要到祠堂挂灯等。

传统婚嫁习俗中男女相识交往后，女家要到男家看家风，结婚前要担定婚茶，报日子，送聘金，定嫁妆。行结婚礼时，要摆酒请客，迎亲和送亲。传统丧俗以土葬为主，20 世纪 90 年代后逐步实行火化。其程序为举丧、入殓、出殡、送葬、做法事，将亡灵送入祖堂。用餐时，拆下主家的门板放在巷道当饭台，以表哀痛。

（资料填报：周智生，初稿撰写：黄丽娟，总纂：李协湖）

下闸村

◎ 下闸村村貌（摄于 2016 年）

下闸村，位于汤塘镇中部，距镇政府 1.5 千米。始建于明正统年间，由从化迁入而形成。因处于堤坝下游地域而取名下闸村。村坐落于丘陵地带，东与上闸连接，南与海坐相邻，北与隔海村毗邻，西邻新塘村接壤。

村形成时，属清远县滘江乡。清代属清远县滘江二乡。民国时期，属清远县第七区。中华人民共和国成立初期，属清远县第七区。1953 年属佛冈县第四区，1958 年属从化县滘江人民公社汤塘大队，1959 年属从化县汤塘人民公社汤塘大队，1961 年属佛冈县汤塘人民公社汤塘大队，1983 年属汤塘区汤塘乡，1987 年属汤塘镇汤塘行政村，1989 年属汤塘镇汤塘管理区，1998 年属汤塘镇汤塘行政村至今。

世居村民为周姓、冯姓、罗姓、廖姓、刘姓、郭姓。宋元祐七年（1092 年），周氏从湖南道县迁移至广东，明正统年间由从化上塘村迁移至该地。冯氏由从化白水塘迁移至该地；罗氏由从化神冈迁移至该地。廖、刘、郭姓先后从附近村迁至该地。

2015 年末，户籍人口 728 人，其中男性 349 人，女性 379 人；80 岁以上 16 人，最年长者 92 岁（女）。实际在村居住人口 650 人，留守儿童 3 人。生活主要依靠农业收入的有 650 人，常年在城镇生活和打工的有 78 人。祖籍该村的香港同胞有 13 人。村民均为汉族，广府民系，使用粤方言。

村有山地面积 15.33 公顷，山上有松、杉、杂树等，有耕地面积 13.47 公顷。传统经济以农业为主，主要种植水稻、薯类、花生和龙眼、荔枝、蔬

◎ 下闸村门楼（摄于 2016 年）

菜等；养殖有猪、鸡、鸭等。随着招商引资办厂和经济的发展，许多村民进厂务工。村民主要收入来源农业收入、外出务工收入。特色农产品有龙眼、荔枝。特色传统节庆食品有糯米糍、艾糍、发糍、油糍。物产资源主要有温泉。村民从来不用烧热水洗澡，只是用桶挑温泉水回家冲凉，如要宰杀鸡鸭，可到温泉口打水直接浸烫脱毛。特色美食为温泉蛋，温泉蛋是利用高热温泉将鲜鸡蛋浸泡约 25 分钟制成。温泉蛋嫩滑、鲜香，有蛋黄汁流出。现温泉水由县进行规划管理，附近村民把温泉水引进各家各户，所在地的宾馆、酒店分配使用。

村于 1968 年通电，1996 年通电话，2001 年全村村道实现水泥硬底化，2005 年通自来水，2010 年通网络。

传统民居现存民居 48 座。民居为正座形制，两房一厅一天井布局，有通风、清凉、防潮、防晒的特点。屋顶为硬山顶，墙体多用青砖。新建楼房多为钢筋水泥混凝土结构，有些楼房是框架结构，90 平方米左右，一至二层较普遍，有的三至四层，布局为三房一厅一厨房，一至两个卫生间。有些家庭单独建楼房，还有院子。

现存有周氏大宗祠和周氏宗祠。周氏大宗祠始建于清乾隆初期，坐西北向东南，面阔 12.6 米，进深 36.5 米，建筑占地面积 460 平方米。据传周氏于明成化初年到此定居，后建成宗祠。宗祠为三进两天井结构，中堂内挂有牌匾“积庆堂”，主厅设有神台。屋顶为博古脊、硬山顶，屋檐下的木雕栩栩如生。祠堂结构严谨，精工巧琢，古色古香，庄严肃穆、宏伟壮观。1938 年 10 月，宗祠遭侵华日军飞机轰炸，局部损毁，抗战胜利后修复，2005 年再次重修，祠堂门匾“周氏大宗祠”5 字是周氏国晖公 19 世孙、中国人民解放军总参谋部政治部原副主任周奋手书。重修后，保持宗祠原来的面貌，重现昔日的形制。

周氏宗祠为三进结构，建筑面积 1053 平方米。1939—1940 年中共湛江区工委、中共湛从区工委设在周氏宗祠，并建立广东青年抗日先锋队湛江支队，进行抗日宣传和武装斗争。2011 年 1 月，周氏宗祠作为中共湛江区工委、中共湛从区工委、广东青年

◎ 下闸村周氏大宗祠（摄于 2016 年）

抗日先锋队湛江支队旧址，经中共佛冈县委批准为县级革命史迹保护单位。2012 年被列入佛冈县不可移动文物名录。

其他建筑有：周明元家塾，门楼。周明元家塾为硬山顶，混合土墙，青砖墙，盖灰瓦。村门楼结构是拱形门楣，门楼的大门是两扇耳门，均设有应急木栅栏（俗称“趟栊”）。门楼外墙厚而结实，一旦有盗贼侵扰，村民就关严耳门，拉好木栅栏以作防守。门楼四周墙体还有瞭望孔，用于观察外部情况和射击入侵之敌。

主要民间活动有清明祭祖、重阳祭祖，每逢初一、十五到庙宇烧香拜神，新添男丁年初要到祠堂挂灯等。

传统婚嫁习俗庄重烦琐，今仍保留部分传统结婚礼仪。男女双方开始交往后女家要到男家看家风，

◎ 下闸周明元家塾（摄于 2016 年）

◎ 赛龙舟活动（摄于 2016 年）

结婚前要担定婚茶，报日子，送聘金，定嫁妆。行结婚礼时，要摆酒请客，迎亲和送亲。丧事传统以土葬为主，20 世纪 90 年代后逐步实行火化。其程序为举丧、入殓、出殡、送葬、做法事，将亡灵送入祖堂。

村传统习俗是舞龙和舞狮，当地有“上闸舞龙，下闸舞狮”的说法。传统活动还有赛龙舟。逢端午节这天，村民们就会聚集在上闸村前大池塘旁边看赛龙舟。因为场地有限制，龙舟用村民平时使用的小艇代替。这种小艇类似于清新山塘镇的“燕尾艇”，又叫“禾艇”，尖头燕尾式，一般可容纳 3 人。此类龙舟轻盈快速，最适合在河涌或山塘竞渡。

热水塘治病的传说：汤塘围古时有一户人家，只剩孤儿寡母，母亲长年皮黄骨瘦，儿子全身长满疥癣，痛痒难忍。有一天，儿子到热水塘取水洗澡，结果越洗越舒服，一身疥癣没过多久就全消失了。后来儿子又取热水回家给母亲洗澡，结果母亲的脸色变得红润，连身体也强壮起来。这件事很快就传开了，人们纷纷去热水塘取水洗澡，就连十几里外的人也特地来取水回去治病。人们都说热水塘的水是“神仙水”，所以逢年过节，或有喜庆大事，村民都到热水塘祭拜。谁家娶新娘，也吹吹打打，热热闹闹地来到热水塘边，拜过天地，然后取回一盆热水，让新郎、新娘洗脸、洗澡，据说洗了之后，就能百年好合，白发齐眉。一些外地人来取水时，还把一些钱币投下塘里，以求逢凶化吉、身壮力健。自此，人们把热水塘称为汤塘，所在的村庄也称为汤塘围。

2012 年 9 月，下闸村所在的汤塘围被评为广东省古村落。2015 年被评为中国传统村落。

（资料填报：周智生，初稿撰写：黄丽娟，总纂：李协湖）

○新塘行政村

陂角村

◎ 陂角村村貌（摄于 2016 年）

陂角村，位于汤塘镇中部，距镇政府 0.8 千米。村始建于明成化年间，由从化源潭等地迁入而形成。因村建在滘江水利陂头旁上而取名陂角村。地处于丘陵地带，村坐西向东，滘江自北向西南经过。东边与中闸村交界，南边与圩头村接壤，西边与滘江河毗邻，北边与汤塘村相连。

村形成时，属清远县滘江二乡。清代，属清远县滘江二乡。民国时期，属清远县第七区。中华人民共和国成立初期，属清远县第七区。1953 年属佛冈县第四区汤塘乡，1958 年属从化县滘江人民公社新塘大队，1961 年属佛冈县汤塘人民公社新塘大队，1983 年属汤塘区汤塘镇（含原新塘大队及汤塘区机关），1987 年属佛冈县汤塘镇新塘村，1989 年属佛冈县汤塘镇新塘管理区，1998 年属汤塘镇新塘行政村至今。

世居村民为周姓、欧姓、郭姓。周氏，北宋初期由福建迁移至广东从化神岗田心村，明成化年间由从化神岗迁移至清远滘江地区，后迁至该地；欧氏，明成化年末由南京迁移至韶州，后由从化神岗迁移至该地聚居；郭氏，北宋后期从中原迁移到广东清远横河，明成化年间从清远源潭分支到陂角村。

2015 年，户籍人口 455 人，其中男性 232 人，女性 223 人；80 岁及以上 10 人，最年长者 90 岁（女）。实际在村居住和生活主要依靠农业收入的有 361 人，留守儿童 12 人。常年在城镇生活和打工的有 94 人。村民为汉族，广府民系，使用粤方言。

◎ 特色美食糯米糍（摄于 2016 年）

村有山地面积 4.80 公顷，山上有松、杉等树木。耕地面积 32.60 公顷。传统经济以农业为主，主要种植有水稻、花生、番薯等农作物，养殖有猪、鸡、鸭等禽畜类。随着经济的发展，现时保持部分传统经营外，1980 年以后，大部分青壮年村民外出打工，村民主要收入来源为农业生产收入，经商，外出务工收入。传统食品有白切鸡、焖鹅、烧肉、粽子、糕点、糯米糍等。其中，糯米糍做法和馅料和艾糍的大同小异，可咸可甜，有红豆馅、眉豆馅、花生白糖馅、猪肉韭菜馅等。首先将糯米粉倒入容器中，放入适当的水、碱砂搅拌成糊状后，装入盆中（盆底放少许花生油）用锅蒸约 20 分钟，蒸熟后，将糯米糍搓成糍团，用手指捏成勺子形状，把馅料放进去，再包成饼状，即可食用，其质感嫩滑可口。由于汤塘糯米糍远近闻名，凡到汤塘旅游的外地游客，都会品尝这一美食。

◎ 陂角村乡村公园（摄于 2016 年）

村于 1975 年通电，1994 年通电话，1999 年通自来水，2003 年通网络和有线电视，2013 年全村实现村道水泥硬底化。村中建有垃圾收集站，定期将垃圾清理、填埋。文体设施有陂角村文化室乡村公园。

传统民居现存 40 座。建于清末，民居为硬山顶，混合土墙和盖灰瓦。为两房两廊一厅一井布局，有通风、清凉、防潮、防晒的特点。新建楼房多为钢筋水泥混凝土结构，有些楼房是框架结构，占地面积 90 平方米左右，多为一至二层，有的三层四层，布局为三房一厅一厨房，一至两个卫生间。

村编有《周氏族谱》，于 2008 年纂修。

主要民间活动有清明、重阳祭祖，每月初一、十五到庙宇烧香拜神等。婚嫁习俗有：担定婚茶、相亲、过礼、迎亲、安床、挎红、闹新房、打糖梅仪式。传统丧葬风俗庄严繁杂，以传统土葬为主，主要程序为报丧、上孝、买水、殓棺、煮寿饭、出殡、训棺、复坟等。1990 年后逐步实行火化，但主要程序还保留。

◎ 陂角村门楼（摄于 2016 年）

◎ 陂角村匾额和壁画（摄于 2016 年）

1959 年，组织全村劳力，与田中村等村民整治新塘河堤，经过 6 个月的艰苦作业，整好 2 千米长的河堤，捍卫沿线耕地面积 93.33 公顷，人口 2200 人。

该村的周奋（1919—2009），曾任中国人民解放军总参谋部三部政治部副主任、解放军外国语学院副政委等职。

（资料填报：丘玲销，初稿撰写：黄丽娟，总纂：李协湖）

乘风坐村

◎ 乘风坐村村貌（摄于 2016 年）

乘风坐村，位于汤塘镇中部，距镇政府 1.2 千米。始建于明成化年间，由从化迁入而形成。因村庄依滘江河堤而取名乘风坐村。村坐落于丘陵地带，东、南与陂角村接壤，西与滘江毗邻，北与汤塘围下闸相连。

村形成时，属清远县滘江二乡。清代，属清远县滘江二乡。民国时期，属清远县第七区。中华人民共和国成立初期，属清远县第七区。1953 年属佛冈县第四区汤塘乡，1958 年属从化县滘江人民公社新塘大队，1961 年属佛冈县汤塘人民公社新塘大队，1983 年属汤塘区汤塘镇（含原新塘大队及汤塘区机关），1987 年属汤塘镇新塘村。1989 年属汤塘镇新塘管理区，1998 年属汤塘镇新塘行政村至今。

世居村民为周姓、欧姓。北宋初期，周氏从福建迁移至广东从化，明成化年间由从化神岗迁移至该地定居；后梁乾化年间欧氏由南京迁韶州，后由从化神岗迁至此聚居至今。

2015 年末，户籍人口 321 人，其中男性 168 人，女性 153 人；80 岁以上 12 人，最年长者 90 岁（女）。实际在村居住 286 人，农村留守儿童 4 人。生活主要依靠农业收入的人口有 286 人，常年在城镇生活和打工的有 35 人。村民为汉族，广府民系，使用粤方言。

村有耕地面积 3.73 公顷。传统经营以农业为主，主要种植水稻、花生和薯类等农作物。养殖有猪、鸡、鸭等。水果有荔枝、龙眼、香蕉等。现时保存传统经营外，部分村民到附近的聚龙湾及加多宝打工，部分青壮年到珠江三角洲城市务工，以从事建筑、餐饮、化工等为主。村民主要收入来源外出务工收入、农业生产。特色传统食品有粽子、艾糍、糯米糍。

◎ 村民在劳作（摄于 2017 年）

◎ 乘风坐村传统民居（摄于 2016 年）

该村于 1975 年通电，1990 年通自来水，1994 年通电话，2003 年通网络，2012 年村道实现水泥硬底化。村中建有垃圾收集站，定期将垃圾清理、填埋。

传统民居现存传统民居 18 座。民居为硬山顶和青砖墙、盖灰瓦，多为正座形制，有通风、清凉、防潮、防晒的特点。1980 年后村民逐步建有新楼房。新建楼房多为钢筋混凝土结构，有些楼房是框架结构，占地面积 90 平方米左右，多为一至二层，有的三层四层，布局为三房一厅一厨房，一至两个卫生间。有些家庭单独建楼房，还有院子，种有花草，环境优美。

◎ 乘风坐门楼（摄于 2016 年）

村编有《周氏族谱》，于 2008 年纂修。

主要民间活动有清明祭祖、重阳祭祖，每逢初一、十五到庙宇烧香拜神等。清明节是悼念祖先的节日，家家户户门楣插柳枝和桃叶以驱邪，采艾（一种植物）做糍，名为“艾糍”，并进行扫墓活动。扫墓一般从清明前的春分起到农历四月初八，扫墓期间在外地谋生的人都尽可能赶回来祭扫祖墓。

村传统婚嫁习俗有：婚前要担定婚茶、相亲、过礼、迎亲、安床、挎红、闹新房、打糖梅。传统丧葬风俗庄严繁杂，多沿用古中原的传统，主要程序为报丧、上孝、买水、殓棺、煮寿饭、出殡、训棺、复坟等。传统以土葬为主，20 世纪 90 年代后逐步实行火化。

1988 年 5 月 25 日，佛冈地区连降大暴雨，受潖江上游洪水影响，早上 7 时村边潖江决堤，决口 50 多米，造成村房屋受浸 60 间，最高水位 2 米，倒塌房屋 10 间，禽畜死亡 160 只，农田受浸 6 公顷，农作物受损严重。

该村的周都明（1939—），曾任中共佛冈县委党史研究室主任，从事党史工作 30 多年，曾获省党史研究室颁发荣誉证书。现任佛冈县老促会秘书长、县史志办党史宣教员。

（资料填报：丘玲销，初稿撰写：黄丽娟，总纂：李协湖）

坑口村

◎ 坑口村村貌（摄于 2016 年）

坑口村，位于汤塘镇中部，距镇政府 0.8 千米。始建于明成化年间，由从化迁入而形成。因村位于小溪旁，故取名坑口村。村坐落于丘陵地区，村庄坐北向南，滘江河自东向西流过。东与新龙村交界，南为国道 G106，西为石门河、联和桥，北为省道 S354 线。

村形成时，属清远县滘江二乡。清代，属清远县滘江二乡。民国时期，属清远县第七区。中华人民共和国成立初期，属清远县第七区。1953 年属佛冈县第四区汤塘乡，1958 年属从化县滘江人民公社新塘大队，1961 年属佛冈县汤塘人民公社新塘大队，1983 年属汤塘区汤塘镇（含原新塘大队及汤塘区机关），1987 年属汤塘镇新塘村。1989 年属汤塘镇新塘管理区，1998 年属汤塘镇新塘行政村至今。

世居村民姓氏有刘、周姓。宋末，刘氏从福建迁潮州，后迁从化。明初由从化迁清远吉河乡（今佛冈县石角镇）龙蟠村，再迁到该地。北宋初期，周氏由福建迁移至广东从化神岗田心村，明成化年间由从化神岗迁移至该地。

2015 年，户籍人口 156 人，其中男性 83 人，女性 73 人；80 岁及以上 6 人，最年长者 91 岁（女）。实际在村居住和生活主要依靠农业收入的有 116 人，留守儿童 10 人。常年在城镇生活和打工的有 40 人。村民为汉族，广府民系，使用粤方言。祖籍该村的香港同胞有 4 人，澳门同胞有 1 人。祖籍该村的华侨有 1 人。

村有山地面积 4.33 公顷，山上有松、杉、杂树。有耕地面积 1.07 公顷。传统经济以农业为主，主要种植水稻、薯类、花生、果树等农作物。养殖有鸡、鹅、鸭等禽类。随着经济的发展，村域大部分土地被征用，已成为城中村。现时保持部分传统经营外，

◎ 村民在田间劳作（摄于 2016 年）

◎ 坑口村传统民居（摄于 2017 年）

◎ 坑口村新民居一角（摄于 2016 年）

1980 年以后，大部分青壮年村民外出打工，村民主要收入来源为农业收入，经商，外出务工收入。村传统食品有白切鸡、焖鹅、烧肉、粽子、糕点。

村于 1975 年通电，1994 年通电话，1999 年通自来水，2003 年通网络和有线电视，2013 年全村实现村道水泥硬底化。村中建有垃圾收集站，建有坑口村文化室。

传统民居现存 16 座。民居为硬山顶和青砖墙、盖灰瓦，多为正座形制。有通风、清凉、防潮、防晒的特点。1980 年后村民逐步建有新楼房。

村编有《周氏族谱》，于 2008 年纂修。

传统节日有春节、端午节、中秋节、冬至等。主要民间活动有清明祭祖、重阳祭祖，每逢初一、十五到庙宇烧香拜神等。冬至俗称“过冬”。这个节日意味着一年农事已做完，全家应欢聚吃一顿丰盛晚餐表示庆贺。村有“冬大过年”之说，极其重视。

传统婚嫁习俗中男女相识交往后，婚嫁习俗有：担定婚茶、相亲、过礼、迎亲、安床、挎红、闹新房、打糖梅仪式。传统以土葬为主，多沿用古中原的传统，主要程序为报丧、上孝、买水、殓棺、煮寿饭、出殡、训棺、复坟等。1990 年后逐步实行火化。

1963 年春，遭受 60 年一遇的旱灾，从 1962 年 12 月至 1963 年 6 月，180 天内无下大雨，受旱面积 1.07 公顷，成灾面积 0.13 公顷。此次抗旱，出动劳力 73 人，日夜奋战抗旱保苗。

（资料填报：丘玲销，初稿撰写：黄丽娟，总纂：李协湖）

新田村

◎ 新田村村貌（摄于 2016 年）

新田村，位于汤塘镇中部，距镇政府 0.4 千米。始建于明天顺年间，由从化县沙贝迁入而形成。因四周均为耕地而取名田中间村，由于人口迅增，村庄不断扩大，后分成新龙村及新田村两个村落。村坐落于汤塘镇新区，属于低丘陵河谷地带。村庄坐北向南，东边与圩头村交界，南边与圩咀村接壤，西边与新街村毗邻，北边与汤塘圩相连。

村形成时，属清远县滘江二乡。清代，属清远县滘江二乡。民国时期，属清远县第七区。中华人民共和国成立初期，属清远县第七区。1953 年属佛冈县第四区汤塘乡，1958 年属从化县滘江人民公社新塘大队，1961 年属佛冈县汤塘人民公社新塘大队，1983 年属汤塘区汤塘镇（含原新塘大队及汤塘区机关），1987 年属汤塘镇新塘村。1989 年属汤塘镇新塘管理区，1998 年属汤塘镇新塘行政村至今。

世居村民姓氏有周姓、冯姓、郭姓。南宋时期，冯氏从中原迁移至广东新会，明天顺年间由从化县沙贝迁移至该地定居；北宋初期，周氏由福建迁移至广东从化神岗田心村，明成化年间由从化神岗迁移至该地；北宋后期，郭氏从中原迁移至广东清远，明成化年间从清远迁移至该地定居。

2015 年，户籍人口共 358 人，其中男性 182 人，女性 176 人;80 岁及以上 13 人，最年长者 93 岁（女）。实际在村居住和生活主要依靠农业收入的有 302 人，留守儿童 12 人。常年在城镇生活和打工的有 36 人。村民为汉族，广府民系，使用粤方言。

传统经济以农业为主，主要种植有水稻、花生、番薯等农作物，养殖有猪、鸡、鸭等禽畜。随着经济的发展，大部分土地被征用，已成为城中村。除保留部分传统经营外，通过招商引进广东省佛冈县金鲜美粮油食品有限公司，该企业是集种植、加工、销售一体化民营企业，2004 年 7 月被清远市人民政府授予第一批重点农业龙头企业称号;2006 年 10 月，金鲜美优质大米荣获广东省名牌产品称号。2007 年自有优质稻种植基地 45.73 公顷，生产各类优质丝苗米、香米、油粘米等系列产品。1980 年以后，大部分青壮年村民外出打工，村民主要收入来源为农业收入、经商，外出务工村民以外出务工收入。特色农业产品有金鲜美大米。村传统食品有白切鸡、焖鹅、烧肉、粽子、糕点。

◎ 金鲜美粮油食品有限公司（摄于 2017 年）

◎ 金鲜美粮油食品有限公司生产的优质大米（摄于 2017 年）

◎ 新田村民居（摄于 2016 年）

村于 1975 年通电，1994 年通电话，1999 年通自来水，2003 年通网络和有线电视，2013 年全村实现村道水泥硬底化。村中建有垃圾收集站，定期将垃圾清理。建有村文化室。

传统民居现存 28 座。民居为硬山顶和混合土墙，盖灰瓦。为两房两廊一厅一天井布局，有通风、清凉、防潮、防晒的特点。新建楼房多为钢筋水泥混凝土结构，有些楼房是框架结构，占地面积 90 平方米左右，多为一至二层，有的三层四层，布局为三房一厅一厨房，一至两个卫生间。

村编有《周氏族谱》《郭氏族谱》。

传统节日有春节、端午、中秋、冬至等，主要民间活动有清明祭祖、重阳祭祖，每逢初一、十五到庙宇烧香拜神等。春节期间的习俗为：农历十二月二十三叫“过小年”，家家户户打扫庭院、做年货。过去还有在“小年夜”的晚饭后送灶君、年三十晚接灶君的习俗，后来消失。年三十吃“团年饭”，饭后长者要给小孩“压岁钱”。年初一清早，各家各户相互拜年，后来拜年方式改为电话、贺卡和手机短信。

传统婚嫁习俗中的中原古制“六礼”已经很少见到，村仍保留部分传统结婚礼仪。婚嫁习俗有：担定婚茶、相亲、过礼、迎亲、安床、挎红、闹新房、打糖梅仪式。新街村传统丧葬风俗庄严繁杂，多沿用古中原的传统，主要程序为报丧、上孝、买水、殓棺、煮寿饭、出殡、训棺、复坟等。传统以土葬为主，20 世纪 90 年代后逐步实行火化。

1959 年，村抽调 43 个精壮劳力，参与新塘河堤的整治，经过 6 个月的艰苦作业，整好 2 千米长的河堤，围内集雨面积 3.2 平方千米，捍卫耕地 93.33 公顷。

（资料填报：丘玲销，初稿撰写：黄丽娟，总纂：李协湖）

圩咀村

◎ 圩咀村村貌（摄于 2016 年）

圩咀村，位于汤塘镇中部，距镇政府 0.4 千米，始建于明成化年间，由从化迁入而形成。因村位于在汤塘圩南面依山咀而建而取名圩咀村。村坐落于丘陵地带。村东为新龙村，南为杨梅麖村，西为新街村。国道 G106 线在村北边。主要山岭有大脑顶山，高 120 米。

村形成时，属清远县滘江二乡。清代，属清远县滘江二乡。民国时期，属清远县第七区。中华人民共和国成立初期，属清远县第七区。1953 年属佛冈县第四区汤塘乡，1958 年属从化县滘江人民公社新塘大队，1961 年属佛冈县汤塘人民公社新塘大队，1983 年属汤塘区汤塘镇（含原新塘大队及汤塘区机关），1987 年属佛冈县汤塘镇新塘村，1989 年属佛冈县汤塘镇新塘管理区，1998 年属汤塘镇新塘行政村至今。

世居村民为周姓、欧姓、邓姓。北宋初期，周氏从福建迁移至广东从化，明成化年间由从化神岗迁移至该地定居；梁乾化年间，欧氏由南京迁韶洲，后由从化神岗迁至该地聚居至今；明初邓氏从中原迁移至广东南雄，明弘治初由从化流溪河迁移至该地定居。

2015 年末，户籍人口 855 人，其中男性 442 人，女性 413 人；80 岁以上 19 人，最年长者 93 岁（女）。实际在村居住 792 人，留守儿童 16 人。生活主要依靠农业收入的有 792 人，常年在城镇生活和打工的有 63 人。村民为汉族，广府民系，使用粤方言。祖籍圩咀村的香港同胞有 4 人，澳门同胞有 1 人。祖籍该村的华侨有 2 人。

村有山地面积 5.07 公顷，耕地面积 21.40 公顷。传统经营以农业耕作及家庭种养为主，主要种植水稻、薯类、花生等农作物。养殖有猪、鸡、鸭等。水果有荔枝、龙眼、香蕉等岭南水果。除保留传统经营外，一部分村民到附近的聚龙湾度假村及加多宝公司打工，部分青壮年到珠江三角洲城市务工，以从事建筑、餐饮、化工等为主。村民主要收入来源外出务工收入、农业生产收入。村的特色传统食品有糯米糍、艾糍、粽子。

村于 1975 年通电，1990 年通自来水，1994 年通电话，2003 年通网络，2012 年村道实现水泥硬底化。2015 年汤塘中心小学，有 6 个年级，每级有

◎ 汤塘镇中心小学教学楼（摄于2016年）

◎ 传统民居（摄于2016年）

◎ 革命烈士纪念碑（摄于2016年）

4个班，在校学生1200人，教职工110人。另设有汤塘镇中心幼儿园。在园幼儿400人，教职工60人。村中建有垃圾收集站，定期将垃圾清理、填埋。

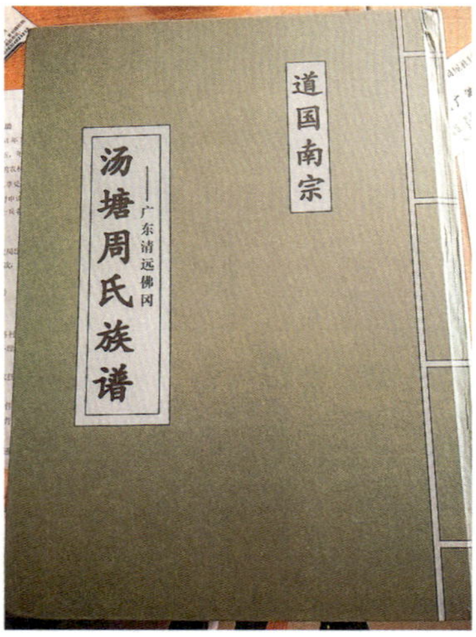

◎《汤塘周氏族谱》（摄于2016年）

传统民居现存传统民居31座。1980年后村民逐步建有新楼房。新建楼房多为钢筋水泥混凝土结构，有些楼房是框架结构，90平方米左右，一至二层较普遍，有的三层四层，布局为三房一厅一厨房，一至两个卫生间。有些家庭单独建楼房，还有院子，并有停车位。

村编有《周氏族谱》，于2008年纂修。

其他建筑有汤塘革命烈士纪念碑，建筑面积60.8平方米。

主要民间活动有清明、重阳祭祖，每逢初一、十五到庙宇烧香拜神等。传统婚嫁习俗中的中原古制“六礼”已经很少见到，但仍保留了一定的传统结婚礼仪。婚嫁习俗有：担定婚茶、相亲、过礼、迎亲、安床、挎红、闹新房、打糖梅仪式。传统丧葬风俗庄严繁杂，多沿用古中原的传统，以土葬为主，主要程序为报丧、上孝、买水、殓棺、煮寿饭、出殡、训棺、复坟等。20世纪90年代后逐步实行火化。

1990年10月1日，新塘爆竹厂引线车间操作人员邓某违反操作规程引起火药燃烧的重大事件，造成死亡7人，烧伤25人，其中重伤19人。全县干部职工捐助21万元抢救伤员。

（资料填报：丘玲销，初稿撰写：黄丽娟，总纂：李协湖）

圩头村

◎ 圩头村村貌（摄于 2016 年）

圩头村，位于汤塘镇中部，距镇政府 0.4 千米。始建于明成化年间，由汤塘围中闸村迁居至此。因村在汤塘街上方而取名圩头村，曾用名为墟头村。村坐落于四九河与滘江河交汇左上方，属于丘陵地带。村庄坐北向南，四九河自东向西经过村后于汤塘圩汇入滘江，省道 S354 线在村中间经过。东为荣埔村，南为新田村，西为汤塘圩，北为四九河。

村形成时，属清远县滘江二乡。清代，属清远县滘江二乡。民国时期，属清远县第七区。中华人民共和国成立初期，属清远县第七区。1953 年属佛冈县第四区汤塘乡，1958 年属从化县滘江人民公社新塘大队，1961 年属佛冈县汤塘人民公社新塘大队，1983 年属汤塘区汤塘镇（含原新塘大队及汤塘区机关），1987 年属佛冈县汤塘镇新塘村。1989 年属佛冈县汤塘镇新塘管理区，1998 年属汤塘镇新塘行政村至今。

世居村民姓氏有郭姓、冯姓、周姓。南宋时期，冯氏从中原迁移至广东新会，明正统年间由从化县沙贝迁移至该地定居；北宋初期，周氏由福建迁移至广东从化神岗田心村，明成化年后由从化神岗迁移至该地；北宋期间，郭氏从中原迁移至广东清远，明成化年间从清远迁移至该地定居。

2015 年，户籍人口共 1132 人，其中男性 592 人，女性 540 人；80 岁及以上 39 人，最年长者 94 岁（男）。实际在村居住和生活主要依靠农业收入的有 892 人，留守儿童 20 人。常年在城镇生活和打工的有 240 人。村民为汉族，广府民系，使用粤方言。

有山地面积 4 公顷，山上有松、杉、杂树。耕地面积 21.87 公顷，传统经济以农业为主，主要种

◎ 村民在包粽子（摄于 2016 年）

植水稻、薯类、花生等农作物；养殖有鸡、鹅、鸭等禽类；部分以个体经营为主。村传统食品有白切鸡、焖鹅、烧肉、粽子、糕点。1980年以后，大部分青壮年村民外出打工，村民主要收入来源为农业生产收入、商业经营、外出务工收入。

村于1975年通电，1994年通电话，1999年通自来水，2003年通网络和有线电视，2013年全村实现村道水泥硬底化。村中建有垃圾收集站。

传统民居现存50座。1980年后村民逐步建有新楼房。新建楼房多为钢筋水泥混凝土结构，有些楼房是框架结构，占地面积90平方米左右，一至二层较普遍，有的三层四层，布局为三房一厅一厨房，一至两个卫生间。有些家庭单独建楼房，还有院子，种有花草，环境优美。

村编有《周氏族谱》，于2008年纂修。

村主要宗族活动有清明祭祖、重阳祭祖，每逢初一、十五到庙宇烧香拜神等。传统婚嫁习俗中的中原古制“六礼”已经很少见到，但仍保留了一定的传统结婚礼仪。婚嫁习俗有：担定婚茶、相亲、过礼、迎亲、安床、挎红、闹新房、打糖梅仪式。

◎ 传统民居（摄于2017年）

传统丧葬风俗庄严繁杂，多沿用古中原的传统，主要程序为报丧、上孝、买水、殓棺、煮寿饭、出殡、训棺、复坟等。传统以土葬为主，20世纪90年代后逐步实行火化。

1980年7月15日，中共广东省委第一书记习仲勋一行考察新塘圩头村，了解群众的生产、生活情况。

（资料填报：丘玲销，初稿撰写：黄丽娟，总纂：李协湖）

◎ 圩头村稻田（摄于2016年）

新街村

◎ 新街村村貌（摄于 2016 年）

新街村，位于汤塘镇中部，距镇政府 0.5 千米，始建于明成化年间，由从化迁入而形成。因村坐落于汤塘镇街圩内而取名新街村。村坐落于丘陵地带。东与汤塘圩交界，南与吁咀村接壤，西与滘江河毗邻，北圩头村相连。省道 S354 经过村。

村形成时，属清远县滘江二乡。清代，属清远县滘江二乡。民国时期，属清远县第七区。中华人民共和国成立初期，属清远县第七区。1953 年属佛冈县第四区汤塘乡，1958 年属从化县滘江人民公社新塘大队，1961 年属佛冈县汤塘人民公社新塘大队，1983 年属汤塘区汤塘镇（含原新塘大队及汤塘区机关），1987 年属佛冈县汤塘镇新塘村。1989 年属佛冈县汤塘镇新塘管理区，1998 年属汤塘镇新塘行政村至今。

世居村民姓氏有郭姓、冯姓、周姓。南宋时期，冯氏从中原迁移至广东新会，明成化年间由从化县沙贝迁移至该地定居；北宋初期，周氏从福建迁移至广东从化，明成化年间由从化神岗迁移至该地定居；北宋时期，郭氏从中原迁移至广东清远，明成化年间从清远迁移至该地定居。

2015 年末，村户籍人口共 837 人，其中男性 432 人，女性 405 人。实际在村居住人口 700 人；80 岁以上 25 人，最年长者 99 岁（女）。16 岁以下 168 人，留守儿童 8 人。生活主要依靠农业收入的有 700 人，常年在城镇生活和打工的有 137 人。村民为汉族，广府民系，使用粤方言。

村雨量充沛，气候宜人，适合动物繁殖和各种植物生长，有山地面积 20 公顷。耕地面积 22 公顷，村民传统经营以农业耕作及家庭种养为主，种植以

◎ 特产沙糖桔（摄于 2016 年）

水稻、薯类、花生等农作物为主；养殖有猪、鸡、鸭等。随着经济的发展，现时保存传统经营外，还发展工业、个体经营；部分村民到附近的聚龙湾及加多宝打工，有些到珠江三角洲城市务工。从事建筑、餐饮、化工等。村民主要收入来源外出务工收入、农业生产、个体收入。村特色传统食品有糯米糍、艾糍、粽子。

◎ 新街村传统民居俯瞰（摄于 2016 年）

◎ 新街村门楼敦怡里（摄于 2016 年）

村于 1975 年通电，1994 年通电话，1999 年通自来水，2003 年通网络，2012 年村道实现水泥硬底化。村中建有垃圾收集站，定期将垃圾清理、填埋。文体设施有新街村文化室。

村于 1934 年创办潖江区私立致远小学，中华人民共和国成立后撤销。

传统民居现存 36 座。民居为砖木结构、硬山顶和混合土墙，多为正座形制。两房两廊一厅一天井广府民居布局，有通风、清凉、防潮、防晒的特点。1980 年后村民逐步建有新楼房，一层有 22 座，二至五层有 48 座，布局为三房一厅一厨一卫，每幢楼房占地面积 100 平方米。现存传统门楼有敦怡里，建于清朝。

村编有《周氏族谱》，于 2008 年纂修，《周氏家训》在族谱内详细有记载。

主要民间活动有清明祭祖、重阳祭祖，每逢初一、十五到庙宇烧香拜神等。传统婚嫁习俗有：担定婚茶、相亲、过礼、迎亲、安床、挎红、闹新房、打糖梅仪式。新街村传统丧葬风俗庄严繁杂，多沿用古中原的传统，主要程序为报丧、上孝、买水、殓棺、煮寿饭、出殡、训棺、复坟等。传统以土葬为主，20 世纪 90 年代后逐步实行火化。

1988 年 5 月 25 日，佛冈地区连降大暴雨，受潖江上游洪水影响，早上 7 时正村后潖江河决堤 60 多米，造成一人死亡，村前旧国道 G106 交通瘫痪一天一夜，房屋受浸 100 间，倒塌 20 间，禽畜死亡 360 只，农作物受损严重。村中遭受水灾时，一些农户房屋和财产遭受到损失，全村人互相帮忙，使受损失家庭尽快恢复生产生活。

（资料填报：丘玲销，初稿撰写：黄丽娟，总纂：李协湖）

新龙村

◎ 新龙村村貌（摄于 2016 年）

新龙村，位于汤塘镇中部，距镇政府 0.5 千米，始建于明天顺年间，由从化迁入而形成。因四周均为耕地而取名田中间村，由于人口迅增，村庄不断扩大，后分成新龙村及新田村两个村落。村坐落于滘江丘陵地带。村东为新田村，南为国道 G106 线，西为坑口村，北为汤塘镇新村。

村形成时，属清远县滘江二乡。清代，属清远县滘江二乡。民国时期，属清远县第七区。中华人民共和国成立初期，属清远县第七区。1953 年属佛冈县第四区汤塘乡，1958 年属从化县滘江人民公社新塘大队，1961 年属佛冈县汤塘人民公社新塘大队，1983 年属汤塘区汤塘镇（含原新塘大队及汤塘区机关），1987 年属佛冈县汤塘镇新塘村。1989 年属佛冈县汤塘镇新塘管理区，1998 年属汤塘镇新塘行政村至今。

世居村民姓氏有郭姓、周姓。北宋后期，郭氏从中原迁移至广东清远，明成化年间从清远迁移至村定居。北宋初期，周氏从福建迁移至广东从化，明成化年间由从化神岗迁移至村定居。

2015 年末，村户籍人口 325 人，其中男性 167 人，女性 158 人；80 岁以上 13 人，最年长者 91 岁（女）。实际在村居住人口 278 人，留守儿童 10 人。生活主要依靠农业收入的人口有 278 人，常年在城镇生活和打工的人口有 47 人。村民为汉族，广府民系，使用粤方言。

村资源丰富，雨量充沛，气候宜人，适合动物繁殖和各种植物生长，有山地面积 6.40 公顷，山上有松、杉、杂树。耕地面积 8 公顷，传统经营以农业耕作为主，种植水稻、薯类、花生等农作物；养

◎ 商业街（摄于 2016 年）

◎ 新龙村传统民居（摄于 2016 年）

殖有猪、鸡、鸭等。随着经济的发展，大部分土地被征用，已成为城中村。现时保存传统经营外，还发展工业、个体经营；部分村民到附近的聚龙湾及加多宝打工，有的到珠江三角洲城市务工。从事建筑、餐饮、化工等。村民主要收入来源外出务工收入、农业生产、个体经营收入。村特色传统食品有糯米糍、艾糍、粽子。

村于 1975 年通电，1994 年通电话，1999 年通自来水，2003 年通网络，2012 年村道实现水泥硬底化。村中建有垃圾收集站，定期将垃圾清理、填埋。文体设施有新龙村文化室。

传统民居现存 36 座。其建筑为硬山顶和青砖墙、盖灰瓦，多为正座形制，有通风、清凉、防潮、防晒的特点。1980 年后村民逐步建有新楼房，新建楼房多为钢筋水泥混凝土结构，有些楼房是框架结构，占地面积 90 平方米左右，一至二层较普遍，有的三层四层，布局为三房一厅一厨房，一至两个卫生间。并有停车位。

◎ 新龙村门楼（摄于 2016 年）

村编有《周氏族谱》，于 2008 年纂修，《周氏家训》在族谱内详细有记载。

传统民俗活动丰富，主要民间活动有清明祭祖、重阳祭祖，每逢初一、十五到庙宇烧香拜神等。传统婚嫁习俗：担定婚茶、相亲、过礼、迎亲、安床、挎红、闹新房、打糖梅。新街村传统丧葬风俗庄严繁杂，多沿用古中原的传统，主要程序为报丧、上孝、买水、殓棺、煮寿饭、出殡、训棺、复坟等。传统以土葬为主，20 世纪 90 年代后逐步实行火化。

1986 年 8 月下旬至 10 月下旬，历时近 60 天没有下过雨，村受旱面积 1.20 公顷（含水稻、杂粮），成灾面积 0.20 公顷。此次抗旱，出动劳力 43 人，日夜奋战抗旱保苗夺丰收。

（资料填报：丘玲销，初稿撰写：黄丽娟，总纂：李协湖）

杨梅窦村

◎ 杨梅窦村村貌（摄于 2016 年）

杨梅窦村，位于汤塘镇中部，距镇政府 0.7 千米，始建于明正统年间，由从化迁入而形成。因村后山有很多杨梅树而取名叫杨梅窦村。村坐落于滘江丘陵地带，村东为圩咀村，南为大脑顶山，西为新街村，北为国道 G106 线。村主要山岭有牛棉山，高 60 米。主要河流有石门河，位于村的正西方。

村形成时，属清远县滘江二乡。清代，属清远县滘江二乡。民国时期，属清远县第七区。中华人民共和国成立初期，属清远县第七区。1953 年属佛冈县第四区汤塘乡，1958 年属从化县滘江人民公社新塘大队，1961 年属佛冈县汤塘人民公社新塘大队，1983 年属汤塘区汤塘镇（含原新塘大队及汤塘区机关），1987 年属佛冈县汤塘镇新塘村。1989 年属佛冈县汤塘镇新塘管理区，1998 年属汤塘镇新塘行政村至今。

世居村民为冯姓、周姓、丘姓。冯氏，南宋时期从中原迁移至广东新会，明正统年间由从化县沙贝迁移汤塘复兴村，后因扩建水利圳，移民至该地定居。周氏，北宋时期从福建迁移至广东从化，明成化年间由从化神岗迁移至该地定居。丘氏，明正德九年（1514 年）从河南迁移至广东新丰，后又从广东新丰迁移至该地定居。

2015 年末，户籍人口 621 人，其中男性 326 人，女性 295 人；80 岁以上 8 人，最年长者 91 岁（女）。实际在村居住 496 人，留守儿童 8 人。生活主要依靠农业收入 312 人，常年在城镇生活和打工 184 人。村民为汉族，广府民系，使用粤方言。

村夏季高温多雨，冬季暖和干燥，雨量充沛，适合动物繁殖和各种植物生长。有山地面积 12.67 公顷，山上种有松、杉、杂树。耕地面积 22 公顷，传统经营以农业耕作及家庭种养为主，主要种植水

◎ 杨梅窦村门楼（摄于 2016 年）

◎ 杨梅棗村门楼匾额（摄于 2016 年）

◎ 杨梅棗村丘氏宗祠匾额（摄于 2016 年）

稻、薯类、花生等农作物；养殖有猪、鸡、鸭等禽畜。水果有荔枝、龙眼、香蕉等岭南水果。现时保存传统经营外，部分村民到附近的工厂打工，青壮年到珠江三角洲城市务工，以从事建筑、餐饮、化工等行业为主，个别村民自主经营。村（居）民主要收入来源：经商、农业生产收入，外出务工工资收入。村的特色传统食品有糯米糍、艾糍、端午节包粽子。

村于 1966 年通电，1994 年通电话，2003 年通网络，2012 年村道实现水泥硬底化。村中建有垃圾收集站，定期将垃圾清理、填埋。建有乡村公园。

传统民居现存 18 座。民居为硬山顶，青砖墙。1980 年后村民逐步建有新楼房。新建楼房多为钢筋水泥混凝土结构，有些楼房是框架结构，占地面积 90 平方米左右，一至二层较普遍，有的三层四层，布局为三房一厅一厨房，一至两个卫生间。有些家庭单独建楼房，还有院子，种有花草，环境优美。现存宗祠有丘氏宗祠，建于明嘉靖二年（1523 年），占地面积 320 平方米，现今仍作宗祠使用。村里有一口古井，古井为圆形，花岗岩构建而成，井沿高出地面，井面方形，以石灰三合土铺平，面积 3 米 ×2.4 米，原为青砖结构，后铺水泥。井边有花岗岩构建的吊水竹竿孔。村左还有座小庙，馆子和门楼。

◎ 杨梅棗村庙（摄于 2016 年）

◎ 杨梅棗村古井（摄于 2016 年）

村编有《中华丘氏大宗谱》村分卷，丘家儒于 2008 年纂修。

传统节日有春节、端午、中秋、冬至等。农历五月初五为端午节，俗称“五月节”。五月初五，各家各户包粽子纪念爱国诗人屈原，村民在门楣挂艾叶、菖蒲，点燃蚊香，以辟邪逐恶。这一天青年人到江河游泳，叫洗龙舟水，以祈消灾去祸。主要民间信仰活动有清明祭祖、重阳祭祖，每逢初一、十五到庙宇烧香拜神等。

传统婚嫁习俗中的中原古制“六礼”已经很少见到，但仍保留部分的传统结婚礼仪。婚嫁习俗有：担定婚茶、相亲、过礼、迎亲、安床、挎红、闹新房、打糖梅仪式。传统丧葬风俗庄严繁杂，多沿用古中原的传统，以土葬为主，主要程序为报丧、上孝、买水、殓棺、煮寿饭、出殡、训棺、复坟等。20 世纪 90 年代后逐步实行火化。

1988 年 5 月 25 日，佛冈地区连降大暴雨。受潖江上游洪水影响，早上 7 时村边潖江决堤，缺口 50 多米，造成房屋受浸 100 间，倒塌房屋 16 间，禽畜死亡 300 只，农田受浸 8 公顷，1.67 公顷农作物受损失收。

该村的冯光（1920—1949），革命烈士，参加革命后曾在珠江三角洲及粤北一带进行游击战，任粤桂湘边纵队连江支队司令员，1949 年 1 月在阳山罗汉塘战斗中牺牲。

◎ 冯光烈士遗像

（资料填报：丘玲销，初稿撰写：黄丽娟，总纂：李协湖）

○围镇行政村

禾场埔村

◎ 禾场埔村村貌（摄于 2016 年）

禾场埔村，位于汤塘镇东北部，距镇政府 6 千米。始建于清后期，由旧围镇村刘氏族人分村聚居而成。因村门楼前原有大片空地用作脱粒和扬晒谷物的场地，故称禾场埔。该村坐落于丘陵地带，村庄坐北向南，东南与黎安村相望，西南与新围镇村相邻，东北与围镇村后山接壤。

村形成时，属清远县滘江乡。民国时期，属清远县滘江区兴礼乡，中华人民共和国成立初期，属清远县第七区围镇乡，1953 年属佛冈县第四区围镇乡，1958 年属从化县滘江人民公社围镇大队，1961 年属良安人民公社围镇大队，1970 年属佛冈县汤塘人民公社围镇大队，1983 年属汤塘区围镇乡，1987 年属汤塘镇围镇行政村，1989 年属汤塘镇围镇管理区，1998 年属汤塘镇围镇行政村至今。

世居村民为刘姓。据《滘江刘氏族谱》记载，明初，刘开七的七世孙刘从龙儿子刘伯川由兴宁迁到从化居住，后迁入清远县吉河乡龙蟠堡（今佛冈县石角镇龙塘村）。明弘治年间，刘从龙的五世孙刘普振迁往汤塘围镇村，清后期其后裔分村迁往该地。

2015 年末，户籍人口 300 人，其中男性 149 人，女性 151 人；80 岁以上 1 人，最年长者 89 岁（女）。实际在村居住和生活主要依靠农业收入的有 180 人，留守儿童 8 人。常年在城镇生活和打工的约有 120 人。村民为汉族，广府民系，使用粤方言。

村有耕地面积 14 公顷，山地面积 27.67 公顷。传统经营以种植水稻为主，兼种薯类及制作豆腐，养猪、养鸭等。村民现种有木薯、稻谷、花生，少数村民养猪。外出务工者以珠江三角洲的深圳、珠海、广州居多，从事建筑、餐饮、化工等行业为主。村民主要收入来源为农业生产、外出务工收入、房屋出租、商业经营等。

村内设施完善，1970 年通电，1995 年通电话，2010 年通网络，2014 年通自来水，2015 年村道实现水泥硬底化，建有垃圾收集池和乡村公园。

村门楼与新围镇村、旧围镇村门楼结构大致相同，门楼的墙体由青砖砌成，前后各有一扇耳门，

◎ 禾场埔门楼（摄于 2016 年）

◎ 禾场埔传统民居（摄于 2016 年）

均设有应急木栅栏（俗称“趟栊”）。门楼墙体上设有炮眼，可观察外部情况。

禾场埔建村时，常有盗贼及野兽侵扰。村民为防止盗贼和野兽，除了筑起围墙外，门楼还设有坚固的栅栏。在大门上下对应位置的石板上，整齐排列 5 个直径 10 厘米的圆洞，用于安装木栅栏。到了晚上，将木栅栏安装好，再将大门关上，盗贼及野兽就无法闯入村内。

传统民居现存 20 座，3 条横巷和 5 条纵巷贯通整个村落。村内的民居排列整齐，两房两廊一厅一天井的布局。一部分房屋的墙体由青砖砌成，另一部分房屋的墙体由石灰、红土、谷壳等混合材料舂成。村与新围镇村、旧围值村共用刘氏宗祠。新建楼房多为钢筋水泥混凝土结构，有些楼房是框架结构，90 平方米左右，一至二层较普遍，有的三层至四层，布局为三房一厅一厨，一至两个卫生间。有些家庭单独建楼房，还有院子。

村依法开展村务管理工作，设立村务收支公共监督制度，村中公益事业“一事一议”以及村公共资产管理规范。

《湛江刘氏族谱》为村的族谱，由刘族普振房修祠续谱委员会于 1994 年 6 月续修。族谱记载刘氏族谱源流序、村族记事、刘氏源流世系概略、刘氏一脉相承世系表、普振房世系等方面的内容。

◎ 禾场埔村貌（摄于 2016 年）

村前有一棵 120 多年树龄的古榕树，村民常在榕树下乘凉、休闲、娱乐。

当地居民一年中有 4 次参与民间祭神活动，主要集中在春节、清明、中秋、冬至。此外，农历初一、十五会进行烧香拜佛，祈求风调雨顺，身体健康。每年正月初十，在距村 400 米的关公庙，添男丁家庭会在此进行上灯仪式。

村传统婚嫁习俗，男女相识交往后，女家要到男家看家风，结婚前要担定婚茶，报日子，送聘金，定嫁妆。行结婚礼时，要摆酒请客，迎亲和送亲。传统丧事以土葬为主，1990 年后逐步实行火化。土葬的程序为举丧、入殓、出殡、送葬、做法事，将亡灵送入祖堂，办丧事只能煮白饭，花菜、豆腐煮猪肉等简单的饭菜。办理丧事时，用餐不在屋内，只在事主家门前的巷地吃饭，以表哀痛。

1989 年，禾场埔村与新围镇村、旧围镇村被清远市人民政府批准为抗日战争时期革命根据地。

（资料填报：刘石坚，初稿撰写：徐钊文，总纂：李协湖）

旧围镇村

◎ 旧围镇村村貌（摄于 2016 年）

旧围镇村，位于汤塘镇东北部，距镇政府 5 千米。始建于明弘治年间，从清远县吉河乡龙蟠村迁入而形成。因四周筑有围墙，加上水圳环绕村庄，故名围镇。后来随着人口增多，村民向附近迁居，形成新围镇村。为了与新围镇村有所区别，原围镇村称为旧围镇村。

村坐落于丘陵地带，村坐北向南，四九河从村南面流过。村东与黎安村相接，西与新围镇村相邻，南为农田和四九河，北为山岭。

村形成时属清远县滘江乡。清代属清远县滘江二乡。民国时期，属清远县滘江区兴礼乡，中华人民共和国成立初期，属清远县第七区围镇乡，1953 年属佛冈县第四区围镇乡，1958 年属从化县滘江人民公社围镇大队，1961 年属良安人民公社围镇大队，1970 年属佛冈县汤塘人民公社围镇大队，1983 年属汤塘区围镇乡，1987 年属汤塘镇围镇行政村，1989 年属汤塘镇围镇管理区，1998 年属汤塘镇围镇行政村至今。

世居村民为刘姓，据《滘江刘氏族谱》记载，明初，刘开七的七世孙刘从龙儿子刘伯川由兴宁迁到从化居住，后迁入清远县吉河乡龙蟠堡（今龙塘村），明弘治年间，刘从龙的五世孙刘普振迁往围镇建村，刘普振为开村始祖。

2015 年末，户籍人口 450 人，其中男性 212 人，女性 238 人；80 岁以上 6 人，最年长者 85 岁（男）。实际在村居住和生活主要依靠农业收入的约有 150 人，留守儿童 10 人。常年在城镇生活和打工的约有 300 人。村民为汉族，广府民系，使用粤方言。

村有耕地面积 16.67 公顷，山地面积 40 公顷。传统经济以种植水稻为主，兼种薯类及制作豆腐、养猪、养鸭等。村民现种有番薯、稻谷、花生，少数村民养猪。2013 年，村域引进广东省（佛冈）金城金属制品有限公司，占地面积 13.33 公顷，投资 3 亿元，主要生产不锈钢等金属制品，产品销往珠江三角洲地区，吸收当地村民进厂做工达 210 人。村民主要收入来源为农业生产、务工收入、房屋出租、商业经营等。

省道 S354 线在围镇村旁经过，村内各项基本设施完善，1970 年通电，1995 年通电话，2010 年通网络，2014 年通自来水，2015 年村道实现水泥硬底化，建

◎ 旧围镇门楼（摄于 2016 年）

◎ 村门楼前石立柱（摄于 2016 年）

有垃圾收集池和乡村公园。

传统民居现存 18 座，现存刘氏宗祠一座。刘氏宗祠作为围镇村内的重要古建筑，位于新围镇村，建于 1861 年，建筑占地面积 384 平方米，祠堂正门上方为“刘氏宗祠”牌匾，中座上方为“重伦堂”，木雕精美，博古脊，硬山顶，门口有两根石檐柱，虾拱梁上石狮子支撑，布局宏伟，每年清明节村民（包括新围镇村、旧围镇村、禾场埔村）到刘氏宗祠拜祭刘氏始祖，农历正月十五、十六在祠堂门前举行舞被狮活动。刘氏宗祠是中华人民共和国成立前中共围镇支部革命活动旧址。

村门楼始建于明朝弘治年间，门楼的墙体由青砖砌成，坚固厚实，前后各有一扇耳门，均设有应急木栅栏（俗称“趟栊”）。当遇到盗贼侵扰时，村民就关上耳门，并将木栅栏拉好后，可进行有效防卫。门楼墙体上设有炮眼，可观察外部情况和射击敌人。围镇门楼于 2013 年重修，保留门楼原来的整体结构。

通过门楼，进入村内，会看到离后门 2 米处立着 4 根 80 厘米高的石柱。石柱是用于横向安放石条的。据说，村民当年为预防门楼失陷盗贼闯入，夜间将石条横放在地，能对盗贼起到阻碍作用。门楼后面是一块约有 150 平方米的空地。据说，此空地是当年集结村民抗击盗贼之用，空地周围的房子设有炮眼，当盗贼进入门楼后，村民可通过炮眼对盗贼进行射击，可见围镇村的防御系统比较完善的。

门楼前的 4 块石碑，虽然经过岁月的洗礼，石碑上大部分的字基本被抹平，但仍可从其中一块石碑清晰地看到“恩贡生刘行修立”的字样。村内还有“西广书室”的学堂，是围镇村教书育人最原始的地方。

◎ 门楼前功名碑（摄于 2016 年）

村修有《浛江刘氏族谱》，由刘族普振房修祠续谱委员会于1994年6月续修，族谱记载了刘氏族谱源流序、村族记事、刘氏源流世系概略、刘氏一脉相承世系表、普振房世系等方面的内容。族谱记有刘氏家训：重教育才，奋发创业，勤俭廉明，慈孝团结。

当地居民一年中有4次参与民间祭神活动，主要集中在春节、清明、中秋、冬至。此外，农历初一、十五会进行烧香拜佛，祈求风调雨顺，身体健康。

村传统婚嫁习俗，男女交往后，女家要到男家看家风，结婚前要担定婚茶，报日子，送聘金，定嫁妆。行结婚礼时，要摆酒请客，迎亲和送亲。发生丧事时，传统以土葬为主，20世纪90年代后逐步实行火化。土葬的程序为举丧、入殓、出殡、送葬、做法事，将亡灵送入祖堂，办丧事只能煮白饭，花菜、豆腐煮猪肉等简单的饭菜。办理丧事时，用餐不在屋内，只在事主家门前的巷道吃饭，以表哀痛。

"舞被狮"是围镇村的刘氏家族在长期的农耕生活中形成的民俗文化活动，是旧围镇村正月初十上灯习俗到元宵节中最精彩独特的一项民俗活动。这项活动起源清朝末年，改革开放后又重新兴起。

在抗日战争时期，侵华日军的飞机多次轰炸围镇村，炸毁民房多间，日军放火烧屋，抢走粮食和牲畜。1939年，中共组织派遣地下党员杨和等3人来到围镇村，并在村新球小学以老师为掩护，宣传党的抗日统一战线政策，发动群众抗日，发展中共党员，组织浛江抗日义勇大队，建立游击队——浛江人民义勇大队雄师中队，开展抗日武装斗争。1989年，旧围镇村连同新围镇村、禾场埔村被清远市人民政府批准为抗日战争时期革命根据地。

刘行修，清咸丰三年（1853年）会试成功考取贡生。刘锡全（1932—），曾任中共佛冈县委常委、县革委会副主任。刘有常（1925—），1941年中共围镇支部第一任支部书记，2015年获中共中央、国务院、中央军委颁发的"纪念抗日战争胜利70周年"纪念章及5000元慰问金。

（资料填报：刘石坚，初稿撰写：徐钊文，总纂：李协湖）

新围镇村

◎ 新围镇村村貌（摄于2016年）

新围镇村，位于汤塘镇东北部，距镇政府5千米。村始建于清初，从围镇村（后称旧围镇村）分村迁出而形成。因由旧围镇村迁出，而取名新围镇村。

新围镇村坐落于丘陵地带，村落坐北向南，四九河从村前流过。村南是数百公顷农田，西南与脉塘村接壤，西北与大埔村毗邻，东北与旧围镇村相邻。

村形成时，属清远县湿江乡。民国时期，村隶属清远县湿江区兴礼乡，中华人民共和国成立初期，属清远县第七区围镇乡，1953年属佛冈县第四区围镇乡，1958年属从化县湿江人民公社围镇大队。1961年属佛冈县良安人民公社围镇大队，1970年属汤塘人民公社围镇大队。1983年属汤塘区围镇乡，1987年属汤塘镇围镇行政村，1989年属汤塘镇围镇管理区，1998年属汤塘镇围镇行政村至今。

世居村民为刘姓，据《湿江刘氏族谱》记载，明初，刘开七的七世孙刘伯川（刘从龙儿子）由兴宁迁到从化居住，后再迁入清远县吉河乡龙蟠堡（今佛冈县石角镇龙塘村），明弘治年间，刘从龙的五世孙刘普振迁往汤塘旧围镇村，成为村的始祖，清初，其后裔从旧围镇村迁出建立新围镇村。

2015年末，户籍人口有1563人，其中男性794人，女性769人；80岁以上40人，最年长者96岁（女）。实际在村居住900人，留守儿童20人。生活来源主要依靠农业生产收入994人，常年在城镇生活和打工500人。村民为汉族，广府民系，使用粤方言。

村有耕地面积81.33公顷，山地面积215.67公顷，山上有松、杉、杂树。传统经济以种植水稻为主，兼种薯类及制作豆腐、养猪、养鸭等。村民现种有木薯、稻谷、马蹄、香芋、花生，少数村民养猪。外出务工者多以深圳、珠海、广州居多，从事

◎ 新围镇村门楼（摄于2016年）

建筑、餐饮、化工等行业为主。2015年，在村建立广清工业园B区，规划占地面积666.67公顷，引进高新产业多个项目进园。村民主要收入来源以农业生产、外出务工收入、房屋出租、商业经营等。村里特色美食湛江猪脚醋（俗称“湛江醋”），是家婆为生小孩的媳妇调养滋补身子而专门制作的食材。当村子里外飘荡着榴莲般难闻的气味，村民却喜气洋洋，提着土鸡、猪肉或鸡蛋，登门道贺，一起品尝湛江猪脚醋。

省道S354线从村旁经过，村内设施完善，1970年通电，1995年通电话，2010年通网络，2014年通自来水，2015年村道实现水泥硬底化，村前建有乡村公园、灯光篮球场和垃圾屋。村每年春节期间都要举办篮球比赛，庆贺新春。

位于村内的围镇小学，建筑面积470平方米，属镇完全小学，6个班，在校学生157人，教职工13人。校内设有思源室，创办于2005年。围镇村是佛冈县革命老区，思源室根据当地的革命历史资料，以文字说明、图片展示的形式对师生进行革命传统教育，有图片125幅。该思源室被评定为革命传统教育基地和镇、村的爱国主义教育、德育教育、党史教育基地。

传统民居排列有中轴线，有横巷4条、纵巷5条，由青砖铺成的巷道和由石板铺成的排水系统。第一条横巷的左侧有一口古井，水质清纯，古井四周由石板砌成。村内有传统民居20余座，是两房两廊一厅一天井布局。民居均为砖木结构，屋顶为硬山顶，屋脊造型为龙头凤尾，有龙凤呈祥的寓意，屋檐下刻有各种的图纹含有风调雨顺、吉祥如意等寓意，墙体多用青砖砌成。房屋已较残旧，基本无人居住，现作为后人供奉先祖的祖堂。改革开放后，村民逐步新建楼房，一至二层较普遍，有些家庭独建楼房，有院子。

刘氏宗祠是村的重要古建筑，建于清咸丰十一年（1861年），宗祠总面阔12米，总进深32米，建筑占地面积384平方米。宗祠坐东北向西南，祠前的地坪面积228平方米。因内有“重伦堂”牌匾，故又习惯称为“重伦堂”。宗祠为三进二天井结构，设有廊4间。刘氏宗祠初建时用泥砖建成，规模较小，清光绪二十三年（1897年）重修，改成砖木结构。1993年再次重修，重新书写“刘氏宗祠”牌匾，并补修只剩半截的“重伦堂”牌匾，祠堂重现原来的形制。该祠堂布局宏伟，木雕精美，壁画人物栩栩如生。祠堂为博古脊、硬山顶。门口有两根石檐柱，虾拱梁上有石狮子支撑。中华人民共和国成立前该宗祠曾是中共围镇支部革命活动地址。

◎ 围镇村刘氏祠堂（摄于2016年）

祠堂右侧80米开外的“新围镇”门楼，于1921年重修，保留门楼原来的整体结构。门楼墙体青砖砌成，坚固厚实，墙体设有炮眼，用于观察和射击。前后各有一扇耳门，设有应急木栅栏。关上耳门，并将木栅栏拉好后，能有效抵抗外敌。

门楼右侧60米有座关公庙，内有对联一副“恃势凌人欺其单寡孤独任你烧香难保佑；功德深重处世仁慈道义不拜酸因亦扶持”。祠堂西南方1千米左右有座“海子庙”，于20世纪80年代重建。

村文物古迹有：中共湛江县委、湛江县人民政府旧址，位于新围镇村的西山隅（围仔山脚），建筑面积128.8平方米。1939年至1949年，这是中共地下组织领导湛江人民进行革命活动的地点。2011年1月，经县委批准为县级革命史迹保护单位（点）。还有猪牯墩山遗址，位于新围镇村西南方，为古遗址（聚落址），2012年被列入佛冈县不可移动文物名录。处士郭公墓位于猪牯墩山山脚，为古葬墓（普通墓葬），建成于明万历年间，2012年被列入佛冈县不可移动文物名录。

村编有《湛江刘氏族谱》，由刘族普振房修祠续

◎ 中共浛江县委、浛江县人民政府旧址（摄于 2016 年）

◎ 处士郭公墓（摄于 2016 年）

◎ 猪牯墩山遗址（摄于 2016 年）

谱委员会于 1994 年 6 月续修。族谱记载了刘氏族谱源流序、村族记事、刘氏源流世系概略、刘氏一脉相承世系表、普振房世系等方面的内容。该族谱记有刘氏家训：重教育才，奋发创业，勤俭廉明，慈孝团结。

当地居民一年中有 4 次民间祭神活动，主要集中在春节、清明、中秋、冬至。此外，农历初一、十五会进行烧香拜佛，祈求风调雨顺，身体健康。

村传统婚嫁习俗，男女相识交往后，女家要到男家看家风，结婚前要担定婚茶，报日子，送聘金，定嫁妆。行结婚礼时，摆宴席请客，迎亲和送亲。丧事习俗：传统习俗以土葬为主，20 世纪 90 年代后逐步实行火化。土葬的程序为举丧、入殓、出殡、送葬、做法事，将亡灵送入祖堂。办丧事只能煮白饭，花菜、豆腐煮猪肉等简单的饭菜。办理丧事时，用餐不在屋内，只在事主家门前的巷地吃饭，以表哀痛。

“舞被狮”是围镇村刘氏族人在长期的农耕生活中形成的民俗文化活动。是新围镇村刘氏家族年初六上灯习俗到元宵节中最精彩独特的一项民俗活动。它起源于清朝末年，改革开放后又重新兴起。

每年农历正月十五、十六，“舞被狮”队由村中年纪较大的妇女牵头。参加这项活动的主要是上年添了男丁和娶了媳妇人家的家婆和媳妇，道具是自带花被单。婆媳组合，家婆舞狮头（腰间扎有红腰带），媳妇在后抓住被单边角当狮尾，在彩旗和醒狮的引领下，在锣鼓声中，走村过巷，到新婚和新添丁的人家恭贺，拜门神，拜灶君，拜大床，然后主人家拿出早已准备好的擂茶、甜酒、年糕、糖果等招待，以鞭炮和红包迎送。正月十六日中午时分，舞被狮队伍集中到刘氏宗祠门前球场进行表演，在锣鼓喧天声中，一条由一捆捆柴草排成的巨型草龙被点燃，“舞被狮”的队伍，围着熊熊烈火舞动起来，其间表演育婴舞，舞动一年的美好愿望和期盼，既体现

◎ 舞被狮（摄于 2016 年）

长幼有序，也寓意婆媳和睦，母爱传承。该活动于2007年11月被评定为省级非物质文化遗产。

舞被狮传说：据传，围镇村刘氏始祖刘普振在围镇村背后山觅得一处叫“狮听鼓”（地名）的宝地，用以葬其父。在择地吉日安葬时，却误将其亡母遗骸运来。在安葬时，正值烈日当空，一位刚生下男孩不久的媳妇把裹婴儿的花被张开遮挡烈日，避免太祖婆骸骨被烈日暴晒。太祖婆的遗骸就这样在花被子的遮掩下安葬。当年村风调雨顺，人丁兴旺，五谷丰登，村民们都认为是太祖婆显灵福泽全村。为祈求太祖婆年年保佑，让村民事事如意，族长提议每年元宵节都由妇女们在祠堂舞被狮祈求太祖婆保佑。舞被狮时，由上年生男丁的妇女和新娶入的媳妇，把花被当作狮头舞动。从此，当地舞被狮习俗就一代一代相传，至今已有400多年历史。

在抗日战争时期，日本侵略者的飞机多次轰炸围镇村，炸毁村多间民房，炸死13人，日军放火烧屋，抢走粮食和牲畜。1939年，中共党组织派遣地下党员杨和等3人来到围镇村，并在村新球小学以教师为掩护，宣传党的抗日统一战线政策，发动群众抗日，组织湛江抗日义勇大队，建立游击队（湛江人民义勇大队雄师中队），开展抗日武装斗争和革命活动，并秘密发展党员9人。1941年正式成立中共围镇支部，支部成立后坚持艰苦卓绝的斗争，发动群众做好支前工作，一直到湛江地区解放。1949年9月20日，中共湛江县委、湛江县人民政府成立大会在围镇村背后山召开，宣告中共湛江县委、湛江县人民政府成立。围镇村为民族解放作出重大的贡献，被誉为湛江地区的一面红旗。1989年清远市人民政府批准围镇村（含新围镇、旧围镇、禾场埔三个自然村）为抗日战争时期的革命根据地。

村在抗日战争时期建立中共地方组织，开展游击战争。为支持革命和民族解放，村有60多人参加游击队开展武装斗争。其中，有4人成为革命烈士。刘霭然，革命烈士，湛江人民抗日义勇大队战士，1946年在从化三石水战斗中牺牲。刘朴煊，革命烈士，北江支队四团战士，1948年3月在三门被国民党军杀害。刘祯培，革命烈士，北江支队四团战士，1948年3月在三门被国民党军杀害。刘萝杞，革命烈士，东三支队独立营战士，1949年7月在增城正果战斗中牺牲。

该村的刘林川（1936—），曾任中共佛冈县委常委、佛冈县革委会副主任。

（资料填报：刘石坚，初稿撰写：徐钊文，总纂：李协湖）

○大埔行政村

定公塘村

◎ 定公塘村村貌（摄于 2016 年）

定公塘村，位于汤塘镇中部，距镇政府 3 千米。始建于清初，周姓从清远迁入而形成。因该村周定公在村中挖有鱼塘而取名定公塘村。

该村坐落于丘陵地带，位于大埔村的西部，地势低下。有国道 G106 线经过该村，京港澳高速公路在村域有互通口。村东与田心里村相望，南与象弼咀村相邻，北与中心村接壤，西与汤塘陂头村毗邻。

该村形成时，属清远县滘江二乡。民国时期，属清远县第七区。中华人民共和国成立初期，属清远县第七区大埔乡。1953 年属佛冈县第四区大埔乡，1958 年属从化县滘江人民公社大埔大队，1959 年属从化县汤塘人民公社大埔大队，1961 年属佛冈县汤塘人民公社大埔大队，1983 年属汤塘区大埔乡，1987 年属汤塘镇大埔村行政村，1989 年属汤塘镇大埔管理区，1998 年属汤塘镇大埔行政村至今。

世居村民为周姓，明朝时期从湖南道县迁移至广东清远，清初从清远迁移至该地。

2015 年末，户籍人口 231 人，其中男性 112 人，女性 119 人；80 岁以上 3 人，最年长者 91 岁（女）。实际在该村人口 201 人，留守儿童 2 人。生活主要依靠农业收入的人口有 201 人，常年在城镇生活和打工的人口有 30 人。村民为汉族，广府民系，使用粤方言。

村土地肥沃，气候宜人，适合动物繁殖和各种植物生长。有山地面积 23.33 公顷，耕地面积 3.37 公顷。村民传统经营以农业耕作及家庭种养为主，种植以水稻、粉葛、花生和薯类等农作物为主；养殖有猪、牛及家禽等。水果有荔枝、龙眼等岭南水果。村民现种有水稻、花生，少数村民养猪，养鸡。村青壮年大都到珠江三角洲等地打工，多以建筑餐饮业为主。在国道 G106 线边有两栋商铺出租，以增加农户收入。村民主要收入来源：务工收入、农业生产和村集体分红收入。特色传统食品：糯米糍、河粉。

1988 年，经专业部门探测，位于村域黄花湖大坝下方发现优质天然硅质碳酸矿泉水源，并于 1990 年成功引进美籍华人投资开发，创办广东省（佛冈）

广美佛宝矿泉有限公司，“佛宝”牌矿泉水享誉全国，并指定为中国男排饮用水赞助商。后几易其主，产品消退，现还有少量产品在市场流通。90 年代后期，村域引进国珠集团(佛冈)有限公司，占地 6.47 公顷，

◎“佛宝”矿泉水生产车间（摄于 1994 年）

◎ 国珠集团（佛冈）有限公司（摄于 2008 年）

◎ 特色文化广场（摄于 2015 年）

投入 2.2 亿元，经营精密模具等，从业人员 430 人。引入（佛冈）樵春山庄有限公司，占地 1 公顷，主营住宿、餐饮等。

村于 1972 年通电，2004 年通自来水，2007 年村道实现硬底化，2008 年通电话，通网络。2012 年，村中建有特色文化广场。

村的传统民居现有 8 座，建于清朝，民居为硬山顶、盖灰瓦，混合土墙，二房二廊一厅一天井布局。新建楼房，多为钢筋混凝土结构，有些楼房是框架结构，90 平方米左右，一至二层较普遍，有的三层四层，布局为三房一厅一厨房，一至两个卫生间。有些家庭单独建楼房，还有院子，种有花草，环境优美。

主要民间习俗有清明、重阳祭祖，每逢初一、十五到庙府烧香拜神，年初新添男丁要到神庙挂灯，传统婚嫁习俗中的中原古制“六礼”已经很少见到，保留部分传统习俗。婚嫁礼仪，开始交往时女家要到男家探家风，结婚前要担定婚茶，报日子，送聘金，定嫁妆，行结婚礼时，要摆酒请客，迎亲和送亲。传统丧葬风俗庄严繁杂，多沿用古中原的传统，发生丧事时，以土葬为主。20 世纪 90 年代以后逐步实行火葬，其程序为举丧、入殓、出殡、送葬、做法事，将亡灵送入祠堂。办丧事只煮花菜、豆腐煮猪肉等简单的饭菜。用餐不在屋内，在事主家门前的巷道吃饭。

1943 年的一天，日本侵略军一队人马从村边走过，村民即躲藏起来，没有造成伤亡。1969 年上半年，大埔大队在该村域办起汤塘公社首个合作医疗站，坚持至 20 世纪 90 年代初未间断，惠及 15 个经济社，575 户 2482 人。合作医疗站是生产队按每人一年交 1.8 元集资成立起来的，初建立时，只有一间房子，一个中药柜，一名中医，一名“赤脚医生”。

（资料填报:冯罗清，初稿撰写:黄丽娟，总纂:李协湖）

东埔村

◎ 东埔村村貌（摄于 2016 年）

东埔村，位于汤塘镇中部，距镇政府 4 千米。建于民国初，从龙门、清远等地分村迁入而形成。因村位于是汤塘东部，故取名东埔村。

村坐落于丘陵地带。村前有一条小溪，大埔村道从村后经过。村东与下山口村相望，南与围镇高埔村相邻，西北与田心里村接壤。

村形成时，属清远县滘江二乡。民国时期，属清远县第七区。中华人民共和国成立初期，属清远县第七区大埔乡。1953 年属佛冈县第四区大埔乡，1958 年属从化县滘江人民公社大埔大队，1959 年属从化县汤塘人民公社大埔大队，1961 年属佛冈县汤塘人民公社大埔大队，1983 年属汤塘区大埔乡，1987 年属汤塘镇大埔村行政村，1989 年属汤塘镇大埔管理区，1998 年属汤塘镇大埔行政村至今。

世居村民姓氏有邓姓、欧姓、莫姓。宋代，邓氏从昌贤迁至广东，民国初从广东惠州龙门县迁至该地。清朝，欧氏从湖南道县迁移至广东清远，民国初期从清远迁移至该地。清朝，莫氏从湖南道县迁移至广东清远，民国初从清远迁移至该地。

2015 年末，户籍人口 235 人，其中男性 130 人，女性 105 人；80 岁以上 5 人，最年长者 93 岁（女）。实际在村居住 200 人，留守儿童 3 人。生活主要依靠农业收入的有 200 人，常年在城镇生活和打工的人口有 35 人。村民为汉族，广府民系，使用粤方言。

村气候温和，夏季高温多雨，冬季暖和干燥，雨量充沛，气候宜人，适合动物繁殖和各种植物生长，有山地面积 30 公顷，耕地面积 6.33 公顷（其中水田 4 公顷）。传统经营以农业耕作及家庭种养为主，种植水稻、花生、薯类等农作物；养殖有猪、鸡、鹅、鸭等。水果有荔枝、龙眼、大蕉、沙糖桔等岭南水果。有的村民办起家庭养殖场，有的种植蔬菜增加收入。

◎ 东埔村稻田（摄于 2017 年）

◎ 蔬菜种植基地（摄于 2017 年）

因耕地面积减少，每年有几十人外出打工，去深圳、珠海、广州市以建筑餐饮为主。村民主要收入来源：外出务工收入，农业生产收入。特色传统食品：糯米糍、河粉。

村于 1965 年通电，2004 年村道实现水泥硬底化，2005 年通电话，2006 年通自来水，2007 年通网络，大埔村道经过村。

传统民居现存 12 座，每座占地面积 120 平方米，民居为硬山顶、盖灰瓦，混合土墙。新建楼房多为钢筋混凝土结构，有些楼房是框架结构，90 平方米左右，一至二层较普遍，有的三层四层，布局为三房一厅一厨房，一至两个卫生间。

主要民间习俗有清明祭祖、重阳祭祖，清明节时悼念祖先的节日，家家户户门楣插柳枝和桃叶以驱邪，采艾（一种植物）做糍，名为“艾糍”，并进行扫墓活动。扫墓一般从清明前的春分起到农历四月初八，扫墓期间在外地谋生的人都尽可能赶回来祭扫祖墓。每逢初一、十五到庙府烧香拜神，年初新添男丁要到神庙挂灯。

◎ 东埔村传统民居（摄于 2017 年）

◎ 东埔村门楼（摄于 2016 年）

传统婚嫁习俗中的中原古制“六礼”已经很少见到，但仍保留部分传统习俗。婚嫁礼仪，开始交往时女家要到男家探家风，结婚前要担定婚茶，报日子，送聘金，定嫁妆，行结婚礼时，要摆酒请客，迎亲和送亲。传统丧葬风俗庄严繁杂，多沿用古中原的传统发生丧事时，以土葬为主。20 世纪 90 年代以后逐步实行火葬，其程序为举丧、入殓、出殡、送葬、做法事，将亡灵送入祠堂。

1982 年 5 月，连降暴雨成灾，水深达 1.5 米，村 30 间房屋被浸，其中 8 间房屋倒塌，0.33 公顷农田水浸，造成经济损失 10 多万元。

该村的欧鉴光（1964—），现任清远市文化广电新闻出版局副局长。他关心家乡建设，带头集资为家乡修桥造路。

（资料填报：冯罗清，初稿撰写：黄丽娟，总纂：李协湖）

南华村

◎ 南华村村貌（摄于2016年）

南华村，位于汤塘镇中部，距镇政府4千米。建于明中期，从附近村迁入而形成。因位于三个村的南面，故取名为南华村。村坐落于丘陵地带，东与禾塘村连接，西与新华里村接壤，北与北闸村毗邻。大埔村道从村前经过，村的主要山岭有背底山，高26米。

村形成时，属清远县滘江二乡。民国时期，属清远县第七区。中华人民共和国成立初期，属清远县第七区大埔乡。1953年属佛冈县第四区大埔乡，1958年属从化县滘江人民公社大埔大队，1959年属从化县汤塘人民公社大埔大队，1961年属佛冈县汤塘人民公社大埔大队，1983年属汤塘区大埔乡，1987年属汤塘镇大埔村行政村，1989年属汤塘镇大埔管理区，1998年属汤塘镇大埔行政村至今。

世居村民为冯姓。宋代从中原迁广东新会，明天顺年间由从化沙贝迁滘江地区，后迁至该地。

2015年末，户籍人口230人，其中男性102人，女性128人;80岁以上10人，最年长者88岁（男）。实际在村人口138人，留守儿童2人。生活主要依靠农业收入的人口有138人，常年在城镇生活和打工的人口有92人。祖籍该村的香港同胞有10人，居住在香港。村民为汉族，广府民系，使用粤方言。

村有山地面积23.33公顷，山上有松、杉、杂树等。耕地面积2.60公顷。传统经济以农业为主，粮食作物主要种植水稻、薯类等，经济作物种植花生、芋头、果树等。养殖有猪、鸡、鸭、鹅等。现在因耕地面积减少，村里大部分青壮年都到珠江三角洲等发达城市打工，主要以建筑、餐饮业为主。村民

◎ 村民在晒谷（摄于2016年）

◎ 鹤鸣洲樱花温泉度假村（摄于 2016 年）

主要收入来源：外出务工收入，农业生产收入。水果有荔枝、龙眼等。特色传统食品：糯米糍、河粉。

村域内有黄花湖风景区。1994 年引进广东省机场管理集团有限公司（佛冈）培训中心。1994 年引进佛冈白云温泉山庄有限公司。2012 年建成（佛冈）鹤鸣洲樱花温泉天然度假村，该度假村占地 6.67 公顷，投入 8 亿元，主要经营房地产开发、酒店，从业人员 400 人。

村于 1963 年通电，1992 年村道实现水泥硬底化，1999 年通电话，2004 年通自来水，2007 年通网络。村中设有垃圾收集点，每天清理一次。村中建有文化室。1933 年曾创办湛江私立大埔初小。

传统民居现有 8 座。民居为硬山顶、盖灰瓦，混合土墙，二房二廊一厅一天井布局。有通风、清凉、防潮、防晒的特点。新建楼房多为钢筋水泥混凝土结构，有些楼房是框架结构，占地面积 90 平方米左右，一至二层较普遍，有的三至四层，布局为三房一厅一厨房，一至两个卫生间。有些家庭单独建楼房，并有停车位。

◎ 黄花湖风景区（摄于 2015 年）

主要民间习俗有清明祭祖、重阳祭祖，每逢初一、十五到庙府、祖堂烧香拜神，年初四新添男丁要到神庙挂灯。

传统婚嫁习俗中的中原古制“六礼”已经很少见到，但仍保留部分传统习俗。婚嫁礼仪，开始交往时女家要到男家探家风，结婚前要担定婚茶，报日子，送聘金，定嫁妆，行结婚礼时，要摆酒请客，迎亲和送亲。传统丧葬风俗以土葬为主。20 世纪 90 年代以后逐步实行火葬，其程序为举丧、入殓、出殡、送葬、做法事，将亡灵送入祖堂。办丧事只煮花菜、豆腐煮猪肉等简单的饭菜。用餐不在屋内，在事主家门前的巷道吃饭。

2000 年 6 月 10 日，大埔小学落成剪彩。该校因 1998 年京珠高速建设，需择地重建，而由京珠高速公路有限公司捐资 165 万元，香港张枝繁太平绅士捐资 20 万元兴建。

◎ 大埔小学落成仪式（摄于 2000 年）

2015 年 6 月，该村被广东省爱国卫生运动委员会评为广东省卫生村。

（资料填报：冯罗清，初稿撰写：黄丽娟，总纂：李协湖）

上囮村

◎ 上囮村村貌（摄于 2016 年）

上囮村，位于汤塘镇中部，距镇政府 6 千米。始建于清中期，钟氏先祖从湖南道县迁入而形成。因村有一个山冈，像人坐的囮，故取名为上囮村。

村坐落于丘陵地带，黄花乡道从门前经过，村的主要山岭有背底山，高 120 米。黄花河在村西面。东边为硅石公司，南边为梁金城石场，西边为金龟泉生态度假村。

村形成时，属清远县滘江二乡。民国时期，属清远县第七区。中华人民共和国成立初期，属清远县第七区大埔乡。1953 年属佛冈县第四区大埔乡，1958 年属从化县滘江人民公社大埔大队，1959 年属从化县汤塘人民公社大埔大队，1961 年属佛冈县汤塘人民公社大埔大队，1983 年属汤塘区大埔乡，1987 年属汤塘镇大埔村行政村，1989 年属汤塘镇大埔管理区，1998 年属汤塘镇大埔行政村至今。

世居村民为钟姓、黄姓。清嘉庆十八年（1813 年），钟氏从中原迁湖南道县，清中期从湖南道县迁至村。黄氏从附近村迁入。

2015 年末，户籍人口共 70 人，其中男性 38 人，女性 32 人；80 岁以上 2 人，最年长者 87 岁，（男）。

◎ 村民在收摘花生（摄于 2016 年）

实际在村人口 52 人，留守儿童 1 人。生活主要依靠农业收入的有 52 人，常年在城镇生活和打工的有 18 人。村民为汉族，广府民系，使用粤方言。

村气候宜人，夏季高温多雨，冬季暖和干燥，雨量充沛，适合动物繁殖和各种植物生长，有山地面积 50 顷，山上有杉、松、杂树。耕地面积 1.33 公顷。村民传统经营以农业耕作及家庭种养为主，种植水稻、花生、薯类等农作物；养殖有猪、鸡、鹅、鸭等。水果有荔枝、龙眼、大蕉等岭南水果。现时

◎ 金龟泉生态度假村（摄于 2013 年）

◎ 上乪村围屋（摄于 2016 年）

保持传统经营外，部分村民去珠江三角洲等地打工，主要以建筑、餐饮业为主。村民主要收入来源：务工工资收入、农业收入和村集体经济分红。特色传统食品：有糯米糍、自酿米醋。

2003 年，村引进金龟泉生态度假村，占地 6.73 公顷，投资 8000 万元，主营旅游度假。

村于 1970 年通电，1999 年村道实现水泥硬底化，2006 年通电话，2008 年通自来水，2009 年通网络。

传统民居现有 3 座。建于清末民初，民居为硬山顶、盖灰瓦，混合土墙。1980 年后村民逐步建有新楼房，新建楼房多为钢筋混凝土结构，有些楼房是框架结构，占地面积 90 平方米左右，一至二层较普遍，有的三层四层，布局为三房一厅一厨房，一至两个卫生间。有些家庭单独建楼房，还有院子。

主要民间习俗有清明祭祖、重阳祭祖，七月半等。七月半相传在元朝以前的农历七月十五，民间都举行祭祀祖宗活动，故称七月半。后为避元兵入侵的战乱，民间提前一天祭祀祖宗，从此每年农历七月十四过七月半，此习沿袭至今。相邻村等地还有七月十四制作米糍或杀鸡加菜方式进行简单祭拜的习俗。同时每逢初一、十五到庙府烧香拜神，年初四新添男丁要到神庙挂灯。

传统婚嫁习俗中的中原古制“六礼”已经很少见到，但仍保留部分传统习俗。婚嫁礼仪，开始交往时女家要到男家探家风，结婚前要担定婚茶，报日子，送聘金，定嫁妆，行结婚礼时，要摆酒请客，迎亲和送亲。传统丧葬风俗庄严繁杂，多沿用古中原的传统，以土葬为主。20 世纪 90 年代以后逐步实行火葬，其程序为举丧、入殓、出殡、送葬、做法事，将亡灵送入祠堂。办丧事只煮花菜、豆腐煮猪肉等简单的饭菜。用餐不在屋内，在事主家门前的巷道吃饭。

1986 年 8 月下旬至 10 月下旬，没有下过透雨，历时近 60 天，农作物严重受灾，受灾面积 0.67 公顷，当年晚稻颗粒无收。

（资料填报：冯罗清，初稿撰写：黄丽娟，总纂：李协湖）

田心里村

◎ 田心里村村貌（摄于 2016 年）

田心里村，位于汤塘镇中部，距镇政府 3 千米。始建于明末，由从化迁入而形成。因村坐落于一大片农田的中心位置，故取名田心里村。村坐落于丘陵地带，南边有四九河，主要的山岭为象鼓岭，高 70 米。村边与东埔村连接，南与象弼咀村接壤，西北与中心村毗邻。京港澳高速公路在村东经过，国道 G106 在村西经过。

村形成时，属清远县滘江二乡。民国时期，属清远县第七区。中华人民共和国成立初期，属清远县第七区大埔乡。1953 年属佛冈县第四区大埔乡，1958 年属从化县滘江人民公社大埔大队，1959 年属从化县汤塘人民公社大埔大队，1961 年属佛冈县汤塘人民公社大埔大队，1983 年属汤塘区大埔乡，1987 年属汤塘镇大埔村行政村，1989 年属汤塘镇大埔管理区，1998 年属汤塘镇大埔行政村至今。

世居村民为冯姓。明初，冯姓从中原迁至广东从化，明代末期由从化竹料迁至村。

2015 年，户籍人口 212 人，其中男性 110 人，女性 102 人;80 岁以上 2 人，最年长者 105 岁（女）。实际在村居住和生活主要依靠农业收入的有 191 人，留守儿童 2 人。常年在城镇生活和打工的有 21 人。村民为汉族，广府民系，使用粤方言。

村土地肥沃，资源丰富，气候宜人，适合动物繁殖和各种植物生长，有山地面积 26.67 公顷，山上有松、杉、灌木林等，耕地面积 3 公顷。传统经营以农业耕作及家庭种养为主，种植以水稻、薯类、花生等农作物为主；养殖有猪、牛及家禽等。水果有荔枝、龙眼等岭南水果。现时保存传统经营外，大部分青壮年村民外出打工，也有一部分村民在该镇的工厂打工。村民主要收入来源为农业生产、外出务工收入。传统食品是糯米糍、河粉、手指糍、滘江醋。滘江猪脚醋制作十分简单，将焯过水的猪手，放入陶瓷牛头煲里，加上蒜头、生姜和滘江醋煮上一个小时左右，食用时加上少量红糖、盐即可，该醋入口鲜而不腻，酸辣开胃。

村于 1975 年通电，2000 年通电话，2007 年村道实现水泥硬底化，2003 年通网络，2008 年通自来水。设有垃圾收集站，垃圾定期清理填埋。村中建有文化室。

村民居现存 5 座，民居为硬山顶、盖灰瓦，混

◎ 田心里村文化室（摄于 2016 年）

◎ 田心里村健身公园（摄于 2016 年）

合土墙，二房二廊一厅一天井布局，村巷纵横交错。建于 1980 年后的楼房为钢筋混凝土结构楼房，一层的 17 座，二层 26 座。楼房布局多为三房一厅一厨一卫，底层面积 100 平方米。有的楼房内外装修别致，并留有停车位。

冯氏宗祠，始建于清朝，占地面积约 20 平方米。主要建筑特色为硬山顶墙体，盖灰瓦。逢年过节，村民都会到祠堂烧香拜祭。

主要民间习俗有清明祭祖、重阳祭祖，每逢初一、

◎ 田心里村门楼（摄于 2016 年）

十五到庙府烧香拜神，年初新添男丁要到神庙挂灯。

传统婚嫁习俗中的中原古制“六礼”已经很少见到，但仍保留部分传统习俗。婚嫁礼仪，开始交往时女家要到男家探家风，结婚前要担定婚茶，报日子，送聘金，定嫁妆，行结婚礼时，要摆酒请客，迎亲和送亲；传统丧葬风俗庄严繁杂，多沿用古中原的传统以土葬为主。20 世纪 90 年代以后逐步实行火葬。其程序为举丧、入殓、出殡、送葬、做法事，将亡灵送入香火堂。办丧事只煮花菜、豆腐煮猪肉等简单的饭菜。用餐不在屋内，在事主家门前的巷道吃饭。

1938 年的一天，日本侵略军一队人马路过村，进行烧、抢、掠夺，烧房屋、抢粮食，被抓的一些村民要帮日本兵煮饭。

该村的冯延明（1925—1951），1951 年参加抗美援朝时牺牲；冯伟强（1955—），曾任佛冈县地税局局长、清远市地税局副局长。

（资料填报：冯罗清，初稿撰写：黄丽娟，总纂：李协湖）

下山口村

◎ 下山口村村貌（摄于 2016 年）

下山口村，位于汤塘镇中部，距镇政府 5 千米。始建于民国初年，从龙门县迁入而形成。因到村的道路是两座山口的下坡路，故取名为下山口村。村坐落于丘陵地带，东与大水冚村连接，南与围镇禾塘埔村接壤，西北与东埔村毗邻。村前有车子河，大埔村道从门前经过。

村形成时，属清远县滘江二乡。民国时期，属清远县第七区。中华人民共和国成立初期，属清远县第七区大埔乡。1953 年属佛冈县第四区大埔乡，1958 年属从化县滘江人民公社大埔大队，1959 年属从化县汤塘人民公社大埔大队，1961 年属佛冈县汤塘人民公社大埔大队，1983 年属汤塘区大埔乡，1987 年属汤塘镇大埔村行政村，1989 年属汤塘镇大埔管理区，1998 年属汤塘镇大埔行政村至今。

世居村民为邓姓，宋代从昌贤迁至广东，民国初年后从广东惠州龙门县迁至村。

2015 年末，户籍人口 300 人，其中男性 159 人，女性 141 人；80 岁以上 5 人，最年长者 91 岁（女）。实际在村人口 185 人，留守儿童 3 人。生活主要依靠农业收入的人口有 185 人，常年在城镇生活和打工的人口有 115 人。村民为汉族，广府民系，使用粤方言。

◎ 下山口村门楼（摄于 2016 年）

村气候宜人，夏季高温多雨，冬季暖和干燥，雨量充沛，适合动物繁殖和各种植物生长，有山地面积 40 公顷，山上有杉、松、灌木林等。耕地面积 3.8 公顷。传统经营以农业耕作及家庭种养为主，种植水稻、花生、薯类等农作物；养殖有猪、鸡、鹅、

◎ 村民在收割稻谷（摄于 2016 年）

◎ 下山口村传统民居（摄于 2016 年）

鸭等。水果有荔枝、龙眼、大蕉等岭南水果。现时保持传统经营外，村中大部分年轻人到珠江三角洲等发达地区打工，主要以建筑、餐饮为主。村民主要收入来源：务工工资收入，农业生产收入。特色传统食品：糯米糍、沙河粉。

村于 1965 年通电，1998 年通电话，2004 年村道实现水泥硬底化，2007 年通自来水，2009 年通网络。村中设有垃圾收集点，每天清理一次。

村传统民居现存 7 座，每座占地面积 120 平方米。民居为硬山顶、盖灰瓦，混合土墙，二房二廊一厅一天井布局。有通风、清凉、防潮、防晒的特点。部分墙体外表已损坏。现有 2 户人居住。新建楼房，多为钢筋水泥混凝土结构，有些楼房是框架结构，占地面积 90 平方米左右，一至二层较普遍，有的三层四层，布局为三房一厅一厨房，一至两个卫生间。

主要民间习俗有清明祭祖、重阳祭祖，每逢初一、十五到庙府烧香拜神，年初四新添男丁要到神庙挂灯等。传统婚嫁习俗中的中原古制“六礼”已经很少见到，但仍保留部分传统习俗。婚嫁礼仪，开始交往时女家要到男家探家风，结婚前要担定婚茶，报日子，送聘金，定嫁妆，行结婚礼时，要摆酒请客，迎亲和送亲。下山口村传统丧葬风俗庄严繁杂，多沿用古中原的传统，以土葬为主。20 世纪 90 年代以后逐步实行火葬，其程序为举丧、入殓、出殡、送葬、做法事，将亡灵送入祠堂。办丧事只煮花菜、豆腐煮猪肉等简单的饭菜。用餐不在屋内，在事主家门前的巷道吃饭。

1942 年日本侵略军火烧下山口村，全村逃难，之后下山口村在原址重建。

（资料填报：冯罗清，初稿撰写：黄丽娟，总纂：李协湖）

象弼咀村

◎ 象弼咀村村貌（摄于 2016 年）

象弼咀村，位于汤塘镇中部，距镇政府 2 千米。始建于明天顺年间，由从化、石角凤围村迁入而形成。因村落后背山地形似象鼻，取名谐音“弼”，而取名叫象弼咀村。村坐落于丘陵地带，东与田心里村连接，南与脉塘车田村接壤，西南与定公塘村毗邻。东有四九河。村主要的山岭是象鼓岭，高 70 米。

村形成时，属清远县滘江二乡。民国时期，属清远县第七区。中华人民共和国成立初期，属清远县第七区大埔乡。1953 年属佛冈县第四区大埔乡，1958 年属从化县滘江人民公社大埔大队，1959 年属从化县汤塘人民公社大埔大队，1961 年属佛冈县汤塘人民公社大埔大队，1983 年属汤塘区大埔乡，1987 年属汤塘镇大埔村行政村，1989 年属汤塘镇大埔管理区，1998 年属汤塘镇大埔行政村至今。

世居村民姓氏有冯姓、周姓、郭姓。冯氏，宋代从中原迁移至广东新会，明天顺年间由从化沙贝迁移至村。郭氏，宋代从湖南道县迁移至广东石角凤围，清代从石角凤围迁移至村。周氏从附近村迁来。

2015 年末，户籍人口 410 人，其中男性 223 人，女性 187 人；80 岁以上 10 人，最年长者 93 岁（男）。实际在村居住和生活主要依靠农业收入的有 375 人，常年在城镇生活和打工的有 25 人。村民为汉族，广府民系，使用粤方言。

村土地肥沃，雨量充沛，气候宜人，适合动物繁殖和各种植物生长，有山地面积 21.33 公顷，山上有松、杉、灌木林等。耕地面积 8 公顷（其中水田 6.33 公顷）。传统经营以农业耕作及家庭种养为主，种植以水稻、薯类、花生等农作物为主；养殖有猪、牛及家禽等。水果有荔枝、龙眼等岭南水果。现时保存传统经营外，大部分青壮年村民外出打工，也有一部分村民在该镇的厂打工。村现时在高速公

◎ 象弼咀村沿街商铺（摄于 2016 年）

路口两旁，出租有多间饭店（农家乐）及商铺数十间。村民主要收入来源为外出务工收入、农业生产和村集体经济分红。传统食品是糯米糍、河粉、手指糍、湛江醋。

村于 1971 年通电，2006 年通电话，1998 年村道实现水泥硬底化，2003 年通自来水，2009 年通网络。村落里设有垃圾收集站，垃圾定期清理填埋。

传统民居现存 8 座，民居为硬山顶、盖灰瓦，混合土墙，二房二廊一厅一天井布局。1980 年后村民逐步建有新楼房，钢筋混凝土结构。楼房一层的 15 座，二层 29 座。楼房布局多为三房一厅一厨一卫，底层面积 100 平方米。有的楼房内外装修华丽，并留有停车位。

周氏祠堂建于清朝，占地面积约 20 平方米。主要建筑特色为硬山顶，青砖墙、混合墙体，是村民烧香的场所。逢年过节，村民都会到祠堂烧香拜祭。

村门楼始建于清代中期，盖灰瓦、硬山顶、青砖墙，门楼的墙身由青砖砌成，坚固厚实，前后各有一扇耳门，均设有石板门槛。门楼墙体上设有炮眼，可观察外部情况和射击敌人。炮眼形似一对狮眼，与门楼大门整体结合就像一头狮子头，特显威武神气。门楼建筑面积 20 平方米，至今还在使用。

◎ 象弼咀村门楼（摄于 2016 年）

主要民间习俗有清明祭祖、重阳祭祖，每逢初一、十五到庙府烧香拜神，年初四新添男丁要到神庙挂灯。传统婚嫁习俗中的中原古制“六礼”已经很少见到，但仍保留部分传统习俗。要摆酒请客，迎亲和送亲。传统丧葬风俗庄严繁杂，多沿用古中原的传统以土葬为主。20 世纪 90 年代以后逐步实行火葬，其程序为举丧、入殓、出殡、送葬、做法事，将亡灵送入祠堂。

◎ 三爰亭（摄于 2016 年）

古商道现存遗迹有：三爰亭。地处汤塘镇大埔村与黄花村交界的古竹迳路口，坐西北向东南。这里是佛冈县北达韶关、南通广州的交通要道。三爰亭于清光绪十八年（1892 年）冬动工，于次年春建成。该亭由汤塘乡绅冯子英、冯子如倡议，发动群众捐资白银 700 多两建成的，为过往的行旅提供暂息之所。该亭砖木结构，地铺麻石板，三间一字排列，进深 6.9 米，总面阔 21.1 米。每间的高度不一，屋顶的设计也不相同。正面左边第一间屋顶为平脊硬山顶，高约 4.8 米；第二间为平脊歇山顶，高约 5.1 米；第三间为平脊悬山顶，高约 3.1 米。亭内有 9 处石刻，至今保存基本完好。三爰亭于 1986 年被核定为县级文物保护单位，保存良好。

1938 年的一天，日本侵略军一队人马路过象弼咀村，对村进行烧、抢、掠夺，房屋被烧，粮食被抢，抓一些村民帮日本侵略军煮饭。

该村的周业华（1950—），曾任清远市司法局副局长。

（资料填报：冯罗清，初稿撰写：黄丽娟，总纂：李协湖）

○黎安行政村

边海村

◎ 边海村村貌（摄于 2016 年）

边海村，位于汤塘镇东北部，距镇政府 6 千米，始建于明初，由南雄珠玑巷迁入而形成。因当时前后有河，中间小岛而取名边海，又叫五福禾塘。村东与上黎村相邻、南与下黎村相依、西为农田、北为孔杨桥。村坐落于丘陵地带，主要山岭有黄田冚山，高 85 米，主要河流有四九河（上游），流经村河长 1500 米，在村北。省道 S354 线经过村。

村形成时，属清远县滘江乡。清代属清远县滘江二乡。民国时期属清远县联卫乡。中华人民共和国成立初期，属清远县第七区。1953 年属佛冈县第四区。1958 年，属从化县滘江人民公社良安大队。1961 年属佛冈县良安公社良安人民大队。1970 年属汤塘公社良安人民大队。1983 年属汤塘区良安乡。1987 年属汤塘镇良安行政村。1989 年属汤塘镇良安行政区。1998 年属汤塘镇良安行政村。2005 年属汤塘镇黎安行政村至今。

世居村民为邓姓，明初从中原迁广东南雄再迁到该地。

2015 年，户籍人口 644 人，其中男性 338 人，女性 306 人;80 岁及以上 21 人，最年长者 97 岁(女)。实际在村人口 530 人，留守儿童 3 人。户籍人口中，生活主要依靠农业收入的有 530 人，常年在城镇生活和打工的有 114 人。祖籍该村的华侨 2 人。祖籍该村的香港同胞 2 人，澳门同胞 1 人。世居民族为汉族，世居民系为广府，使用粤方言。

村有山地面积 76.6 公顷，种有松、杉、杂树，耕地面积 19.73 公顷，传统经营以种植水稻为主，

◎ 丰收的水稻（摄于 2016 年）

◎ 伯贤学堂旧址（摄于 2017 年）

兼种薯类、花生，养殖业以养猪、养鸡、鸭为主。村民现种有水稻、花生、番薯。1990 年后，村民外务工主要到珠江三角洲，广州居多，以从事建筑业及入厂打工和经商为主。村民主要收入来源有农业生产、外出务工收入，商业经营。特色传统（节庆）食品有糯米糍等。

◎ 边海村传统民居（摄于 2017 年）

村于 20 世纪 60 年代初通电，1976 年通电话，2010 年村道实现实现水泥硬底化，2013 年通自来水。村中建有文化室。村曾于 1931 年创办伯贤学堂。

传统民居现存 18 座。民居多为正座式，为两房两廊一厅一天井的布局，具有通风凉爽的特点。改革开放后新建楼房，多为钢筋水泥混凝土结构，占地面积 90 平方米左右，一至二层较普遍，有的三层四层，布局为三房一厅一厨房，一至两个卫生间。有些家庭单独建楼房，还有院子，种有花草，环境优美。

村婚嫁庄重繁杂，开始交往时，女方家要到男方探家，结婚前要担定婚茶、报日子、送聘金、定嫁妆。行结婚礼时要摆酒请客，迎亲送亲。发生丧事时，传统以土葬为主，1990 年以后逐步实行火葬，其程序为举丧入殓、出殡、送葬、做法事，将亡灵送入祖堂。办丧事只煮花菜、黄豆煮饭等简单的饭菜，用餐时，不坐高台凳，拆下事主家的门板放于门前的巷道上当饭台。

当地居民一年中有几次参与民间习俗活动。特色民俗为上灯，当地人称生了男孩为“添灯”，必须庆贺。每年农历正月初十，都要为上年或往年出生的男孩添办上丁习俗。

1963 年春，村遭受 60 年一遇的旱灾，从 1962 年 12 月至 1963 年 6 月，180 天内无下大雨，受旱面积 2 公顷（含水稻、杂粮），旱情严重的 0.2 公顷，失收 0.13 公顷。全村出动抗旱劳力 80 人，抗旱保苗。

（资料填报：邓建明，初稿撰写：阙靖，总纂：李协湖）

古洞村

◎ 古洞村村貌（摄于 2016 年）

古洞村，位于汤塘镇东部，距镇政府 7 千米。建于明中期，据《杨氏族谱》记载，杨氏宋初从中原迁往广东南海，明中期从南海迁入该地，取名古洞村。古洞村坐落于山间谷地，主要山岭有檀木山，高 350 米。东为黄洞村，南与三丫树村相邻，西与下黎村相邻，北为上黎村。省道 S354 线经过村。

村形成时，属清远县滘江乡。清代属清远县滘江二乡。民国时期属清远县联卫乡。中华人民共和国成立初期，属清远县第七区。1953 年属佛冈县第四区。1958 年，属从化县滘江人民公社上黎大队。1961 年属佛冈县良安人民公社上黎大队。1970 年属汤塘人民公社上黎大队。1983 年属汤塘区上黎乡。1987 年属汤塘镇上黎行政村。1989 年属汤塘镇上黎行政区。1998 年属汤塘镇上黎行政村。2005 年属汤塘镇黎安行政村至今。

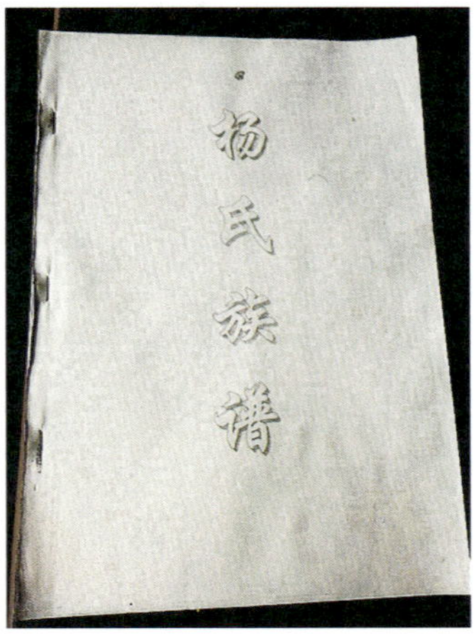

◎《杨氏族谱》（摄于 2016 年）

世居村民为杨姓。宋初，杨姓从中原迁广东潮阳、梅县，入粤始祖杨云岫。佛冈杨姓开基祖杨德榕。明中期从南海大沙堤迁入该地。

2015 年末，户籍人口为 856 人，其中，男性 506 人，女性 350 人；80 岁及以上 15 人，最年长者 93 岁（女）。实际在村人口 615 人，留守儿童 2 人。生活主要依靠农业收入的有 615 人，常年在城镇生活和打工的有 241 人。祖籍该村的华侨 1 人。祖籍该村的香港同胞 2 人，澳门同胞 1 人。村民为汉族，广府民系，使用粤方言。

村有山地面积 154.73 公顷，种有松、杉、杂树等，耕地 29.39 公顷（其中水田 21.79 公顷）。传统经营以种植水稻为主，兼种薯类、花生等作物，养殖业为养猪、养鸭、养鸡等。1990 年后每年有村民 80 人左右外出务工，去深圳、广州、东莞的居多，以从事工业生产，餐饮等行业为主。村民主要收入来源有农业生产、外出务工收入。特色工艺品有竹织工艺。

村于 1970 年通电，20 世纪 70 年代通电话，

2009年通自来水，90年代末通网络，2011年村道实现实现水泥硬底化。

村传统民居现存20座。正座为两房两廊一厅一天井式广府民居布局，有通风、清凉、防潮、防晒的特点。改革开放后村民新建楼房，多为钢筋水泥混凝土结构，占地面积90平方米左右，一至二层较为普遍，有的三层四层，布局为三房一厅一厨房，一至两个卫生间。有些家庭单独建楼房，还有院子，种有花草，环境优美。

村编有《杨氏族谱》，由杨伟三、杨谷廷、杨特全于20世纪80年代纂修，简要记述村杨氏家族繁衍发展和家训家规。

传统节日为：春节、清明节、四月八、端午节、七夕、七月十四、中秋节、冬至等，其中元宵节有蒸发糕、食汤圆、做糍的习俗，以示庆贺春节圆满结束。

中华人民共和国成立前，男婚女嫁为“父母之命，媒妁之言”所决定。有抱养人家女童作“童养媳”、未生男孩的人家抱养“等郎妹”的习俗。婚嫁礼仪：先是媒妁之言，再是女方到男方探家，男方担定婚茶到女方，然后报日子，送礼金，定嫁妆，最后是

◎ 古洞村门楼（摄于2016年）

◎ 古洞村一角（摄于2016年）

举行婚礼。行婚当天要摆酒席，迎亲送新，晚上举行茶话会，直到深夜才散。第三天新婚夫妇在兄长的陪伴下到女方家拜访父母，感谢他们的养育之恩，这一天叫回门。新婚的第一个春节，妻子偕同丈夫回娘家探亲，这次叫关门。经过“出门—回门—关门”三个步骤，婚礼就结束了。传统丧事习俗以土葬为主。1990年后逐步实行火化，其程序为竖灵、入殓、出殡、送葬、火化、安放、做法事。第二天，丧事家属子女探望娘家，邀请亲朋好友来做客。在当年除夕当天，将灵牌送入祖祠安置。

1993年3月，村被清远市人民政府批准为解放战争时期游击根据地。

1977年9月，村民参与四九河段整治行动，实行裁弯取直，增加耕地面积0.2公顷。

该村的杨日升（1926—1948），革命烈士，解放战争时期参加东三支四团，1948年在古竹径伏击战牺牲；杨东桥（1940—2010），中华人民共和国成立之前从事地下革命工作，中华人民共和国成立后曾任中共南海县委书记、广东省中小企业局局长。

（资料填报：邓建明，初稿撰写：阙靖，总纂：李协湖）

古楼山村

◎ 古楼山村村貌（摄于 2016 年）

古楼山村，位于汤塘镇东部，距镇政府 7 千米，建于北宋中期，由附近上黎村迁入而形成。因村形成较早并建有楼，故取名古楼山村。古楼山村坐落于丘陵地带，主要河流有四九河，流经村河长 500 米，在村西有口大塘。东为西坑村，南为古洞村，西为上黎村，北为拱成桥。省道 S354 线经过村。

村形成时，属清远县滘江乡。清代属清远县滘江二乡。民国时期属清远县联卫乡。中华人民共和国成立初期，属清远县第七区。1953 年属佛冈县第四区。1958 年，属从化县滘江人民公社上黎大队。1961 年属佛冈县良安人民公社上黎大队。1970 年属汤塘人民公社上黎大队。1983 年属汤塘区上黎乡。1987 年属汤塘镇上黎行政村。1989 年属汤塘镇上黎行政区。1998 年属汤塘镇上黎行政村。2005 年属汤塘镇黎安行政村至今。

世居村民为姚姓。北宋天圣年间从中原迁广东南雄珠玑巷，入粤始祖姚春昌。后迁惠州博罗龙岗，北宋中期迁汤塘上黎古楼山村。

2015 年末，户籍人口 578 人，其中男性 319 人，女性 259 人；80 岁及以上 12 人，最年长者 85 岁（女）。实际在村人口 513 人，留守儿童 3 人。生活主要依靠农业收入的有 513 人，常年在城镇生活和打工的

◎ 古楼山村门楼（摄于 2016 年）

◎ 荔枝（摄于 2016 年）

◎ 古楼山传统民居（摄于 2016 年）

有 65 人。村民为汉族，广府民系，使用粤方言。

村有山地面积 138.13 公顷，种有荔枝、龙眼等果树以及松、杉、杂树，耕地面积 22.4 公顷（其中水田 18.6 公顷）。传统经营以种植水稻为主，兼种薯类，养猪、鸡、鸭。村民现种有水稻、花生、番薯，少数人养猪。1990 年后，村民主要到珠江三角洲务工，从事建筑业及入厂打工和经商。村民主要收入来源：农业生产、外出务工收入，商业经营。特色农产品有石峡龙眼、荔枝。特色传统食品有糯米糍。

村于 1960 年通电话，1973 年通电，2005 年通网络，2009 年通自来水，2011 年村道实现实现水泥硬底化。图书室有农家书屋一间，藏书 400 册。

传统民居现存 20 座。为两房两廊一厅一天井式广府民居布局，有通风、清凉、防潮、防晒的特点。新建楼房，多为钢筋水泥混凝土结构，有些楼房是框架结构，占地面积 90 平方米左右，一至二层较为普遍，有的三层四层，布局为三房一厅一厨房，一至两个卫生间。有些家庭单独建楼房，还有院子，种有花草，环境优美。

当地居民一年中有几次参与民间习俗活动。春节、端午节、中秋节、重阳节、冬至节，群众都到庙拜神。村特色的民俗有“上灯”，形成于清朝年间，每年农历正月初十举行，上一年或往年出生的邓氏男丁在当日 9 时，舞狮、打锣鼓、烧鞭炮，结队进行庆贺。

传统婚嫁礼仪。男女开始交往，女家要到男家探家风，结婚前要担定婚茶，报日子，送礼金，定嫁妆，行结婚礼时要摆结婚酒请客，婚后第三日男方要携新婚妻子回娘家，称“三朝回门”。发生丧事时，传统以土葬为主，1990 年后逐步实行火葬，按传统习俗办理丧事。办理丧事时村民都做到互相帮助。

1997 年 5 月 8 日，汤塘地区发生特大洪灾，村受浸房屋 8 间，倒塌 3 间，受灾农作物和水利设施受损严重。

（资料填报：邓建明，初稿撰写：阙靖，总纂：李协湖）

湖竹脚村

◎ 湖竹脚村村貌（摄于 2016 年）

湖竹脚村，位于汤塘镇西南部，距镇政府约 4 千米，始建于明中期，由从化迁入而形成。因村前有湖，湖边有苦竹而取名湖竹脚。曾用名苦竹脚村。村坐落于四九河南，主要河流有四九河（上游），流经村河长 500 米。村东与下黎村相邻，西与围镇钢铁厂相邻，南与脉塘村委、大塘水库相隔，北与新围镇村相望。省道 S354 线经过村。

村形成时，属清远县滘江乡。清代属清远县滘江二乡。民国时期属清远县联卫乡。中华人民共和国成立初期，属清远县第七区。1953 年属佛冈县第四区。1958 年，属从化县滘江人民公社良安人民大队。1961 年属佛冈县良安公社良安人民大队。1970 年属汤塘公社良安人民大队。1983 年属汤塘区良安乡。1987 年属汤塘镇良安行政村。1989 年属汤塘镇良安行政区，1998 年属汤塘镇良安行政村，2005 年属汤塘镇黎安行政村至今。

世居姓氏为李姓。明中期由从化西街口迁至该地。

2015 年，户籍人口 675 人，其中男性 475 人，女性 200 人；80 岁及以上 15 人，最年长者 92 岁（女）。实际在村人口 450 人，留守儿童 4 人。生活主要依

◎ 湖竹脚村门楼（摄于 2016 年）

靠农业收入的有 450 人，常年在城镇生活和打工的有 225 人。村世居民族为汉族，所属民系为广府民系，使用粤方言。

村有山地面积 58.6 公顷，种有松、杉、杂树，耕地面积 23.47 公顷（其中水田 15.67 公顷）。传统经济以农业为主，粮食作物主要种植水稻、番薯、

◎ 客商收购荔枝（摄于 2016 年）

◎ 湖竹脚村一角（摄于 2016 年）

芋头等。经济作物种植花生、荔枝、龙眼等，养殖业以鸡、鸭、鹅和饲养猪、牛等。渔业以养殖四大家鱼为主。1990 年以后，每年有 80 人左右外出务工，去深圳、广州、东莞的居多，以从事工业生产，餐饮等行业为主。村民主要收入来源为农业生产、外出务工收入。特色工艺品有竹织工艺品。

村于 1970 年通电，20 世纪 70 年代通电话，90 年代末通网络，2009 年通自来水，2011 年村道实现实现水泥硬底化。

传统民居现存 18 座。民居为两房两廊一厅一天井式广府民居布局，有通风、清凉、防潮、防晒的特点。1980 年以后，村民逐步建成楼房，多为钢筋水泥混凝土结构，有些楼房是框架结构，占地面积 90 平方米左右，一至二层较为普遍，有的三层四层，布局为三房一厅一厨房，一至两个卫生间。有些家庭单独建楼房，还有院子，种有花草，环境优美。

村的婚嫁习俗：男方备齐礼物到女方安下聘礼定婚，称为担小担；男方备齐礼物到女方家接新娘，称为担大担。行结婚礼时，要摆酒请客、迎亲和送亲。结婚当天，新郎带着亲朋好友坐上婚车到新娘家接新娘。新娘的姐妹朋友关门阻止新郎进入新娘家。新郎需要用红包开路，并请亲朋好友帮助接新娘。在新娘家，新郎新娘一起向新娘家长辈敬茶，长辈给新郎新娘新婚红包。接着新娘弟弟撑红伞送新娘出门，由新娘的亲朋好友伴送新娘到男家。在男家摆的宴席上，新郎新娘共同向亲朋好友和来宾敬茶。长辈接过新婚茶后，有的即兴唱起山歌，有的说祝贺词。此外，办婚事仍保留有铺床、闹洞房的风俗。

传统丧事习俗以土葬为主，其程序为举丧、入殓、出殡、送葬，将亡灵送入祠堂。在办丧事时，不管是哪家的丧事，全村人都汇集前来帮忙，打锣鼓、舞狮、放鞭炮是丧事的内容之一，由村民按分工各自负责。办丧事只煮花菜、黄豆煮猪肉等简单的饭菜。葬礼开始时，家里有人与逝者生辰八字有相冲的均不能出现在葬礼上，必须回避。开始下葬时，送葬的家人必须提前离开，并且离开时不能回头看，要等下葬完毕后再回来祭拜。1990 年以后，虽然逐步实行火葬，但必要的程序仍然保留。

1997 年 5 月 8 日，汤塘地区发生特大洪灾，村受浸房屋 7 间，倒塌 1 间，受灾农作物 0.67 公顷，直接经济损失 1 万多元。

（资料填报：邓建明，初稿撰写：阙靖，总纂：李协湖）

三丫树村

◎ 三丫树村村貌（摄于 2016 年）

三丫树村，位于汤塘镇东部，距镇政府 8 千米，始建于清初，从附近大凼村迁入而形成。因当时村旁有一棵三个树丫的老树，故取名三丫树村。

村坐落于山间谷地之中，主要山岭有尖峰山，高 500 米。东与凌塘村委西坑小组交界，南与从化市交界，西与古洞村交界，北与菱塘村黄洞相隔。省道 S354 线经过村。

村形成时，属清远县滘江乡。清代属清远县滘江二乡。民国时期属清远县联卫乡。中华人民共和国成立初期，属清远县第七区。1953 年属佛冈县第四区。1958 年，属从化县滘江人民公社上黎大队。1961 年属佛冈县良安人民公社上黎大队。1970 年属汤塘人民公社上黎大队。1983 年属汤塘区上黎乡。1987 年属汤塘镇上黎行政村。1989 年属汤塘镇上黎行政区。1998 年属汤塘镇上黎行政村。2005 年属汤塘镇黎安行政村至今。

世居村民为谭姓、杨姓。谭姓，宋初从江西迁移至广东，清初由从化棋杆大凼村迁移至村。杨姓，宋初从中原迁移至广东，清朝中期从旧围迁移至村。

2015 年末，户籍人口 815 人，男性 415 人，女性 400 人；80 岁及以上 12 人，最年长者 92 岁（女）。实际在村人口 600 人，留守儿童 2 人。户籍人口中，生活主要依靠农业收入的人口有 600 人，常年在城镇生活和打工的人口有 215 人。村民为汉族，广府民系，使用粤方言。

村有山地面积 343.73 公顷，种有松、杉、杂树，耕地面积 31.33 公顷（其中水田 23.13 公顷）。传统经营以种植水稻为主，兼种薯类、花生、荔枝、龙眼，养殖有生猪、鸡、鸭、鹅等。村民现种有水稻、花生、大力牛（药材），少数村民养猪。1990 年后，每年有 100 人左右外出务工，到珠三角从事工业生

◎ 村养鹅场（摄于 2016 年）

产，餐饮等行业为主。村民主要收入来源：农业生产、外出务工收入。

村于1972年通电话，1973年通电，90年代末通网络，2009年通自来水，2011年村道实现实现水泥硬底化。

传统民居民居多为正座式，现存18座。正座为两房两廊一厅一天井式广府民居布局，有通风、清凉、防潮、防晒的特点。

编有三丫树《谭氏族志》，由谭富兴于2004年纂修。记述三丫树谭氏族人繁衍情况和村历史大事。

◎《谭氏族志》（摄于2016年）

传统节日为春节、清明节、四月八、端午节、七夕、七月十四、中秋节、十月朝、冬至等。每逢中秋之夜，男女老少一起用月饼、柚子及石螺等食品赏月，热闹非凡。近年来，由于生活水平的提高，对欢庆中秋节的习俗也越来越重视，在外地工作的村民都尽量回家与家人团聚，共度佳节。

传统婚嫁习俗，中华人民共和国成立前，子女要听从父母之命，媒妁之言，穷苦人家养童养媳的封建习俗。中华人民共和国成立后，实行自由恋爱，自主结婚的新风尚，但是探家、定亲、择送吉日、

◎ 三丫树村一角（摄于2016年）

摆酒结婚、迎亲送亲、回门礼俗仍存在。传统丧事以土葬为主。1990年以后逐步实行火葬。其程序为举丧、入殓、出殡、送葬和做法事，将亡灵送入祠堂。办丧事只煮花菜、黄豆煮猪肉等简单的饭菜，用餐时不坐高台凳，拆下事主家的门板放于门前的巷道上当饭台，以表哀痛。

1977年9月，村民参与整治四九河段改河道行动，实行裁弯取直，增加村的耕地面积0.33公顷。

该村的谭镜波（1916—1948），革命烈士，解放战争时期参加东三支清从佛义勇大队，1948年在上黎乡三丫树被捕遇害。

（资料填报：邓建明，初稿撰写：阙靖，总纂：李协湖）

上黎村

◎ 上黎村村貌（摄于2016年）

上黎村，位于汤塘镇东南部，距镇政府6千米，始建于明中期，由湦江关前秧坎埔村迁入而形成，因老太公妻姓黎而取名上黎村，村坐落丘陵地带，主要山岭有昂掌围山，高约300米，主要河流有四九河，流经村河长500米。村东与古楼山村相邻，南与古洞村交界，西与边海村交界，北与下黎村相邻。省道S354线在村经过。

村形成时，属清远县湦江乡。清代属清远县湦江二乡。民国时期属清远县联卫乡。中华人民共和国成立初期，属清远县第七区。1953年属佛冈县第四区。1958年，属从化县湦江人民公社上黎大队。1961年属佛冈县良安人民公社上黎大队。1970年属汤塘人民公社上黎大队。1983年属汤塘区上黎乡。1987年属汤塘镇上黎行政村。1989年属汤塘镇上黎行政区，1998年属汤塘镇上黎行政村，2005年属汤塘镇黎安行政村至今。

世居村民为邓姓，元末明初从流溪韶洞生水塘迁移至广东湦江关前秧坎埔，明中期迁移至村。

2015年末，户籍人口1815人，其中，男性915人，女性900人；80岁及以上41人，最年长者92岁（女）。实际在村人口1500人，留守儿童20人。户籍人口中，生活主要依靠农业收入的有1500人，常年在城镇生活和打工的有315人。祖籍该村的华侨2人。祖籍该村的香港同胞2人，祖籍该村的澳门同胞1人。村民为汉族，广府民系，使用粤方言。

村有山地面积184.8公顷，种有松、杉及丰产林等，耕地60.6公顷（其中水田49公顷）。传统经营以种植水稻为主，兼种薯类。村民现种有水稻、花生，少数村民养猪、鸡、鸭、鹅等。每年有青壮年外出务工，主要到广州，以从事建筑、餐饮业、进厂打工为主，村民主要收入来源有农业生产、外

◎ 上黎村搭棚种植兰花（摄于2017年）

◎ 上黎村小学教学楼（摄于 2017 年）

出务工收入、商业经营。农产品有石硖龙眼、荔枝。传统食品有糯米糍。

村于 1970 年通电，1990 年通电话，2000 年通网络，2008 年村道实现实现水泥硬底化，2008 年通自来水。有村属篮球场、广场。2015 年村有上黎小学，开设 9 个教学班，在校学生 341 人，教职工 16 人。幼儿园有 4 班，在园幼儿 184 人，教职工 3 人。

村传统民居现存 30 座，为两房两廊一厅一天井的布局。现存宗祠为上黎祠堂，始建于清乾隆年间，占地 1500 平方米，现作学校使用。

村编有族谱《流溪邓氏家史》，于 1988 年由邓锦球纂修。

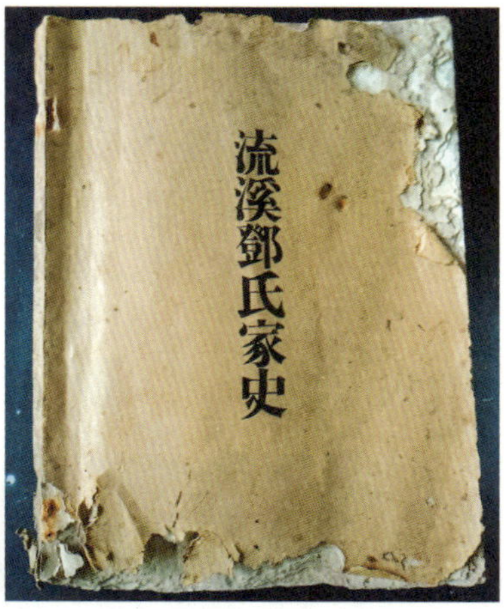

◎《流溪邓氏家史》（摄于 2016 年）

主要宗族活动有重阳节祭祖、年初十上灯。上灯民俗，形成流行于清朝年间，每年农历正月初十举行，去年或往年出生的邓氏男丁在当日上午 9 时，舞狮、打锣鼓、烧鞭炮，结队进行庆贺，请老人吃饭。春节、端午节、中秋节、重阳节、冬至等节日，群众都用不同形式庆祝，并到庙拜神。

传统习俗有十月朝。农历十月初一叫“十月朝”或“牛生日”。过去牛是农村耕作的畜力，各地均有做“牛生日”的习俗。由农家做糯米糍粑贴在牛角、牛额、牛背脊、牛腰、牛尾部位，贴后三四天后，牧童从牛身上将糯米糍粑剥下用火烤熟来吃。传说吃了“牛生日”贴在牛身上的糍粑，能像牛一样力气大。中华人民共和国成立后，这一习俗已逐步消失。

村婚嫁庄重繁杂，开始交往时，女方家要到男方探家，结婚前要担定婚茶、报日子、送聘金、定嫁妆。行结婚礼时要摆酒请客，迎亲送亲。发生丧事时，传统以土葬为主，1990 年以后逐步实行火葬，其程序为举丧入殓、出殡、送葬、做法事，将亡灵送入祖堂厅。办丧事只煮花菜、黄豆煮饭等简单的饭菜，用餐时，不坐高台高凳，拆下事主家的门板放于门前的巷道上当饭台。

1948 年，上黎游击队小鬼班邓舒荣、邓近全等在古楼山村地域击毙国民党大队长李耀文。

1960 年 4 月，汤塘公社上黎食堂被省评为“六好食堂”，广东省人委奖切菜机一部，奖状一张。

该村的邓忠湖（1920—1948），解放战争时期参加江北支队四团，1948 年在从化坪地村战斗牺牲。邓葵德（1929—1949），解放战争时期参加东三支四团，1949 年在龙山圩就义。邓绍佐（1955—2016），是获得三等功一次的参战退役士兵；邓恒山（1948—），广州军区总医院五官科主任医师，副师级。

（资料填报：邓建明，初稿撰写：阙靖，总纂：李协湖）

下黎村

◎ 下黎村村貌（摄于 2016 年）

下黎村，位于汤塘镇东南部，距镇政府 6 千米，始建于明中期，由从化迁入而形成。因村位于潖江上黎村下游而取名下黎村。下黎村坐落于丘陵地带。主要山岭有止背冚山，高 1000 米。主要河流有四九河，流经村河长 800 米。东与边海村相邻、西与湖竹脚村相隔，北与新围镇长冚山交界、南与脉塘村委大塘水库交界，有省道 S354 线从村旁经过。

村形成时，属清远县潖江乡。清代属清远县潖江二乡。民国时期属清远县联卫乡。中华人民共和国成立初期，属清远县第七区。1953 年属佛冈县第四区。1958 年，属从化县潖江人民公社良安大队。1961 年属佛冈县良安人民公社良安大队。1970 年属汤塘人民公社良安大队。1983 年属汤塘区良安乡。1987 年属汤塘镇良安行政村。1989 年属汤塘镇良安行政区，1998 年属汤塘镇良安行政村，2005 年属汤塘镇黎安行政村至今。

世居村民为邓姓。明初从中原迁广东从化，后由从化流溪韶洞迁至该地。

2015 年末，户籍人口 922 人，其中男性 450 人，女性 472 人；80 岁及以上 18 人，最年长者 98 岁（女）。实际在村人口 700 人，留守儿童 3 人。户籍人口中，生活主要依靠农业收入的 700 人，常年在城镇生活和打工的 222 人。村民为汉族，广府民系，使用粤方言。

村有山地面积 138.33 公顷，耕地面积 30.33 公顷（其中水田 24.93 公顷）。村民现种植有水稻、花生、少数村民养猪、鸭、鸡等。村有集体鱼塘 2 个，分别为上塘和下塘，面积 0.4 公顷。果园 2 个，分

◎ 村民在种植花生（摄于 2016 年）

别为万林园、背底山果园，以荔枝为主，约 25 公顷，青壮年都外出务工，主要到广州，以从事建筑、餐饮、进厂打工为主。村民主要收入来源：农业生产、商业经营、外出务工收入。农产品有荔枝、龙眼。传统食品有糯米糍。

村于 1970 年通电，1990 年通电话，2000 年通网络，2008 年通自来水，2008 年村道实现实现水泥硬底化。

传统民居现存 6 座，民居两房两廊一厅一天井布局。现存宗祠为宗灵庙，始建于清代，占地 210 平方米。

主要有特色的民俗上灯，形成于清朝，每年农历正月初十为上年出生的邓氏男丁上灯，村民们舞狮、打锣鼓、放鞭炮，结队进行拜祭。春节、端午、中秋、重阳、冬至等节日，村民都用不同形式庆祝，并到庙拜神。

传统婚嫁习俗，中华人民共和国成立前，男婚女嫁为“父母之命，媒妁之言”所决定。有抱养穷人家女童作“童养媳”、未生男孩的人家抱养“等郎妹”的习俗。婚嫁礼仪：先是媒妁之言，再是女方到男方探家，男方担定婚茶到女方，然后报日子，送礼金，定嫁妆，最后是举行婚礼。行婚当天要摆酒席，迎亲送新，晚上举行茶话会，直到深夜才散。第三天新婚夫妇在兄长的陪伴下到女方家拜访父母，感谢

◎ 下黎村传统民居（摄于 2016 年）

◎ 下黎村门楼（摄于 2016 年）

他们的养育之恩，这一天叫回门。新婚的第一个春节，妻子偕同丈夫回娘家探亲，这次就叫关门了。经过“出门—回门—关门”三个步骤，整个婚礼就结束了。传统丧事习俗以土葬为主，1990 年后，逐步实行火化。其程序为：竖灵、入殓、出殡、送葬、火化、安放、做法事。第二天，丧事家属子女探望娘家，邀请亲朋好友来做客。在当年除夕当天，将灵牌送入祖祠安置。

1997 年 5 月 8 日，发生特大洪灾，受浸房屋 11 间，倒塌 5 间，受灾农作物 5 公顷，直接经济损失 8 万多元。

该村的邓大猷（1921—1948），解放军江北支队四团中队长，1947 年冬被捕，1948 年在从化就义。

（资料填报：邓建明，初稿撰写：阙靖，总纂：李协湖）

○联和行政村

白石湖村

◎ 白石湖村村貌（摄于 2016 年）

白石湖村，位于汤塘镇西南部，距镇政府 1 千米。始建于明中期，因村旁有一水潭，潭中石头呈白色较多，而取名白石湖村。村坐落于丘陵地带。主要山岭有牛头山，高约 100 米；滘江从村北流过，流经村 500 米，村前有白石湖门口塘。东与新塘村委南坑村相邻，南与花山村接壤，西和东芬村相接，北为滘江。国道 G106 线经过村。

村形成时，属清远县滘江乡。清朝时期，属清远县滘江二乡。民国时期，属清远县第七区。中华人民共和国成立初期，属清远县第七区。1953 年属佛冈县第四区汤塘乡。1958 年属从化县滘江人民公社联和大队。1959 年属从化县汤塘人民公社联和大队。1961 年属佛冈县汤塘人民公社联和大队。1983 年属汤塘区联和乡。1987 年属汤塘镇联和行政村。1989 年属汤塘镇联和管理区。1998 年属汤塘镇联和行政村至今。

世居村民有谭姓、刘姓、杨姓、邓姓。宋初，谭姓从江西迁广东始兴，开基祖谭昆盈，元中期由从化迁来。据《谭氏族谱》记载，明成化年间谭氏光祖由从化迁徙到汤塘高滩，然后搬迁到联和村迁入该地。刘姓，宋末从福建迁到广东潮州，后迁从化，明初由从化迁龙蟠，后迁到该地。杨姓，宋初从中原迁广东潮阳，明中期从南海大沙堤迁入该地。邓姓，明初从中原迁广东南雄、英德、从化，后邓云锋由从化流溪韶洞迁来此地。

2015 年末，户籍人口 980 人，其中男性 505 人，女性 475 人；80 岁及以上 25 人，最年长者 94 岁（男）。实际在村 500 人，农村留守儿童 45 人。户籍人口中，生活主要依靠农业收入的有 500 人。常年在城镇生活和打工的有 480 人。村民为汉族，广府民系，使用粤方言。

村有山地面积 80 公顷，山上有果树、桉树、杉树等。耕地面积 44.33 公顷，传统经济以农业为主，主要种植水稻、薯类及饲养猪、鸡、鸭、鹅等。20 世纪 90 年代开始发展工业，2015 年，村域引进广东吉多宝制罐有限公司，该企业为中外合资，为加

◎ 吉多宝制罐有限公司（摄于 2017 年）

◎ 白石湖村民居（摄于 2016 年）

多宝集团二片罐业务的战略合作伙伴，主要生产二片罐制罐和铝盖制盖，占地约 12 公顷。由于耕地面积减少，每年青壮劳力外出务工，去深圳、珠海、广州市居多，以从事建筑、餐饮、化工等行业为主。村（居）民主要收入来源为农业生产、外出务工收入、房屋出租、商业经营等。特色农产品有石硖龙眼、荔枝、黄皮、枇杷等。特色传统食品有手指糍、甜酒、湛江醋、清明节艾糍、糯米糍、焖鹅、白切鸡等。

村于 1970 年通电，1996 年通电话，2004 年通网络，2008 年通自来水，2009 年村道实现水泥硬底化。村曾于 1936 年创办湛江私立荣埔初小。2015 年，村办有幼儿园一所，在园幼儿 80 人，教职工 10 人。体育设施有篮球场一个，村民活动中心有文化室一间。

传统民居现存围水式房屋 30 座。围水房屋为单间平房，每间建筑面积 20 平方米，为砖木结构，硬山顶，青砖或三合土墙体。新建楼房，多为钢筋水泥混凝土结构，有些楼房是框架结构，占地面积 90 平方米左右，一至二层较普遍，有的三层至四层，布局为三房一厅一厨，一至两个卫生间。有些家庭单独建楼房，还有院子，种有花草，环境优美。

◎ 白石湖村门楼（摄于 2016 年）

村编有《谭氏族谱》，由清远湛江谭氏族志编辑委员会于 2012 年纂修。简单记录谭氏家族的发展历程和文化传承。1999 年分别制订林仔村、石三村、石联村、新屋村、新圩村等村民小组自治章程。

村主要民间习俗有清明祭祖、重阳祭祖，农历每月初一、十五到庙府烧香拜神祈祷风调雨顺，家人平安。传统婚嫁习俗中的中原古制“六礼”已经很少见到，但仍保留部分传统习俗。婚嫁要担定婚茶、过礼、迎亲、安床、挎红、闹新房、打糖梅仪式。传统丧葬风俗庄严繁杂，多沿用古中原的传统，主要程序：报丧、上孝、买水、殓棺、煮寿饭、出殡、训棺、复坟等。传统以土葬为主，1990 年后逐步实行火化。

村于 20 世纪 70 年代初，在“农业学大寨”运动中，开展农田基本建设，建有公顷产粮食 1 吨的“吨粮田”10.33 公顷，成为全县农业学大寨先进单位之一。1982 年 5 月 10—13 日，连降暴雨，村受灾，水深达 2 米，22 间房屋被浸，7 间房屋倒塌，0.53 公顷农田水浸，造成经济损失 5 万元。

2015 年该村被广东省爱国卫生运动委员会评为广东省卫生村。

（资料填报：谭济深，初稿撰写：邓带连，总纂：李协湖）

东芬村

◎ 东芬村村貌（摄于 2016 年）

东芬村，位于汤塘镇西南部，距镇政府 2 千米。始建于清初，从高滩村迁入而形成。因村有东芬大塘，故取名为东芬村。村坐落于丘陵地带。主要山岭有三门期顶山，高 100 米。滘江在村北。村有两个水塘，分别为东芬大塘、车善塘。东与白石湖村相邻，南与南坑村接壤，西与花山村毗邻，北与鱼头村相接。

村形成时，属清远县滘江乡。清朝时期，属清远县滘江二乡。民国时期，属清远县第七区。中华人民共和国成立初期，属清远县第七区。1953 年属佛冈县第四区汤塘乡。1958 年属从化县滘江人民公社联和大队。1959 年属从化县汤塘人民公社联和大队。1961 年属佛冈县汤塘人民公社联和大队。1983 年属汤塘区联和乡。1987 年属汤塘镇联和行政村。1989 年属汤塘镇联和管理区。1998 年属汤塘镇联和行政村至今。

世居村民有谭姓、陈姓。宋初，谭姓从江西迁广东始兴，开基祖谭昆盈，元中期由从化迁来，明成化年间由从化迁徙到汤塘高滩村，然后搬迁到联和村，清初迁至该地。陈姓宋末从福建迁至广东新丰，明中期陈思盛后人 8 大房系，其中一房系于清初迁至该地。

2015 年，户籍人口 1270 人，其中男性 750 人，女性 520 人；80 岁及以上 20 人，最年长者 93 岁（男）。实际在村人口 900 人，农村留守儿童 50 人。户籍人口中，生活主要依靠农业收入的人口有 900 人。常年在城镇生活和打工的人口有 370 人。村民为汉族，广府民系，使用粤方言。

村自然资源丰富，有山地面积 100 公顷，山上有果树、桉树、杉树。耕地面积 27.07 公顷，主要种植水稻、薯类、荔枝、龙眼、枇杷及养猪、鸡、鸭、鹅等。村（居）民主要收入来源为农业生产、外出务工收入、房屋出租、商业经营等。特色农产品有石硖龙眼、荔枝、黄皮、枇杷等。特色传统食品有手指糍、甜酒、清明节艾糍、端午节粽子、焖鹅、焖鸭、白切鸡等。

改革开放后，村域引进新菱空调（佛冈）有限公司、日丽（佛冈）木业有限公司、创力（佛冈）体育用品有限公司、佛冈爱民油站。佛冈县鑫统仕汽车散热器有限公司，公司占地 6.67 公顷，投资 1.2 亿元，2009 年投产，从业人员 475 人。

◎ 联和希望小学校门（摄于 2016 年）

◎ 华鲜公司蔬菜种植基地（摄于 1995 年）

国道 G106 线经过村。村 1970 年通电，1996 年通电话，2004 年通网络，2008 年通自来水，2009 年村道实现水泥硬底化。村建有篮球场、文化室。位于村的联和希望小学，2015 年有 6 个级 6 个班，在校学生 201 人，教职工 11 人。

传统民居现存正座和围水共 36 座。房屋为一厅一天井二廊四房、四房归厅建制，每座建筑占地面积约 100 平方米，砖木结构，硬山顶，墙体为青砖，石门框、石窗框、石地板，每间房间内加装一层木楼阁。屋檐下有壁画灰塑图案，寓意吉祥如意、福寿康宁。围水式房屋为单间平房，每间建筑占地面积 20 平方米，大部分建在中围村附近，砖木结构，硬山顶，为青砖或三合土墙体。新建楼房，多为钢筋混凝土结构，有些家庭是框架结构，90 平方米左右，一至二层较普遍，有的三层至四层，布局为三房一厅一厨，一至两个卫生间。

◎ 东芬村门楼（摄于 2016 年）

村编有《谭氏族谱》，由清远湛江谭氏族志编辑委员会于 2012 年纂修。简单记录谭氏家族的发展历程和文化传承。1999 年分别制定了上一村、上二村、中心村、中围、下围等村民小组自治章程。

民间习俗有清明、重阳祭祖，农历每月初一、十五到庙府烧香拜神，祈祷风调雨顺，家人平安。传统婚嫁习俗中的中原古制“六礼”已经很少见到，但仍保留部分传统习俗。婚嫁要担定婚茶、相亲、过礼、迎亲、安床、挎红、闹新房、打糖梅仪式。传统丧葬风俗庄严繁杂，多沿用古中原的传统，主要程序：报丧、上孝、买水、殓棺、煮寿饭、出殡、训棺、复坟等。传统以土葬为主，20 世纪 90 年代后逐步实行火化。

1992 年，台商谢勋在村租地 73.33 公顷建立华鲜公司，种植芦笋、韭菜花、荷兰豆、甜碗豆、甜玉米等新品种，是佛冈县第一个引进的台商农村企业。

2015 年村被广东省爱国卫生运动委员会评为广东省卫生村。

该村的谭志钊（1950—），曾任汤塘二中校长、清远市审计局办公室主任、副局长。

（资料填报：谭济深，初稿撰写：邓带连，总纂：李协湖）

花山村

◎ 花山村村貌（摄于 2016 年）

花山村，位于汤塘镇西南部，距镇政府 3 千米。始建于清末，从汤塘围迁入而形成。村坐落于丘陵地带。主要山岭有尖峰山，高 90 米。东与东芬村相邻，南与南坑村毗邻，西和龙山镇潭州村接壤，北和鱼头村相接。

村形成时，属清远县滘江乡。清朝时期，属清远县滘江二乡。民国时期，属清远县第七区。中华人民共和国成立初期，属清远县第七区。1953 年属佛冈县第四区汤塘乡。1958 年属从化县滘江人民公社联和大队。1959 年属从化县汤塘人民公社联和大队。1961 年属佛冈县汤塘人民公社联和大队。1983 年属汤塘区联和乡。1987 年属汤塘镇联和行政村。1989 年属汤塘镇联和管理区。1998 年属汤塘镇联和行政村至今。

世居村民有冯姓、谭姓、杨姓、邓姓、郭姓、刘姓、江姓、陈姓、黄姓。宋初冯姓从中原迁广东新会，明天顺年间由从化沙贝迁滘江地区，冯荣衍为汤塘冯氏开基祖，清末从汤塘围迁移至该地；宋初，谭姓从江西迁广东始兴，开基祖谭昆盈，元中期迁从化，后从汤塘高滩迁移至该地；宋初，杨姓从中原迁广东潮阳，明中期迁南海大沙堤，后迁到该地；明初，邓姓从中原迁广东南雄、英德、从化，后由从化流溪韶洞迁至该地；郭姓北宋末年从中原迁广东南雄，后由清远迁至该地；刘姓宋末从福建迁潮州、从化，后迁至该地；江姓从南雄珠玑巷迁至该地；陈姓宋末从福建迁广东新丰，后迁至该地；黄姓宋末从江西迁广东南雄珠玑巷，迁梅州，后迁至该地。

2015 年末，户籍人口 1200 人，其中男性 700 人，女性 500 人;80 岁及以上 30 人，最年长者 92 岁(女)。实际在村人口 750 人，农村留守儿童 60 人。户籍人口中，生活主要依靠农业收入 750 人，常年在城镇生活和打工的 450 人。村民为汉族，广府民系，使用粤方言。

村有山地面积 46.67 公顷，山上有桉树、杉树、果树等。传统经济以农业为主，有耕地面积 53.33 公顷，主要以种植水稻为主，兼种薯类及饲养猪、鸡、鸭等。20 世纪 90 年代开始发展工业。1995 年，村域新菱空调（佛冈）有限公司。2008 年，引进加多宝集团，该企业属于香港鸿道集团，是一家集原材料种植、饮料生产及销售于一体的大型港资企业。

◎ 新菱集团全景（摄于 2016 年）

◎ 加多宝厂房（摄于 2016 年）

每年有 100 多人外出务工，去深圳、珠海、广州市居多，以从事建筑、餐饮、化工等行业为主。村有沙糖桔、粉葛、大果山楂生产基地各一个。村（居）民主要收入来源为农业生产、外出务工收入、房屋出租、商业经营等。特色农产品有石硖龙眼、黄皮、枇杷等。特色传统食品有手指糍、甜酒、浛江醋、清明节艾糍、端午节粽子、焖鹅、焖鸭、白切鸡等。

村于 1970 年通电，1996 年通电话，2004 年通网络，2008 年通自来水，2009 年村道实现水泥硬底化。村民活动中心有 1 个文化室。

传统民居现存 35 间围水式房屋。为单间平房，每间建筑占地面积 20 平方米，砖木结构，硬山顶，

◎ 花山村传统民居（摄于 2016 年）

◎ 国道 G106 旁的花山候车亭（摄于 2016 年）

青砖或三合土墙体。新建楼房，多为钢筋水泥混凝土结构，有些楼房是框架结构，占地面积 90 平方米左右，一至二层较普遍，有的三层至四层，布局为三房一厅一厨，一至两个卫生间。有些家庭单独建楼房，并有停车位。

村编有《谭氏族谱》，由清远浛江谭氏族志编辑委员会于 2012 年纂修。简单记录谭氏家族的发展历程和文化传承。1999 年，村分别制订围子、坪岭、新一、新二、迳口村等村民小组自治章程。

村的民间习俗有清明、重阳祭祖，农历每月初一、十五到庙府烧香拜神，祈祷风调雨顺，家人平安。传统婚嫁习俗中的中原古制“六礼”已经很少见到，但仍保留部分传统习俗。婚嫁要担定婚茶、相亲、过礼、迎亲、安床、挎红、闹新房、打糖梅仪式。传统丧葬风俗庄严繁杂，多沿用古中原的传统，主要程序：报丧、上孝、买水、殓棺、煮寿饭、出殡、训棺、复坟等。传统以土葬为主，20 世纪 90 年代后逐步实行火化。

1982 年 5 月 10—13 日，连降暴雨，村受灾，村中水深达 2.5 米，25 间房屋被浸，6 间房屋倒塌，0.53 公顷农田水浸，造成经济损失 7 万元。在洪灾面前，村民表现出团结友爱的协作乡风，一些农户房屋和财产遭到损失，全村人相互帮助，使受灾家庭尽快恢复生产生活。

2015 年，村被广东省爱国卫生运动委员会评为广东省卫生村。

（资料填报：谭济深，初稿撰写：邓带连，总纂：李协湖）

鱼头村

◎ 鱼头村村貌（摄于2016年）

鱼头村，位于汤塘镇西南部，距镇政府2千米。始建于清末，从汤塘围、高滩迁入而形成。因村地形为鱼形，处于鱼头位置，故取名鱼头村。村坐落于丘陵地带，主要山岭有苗岭山，高60米；打石冚山，海拔80米。潖江在村北，流经村约1500米。东与白石湖村相邻、南与东芬村接壤、西和花山村相接、北和高滩村毗邻。国道G106线经过村。

村形成时，属清远县潖江乡。清朝时期，属清远县潖江二乡。民国时期，属清远县第七区。中华人民共和国成立初期，属清远县第七区。1953年属佛冈县第四区汤塘乡。1958年属从化县潖江人民公社联和大队。1959年属从化县汤塘人民公社联和大队。1961年属佛冈县汤塘人民公社联和大队。1983年属汤塘区联和乡。1987年属汤塘镇联和行政村。1989年属汤塘镇联和管理区。1998年属汤塘镇联和行政村至今。

世居村民有周姓、谭姓。北宋初期周姓从福建迁入广东从化，周积庆于明成化年间由从化迁往汤塘围，清末从汤塘围迁移至该地。宋初谭姓从江西迁广东始兴，开基祖谭昆盈，元中期迁从化。清末从汤塘高滩迁移至该村。

2015年，户籍人口680人，其中男性380人，女性300人；80岁及以上17人，最年长者94岁（女）。实际在村420人，农村留守儿童40人。生活主要依靠农业收入的有420人。常年在城镇生活和打工的有260人。村民为汉族，广府民系，使用粤方言。

村有山地面积18.2公顷，山上种有果树、桉树等。耕地面积15.87公顷，传统经营以种植水稻为主，兼种薯类、花生及饲养猪、鸡、鸭、鹅等。果树种植荔枝、龙眼、枇杷、黄皮等。20世纪90年代开始发展工业，每年有100多人外出务工，去深圳、

◎ 广东吉盛机电设备有限公司正门（摄于2016年）

◎ 鱼头村文化室（摄于 2016 年）

◎ 传统民居（摄于 2016 年）

珠海、广州市居多，从事建筑、餐饮、化工等行业。村域有企业：高升家具厂和广东吉盛机电有限公司等。村（居）民主要收入来源为农业生产、外出务工收入、房屋出租、商业经营等。特色农产品有石硖龙眼、荔枝、黄皮、枇杷等。特色传统食品有手指糍、甜酒、湛江醋、清明节艾糍、端午节粽子等。

村于 1970 年通电，1996 年通电话，2004 年通网络，2008 年通自来水，2009 年村道实现水泥硬底化。文体设施有篮球场 2 个及村民活动中心和 2 间文化室。

村传统民居现存正座 8 座、四门归厅一天井布局，每座建筑占地面积约 100 平方米，为砖木结构，硬山顶，墙体为青砖，石门框、石窗框、石地板，每间房间内加装一层木楼阁。屋檐下有壁画灰塑图案，寓意吉祥如意、福寿康宁。围水式房屋为单间平房，一般建筑占地面积 20 平方米，砖木结构，硬山顶，青砖墙体或三合土墙体，现存 40 间。新建楼房，多为钢筋水泥混凝土结构，有些楼房是框架结构，占地面积 90 平方米左右，一至二层较普遍，有的三层至四层，布局为三房一厅一厨，一至两个卫生间。有些家庭单独建楼房，还有院子。

村编有《谭氏族谱》和《周氏族谱》，由清远湛江谭氏族志编辑委员会和汤塘国晖周氏族谱编纂小组于 2012 年纂修。分别记述谭氏家族、周氏家族的发展历程和文化传承。1999 年制订鱼头村自治章程。

村民间习俗有清明、重阳祭祖，农历每月初一、十五到庙府烧香拜神，祈祷风调雨顺，家人平安。传统婚嫁习俗中的中原古制“六礼”已经很少见到，但仍保留部分传统习俗。婚嫁要担定婚茶、相亲、过礼、迎亲、安床、挎红、闹新房、打糖梅仪式。传统丧葬风俗庄严繁杂，多沿用古中原的传统，主要程序：报丧、上孝、买水、殓棺、煮寿饭、出殡、训棺、复坟等。传统以土葬为主，20 世纪 90 年代后逐步实行火化。

1954 年 1 月 1 日，组织全村青壮劳力，参与联和堤的整治，该河堤是佛冈县中华人民共和国成立后第一宗堤围工程，经过 6 个月的艰苦作业，整好 3.3 千米长的河堤，围内集雨面积 2.5 平方千米，捍卫耕地面积 76.67 公顷，人口 1600 人。

2015 年村被广东省爱国卫生运动委员会评为广东省卫生村。

谭炽安（1983—），村第一位军校学员，在西安工程大学服役期间，因工作表现突出，荣获“三等功”一次。谭济深（1987—），佛冈县第一届“青农会”副会长，在武警服役期间，因工作表现突出，荣获“三等功”一次。

（资料填报：谭济深，初稿撰写：邓带连，总纂：李协湖）

○菱塘行政村

白石坳村

◎ 白石坳村村貌（摄于 2016 年）

白石坳村，位于汤塘镇东部，距镇政府 6.5 千米。村始建于清初，先祖从增城迁来建村而形成。因村后龙山是白石山，村建在山坳下，故取名白石坳村。村东邻大馆村，南临围内村，西与黎安村委相连，北与江坳村委相望。村坐落于四九河南岸，省道 S354 线从村中经过，四九河从村的北部流过，经过村的河流长 300 米，主要山岭有白石山，高 180 米，村中有一鱼塘，面积 2 公顷。

村形成时，属清远县滘江乡。民国时期属清远县四九乡。1953 年属佛冈县四九乡，1959 年属从化县四九人民公社白石坳大队，1961 年属佛冈县四九人民公社白石坳大队，1962 年白石坳大队与菱角塘大队和群丰大队合并，成立菱塘大队，1987 年属四九镇菱塘行政村，1989 年属四九镇菱塘管理区。1998 年属四九镇行政村，2004 年至今，属汤塘镇菱塘行政村。

世居村民有郭姓、谭姓。唐代，郭姓从福建迁移至广东的增城福田，清初，从增城福田迁至村。谭姓从附近村庄迁至村。

2015 年末，户籍人口 354 人，其中男性 196 人，女性 158 人；80 岁及以上 6 人，最年长者年龄 89 岁（女）。实际在村居住和生活主要依靠农业收入的有 228 人，留守儿童 3 人。常年在城镇生活和打工的有 107 人。村民为汉族，广府民系，使用粤方言。

村有山地面积 60 公顷，山上有松、杉、杂树。传

◎ 龙眼树（摄于 2016 年）

统经济以农业为主，粮食作物以种植水稻、薯类为主，经济作物种植花生、芋头、粉葛、水果等，耕地面积 5.33 公顷。果树主要种植有荔枝、龙眼、沙糖桔、黄皮等，其中荔枝 23.93 公顷。特色农产品有荔枝、石硖龙眼、黄皮等。特色传统节庆食品有端午节粽子，中秋节月饼，春节油角、煎堆。改革开放后，大部分青壮年村民外出打工。村民主要收入来源：农业生产、外出务工收入、商业经营性收入。

村于 1961 年通电，1990 年通电话，2005 年通网络，2010 年村道实现水泥硬底化，2014 年通自来水。村内有篮球场、公园和文化室。

传统民居现存 16 座。白石坳村的民居多为正座式，正座为两房两廊一厅一天井式广府民居布局，有通风、清凉、防潮、防晒的特点。代表性民居有郭洪清祖屋，建于清初，占地面积 80 平方米。现有部分损坏，无人居住。新建楼房，多为钢筋水泥混凝土结构，有些楼房是框架结构，占地面积 90 平方米左右，大多为一至二层，有的三层四层，布局为三房一厅一厨房，一至两个卫生间。村编有《郭氏族谱》，郭柱林于 2004 年纂修。

◎ 白石坳村旧民居一角（摄于 2016 年）

◎ 白石坳村旧门楼（摄于 2016 年）

主要民间习俗有正月初二开年祈福，正月初四举行灯会，端午节祭海神，清明时节祭祖。制订村民公约，规定全村村民要做到讲文明、讲道德，做守法公民。

传统婚嫁习俗，男女双方开始交往时，女方家要到男方探家，结婚前要担定婚茶、报日子、送聘金、定嫁妆。行结婚礼时要摆酒请客，迎亲送亲。发生丧事时，传统以土葬为主，1990 年以后逐步实行火葬，其程序为举丧入殓、出殡、送葬、做法事，将亡灵送入祖堂厅，办丧事只煮花菜、黄豆煮饭等简单的饭菜，用餐时，不坐高台凳，拆下事主家的门板放于门前的巷道上当饭台。

1946 年 2 月，清远县保安警察和国民党军 1 个团扫荡田心、菱塘、围镇等村，中共党员黄礼昂、黄永妙被捕，地方党组织受到创伤。1962 年白石坳大队与菱角塘大队和群丰大队合并，成立菱塘大队。

该村的郭锐珍（1955—），现任佛冈县政协委员，广东省龙头企业金鲜美粮油有限公司董事长。郭光明（1956—），是获得三等功一次的参战退役士兵。

（资料填报：黄耀辉，初稿撰写：黄仲林，总纂：李协湖）

柴洞村

◎ 柴洞村村貌（摄于 2016 年）

柴洞村，位于汤塘镇东部，距镇政府约 8 千米，始建于清初，先祖从清远湛江菱角塘老围迁出在今址建村而形成。因四周群山环抱，山中树林茂盛柴草充足，故取名柴洞村。东与群丰村相邻，南临后龙山脉，西接围内村，北临四九河。村坐落于四九河南岸，省道 S354 线从村中经过，四九河从村的北部流过，经过村的河流长 350 米，主要山岭有主脑山，高 350 米，村中有一水库，名叫谢公水库，面积约 30 公顷。

村形成时，属清远县湛江乡。民国时期属清远县四九乡。中华人民共和国成立后，1953 年属佛冈县四九乡。1959 年属从化县四九人民公社菱角塘大队。1961 年属佛冈县四九公社菱角塘大队。1962 年白石坳大队与菱角塘大队和群丰大队合并，成立菱塘大队。1987 年属四九镇菱塘行政村。1989 年属四九镇菱塘管理区。1998 年属四九镇行政村。2004 年至今，属汤塘镇菱塘行政村。

世居村民现有黄姓、何姓。明代，黄姓先祖从顺德甘竹右滩迁至清远湛江菱角塘村，清初，从清远湛江菱角塘村迁至村。何姓从附近村庄迁至村。

2015 年，户籍人口 1086 人，其中男性 556 人，女性 530 人；80 岁及以上 24 人，最年长者 96 岁（男）。实际在村居住和生活主要依靠农业收入的有 820 人，留守儿童 10 人。常年在城镇生活和打工的有 266 人。村民为汉族，广府民系，使用粤方言。

村有山地面积 65.33 公顷，山上有松、杉、灌木林。传统经济以农业为主，耕地面积 20.33 公顷，农作物以种植水稻为主，兼种薯类、粉葛、芋头、水果等。果树主要种植荔枝、龙眼、沙糖桔、黄皮等，面积达 34.33 公顷。禽畜以饲养鸡、鸭、鹅和猪、牛等。改革开放后，大部分青壮年村民外出打工。村民主要收入来源：农业生产、外出务工收入、商业经营性收入。特色产品有荔枝、龙眼、粉葛、芋头。特色传统食品有端午节粽子，中秋节月饼，春节油角、煎堆等。

村于 1969 年通电，1990 年通电话，2005 年通网络，2010 年村道实现水泥硬底化，2013 年通自来水。村内有 1 个公园、1 个篮球场、2 座文化室和 1 个图书馆。

◎ 传统民居（摄于 2016 年）

传统民居现存 30 座。为两房两廊一厅一天井布局，有通风、清凉、防潮、防晒的特点。代表性民居有黄玉明祖屋，建于清中期，占地面积 120 平方米。保存现状有部分损坏，无人居住。新建楼房为 90 平方米左右，大多为一至二层，有的三至四层，布局为三房一厅一厨，一至两个卫生间。

现存垂远宗祠，建于清初，与围内村、大馆村和黄洞村共用，现占地 500 平方米。宗祠是村民喜庆节日烧香祈祷之所。

传统建筑有挹薰馆，建于清嘉庆年间，建筑形制为民居式，大厅、房、廊 2 间，天井、墙身刻有花草图案，门匾阳刻“挹薰馆”3 字。传统建筑还有东南西北炮楼 4 座，始建于清代。主要建筑形制有三层青砖墙身，杉木梁角青瓦，墙身上方四面有多个窗口，现西炮楼存在，其他三面的炮楼已塌方不存。

村与围内村、大馆村和黄洞村共同编有《黄氏族谱》，黄桂深于 1994 年纂修。家训有“居正公示儿诗”，于唐朝制定。家训诗：“骏马匆匆出异乡，任从随处立纲常。年深外境犹吾境，日久他乡即故乡。朝夕莫忘亲命语，晨昏须存祖宗香。伏望苍天垂庇佑，三七男儿总炽昌。”

主要民间习俗有正月初二开年祈福，正月初四举行灯会，端午节祭海神，清明时节祭祖。

传统婚嫁习俗为介绍相识、求婚、看家风、订婚、定日子、接亲、送亲、请客婚庆、回门等程序。传统丧事以土葬为主，1990 年以后逐步实行火葬。办丧事只煮花菜，用餐时不坐高台高凳。

主要民俗有舞醒狮，形成于 20 世纪 90 年代，每逢春节狮队到各家各户拜年祝福喜庆，外地兄弟到来联宜、新兵入伍欢送均用醒狮接送，添男丁举行灯会时也舞动醒狮助庆。

不可移动文物有黄渠成烈士故居，始建于 1941 年。1949 年 3 月，国民党军和地方反动势力纠集 1000 多人，对菱塘、田心根据地和四九地区进行“扫荡”。菱角塘村的民兵配合游击队在古楼山潜伏（菱角村与上黎村交界山脉）激战一天，毙敌四五人，伤敌十多人，俘敌一人，终于把敌人打退。1957 年 11 月，菱角塘村被韶关专署批准为革命老区。

2010 年 8 月，启动成立菱塘村“农家书屋”，并投入使用，向村民开放。2011 年，“农家书屋”被广东省新闻出版局评为“广东省优秀农家书屋”。

◎ 挹薰馆（摄于 2016 年）

◎ 黄渠成故居（摄于 2016 年）

◎ 农家书屋（摄于 2012 年）

2012 年 9 月，“农家书屋”被新闻出版总署评为“2012 年度全国示范农家书屋”。

村具有继承和发扬耕读传统文化习俗，把教育子女勤耕苦读是为人立身之本，把洁身自好、求学进取等内容列入家训族规，在革命战争年代，许多有志之士投身到抗日战争和解放战争中，为中国人民解放事业作出重大贡献，全村革命烈士就有 11 人。还有一批在中华人民共和国成立后走上领导岗位。

黄鳌（1899—1948），革命烈士，1947 年参队，广东人民解放军江北支队四团战士，1948 年 4 月，在菱角塘村被捕，在四九圩英勇就义。黄道明(1903—1948)，革命烈士，1947 年参队，广东人民解放军江北支队四团战士，1948 年 4 月，在汤塘竹山战斗中牺牲。黄汝珍（1909—1949），革命烈士，1948 年参队，北一支六团战士，1949 年 11 月，土匪攻打龙山区政府牺牲。黄贤明（1914—1956），黄埔军校毕业，少校营长，榆林港海军造船厂任总工程师。黄永妙（1915—1946），1945 年，加入中国共产党，同年参队，滘江人民抗日义勇大队战士，1946 年 2 月 3 日，被国民党军逮捕，在四九圩英勇就义。黄渠成（1917—1948），革命烈士，曾任解放军江北支队第四团团长。中共滘江县工作委员会委员，中共滘江地区组织创始人之一，先后担任中共清佛特别支部委员，中共滘江县工作委员会委员。中共江北地委从滘花分委委员，是滘江民众抗日义勇大队负责人。1948 年 5 月 4 日，在从化北部坪地村休整时突然遭到从化县反动军警的包围袭击而英勇牺牲。黄世超（1922—1949），革命烈士，1947 年参队，东三支四团战士，1949 年 6 月 24 日，在良口战斗中牺牲。黄潮（1922—1950），革命烈士，1947 年参队，北江第一支队战士，1950 年，在从化县官庄剿匪战斗中牺牲。黄丰联（1926—1948），革命烈士，1947 年参队，东三支四团战士，1948 年 3 月，在大白洞战斗被俘，在四九圩英勇就义。黄庄荣（1928—1948），革命烈士，1947 年参队，任广东人民解放军江北支队四团班长，1948 年 6 月 3 日，在水头瑶洞尖锋仔战斗中牺牲。黄占杞（1931—1948），革命烈士，1941 年加入中国共产党，广东人民解放军江北支队四团战士，1948 年 5 月 4 日，在从化坪地村战斗中牺牲。黄积年（1913—2000），1944 年参与组建成立三乡抗日大队，任中队长。1946 年任清从佛人民义勇大队中队长。1948 年任江北一支队第六团第一大队长。中华人民共和国成立后，任清远县武装部副大队长。黄赞明（1920—2007），参加过抗日战争和解放战争，时任东江纵队第三支队独立三营教导员，后任佛山市科技局局长。

◎ 黄渠成烈士遗像

（资料填报：黄耀辉，初稿撰写：黄仲林，总纂：李协湖）

大馆村

◎ 大馆村村貌（摄于 2016 年）

大馆村，位于汤塘镇东部，距镇政府 7 千米，始建于清初，先祖从清远湛江菱角塘老围迁出在今址建村而形成。因村内建有一间培育人才的学堂（馆）故取名大馆村。村东邻柴洞村，南连围内村，西与白石坳村相连，北临四九河。村坐落于四九河南岸，省道 S354 线从村中经过，四九河从村的北部流过，经过村的河流长 400 米，主要山岭有后龙山，高 200 米。

村形成时，属清远县湛江乡。民国时期属清远县四九乡。中华人民共和国成立后，1953 年属佛冈县四九乡。1959 年属从化县四九人民公社菱角塘大队。1961 年属佛冈县四九人民公社菱角塘大队。1962 年白石坳大队与菱角塘大队和群丰大队合并，成立菱塘大队。1987 年属四九镇菱塘行政村。1989 年属四九镇菱塘管理区。1998 年属四九镇行政村。2004 年至今，属汤塘镇菱塘行政村。

世居村民为黄姓。明代先祖从顺德甘竹右滩迁至广东清远湛江菱角塘，清初从清远湛江菱角塘老围迁至村。

2015 年，户籍人口 377 人，其中男性 178 人，女性 199 人；80 岁及以上 5 人，最年长者 89 岁（女）。实际在村居住和生活主要依靠农业收入的有 250 人，留守儿童 3 人。常年在城镇生活和打工的有 127 人。村民为汉族，广府民系，使用粤方言。

传统经济以农业为主，耕地面积 9.33 公顷，粮食作物以种植水稻、薯类为主，经济作物种植花生、粉葛、芋头、水果等。山地面积 5.33 公顷，主要种植有荔枝、龙眼、黄皮、沙糖桔等。随着农业布局的调整，现在转型土地连片出租承包大户，专业种植蔬菜、水果等。改革开放后，大部分青壮年村民外出打工。村民主要收入来源：农业生产、外出务工收入、商业经营性收入。特色产品有荔枝、龙眼、粉葛等。特色传统食品有春节油角、煎堆、糖环，端午节粽子，中秋节月饼。

村于 1969 年通电，1990 年通电话，2005 年通网络，2010 年村道实现水泥硬底化，2015 年通自来水。村内有老年人服务中心、文化室各 1 座。

传统民居现存 12 座。为两房两廊一厅一天井式广府民居布局，有通风、清凉、防潮、防晒的特点。代表性民居有黄信明祖屋，建于清朝，占地面积 120 平方米。保存现状有少部分损坏，无人居住。新建

◎ 大馆村门楼（摄于 2016 年）

楼房多为钢筋水泥混凝土结构，有些楼房是框架结构，90 平方米左右，大多一至二层，有的三层四层，布局为三房一厅一厨房，一至两个卫生间。有些家庭单独建楼房，还有院子。

现存垂远宗祠，始建于清初，与围内村、柴洞村和黄洞村共用，现占地 500 平方米。宗祠是村民喜庆节日烧香祈祷之所。

村与围内村、柴洞村和黄洞村共同编有《黄氏族谱》，黄桂深于 1994 年纂修。家训有“居正公示儿诗”，于唐朝制定。家训诗：“骏马匆匆出异乡，任从随处立纲常。年深外境犹吾境，日久他乡即故乡。朝夕莫忘亲命语，晨昏须存祖宗香。伏望苍天垂庇佑，三七男儿总炽昌。”

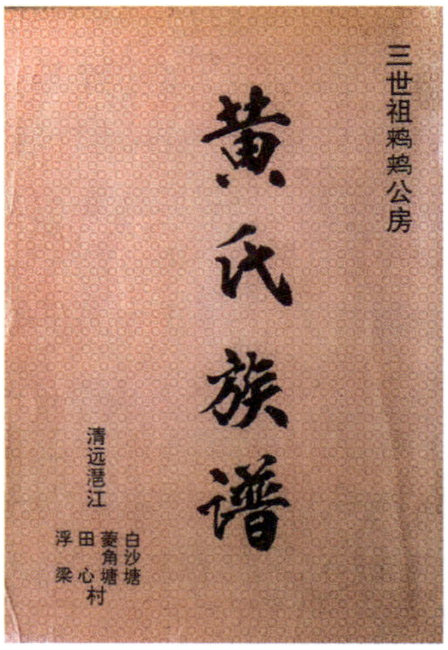

◎《黄氏族谱》（摄于 2016 年）

主要民间习俗有正月初二开年祈福，正月初四举行灯会，端午节祭海神，清明时节祭祖。主要民俗是舞醒狮，形成于 20 世纪 90 年代，每逢春节狮队到各家各户拜年祝福喜庆，外地兄弟到来联谊、新兵入伍欢送均用醒狮接送，添男丁举行灯会时也舞动醒狮助庆。

村男婚女嫁过去由“父母之命，媒妁之言”所决定。有抱养穷人家女童作“童养媳”、未生男孩的人家抱养“等郎妹”的习俗。传统婚嫁礼仪：先是媒妁之言，再是女方到男方探家，男方担定婚茶到女方，然后报日子，送礼金，定嫁妆，最后是举行婚礼。行婚当天要摆酒席，迎亲送新，晚上举行茶话会，直到深夜才散。传统丧事习俗以土葬为主。1990 年后，逐步实行火化，其程序为：竖灵、入殓、出殡、送葬、火化、安放、做法事。

老虎乸祠堂传说：村后龙山脉起伏数千米远，与那时的原始森林连成一片。20 世纪 50 年代前，每年都多次出现老虎窜入围中捕食生猪、黄牛，无人敢去捕猎，老虎来去自由。后龙山茂密的森林成了老虎聚居的乐园、天堂，故先辈称此地为老虎乸祠堂，而今已是自然保护林区。

2015 年，公益性项目菱塘村大馆老年人服务中心建成并投入使用。

该村的黄信明（1916—2014），抗日战争时期任湛江抗日义勇大队政治部主任，解放战争时期任东三支四团团长兼政委，后任深圳市规划局局长。黄近槐（1930—），1949—1951 年期间，参加志愿军，并参与抗美援朝战役，后任生产队长。黄玉山（1940—），曾任佛冈县委调研员。黄新民（1942—），曾在广州市环保部门工作，任环保高级工程师，广州市第十届人大代表。1993 年获“全国环境保护系统先进工作者”称号，并多次获得省部级科技进步奖三等奖，现享受省部级劳动模范津贴。黄昇民（1955—），曾任北京广播学院教授，博士生导师，广告学院院长，国务院学科评议组成员，中国广告博物馆馆长，1997 年被评为国家出国留学优秀人才。

（资料填报：黄耀辉，初稿撰写：黄仲林，总纂：李协湖）

黄洞村

◎ 黄洞村村貌（摄于 2016 年）

黄洞村，位于汤塘镇东部，距镇政府 10 千米。始建于清中期，先祖从清远�江菱角塘老围迁出在今址建村而形成。因全村的三个小村同姓黄并同住一个山而取名黄洞村。村东临菱角塘山场，南连后龙山脉，西与围内村责任田接壤、北与围内村、柴洞村相望。村坐落于四面环山谷地，山溪河从村中流过，经过村的河流长 1200 米，主要山岭有大脑山，高 250 米。

村形成时，属清远县潖江乡。民国时期属清远县四九乡。中华人民共和国成立后，1953 年属佛冈县四九乡。1959 年属从化县四九人民公社菱角塘大队。1961 年属佛冈县四九公社菱角塘大队。1962 年白石坳大队与菱角塘大队和群丰大队合并，成立菱塘大队。1987 年属四九镇菱塘行政村。1989 年属四九镇菱塘管理区。1998 年属四九镇行政村。2004 年至今，属汤塘镇菱塘行政村。

世居村民为黄姓。清中期黄姓，从清远潖江菱角塘迁至村。

2015 年末，户籍人口 401 人，其中男性 229 人，女性 182 人；80 岁及以上 6 人，最年长者 88 岁（女）。实际在村居住和生活主要依靠农业收入的有 390 人，留守儿童 4 人。常年在城镇生活和打工的有 11 人。村民为汉族，广府民系，使用粤方言。

传统经济以农业为主，耕地面积 15.33 公顷。粮食作物以种植水稻、薯类为主，经济作物种植花生、粉葛、芋头、水果等。全村山地有 26.33 公顷，主要种植有荔枝、龙眼、黄皮、沙糖桔等。随着农业布局的调整，现在转型土地连片出租承包大户，专业种植蔬菜、水果等。改革开放后，大部分青壮年村民外出打工。村民主要收入来源：农业生产、外出务工收入、商业经营性收入。特色产品有荔枝、

◎ 传统食品——糖环（摄于 2016 年）

◎ 黄洞村硬底化乡村公路（摄于2016年）

龙眼、粉葛等。特色传统食品有春节油角、煎堆、糖环，端午节粽子，中秋节月饼。

村于1961年通电，1990年通电话，2005年通网络，2010年村道实现水泥硬底化，2014年通自来水。村内有1座文化室。

传统民居现存2座。为正座式，正座为两房两廊一厅一天井式广府民居布局，有通风、清凉、防潮、防晒的特点。代表性民居有黄日广祖屋，建于清中期，占地面积120平方米。保存现状有少部分损坏，无人居住。新建楼房多为钢筋水泥混凝土结构，有些楼房是框架结构，90平方米左右，大多为一至二层，有的三层四层，布局为三房一厅一厨房，一至两个卫生间。

现存垂远宗祠，始建于清初，与围内村、柴洞村和大馆村共用，现占地500平方米。宗祠是村民喜庆节日烧香祈祷之所。

◎ 黄日广祖屋（摄于2016年）

村与围内村、柴洞村和大馆村共同编有《黄氏族谱》，黄桂深于1994年纂修。家训有“居正公示儿诗”，于唐朝制定。家训诗：“骏马匆匆出异乡，任从随处立纲常。年深外境犹吾境，日久他乡即故乡。朝夕莫忘亲命语，晨昏须存祖宗香。伏望苍天垂庇佑，三七男儿总炽昌。”主要民间习俗有正月初二开年祈福，正月初四举行灯会，端午节祭海神，清明时节祭祖。

舞醒狮形成于20世纪90年代，每逢春节狮队到各家各户拜年祝福喜庆，外地兄弟联宜、新兵入伍欢送均用醒狮接送，添男丁举行灯会时也舞动醒狮助庆。

传统婚丧习俗的程序是：中华人民共和国成立前，男婚女嫁为“父母之命，媒妁之言”所决定。有抱养穷人家女童作“童养媳”、未生男孩的人家抱养“等郎妹”的习俗。传统婚嫁礼仪：先是媒灼之言，再是女方到男方探家，男方担定婚茶到女方，然后报日子，送礼金，定嫁妆，最后是举行婚礼。行婚当天要摆酒席，迎亲送新，晚上举行茶话会，直到深夜才散。第三天新婚夫妇在兄长的陪伴下到女方家拜访父母，感谢他们的养育之恩，这一天叫回门。新婚的第一个春节，妻子偕同丈夫回娘家探亲，这次就叫关门了。这样经过“出门—回门—关门”三个步骤后，整个婚礼结束。传统丧事习俗以土葬为主。1990年后，逐步实行火化，其程序为：竖灵、入殓、出殡、送葬、火化、安放、做法事。第二天，丧事家属子女探望娘家，邀请亲朋好友来做客。在当年除夕当天，将灵牌送入祖祠安置。

1957年11月，菱角塘经韶关专署批准为革命老区。1962年白石坳大队与菱角塘大队和群丰大队合并，成立菱塘大队。

该村的黄富盛（1920—2010），曾任广州军区南海舰队后勤部政治部主任。

（资料填报：黄耀辉，初稿撰写：黄仲林，总纂：李协湖）

群丰村

◎ 群丰村村貌（摄于 2016 年）

群丰村，曾用名大树脚村，位于汤塘镇东部，距镇政府约 9 千米。始建于清初，因莫姓、何姓和钟姓先祖由外地迁来建村而形成。在公社化时期，因多个小村连年粮食大丰收而取名群丰村。村东与四九居委连接，南临后龙山，西邻柴洞村，北临四九河。村坐落于四九河南岸，省道 S354 线从村中经过，四九河从村的北部流过，经过村的河流长 1200 米，主要山岭有后龙山，高 380 米，村中有 3 个鱼塘，面积共约 0.67 公顷。

村形成时，属清远县滘江乡。民国时期属清远县四九乡。中华人民共和国成立后，1953 年属佛冈县四九乡。1959 年属从化县四九人民公社群丰塘大队。1961 年属佛冈县四九人民公社群丰大队。1962 年白石坳大队与菱角塘大队和群丰大队合并，成立菱塘大队。1987 年属四九镇菱塘行政村。1989 年属四九镇菱塘管理区。1998 年属四九镇行政村。2004 年至今，属汤塘镇菱塘行政村。

世居村民为何姓、莫姓、钟姓。何姓先祖，晋朝从河南迁至广东增城、南雄，明洪武二十五年（1392 年）从增城杨梅都湖田埔迁至村。清代时期，莫姓先祖于清初从广东番禺沙湾迁至村。钟姓先祖于清初从广东从化太平迁至村。

2015 年末，户籍人口 870 人，其中男性 439 人，女性 431 人；80 岁及以上 10 人，最年长者 91 岁（女）。实际在村居住和生活主要依靠农业收入的有 690 人，留守儿童 5 人。常年在城镇生活和打工的有 180 人。祖籍该村的华侨 6 人。祖籍该村的香港同胞 10 人，祖籍该村的澳门同胞 3 人。村民为汉族，广府民系，使用粤方言。

村有山地面积 110 公顷，耕地面积 28.33 公顷，传统经济以农业为主，粮食作物种植水稻、薯类为主。经济作物主要种植花生、粉葛、芋头、果树等。果树种植面积达 300 多公顷。现在转型土地连片出租承包大户，专业种蔬菜、水果等。村有专业户连片种植火龙果基地 3.33 公顷，年产量达 30 吨。改革开放后，大部分青壮年村民外出打工。村民主要收入来源：农业生产、外出务工收入、商业经营性收入。有河沙，特色产品有荔枝、龙眼、火龙果、黄皮。特色传统食品有端午节粽子，中秋节月饼，春节油角、煎堆。

村于 1969 年通电，1990 年通电话，2005 年通

◎ 传统民居（摄于 2016 年）

◎ 王首道题词横幅（摄于 2016 年）

网络，2010 年村道实现水泥硬底化，2013 年通自来水。村内有 2 个公园、4 座文化室和 2 个篮球场。1994 年，村域建有四九群丰加油站。

传统民居现存 8 座。为两房两廊一厅一天井式广府民居布局，有通风、清凉、防潮、防晒的特点。代表性民居有钟翘斌之居，建于清乾隆时期，占地面积 120 平方米。保存现状有少部分损坏，无人居住。

村中建有兴庐，建于 1942 年。建筑占地面积 97 平方米，坐北向南，面阔 9.7 米，进深 10 米。兴庐为两层，青砖墙，砖木结构，里面为三开间。为地下党联络员莫玉山在地下党授意下所建。兴庐为中共湛从区委的交通联络站。1975 年，中共广东省委书记王首道视察时，亲笔题写“广东革命文物堡垒户”的横幅相赠，现存于群丰村南庄民居。

村有《莫氏族谱》，莫伟强于 1980 年纂修。还编有《何氏族谱》。主要宗族活动有正月初二开年祈福。正月初十（十一）举行灯会，端午节祭海神，清明时节祭祖。

◎ 群丰村兴庐（摄于 2016 年）

传统节日为：春节、清明节、四月八、端午节、七夕、七月十四、中秋节、冬至等，其中正月十五为元宵节，有蒸发糕、食汤圆、做糍的习俗，以示庆贺春节圆满结束。传统婚嫁礼仪：先是媒灼之言，再是女方到男方探家，男方担定婚茶到女方，然后报日子，送礼金，定嫁妆，最后是举行婚礼。传统丧事习俗以土葬为主。1990 年后，逐步实行火化，其程序为：竖灵、入殓、出殡、送葬、火化、安放、做法事。

村于 1955 年成立群丰农业社。1962 年，群丰大队与菱角塘大队和白石坳大队合并，成立菱塘大队。

该村的何国（1893—1948），革命烈士，1947 年参队，广东人民解放军江北支队四团战士，1948 年 4 月，在四九圩被捕英勇就义。何云洲（1903—1948），革命烈士，1947 年参队，广东人民解放军江北支队四团战士，1948 年 6 月 3 日，在水头瑶洞尖锋仔战斗中牺牲。莫松新（1925—1948），革命烈士，1947 年参队，广东人民解放军江北支队四团战士，1948 年 4 月，在从化鳌头被捕英勇就义。何乃文（1936—），曾任佛冈县农机局局长，引进外资企业佛冈新菱空调自控有限公司落户佛冈，为佛冈的经济发展做出一定的贡献。

（资料填报：黄耀辉，初稿撰写：黄仲林，总纂：李协湖）

围内村

◎ 围内村村貌（摄于2016年）

围内村，位于汤塘镇东部，距镇政府7.5千米，始建于明末，黄氏始祖从顺德甘竹右滩迁来今址建村而形成。因黄氏始祖在今址建村，属老围，原5个村小组同住老围内取名围内村。村东接柴洞村，南临后龙山，西与大馆村相连，北临四九河。村坐落于四九河南岸，省道S354线从村中经过，四九河从村的北部流过，经过村的河流长500米，主要山岭有主脑山，高350米，村中有一鱼塘，名叫菱角塘鱼塘，历史悠久，面积约12公顷。

村形成时，属清远县湛江乡。民国时期属清远县四九乡。中华人民共和国成立后，1953年属佛冈县四九乡。1959年属从化县四九人民公社菱角塘大队。1961年属佛冈县四九人民公社菱角塘大队。1962年白石坳大队与菱角塘大队和群丰大队合并，成立菱塘大队。1987年属四九镇菱塘行政村。1989年属四九镇菱塘管理区。1998年属四九镇行政村。2004年至今，属汤塘镇菱塘行政村。

世居村民为黄姓。明末，黄姓先祖从顺德甘竹右滩迁至该地。

2015年末，户籍人口471人，其中男性240人，女性231人;80岁及以上7人,最年长者84岁（女）。实际在村居住和生活主要依靠农业收入的有365人，留守儿童3人。常年在城镇生活和打工的有106人。村民为汉族，广府民系，使用粤方言，

村有山地面积62公顷，山上有松、杉、灌木林。耕地面积17.33公顷。传统经济以农业为主，粮食作物以种植水稻、薯类为主，经济作物种植花生、粉葛、芋头、水果等。果树全村达33.33公顷，主要种植有荔枝、龙眼、黄皮、沙糖桔等。随着农业布局的调整，现在转型土地连片出租承包大户，专业种植蔬菜、水果等。改革开放后，大部分青壮年村民外出打工。村民主要收入来源：农业生产、外出务工收入、商业经营性收入。特色产品有荔枝、龙眼、粉葛等。特色传统食品有春节油角、煎堆、糖环，端午节粽子，中秋节月饼。

村于1961年通电，1990年通电话，2005年通网络，2010年村道实现水泥路面硬底化，2014年通自来水。村内有1个公园。村内有黄渠成纪念小学，2015年有班级6个，在校学生200人，教职工10人。汤塘镇中心幼儿园菱塘分校，在园幼儿106人，教

◎ 黄康扶祖屋（摄于 2016 年）

◎ 炮楼（摄于 2016 年）

职工 6 人。

传统民居现存 8 座。为两房两廊一厅一天井式广府民居布局，有通风、清凉、防潮、防晒的特点。代表性民居有黄康扶祖屋，建于清中期，占地面积 120 平方米。保存现状有部分损坏，无人居住。

现存垂远宗祠，始建于清初，与大馆村、柴洞村和黄洞村共用，现占地 500 平方米。宗祠是村民喜庆节日烧香祈祷之所。

其他传统建筑有东南西北炮楼 4 座，始建于清代。主要建筑形制有三层青砖墙身，杉木梁角青瓦，墙身上方四面有多个窗口，现西炮楼仍存在，其他三面的炮楼已塌方不存。

代表性碑刻有石刻五福字，立于清初，现存于菱角塘老围的门楼上。有长生土地神位（石刻），书于清初，现存于老围门前土地神位。代表性匾额有“垂远宗祠”（石刻），书于清初，现存于菱角塘宗祠。

◎ 垂远宗祠（摄于 2016 年）

村与大馆村、柴洞村和黄洞村共同编有《黄氏族谱》，黄桂深于 1994 年纂修。家训有“居正公示儿诗”，于唐朝制定。家训诗：“骏马匆匆出异乡，任从随处立纲常。年深外境犹吾境，日久他乡即故乡。朝夕莫忘亲命语，晨昏须存祖宗香。伏望苍天垂庇佑，三七男儿总炽昌。”

主要民间习俗有正月初二开年祈福，正月初四举行灯会，端午节祭海神，清明时节祭祖，春节、端午节、中秋节、重阳节、冬至等节日，群众都用不同形式庆祝，并到庙拜神。

主要民俗活动有舞醒狮，形成于 20 世纪 90 年代，每逢春节狮队到各家各户拜年祝福喜庆，外地兄弟到来联宜、新兵入伍欢送均用醒狮接送，添男丁举行灯会时也舞动醒狮助庆。

传统婚嫁习俗：中华人民共和国成立前，男婚女嫁为“父母之命，媒妁之言”所决定。有抱养穷人家女童作“童养媳”、未生男孩的人家抱养“等郎妹”的习俗。传统婚嫁礼仪：先是媒妁之言，再是女方到男方探家，男方担定婚茶到女方，然后报日子，送礼金，定嫁妆，最后是举行婚礼。行婚当天要摆酒席，迎亲送新，晚上举行茶话会，直到深夜才散。第三天新婚夫妇在兄长的陪伴下到女方家拜访父母，感谢他们的养育之恩，这一天叫回门。新婚的第一个春节，妻子偕同丈夫回娘家探亲，这次就叫关门了。这样经过“出门—回门—关门”三个步骤后，整个婚礼结束。传统丧事习俗以土葬为主。1990 年后，

◎ 围内村百年老榕树（摄于 2016 年）

◎ 菱塘黄渠成纪念小学（摄于 2016 年）

逐步实行火化，其程序为：竖灵、入殓、出殡、送葬、火化、安放、做法事。第二天，丧事家属子女探望娘家，邀请亲朋好友来做客。在当年除夕当天，将灵牌送入祖祠安置。

老虎岨祠堂传说：村后龙山脉起伏数千米远，与那时的原始森林连成一片。20 世纪 50 年代前，每年都多次出现老虎窜入围中捕食生猪、黄牛，无人敢去捕猎，老虎来去自由。后龙山茂密的森林成了老虎聚居的乐园、天堂，故先辈称之为老虎岨祠堂，而今已是自然保护林区。

1957 年 11 月，菱角塘被韶关专署批准为革命老区。2000 年，原“菱塘小学”正式更名为“菱塘黄渠成纪念小学”，是佛冈县唯一一所以革命烈士英名命名的学校。2015 年，菱角塘公园建成并投入使用。

该村的黄流大（1926—1989），抗日战争时期任兴礼常备中队小队长，1945 年参加中国共产党，参加解放汤塘圩战斗。中华人民共和国成立后在清远任职，后调韶关森工局工作。黄自成（1949—2013），中共党员，曾任清远市统计局局长。

（资料填报：黄耀辉，初稿撰写：黄仲林，总纂：李协湖）

○脉塘行政村

湴田村

◎ 湴田村村貌（摄于 2016 年）

湴田村，位于汤塘镇东部，距镇政府 3 千米。村始建于清末。杨氏始祖从清远县添满二区汤塘上黎古洞村迁徙而形成。因原耕地水源充足，多为泥湴而取名湴田村。村坐落于丘陵地带，村庄坐东向西。东与狗头石山相望，南与石龙村相邻，西与大塘村接壤，北是黎安湖竹脚。主要山岭有高秧坪山，海拔最高为 30 米。止贝岴溪自东向西从村的西南流过，汇入四九河。

村形成时，属清远县滘江二区。民国时期，属清远县滘江区联卫乡。中华人民共和国成立后，属清远县第七区。1953 年属佛冈县第四区脉塘乡。1958 年属从化县滘江人民公社脉塘大队。1961 年属佛冈县良安人民公社脉塘大队。1970 年属汤塘人民公社脉塘大队。1983 年属汤塘区脉塘乡。1987 年属汤塘镇脉塘行政村。1989 年属汤塘镇脉塘管理区。1998 年属汤塘镇脉塘行政村至今。

世居村民为杨姓，宋初杨氏从中原迁至广东潮阳，清末从佛冈上黎古洞迁至村。

2015 年末，户籍人口 131 人，其中男性 67 人，女性 64 人；80 岁及以上 4 人，最年长者 87 岁（男）。实际在村人口 119 人，留守儿童 5 人。生活主要依靠农业收入的有 105 人，常年在城镇生活和打工的有 12 人。村民为汉族，广府民系，使用粤方言。

村有山地面积 16.73 公顷，耕地面积 4.47 公顷。山上种有杉、松、灌木林。传统经营以种植水稻为主，兼种花生、番薯、芋头、木薯、蔬菜、番薯、粉葛。

◎ 湴田村一角（摄于 2016 年）

◎ 湴田村传统民居（摄于 2016 年）

养殖业有鸡、鹅、鸭、猪等禽畜。特色农产品有石硖龙眼、桂米荔枝、红葱头、粉葛，传统（节庆）食品有艾糍、糯米糍、甜酒、年糕、湛江醋。村民主要收入来源为农业收入、工资收入等。

村于 20 世纪 70 年代通电，2005 年通电话，2007 年村道实现水泥硬底化，2010 年通网络。

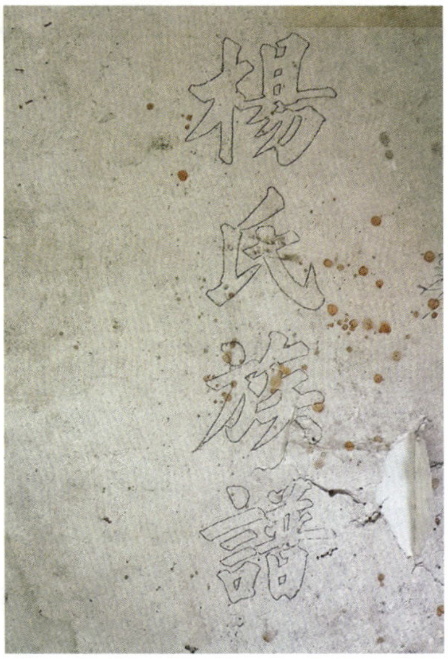

◎ 湴田村《杨氏族谱》（摄于 2016 年）

传统民居现存 8 座，民居为硬山顶、盖灰瓦，混合土墙，二房二廊一厅一天井布局。1990 年后，村民逐步建有钢筋混凝土结构楼房，现存砖瓦平房 12 座，钢筋混凝土结构楼房一层有 9 座，二层有 15 座。有些家庭单独建楼房，还有院子，种有花草，环境优美。

村编有《杨氏族谱》，由杨开鼎等人于清乾隆五十年（1785 年）纂修。《杨氏族谱（2）》，由杨伟三等人于 1981 年续修。

主要民间习俗有清明祭祖。传统婚嫁习俗中的中原古制“六礼”已经很少见到，仍保留部分传统习俗。婚嫁礼仪：开始交往时女家要到男家探家风，结婚前要担定婚茶，报日子，送聘金，定嫁妆。行结婚礼时，要摆酒请客，迎亲和送亲及三朝回门。传统丧事以土葬为主，1990 年后逐步实行火化。但主要程序还保留，给亲友报丧、举丧、上孝、买水、守灵、哭丧、殓棺、煮寿饭（花菜、黄豆、豆腐）、出殡、训棺、火葬，骨灰入坟，做法事，将亡灵送入祖堂、脱孝、第三日复坟、拜满月山。

1957 年，村民参与兴建止贝冚水库，水库容积 100 万立方米，现为下游村及汤塘镇政府驻地饮用主要水源。1998 年，由香港星岛日报社、香港资助小学校长职工会及政府教育人员职工会发起，由香港教育署长余黎青萍女士、罗范椒芬女士为名誉赞助人之“育苗计划”委员会，将所筹善款 28 万元赠予大塘学校兴建新教学楼。新教学楼 1999 年夏落成，大塘、湴田、石龙村孩子们由原来的泥砖瓦房搬到新楼房。

（资料填报：谭志平，初稿撰写：黄丽娟，总纂：李协湖）

车田村

◎ 车田村村貌（摄于 2016 年）

车田村，位于汤塘镇东北部，距镇政府 1.5 千米，始建于清同治九年（1870 年）。因村用圆形滚动水车灌溉农田而取名车田村。村坐落于国道 G106 线与京港澳高速公路之间，距离京港澳高速出口仅 200 米。村庄坐北向南，四九河自东向西从村南流过。村东临京港澳高速公路，南与止新村相望，西与汤塘五华村相邻，北与大埔象弼嘴村接壤。

村形成时，属清远县滘江二区。民国时期，属清远县滘江区联卫乡。中华人民共和国成立后，属清远县第七区。1953 年属佛冈县第四区脉塘乡。1958 年属从化县滘江人民公社脉塘大队。1961 年属佛冈县良安人民公社脉塘大队。1970 年属汤塘人民公社脉塘大队。1983 年属汤塘区脉塘乡。1987 年属汤塘镇脉塘行政村。1989 年属汤塘镇脉塘管理区。1998 年属汤塘镇脉塘行政村至今。

世居村民有冯姓、刘姓、罗姓。宋代，冯氏从中原迁至广东新会，再从汤塘围迁至暖坑耕厂，清同治九年（1870 年）从暖坑耕厂迁至村。宋末，刘氏从福建迁至广东潮州，清光绪十六年（1890 年）从围镇旧围迁至村。明景泰年间，罗氏从中原迁福建再迁至广东韶关南雄珠玑巷，清光绪十六年（1890 年）从汤塘围迁至村。

2015 年末，户籍人口 251 人，其中男性 132 人，女性 119 人；80 岁以上 7 人，最年长者 92 岁（女）。实际在村人口 213 人，留守儿童 6 人。生活主要依靠农业收入的有 189 人，常年在城镇生活和打工的有 38 人。村民为汉族，广府民系，使用粤方言。

◎ 村民养殖的“走地鸡”（摄于 2016 年）

村有山地面积 5.6 公顷，耕地面积 6.33 公顷。传统经营以农业为主，主要种植水稻、花生、番薯、芋头、木薯、玉米等作物。养殖业

◎ 田园一角（摄于 2016 年）

◎ 车田村一角（摄于 2016 年）

有鸡、鹅、鸭、猪等禽畜。特色农产品有石硖龙眼、桂米荔枝、红葱头。传统食品有艾糍、糯米糍、甜酒、年糕、湛江醋。村民主要收入来源：农业收入、务工工资收入、商业经营收入等。

村于 20 世纪 70 年代通电，2005 年通电话，2007 年村道实现水泥硬底化，2008 年通自来水，2009 年通网络。

传统民居现存 35 座。1990 年后，逐步建钢筋混凝土结构楼房，钢筋混凝土结构楼房一至三层。有些还有院子，种有花草，环境优美。

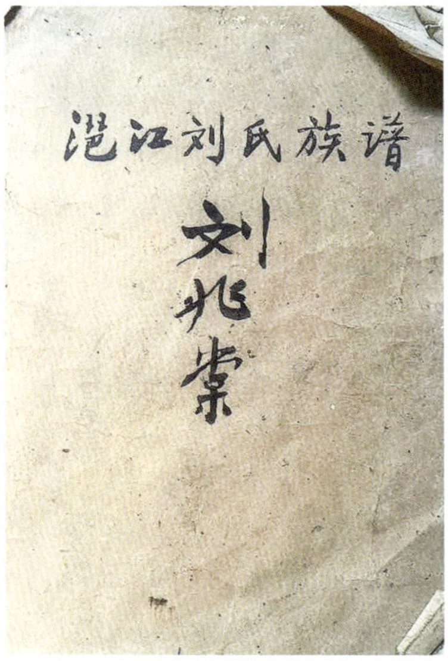

◎《湛江刘氏族谱》（摄于 2016 年）

村有《冯氏族谱》，由冯宝光于 1994 纂修；《罗氏族谱》由罗利明于 2003 年续修；《刘氏族谱》由刘庚仁于 1995 年纂修。

主要民间活动为清明祭祖、拜满月山。传统婚嫁习俗：开始交往时女家要到男家探家风，结婚前要担定婚茶，报日子，送聘金，定嫁妆，行结婚礼时，要摆酒请客，迎亲和送亲及三朝回门。传统丧事以土葬为主，1990 年后逐步实行火化。主要程序：给亲友报丧、举丧、上孝、买水、守灵、哭丧、殓棺、煮寿饭（花菜、黄豆、豆腐）、出殡、训棺、火葬，骨灰入坟、做法事、将亡灵送入祖堂、脱孝、第三日复坟。

1977 年，村干部及部分群众参加汤塘、四九两公社组织的整治四九河段和石门河段，实行裁弯取直，提高河流的排洪级别及土地使用。

该村的冯灼锋（1971—），任县三防指挥部办公室主任，被中国气象局评为 2011 年度气象服务贡献奖先进个人；2012 年 10 月获得第二届广东省公共气象服务技能竞赛信息员组第二名；被省气象局授予 2012 年广东省气象服务能手称号；被省三防指挥部评为 2016 年度全省防汛、防旱、防风、防冻先进工作者。

（资料填报：谭志平，初稿撰写：黄丽娟，总纂：李协湖）

大冚村

◎ 大冚村村貌（摄于 2016 年）

大冚村，曾用名龙塘村，位于汤塘镇东南部，距镇政府 2 千米。始建于明弘治四年（1491 年），从清远源潭松塘村迁入而形成。因原村民居住在两条山岭之间，当地称“山冚”，故取名大冚村。村坐落于丘陵地带，东临大塘村，南望蕉冚山，西与妙山村相邻，北与脉塘村接壤。京港澳高速公路从村北经过。

村形成时，属清远县滙江二区。民国时期，属清远县滙江区联卫乡。中华人民共和国成立后，属清远县第七区。1953 年属佛冈县第四区脉塘乡。1958 年属从化县滙江人民公社脉塘大队。1961 年属佛冈县良安人民公社脉塘大队。1970 年属汤塘人民公社脉塘大队。1983 年属汤塘区脉塘乡。1987 年属汤塘镇脉塘行政村。1989 年属汤塘镇脉塘管理区。1998 年属汤塘镇脉塘行政村至今。

世居村民为何氏。宋咸淳九年（1273 年），何氏从福建迁至广东韶关南雄珠玑巷，后从韶关南雄珠玑巷迁至广东番禺沙湾，明成化末年，迁至广东佛山南海小铺村，后迁至广东清远源潭松塘，明弘治四年（1491 年）迁至村。

2015 年末，户籍人口 348 人，其中男性 182 人，女性 166 人；80 岁及以上 8 人，最年长者 90 岁（女）。实际在村人口 296 人，留守儿童 5 人。生活主要依靠农业收入的有 254 人，常年在城镇生活和打工的有 42 人。村民为汉族，广府民系，使用粤方言。

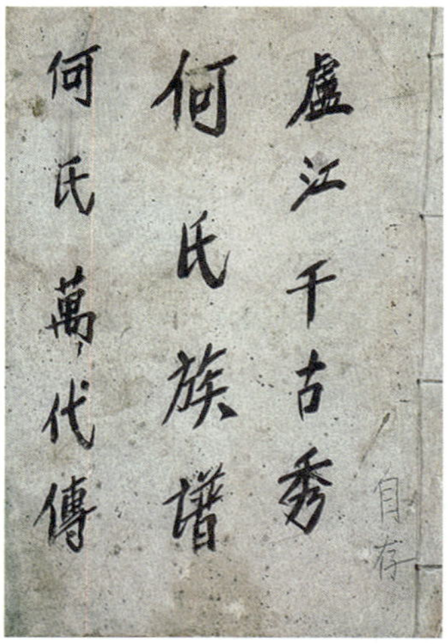

◎《何氏族谱》（摄于 2016 年）

村有山地面积 55.6 公顷，山上种有杉、松、灌木林。耕地面积 14.67 公顷，主要种植水稻、花生、番薯、芋头、木薯、花生为主，兼种沙糖桔、粉葛等作物。养殖鸡、鸭、鹅、猪和牛等禽畜。随着农村产业布局调整，20 世纪 90 年代，大力发展沙糖桔产业，2013 年后，由于受黄龙病影响，沙糖桔失收，村民改种其他经济作物。特色农产品有沙糖桔、粉葛、红葱头。传统节庆食品有艾糍、糯米糍、甜酒、年糕、湛江醋。村民主要收入来源：农业收入、务工工资收入、村集体经济分红。

村于20世纪70年代通电，2005年通电话，2007年村道实现水泥硬底化，2010年通网络。村中建有大冚、横岭两间文化室，有乡村文化公园和篮球场等文体设施。

传统民居现存41座。20世纪90年代初后，村里逐步建有钢筋混凝土结构楼房，现有83座。有些还有院子，种有花草，环境优美。

村还建有人民公社大饭堂，建于1958年。正门的墙头竖着一颗醒目的五角星。是当时汤塘公社规模最大的一个集体大饭堂。

◎ 横岭村文化室（摄于2016年）

◎ 大冚村文化室（摄于2016年）

村编有《何氏宗谱》，由何乃轩纂修。

村传统习俗有：年初四上灯舞狮、清明祭祖。每逢佳节庆典，村里都会舞狮助兴，狮子是由彩布条制成的，以金黄色为主，称为文狮（有文武狮之分），每头狮子由两个人合作表演，一人抓狮头，一人抓狮尾，跟随着锣鼓鞭炮声，模仿狮子各式的动作，非常威武。

◎ 大冚村人民公社大饭堂旧址（摄于2016年）

村传统婚嫁习俗中的中原古制“六礼”已经很少见到，还保留部分传统习俗。婚嫁礼仪：开始交往时女家要到男家探家风，结婚前要担定婚茶，报日子，送聘金，定嫁妆，行结婚礼时，要摆酒请客，迎亲和送亲及三朝回门。传统丧事以土葬为主，1990年后逐步实行火化。主要程序：给亲友报丧、举丧、上孝、买水、守灵、哭丧、殓棺、煮寿饭（花菜、黄豆、豆腐）、出殡、训棺、火葬，骨灰入坟、做法事、将亡灵送入祖堂、脱孝、第三日复、拜满月山坟。

2015年，该村被广东省爱国卫生运动委员会评为广东省卫生村。

（资料填报：谭志平，初稿撰写：黄丽娟，总纂：李协湖）

大塘村

◎ 大塘村村貌（摄于 2016 年）

大塘村，位于汤塘镇东部，距镇政府 2 千米，始建于清初，由从化吕田迁入而形成。因村门口有大池塘，而取名大塘村。现村落主要分四小片居住：鸡围、上山顶、高坪山脚下的二队、禾塘。村坐落于丘陵地带，村庄坐东向西。止贝㘭溪自东向西从村南流过。东南与石龙、湴田村相邻，西南向大㘭村，西北与脉塘村相望，东北与黎安湖竹脚接壤。

村形成时，属清远县滘江二区。民国时期，属清远县滘江区联卫乡。中华人民共和国成立后，属清远县第七区。1953 年属佛冈县第四区脉塘乡。1958 年属从化县滘江人民公社脉塘大队。1961 年属佛冈县良安人民公社脉塘大队。1970 年属汤塘人民公社脉塘大队。1983 年属汤塘区脉塘乡。1987 年属汤塘镇脉塘行政村。1989 年属汤塘镇脉塘管理区。1998 年属汤塘镇脉塘行政村至今。

◎ 大塘村门楼（摄于 2016 年）

世居村民原有曹姓、谭姓，后曹氏迁往汤塘占果，现只有谭姓。宋初谭氏从江西迁至广东始兴，后迁至广东从化吕田东坑下磜头，清初迁至村。

2015 年末，户籍人口 887 人，其中男性 453 人，女性 434 人；80 岁及以上 12 人，最年长者 93 岁（女）。实际在村人口 752 人，留守儿童 12 人。生活主要依靠农业收入 704 人，常年在城镇生活和打工的有 48 人。村民为汉族，广府民系，使用粤方言。

村有山地面积 130.87 公顷，山上种有松、杉、绿化林。耕地面积 27.2 公顷，以种植水稻为主，兼种花生、番薯、芋头、木薯、莲藕、粉葛、大力牛药材等。养殖鸡、鹅、鸭、猪、白鸽。特色农产品有石硖龙眼、莲藕、红葱头、粉葛。传统节庆食品有艾糍、艾汤圆、糯米糍、甜酒、年糕、米饼、滘江醋。村民主要收入来源：农业收入、务工工资收入。

村于 20 世纪 70 年代通电，2005 年通电话，

◎ 亮公学校旧址（摄于 2016 年）

◎ 大塘庙（摄于 2016 年）

2007 年村道实现水泥硬底化，2010 年通网络。

传统民居现存 41 座，民居为硬山顶、盖灰瓦，混合土墙，二房二廊一厅一天井布局。主要分布在旧围。村巷纵横交错，一条村道贯穿全村。1990 年后后逐步建有钢筋混凝土结构楼房，有些还有院子，种有花草，环境优美。

村曾办有亮公学校，创办于 1906 年。建筑与传统民居正座有部分相同，不同之处是有两个硬山顶。大门处稍微凹进去，大门顶部有“亮公学校”4 个字。屋檐下方有三星图等彩色的图案，寓意为福、禄、寿；墙上的壁画旁还有两首诗文。由村中父老集资聘请先生教学。当时村办学规模较小，到学堂学习的儿童一般只有几人或 10 多人。

村编有《谭氏族谱》，谭茂兴于 2004 年重修更新。

婚嫁礼仪，开始交往时女家要到男家探家风，结婚前要担定婚茶，报日子，送聘金，定嫁妆，行结婚礼时，要摆酒请客，迎亲和送亲及三朝回门。传统丧事习俗以土葬为主，1990 年后逐步实行火化。

主要民间习俗有正月初二开年奉神，正月初八上灯舞狮，元宵吃圆灯饭，清明祭祖。逢佳节庆典，村里都会舞狮助兴，狮子是由彩布条制成的，以金黄色为主，称为文狮（有文武狮之分），每头狮子由两个人合作表演，一人抓狮头，一人抓狮尾，跟随着锣鼓鞭炮声下，模仿狮子各式的动作，非常威武。

村建有大塘庙，位于高坪山脚下，供奉观音菩萨。庙宇始建于 300 年前。1998 年建大塘学校时，大塘庙迁到现址，2015 年重修，每逢年节，村民都会去庙里拜祭，祈求福佑。

◎ 大塘学校（摄于 2016 年）

村里流传着历史故事，大塘谭氏始祖约 350 年前来到村耕作谋生，认识了村的原曹氏居民。曹氏家族见谭氏始祖生活困难，便收其为契儿子。之后谭氏家族人丁兴旺，相反曹氏家族人丁逐渐减少。为了香火续存，曹氏家族搬到现今的龙山占果。为记住曹氏家族的大恩大德，谭氏每一代的人都会将这段历史告诉给下一代，代代相传。

主要历史事件有：1998 年，由香港星岛日报社、香港资助小学校长职工会及政府教育人员职工会发起，由香港教育署长余黎青萍女士、罗范椒芬女士为名誉赞助人之“育苗计划”委员会，将所筹善款 28 万元赠予大塘学校兴建新教学楼。新教学楼 1999 年夏落成，孩子们由原来的泥砖瓦房搬到新楼房。

（资料填报：谭志平，初稿撰写：黄丽娟，总纂：李协湖）

脉塘村

◎ 脉塘村村貌（摄于 2016 年）

脉塘村， 位于汤塘镇东部，距镇政府 1.5 千米，始建于清乾隆年间，由四九涖塱迁入而形成。因位于山脉的延伸之地好像鱼塘，故取名脉塘村。村坐落于京港澳高速公路东，分三个居住点，一部分坐落于小山脚下，另外两部分坐落于田野之间。东南与大塘相邻，西南与大冚村相望，西北与止新村接壤，东北邻西料村。

村形成时，属清远县滘江二区。民国时期，属清远县滘江区联卫乡。中华人民共和国成立后，属清远县第七区。1953 年属佛冈县第四区脉塘乡。1958 年属从化县滘江人民公社脉塘大队。1961 年属佛冈县良安人民公社脉塘大队。1970 年属汤塘人民公社脉塘大队。1983 年属汤塘区脉塘乡。1987 年属汤塘镇脉塘行政村。1989 年属汤塘镇脉塘管理区。1998 年属汤塘镇脉塘行政村至今。

世居村民为罗姓、冯姓、邓姓。罗姓，明景泰年间从中原迁福建后迁至广东南雄珠玑巷，后迁到新丰，再从高岗迁至四九涖塱，乾隆年间罗氏始祖从四九涖塱迁至村。冯姓，宋代从中原迁至广东新会，从汤塘围迁至广东大埔田心，清光绪年间从大埔田心迁至村。邓姓，一部分明初从中原迁至广东南雄，后从广州番禺迁至广东从化增城后迁至上黎，清同治后期（约 1865 年）从上黎迁至村。另一部分于明初从中原迁至广东南雄，后从上黎迁至暖水南蛇头，1942 年从暖水南蛇头迁至村。

2015 年末，户籍人口 238 人，其中男性 121 人，女性 117 人；80 岁及以上 6 人，最年长者 92 岁（女）。实际在村人口 206 人，留守儿童 6 人。生活主要依靠农业收入的有 180 人，常年在城镇生活和打工的有 32 人。村民为汉族，广府民系，使用粤方言。

村气候温和，雨量充足，一年四季可种作物，宜林、宜果、宜牧、宜渔。有山地面积 10.8 公顷，山上种有松、杉、灌木林。传统经济以农业为主，有耕地面积 9.8 公顷，以种植水稻、花生、番薯、芋头、木薯、桃花、金银花、粉葛等。养殖鸡、鹅、鸭和猪、牛等。特色农产品有桃花、金

◎ 艾糍（摄于 2016 年）

银花。传统节庆食品有艾糍、糯米糍、甜酒、年糕、湿江醋。村民主要收入来源：农业收入、务工收入、商业经营收入。

村于1975年通电，2005年村道实现水泥硬底化，同年通电话，2008年通自来水，2009年通网络。

村传统民居为舂墙瓦屋。现存31座。正座房屋为四门归厅（一厅一天井四房）布局，建筑占地面积约100平方米，房屋都为砖木结构，硬山顶，墙体为青砖和种墙，石门框、石窗框、石地板，每间房间内加装一层木楼阁。屋檐下有壁画灰塑图案，寓意吉祥如意、福寿康宁。1990年后，逐步建有钢筋混凝土结构楼房，有些还有院子。

村修有《佛冈罗氏族谱》，由佛冈罗氏族谱编委会于2000纂修。《冯氏族谱》由冯氏合族纂修。《流溪邓氏族谱》由邓锦球于1987纂修。罗氏祖训（祝融公训子）："不求金玉重重贵，但愿儿孙个个贤。人生天地，首重伦常，男女以正，婚姻以时。处己以孝弟忠信，接人以礼义廉耻。勿以权势凌人，勿以富贵傲人，勿以阴谋害人，勿以败德损己，莫说人是非，莫谈人长短。"

◎ 脉塘村一角（摄于2016年）

◎ 脉塘村门楼（摄于2016年）

村主要民间习俗有冯氏、邓氏正月初四上灯、罗氏正月初八上灯，清明祭祖等。传统婚嫁习俗中的中原古制"六礼"已经很少见到，仍保留部分传统习俗。婚嫁礼仪，开始交往时女家要到男家探家风，结婚前要担定婚茶，报日子，送聘金，定嫁妆，行结婚礼时，要摆酒请客，迎亲和送亲及三朝回门。传统丧事习俗以土葬为主，1990年后逐步实行火化。主要程序：给亲友报丧、举丧、上孝、买水、守灵、哭丧、殓棺、煮寿饭（花菜、黄豆、豆腐）、出殡、训棺、火葬、骨灰入坟、做法事，将亡灵送入祖堂、脱孝、第三日复坟、拜满月山。

1957年，组织村民参加兴建止贝冚水库，于1958年春建成并使用，为水库附近村庄农田水稻旱涝保收提供重要保障。

（资料填报：谭志平，初稿撰写：黄丽娟，总纂：李协湖）

妙山村

◎ 妙山村村貌（摄于 2016 年）

妙山村，位于汤塘镇东部，距镇政府 0.8 千米，始建于清乾隆年间，由四九滙塱迁入而形成。因村旁有小山且有座小庙，故取名妙山村。村落分 3 个居住点，分别是妙山、下围、禾塘。村坐落于丘陵地带，国道 G106 线、京港澳高速公路、省道 S354 线在村旁经过。四九河自东向西从村北流过。村东与脉塘村相望，南与大冚村相邻，西与荣埔村接壤，北邻止新村。

村形成时，属清远县滘江二区。民国时期，属清远县滘江区联卫乡。中华人民共和国成立后，属清远县第七区。1953 年属佛冈县第四区脉塘乡。1958 年属从化县滘江人民公社脉塘大队。1961 年属佛冈县良安人民公社脉塘大队。1970 年属汤塘人民公社脉塘大队。1983 年属汤塘区脉塘乡。1987 年属汤塘镇脉塘行政村。1989 年属汤塘镇脉塘管理区。1998 年属汤塘镇脉塘行政村至今。

世居村民为罗姓、刘姓、邓姓。明景泰年间，罗氏从中原迁福建后迁至广东南雄珠玑巷，后迁到新丰，再迁至四九滙塱，清乾隆年间其祖先罗章显从四九滙塱迁至村。宋末，刘氏从福建迁至广东潮州，清嘉庆初年迁至广东大埔，清光绪初期从大埔迁至村。邓氏明初从中原迁至广东韶关南雄，1925 年从汤塘九岭迁至村。

2015 年末，户籍人口 847 人，其中男性 431 人，女性 416 人；80 岁及以上 21 人，最年长者 91 岁（男）。实际在村人口 679 人，农村留守儿童 7 人。生活主要依靠农业收入的有 583 人。常年在城镇生活和打工的有 96 人。村民为汉族，广府民系，使用粤方言。

◎ 丰收的沙糖桔（摄于 2010 年）

村有山地面积 31.13 公顷，山上种有杉、松、灌木林。传统经济以农业为主，有耕地面积 20.33 公顷，主要种植水稻，兼种花生、番薯、芋头、木薯，养殖牛、鸡、猪等禽畜。特色农产品有火龙果、番石榴、沙糖桔。传统节庆食品有艾糍、糯米糍、甜酒、年糕、湛江醋。村民主要收入来源：农业收入、外出务工收入、分红、商业经营收入。

村于 20 世纪 70 年代通电，2005 年通电话，2007 年村道实现水泥硬底化，2008 年通自来水，2009 年通网络。村中建有脉塘小学，2015 年小学有班级 6 个，在校学生 256 人，教职工 17 人。脉塘小学内设幼儿园，在园幼儿 109 名，教职工 5 人。

◎ 下围门楼（摄于 2016 年）

◎ 妙山门楼（摄于 2016 年）

村传统民居多为四门归厅布局，现存 4 座。1990 年后逐步建有钢筋混凝土结构楼房，现有一至三层 157 幢。有些还有院子，种有花草，环境优美。有妙山门楼和下围门楼，妙山门楼始建于民国时期。下围门楼门头写有余庆里三个字，两边挂有进士、文魁两个木牌匾。

村修有《佛冈罗氏族谱》，由佛冈罗氏族谱编委会于 2000 年纂修。《刘氏族谱》由刘庚仁于 1995 年纂修。《流溪邓氏族谱》由邓锦球于 1988 年纂修。罗氏祖训（祝融公训子）：“不求金玉重重贵，但愿儿孙个个贤。人生天地，首重伦常，男女以正，婚姻以时。处己以孝弟忠信，接人以礼义廉耻。勿以权势凌人，勿以富贵傲人，勿以阴谋害人，勿以败德损己，莫说人是非，莫谈人长短。”

传统民俗活动有：正月初四上灯舞狮和清明祭祖等。每逢佳节庆典，村里都会舞狮助兴，狮子是由彩布条制成的，以金黄色为主，称为文狮（有文武狮之分），每头狮子由两个人合作表演，一人抓狮头，一人抓狮尾，跟随着锣鼓鞭炮声，模仿狮子各式的动作，非常威武。

传统婚嫁习俗中的中原古制“六礼”已经很少见到，但仍保留部分传统习俗。婚嫁礼仪，开始交往时女家要到男家探家风，结婚前要担定婚茶，报日子，送聘金，定嫁妆，行结婚礼时，要摆酒请客，迎亲和送亲及三朝回门。丧葬习俗传统以土葬为主，1990 年后逐步实行火化。主要程序：给亲友报丧、举丧、上孝、买水、守灵、哭丧、殓棺、煮寿饭（花菜、黄豆、豆腐）、出殡、训棺、火葬，骨灰入坟、做法事、将亡灵送入祖堂、脱孝，第三日复坟、拜满月山。

1972 年，遭特大洪水袭击，部分低洼房屋被浸水深达一米多。部分房屋倒塌，受损严重，农作物大片失收。

2015 年 6 月，该村被广东爱国卫生运动委员会评为省卫生村。

（资料填报：谭志平，初稿撰写：黄丽娟，总纂：李协湖）

荣埔村

◎ 荣埔村村貌（摄于 2016 年）

荣埔村，位于汤塘镇东部，距镇政府 0.8 千米。始建于明正德十年（1515 年），由从化和当地下闸村等地迁入而形成。因村民防止盗贼，扎营居住，组成营部村，由于把营读成荣，后来把“营部”变成“荣埔”而取名荣埔村。村地处丘陵地带，国道 G106 线和省道 S354 线在村旁经过，交通便利。主要山岭有契嶍茶山。四九河自东向西从村北流过。村东南与妙山相邻，西南与新塘圩咀村相望，西北与新塘村接壤，北朝汤塘聚龙湾。

村形成时，属清远县滘江二区。民国时期，属清远县滘江区联卫乡。中华人民共和国成立后，属清远县第七区。1953 年属佛冈县第四区脉塘乡。1958 年属从化县滘江人民公社脉塘大队。1961 年属佛冈县良安人民公社脉塘大队。1970 年属汤塘人民公社脉塘大队。1983 年属汤塘区脉塘乡。1987 年属汤塘镇脉塘行政村。1989 年属汤塘镇脉塘管理区。1998 年属汤塘镇脉塘行政村至今。

世居村民现有肖姓、古姓、谭姓、刘姓、黄姓。肖姓，明正德年间肖氏始祖肖南川于从化迁至村。古姓，明正德年间始祖古云英从五华迁至村。谭姓，

◎ 荣埔村门楼（摄于 2016 年）

宋朝初期谭氏始祖从江西迁至广东始兴，清嘉庆末年谭严康从大塘村下闸迁至村。刘姓，宋朝末期刘氏从福建迁至广东潮州，明初于从化迁至清远吉河乡龙蟠村，后从汤塘围镇迁至村。黄姓，宋末黄氏从江西迁至广东南雄珠玑巷，20 世纪 60 年代从附近村迁至村。

村修有《肖氏族谱》，由肖氏族谱组委会肖华芝等人于 1986 纂修。《谭氏族谱》由清远滘江谭氏族

谱编辑委员会于2012年纂修。

2015年末，户籍人口1053人，其中男性532人，女性521人；80岁及以上26人，最年长者94岁（女）。实际在村人口983人，留守儿童16人。生活主要依靠农业收入的有848人，常年在城镇生活和打工的有70人。村民为汉族，广府民系，使用粤方言。

村有山地面积91.6公顷，山上有松、杉、灌木林等。有耕地面积22.6公顷，主要种植水稻、番薯等，经济作物种植芋头、木薯、粉葛、花生、药材等，养殖鸡、鹅、鸭和猪、牛等。特色农产品有山楂，传统节庆食品有艾糍、糯米糍、甜酒、年糕、湛江醋。村域有双凤食品有限公司。该企业于2004年建厂，主要生产销售四大类型食品：果类有话梅、黄皮干、糖冬瓜等；菜类有菜干等；食用菌类有茶树菇干等；糕点类有月饼等。村民主要收入来源：农业收入、外出务工收入、集体分红、商业经营收入。

村于20世纪70年代通电，2005年通电话，2005年村道实现水泥硬底化，2008年通自来水，2008年通网络。村中建有荣埔文化室。1995年，村域创办有汤塘第二中学，占地面积17000平方米，2015年设有3个级11个班，在校学生484人，教师42人。

传统民居为四门归厅布局，主要建有砖瓦平房为主，现存86座。1990年后逐步建有钢筋混凝土结构楼房，现存钢筋混凝土结构楼房一至三层有157座。有些还有院子。

主要民间习俗有正月年初四上灯舞狮、闹元宵抢花炮、清明祭祖。闹元宵抢花炮是将红绸缎捆绑在炮胆上，待炮冲入云霄落地，谁眼明手快就可以

◎ 荣埔村文化室（摄于2016年）

◎ 荣埔村传统民居（摄于2016年）

抢得绸缎，每年只抢3炮，一炮寓意人丁兴旺，二炮寓意五谷丰登，三炮如意吉祥。

传统婚嫁习俗中的中原古制“六礼”已经很少见到，仍保留部分传统习俗。婚嫁礼仪，开始交往时女家要到男家探家风，结婚前要担定婚茶，报日子，送聘金，定嫁妆。行结婚礼时，要摆酒请客，迎亲和送亲及三朝回门。丧事习俗传统以土葬为主，1990年后逐步实行火化。主要程序：给亲友报丧、举丧、上孝、买水、守灵、哭丧、殓棺、煮寿饭（花菜、黄豆、豆腐）、出殡、训棺、火葬，骨灰入坟、做法事、将亡灵送入祖堂、脱孝、第三日复坟、拜满月山。

汤塘区荣埔乡南的一座山，名“仙人撒网”，半山上有一块突兀的大石，叫“栋企石”（竖直的意思）。大石左边有一条不规则竖缝，清清的泉水从缝里渗流而出，大石脚下有一条小石槽接着泉水，绕石脚而向外流去。此泉水当地人称为“仙水”或“契媪茶”。当地群众认为这泉水清冽甘甜，健康人和病人都能饮用。每当农历七月初七日，来取水的就更多了，由于泉水流量不大，往往要排成长长的队伍等候取水。

1977年9月1日，村干部群众参加汤塘、四九人民公社组织的整治四九河段和石门河段，实行裁弯取直，大大提高河流的排洪级别及土地使用。

（资料填报：谭志平，初稿撰写：黄丽娟，总纂：李协湖）

石龙村

◎ 石龙村村貌（摄于 2016 年）

石龙村，位于汤塘镇东部，距镇政府 3 千米，始建于清嘉庆年间，邓氏始祖从汤塘下黎迁入而形成，因村依山而居，山脉像龙一样连绵不断，而山上遍布大大小小的石头而取名石龙村。村坐落于石龙岭山脚下，村庄坐南向北。止贝冚溪自东向西从村北流过，汇入四九河。村东临止贝冚水库、南与石龙岭相望，西与大塘村接壤，北与湴田村相邻。

村形成时，属清远县滘江二区。民国时期，属清远县滘江区联卫乡。中华人民共和国成立后，属清远县第七区。1953 年属佛冈县第四区脉塘乡。1958 年属从化县滘江人民公社脉塘大队。1961 年属佛冈县良安人民公社脉塘大队。1970 年属汤塘人民公社脉塘大队。1983 年属汤塘区脉塘乡。1987 年属汤塘镇脉塘行政村。1989 年属汤塘镇脉塘管理区。1998 年属汤塘镇脉塘行政村至今。

世居村民为邓姓，明初邓氏从中原迁至广东韶关南雄，清嘉庆年间从下黎迁至村。

2015 年末，户籍人口 89 人，其中男性 46 人，女性 43 人；80 岁及以上 1 人，最年长者 85 岁（女）。实际在村人口 60 人，留守儿童 3 人。生活主要依靠农业收入的人口有 4 人，常年在城镇生活和打工的人口有 29 人。村民为汉族，广府民系，使用粤方言。

村有山地面积 36 公顷，山上有松、杉、灌木林。传统经营是农业，有耕地面积 3 公顷，以种植水稻为主，兼种花生、番薯、芋头、木薯，养殖牛、鸡、猪。现时经营：春种花生、蔬菜等。夏种水稻、兼种番薯、芋头、花生。养殖鸡、鹅、鸭、猪。特色农产品有石硖龙眼、桂米荔枝、红葱头、粉葛。传统节庆食品有艾糍、艾汤圆、糯米糍、甜酒、年糕、滘江醋。

◎ 石龙村农产品——芋头（摄于 2016 年）

村民主要收入来源：务工工资收入、农业收入、外出打工。

村于20世纪70年代通电，2005年通电话，2007年村道实现水泥硬底化，2010年通网络。村民活动中心有石龙文化室。

传统民居现存6座，1990年后逐步建有钢筋混凝土结构楼房，现有一至三层楼房19座。有些还有院子，种有花草，环境优美。

《流溪邓氏家史》由族人邓锦球于1988纂修。

◎《流溪邓氏家史》（摄于2016年）

村民俗活动主要有春节拜年、清明祭祖、重阳宗族祭祖等。传统婚嫁习俗中的中原古制“六礼”已经很少见到，仍保留部分传统习俗。婚嫁礼仪，开始交往时女家要到男家探家风，结婚前要担定婚茶，报日子，送聘金，定嫁妆，

◎ 石龙村文化室（摄于2016年）

◎ 石龙村传统民居（摄于2016年）

行结婚礼时，要摆酒请客，迎亲和送亲及三朝回门。丧葬习俗传统以土葬为主，1990年后逐步实行火化。主要程序：给亲友报丧、举丧、上孝、买水、守灵、哭丧、殓棺、煮寿饭（花菜、黄豆、豆腐）、出殡、训棺、火葬，骨灰入坟、做法事、将亡灵送入祖堂、脱孝、第三日复坟、拜满月山。

村有一庙，位于村口旁，因为庙宇由简单的砖堆成，没有砌墙盖瓦被称为光头庙，是村民烧香拜佛的地方，供奉土地神。庙宇始建于一百多年前，经历时间的洗礼依然保持完好。每逢年节，村民都会去庙里拜祭，祈求福佑。

1957年，组织村民参加兴建止贝冚水库。

村里流传民间故事，据村里老一辈的村民说，太公邓会广，人如其名“会讲”，能说会道，喜欢为民申冤，帮助村民，俗称为师爷，经常去帮别人打赢官司。有一次邓氏的从化祖坟被占，于是委派他到从化打官司，他只用了三句话就打赢官司，祖坟得以不被侵占。

（资料填报：谭志平，初稿撰写：黄丽娟，总纂：李协湖）

西料村

◎ 西料村村貌（摄于 2016 年）

西料村，位于汤塘镇东部，距镇政府 1.5 千米，始建于清嘉庆年间，冯氏族人从汤塘围迁入而形成。因原村民居住在山岭边，向西瞭（瞭与料同音）望，便看到美丽的黄昏景色，所以曾用名西料口村，后从山岭边迁到现在的西料村。村坐落于丘陵地带，省道 S354 线和京港澳高速公路东经过。四九河自东向西从村北流过，汇入滘江。村东临海坣村，南与脉塘村相邻，西与止新村接壤，北与围镇村相望。

村形成时，属清远县滘江二区。民国时期，属清远县滘江区联卫乡。中华人民共和国成立后，属清远县第七区。1953 年属佛冈县第四区脉塘乡。1958 年属从化县滘江人民公社脉塘大队。1961 年属佛冈县良安人民公社脉塘大队。1970 年属汤塘人民公社脉塘大队。1983 年属汤塘区脉塘乡。1987 年属汤塘镇脉塘行政村。1989 年属汤塘镇脉塘管理区。1998 年属汤塘镇脉塘行政村至今。

世居村民为冯姓，宋代从中原迁至广东新会，清嘉庆年间从汤塘围迁至村。

2015 年末，户籍人口 160 人，其中男性 83 人，女性 77 人；80 岁及以上 6 人，最年长者 87 岁有两人，为一男一女。实际在村人口 140 人，留守儿童 3 人。生活主要依靠农业收入的有 105 人，常年在城镇生活和打工的有 35 人。村民为汉族，广府民系，使用粤方言。

村有山地面积 3.53 公顷，山上有杉、松、杂树，耕地面积 5.2 公顷。传统经营为农业，以种植水稻为主，兼种花生、番薯、芋头、木薯，养殖牛、鸡、猪。特色农产品有石硖龙眼、粉葛、红葱头。传统节庆食品有艾糍、糯米糍、甜酒、年糕、滘江醋。村民主要收入来源：农业收入、外出打工收入。

村于 20 世纪 70 年代通电，2005 年通电话，2007 年村道实现水泥硬底化，2010 年通网络，2012 年通自来水。村中建有文化室、文化公园，篮球场。

传统民居现存 26 座。1990 年后逐步建有钢筋混凝土结构楼房。现有楼房一至三层 28 座。有些还有院子，种有花草，环境优美。

村传统节日有：春节、清明节、端午节、中秋节、冬至等。

村有《冯氏族谱》由冯美兰于 2011 年纂修。

村虽然传统婚嫁习俗中的中原古制“六礼”已

◎ 西料村文化室（摄于 2016 年）

◎ 西料村道（摄于 2016 年）

◎ 西料村传统民居（摄于 2016 年）

经很少见到，仍保留部分传统习俗。婚嫁礼仪，开始交往时女家要到男家探家风，结婚前要担定婚茶，报日子，送聘金，定嫁妆，行结婚礼时，要摆酒请客，迎亲和送亲及三朝回门。传统丧葬习俗以土葬为主，1990 年后逐步实行火化。主要程序：给亲友报丧、举丧、上孝、买水、守灵、哭丧、殓棺、煮寿饭（花菜、黄豆、豆腐）、出殡、训棺、火葬，骨灰入坟、做法事、将亡灵送入祖堂、脱孝、第三日复坟、拜满月山。

1977 年 9 月组织村民群众参加整治四九河段，实行裁弯取直，大大提高河流的排洪级别及土地使用。

2015 年 6 月，该村被广东省爱国卫生运动委员会评为省卫生村。

（资料填报：谭志平，初稿撰写：黄丽娟，总纂：李协湖）

止新村

◎ 止新村村貌（摄于2016年）

止新村，位于汤塘镇东部，距镇政府1.2千米。原村始建于清嘉庆年间，现村重建于1966年。原村从汤塘上黎村迁入而形成，村曾用名止贝冚村，因为是下黎村庄背后最边远的一个山冚而得名。据《流溪邓氏族谱》记载，1957年因生产灌溉需要政府兴建止贝冚水库，将原止贝冚村居民分别安置到荣埔、妙山、汤塘围。1966年由国家拨款3万元建成现村落，原止贝冚村村民迁回。为铭记这段艰苦岁月，故取名止新村。村坐落于丘陵地带，京港澳高速公路从村旁经过。东临西料村，南与大冚村相望，西与妙山村相邻，北与车田村接壤。四九河自东向西从村北流过，汇入滘江。

村形成时，属清远县滘江二区。民国时期，属清远县滘江区联卫乡。中华人民共和国成立后，属清远县第七区。1953年属佛冈县第四区脉塘乡。1958年属从化县滘江人民公社脉塘大队。1961年属佛冈县良安人民公社脉塘大队。1970年属汤塘人民公社脉塘大队。1983年属汤塘区脉塘乡。1987年属汤塘镇脉塘行政村。1989年属汤塘镇脉塘管理区。1998年属汤塘镇脉塘行政村至今。

世居村民为邓姓。邓姓，明初从中原迁至广东韶关南雄，清嘉庆年间邓家兄弟分伙从下黎村迁至止贝冚村，1957年因建水库移民迁走，1966年重建村庄（现村）。

2015年末，村户籍人口420人，其中男性214人，女性206人；80岁及以上8人，最年长者95岁（女）。实际在村人口375人，留守儿童10人。生活主要依靠农业收入330人，常年在城镇生活和打工的有45人。村民为汉族，广府民系，使用粤方言。

村土地肥沃，气候资源十分丰富，夏季高温多雨，冬季暖和干燥，雨量充沛，适合动物繁殖和各种植物生长。村民传统经营以农业耕作及家庭种养为主，种植以水稻为主，兼种花生、番薯、芋头、木薯等农作物。山地面积82.93公顷，山上有松、杉、杂树。耕地面积7.6公顷。养殖有牛、鸡、猪等。有荔枝、龙眼、大蕉等岭南水果，多年来收益较好。现时经营：春耕以花生为主，晚种以水稻为主，兼种番薯、芋头、玉米等。养殖鸡、鹅、鸭、猪。随着经济的发展，部分村民到附近的企业和工厂打工，有些到珠三角城市务工。村民主要收入来源：农业收入、务工工

◎ 村民在地里劳作（摄于 2016 年）

资收入。村特色农产品有硖龙眼、桂米荔枝、红葱头。传统节庆食品有艾糍、艾汤圆、糯米糍、甜酒、年糕、湛江醋。

村于 1975 年通电，2005 年通电话，2007 年村道实现水泥硬底化，2009 年通自来水，2010 年通网络。村中建有文化室、文化公园、篮球场，是村民散步健身休闲娱乐的好去处。

传统民居现存 29 座。主要建筑形制为硬山顶，混合土砖墙，盖灰瓦。20 世纪 90 年代后，村民逐

◎ 止新村文化室（摄于 2016 年）

◎ 止新村民居排房（摄于 2016 年）

步建有钢筋混凝土结构新楼房，现有楼房一至三层 85 座。有些还有院子，种有花草，环境优美。

村修有《流溪邓氏族谱》，1988 年由族人邓锦球纂修。

主要民间习俗有清明祭祖，每逢初一、十五到庙府烧香拜神，正月初十上灯舞狮。每逢佳节庆典，村里都会舞狮助兴。狮子是由彩布条制作而成的，以金黄色为主的称为文狮（有文武狮之分）。每头狮子由两个人合作表演，一人舞头，一人舞尾。表演者在锣鼓鞭炮声中，做出狮子的各种形态动作，非常威武。

传统婚嫁习俗中的中原古制“六礼”已经很少见到，仍保留部分传统习俗。开始交往时女家要到男家探家风，结婚前要担定婚茶，报日子，送聘金，定嫁妆，行结婚礼时，要摆酒请客，迎亲和送亲及三朝回门。丧葬习俗传统以土葬为主，1990 年后逐步实行火化。主要程序：给亲友报丧、举丧、上孝、买水、守灵、哭丧、殓棺、煮寿饭（花菜、黄豆、豆腐）、出殡、训棺、火葬，骨灰入坟、做法事、将亡灵送入祖堂、脱孝、第三日复坟、拜满月山。

20 世纪 60 年代中期，获得国家 3 万元拨款，全村村民建设新村，即现今的止新村。

2015 年 6 月，村被广东省爱国卫生运动委员会评为省卫生村。

（资料填报：谭志平，初稿撰写：黄丽娟，总纂：李协湖）

○暖坑行政村

岑坑村

◎ 岑坑村村貌（摄于 2016 年）

岑坑村，位于汤塘镇北部，距镇政府 9 千米。始建于明天顺年间，由从化迁入而形成。因原居地为静山，而取名为静山居村，后改名为岑坑村。岑坑村包括山居村、旧围村、坑坝 3 个小村。村坐落于大把山脚，主要山岭是大把山，山高约 150 米。村西与响水村接壤，北与上围一村相邻，东与南皆为山地。

村形成后属清远县滘江乡。清朝时期，属清远县滘江二乡。民国时期，属清远县第七区。中华人民共和国成立初期，属清远县汤塘区汤塘乡。1953 年属佛冈县第四区汤塘乡。1958 年属从化县滘江人民公社岑坑大队。1959 年属从化县汤塘人民公社岑坑大队。1961 年属佛冈县汤塘人民公社岑坑大队。1983 年属佛冈县汤塘区岑坑乡。1987 年属汤塘镇岑坑行政村。1989 年属汤塘镇岑坑管理区。1998 年属汤塘镇岑坑行政村。2005 年属汤塘镇暖坑行政村至今。

世居村民为周姓、黄姓、冯姓。周姓是北宋初期从福建迁至广东从化，明成化年间由从化迁至该地；冯姓是宋代从中原迁至广东新会，明天顺年间由从化迁至该地；黄姓是宋末江西迁至广东南雄珠玑巷，后迁梅州、南海再迁至该地。

2015 年末，户籍人口 680 人，其中男性 375 人，女性 305 人；80 岁以上 5 人，最年长者 85 岁（女）。实际在村和生活主要依靠农业收入 540 人，留守儿童 10 人。常年在城镇生活和打工 140 人。村民为汉族，广府民系，使用粤方言。

村有山地面积 147.27 公顷，山上有松、杉、杂树，耕地面积 31.47 公顷（其中水田 28.4 公顷）。传统经营以种植水稻为主，兼种薯类及制作豆腐、养猪、养鸭等。现时村民主要种植木薯、水稻、花生、果树等，饲养猪、鸡、鸭、鹅等。每年有村民外出务工，去珠江三角洲的深圳、珠海、广州市居多，以从事建筑、餐饮、化工等行业为主。村民主要收入来源为农业收入、外出务工收入。特色农产品有龙眼、香蕉。传统节庆食品有糯米糍、炒米饼、糖环、甜酒、湛江醋、白切鸡、焖鹅、烧鸭、粽子、糕点等。

村于1969年通电话，1978年通电，2006年村道实现水泥硬底化，2008年通网络和自来水。村中建有垃圾收集站，文化设施有岑坑村文化室。

传统民居现存传统民居25座，属围水房屋。围水式房屋为独立单间平房，一般建筑占地面积20平方米，大部分建在村的围墙边内。少数为正座式民居，房屋都为砖木结构，硬山顶，为青砖墙体或三合土墙体。“静山居”门楼为石门框，博古脊，“静山居”三字为阳刻石匾。旧围门楼为金包银建筑，即内为舂墙，外为砌青砖。新建楼房，多为钢筋水泥混凝土结构，有些家庭是框架结构，90平方米左右，一至二层较普遍，有的三层至四层，布局为三房一厅一厨，一至两个卫生间。有些家庭单独建楼房，还有院子，种有花草，环境优美。

◎ 岑坑村门楼“静山居”（摄于2016年）

◎ 岑坑村传统民居（摄于2016年）

当地居民一年中在春节、清明、中秋、冬至有参与民间祭神活动，同时在初一、十五会进行烧香拜佛的仪式，祈求风调雨顺，身体健康。

村婚嫁习俗，男女相识交往时女家要到男家探家风，结婚前要担定婚茶，报日子，送聘金，定嫁妆，行结婚礼时，要摆酒请客，迎亲和送亲。传统丧事以土葬为主，1990年代后逐步实行火化。土葬的程序为举丧、入殓、出殡、送葬、做法事，将亡灵送入祖堂，办丧事只煮花菜、豆腐煮猪肉等简单的饭菜。用餐不在屋内，只在事主家门前的巷道吃饭。

1983年1月，佛冈县实行生猪派购任务到户的政策，按农村人口每人平均一年派购猪肉7.5千克，任务一次计算到户。村也执行这项政策，任务落实到户。

该村的冯灼锋（1938—），曾任中共佛冈县委常委、中共韶关市委书记、中共广东省委农村工作部部长、省农委主任。

（资料填报：冯金莲，初稿撰写：包巍，总纂：李协湖）

牛围村

◎ 牛围村村貌（摄于 2016 年）

牛围村，位于汤塘镇北部，距镇政府约 9 千米。始建于明成化年间，由从化及龙蟠村分村迁入而形成。因村位于山间低坳处利于养牛，故取名为牛围村。村坐落于高楼顶山脚，主要山岭是高楼顶山，山高约 200 米。村东与村道交界，西与山地相比邻，北与河流相连，南与牛围村接壤。

村形成后属清远县滘江乡。清朝时期，属清远县滘江二乡。民国时期，属清远县第七区。中华人民共和国成立初期，属清远县第七区汤塘乡。1953 年属佛冈县第四区汤塘乡。1958 年属从化县滘江人民公社岑坑大队。1959 年属从化县汤塘人民公社岑坑大队。1961 年属佛冈县汤塘人民公社岑坑大队。1983 年属佛冈县汤塘区岑坑乡。1987 年属汤塘镇岑坑行政村。1989 年属汤塘镇岑坑管理区。1998 年属汤塘镇岑坑行政村。2005 年属汤塘镇暖坑行政村至今。

世居村民为刘姓、周姓。刘姓是宋代从福建迁至广东潮州，明初由从化迁到清远吉河乡龙蟠村，明成化年间迁至该地；周姓是北宋初期从福建迁至广东从化，明成化年间由从化迁至该地。

2015 年末，户籍人口 256 人，其中男性 132 人，女性 124 人；80 岁以上 4 人，最年长者 89 岁（女）。实际在村 220 人，留守儿童 4 人。生活主要依靠农

◎ 牛围村门楼（摄于 2016 年）

◎ 牛围村传统民居（摄于 2016 年）

◎ 牛围村文化室（摄于 2016 年）

业收入的 220 人，常年在城镇生活和打工的 36 人。村民为汉族，广府民系，使用粤方言。

村有山地面积 104.87 公顷，山上有杂树、松、杉，耕地面积 6.95 公顷（其中水田 6.28 公顷）。传统经营以种植水稻为主，兼种薯类及制作豆腐、养猪、养鸭等。现时村民主要种植木薯、水稻、花生、果树等，养猪、鸡、鸭、鹅等。每年有村民外出务工，去珠江三角洲的深圳、珠海、广州市居多，以从事建筑、餐饮、化工等行业为主。村民主要收入来源为农业收入、外出务工收入。特色农产品有龙眼、花生。传统节庆食品有手糯米糍、炒米饼、糖环、甜酒、湛江醋、白切鸡、焖鹅、烧鸭、粽子、糕点等。

村于 1969 年通电话，1978 年通电，2006 年村道实现水泥硬底化，2008 年通网络和自来水。文化设施有牛围村文化室。

现存传统民居 20 座，为围水房屋。围水式房屋为独立单间平房，一般建筑占地面积 20 平方米，大部分建在村的围墙边内，房屋都为砖木结构，硬山顶，为青砖墙体或三合土墙体。新建楼房，多为钢筋水泥混凝土结构，有些楼房是框架结构，占地面积 90 平方米左右，一至二层较普遍，有的三层至四层，布局为三房一厅一厨，一至两个卫生间。有些家庭单独建楼房，还有院子，种有花草，环境优美。

当地居民一年中有 4 次参与民间祭神活动，主要为初一、十五进行烧香拜佛仪式，祈求风调雨顺，身体健康。

村婚嫁习俗。男女相识交往时女家要到男家探家风，结婚前要担定婚茶，报日子，送聘金，定嫁妆，行结婚礼时，要摆酒请客，迎亲和送亲。传统丧事以土葬为主，1990 年后逐步实行火化。土葬的程序为举丧、入殓、出殡、送葬、做法事，将亡灵送入祖堂，办丧事只煮花菜、豆腐煮猪肉等简单的饭菜。用餐不在屋内，只在事主家门前的巷道吃饭。

1986 年 8 月下旬至 10 月下旬，历时近 60 天没有下雨，村受旱面积 1.2 公顷（含水稻、杂粮），成灾面积 0.2 公顷。出动全村劳力抗旱保苗。

村的周平（1923—1998），1944 年参加中共领导的抗日政工队，活动在英德西部地区。1945 年 7 月加入中国共产党，1954 年 7 月任英德县人民政府县长。

（资料填报：冯金莲，初稿撰写：包巍，总纂：李协湖）

暖水村

◎ 暖水村村貌（摄于2016年）

暖水村，位于汤塘镇北部，距镇政府约9千米。始建于明天顺年间，由从化、水头分村而形成。因村溪流名为暖水坑，故取名暖水村。村坐落于高楼顶山脚，主要山岭是高楼顶山，山高约200米；暖水坑从村流过。村东是山地，西是门口田，北与岑坑村相邻，南是水库。

村形成后属清远县滘江乡。清朝时期，属清远县滘江二乡。民国时期，属清远县第七区。中华人民共和国成立初期，属清远县第七区汤塘乡。1953年属佛冈县第四区汤塘乡。1958年属从化县滘江人民公社岑坑大队。1959年属从化县汤塘人民公社岑坑大队。1961年属佛冈县汤塘人民公社岑坑大队。1983年属佛冈县汤塘区岑坑乡。1987年属汤塘镇岑坑行政村。1989年属汤塘镇岑坑管理区。1998年属汤塘镇岑坑行政村。2005年属汤塘镇暖坑行政村至今。

世居村民为冯姓、黄姓，冯姓是宋代从中原迁至广东新会，明天顺年间由从化迁至该地；黄姓是宋末江西迁至南雄珠玑巷，后迁梅州、南海，再从水头迁至该地。

2015年末，户籍人口221人，其中男性115人，女性106人；80岁以上1人，最年长者82岁（女）。实际在村和生活主要依靠农业收入210人，留守儿童3人。常年在城镇生活和打工11人。村民为汉族，广府民系，使用粤方言。

传统经营以种植水稻为主，兼种薯类及制作豆腐、养猪、养鸭等。现时村民主要种植木薯、水稻、花生、龙眼、香蕉等，饲养猪、鸡、鸭、鹅等。有山地面积141.53公顷，山上有松、杉、杂树，耕地面积25.22公顷（其中水田23.02公顷）。每年有村民外出务工，去珠江三角洲的深圳、珠海、广州市居多，以从事建筑、餐饮、化工等行业为主。村民主要收入来源为农业收入、外出务工收入。特色农产品有龙眼、香蕉。传统节庆食品有糯米糍、炒米饼、糖环、甜酒、滘江醋、白切鸡、焖鹅、烧鸭、粽子、糕点等。

村于1969年通电话，1978年通电，2006年村道实现水泥硬底化，2008年通网络和自来水。村中建有暖水小学，2015年在校学生35人。

传统民居现存传统民居20座，为围水房屋。围

◎ 暖水小学（摄于 2016 年）

◎ 暖水村传统民居（摄于 2016 年）

◎ 暖水村民居巷道（摄于 2016 年）

水式房屋为独立单间平房，一般建筑占地面积 20 平方米，大部分建在村的围墙边内，房屋都为砖木结构，硬山顶，为青砖墙体或三合土墙体。村现保存一块牌匾为“会魁”，已收录到《佛冈文物》一书。新建楼房，多为钢筋水泥混凝土结构，有些家庭是框架结构，90 平方米左右，一至二层较普遍，有的三层至四层，布局为三房一厅一厨，一至两个卫生间。有些家庭单独建楼房，还有院子，种有花草，环境优美。

传统节庆习俗有春节、端午、中秋、冬至等，而村特别注重过春节。春节，俗称“过年”，这是送旧迎新的大节。

男女相识交往时女家要到男家探家风，结婚前要担定婚茶，报日子，送聘金，定嫁妆，行结婚礼时，要摆酒请客，迎亲和送亲。传统丧事以土葬为主，1990 年后逐步实行火化。土葬的程序为举丧、入殓、出殡、送葬、做法事，将亡灵送入祖堂，办丧事只煮花菜、豆腐煮猪肉等简单的饭菜。用餐不在屋内，只在事主家门前的巷道吃饭。

黄梦权（1947—），曾任佛冈县粮食局任副局长、清远市音乐家协会会员、佛冈潖江曲艺团团长兼音乐头架师傅。该团于 2015 年获得佛冈县文广新局、佛冈县文学艺术界联合会颁发的杰出贡献奖荣誉证书。参加过数次县级歌咏大赛、音乐比赛评委。黄河（1971—），曾任佛冈县财政局局长、县人大常委会副主任兼汤塘镇镇委书记，现任中共佛冈县委常委、县委宣传部部长。

（资料填报：冯金莲，初稿撰写：包巍，总纂：李协湖）

上 围

◎ 上围村貌（摄于 2016 年）

上围，位于汤塘镇北部，距镇政府约 9 千米。始建于南宋初期，从增城南蛇头村迁入而形成。先取名为南蛇头村，后改名为上围。村坐落于高鳌锅山脚，主要山岭是高鳌锅山，海拔约 180 米。村东与竹前村接壤，西与龙山镇相邻，南北皆为山地。

村形成后属清远县滘江乡。清朝时期，属清远县滘江二乡。民国时期，属清远县第七区。中华人民共和国成立初期，属清远县第七区汤塘乡。1953 年属佛冈县第四区汤塘乡。1958 年属从化县滘江人民公社岑坑大队。1959 年属从化县汤塘人民公社岑坑大队。1961 年属佛冈县汤塘人民公社岑坑大队。1983 年属佛冈县汤塘区岑坑乡。1987 年属汤塘镇岑坑行政村。1989 年属汤塘镇岑坑管理区。1998 年属汤塘镇岑坑行政村。2005 年属汤塘镇暖坑行政村至今。

世居村民为莫姓，南宋前期从增城南蛇头村迁至该地。

2015 年末，户籍人口 260 人，其中男性 135 人，女性 125 人；80 岁以上 5 人，最年长者 88 岁（女）。实际在村和生活主要依靠农业收入的有 230 人，留

◎ 勤劳的村民（摄于 2016 年）

守儿童3人。常年在城镇生活和打工的人口有30人。村民为汉族，广府民系，使用粤方言。

村有山地面积177.53公顷，山上有杉、松、榆、杂树。传统经营以种植水稻为主，兼种薯类及制作豆腐、养猪、养鸭等。耕地面积20.5公顷，现村民主要以种植木薯、水稻、花生、果树等，养猪、鸡、鸭、鹅等。每年有村民外出务工，去珠江三角洲的深圳、珠海、广州市居多，以从事建筑、餐饮、化工等行业为主。村民主要收入来源为农业收入、外出务工收入。特色农产品有龙眼、香蕉。传统节庆食品有糯米糍、炒米饼、糖环、甜酒、湛江醋、白切鸡、焖鹅、烧鸭、粽子、糕点等。

◎ 上围乡村公园（摄于2016年）

◎ 上围文化室（摄于2016年）

村于1969年通电话，1978年通电，2006年村道实现水泥硬底化，2008年通网络和自来水。有上围休闲公园。

现存传统民居20座，为围水房屋。围水式房屋为独立单间平房，一般建筑占地面积20平方米，大部分建在村的围墙边内，房屋都为砖木结构，硬山顶，为青砖墙体或三合土墙体。新建楼房，多为钢筋水泥混凝土结构，有些楼房是框架结构，占地面积90平方米左右，一至二层较普遍，有的三层至四层，布局为三房一厅一厨，一至两个卫生间。

传统节庆有春节、端午、中秋、冬至等。如冬至是农历的24个节令之一，俗称“过冬”。这个节日意味着一年农事已做完，全家应欢聚吃一顿丰盛晚餐表示庆贺。村有“冬大过年”之说，可见极其重视。当地居民一年中有4次参与民间祭神活动，主要为农历每月初一、十五烧香拜佛，祈求风调雨顺，身体健康。

村婚嫁习俗，男女相识交往时女家要到男家探家风，结婚前要担定婚茶，报日子，送聘金，定嫁妆，行结婚礼时，要摆酒请客，迎亲和送亲。传统丧事以土葬为主，1990年后逐步实行火化。土葬的程序为举丧、入殓、出殡、送葬、做法事，将亡灵送入祖堂，办丧事只煮花菜、豆腐煮猪肉等简单的饭菜。用餐不在屋内，只在事主家门前的巷道吃饭。

1959年8月，村组织劳动力，参与整治高滩河堤，加固4.86千米长的河堤，围内集雨面积13.45平方千米，保护耕地面积110公顷，人口2400人。河堤修整后，围边的水稻连年丰收。

该村的莫天松（1940—），曾任深圳市国家税务局局长。

（资料填报：冯金莲，初稿撰写：包巍，总纂：李协湖）

上围一村

◎ 上围一村村貌（摄于 2016 年）

上围一村，位于汤塘镇北部，距镇政府约 9 千米。始建于明天顺年间，由从化、水头等地迁入而形成。因与上围作区别而取名上围一村。村坐落于羊冈冚山脚，主要山岭是羊冈冚山，山高约 80 米。村南与山居村接壤，东、西与北皆为山地。

村形成后属清远县滘江乡。清朝时期，属清远县滘江二乡。民国时期，属清远县第七区。中华人民共和国成立初期，属清远县第七区汤塘乡。1953 年属佛冈县第四区汤塘乡。1958 年属从化县滘江人民公社岑坑大队。1959 年属从化县汤塘人民公社岑坑大队。1961 年属佛冈县汤塘人民公社岑坑大队。1983 年属佛冈县汤塘区岑坑乡。1987 年属汤塘镇岑坑行政村。1989 年属汤塘镇岑坑管理区。1998 年属汤塘镇岑坑行政村。2005 年属汤塘镇暖坑行政村至今。

世居村民为冯姓、黄姓、周姓。冯姓是宋代从中原迁至广东新会，明天顺年间由从化迁至该地；黄姓是宋末江西迁至南雄珠玑巷，后从梅州、南海迁至水头，后迁该地；周姓是北宋初期从福建迁至广东从化，明成化年间由从化迁至该地。

2015 年末，户籍人口 398 人，其中男性 233 人，女性 165 人；80 岁以上 10 人，最年长者 93 岁（男）。实际在村和生活主要依靠农业收入的人口有 350 人，留守儿童 8 人。常年在城镇生活和打工的人口有 48 人。村民为汉族，广府民系，使用粤方言。

村有山地面积 72.87 公顷，山上有松、杉、杂树，耕地面积 19.83 公顷。传统经营以种植水稻为主，兼种薯类及制作豆腐、养猪、养鸭等。现时村民主要种植以种植木薯、水稻、花生、石硖龙眼、香蕉等，养殖猪、鸡、鸭、鹅等。每年有村民外出务工，去珠江三角洲的深圳、珠海、广州市居多，以从事建

◎ 丰收的石硖龙眼（摄于 2016 年）

◎ 上围一村文化室（摄于 2016 年）

◎ 上围一村民居（摄于 2016 年）

筑、餐饮、化工等行业为主。村民主要收入来源为农业收入、外出务工收入。特色农产品有龙眼、香蕉。传统节庆食品有糯米糍、炒米饼、糖环、甜酒、浸江醋、白切鸡、焖鹅、烧鸭、粽子、糕点等。

村于 1969 年通电话，1978 年通电，2006 年村道实现水泥硬底化，2008 年通网络和自来水。村中有一个公园、一个文化室，还有一些健身器材。

现存传统民居约 18 座，为围水房屋。围水式房屋为独立单间平房，一般建筑占地面积 20 平方米，大部分建在村的围墙边内，房屋都为砖木结构，硬山顶，为青砖墙体或三合土墙体。新建楼房，多为钢筋水泥混凝土结构，有些楼房是框架结构，占地面积 90 平方米左右，一至二层较普遍，有的三层至四层，布局为三房一厅一厨，一至两个卫生间。有些家庭单独建楼房，还有院子。

当地居民一年中有 4 次参与民间祭神活动，主要为初一、十五会进行烧香拜佛，祈求风调雨顺，身体健康。

村还保留一些传统的婚丧习俗。在婚嫁方面，开始交往时女家要到男家探家风，结婚前要担定婚茶，报日子，送聘金，定嫁妆，行结婚礼时，要摆酒请客，迎亲和送亲。传统丧事以土葬为主，1990 年后逐步实行火化。土葬的程序为举丧、入殓、出殡、送葬、做法事，将亡灵送入祖堂，办丧事只煮花菜、豆腐煮猪肉等简单的饭菜。用餐不在屋内，只在事主家门前的巷道吃饭。

1986 年 8 月下旬至 10 月下旬，历时近 60 天没有下过透雨，当年农作物受旱灾严重减产。

（资料填报：冯金莲，初稿撰写：包巍，总纂：李协湖）

竹前村

◎ 竹前村村貌（摄于 2016 年）

竹前村，位于汤塘镇北部，距镇政府约 9 千米。始建于明初，由从化迁入而形成。因村中有水溪且多竹子，故取名为竹溪村，后改名为竹前村。村坐落于石岩锅山脚，主要山岭是石岩锅山，山高约 170 米。村东与牛围村接壤，西与下一村相邻，南北皆为山地。

村形成后属清远县滘江乡。清朝时期，属清远县滘江二乡。民国时期，属清远县第七区。中华人民共和国成立初期，属清远县第七区汤塘乡。1953 年属佛冈县第四区汤塘乡。1958 年属从化县滘江人民公社岑坑大队。1959 年属从化县汤塘人民公社岑坑大队。1961 年属佛冈县汤塘人民公社岑坑大队。1983 年属佛冈县汤塘区岑坑乡。1987 年属汤塘镇岑坑行政村。1989 年属汤塘镇岑坑管理区。1998 年属汤塘镇岑坑行政村。2005 年属汤塘镇暖坑行政村至今。

世居村民为刘姓、杨姓、苏姓，刘姓是宋代从福建迁至广东潮州，明初由从化迁至该地；杨姓是宋初从中原迁至潮阳，明中期从南海大沙堤迁至该地。苏姓，明中期由英德迁至该地。

2015 年末，户籍人口 410 人，其中男性 215 人，女性 195 人；80 岁以上 6 人，最年长者 99 岁（女）。实际在村和生活主要依靠农业收入的有 230 人，留守儿童 5 人。常年在城镇生活和打工的有 180 人。村民为汉族，广府民系，使用粤方言。

村有山地面积 195.07 公顷，山上种有松、杉、杂树。耕地面积 9.78 公顷。传统经营以种植水稻为主，兼种薯类及制作豆腐、养猪、养鸡、鸭、鹅等。现时村民主要种植以种植木薯、水稻、花生、龙眼、香蕉等，养猪、鸡、鸭、鹅等。每年有村民外出务工，

◎ 竹前村门楼（摄于 2016 年）

◎ 竹前村现代民居（摄于 2016 年）

◎ 竹前村炮楼（摄于 2016 年）

去珠江三角洲地区居多，以从事建筑、餐饮、化工等行业为主。村民主要收入来源为农业收入、外出务工收入。特色农产品有龙眼、香蕉。特色传统节庆食品有手糯米糍、炒米饼、糖环、甜酒、湛江醋、白切鸡、焖鹅、烧鸭、粽子、糕点等。

村于 1969 年通电话，1978 年通电，2006 年村道实现水泥硬底化，2008 年通网络和自来水。村中建有垃圾收集站，文化设施有篮球场、健身器材等。

传统民居现存传统民居约 23 座，为围水房屋。围水式房屋为独立单间平房，一般建筑占地面积 20 平方米，大部分建在村的围墙边内，房屋都为砖木结构，硬山顶，为青砖墙体或三合土墙体。村中有一座两层防盗匪用炮楼，舂墙，瓦面。新建楼房多为钢筋水泥混凝土结构，有些楼房是框架结构，占地面积 90 平方米左右，一至二层较普遍，有的三至四层，布局为三房一厅一厨，一至两个卫生间。有些家庭单独建楼房，并设有停车位。

当地居民一年中有 4 次参与民间祭神活动，主要为初一、十五进行烧香拜佛，祈求风调雨顺，身体健康。

村婚嫁习俗，男女相识交往时女家要到男家探家风，结婚前要担定婚茶，报日子，送聘金，定嫁妆，行结婚礼时，要摆酒请客，迎亲和送亲。丧俗传统以土葬为主，1990 年后逐步实行火化。土葬的程序为举丧、入殓、出殡、送葬、做法事，将亡灵送入祖堂，办丧事只煮花菜、豆腐煮猪肉等简单的饭菜。用餐不在屋内，只在事主家门前的巷道吃饭。

2013 年 5 月 15 日因下暴雨山洪暴发，水浸竹前等村，冲毁村公路 7 处，冲毁农田 1.33 公顷，山体滑坡 10 多处。

（资料填报：冯金莲，初稿撰写：包巍，总纂：李协湖）

○升平行政村

刀排村

◎ 刀排村村貌（摄于 2016 年）

刀排村，位于汤塘镇北部，距镇政府 8 千米。始建于明成化二年（1466 年），由英德白沙等地分村迁入而形成。因村有史以来许多村民都是以制造竹制品农具为生，所用的各类刀具很多，可以排成行，故取名为刀排村。村坐落于滘江丘陵地带。东边与伏虎头村连接，南边与大埔村相邻，西边是岑坑村，北边与三万村相邻。村后为后背山，高约 150 米。滘江在村前流过，国道 G106 线经过村。

村形成时，属清远县滘江乡。清朝时期属清远县滘江二乡，民国时期属清远县第七区。中华人民共和国成立初期属清远县第七区。1953 年属佛冈县第四区。1958 年属从化县滘江人民公社升平大队。1959 年属从化县良安人民公社升平大队。1961 年属佛冈县良安人民公社升平大队。1983 年属汤塘区升平乡。1987 年属汤塘镇升平村。1989 年属汤塘镇升平管理区。1998 年属汤塘镇升平村。2014 年属汤塘镇升平行政村至今。

世居村民为有沈姓、彭姓、周姓。明中叶沈氏从福建建阳左田里迁至广东南雄珠玑巷，明成化二年（1466 年）从英德白沙象贵镇迁至村。彭氏，元末从湖南迁南雄珠玑巷，后迁连州，明后期迁至该地。北宋初周氏从福建迁至广东南雄珠玑巷，明成化二年（1466 年）从英德迁至村。

2015 年末，户籍人口 616 人，其中男性 312 人，女性 304 人；80 岁以上 16 人，最年长者 96 岁（女）。实际在村人口 410 人，留守儿童 6 人。生活主要依靠农业收入的人口有 566 人，常年在城镇生活和打工的人口有 206 人。海外留学人员 1 人。村民为汉族，广府民系，使用粤方言。

村土地肥沃，雨量充沛，气候宜人，适合动物繁殖和各种植物生长，山地面积 137.56 公顷，耕地面积 13.52 公顷。传统经营以农业耕作，编织雨帽竹制品及家庭种养为主，种植以水稻、薯类、花生等农作物为主；养殖有猪、牛及家禽等。特色农产品有粉葛，水果有龙眼、荔枝、大蕉、黄皮。传统食品有艾糍、糯米糍等。现时保存传统经营外，大

◎ 丰收的石硖龙眼（摄于 2016 年）

◎ 通往古桥旧渡头的古道（摄于 2016 年）

部分青壮年村民外出打工，也有一部分村民在村口的工厂打工。村民主要收入来源为农业生产收入、外出务工收入。位于村规模以上的企业有 6 家：佛冈县冠华纸塑包装有限公司，主要生产包装纸箱；佛冈县进昇纸塑包装有限公司，主要生产包装薄膜；佛冈县汤塘镇达明五金制品加工厂，主要生产五金制品；佛冈县三门再生纸厂，主要生产纸品；佛冈县汤塘镇明华石英粉厂，主要生产石英粉；佛冈县汤塘镇宏昌超细石粉厂，主要生产石英粉。

村于 1976 年通电，2004 年通电话，2009 年通自来水，2012 年通网络，2013 年村道实现水泥硬底化。村中建文化室，有垃圾收集站，垃圾定期清理填埋。

传统民居现存 8 座。代表性民居为四合院，建于清末民初年，占地面积 90 平方米。民居为硬山顶，混合土墙，中设厅，左、右两房，部分巷道铺砌鹅卵石。墙体由石灰、红土、谷壳等混合材料舂成。虽然建房材料简单，但房屋坚固耐用，有些房屋历经数百年的风吹雨打依然没有倒塌。20 世纪 80 年代中期，部分房屋破败，村民陆续从围屋中搬出，现今已无人居住。新建楼房，多为钢筋水泥混凝土结构，有些楼房是框架结构，占地面积 90 平方米左右，一至二层较普遍，有的三层四层，布局为三房一厅一厨房，一至两个卫生间。有些家庭单独建楼房，还有院子，种有花草，环境优美。

◎ 刀排村传统民居（摄于 2016 年）

现存刀排神庙一座，始建于清朝。重修于 1936 年，占地面积 30 平方米。逢年过节，村民都会到神庙烧香拜祭。

主要宗族活动是清明祭祖、重阳祭祖，逢初一、十五到庙府烧香拜神，正月初四举行新添男丁挂灯活动。村仍保留着传统习俗：婚嫁要担定婚茶、过礼、迎亲、安床、挎红、闹新房、打糖梅。传统丧葬风俗庄严繁杂，多沿用古中原的传统，主要程序为：报丧、上孝、买水、殓棺、煮寿饭、出殡、巡棺、复坟。传统以土葬为主，1990 年后逐步实行火化。

古驿道现存遗迹有：古道、三棵松、三子田。山边的古驿道沿线，古石阶现已修国道 G106 线，已被覆盖，原来由黑白鹅卵石铺建而成，宽约 1.5 米，3—4 步一级，长约 40—50 米。

古桥在旧渡头至旧道班即鲤鱼蹦坎，主要为方便商人免脱鞋湿脚而搭建的。旧渡桥对面建有客栈，方便过往商人买卖和解决吃住问题。

2013 年 5 月 15 日，村遭受特大洪水袭击，造成民居水浸，村中水深约 1 米，冲毁水田 0.33 公顷，损失牲畜、财物一批，倒塌房屋 5 间，直接经济损失约 10 万元。

（资料填报：黄少玲，初稿撰写：黄丽娟，总纂：李协湖）

伏虎头村

◎ 伏虎头村村貌（摄于 2016 年）

伏虎头村，位于汤塘镇北部，距镇政府 9 千米。始建于明天顺年间，由从化迁入而形成。因围背后山的形状似只老虎伏在地上而取名伏虎头村。村坐落于丘陵地带。东边与黄花村连接，南边与刀排村接壤，西边与三万村毗邻，北边与坑坦村相邻。国道 G106 线从村旁穿过。村主要山岭石底下山岭，海拔 350 米高，滘江从村西边流过。

村形成时，属清远县滘江乡。清朝时期属清远县滘江二乡，民国时期属清远县第七区。中华人民共和国成立初期属清远县第七区。1953 年属佛冈县第四区。1958 年属从化县滘江人民公社升平大队。1959 年属从化县良安人民公社升平大队。1961 年属佛冈县良安人民公社升平大队。1983 年属汤塘区升平乡。1987 年属汤塘镇升平村。1989 年属汤塘镇升平管理区。1998 年属汤塘镇升平村。2014 年属汤塘镇升平行政村至今。

世居村民为冯姓，宋代从中原迁到广东新会，明天顺年间，由从化沙贝迁至村。

2015 年末，户籍人口 917 人，其中男性 495 人，女性 422 人;80 岁以上 12 人，最年长者 92 岁（男）。实际在村 839 人，无留守儿童。生活主要依靠农业收入的 839 人，常年在城镇生活和打工的 78 人。祖籍该村的香港同胞有 4 人。村民为汉族，广府民系，使用粤方言。

村土地肥沃，雨量充沛，适合动物繁殖和各种植物生长。有耕地面积 20.4 公顷（其中水田有 18.4 公顷）。传统经营以农业耕作及家庭种养为主，种植水稻、薯类、花生等农作物；养殖有猪及家禽等。水果有荔枝、龙眼、香蕉等岭南水果。1990 年以后大部分青壮年村民外出打工。村民收入来源主要有：

◎ 村民在田间劳作（摄于 2016 年）

农业生产收入、外出务工收入、商业经营等。位于村规模以上的企业有：佛冈县德宇萤石球有限公司，主要生产萤石球；佛冈县昌泰硅钾原材料有限公司，主要生产石英粉。传统特色食品有糯米糍。制作过程并不复杂，首先将糯米粉倒入容器中，放入适当的水和碱砂，搅拌成糊状后，装入盘中（盘底放少许花生油）用锅蒸约20分钟。蒸熟后，将糯米糍搓成糯团，用手指捏成勺子形状，把馅料放进去，再包成饼状，即可食用，嫩滑可口。由于汤塘糯米糍远近闻名，凡到汤塘旅游的外地游客，都会品尝这一美食。

村于1976年通电，2002年通电话，2003年通网络，2008年村道实现水泥硬底化，2009年通自来水。村中设有垃圾收集桶，每天清理垃圾一次。村中建有一个乡村公园，有篮球场和多样健身设施，部分村民小组办公楼建有村民活动中心。三小组还设有农家书屋，藏书150册。

现存传统民居9座。民居为硬山顶和混合土墙，多为正座形式。两房两廊一厅一天井布局，有通风、清凉、防潮、防晒的特点。20世纪80年代中期，村民逐步建有钢筋混凝土结构的楼房，多为钢筋水泥混凝土结构，有些楼房是框架结构，占地面积90平方米左右，一至二层较普遍，有的三层四层，布局为三房一厅一厨房，一至两个卫生间。有些楼房单独建楼房，还有院子。

◎ 传统民居（摄于2016年）

◎ 伏虎头村门楼（摄于2016年）

村有冯氏宗祠，始建于清末，占地面积90平方米。主要建筑形制是硬山顶，混合墙体。每逢春节、清明、中秋、冬至，村民都会到宗祠烧香拜祭。

村主要宗族活动有：清明祭祖、重阳祭祖，每逢初一、十五到庙府烧香拜神，正月初六举行新添男丁上灯活动。村仍保留着传统结婚习俗：担定婚茶、过礼、迎亲、安床、挎红、闹新房、打糖梅。传统丧葬风俗庄严繁杂，多沿用古中原的传统，主要程序为：报丧、上孝、买水、殓棺、煮寿饭、出殡、巡棺、复坟。传统以土葬为主，1990年后逐步实行火化。

2013年5月15日，村遭受特大洪水袭击，冲走在河堤附近猪场的猪，直接造成养猪户的经济损失约3.2万元。村中遭受水灾时，一些农户房屋和财产遭到损失，全村人互相帮忙，使受灾损失家庭的村民尽快恢复生产生活。

该村的冯位明（1911—2004），在广州就读南武中学，回乡后极力推行新文化。在汤塘上闸村办学时，为学校命名为志远学校。回村后，又在村中办学，担任校长。

（资料填报：黄少玲，初稿撰写：黄丽娟，总纂：李协湖）

官田村

◎ 官田村村貌（摄于 2016 年）

官田村，位于汤塘镇北部，距镇政府 9 千米。始建于明成化年间，由从化迁入而形成。因村有邓、周、郭 3 姓居住，曾取名三星堂，后因有人当官，册封了官地，而改名为官田村。村坐落于丘陵地带，村东边与坑坦村交界，南边与三万村接壤，西南边与岐安村毗邻。东边有潖江流经。村主要的山岭是石榴花山，海拔高度约是 700 米。

村清朝时期属清远县潖江二乡，民国时期属清远县第七区。中华人民共和国成立初期属清远县第七区。1953 年属佛冈县第四区。1958 年属从化县潖江人民公社升平大队。1959 年属从化县良安人民公社升平大队。1961 年属佛冈县良安人民公社升平大队。1983 年属汤塘区升平乡。1987 年属汤塘镇升平村。1989 年属汤塘镇升平管理区。1998 年属汤塘镇升平村。2014 年属汤塘镇升平行政村至今。

世居村民有邓姓、周姓、郭姓。明初，邓姓从中原迁至广东从化，明后期由从化流溪韶洞迁至村。北宋初期，周姓从福建迁至从化，明成化年间由从化迁至村。明正统十四年（1449 年），郭氏从福建迁至广东翁源腊岭，清代初期从清远潭坑迁至村。

2015 年末，有户籍人口 175 人，其中男性 93 人，女性 82 人；80 岁以上 5 人，最年长者 86 岁（女）。实际在村居住人口 98 人，无留守儿童。生活主要依靠农业收入的有 98 人，常年在城镇生活和打工的有 77 人。村民为汉族，广府民系，使用粤方言。

村土地肥沃，雨量充沛，适合动物繁殖和各种植物生长。山地面积 48.94 公顷，耕地面积 5.74 公顷（其中水田 5.47 公顷）。传统经营以农业耕作及家庭种养为主，种植水稻、薯类、花生、红葱头、粉葛等农作物;养殖有猪、牛及家禽等。水果有荔枝、龙眼、香蕉等岭南水果。1990 年后，大部分青壮年村民外出打工。村民主要收入来源为农业生产收入、外出务工收入。该村当地建筑石料资源丰富，创办贵田取石场。特色农产品：粉葛、红葱头。传统食品是糯米糍。

村于 1976 年通电，2004 年通电话，2006 年村道实现水泥硬底化，2008 年通网络，2012 年通自来水。村中建文化室，设有垃圾收集站，垃圾定期清理填埋。

◎ 官田村传统民居（摄于 2016 年）

传统民居现存传统民居 6 座，村巷纵横交错。民居为硬山顶和混合土墙，多为正座形式。正座为两房两廊一厅一天井式广府民居布局，有通风、清凉、防潮、防晒的特点。1980 年以后，许多村民都建起钢筋混凝土结构楼房，一层的有 20 座，二层的有 13 座。楼房布局多为三房一厅一厨一卫，底层面积多为 100 平方米。有的楼房内外装修时尚，并留有停车位。

村庙宇建于清朝年间，占地面积约 20 平方米。逢年过节，村民都会到庙宇烧香拜祭。

民间习俗有：清明祭祖、重阳祭祖，逢初一、十五到庙府烧香拜神，正月初四新添男丁要到神庙举行上灯仪式。传统婚嫁习俗中的中原古制“六礼”已经很少见到，但仍保留着传统婚嫁礼仪：探家风、担定婚茶、报日子、送聘金、定嫁妆，行结婚礼时，要摆酒请客，迎亲和送亲。传统丧葬风俗庄严繁杂，多沿用古中原的传统土葬为主。20 世纪 90 年代以后逐步实行火葬。其程序为：举丧、入殓、出殡、送葬、做法事，将亡灵送入香火堂。办丧事只煮花菜、豆腐煮猪肉等简单的饭菜。用餐不在屋内，只在事主家门前的巷道吃饭。

村古驿道现存遗迹有：大庙峡古驿道，北起惠爱亭，经大庙峡渡口、吉河大庙、官田村、三万排村（刀排渡口）、苦竹迳至三爱亭，全长 8 千米，仍有部分古道保持原状。

1938 年，日本侵略军一队人马路过官田村，对村进行烧、杀、掠夺，烧毁村许多房屋，将村民的粮食洗劫一空，抓了村的一些村民强迫其为日本侵略军煮饭。

◎ 官田村古桥（摄于 2016 年）

◎ 官田村古驿道（摄于 2016 年）

（资料填报：黄少玲，初稿撰写：黄丽娟，总纂：李协湖）

坑坦村

◎ 坑坦村村貌（摄于 2016 年）

坑坦村，位于汤塘镇北部，距镇政府约 10 千米。始建于明天顺元年（1457 年），由从化迁入而形成。因地势高低不平，遍地都是石头，故取名为坑坦村。村坐落于丘陵地带，东与黄花李田大山连接，南与伏虎头村接壤，西与官田村毗邻，北与高埔村相邻。国道 G106 线从村前经过，交通便利。村的主要山岭为大窝山，海拔 300 米。

村形成时，属清远县滘江乡。清朝时期属清远县滘江二乡，民国时期属清远县第七区。中华人民共和国成立初期属清远县第七区。1953 年属佛冈县第四区，1958 年属从化县滘江人民公社升平大队，1959 年属从化县良安人民公社升平大队，1961 年属佛冈县良安人民公社升平大队，1983 年属汤塘区升平乡，1987 年属汤塘镇升平村，1989 年属汤塘镇升平管理区，1998 年属汤塘镇升平村，2014 年属汤塘镇升平行政村至今。

◎ 坑坦村门楼（摄于 2016 年）

世居村民为冯姓、刘姓、周姓。宋末，冯氏从中原迁广东新会，明天顺元年（1457 年）由从化沙贝村迁至村。宋末，刘氏从福建迁至广东从化，明初由从化迁龙蟠村，后迁至村。北宋初期，周氏从福建迁至广东，明成化二年（1466 年）由从化迁至村。

2015 年末，户籍人口 973 人，其中男性 506 人，女性 467 人；80 岁以上 36 人，最年长者 93 岁（女）。实际在村人口 512 人，留守儿童 3 人。生活主要依靠农业收入的人口有 512 人，常年在城镇生活和打工的人口有 461 人。非户籍外来人口 26 人。2015 年末，祖籍该村的华侨有 1 人，居住在加拿大。村民为汉族，广府民系，使用粤方言。

村土地肥沃，雨量充沛，气候宜人，适合动物

◎ 特色农产品——红葱（摄于 2016 年）

◎ 坑坦村一角（摄于 2016 年）

繁殖和各种植物生长，有山地面积 372.61 公顷，山上有松、杉、灌木林等，耕地 31.09 公顷（其中水田 28.93 公顷）。传统经营以农业耕作及家庭种养为主，种植以水稻、薯类、花生、粉葛等农作物为主；养殖有猪、牛及家禽等。水果有荔枝、龙眼、香蕉等岭南水果，传统食品是糯米糍、自酿米醋（湛江醋）。1990 年后，每年有一百多人外出打工，去深圳、珠海、广州市，以建筑业和餐饮业为主。村民主要收入来源：务工收入，农业生产收入。特色农产品：红葱。

村于 1976 年通电，2004 年通电话，2008 年通网络，2012 年通自来水，2015 年村道实现水泥硬底化。村域 G106 国道旁建有升平加油站。2011 年，私营业主创办佛冈德宇莹石球有限公司，主要经营莹石球、萤石粉。

传统民居现存 6 座，建于明、清时期，民居为硬山顶和混合土墙，多为正座形式，两房两廊一厅一天井式广府民居布局，有通风、清凉、防潮、防晒的特点。20 世纪 80 年代后，村民新建楼房，多为钢筋水泥混凝土结构，有些楼房是框架结构，占地面积 90 平方米左右，一至二层较普遍，有的三层四层，布局为三房一厅一厨房，一至两个卫生间。有些家庭单独建楼房，并建有停车位。

村现有祖堂 7 座，均建于清朝时期，总面积约 140 平方米。

传统民俗注重清明节。家家户户门楣插柳枝和桃叶以驱邪，采艾（一种植物）做糍，名为“艾糍”，并进行扫墓活动。扫墓一般从清明前的春分起到农历四月初八日，扫墓期间在外地谋生的人都尽可能赶回来祭扫祖墓。主要宗族活动有清明祭祖、重阳祭祖，逢初一、十五到庙府烧香拜神，每年正月初六新添男丁要举行到神庙挂灯活动。

传统婚嫁习俗有：探家风、担定婚茶、报日子、送聘金、定嫁妆，行结婚礼时，要摆酒请客，迎亲和送亲。传统丧葬风俗庄严繁杂，多沿用古中原的传统土葬为主。20 世纪 90 年代以后逐步实行火葬。其程序为：报丧、上孝、买水举丧、入殓、出殡、送葬、做法事、将亡灵送入香火堂。办丧事只煮花菜、豆腐煮猪肉等简单的饭菜。用餐不在屋内，只在事主家门前的巷道吃饭。

1986 年 6 月，位于村的大庙峡水电站建成投产，是县内第一家装机（960 千瓦）最大型的水电站，开始运行发电。

村的刘柱（1927—2010），曾在佛冈县龙山镇水运社工作，1979 年 4 月获广东省先进工作者称号。

（资料填报：黄少玲，初稿撰写：黄丽娟，总纂：李协湖）

岐安村

◎ 岐安村村貌（摄于 2016 年）

岐安村，位于汤塘镇北部，距镇政府 10 千米。始建于明初，由附近村迁入而形成。因村山涧有许多蚂蟥而取名蚂蟥冚，后改为岐安村。村坐落于丘陵地带，东与坑坦村交界，西南与三万村接壤，西北与科旺村毗邻。村主要的山岭是尖风仔，高 500 米。

村形成时，属清远县滘江乡。清朝时期属清远县滘江二乡，民国时期属清远县第七区。中华人民共和国成立初期属清远县第七区。1953 年属佛冈县第四区。1958 年属从化县滘江人民公社升平大队。1959 年属从化县良安人民公社升平大队。1961 年属佛冈县良安人民公社升平大队。1983 年属汤塘区升平乡。1987 年属汤塘镇升平村。1989 年属汤塘镇升平管理区。1998 年属汤塘镇升平村。2014 年属汤塘镇升平行政村至今。

世居村民有刘姓、冯姓。宋代年间，刘姓从潮州迁至广东从化，明初由从化迁至夏茅，后分支迁至汤塘村，明初再由汤塘村迁至该地。冯姓从中原迁至新会，明天顺年间由从化沙贝迁至滘江，后迁至此地。

2015 年末，户籍人口 623 人，其中男性 327 人，女性 296 人；80 岁以上 10 人，最年长者 98 岁（男）。实际在村居住人口 368 人，无留守儿童。生活主要依靠农业收入的人口有 368 人，常年在城镇生活和打工的人口有 255 人。非户籍外来人口 285 人。祖籍该村的华人华侨有 1 人，居住在加拿大。村民为汉族，广府民系，使用粤方言。

村土地肥沃，资源丰富，山地面积 165.93 公顷，山上有松、杉、速生丰产林等，耕地 16.48 公顷（其中水田 15.47 公顷）。村民传统经济以农业为主，种植水稻、薯类、花生、红葱头、粉葛等农作物。养殖有猪、牛及家禽等。水果有荔枝、龙眼、香蕉等岭南水果。传统食品是糯米糍。1990 年以后，大部分青壮年村民外出打工，也有一部分村民在村口的纺织印染厂打工。村民主要收入来源为农业生产收入、外出务工收入、村集体经济分红。2003 年，广东兆联纺织有限公司在村投资 2 亿元建纺织品基地，其产品出口欧美市场。吸收附近村民近 700 人前来务工。佛冈县汤塘镇贵田石场有限公司，该石场有丰富的花岗岩资源，能生产各类碎石及石粉。特色农产品：红葱头。红葱头，颗粒较小而饱满，葱香

◎ 兆联纺织有限公司生产车间（摄于 2017 年）

◎ 岐安村传统民居（摄于 2016 年）

浓郁，颜色带红，村民经常拍散以酱汁腌之，作咸菜作用。是当地人日常餐桌必备佐料。

村于 1976 年通电，2004 年通电话，2006 年村道实现水泥硬底化，2008 年通网络，2012 年通自来水。村中设有垃圾收集点。

传统民居建于清朝，现存传统民居 10 座，村巷纵横交错贯通整个村落。民居为硬山顶和混合土墙，多为正座形式。两房两廊一厅一天井式广府民居布局，有通风、清凉、防潮、防晒的特点。现今还有 4 户人居住。1980 年以后许多村民都建起钢筋混凝土结构的楼房，建有一层的有 26 座，二层的有 38 座。楼房布局多为三房一厅一厨一卫，底层面积多为 100 平方米左右。有的楼房内外装修华丽，并留有停车位。

村的庙宇建于清朝年间，占地面积约 40 平方米。逢年过节，村民都会到庙宇烧香拜祭。

传统节庆习俗有春节、元宵、端午、中秋、冬至等。中秋节，村民都用月饼、柚子及熟石螺等食品“赏月”，热闹非常。

◎ 岐安村门楼（摄于 2016 年）

◎ 古桥（摄于 2016 年）

主要民间习俗有：清明祭祖、重阳祭祖，每逢初一、十五到庙府烧香拜神，每年正月初十新添男丁都要到神庙举行挂灯仪式，此项活动风雨不改。传统的结婚礼仪：探家风、担定婚茶、报日子、送聘金、定嫁妆，行结婚礼时，要摆酒请客，迎亲和送亲。传统丧事以土葬为主，1990 年后逐步实行火化。其程序为：举丧、入殓、出殡、送葬、做法事、将亡灵送入祖堂。办丧事只煮花菜、豆腐煮猪肉等简单的饭菜。

村古桥位于深冚矮路口，古桥长 20 米，宽 1 米，条形石板状，至今还在使用。

2013 年 5 月 15 日，遭受特大洪水袭击，18 间民居水浸，水深 1.5 米，大部分水稻、花生、粉葛被冲毁，造成的经济损失约 10 万元。

该村的刘永年（1945—），曾任佛冈县一小副校长，从事教育工作 40 多年，获“特级教师”称号。

（资料填报：黄少玲，初稿撰写：黄丽娟，总纂：李协湖）

三万村

◎ 三万村村貌（摄于 2016 年）

三万村，位于汤塘镇北部，距镇政府 10 千米。始建于清末，从汤塘、谭坑分村迁入而形成。据当地村民相传：“上三万、下三万、中间还有个王十万”，因为三个村落都有个万字，所以就取名为三万村。三万村坐落于潖江边，背靠背底山，坐北向南。东与伏虎头村交界，南与刀排村接壤，西与岑坑村毗邻，北与官田村相连，潖江从村的东边流过，汇入北江。

村形成时，属清远县潖江乡。清朝时期属清远县潖江二乡，民国时期属清远县第七区。中华人民共和国成立初期属清远县第七区。1953 年属佛冈县第四区。1958 年属从化县潖江人民公社升平大队。1959 年属从化县良安人民公社升平大队。1961 年属佛冈县良安人民公社升平大队。1983 年属汤塘区升平乡。1987 年属汤塘镇升平村。1989 年属汤塘镇升平管理区。1998 年属汤塘镇升平村。2014 年属汤塘镇升平行政村至今。

世居村民有冯姓、郭两姓。冯姓，宋代从中原迁至广东新会，明天顺八年（1464 年）由从化沙贝村迁至汤塘村，清末又从汤塘村迁至该地定居。郭姓，明正统十四年（1449 年）从福建迁至广东翁源腊岭，清末从清远潭坑迁至该地定居。

2015 年末，户籍人口 601 人，其中男性 292 人，女性 309 人；80 岁以上 11 人，最年长者 94 岁，有两人，均为男性。实际在村人口 527 人，留守儿童 4 人。生活主要依靠农业收入的人口有 527 人，常年在城镇生活的人口有 74 人。村民为汉族，广府民系，使用粤方言。

全村山地面积 151.22 公顷，山上有松、杉、杂树等，耕地面积 20.05 公顷（其中水田 17.33 公

◎ 三万村一景（摄于 2016 年）

顷)。村民传统经营以农业耕作及家庭种养为主，种植水稻、薯类、花生、粉葛等农作物。养殖有猪、牛及家禽等。水果有荔枝、龙眼、香蕉等岭南水果。1990年以后，大部分青壮年村民外出打工，也有一部分村民在幸运玩具厂打工。传统食品有糯米糍、粽子。村民主要收入来源农业收入，外出务工收入。

村于20世纪60年代通电话，1975年通电，2008年通网络，2012年通自来水，2012年村道实现水泥硬底化。村中建有垃圾收集站，垃圾定期清理。体育设施有篮球场、运动跑道。村民活动中心有下三万、王十万文化室。该村于清末曾创办清河书院。中华人民共和国成立后村有三门小学，2015年，有6个年级共6个班级。在校学生181人，教职工10人。三门小学附设幼儿园。

现存传统民居9座，村巷纵横交错。建于清朝，民居为硬山顶和混合土墙，多为正座形式。两房两廊一厅一天井布局，有通风、清凉、防潮、防晒的特点。1980年后建成钢筋混凝土结构楼房一层有24座，二层有42座，底层面积60平方至120平方不等。有些家庭单独建楼房，还有院子，种有花草，环境优美。

◎ 三万村传统民居（摄于2016年）

有庙宇6座，始建于清末，是村民烧香祭拜先祖的场所，每逢春节、清明、中秋、冬至，村民都会前去庙拜祭、祈福。

传统节日为春节、清明节、端午节、中秋节等，尤以春节隆重，春节期间习俗：农历十二月二十三

◎ 三万村门楼（摄于2016年）

日叫“过小年”，家家户户打扫庭院、做年货。过去还有在“小年夜”的晚饭后送灶君、年三十晚接灶君的习俗，后消失。到年三十，吃“团年饭”，饭后长者要给小孩“压岁钱”。年初一清早，各家各户相互拜年，后来拜年方式改为电话、贺卡和手机短信进行。

主要宗族活动有清明祭祖、重阳祭祖。每逢初一、十五到庙府烧香拜神，正月初六举行新添男丁要到神庙挂灯活动。传统结婚仪式：探家风、担定婚茶、报日子、送聘金、定嫁妆，行结婚礼时，要摆酒请客，迎亲和送亲。传统丧事以土葬为主，1990年后逐步实行火化。其程序为：举丧、入殓、出殡、送葬、做法事，将亡灵送入香火堂。办丧事只煮花菜、豆腐煮猪肉等简单的饭菜。用餐不在屋内，只在事主家门前的巷道吃饭。

村有古道长1500米，南至刀排村，北至官田村，现已建成水泥路面，宽3.5米，每天村民都经过此道出入。

2013年5月15日，村遭受特大洪水袭击，水深1.2米，12间民居被水浸，大部分水稻、花生被冲毁，经济损失达到7万多元。

该村的冯金明（1966—），任广州市公安局黄埔区分局副局长。

（资料填报：黄少玲，初稿撰写：黄丽娟，总纂：李协湖）

○官山行政村

大路村

◎ 大路村村貌（摄于2016年）

大路村，位于汤塘镇东部，距镇政府15千米。始建于清末，由附近海围分村搬迁而形成，因村前有一条大路通过，故取名大路村。

该村坐落于丘陵地带，东与滋江村相邻，南与坟头村相接，西与海围村毗邻，北与土楼村接壤。主要山岭有丫髻山，海拔775米。省道S354线通过该村。

村形成时，属清远县滘江二乡。民国时期，属清远县第七区。1953年属佛冈县第四区，1957年属佛冈县四九乡，1958年佛冈县与从化县合并为从化县，属从化县滘江人民公社官山大队，1959年属从化县四九人民公社官山大队，1960年属从化县汤塘人民公社官山大队，1961年佛冈由从化县分出后，属佛冈县四九人民公社官山大队，1983年属四九区官山乡，1987年属四九镇官山行政村，1989年属四九镇官山管理区，1998年属四九镇官山行政村，2004年属汤塘镇官山行政村至今。

世居村民为吴姓，明初从中原迁移至广东潮州，清末从海围分村而迁移至该地。

2015年末，户籍人口504人，其中男性262人，女性242人;80岁及以上12人,最年长者99岁(男)。实际在村人口464人，留守儿童5人。户籍人口中，生活主要依靠农业收入的有464人，常年在城镇生活和打工的有40人。村民为汉族，广府民系，使用粤方言。

该村有山地面积33.13公顷，山上有松、杉、

◎ 荔枝（摄于2016年）

◎ 荔枝果园（摄于 2016 年）

杂树。传统经营以农业为主，有耕地面积 10.6 公顷，主要作物有水稻、番薯、花生、芋头、果树，其中荔枝 20.4 公顷。1980 年以后，大部分青壮年村民外出打工。村民主要收入来源为农业收入，外出务工收入。特色农产品有荔枝、龙眼、黄皮。传统食品有白切鸡、焖鹅、粽子、湛江醋等。湛江醋是官山村世代相传的一种食用土醋。

村于 20 世纪 70 年代通电，1999 年通电话，2004 年通网络，2007 年村道实现水泥硬底化，2013 年通自来水。

传统民居现存 15 座。现存宗祠有胜全吴公祠，始建于清光绪年间，占地面积 410 平方米。公祠坐西北向东南，面阔 12.6 米，进深 25.3 米，屋顶建筑设计为龙船脊、硬山顶，最高的建筑单体为第三进，高约 6 米。祠堂由前院侧门进入，门口以青石板为门框，壁画有太白醉酒图、渊明赏菊图等，各个图还配有文字说明。祠堂第一个天井的两边为廊，左廊有石碑记载祠堂历史情况。2012 年该祠堂列入佛冈县不可移动文物名录。

1980 年后，村民开始在原民居外择地新建楼房，新建楼房多为钢筋水泥混凝土结构，有些楼房是框架结构，建筑占地 90 平方米左右，一至二层较为普遍，有的三层四层，布局为三房一厅一厨房，一至两个卫生间。有些家庭单独建楼房，还有院子。

村编有《吴氏家谱》，由吴北玲、吴汉洲、吴桓崇、吴赞云于 1995 年纂修。简单记录整个官山村的原貌概况、中华人民共和国成立后新貌、村中大事、村属自然资源等情况。

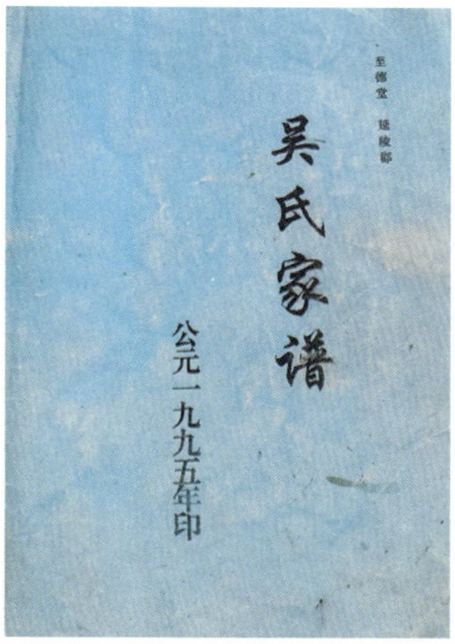

◎《吴氏家谱》（摄于 2016 年）

村至今保留着中原流传下来的一部分习俗。节令习俗有：春节前的祭灶、岁末守岁、张贴春联；春节的开门迎福和拜年；正月十五元宵节上灯；清明节祭祖扫墓；端午节裹粽子祭河神；中秋节团员赏月；九月重阳节登高等。传统民俗是舞狮，形成于清末，每当农历正月初二至十五日，在村内进行舞狮、武术表演。

婚嫁习俗庄重繁杂，开始交往时，女方家要到男方看家风，结婚前要担定婚茶、报日子、送聘金、定嫁妆。行结婚礼时要摆酒请客，迎亲送亲。传统丧事以土葬为主，1990 年以后逐步实行火葬，其程序为举丧入殓、出殡、送葬、做法事、将亡灵送入祖堂厅，办丧事煮花菜、黄豆等简单的饭菜，用餐时，不坐高台凳，拆下事主家的门板放于门前的巷地上当饭台，以表哀痛。

村流传着“官山没有山，田心没有田”的传说。凡是到过汤塘官山村和田心村的人都发现：官山多水田，而田心却多山地。为什么这两个村子会名不副实呢？这里有一个故事。相传清朝初年，皇帝为保社稷安定，遂颁旨昭告天下，要求各地官员体恤民情，减少税役，让百姓休养生息，安居乐业。当时，负责向官山村和田心村传达圣旨的官员拿着两份圣旨，先到达官山村。由于语言不通和地方不熟悉，将写着田心村的圣旨错给了官山村，而写着官山村的那份圣旨却给了田心村。“官山没有山，田心没有田”，原来是粗心官僚张冠李戴造成的。

2013 年 4 月 2 日该村遭受龙卷风袭击、公路沿线及周边树木被拦腰折断。2014 年 5 月 23 日遭特大洪水袭击，格塘桥被冲毁，部分民房被浸水深两米。

（资料填报：吴治文，初稿撰写：李梅，总纂：李协湖）

坟头村

◎ 坟头村村貌（摄于2016年）

坟头村，位于汤塘镇东部，距镇政府15千米。始建于清末，由附近海围分村搬迁而形成。因村头有座山坟而取名坟头村。

该村坐落于丘陵地带，东为大路村，南与山角村相邻，西与青龙村接壤，北至大路村。主要山岭有丫髻山，海拔775米。省道S354线通过村。

村形成时，属清远县滙江二乡。民国时期，属清远县第七区。1953年属佛冈县第四区，1957年属佛冈县四九乡，1958年佛冈县与从化县合并为从化县，属从化县滙江人民公社官山大队，1959年属从化县四九人民公社官山大队，1960年属从化县汤塘人民公社官山大队，1961年佛冈由从化县分出后，属佛冈县四九人民公社官山大队，1983年属四九区官山乡，1987年属四九镇官山行政村，1989年属四九镇官山管理区，1998年属四九镇官山行政村，2004年属汤塘镇官山行政村至今。

世居村民为吴姓，明初从中原迁移至广东潮州，清末从海围分村而迁移至该地。

2015年末，户籍人口390人，其中男性200人，女性190人；80岁及以上10人，最年长者91岁（男）。实际在村人口360人，留守儿童3人。户籍人口中，生活主要依靠农业收入的人口有360人，常年在城镇生活和打工的人口有30人。村民为汉族，广府民系，使用粤方言。

村有山地面积80.33公顷，山上有松、杉、杂树。传统经济以农业为主，有耕地面积8.04公顷，主要作物有水稻、番薯、花生、芋头、荔枝、龙眼、黄皮等，其中荔枝30.6公顷。传统食品有白切鸡、焖鹅、粽子等。1980年以后，村民主要收入来源为农业收入、

◎ 坟头村荔枝园（摄于2016年）

◎ 坟头村传统民居（摄于 2016 年）

务工工资收入。

村 20 世纪 70 年代通电，1999 年通电话，2004 年通网络，2007 年村道实现水泥硬底化，2013 年通自来水。2015 年有官山小学一所，班级 7 个，在校学生共 305 人，教职工 12 人。幼儿园有 1 间，在园幼儿 136 人，教职工 3 人。

传统民居现存 20 座。20 世纪 80 年代后，村民开始建新楼房，新建楼房多为钢筋水泥混凝土结构，有些楼房是框架结构，建筑占地 90 平方米左右，一至二层较为普遍，有的三至四层，布局为三房一厅一饭厅一厨房，一至两个卫生间。

现存宗祠有胜全吴公祠，始建于清光绪年间，建筑占地面积 410 平方米。胜全吴公祠坐西北向东南，面阔 12.6 米，进深 25.3 米，屋顶建筑设计为龙船脊、硬山顶，最高的建筑单体为第三进，高约 6 米。祠堂由前院侧门进入，门口以青石板为门框，壁画有太白醉酒图、渊明赏菊图等，各个图还配有文字说明。祠堂第一个天井的两边为廊，左廊有石碑记载祠堂历史情况。2012 年该祠堂列入佛冈县不可移动文物名录。

◎ 胜全吴祠堂（摄于 2016 年）

村编有《吴氏家谱》，由吴北玲、吴汉洲、吴桓崇、吴赞云于 1995 年纂修。简单记录整个官山村的原貌概况、1949 年后新貌、村中大事、村属自然资源等情况。

传统民间习俗多为广府人习俗的延续。主要有：舞狮、上灯、拜祠堂等。民间节日以春节、元宵、清明、端午、中秋、冬至等节为主。村有正月初十上灯传统习俗。古代称男孩出生为“添丁”，因“丁”与“灯”谐音，为此正月初十到祠堂“上灯”。上灯活动大致分为迎灯、接灯、拜访供品、挂灯等程序，表达族人祈求人丁兴旺的心愿。

婚嫁习俗庄重繁杂，开始交往时，女方家要到男方看家风，结婚前要担定婚茶、报日子、送聘金、定嫁妆。行结婚礼时要摆酒请客，迎亲送亲。丧俗传统以土葬为主，1990 年以后逐步实行火葬，其程序为举丧入殓、出殡、送葬、做法事、将亡灵送入祖堂厅，办丧事煮花菜、黄豆等简单的饭菜，用餐时，不坐高台高凳，拆下事主家的门板放于门前的巷地上当饭台，以表哀痛。

1956 年 2 月，四九谢公山塘开工，村组织全村劳力参加修建山塘，投资 1.6 万元，蓄水 33.6 万立方米，于 1957 年 4 月 15 日完工并发挥作用。

该村的吴玉强（1963—），现任官山村支部书记，他经营好自己的果场外，还带领群众种植沙糖桔、黄皮等果树，增加群众的收入。2000 年 6 月获得“广东省劳动模范”称号。

（资料填报：吴治文，初稿撰写：李梅，总纂：李协湖）

海 围

◎ 海围村貌（摄于 2016 年）

海围村，位于汤塘镇东部，距镇政府 15 千米。始建于明末，由广东潮州搬迁而形成，因靠四九河而建而取名海围。

该村坐落于丘陵地带，东面与大路村相邻，南与坟头，西文昌村，北至土楼村。主要山岭有丫髻山，海拔 775 米。省道 S354 线通过村。

村形成时，属清远县滘江二乡。民国时期，属清远县第七区。1953 年属佛冈县第四区，1957 年属佛冈县四九乡，1958 年佛冈县与从化县合并为从化县，属从化县滘江人民公社官山大队，1959 年属从化县四九人民公社官山大队，1960 年属从化县汤塘人民公社官山大队，1961 年佛冈由从化县分出后，属佛冈县四九人民公社官山大队，1983 年属四九区官山乡，1987 年属四九镇官山行政村，1989 年属四九镇官山管理区，1998 年属四九镇官山行政村，2004 年属汤塘镇官山行政村至今。

世居村民为吴姓，明初从中原迁移至广东潮州，明末迁移至该地。

2015 年末，户籍人口 330 人，其中男性 180 人，女性 150 人；80 岁及以上 7 人，最年长者 88 岁（男）。实际在村 290 人，留守儿童 3 人。户籍人口中，生活主要依靠农业收入的有 290 人，常年在城镇生活和打工的人口有 40 人。村民为汉族，广府民系，使用粤方言。

村有山地面积 45.33 公顷，山上有松、杉、杂树。传统经济以农业为主，有耕地面积 7.01 公顷，主要作物有水稻、番薯、花生、芋头。禽畜饲养鸡、鸭、鹅和猪、牛等；以山塘蓄水养殖四大家鱼。特色农产品有荔枝、龙眼、黄皮，其中荔枝 37.87 公顷。传统食品有白切鸡、焖鹅、粽子等。1980 年以后，

◎ 海围山场一角（摄于 2016 年）

大部分青壮年村民外出打工。村民主要收入来源为农业收入、外出务工收入。

村于20世纪70年代通电，1999年通电话，2004年通网络，2007年村道实现水泥硬底化，2013年通自来水。

传统民居现存25座。海围是古建筑群，建成于清初，占地面积4859平方米。海围坐北向南，是官山村始祖吴国清所建。围门楼完整，分为旧围和新围，建筑群纵巷为6条，纵向民居5座，两边为围水屋，分布规则有序。2012年，海围村列入佛冈县不可移动文物名录。

◎ 传统民居（一）（摄于2016年）

◎ 传统民居（二）（摄于2016年）

改革开放后，村民为改善居住环境而新建楼房。新建楼房多为钢筋水泥混凝土结构，有些楼房是框架结构，建筑90平方米左右，一至二层较为普遍，有的三层四层，布局为三房一厅一厨房，一至两个卫生间。

村现存宗祠有胜全吴公祠，始建于清光绪年间，建筑占地面积410平方米。胜全吴公祠坐西北向东南，面阔12.6米，进深25.3米，屋顶建筑设计为龙船脊、硬山顶，最高的建筑单体为第三进，高约6米。祠堂由前院侧门进入，门口以青石板为门框，壁画有太白醉酒图、渊明赏菊图等，各个图还配有文字说明。祠堂第一个天井的两边为廊，左廊有石碑记载祠堂历史情况。该祠堂2012年列入佛冈县不可移动文物名录。

村编有《吴氏家谱》，由吴北玲、吴汉洲、吴桓崇、吴赞云于1995年纂修。简单记录整个官山村的原貌概况、中华人民共和国成立后新貌、村中大事、村属自然资源等情况。

村至今保留着中原流传下来的一部分习俗。节令习俗有：春节前的祭灶、岁末守岁、张贴春联；春节的开门迎福和拜年；正月十五元宵节上灯；清明节祭祖扫墓；端午节裹粽子祭河神；中秋节团圆赏月；九月重阳节登高等。海围的特色民俗是舞狮，形成于清末，每当农历正月初二至十五，在围村内表演舞狮、武术等。

婚嫁习俗庄重繁杂，开始交往时，女方家要到男方看家风，结婚前要担定婚茶、报日子、送聘金、定嫁妆。行结婚礼时要摆酒请客，迎亲送亲。发生丧事时，传统以土葬为主，1990年以后逐步实行火葬，其程序为举丧入殓、出殡、送葬、做法事，将亡灵送入祖堂厅。办丧事只煮花菜、黄豆等简单的饭菜，用餐时，不坐高台高凳，拆下事主家的门板放于门前的巷地上当饭台吃饭。

1998年4月12日遭受龙卷风袭击，公路沿线及周边树木被拦腰折断，部分房屋和农作物受损，供电、通讯一度中断。2014年5月23日特大洪水袭击，格塘桥被冲毁，部分民房被浸水深2米。

（资料填报：吴治文，初稿撰写：李梅，总纂：李协湖）

黄洞村

◎ 黄洞村村貌（摄于 2016 年）

黄洞村，位于汤塘镇东部，距镇政府 16 千米。始建于清末，由附近海围搬迁而形成。因其地形是一山冚，故取名黄洞村。

该村坐落于丘陵地带，村东为田心村，南与田心村接壤，西与四九村相邻，北与旧围相邻。省道 S354 线通过村。主要山岭有丫髻山，海拔 775 米。

村形成时，属清远县湿江二乡。民国时期，属清远县第七区。1953 年属佛冈县第四区，1957 年属佛冈县四九乡，1958 年佛冈县与从化县合并为从化县，属从化县湿江人民公社官山大队，1959 年属从化县四九人民公社官山大队，1960 年属从化县汤塘人民公社官山大队，1961 年佛冈由从化县分出后，属佛冈县四九人民公社官山大队，1983 年属四九区官山乡，1987 年属四九镇官山行政村，1989 年属四九镇官山管理区，1998 年属四九镇官山行政村，2004 年属汤塘镇官山行政村至今。

世居村民为吴姓，明初从中原迁移至广东潮州，清末从海围分村而迁移至该地。

2015 年末，户籍人口 178 人，其中男性 95 人，女性 83 人；80 岁及以上 1 人，最年长者 87 岁（男）。实际在村人口 166 人，留守儿童 5 人。户籍人口中，生活主要依靠农业收入的人口有 166 人，常年在城镇生活和打工的人口有 12 人。村民为汉族，广府民系，使用粤方言。

村有山地面积 68 公顷，山上有松、杉、杂树。传统经营以农业为主，有耕地面积 11.77 公顷，主要作物有水稻、番薯、花生、芋头，果树种植有荔枝、龙眼、黄皮、沙糖桔等，其中荔枝 45.93 公顷。特色农产品有荔枝、沙糖桔等。传统食品有白切鸡、焖鹅、粽子等。1980 年以后，大部分青壮年村民外

◎ 沙糖桔种植基地（摄于 2016 年）

◎ 村民在挑选沙糖桔（摄于 2016 年）

出打工。村民主要收入来源为农业收入，外出务工收入。

村于 20 世纪 70 年代通电，1999 年通电话，2004 年通网络，2007 年村道实现水泥硬底，2013 年通自来水。

传统民居现存 8 座。现存宗祠有胜全吴公祠，始建于清光绪年间，建筑占地面积 410 平方米。胜全吴公祠坐西北向东南，面阔 12.6 米，进深 25.3 米，屋顶建筑设计为龙船脊、硬山顶，最高的建筑单体为第三进，高约 6 米。祠堂由前院侧门进入，门口以青石板为门框，壁画有太白醉酒图、渊明赏菊图等，各个图还配有文字说明。祠堂第一个天井两边为廊，左廊有石碑记载祠堂历史情况。2012 年该祠堂列入佛冈县不可移动文物名录。

◎ 黄洞村传统民居（摄于 2016 年）

村新建楼房多为钢筋水泥混凝土结构，有些楼房是框架结构，建筑占地 90 平方米左右，一至二层较为普遍，有的三至四层，布局为三房一厅一厨房，一至两个卫生间。有些家庭单独建楼房，还有院子。

村编有《吴氏家谱》，由吴北玲、吴汉洲、吴桓崇、吴赞云于 1995 年纂修。简单记录整个官山村的原貌概况、中华人民共和国成立后新貌、村中大事、村属自然资源等情况。

婚嫁习俗庄重繁杂，开始交往时，女方家要到男方看家风，结婚前要担定婚茶、报日子、送聘金、定嫁妆。行结婚礼时要摆酒请客，迎亲送亲。传统丧事以土葬为主，1990 年以后逐步实行火葬，其程序为举丧入殓、出殡、送葬、做法事、将亡灵送入祖堂厅，办丧事煮花菜、黄豆等简单的饭菜，用餐时，不坐高台凳，拆下事主家的门板放于门前的巷地上当饭台，以表哀痛。

主要民间活动为清明节拜山祭祖，当地居民一年中有 1 次参与民间祭神活动，具体时间为春节。村的特色民俗是舞狮，形成于清末，每当农历正月初二至十五，在围村内进行舞狮、武术表演。

1968 年 6 月，村民参加石龛水库工程建设。水库建成后，发挥较好的效益。

该村的吴社中（1946—），是官山村传统狮艺传人。传授舞狮技艺，使舞狮后继有人。

（资料填报：吴治文，初稿撰写：李梅，总纂：李协湖）

旧 围

◎ 旧围村貌（摄于2016年）

旧围，位于汤塘镇东部，距镇政府15千米。始建于清末，由附近海围分村搬迁而形成。因该围以前有外姓人居住过而取名旧围。

该村坐落于丘陵地带，东邻山角村，南为黄洞村，西为隔塘村，北为青龙村。村主要山岭有丫髻山，海拔775米。省道S354线通过村。

村形成时，属清远县滘江二乡。民国时期，属清远县第七区。1953年属佛冈县第四区，1957年属佛冈县四九乡，1958年佛冈县与从化县合并为从化县，属从化县滘江人民公社官山大队，1959年属从化县四九人民公社官山大队，1960年属从化县汤塘人民公社官山大队，1961年佛冈由从化县分出后，属佛冈县四九人民公社官山大队，1983年属四九区官山乡，1987年属四九镇官山行政村，1989年属四九镇官山管理区，1998年属四九镇官山行政村，2004年属汤塘镇官山行政村至今。

世居村民为吴姓，明初从中原迁移至广东潮州，清末从海围分村而迁移至该地。

2015年末，户籍人口345人，其中男性180人，女性165人；80岁及以上10人，最年长者98岁（女）。实际在村居住325人，留守儿童3人。生活主要依靠农业收入的有325人，常年在城镇生活和打工的有20人。村民为汉族，广府民系，使用粤方言。

村有山地面积52.6公顷，山上有松、杉、杂树。传统经济以农业为主，有耕地面积7.21公顷，主要作物有水稻、番薯、花生、芋头。禽畜饲养鸡、鸭、鹅和猪等，以山塘蓄水养殖四大家鱼。特色农产品有荔枝、龙眼、黄皮，其中荔枝35.93公顷。传统食品有白切鸡、焖鹅、粽子、滘江醋等。其中，滘江醋是官山世代相传的一种食用土醋。该醋的制

◎ 滘江醋（摄于2016年）

作方法十分简单，将适量的糯米淘洗干净沥干后，放入锅里干炒至微微发黄，把炒好的米放入干净的醋坛子中，并加入适量的山泉水后封盖坛子。米和水在坛子里发酵90天左右，气味特殊、味道酸咸香辣的湛江醋就制成并可食用。1980年以后，大部分青壮年村民外出打工。村民主要收入来源为农业收入，外出务工收入。

村于70年代年通电，1999年通电话，2004年通网络，2007年村道实现水泥硬底化，2013年通自来水。

传统民居现存28座。现存宗祠有胜全吴公祠，始建于清朝光绪年间，建筑占地面积410平方米。胜全吴公祠坐西北向东南，面阔12.6米，进深25.3米，屋顶建筑设计为龙船脊、硬山顶，最高的建筑单体为第三进，高约6米。祠堂由前院侧门进入，门口以青石板为门框，壁画有太白醉酒图、渊明赏菊图等，各个图还配有文字说明。祠堂第一个天井的两边为廊，左廊有石碑记载祠堂历史情况。2012年该祠堂列入佛冈县不可移动文物名录。

新建楼房多为钢筋水泥混凝土结构，有些楼房是框架结构，建筑占地90平方米左右，一至二层较为普遍，有的三层四层，布局为三房一厅一厨房，

◎ 旧围民居（摄于2016年）

◎ 旧围一角（摄于2016年）

一至两个卫生间。有些家庭单独建楼房，还有院子。

村编有《吴氏家谱》，由吴北玲、吴汉洲、吴桓崇、吴赞云于1995年纂修。简单记录整个官山村的原貌概况、建国后新貌、村中大事、村属自然资源等情况。

主要民间活动清明节拜山祭祖，当地居民一年中有1次参与民间祭神活动具体时间为春节。旧围的特色民俗是舞狮，形成于清末，每当农历正月初二至十五，在围村内表演舞狮、武术等。

婚嫁习俗庄重繁杂，开始交往时，女方家要到男方看家风，结婚前要担定婚茶、报日子、送聘金、定嫁妆。行结婚礼时要摆酒请客，迎亲送亲。发生丧事时，传统以土葬为主，1990年以后逐步实行火葬，其程序为举丧入殓、出殡、送葬、做法事、将亡灵送入祖堂厅，办丧事煮花菜、黄豆等简单的饭菜，用餐时，不坐高台凳，拆下事主家的门板放于门前的巷地上当饭台，以表哀痛。

2013年4月2日，遭受龙卷风袭击、公路沿线及周边树木被拦腰折断。2014年5月23日特大洪水袭击，格塘桥被冲毁，部分民房被浸水深两米，农田水利设施损毁严重。

（资料填报：吴治文，初稿撰写：李梅，总纂：李协湖）

山角村

◎ 山角村村貌（摄于 2016 年）

山角村，位于汤塘镇东部，距镇政府 16 千米。村始建于清末，由附近海围分村搬迁而形成。因坐落在官山村的一角建村而取名山角村。

该村坐落于丘陵地带，村东为山岭，南为田心村，西为旧围，北为坟头村。主要山岭有丫髻山，海拔 775 米。省道 S354 线在村旁经过。

村形成时，属清远县滘江二乡。民国时期，属清远县第七区。1953 年属佛冈县第四区，1957 年属佛冈县四九乡，1958 年佛冈县与从化县合并为从化县，属从化县滘江人民公社官山大队，1959 年属从化县四九人民公社官山大队，1960 年属从化县汤塘人民公社官山大队，1961 年佛冈由从化县分出后，属佛冈县四九人民公社官山大队，1983 年属四九区官山乡，1987 年属四九镇官山行政村，1989 年属四九镇官山管理区，1998 年属四九镇官山行政村，2004 年属汤塘镇官山行政村至今。

世居村民吴姓，明初从中原迁移至广东潮州，清末从海围分家而迁移至该地。

2015 年末，户籍人口 475 人，其中男性 245 人，女性 230 人；80 岁及以上 22 人，最年长者 95 岁（女）。实际在村人口 455 人，留守儿童 5 人。生活主要依靠农业收入的人口有 455 人，常年在城镇生活和打工的人口有 20 人。村民为汉族，广府民系，使用粤方言。

村有山地面积 56.67 公顷，山上有松、杉、杂树。传统经营以农业为主，有耕地面积 10.62 公顷，主要作物有水稻、番薯、花生、芋头、果树等。禽畜饲养鸡、鸭、鹅和猪。特色农产品有荔枝、龙眼、黄皮，其中荔枝 30.4 公顷。传统食品有白切鸡、焖鹅、粽子等。1980 年以后，大部分青壮年村民外出打工。村民主要收入来源为农业收入，外出务工收入。

◎ 山角村荔枝园（摄于 2016 年）

◎ 传统民居（摄于 2016 年）

◎ 山角村一角（摄于 2016 年）

村于 20 世纪 70 年代通电，1999 年通电话，2004 年通网络，2007 年村道实现水泥硬底化，2013 年通自来水。幼儿园有 1 间，在园幼儿 136 人，教职工 3 人。

传统民居现存 32 座。现存宗祠有胜全吴公祠，始建于清光绪年间，建筑占地面积 410 平方米。胜全吴公祠坐西北向东南，面阔 12.6 米，进深 25.3 米，屋顶建筑设计为龙船脊、硬山顶，最高的建筑单体为第三进，高约 6 米。祠堂由前院侧门进入，门口以青石板为门框，壁画有太白醉酒图、渊明赏菊图等，各个图还配有文字说明。祠堂第一个天井的两边为廊，左廊有石碑记载祠堂历史情况。2012 年该祠堂列入佛冈县不可移动文物名录。

新建楼房多为钢筋水泥混凝土结构，有些楼房是框架结构，建筑占地 90 平方米左右，一至二层较为普遍，有的三层四层，布局为三房一厅一厨房，一至两个卫生间。有些家庭单独建楼房，还有院子，种有花草，环境优美。

村编有《吴氏家谱》，由吴北玲、吴汉洲、吴桓崇、吴赞云于 1995 年纂修。简单记录整个官山村的原貌概况、建国后新貌、村中大事、村属自然资源等情况。

村至今保留着中原流传下来的一部分习俗。节令习俗有：春节前的祭灶、岁末守岁、张贴春联；春节的开门迎福和拜年；正月十五元宵节上灯；清明节祭祖扫墓；端午节裹粽子祭河神；中秋节团圆赏月；九月重阳节登高等。村的特色民俗是舞狮，形成于清末，每当农历正月初二至十五，在村内进行舞狮、武术表演等。

婚嫁习俗庄重繁杂，开始交往时，女方家要到男方看家风，结婚前要担定婚茶、报日子、送聘金、定嫁妆。行结婚礼时要摆酒请客，迎亲送亲。发生丧事时，传统以土葬为主，1990 年以后逐步实行火葬，其程序为举丧入殓、出殡、送葬、做法事、将亡灵送入祖堂厅，办丧事煮花菜、黄豆等简单的饭菜，用餐时，不坐高台高凳，拆下事主家的门板放于门前的巷地上当饭台，以表哀痛。

1963 年春，村遭受相当 60 年一遇的旱灾，从 1962 年 12 月至 1963 年 6 月，180 天内无下透雨，村受旱面积 1.27 公顷，全村出动全部劳力日夜抗旱保苗。

（资料填报：吴治文，初稿撰写：李梅，总纂：李协湖）

土楼村

◎ 土楼村村貌（摄于 2016 年）

土楼村，位于汤塘镇东部，距镇政府 15 千米。始建于清末，由附近海围分村搬迁而形成。因围中建有一座砖瓦结构的两层楼房而取名土楼村。

该村坐落于丘陵地带，村东是大路，南与海围相邻，西与文昌村相连，北涖江村接壤。主要山岭有丫髻山，海拔 775 米。省道 S354 线通过村。

村形成时，属清远县滘江二乡。民国时期，属清远县第七区。1953 年属佛冈县第四区，1957 年属佛冈县四九乡，1958 年佛冈县与从化县合并为从化县，属从化县滘江人民公社官山大队，1959 年属从化县四九人民公社官山大队，1960 年属从化县汤塘人民公社官山大队，1961 年佛冈由从化县分出后，属佛冈县四九人民公社官山大队，1983 年属四九区官山乡，1987 年属四九镇官山行政村，1989 年属四九镇官山管理区，1998 年属四九镇官山行政村，2004 年属汤塘镇官山行政村至今。

世居村民吴姓，明初从中原迁移至广东潮州，清末从海围分家而迁移至该地。

2015 年末，户籍人口 264 人，其中男性 140 人，女性 124 人;80 岁及以上 7 人,最年长者 89 岁（女）。实际在村人口 250 人，留守儿童 4 人。生活主要依靠农业收入的人口有 250 人，常年在城镇生活和打工的人口有 14 人。村民为汉族，广府民系，使用粤方言。

村有山地面积 64.33 公顷，山上有松、杉、杂树。传统经营以农业为主，有耕地面积 6.18 公顷，主要作物有水稻、番薯、花生、芋头，禽畜饲养鸡、鸭、鹅和猪、牛等。特色农产品有荔枝、龙眼、黄皮，其中荔枝 35.87 公顷。传统食品有白切鸡、焖鹅、粽子等。1980 年以后，大部分青壮年村民外出打工。

◎ 丰收的荔枝果园（摄于 2016 年）

村民主要收入来源为农业收入，外出务工收入。

村于20世纪70年代初通电，1999年通电话，2004年通网络，2007年村道实现水泥硬底化，2013年通自来水。

传统民居现存16座。现存宗祠有胜全吴公祠，始建于清朝光绪年间，建筑占地面积410平方米。胜全吴公祠坐西北向东南，面阔12.6米，进深25.3米，屋顶建筑设计为龙船脊、硬山顶，最高的建筑单体为第三进，高约6米。祠堂由前院侧门进入，门口以青石板为门框，壁画有太白醉酒图、渊明赏菊图等，各个图还配有文字说明。祠堂第一个天井的两边为廊，左廊有石碑记载祠堂历史情况。2012年该祠堂列入佛冈县不可移动文物名录。新建楼房多为钢筋水泥混凝土结构，有些楼房是框架结构，建筑占地90平方米左右，一至二层较为普遍，有的三层四层，布局为三房一厅一厨房，一至两个卫生间。有些家庭单独建楼房，还有院子。

◎ 土楼村一角（摄于2016年）

◎ 土楼村传统民居（摄于2016年）

村编有《吴氏家谱》，由吴北玲、吴汉洲、吴桓崇、吴赞云于1995年纂修。简单记录整个官山村的原貌概况、建国后新貌、村中大事、村属自然资源等情况。

传统民间习俗主要有：舞狮、上灯、拜祠堂等。民间节日以春节、元宵、清明、端午、中秋、冬至等节为主。村有正月初十上灯传统习俗。古代称男孩出生为“添丁”，因“丁”于“灯”谐音，为此正月初十到祠堂“上灯”。上灯活动大致分为迎灯、接灯、摆放供品、挂灯等程序，表达族人祈求人丁兴旺的心愿。

婚嫁习俗庄重繁杂，开始交往时，女方家要到男方看家风，结婚前要担定婚茶、报日子、送聘金、定嫁妆。行结婚礼时要摆酒请客，迎亲送亲。传统丧事以土葬为主，1990年以后逐步实行火葬，其程序为举丧入殓、出殡、送葬、做法事、将亡灵送入祖堂厅，办丧事煮花菜、黄豆等简单的饭菜，用餐时，不坐高台凳，拆下事主家的门板放于门前的巷地上当饭台，以表哀痛。

2013年4月2日，遭受龙卷风袭击、公路沿线及周边树木被拦腰折断。2014年5月23日遭特大洪水袭击，格塘桥被冲毁，部分民房被浸水深两米。

（资料填报：吴治文，初稿撰写：李梅，总纂：李协湖）

文昌村

◎ 文昌村村貌（摄于 2016 年）

文昌村，位于汤塘镇东部，距镇政府 15 千米。始建于清末，由附近海围分村搬迁而形成。因盖村楼位于官山文昌圩仔和文昌学校旁而取名文昌村。

该村坐落于丘陵地带，村东与海围相邻，南与隔塘村相邻，西与四九村相连，北与土楼村相邻。主要山岭有丫髻山，海拔 775 米，省道 S354 线通过村。

村形成时，属清远县滘江二乡。民国时期，属清远县第七区。1953 年属佛冈县第四区，1957 年属佛冈县四九乡，1958 年佛冈县与从化县合并为从化县，属从化县滘江人民公社官山大队，1959 年属从化县四九人民公社官山大队，1960 年属从化县汤塘人民公社官山大队，1961 年佛冈由从化县分出后，属佛冈县四九人民公社官山大队，1983 年属四九区官山乡，1987 年属四九镇官山行政村，1989 年属四九镇官山管理区，1998 年属四九镇官山行政村，2004 年属汤塘镇官山行政村至今。

世居村民为吴姓，明初洪武年间从中原迁移至广东潮州，清末从海围分家而迁移至该地。

2015 年末，户籍人口 470 人，其中男性 240 人，女性 230 人；80 岁及以上 8 人，最年长者 93 岁（女）。实际在村人口 440 人，留守儿童 5 人。生活主要依靠农业收入的有 440 人，常年在城镇生活和打工的有 30 人。村民为汉族，广府民系，使用粤方言。

村有山地面积 57.67 公顷，山上有松、杉、杂树。传统经营以农业为主，有耕地面积 9.36 公顷，主要作物有水稻、番薯、花生、芋头、果树。禽畜养殖有鸡、鸭、鹅和猪、牛等。特色农产品有荔枝、龙眼、黄皮，其中荔枝 57.2 公顷，素有水果之乡的美称。传统食品有白切鸡、炆鹅、粽子等。1980 年以后，大部分青壮年村民外出打工。村民主要收入来源为农业收入、外出务工收入。

◎ 黄皮树（摄于 2016 年）

村于20世纪70年代通电，1999年通电话，2004年通网络，2007年村道实现水泥硬底化，2013年通自来水。

2015年有官山小学一所，6个级7个班，在校学生305人，教职工12人。幼儿园有1间，在园幼儿136人，教职工3人。村属体育场1个，广场1个。村内建有文化公园和村民活动中心文化室。2011年1月，官山小学曾作为中共湛从区委、中共湛江县工委旧址，经佛冈县委批准为县级革命史迹保护单位。

传统民居现存18座。现存宗祠有胜全吴公祠，始建于清光绪年间，建筑占地面积410平方米。胜全吴公祠坐西北向东南，面阔12.6米，进深25.3米，屋顶建筑设计为龙船脊、硬山顶，最高的建筑单体为第三进，高约6米。祠堂由前院侧门进入，门口以青石板为门框，壁画有太白醉酒图、渊明赏菊图等，各个图还配有文字说明。祠堂第一个天井的两边为廊，左廊有石碑记载祠堂历史情况。2012年，该祠

◎ 传统民居（摄于2016年）

◎ 文昌村新貌（摄于2016年）

堂列入佛冈县不可移动文物名录。新建楼房多为钢筋水泥混凝土结构，有些楼房是框架结构，建筑占地90平方米左右，一至二层较为普遍，有的三层四层，布局为三房一厅一厨房，一至两个卫生间。

村编有《吴氏家谱》，由吴北玲、吴汉洲、吴桓崇、吴赞云于1995年纂修。简单记录整个官山村的原貌概况、建国后新貌、村中大事、村属自然资源等情况。

传统民间习俗主要有：舞狮、上灯、拜祠堂等。民间节日以春节、元宵、清明、端午、中秋、冬至等节为主。村有正月初十上灯传统习俗。古代称男孩出生为“添丁”，因“丁”于“灯”谐音，为此正月初十到祠堂“上灯”。上灯活动大致分为迎灯、接灯、摆放供品、挂灯等程序，表达族人祈求人丁兴旺的心愿。

婚嫁习俗庄重繁杂，开始交往时，女方家要到男方探家，结婚前要担定婚茶、报日子、送聘金、定嫁妆。行结婚礼时要摆酒请客，迎亲送亲。发生丧事时，传统以土葬为主，1990年以后逐步实行火葬，其程序为举丧入殓、出殡、送葬、做法事、将亡灵送入祖堂厅，办丧事煮花菜、黄豆等简单的饭菜，用餐时，不坐高台高凳，拆下事主家的门板放于门前的巷地上当饭台，以表哀痛。

2013年4月2日，村遭受龙卷风袭击、公路沿线及周边树木被拦腰折断。2014年5月23日遭特大洪水袭击，格塘桥被冲毁，部分民房被浸水深两米。

村主要人物：吴新强（1925—1948），革命烈士，解放战争时期参加江北支队四团，1948年在水头瑶洞尖锋仔战斗牺牲。吴华宝（1925—1948），革命烈士，解放战争时期参加江北支队四团，1948年在水头瑶洞尖锋仔战斗中牺牲。吴素梅（1922—），在1940年5月加入中国共产党，1940—1949年参加中共地下工作。1965年1月调入外交部西亚北非司，驻冰岛使馆三秘、驻毛里求斯使馆二秘。

（资料填报：吴治文，初稿撰写：李梅，总纂：李协湖）

○洛洞行政村

洞尾村

◎ 洞尾村村貌（摄于 2016 年）

洞尾村，位于汤塘镇东南部，距镇政府 12 千米。始建于清初。因位于洛洞行政村的最深处而取名洞尾村。村坐落于洛洞山区，主要山岭有黄猄滩山，高 528 米。洛洞河贯通全村。村东与广州从化毗邻，南与凤岭围相邻，西与邻背底山接壤，北与担水冚山场毗邻。乡道 Y326 线贯通全村。

村形成时，属清远县滘江二乡。民国时期，属清远县第七区。中华人民共和国成立初期，属清远县第七区汤塘乡。1953 年属佛冈县第四区汤塘乡。1958 年属从化县滘江人民公社洛洞大队。1959 年属从化县汤塘人民公社洛洞大队。1961 年属佛冈县汤塘人民公社洛洞大队。1983 年属汤塘区洛洞乡。1987 年属汤塘镇洛洞行政村。1989 年属汤塘镇洛洞管理区。1998 年属汤塘镇洛洞行政村至今。

世居村民主要为张姓、林姓、陈姓、郑姓。陈姓是宋末从福建迁移至广东新丰，清初迁至村。郑姓是宋代中期从福建河州府迁移至广东韶关，清初迁到村，张姓、林姓从附近村先后迁入。

2015 年末，有户籍人口 524 人，其中男性 284 人，女性 240 人；80 岁及以上 15 人，最年长者 89 岁（女）。实际在村居住和生活主要依靠农业收入 288 人，留守儿童 30 人。常年在城镇生活和打工 236 人。村民为汉族，客家民系，使用客家方言。

村是一个山区小村，山多林密，土地肥沃，宜林、宜果、宜牧、宜茶、宜药。有山地面积 300 公顷，森林资源有杉树、单竹、灌木林等。水资

◎ 洞尾村乡村道路（摄于 2016 年）

◎ 传统民居（摄于 2016 年）

◎ 朝鲜友人参观洛洞大队（摄于 1972 年）

源丰富，可发展水产养殖业。传统经济以农业为主，有耕地面积 18.67 公顷，主要作物种植水稻、水果蔬菜、药材为主。禽畜有鸡、鸭、鹅和猪、牛等。农产品有沙糖桔、大蕉、龙眼、柿子、荔枝、黄皮。传统食品有糯米糍、米饼、糖环、油角。特色工艺有编竹箩、簸箕。1980 年以后，大部分青壮年村民外出打工。村民主要收入来源为农业收入，外出务工收入。

村于 1966 年通电，2000 年通自来水，2004 年通电话，2004 年通网络，2009 年村道实现水泥硬底化。

传统民居现存 18 座，独立单间平房，一般占地面积约 20 平方米，大部分建在村的围墙边内，均为砖木结构，墙体用青砖或三合土砌成。新建楼房多为钢筋水泥混凝土结构，有些楼房是框架结构，90 平方米左右，一至二层较普遍，有的三层至四层，布局为三房一厅一厨，一至两个卫生间。有些家庭单独建楼房，还有院子，种有花草，环境优美。

传统节日为：春节、清明节、四月八、端午节、七夕、七月十四、中秋节、冬至等，其中正月十五为元宵节，有蒸发糕、食汤圆、做糍的习俗，以示庆贺春节圆满结束。当地居民一年中有五次参与民间祭神活动，具体时间为春节、清明、端午、中秋、冬至。每月初一、十五到庙祠烧香拜神。

传统婚嫁习俗，男女相识交往后，女家要到男家看家风，结婚前要担定婚茶，报日子，送聘金，定嫁妆。行结婚礼时，要摆酒请客，迎亲和送亲。举办丧事时，传统习俗以土葬为主，20 世纪 90 年代后逐步实行火化。其程序为举丧、入殓、出殡、送葬、做法事，将亡灵送入祖堂，办丧事只能煮白饭，花菜、豆腐煮猪肉等简单的饭菜。办理丧事时，用餐不在屋内，只在事主家门前的巷道吃饭。

20 世纪 60 年代初，洞尾村民和洛洞大队其他村民在农村建设中发扬自力更生、艰苦奋斗的工作作风，用锄头、铁铲修梯田，凿公路，建电站，成为广东“农业学大寨”的先进典型，许多国际友人到此参观。

（资料填报：张志军，初稿撰写：杨志坚，总纂：李协湖）

范 围

◎ 范围村貌（摄于 2016 年）

范围，位于汤塘镇东南部，距镇政府 8 千米。始建于清初，范氏后裔从佛冈烟岭楼下弓背村迁入而成。因范姓为村的唯一姓氏而取名范围。村坐落于洛洞山区，主要山岭为大顶岗山，高 785 米。洛洞河从村旁流过，有虾冚水库。村东与上坝村毗邻，南与从化区民乐镇相邻，西与下格村连接，北与脉塘村接壤，乡道 Y326 线贯通全村。

村形成时，属清远县滘江二乡。民国时期，属清远县第七区。中华人民共和国成立初期，属清远县第七区汤塘乡。1953 年属佛冈县第四区汤塘乡。1958 年属从化县滘江人民公社洛洞大队。1959 年属从化县汤塘人民公社洛洞大队。1961 年属佛冈县汤塘人民公社洛洞大队。1983 年属汤塘区洛洞乡。1987 年属汤塘镇洛洞行政村。1989 年属汤塘镇洛洞管理区。1998 年属汤塘镇洛洞行政村至今。

世居村民为范姓，是南宋末年从福建迁移至广东清远，清初从烟岭楼下的弓背村迁至该地。

2015 年末，有户籍人口 621 人，其中男性 392 人，女性 229 人；80 岁及以上 13 人，最年长者 91 岁（女）。实际在村居住和生活主要依靠农业收入 288 人，留守儿童 25 人。常年在城镇生活和打工 333 人。祖籍该村的香港、澳门同胞 5 人。村民为汉族，客家民系，使用客家方言。

村气候温和，雨量充沛，土壤深厚肥沃，适合动物繁殖和各种植物生长，宜林、宜果、宜药。有山地面积 399.6 公顷，森林资源有杉树、单竹、灌木林等。传统经济以农业为主，耕地有 12.27 公顷，主要作物以种植水稻、水果蔬菜、药材。禽畜饲养鸡、鸭、鹅和猪、牛等，利用山塘蓄水养殖四大家鱼。特色农产品有沙糖桔、大蕉、龙眼、柿子、荔枝、黄皮。传统食品有糯米糍、米饼、糖环、油角。特色工艺有编竹箩、簸箕。1980 年以后，大部分青壮年村民外出打工。村民主要收入来源为农业收入，外出务工收入。

村于 1966 年通电，2000 年通自来水，2004 年通电话，2004 年通网络，2009 年村道实现水泥硬底化。

传统民居为客家围屋，现存 30 间，独立单间平房，一般占地面积约 20 平方米，大部分建在村的围墙边内，砖木结构，墙体用青砖或红泥砌成。新建楼房多为钢筋水泥混凝土结构，有些楼房是框架结

◎ 范围传统民居（摄于 2016 年）

构，占地面积 90 平方米左右，一至二层较普遍，有的三层至四层，布局为三房一厅一厨，一至两个卫生间。有些家庭单独建楼房，还有院子。

村内有范氏宗祠，始建于 1995 年，占地面积约 300 平方米。1996 年由范秀来、范华浓、范桂林纂修的《洛洞范氏族谱》记载范围范氏族谱源流序、村族记事、范氏源流世系概略、范氏一脉相承世系表、应全房世系等方面的内容。族谱还记有“范文正公家训”。家训的原文：“孝道当竭力，忠勇表丹诚；兄弟互相助，慈悲无边境。勤读圣贤书，尊师如重亲；礼仪勿疏狂，逊让敦睦邻，敬长与怀幼，怜恤孤寡贫。谦恭尚廉洁，绝戒骄傲情；字纸莫乱废，须报五谷恩。

◎ 范氏宗祠（摄于 2016 年）

作事循天理，博爱惜生灵；处世行八理，修身奉祖神。儿孙坚心守，成家种善根。”

当地居民一年中有五次参与民间信仰祭神活动，具体时间为春节、清明、端午、中秋、冬至。每月初一、十五到庙祠烧香拜神。

传统婚嫁习俗，男女双方开始交往后女家要到男家探家风，结婚前要担定婚茶，报日子，送聘金，定嫁妆。行结婚礼时，要摆酒请客，迎亲和送亲。举办丧事时，传统习俗以土葬为主，20 世纪 90 年代后逐步实行火化。其程序为举丧、入殓、出殡、送葬、做法事，将亡灵送入祖堂，办丧事只能煮白饭，花菜、豆腐煮猪肉等简单的饭菜。办理丧事时，用餐不在屋内，只在事主家门前的巷道吃饭。

20 世纪 60 年代初，村民与洛洞人民在大队党支部书记范华罗带领下，发扬自力更生、艰苦奋斗的工作作风，用锄头、铁钎开凿公路 10 多千米，建起水电站 7 座，其中范围建有三级水电站一座。1971 年 7 月 19 日，范围所在的洛洞大队被评为广东省“农业学大寨”先进集体，还称为“南国大寨”。1972 年 11 月 28 日，中共中央委员陈永贵到洛洞大队视察，并赠送大寨玉米良种。

该村的范社就（1921—1949）、范炳扬（1929—1948），革命烈士。范华罗（1934—2000），曾任佛冈县汤塘公社洛洞大队党支部书记。“南国大寨”带头人，曾任佛冈县第三届、第六届、第八届、第九届人大代表，并任佛冈县第三届人民委员会委员，1969 年被推选到北京参加国庆观礼，1975 年 1 月当选第四届全国人大代表。范茂泽，1957 年生，获得三等功一次的参加中越边境自卫还击战退役士兵。

（资料填报：张志军，初稿撰写：杨志坚，总纂：李协湖）

凤岭围

◎ 凤岭围村貌（摄于 2016 年）

凤岭围，位于汤塘镇东南部，距镇政府 10 千米。始建于清康熙三十七年（1698 年），张氏后裔从水头枫树下迁居而成。因村旁山形为凤形，故取名凤岭村。该村坐落于洛洞山区，洛洞河从村前流过。村东与洞尾村毗邻，南与上坝村相邻，西与从化区民乐镇连接，北与脉塘村接壤。

村形成时，属清远县滘江二乡。民国时期，属清远县第七区。中华人民共和国成立初期，属清远县第七区汤塘乡，1953 年属佛冈县第四区汤塘乡，1958 年属从化县滘江人民公社洛洞大队，1959 年属从化县汤塘人民公社洛洞大队，1961 年属佛冈县汤塘人民公社洛洞大队，1983 年属汤塘区洛洞乡，1987 年属汤塘镇洛洞行政村，1989 年属汤塘镇洛洞管理区，1998 年属汤塘镇洛洞行政村至今。

世居村民为张姓，清康熙三十七年（1698 年）从水头枫树下村迁移至洛洞方田，后迁至该地。

2015 年末，户籍人口 452 人，其中男性 252 人，女性 200 人；80 岁及以上 12 人，最年长者 88 岁（女）。实际在村居住和生活主要依靠农业收入的有 288 人，留守儿童 22 人。常年在城镇生活和打工的有 176 人。祖籍该村的香港和澳门同胞 35 人。祖籍该村的华人华侨 8 人。村民为汉族，客家民系，使用客家方言。

村自然资源丰富，有山地面积 300.67 公顷，耕地面积有 19.33 公顷，山上有杉树、单竹、灌木林等。野生动物有鸟类、哺乳类、两栖类、爬行类等。传统经济以农业为主，主要作物以种植水稻、水果蔬菜、药材为主。禽畜饲养鸡、鸭、鹅和猪、牛、羊等。特色农产品有沙糖桔、大蕉、龙眼、柿子、荔枝、黄皮。传统食品有糯米糍、米饼、糖环、油角。特色工艺

◎ 村民在田间劳作（摄于 1998 年，2016 年翻拍）

有编竹箩、簸箕。1980 年以后，大部分青壮年外出打工。村民主要收入来源为农业收入，外出务工的工资性收入。

村于 1966 年通电，2000 年通自来水，2004 年通电话，2004 年通网络，2009 年村道实现水泥硬底化。乡道 Y326 线贯通全村。

传统民居现存 15 间，独立单间平房，一般占地面积约 20 平方米，大部分建在村的围墙边内，砖木结构，墙体用青砖或红泥砌成。新建楼房多为钢筋水泥混凝土结构，有些楼房是框架结构，占地面积 90 平方米左右，一至二层较普遍，有的三层至四层，布局为三房一厅一厨，一至两个卫生间。有些家庭单独建楼房，还有院子，种有花草，环境优美。

◎ 凤岭围村一角（摄于 2016 年）

村内的张氏宗祠为张氏后人举办宗族拜祭活动的主要场所，宗祠始建于 1983 年，占地面积约 168 平方米。1992 年由张廷和、张大烈、张廷强、张大游、张伟林、张仕林、张廷汪、张大邓、张社玉纂修的《张俊洪族谱》记载了张氏族谱源流序、村族记事、张氏源流世系概略、张氏一脉相承世系表等方面的内容。有张氏家训："有关利国需献策，无益于人切莫为；和气团结家声振，尊老爱幼幸福多；勤俭节约成家计，兄友弟恭乐呵呵。"

传统节日有春节、端午、中秋、重阳、冬至等，

◎ 凤岭围张氏宗祠（摄于 2016 年）

农历八月十五为中秋节，每逢中秋之夜，男女老少一起用月饼、柚子及石螺等食品"赏月"，非常热闹。在外地工作的人都尽量回家与家人团聚，共度佳节。当地村民一年中有五次参与民间祭神活动，具体时间为春节、清明、端午、中秋、冬至。每月初一、十五到庙祠烧香拜神。

传统婚嫁习俗，男女双方开始交往后，女家要到男家探家风，结婚前要担定婚茶，报日子，送聘金，定嫁妆。行结婚礼时，要摆酒请客，迎亲和送亲。传统丧事习俗以土葬为主，20 世纪 90 年代后逐步实行火化。其程序为举丧、入殓、出殡、送葬、做法事，将亡灵送入祖堂，办丧事只能煮白饭，花菜、豆腐煮猪肉等简单的饭菜。办理丧事时，用餐不在屋内，只在事主家门前的巷道吃饭。

20 世纪 60 年代初与洛洞大队其他村一道开展改田、修路、建电站。成为"农业学大寨"的先进典型。1971 年 6 月 28 日，中共中央委员华国锋在广东省领导陪同下，到汤塘公社洛洞视察村小水电站。

村的张仕林（1938—2012），曾任中共佛冈县委党史研究室副主任，从事党史研究工作多年，其研究成果颇丰，多次受到上级表彰。

（资料填报：张志军，初稿撰写：杨志坚，总纂：李协湖）

上坝村

◎ 上坝村村貌（摄于 2016 年）

上坝村， 位于汤塘镇东南部，距镇政府 8 千米。村始建于清初，由范氏后裔从附近的范围迁居而成。因位于水坝上流处而取名上坝村。村坐落于洛洞山区，洛洞河流经该村。村东与凤岭围毗邻，南与从化区民乐镇相邻，西与范围连接，北与脉塘村接壤。

村形成时，属清远县滘江二乡。民国时期，属清远县第七区。中华人民共和国成立初期，属清远县第七区汤塘乡。1953 年属佛冈县第四区汤塘乡，1958 年属从化县滘江人民公社洛洞大队，1959 年属从化县汤塘人民公社洛洞大队，1961 年属佛冈县汤塘人民公社洛洞大队，1983 年属汤塘区洛洞乡，1987 年属汤塘镇洛洞行政村，1989 年属汤塘镇洛洞管理区，1998 年属汤塘镇洛洞行政村至今。

世居村民为范姓、张姓两姓。范姓是南宋末年从福建迁移至广东清远，清初从烟岭楼下的弓背村迁移至洛洞范围，后迁至村。张姓是清康熙三十七年（1698 年）从水头枫树下迁移至洛洞方田村，1980 年初从洛洞方田村迁移至该地。

2015 年末，有户籍人口 452 人，其中男性 238 人，女性 214 人；80 岁及以上 3 人，最年长者 85 岁（男）。实际在村居住和生活主要依靠农业收入的有 276 人，留守儿童 22 人。常年在城镇生活和打工的有 176 人。村民为汉族，客家民系，使用客家方言。

村群山环抱，气候温和。森林资源有山地面积 266.4 公顷，耕地面积 18.4 公顷，山上有杉树、单竹、灌木林等，盛产龙眼、柿子等。传统经济以农业为主，主要作物以种植水稻、水果、蔬菜、药材为主。禽畜以饲养鸡、鸭、鹅和猪、牛等。改革开放后，随着产业布局的调整，开始出现种养专业户，逐步发展为万元户，后来有的村民建立养猪、养鸡等规模化生产基地。

特色农产品有沙糖桔、大蕉、龙眼、柿子、荔枝、黄皮。传统食品有糯米糍、米饼、糖环、油角。特色工艺有编竹箩、簸箕。1980 年以后，大部分青壮年外出打工。村民主要收入来源为农业收入，外出务工收入。

村于 1966 年通电，2000 年通自来水，2004 年通电话，2004 年通网络，2009 年村道实现水泥硬底化。乡道 Y326 线贯通全村。

民国初年曾建有洛洞社学。2015 年，设有汤塘

◎ 上坝村一角（摄于 2016 年）

中心小学洛洞分校，校内有 2 个班，在校学生 20 人，教职工 2 人。村中设有幼儿园，有 1 个班，在校学生 14 人，教职工 1 人。

传统民居为客家围屋，现存 20 间，独立单间平房，一般占地面积约 20 平方米，大部分建在村的围墙边内，砖木结构，墙体用青砖或红泥砌成。新建楼房多为钢筋水泥混凝土结构，有些楼房是框架结构，占地面积 90 平方米左右，一至二层较普遍，有的三层至四层，布局为三房一厅一厨，一至两个卫生间。有些家庭单独建楼房，还有院子。

村范氏、张氏后人分别集中在范氏宗祠、张氏宗祠举办宗族拜祭活动。由张大林于 1999 年纂修的《洛洞张氏百子丁家谱》记载了上坝村张氏族谱源流序、村族记事、张氏源流世系概略、张氏一脉相承世系表等方面的内容。张氏有“荒田张氏族规”。以下为族规节选内容：“荒田人家，过去历代，由于围村较小，人丁也少，因此，在每年春节时，男子上丁只限一年上一个，即吊单灯。例如下一年无新丁接上就要越年挂吊旧灯，待以后有新丁接上才落旧挂新。”这一习俗一直延至到五十年代初。

◎ 张氏宗祠（摄于 2016 年）

当地居民一年中有五次参与宗教或民间祭神活动，具体时间为春节、清明节、端午节、中秋节、冬至节。每月初一、十五到庙祠烧香拜神。

传统婚嫁习俗，男女双方开始交往后，女家要到男家探家风，结婚前要担定婚茶，报日子，送聘金，定嫁妆。行结婚礼时，要摆酒请客，迎亲和送亲。举办丧事时，传统习俗以土葬为主，20 世纪 90 年代后逐步实行火化。其程序为举丧、入殓、出殡、送葬、做法事，将亡灵送入祖堂。

20 世纪 60 年代初与附近村民凿路、改田、建电站，成为“农业学大寨”先进典型。1963 年春，遭受相当 60 年一遇的旱灾，从 1962 年 12 月至 1963 年 6 月，180 天内无雨，受旱面积 1.4 公顷（含水稻、杂粮），组织劳动力，日夜抗旱，最大限度抗旱保苗。

◎ 洛洞大队“农业学大寨”展览馆（摄于 1972 年）

（资料填报：张志军，初稿撰写：杨志坚，总纂：李协湖）

下格村

◎ 下格村村貌（摄于 2016 年）

下格村，位于汤塘镇东南部，距镇政府 8 千米。始建于明初，谢氏后裔由广州白云江高大田村迁居而成。因村位于山岭下方而取名下格村。村坐落于洛洞山区；主要山岭为八斗种山，山高 775 米；洛洞河流经该村。村东与范围毗邻，南与石门行政村相邻，西与大车村连接，北与新塘行政村接壤。乡道 Y326 线贯通全村。

村形成时，属清远县湿江二乡。清朝时期，属清远县湿江二乡。民国时期，属清远县第七区。中华人民共和国成立初期，属清远县第七区汤塘乡。1953 年属佛冈县第四区汤塘乡，1958 年属从化县湿江人民公社洛洞大队，1959 年属从化县汤塘人民公社洛洞大队，1961 年属佛冈县汤塘人民公社洛洞大队，1983 年属汤塘区洛洞乡，1987 年属汤塘镇洛洞行政村，1989 年属汤塘镇洛洞管理区，1998 年属汤塘镇洛洞行政村至今。

世居村民为张姓、林姓、谢姓、李姓。谢姓是周朝后期从河南谢家庄迁移至广州市白云江高大田村，明朝初年从广州迁移至该地。李姓是明朝初期从福建迁移至广东英德，明洪熙元年从福建迁至该地。张姓、林姓从附近村先后迁入。

2015 年末，户籍人口 454 人，其中男性 254 人，女性 200 人；80 岁及以上 23 人，最年长者 94 岁（女）。实际在村人口 278 人，留守儿童 25 人。生活主要依靠农业收入的有 278 人，常年在城镇生活和打工的有 176 人。村民为汉族，客家民系，使用客家方言。

村群山环抱，气候温和，土地肥沃，林木资源丰富，山地面积有 300 公顷，耕地面积 18 公顷。传统经济以农业为主，以种植水稻、水果蔬菜、药材为主。特色农产品有沙糖桔、大蕉、龙眼、柿子、荔枝、黄皮。传统食品有糯米糍、米饼、糖环、油角。

◎ 下格村文化室（摄于 2016 年）

◎ 下格村乡村小道（摄于 2016 年）

特色工艺有编竹箩、簸箕。1980 年以后，大部分青壮年村民外出打工。村民主要收入来源为农业收入，外出务工收入。

村于 1966 年通电，2000 年通自来水，2004 年通电话，2004 年通网络，2009 年村道实现水泥硬底化。

传统民居现存 10 间，独立单间平房，一般占地面积约 20 平方米，大部分建在村的围墙边内，均为砖木结构，墙体用青砖或红泥砌成。改革开放后，村民逐步兴建楼房。

传统民间习俗，主要有：舞狮、上灯、拜祠堂等。民间节日以春节、元宵节、清明节、端午节、中秋节、冬至节等节为主。村有正月初十上灯传统习俗。男孩出生为“添丁”，因“丁”与“灯”谐音，为此正月初十到祠堂“上灯”。上灯活动大致分为迎灯、接灯、拜访供品、挂灯等程序，表达族人祈求人丁兴旺的心愿。

传统婚嫁习俗，男女双方开始交往后，女家要到男家探家风，结婚前要担定婚茶，报日子，送聘金，定嫁妆。行结婚礼时，要摆酒请客，迎亲和送亲。举办丧事时，传统习俗以土葬为主，20 世纪 90 年代后逐步实行火化。其程序为举丧、入殓、出殡、送葬、做法事，将亡灵送入祖堂，办丧事只能煮白饭，花菜、豆腐煮猪肉等简单的饭菜。办理丧事时，用餐不在屋内，只在事主家门前的巷道吃饭，以表哀痛。

1993 年该村被清远市人民政府批准为革命老区、抗日战争游击区。

20 世纪 60 年代初，在开展“农业学大寨”运动中，发扬艰苦奋斗，自力更生的精神，与其他村民一道开凿出一条由洛洞到汤塘长 10 多千米的公路；60 年代中后期，村建有一级水电站和二级水电站各一座。

◎ 下格村水电站机房（摄于 2016 年）

（资料填报：张志军，初稿撰写：杨志坚，总纂：李协湖）

○涖江行政村

方田村

◎ 方田村村貌（摄于 2016 年）

方田村，曾用名梅树冚村，位于汤塘镇东部，距镇政府约 13 千米。始建于清乾隆年间，从附近高围迁入而形成。因村口有一块大正方形田地为而取名方田村。村坐落于棋盘山、亚髻山、背底山下，棋盘山海拔 780 米，亚髻山海拔 560 米，背底山海拔 150 米。主要河流有方田河，位于村西北部，流经村约 500 米。该村四面环山，有乡道通往其他村和省道 S354 线经过村。

村形成时，属清远县滘江二乡。民国时期，属清远县第七区。1953 年属佛冈县第四区四九乡，1957 年属佛冈县四九乡，1958 年属从化县滘江人民公社涖塱大队，1959 年属从化县四九人民公社涖塱大队，1961 年属佛冈县四九人民公社涖塱大队，1983 年属四九区涖塱乡，1987 年属四九镇涖塱行政村，1989 年属四九镇涖塱管理区，1998 年属四九镇涖塱行政村，2004 年属汤塘镇涖塱行政村，2005 年属汤塘镇涖江行政村至今。

世居村民为黄姓，宋末从江西迁移至广东四九，清乾隆年间从高围长埔迁移至该地。

2015 年末，户籍人口 235 人，其中男性 130 人，女性 105 人；80 岁及以上 8 人，最年长者 84 岁（女）。实际在村居住和生活主要依靠农业收入 160 人，留守儿童 6 人。常年在城镇生活和打工 75 人。村民为汉族，广府民系，使用粤方言。

村气候温和，雨量充沛，自然资源丰富，适合动物和各种植物生长。有山地面积 80 公顷，耕地面积 8 公顷。传统耕作和家庭养殖为主，种植有水稻、番薯、花生、果树。养殖有猪、鸡、鸭、鹅等。特色农产品有石硖龙眼、鸡心黄皮。其中鸡心黄皮是村中特产水果，果圆形、椭圆形或阔卵形，长 1.5—3 厘米，宽 1—2 厘米，淡黄至暗黄色，被细毛，果肉乳白色，半透明，有种子 1—4 粒；子叶深绿色，花期为 4—5 月，果期为 7—8 月。传统食品有白切鸡、焖鹅、手指糍、糯米糍、炒米饼。村有做腐竹的传统，逢年过节家家户户都有制作腐竹的习惯，腐竹已成为节庆送礼佳品。1980 年以后，大部分青壮年村民

◎ 村民在制作腐竹（摄于 2016 年）

外出打工。90 年代后，村引进佛冈县山深陶瓷原料有限公司，主要生产水磨粉。村民主要收入来源为农业收入、外出务工收入。

村 20 世纪 70 年代初年通电，80 年代初年通电话，90 年代通网络。2004 年村道实现水泥硬底化，2010 年通自来水，村中建有垃圾收集站，文体设施有方田村文化室，作为村民健身娱乐的场所。

传统民居现存 8 座。单间平房，一般建筑占地面积 20 平方米，大部分建在村的围墙边内，房屋为砖木结构，硬山顶，青砖墙体或三合土墙体。新建楼房多为钢筋水泥混凝土结构，有些楼房是框架结构，占地面积 90 平方米左右，一至二层较普遍，有的三层至四层，布局为三房一厅一厨，一至两个卫生间。有些家庭单独建楼房，还有院子，种有花草，环境优美。

◎《黄氏族谱》（摄于 2016 年）

◎ 方田文化室（摄于 2016 年）

村内存有《清远佛冈四九镇黄氏族谱（应全公）》，由黄氏族谱编纂委员会于 1994 年续修。族谱记载黄氏源流、村族记事、黄氏源流世系概略、黄氏一脉相承世系表、应全房世系等方面的内容。

传统节日有：春节、清明节、端午节、中秋节、冬至节。当地居民一年中有 4 次以上参与民间祭神活动，主要为清明祭祖、重阳祭祖，初一、十五，进行烧香拜佛的仪式，祈求风调雨顺，身体健康。

婚嫁习俗中保留的中原古制“六礼”已经很少见到，但仍保留部份传统结婚礼仪。主要程序有：担定婚茶、相亲、过礼、迎亲、安床、挎红、闹新房、打糖梅等。传统丧葬习俗以土葬为主，主要程序：报丧、上孝、买水、殓棺、煮寿饭、出殡、训棺、复坟等。20 世纪 90 年代后逐步实行火化。

1993 年该村被清远市人民政府批准为解放战争游击根据地。

2014 年 5 月 23 日特大洪水袭击，村横江桥头附近民房被浸水深 2 米多，房屋倒塌 10 多间，经济损失 10 多万元。

（资料填报：罗炽林，初稿撰写：黄结梅，总纂：李协湖）

高塱村

◎ 高塱村村貌（摄于 2016 年）

高塱村，位于汤塘镇东部，距镇政府 11.5 千米。始建于清乾隆年间，从四九莲塘村分村迁入而形成。因位于山坡，地势较高而取名高塱村。村坐落于丘陵地带，棋盘山海拔 780 米。主要河流有溁塱河，位于村南部，流经村约 800 米。主要水塘有狼泥头山塘。村东与菱船村连接，南为横江河，西与大望田村毗邻，北是黄泥头山塘。

村形成时，属清远县滘江二乡。民国时期，属清远县第七区。1953 年属佛冈县第四区四九乡，1957 年属佛冈县四九乡，1958 年属从化县滘江人民公社溁塱大队，1959 年属从化县四九人民公社溁塱大队，1961 年属佛冈县四九人民公社溁塱大队，1983 年属四九区溁塱乡，1987 年属四九镇溁塱行政村，1989 年属四九镇溁塱管理区，1998 年属四九镇溁塱行政村，2004 年属汤塘镇溁塱行政村，2005 年属汤塘镇溁江行政村至今。

世居村民为黄姓，宋末从江西迁移至广东四九，清乾隆年间，从四九莲塘迁移至该地。

2015 年末，户籍人口 258 人，其中男性 138 人，女性 120 人；80 岁及以上 7 人，最年长者 83 岁（女）。

◎ 鸡心黄皮（摄于 2016 年）

实际在村居住和生活主要依靠农业收入 170 人，农村留守儿童 4 人。常年在城镇生活和打工 88 人。世居村民为汉族，广府民系，使用粤方言。

村有山地面积 70.67 公顷，耕地面积 12.67 公顷。传统经营以农业为主，主要种植有水稻、番薯、花生、石硖龙眼、桂味荔枝、鸡心黄皮。家家户户都种植果树。禽畜饲养有鸡、鸭、鹅和猪等。特色农产品有荔枝、龙眼、黄皮等。传统食品有白切鸡、焖鹅、手指糍、糯米糍、炒米饼。1980 年以后，大部分青

◎ 村民采摘荔枝（摄于 2016 年）

壮年村民外出打工。村民主要收入来源为农业收入，外出务工收入。

村于 20 世纪 70 年代初通电，80 年代初通电话，90 年代通网络，2004 年村道实现水泥硬底化，2010 年通自来水，村中建有垃圾收集站，文体设施有公园及文化室。

传统民居现存 8 座。单间平房，一般占地面积 20 平方米，大部分建在村的围墙边内，房屋为砖木结构，硬山顶，青砖墙体或三合土墙体。新建楼房多为钢筋水泥混凝土结构，有些楼房是框架结构，占地面积 90 平方米左右，一至二层较普遍，有的三层至四层，布局为三房一厅一厨，一至两个卫生间。有些家庭单独建楼房，还有院子。

村内存有《清远佛冈四九镇黄氏族谱（应全公）》，

◎ 高塱村乡村公园（摄于 2016 年）

由黄氏族谱编纂委员会于 1994 年续修。族谱记载了黄氏源流、村族记事、黄氏源流世系概略、黄氏一脉相承世系表、应全房世系等方面的内容。

传统节日有：春节、清明节、中秋节、冬至节。当地居民一年中有 4 次参与民间祭神活动，主要为清明祭祖、重阳祭祖，初一、十五进行烧香拜佛的仪式，祈求风调雨顺，身体健康。

婚嫁习俗，婚嫁要担定婚茶、相亲、过礼、迎亲、安床、挎红、闹新房、打糖梅。传统丧葬习俗，主要程序：报丧、上孝、买水、殓棺、煮寿饭、出殡、训棺、复坟等。传统以土葬为主，20 世纪 90 年代后逐步实行火化。

2005 年，村民参与建设乡道 6 千米，方便村民出行，对农产品的运输起到较好的作用。

1993 年 3 月，清远市人民政府批准该村为解放战争时期游击根据地。

（资料填报：罗炽林，初稿撰写：黄结梅，总纂：李协湖）

高田村

◎ 高田村村貌（摄于 2016 年）

高田村，位于汤塘镇东部，距镇政府 11.5 千米。始建于清康熙年间，从横江围迁入而形成。因村由高山围、高埔和大望田村三个小村合并组成，故取名为高田村。村坐落于棋盘山下，棋盘山海拔 780 米。村东与横江电站连接，南与高塱村相邻，西和横江村毗邻，北与棋盘山接壤。省道 S354 线经过村。

村形成时，属清远县滘江二乡。民国时期，属清远县第七区。1953 年属佛冈县第四区四九乡，1957 年属佛冈县四九乡，1958 年属从化县滘江人民公社湴塱大队，1959 年属从化县四九人民公社湴塱大队，1961 年属佛冈县四九人民公社湴塱大队，1983 年属四九区湴塱乡，1987 年属四九镇湴塱行政村，1989 年属四九镇湴塱管理区，1998 年属四九镇湴塱行政村，2004 年属汤塘镇湴塱行政村，2005 年属汤塘镇湴江行政村至今。

世居村民为张姓，元末从河北范阳迁移至广东，清康熙年间从横江围迁移至该地。

2015 年末，户籍人口 580 人，其中男性 305 人，女性 275 人；80 岁及以上 4 人，最年长者 91 岁（男）。实际在村居住和生活主要依靠农业收入的有 396 人，留守儿童 4 人。常年在城镇生活和打工的有 184 人。世居村民为汉族，广府民系，使用粤方言。

村有山地面积 226.67 公顷，耕地面积 24.33 公顷。传统经济以农业为主，粮食作物主要种植水稻、番薯，经济作物种植花生、芋头、果树等，家家户户有小果园。禽畜主要饲养鸡、鸭、鹅和猪、牛等。渔业主要利用山塘水库蓄水养殖四大家鱼。特色农产品有石硖龙眼。石硖龙眼 8 月上、中旬成熟。石硖龙眼植株生长壮旺，树冠自然圆头形，开张，枝梢粗壮，树冠外围枝梢下垂。叶呈阔卵形，色泽浓绿，有光泽，叶比略有波浪形。花穗较大，呈圆锥状，着花密。果实圆球形或扁圆球形略歪，果皮黄褐色，果肉乳白色或浅黄色，不透明，易离核，肉质爽脆，浓甜带蜜味，品质极佳，果汁较少。种子红褐色，较小，外种皮有明显的纵行纹沟。传说，“石硖”是“石夹”的意思，最早的龙眼树是从大石缝中长出来的，由于树根被大石夹住，只好往深土层里钻，结出来的龙眼果特别好吃。传统食品有白切鸡、焖鹅、手指糍、糯米糍、炒米饼。村有做腐竹的传统，逢年过节家家户户都有制作腐竹的习惯，腐竹已成为节

◎ 高田村的石硖龙眼（摄于 2016 年）

庆送礼佳品。1980 年以后，大部分青壮年村民外出打工。村民主要收入来源为农业收入，外出务工收入。

村于 1975 年通电，1985 年通电话，1998 年通网络，2003 年村道实现水泥硬底化，2010 年通自来水。村中建有垃圾收集站，文体设施有文化室。

传统民居现存 10 座。单间平房，一般建筑占地面积 20 平方米，大部分建在村的围墙边内，房屋为砖木结构，硬山顶，青砖墙体或三合土墙体。新建楼房多为钢筋水泥混凝土结构，有些楼房是框架结构，占地面积 90 平方米左右，一至二层较普遍，有的三层至四层，布局为三房一厅一厨，一至两个卫生间。有些家庭单独建楼房，还有院子，种有花草，环境优美。

◎ 高田村门楼（摄于 2016 年）

村内存有《清远佛冈四九镇黄氏族谱（应全公）》，由黄氏族谱编纂委员会于 1994 年续修。族谱记载了张氏源流、村族记事、张氏源流世系概略、张氏一脉相承世系表、应全房世系等方面的内容。

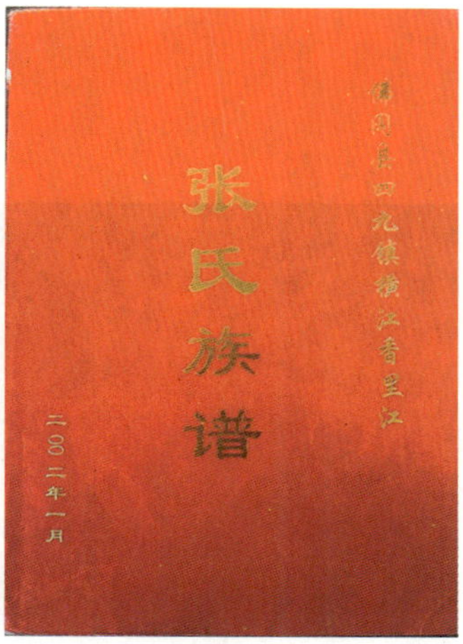

◎《张氏族谱》（摄于 2016 年）

传统民间习俗主要有：舞狮、上灯、拜祠堂等。民间节日以春节、元宵节、清明节、端午节、中秋节、冬至节等节为主。村有正月初十上灯传统习俗。古代称男孩出生为“添丁”，因“丁”与“灯”谐音，为此正月初十到祠堂“上灯”。上灯活动大致分为迎灯、接灯、摆放供品、挂灯等程序，表达族人祈求人丁兴旺的心愿。

婚嫁习俗主要程序有：担定婚茶、相亲、过礼、迎亲、安床、挎红、闹新房、打糖梅。传统丧葬习俗，主要程序有报丧、上孝、买水、殓棺、煮寿饭、出殡、训棺、复坟等。传统以土葬为主，20 世纪 90 年代后逐步实行火化。

村于 2003 年动员村民参与乡村道路建设，当年建成乡道 8 千米，实现村道硬底化。

（资料填报：罗炽林，初稿撰写：黄结梅，总纂：李协湖）

横江村

◎ 横江村村貌（摄于2016年）

横江村，位于汤塘镇东部，距镇政府11千米。始建于明万历元年（1573年），由从化吕田迁入而形成。因有一条河在村前自东向西横向流过，故取名为横江村。村坐落于棋盘下，有棋盘山海拔780米。村东与高塱村连接，南为横江河，西是久棉富村，北与高田村毗邻。省道S354线经过村。

村形成时，属清远县滘江二乡。民国时期，属清远县第七区。1953年属佛冈县第四区四九乡，1957年属佛冈县四九乡，1958年属从化县滘江人民公社湴塱大队，1959年属从化县四九人民公社湴塱大队，1961年属佛冈县四九人民公社湴塱大队，1983年属四九区湴塱乡，1987年属四九镇湴塱行政村，1989年属四九镇湴塱管理区，1998年属四九镇湴塱行政村，2004年属汤塘镇湴塱行政村，2005年属汤塘镇湴江行政村至今。

世居村民为张姓，是元末从河北范阳迁移至广东，明万历元年由从化吕田纸筒村迁至该地。

2015年末，户籍人口564人，男性350人，女性214人；80岁及以上13人，最年长者94岁（女）。实际在村居住和生活主要依靠农业收入的有280人，留守儿童4人。常年在城镇生活和打工的有284人。世居村民为汉族，广府民系，使用粤方言。

村有山地面积203.33公顷，耕地面积14.67公顷。传统经济以农业为主，主要作物有水稻、番薯、花生、果树。禽畜养殖主要有鸡、鸭、鹅和猪、牛。渔业主要利用山塘水库蓄水养殖四大家鱼。特色农产品有石硖龙眼、桂味荔枝、鸡心黄皮。其中桂味荔枝又名桂枝，因含有桂花香味而得名，是最优良

◎ 横江村门楼（摄于2016年）

◎ 横江村乡村公园（摄于2016年）

◎ 横江村传统民居（摄于2016年）

的品种之一。桂味有全红及鸭头绿两个品系。果实圆球形，果壳浅红色，薄而脆。龟裂片突起小而尖，从蒂膊两旁绕果顶有圈较深环沟。果肉黄白柔软饱满、核小、味甜，7月上旬成熟。传统食品有白切鸡、焖鹅、手指糍、糯米糍、炒米饼。1980年以后，大部分青壮年村民外出打工。村民主要收入来源为农业收入，外出务工收入。

村于1975年通电，1985年通电话，1998年通网络，2004年村道实现水泥硬底化，2010年通自来水。村中建有垃圾收集站。

传统民居现存26座。单间平房，一般建筑占地面积20平方米，大部分建在村的围墙边内，房屋为砖木结构，硬山顶，青砖墙体或三合土墙体。新建楼房多为钢筋水泥混凝土结构，有些楼房是框架结构，占地面积90平方米左右，一至二层较普遍，有的三层至四层，布局为三房一厅一厨，一至两个卫生间。有些家庭单独建楼房，并有停车位。

村内存有《清远佛冈四九镇黄氏族谱（应全公）》，由黄氏族谱编纂委员会于1994年续修。族谱记载了张氏源流、村族记事、张氏源流世系概略、张氏一脉相承世系表、应全房世系等方面的内容。

民间习俗活动：春节、清明节、中秋节、冬至节。当地居民一年中有4次参与民间祭神活动，主要为清明祭祖、重阳祭祖，初一、十五会进行烧香拜佛的仪式，祈求风调雨顺，身体健康。

婚嫁习俗中，主要程序有：担定婚茶、相亲、过礼、迎亲、按床、挎红、闹新房、打糖梅仪式。传统丧葬习俗，主要程序为：报丧、上孝、买水、殓棺、煮寿饭、出殡、训棺、复坟等。传统以土葬为主，20世纪90年代后逐步实行火化。

2013年4月2日龙卷风袭击、公路沿线及周边树木被拦腰折断，倒塌房屋6间，经济损失20多万元。

该村的张惠星（1932—）。任佛冈县水头公社党委书记，中共佛冈县委常委、副书记。佛冈县第六届至第九届人大代表，并任佛冈县第六届至第八届人大常委会主任。

（资料填报：罗炽林，初稿撰写：黄结梅，总纂：李协湖）

久棉富村

◎ 久棉富村村貌（摄于 2016 年）

久棉富村，位于汤塘镇东部，距镇政府 10 千米。始建于明弘治年间，从水头迁入而形成。传说此地建房时，由于天气炎热，泥水匠将衣服放在路边，被狗用作睡眠，叫狗眠裤村，后因粤语谐音不雅而取名久棉富村。村坐落于棋盘山下，主要山岭有棋盘山，海拔 780 米。村东与高田村连接，南为四九中学，西是黄花村，北与棋盘山接壤。省道 S354 线经过村。

村形成时，属清远县浥江二乡。民国时期，属清远县第七区。1953 年属佛冈县第四区四九乡，1957 年属佛冈县四九乡，1958 年属从化县浥江人民公社湴塱大队，1959 年属从化县四九人民公社湴塱大队，1961 年属佛冈县四九人民公社湴塱大队，1983 年属四九区湴塱乡，1987 年属四九镇湴塱行政村，1989 年属四九镇湴塱管理区，1998 年属四九镇湴塱行政村，2004 年属汤塘镇湴塱行政村，2005 年属汤塘镇湴江行政村至今。

世居村民为黄姓，宋末从江西迁至广东，明弘治年间从水头迁至该地。

2015 年末，户籍人口 540 人，其中男性 287 人，女性 253 人；80 岁及以上 14 人，最年长者 95 岁（男）。实际在村居住和生活主要依靠农业收入的有 360 人，留守儿童 12 人。常年在城镇生活和打工的有 180 人。世居村民为汉族，广府民系，使用粤方言。

村有山地面积 233.33 公顷，山上有松、杉、杂

◎ 久棉富村桂枝（摄于 2016 年）

树。耕地面积 29.33 公顷。传统经营以农业为主，主要作物有水稻、番薯、花生，饲养鸡、鸭、鹅和猪、牛等。特色农产品有石硖龙眼、桂味荔枝、鸡心黄皮。其中桂味荔枝又名桂枝，因含有桂花香味而得名。是最优良的品种之一，桂味有全红及鸭头绿两个品系。果实圆球形，果壳浅红色，薄而脆，龟裂片突起小而尖，从蒂腨两旁绕果顶有圈较深环沟，向黄白柔软饱满、核小、味甜，7 月初成熟。传统食品有白切鸡、焖鹅、手指糍、糯米糍、炒米饼。1980 年以后，大部分青壮年村民外出打工。村民主要收入来源为农业收入、外出务工收入。

村于 20 世纪 70 年代初年通电，80 年代初年通电话，90 年代初年通网络，2004 年村道实现水泥硬底化，2010 年通自来水，村中建有垃圾收集站、健身器材、文化室及公园。

◎ 久棉富公园（摄于 2016 年）

位于该村的四九中学，占地面积 25000 平方米，于 1969 年 4 月创办。2015 年，有 3 个级，9 个班，在校学生 415 人，教师 39 人。

传统民居现存 43 座。单间平房，一般建筑占地面积 20 平方米，大部分建在村的围墙边内，房屋为砖木结构，硬山顶，青砖墙体或三合土墙体。新建楼房多为钢筋水泥混凝土结构，有些楼房是框架结构，占地面积 90 平方米左右，一至二层较普遍，有的三层至四层，布局为三房一厅一厨，一至两个卫生间。有些家庭单独建楼房，还有院子，种有花草，环境优美。

村存有《黄裔化族家谱》，由黄灿位于 1934 年续修。族谱记载了黄氏族源流、村族记事、黄氏源流世系概略、黄氏一脉相承世系表等方面的内容。

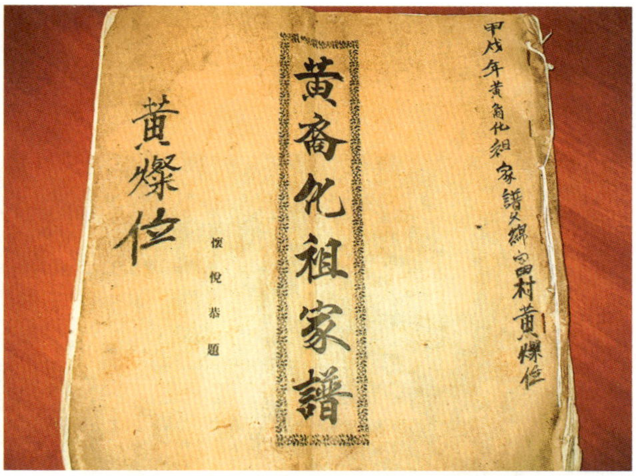

◎《黄裔化祖家谱》（摄于 2016 年）

传统节日有：春节、清明节、中秋节、冬至节。当地居民一年中有 4 次参与民间祭神活动，主要为清明祭祖、重阳祭祖，初一、十五会进行烧香拜佛的仪式，祈求风调雨顺，身体健康。

婚嫁习俗中主要程序有：担定婚茶、相亲、过礼、迎亲、安床、挎红、闹新房、打糖梅仪式。传统丧葬习俗，主要程序为：报丧、上孝、买水、殓棺、煮寿饭、出殡、训棺、复坟等。传统以土葬为主，20 世纪 90 年代后逐步实行火化。办丧事的食品，习惯用白色。如白豆腐、白萝卜、白猪肉、白切鸡等。如果亡者高寿，宴席可当喜事办，但出菜碗数不得超过办喜事的数量。

2003 年 5 月，受特大洪水袭击，村中房屋一半以上倒塌，60 多人无家可归，在当地政府的支持和村委统一规划，当年逐步建起新楼房 20 多幢。

1993 年 3 月，清远市人民政府批准该村为解放战争时期游击根据地。

该村的黄叔（1907—1983），曾任广州第十八兵工厂材料库长，中校军衔。黄锐其（1948—），曾任佛冈县卫生局副局长。黄汝芬（女，1956—），曾任佛冈县政协副主席、阳山县副县长、清远市文化局副局长，现任清远市音乐家协会副会长。

（资料填报：罗炽林，初稿撰写：黄结梅，总纂：李协湖）

菱船村

◎ 菱船村村貌（摄于 2016 年）

菱船村，位于汤塘镇东部，距镇政府 11.5 千米。始建于清乾隆年间，从湴塱围迁入而形成。因菱园和船围两个村民小组的合并而取名菱船村。村坐落于棋盘和亚髻山下，棋盘山海拔 780 米；亚髻山海拔 560 米。正岭河从村边流过，流经村约 500 米。村东与中心村相邻，南为湴塱河，西与高塱村毗邻，北与罗竹山接壤。

村形成时，属清远县滘江二乡。民国时期，属清远县第七区。1953 年属佛冈县第四区四九乡，1957 年属佛冈县四九乡，1958 年属从化县滘江人民公社湴塱大队，1959 年属从化县四九人民公社湴塱大队，1961 年属佛冈县四九人民公社湴塱大队，1983 年属四九区湴塱乡，1987 年属四九镇湴塱行政村，1989 年属四九镇湴塱管理区，1998 年属四九镇湴塱行政村，2004 年属汤塘镇湴塱行政村，2005 年属汤塘镇湴江行政村至今。

世居村民为罗姓，是明景泰年间从福建迁至广东，清乾隆年间从湴塱围（中心村）迁至该地。

2015 年末，户籍人口 456 人，其中男性 240 人，女性 216 人；80 岁及以上 11 人，最年长者 91 岁（女）。实际在村居住和生活主要依靠农业收入的有 320 人，农村留守儿童 7 人。常年在城镇生活和打工的有 136 人。村民为汉族，广府民系，使用粤方言。

村有山地面积 112 公顷，耕地面积 17.67 公顷。传统经济以农业为主，主要作物有水稻、番薯、花生、果树。饲养鸡、鸭、鹅和猪、牛等。利用山塘蓄水养殖四大家鱼。特色农产品有石硖龙眼、桂味荔枝、鸡心黄皮。石硖龙眼简称石硖，别名十叶、脆肉、石圆等，系龙眼的一个品种。在四九地区，石硖龙

◎ 菱船村荔枝林（摄于 2016 年）

眼 8 月上、中旬成熟，其果实圆球形或扁圆球形略歪，果皮黄褐色，果肉乳白色或浅黄色，不透明，易离核，肉质爽脆，浓甜带蜜味，品质极佳，果汁较少。传说，“石硖”是“石夹”的意思，最早的龙眼树是从大石缝中长出来的，由于树根被大石夹住，只好往深土层里钻，结出来的龙眼果特别好吃。传统食品有白切鸡、焖鹅、手指糍、糯米糍、炒米饼。1980 年以后，大部分青壮年村民外出打工。村民主要收入来源为农业收入，外出务工收入。

村于 20 世纪 70 年代初通电，80 年代初年通电话，90 年代初年通网络，2004 年村道实现水泥硬底，2010 年通自来水，村中建有垃圾收集站，文体设施有文化室。

◎ 菱船村公园（摄于 2016 年）

传统民居现存 8 座。单间平房，一般建筑占地面积 20 平方米，大部分建在村的围墙边内，房屋都

◎ 菱船村传统民居（摄于 2016 年）

◎ 菱船（菱园）村门楼（摄于 2016 年）

为砖木结构，硬山顶，为青砖或三合土墙体。新建楼房为钢筋混凝土结构，一至二层较普遍。

婚嫁习俗主要程序有：担定婚茶、相亲、过礼、迎亲、安床、挎红、闹新房、打糖梅。传统丧葬习俗，主要程序为：报丧、上孝、买水、殓棺、煮寿饭、出殡、训棺、复坟等。传统以土葬为主，20 世纪 90 年代后逐步实行火化。传统节日有：春节、清明、中秋、冬至。当地居民一年中有 4 次参与民间祭神活动，主要为清明祭祖、重阳祭祖，初一、十五进行烧香拜佛，祈求风调雨顺，身体健康。

2013 年 4 月 2 日，受龙卷风袭击，村道公路沿线及周边树木被拦腰折断，房屋受损，农作物被刮倒，经济损失 10 多万元。

1993 年 3 月，经清远市人民政府批准该村为解放战争时期游击根据地。

该村的罗巨兴（1963—），他带领浬塱村、浬江村民种植优质水果并形成产业化，走上脱贫奔康发展之路。现任浬江村党支部书记兼村委会主任。罗慧霞（女，1984—），2008 年到德国留学攻读硕士学位，2011 年至今在美国留学攻读博士学位，是村第一位博士。

（资料填报：罗炽林，初稿撰写：黄结梅，总纂：李协湖）

狮迳村

◎ 狮迳村村貌（摄于 2016 年）

狮迳村，位于汤塘镇东部，距镇政府 12.5 千米，始建于清乾隆年间，从留田、湴塱等地迁入而形成。因村边有一个小山头形如狮子而取名狮迳村。村坐落于亚髻山下，亚髻山海拔 560 米。狮迳河从村旁流过，流经该村 2200 米。村东与亚鸡山接壤，南与官山大路村相邻，西和北面为省道 S354 线。

村形成时，属清远县潖江二乡。民国时期，属清远县第七区。1953 年属佛冈县第四区四九乡，1957 年属佛冈县四九乡，1958 年属从化县潖江人民公社湴塱大队，1959 年属从化县四九人民公社湴塱大队，1961 年属佛冈县四九人民公社湴塱大队，1983 年属四九区湴塱乡，1987 年属四九镇湴塱行政村，1989 年属四九镇湴塱管理区，1998 年属四九镇湴塱行政村，2004 年属汤塘镇湴塱行政村，2005 年属汤塘镇湴江行政村至今。

世居村民为黄姓、龚姓、罗姓。黄姓，宋末时期从江西迁至广东，清乾隆年间，从留田迁至该地。龚姓，元末时期从福建迁至广东，明弘治年间迁到从化良口石岭楼山下，后迁至该地。罗姓，明景泰年间从福建迁至广东，清乾隆年间从湴塱围中心村迁至村。

2015 年末，户籍人口 510 人，其中男性 280 人，女性 230 人；80 岁及以上 12 人，最年长者 94 岁（男）。实际在村居住和生活主要依靠农业收入的有 300 人，留守儿童 16 人。常年在城镇生活和打工的有 210 人。村民为汉族，广府民系，使用粤方言。

村有山地面积 113.33 公顷，山上有松、杉、杂树。耕地面积 21.33 公顷。传统经营以农业为主，主要

◎ 狮迳村的青梅（摄于 2016 年）

作物有水稻、番薯、花生、果树。饲养鸡、鸭、鹅和猪、牛等，主要以个体经营为主。特色农产品有石硖龙眼、桂味荔枝、鸡心黄皮。鸡心黄皮是四九特色水果，果圆形、椭圆形或阔卵形，果肉乳白色，半透明，花期为4—5月间，果期为7—8月间。传统食品有白切鸡、焖鹅、手指糍、糯米糍、炒米饼。1980年以后，大部分青壮年村民外出打工。村民主要收入来源为农业收入、外出务工收入。

村于20世纪70年代初通电，80年代初通电话，90年代初通网络。2004年村道实现水泥硬底，2010年通自来水，村中建有垃圾收集站，文体设施有文化室。

传统民居现存9座。每间建筑占地面积20平方

◎ 狮迳村文化室（摄于2016年）

米，大部分建在村的围墙边内，房屋为砖木结构，硬山顶，青砖墙体或三合土墙体。新建楼房多为钢筋水泥混凝土结构，有些楼房是框架结构，占地面积90平方米左右，一至二层较普遍，有的三层至四层，布局为三房一厅一厨，一至两个卫生间。有些

◎ 狮迳村门楼（摄于2016年）

家庭单独建楼房，还有院子，种有花草，环境优美。

婚嫁习俗主要程序有：担定婚茶、相亲、过礼、迎亲、安床、挎红、闹新房、打糖梅仪式。传统丧葬习俗土葬为主，主要程序报丧既葬期、上孝、买水、殓棺、煮寿饭、出殡、训棺、复坟等。20世纪90年代后逐步实行火葬。民间习俗有：春节、清明节、中秋节、冬至节。当地居民一年中有4次参与民间祭神活动，主要为清明祭祖、重阳祭祖，初一、十五进行烧香拜佛，祈求风调雨顺，身体健康。

2014年5月23日特大洪水袭击、横江桥头附近民房被浸水深2米多，倒塌房屋7间，冲毁农田10多公顷，水利设施被毁，直接经济损失10多万元。

1993年3月，清远市人民政府批准该村为解放战争时期游击根据地。

（资料填报：罗炽林，初稿撰写：黄结梅，总纂：李协湖）

中心村

◎ 中心村村貌（摄于 2016 年）

中心村，位于汤塘镇东部，距镇政府 12 千米。始建于明弘治十三年（1500 年），由从化良口迁入而形成。因村位于当地的中心地带，故取名叫中心村。村坐落于亚髻山下谷地，亚髻山海拔 560 米。湴塱河从村东南流过，流经该村 2500 米。村东与狮迳村相邻，南与担谷形山场接壤，西与菱船村毗邻，北与方田村相接。省道 S354 线经过村。

村形成时，属清远县滘江二乡。民国时期，属清远县第七区。1953 年属佛冈县第四区四九乡，1957 年属佛冈县四九乡，1958 年属从化县滘江人民公社湴塱大队，1959 年属从化县四九人民公社湴塱大队，1961 年属佛冈县四九人民公社湴塱大队，1983 年属四九区湴塱乡，1987 年属四九镇湴塱行政村，1989 年属四九镇湴塱管理区，1998 年属四九镇湴塱行政村，2004 年属汤塘镇湴塱行政村，2005 年属汤塘镇湴江行政村至今。

世居村民为罗姓、梁姓。梁姓宋末时期从中原地区迁至广东，在明弘治末期，由从化良口小沙迁至该地。罗姓，明景泰年间从福建迁至广东，清康熙中期从高岗瓦屋长迁至该地。

2015 年末，户籍人口 510 人，其中男性 285 人，女性 225 人；80 岁及以上 16 人，最年长者 89 岁（女）。实际在村居住和生活主要依靠农业收入的有 340 人，留守儿童 10 人。常年在城镇生活和打工的有 170 人。村民为汉族，广府民系，使用粤方言。

村有山地面积 126.67 公顷，耕地面积 25.2 公顷。传统经营以农业为主，主要作物有水稻、番薯、花生、果树等。饲养有鸡、鸭、鹅和猪、牛等。利用山塘蓄水养殖四大家鱼。特色农产品有石硖龙眼、桂味荔枝、鸡心黄皮。其中桂味又名桂枝，因含有桂花香味而得名。是最优良的品种之一，桂味有全红及鸭头绿两个品系。果实圆球形，果壳浅红色，薄而脆；龟裂片突起小而尖，从蒂膊两旁绕果顶有圈较深环沟，此两者为桂味的特征；果肉黄白柔软饱满，核小，味很甜，7 月上旬成熟。传统食品有白切鸡、焖鹅、手指糍、糯米糍、炒米饼。村有制作腐竹的传统，其制作方法：先将黄豆浸水洗净、退壳，用磨浆机打浆，打好浆后，再进行隔渣，然后将豆浆放入锅里煮，待豆浆成皮后，用剪刀在锅中间剪开，捞起来放在竹杆上晒干后，可包装销售及送礼。1980 年

◎ 晾晒腐竹（摄于 2016 年）

以后，大部分青壮年村民外出打工。村民主要收入来源为农业收入，外出务工收入。

村于 20 世纪 70 年代初通电，80 年代初通电话，90 年代初通网络，2004 年村道实现水泥硬底化，2010 年通自来水。村中建有垃圾收集站，文体设施有文化室。村有湴塱小学，2015 年，有班级 3 个，在校学生 46 人，教职工 4 人。有幼儿园一所，在园幼儿 45 人，教职工 1 人。

传统民居现存 9 座。单间平房，一般建筑占地面积 20 平方米，大部分建在村的围墙边内，房屋为砖木结构，硬山顶，青砖墙体或三合土墙体。新建

◎ 中心乡村公园（摄于 2016 年）

◎ 中心村门楼（摄于 2016 年）

楼房多为钢筋水泥混凝土结构，有些楼房是框架结构，占地面积 90 平方米左右，一至二层较普遍，有的三层至四层，布局为三房一厅一厨，一至两个卫生间。有些家庭单独建楼房，并有停车位。

传统婚嫁习俗主要程序有：担定婚茶、相亲、过礼、迎亲、按床、挎红、闹新房、打糖梅仪式。传统丧葬习俗，主要程序为：报丧、上孝、买水、殓棺、煮寿饭、出殡、训棺、复坟等。传统以土葬为主，20 世纪 90 年代后逐步实行火化。民间习俗有：春节、清明节、中秋节、冬至节，当地居民一年中有 4 次参与民间祭神活动，主要为清明祭祖、重阳祭祖，初一、十五进行烧香拜佛的仪式，祈求风调雨顺，身体健康。

2013 年 4 月 2 日遭受龙卷风袭击，村旁公路沿线及周边树木被拦腰折断，5 间房屋被吹走瓦片，高杆农作物被吹倒，经济损失 10 多万元。

梁文璟（女，1986—），于 2005 年考入北京大学法律系，为佛冈县考入北京大学第一人，现就职于北京律师事务所。

（资料填报：罗炽林，初稿撰写：黄结梅，总纂：李协湖）

〇高岭行政村

大昌村

◎ 大昌村村貌（摄于 2016 年）

大昌村，位于汤塘镇西北部，距镇政府 2 千米。始建于明成化年间，周先祖由从化迁入而形成。由大围、球昌、和塘 3 个居住点合并而取名为大昌村。

村坐落于潖江中游地带，距国道 G106 线 2 千米，距京港澳高速汤塘出口 4 千米。主要山岭是大芒窝山，高约 50 米。潖江从村旁流过。主要水塘有球昌村水塘、大围村水塘、禾塘村水塘。村东与新围交界，西与门口田毗邻，南与四和村接壤，北与背底山、高滩小学相连。

村形成时，属清远县潖江乡。清代，属清远县潖江二乡。民国时期，属清远县潖江区兴礼乡。中华人民共和国成立初期，属清远县第七区九岭连卫乡。1953 年属佛冈县第四区九岭连卫乡，1958 年属从化县潖江人民公社高滩大队，1961 年属佛冈县汤塘人民公社高滩大队，1983 年属佛冈县汤塘区高滩乡，1987 年属汤塘镇高滩行政村，1989 年属高滩管理区，1998 年属汤塘镇高滩行政村，2005 年属汤塘镇高岭行政村至今。

世居村民为谭姓、周姓。谭姓，宋初从江西迁广东始兴。开基祖谭昆盈，后由从化迁至该地。周姓，北宋初期从福建迁入广东从化，在明成化年间由从化迁来。

2015 年末，户籍人口 820 人，其中男性 420 人，女性 400 人；80 岁以上 32 人，最年长者 89 岁（女）。实际在村居住和生活主要依靠农业收入的有 710 人，留守儿童 20 人。常年在城镇生活和打工的有 110 人。村民为汉族，广府民系，使用粤方言。

村有耕地面积 30 公顷。传统经济以农业为主，主要种植水稻，兼种薯类、花生及制作豆腐、养猪、养鸭等。村有山地面积 2.62 公顷，主要种植龙眼、荔枝、沙糖桔等。每年有村民外出务工，去深圳、珠海、广州居多，以从事建筑、餐饮、化工等行业为主。村（居）民主要收入来源为农业生产、外出务工收入、房屋出租、商业经营等。特色农产品有龙眼、荔枝、黄皮、土鸡蛋等。特色传统食品有手指糍、甜酒、潖江醋；清明节的艾糍；端午节的粽子等。特色工

◎ 大昌村古榕树（摄于 2016 年）

◎ 大昌村新民居（摄于 2016 年）

艺品有竹箩。

村于 1970 年通电，1995 年通电话，2001 年村道实现水泥硬底化，2007 年通自来水，2010 年通网络。村有完善敬老爱幼的设施，在村文化公园设有老人座谈休闲处所，儿童有游戏活动设施。

传统民居现存 8 座，为四房归厅（一厅一天井二廊四房）布局，建筑占地面积约 100 平方米，砖木结构，硬山顶，墙体为青砖，石门框、石窗框、石地板，房高 5.8 米，房间内加装一层木楼阁。新建楼房多为钢筋水泥混凝土结构，有些楼房是框架结构，占地面积 90 平方米左右，一至二层较普遍，有的三层至四层，布局为三房一厅一厨，一至两个卫生间。有些家庭单独建楼房，还有院子，种有花草，环境优美。

◎ 大昌村传统民居（摄于 2016 年）

传统节日有，春节、清明节、中秋节、冬至节等。中秋之夜，男女老少一起用月饼、柚子及石螺等食品赏月，非常热闹。在外地工作的人都尽量回家与家人团聚，共度佳节。当地居民一年中有 4 次参与民间祭神活动，主要为清明祭祖、重阳祭祖，初一、十五进行烧香拜佛，祈求风调雨顺，身体健康。

传统婚嫁习俗，男女双方开始交往后，女家要到男家探家风，结婚前要担定婚茶，报日子，送聘金，定嫁妆。行结婚礼时，要摆酒请客，迎亲和送亲。传统丧事以土葬为主，20 世纪 90 年代后逐步实行火化。其程序为举丧、入殓、出殡、送葬、做法事，将亡灵送入祖堂，办丧事只能煮白饭、花菜、豆腐煮猪肉等简单的饭菜。用餐不在屋内，只在事主家门前的巷道吃饭。

1963 年春，村遭受相当 60 年一遇的旱灾。从 1962 年 12 月至 1963 年 6 月，180 天内无下透雨，受旱面积 1.4 公顷（含水稻、杂粮），此次旱灾，村出动抗旱劳力 80 人，日夜奋战，最大限度抗旱保苗夺丰收。

（资料填报：谭荣锋，初稿撰写：谭荣锋，总纂：李协湖）

大塘埔村

◎ 大塘埔村村貌（摄于 2016 年）

大塘埔村，位于汤塘镇西北部，距镇政府 4 千米。始建于明初，从石角镇龙蟠村迁入而形成。因村前有一口大鱼塘和草埔地取名大塘埔村。

村坐落于滘江中段，距国道 G106 线 4 千米，距京港澳高速汤塘出口 5 千米。主要山岭是西瓜底山，高约 60 米。村东与埔仔村交界，西与烟仔厂毗邻，南与山下村接壤，北与背底山相连。

村形成时，属清远县滘江乡。清代，属清远县滘江二乡。民国时期，属清远县滘江区兴礼乡。中华人民共和国成立初期，属清远县第七区九岭连卫乡。1953 年属佛冈县第四区九岭连卫乡，1958 年属从化县滘江人民公社高滩大队，1961 年属佛冈县汤塘人民公社高滩大队，1983 年属佛冈县汤塘区高滩乡，1987 年属汤塘镇高滩行政村，1989 年属高滩管理区，1998 年属汤塘镇高滩行政村，2005 年属汤塘镇高岭行政村至今。

世居村民为刘姓、邝姓。刘姓，宋末从福建迁广东潮州，后迁从化，明初由从化迁清远吉河乡龙蟠村，后迁到该村；邝姓是元末从安徽迁广东从化，明中期从英德下砵迁至该地。

2015 年末，户籍人口 221 人，其中男性 114 人，女性 107 人；80 岁以上 6 人，最年长者 89 岁（女）。实际在村居住和生活主要依靠农业收入的有 210 人，留守儿童 8 人。常年在城镇生活和打工的有 11 人。村民为汉族，广府民系，使用粤方言。

村有山地面积 0.73 公顷，山上有松、杉、灌木林。耕地面积 9.6 公顷，传统经济以农业为主，粮食作物以种植水稻、薯类为主。经济作物种有花生、粉葛、蔬菜、果树等，养殖猪、牛和鸡、鸭、鹅等。随着农业布局的调整，整合土地出租给种养大户承包。村有聚满园生态种植场，种植有火龙果。1990 年后，

◎ 村民在收割水稻（摄于 1998 年，2016 年翻拍）

◎ 大塘埔村民居石板巷道（摄于 2016 年）

有许多村民到深圳、珠海、广州等地务工，以从事建筑、餐饮、化工等行业为主。村（居）民主要收入来源为农业生产、外出务工收入、房屋出租、商业经营等。特色农产品有龙眼、荔枝、火龙果、黄皮等。特色传统食品有手指糍、甜酒、湛江醋、艾糍、咸肉粽等。尤以咸肉粽为美食。用料为糯米、猪肋条肉、香菇、花生仁、花生油等，包成立体三角形粽子，用湿咸水草或细篾片拦腰捆系好。将包好的粽子放入锅内，加入清水用旺火煮约 2 小时，再用文火焖约 3 小时，即可食用。此咸肉粽子的特色：气味郁香，油润适口。特色工艺品有竹箩。

村于 1970 年通电，1995 年通电话，2001 年村道实现水泥硬底化，2007 年通自来水，2010 年通网络。

◎ 大塘埔村门楼（摄于 2016 年）

传统民居现存 10 间，均为围水房屋，单间平房，一般建筑占地面积 20 平方米，大部分建在村的围墙边内，砖木结构，硬山顶，青砖或三合土墙体。新建楼房多为钢筋水泥混凝土结构，有些楼房是框架结构，占地面积 90 平方米左右，一至二层较普遍，有的三层至四层，布局为三房一厅一厨，一至两个卫生间。有些家庭单独建楼房，还有院子。

主要节日有春节、清明节、中秋节、冬至节等。主要民间活动：一年中有 4 次参与民间祭神活动，主要为初一、十五进行烧香拜佛，祈求风调雨顺，身体健康。七月半，民间都举行祭祀祖宗活动，故称七月半。后为避元兵入侵的战乱，民间提前一天祭祀祖宗，从此每年农历七月十四过七月半。此习沿袭至今，还有七月十四制作米糍或杀鸡加菜等方式进行简单庆贺的习俗。

传统婚嫁习俗，男女双方开始交往后，女家要到男家探家风，结婚前要担定婚茶，报日子，送聘金，定嫁妆。行结婚礼时，要摆酒请客，迎亲和送亲。传统丧事以土葬为主，20 世纪 90 年代后逐步实行火化。土葬的程序为举丧、入殓、出殡、送葬、做法事，将亡灵送入祖堂，办丧事只能煮白饭，花菜、豆腐煮猪肉等简单的饭菜，用餐不在屋内，只在事主家门前的巷道吃饭，以表哀情。

1998 年 4 月 12 日，村遭受龙卷风袭击，部分农作物和房屋受损，供电、供水、通讯电路一度中断。

（资料填报：谭荣锋，初稿撰写：谭荣锋，总纂：李协湖）

九岭村

◎ 九岭村村貌（摄于 2016 年）

九岭村，位于汤塘镇西北部，距镇政府 3.5 千米。始建于明中期，因村背后共有九座山岭而取名九子岭，后取名九岭村，曾用名九一、九二、九三、九四村。

村坐落于滘江中段，距国道 G106 线 4 千米，距京港澳高速汤塘出口 5 千米，主要山岭是长岭山，山高约 30 米。村东与中厂村相邻，南与潦口村毗邻，西与埔仔村相接，北与背底山接壤。

村形成时，属清远县滘江乡。清代，属清远县滘江二乡。民国时期，属清远县滘江区兴礼乡。中华人民共和国成立初期，属清远县第七区九岭连卫乡。1953 年属佛冈县第四区九岭连卫乡，1958 年属从化县滘江人民公社高滩大队，1961 年属佛冈县汤塘人民公社高滩大队，1983 年属佛冈县汤塘区高滩乡，1987 年属汤塘镇高滩行政村，1989 年属高滩管理区，1998 年属汤塘镇高滩行政村，2005 年属汤塘镇高岭行政村至今。

世居村民为吴姓、梁姓。吴姓，明初从中原迁广东潮州，后迁四九官山，明中期由四九官山迁至该地，吴文献为佛冈吴氏开基祖。梁姓，宋末从中原迁广东南雄珠玑巷，明中期迁至该地。

2015 年末，户籍人口 610 人，其中男性 324 人，女性 286 人；80 岁以上 23 人，最年长者 100 岁（女）。实际在村居住和常年在城镇生活和打工 127 人。留守儿童 20 人。生活主要依靠农业收入 483 人。村民为汉族，广府民系，使用粤方言。

村有山地面积 2.11 公顷，主要种植荔枝、龙眼、黄皮、枇杷等。传统经济以农业为主，有耕地面积 27.27 公顷，粮食作物以种植水稻、薯类为主，经济作物种植花生、粉葛、芋头、蔬菜、果树等。禽畜饲养猪、鸡、鸭、鹅等。每年有村民外出务工，去深圳、珠海、广州居多，以从事建筑、餐饮、化工等行业为主。村（居）民主要收入来源为农业生产、外出务工收入、房屋出租、商业经营等。特色农产品有龙眼、荔枝、鸡蛋等。特色传统食品有手指糍、甜酒、滘江醋 ；清明节的艾糍；端午节的粽子等。特色工艺品有编织竹箩。

村于 1970 年通电，1995 年通电话，2001 年村道实现水泥硬底化，2007 年通自来水，2010 年通网络。

传统民居现存 30 间。房屋为四房归厅（一厅

◎ 九岭村一角（摄于2016年）

◎ 九岭村祠堂（摄于2016年）

◎ 九岭村门楼（摄于2016年）

一天井二廊四房）建筑形制，建筑占地面积100平方米，砖木结构，硬山顶，墙体为青砖，石门框、石窗框、石地板，房高5.8米，房间内加装一层木楼阁。新建楼房多为钢筋水泥混凝土结构，有些楼房是框架结构，占地面积90平方米左右，一至二层较普遍，有的三层至四层，布局为三房一厅一厨，一至两个卫生间。

传统节日有春节、清明节、端午节、中秋节、冬至节。农历五月初五为端午节，俗称"五月节"。农村农户在门楣挂艾叶、菖蒲，点燃蚊香，以避邪逐恶。还有端午节龙舟竞渡习俗。这一天青年人开始到江河游泳，叫洗龙舟水，以祈消灾去祸。主要宗族活动：当地居民一年中有4次参与民间祭神活动，主要为初一、十五进行烧香拜佛，祈求风调雨顺，身体健康。

传统婚嫁习俗，男女双方开始交往后，女家要到男家探家风，结婚前要担定婚茶，报日子，送聘金，定嫁妆。行结婚礼时，要摆酒请客，迎亲和送亲。传统丧事以土葬为主，20世纪90年代后逐步实行火化。土葬的程序为举丧、入殓、出殡、送葬、做法事，将亡灵送入祖堂，办丧事只能煮白饭，花菜、豆腐煮猪肉等简单的饭菜，用餐不在屋内，只在事主家门前的巷道吃饭。

1986年秋，由8月下旬至10月下旬，天上没有下过透雨，村受旱面积2公顷（含水稻杂粮），由于旱情严重，每天出动劳力80多人，日夜抗旱保苗夺丰收。

村的梁礼晨（1922—1949），革命烈士，1948年参加游击队，担任龙山区中队中队长。1949年11月在龙山遭遇土匪围攻时牺牲。

（资料填报：谭荣锋，初稿撰写：谭荣锋，总纂：李协湖）

潦口村

◎ 潦口村村貌（摄于 2016 年）

潦口村，位于汤塘镇西北部，距镇政府 2.5 千米。始建于清嘉庆年间，因有一条小溪由埔仔村流到该地，正好是出口处，而当地人称小溪为水潦，出口处叫潦口，而取名潦口村。

村坐落于潖江中段，距国道 G106 线 4 千米，距京港澳高速汤塘出口 5 千米，前有潖江，后有长腰岭山。有诗道:“长腰岭后拥重重，前面江河鲤化龙。右列奇峰皆从翠，左缠吉水共朝宗。预徵乔木千枝秀，定必源流万派浓。人杰地灵天锡福，宏开甲第紫泥封。”村东与中厂村相邻，西与背底山接壤，南是潖江，北与九岭村毗邻。

村形成时，属清远县潖江乡。清代，属清远县潖江二乡。民国时期，属清远县潖江区兴礼乡。中华人民共和国成立初期，属清远县第七区九岭连卫乡。1953 年属佛冈县第四区九岭连卫乡，1958 年属从化县潖江人民公社高滩大队，1961 年属佛冈县汤塘人民公社高滩大队，1983 年属佛冈县汤塘区高滩乡，1987 年属汤塘镇高滩行政村，1989 年属高滩管理区，1998 年属汤塘镇高滩行政村，2005 年属汤塘镇高岭行政村至今。

世居村民为梁姓、冯姓。梁姓，据《梁氏族谱》记载，明正统年间从广东省从化歧坑迁至长腰岭脚下（即九子岭中间围）居住，清嘉庆年间梁绍章祖爷携四个儿子由九子岭中间围迁徙到该地开业。冯姓，清嘉庆年间从佛冈县汤塘围上闸迁至该地。

2015 年末，户籍人口 528 人，其中男性 240 人，女性 288 人;80 岁以上 22 人，最年长者 91 岁，有两人，均为女性。实际在村居住和生活主要依靠农业收入的 328 人，留守儿童 16 人。常年在城镇生活和打工的 200 人。村民为汉族，广府民系，使用粤方言。

村有山地面积 1.73 公顷，主要种植荔枝、龙眼、黄皮等。耕地面积 21.6 公顷，传统经济以种植水稻为主，兼种薯类及制作豆腐、养猪、养鸡、鸭、鹅等。村民现种有番薯、水稻、花生，少数村民养猪。2002 年引进农业项目，建有广生园牌初生鸡蛋产业基地，该基地目前已发展到 40 万只蛋鸡。每年有村民外出务工，去深圳、珠海、广州居多，以从事建筑、餐饮、化工等行业为主。村（居）民主要收入来源为农业生产、外出务工收入、房屋出租、商业经营等。特色农产品有龙眼、荔枝、冰糖桔、黄皮、土鸡蛋等。

◎ 蛋鸡场工作人员在捡鸡蛋（摄于 2014 年）

特色传统食品有手指糍、甜酒、湛江醋；清明节的艾糍；端午节的粽子等。特色工艺品有竹箩。

村于 1970 年通电，1995 年通电话，2001 年村道实现水泥硬底化，2007 年通自来水，2010 年通网络。

传统民居现存 20 座，为四房归厅（一厅一天井二廊四房）布局，建筑占地面积约 100 平方米，砖木结构，硬山顶，墙体为青砖，石门框、石窗框、石地板，房高 5.8 米，房间内加装一层木楼阁。村新建楼房多为钢筋水泥混凝土结构，有些楼房是框架结构，占地面积 90 平方米左右，一至二层较普遍，有的三层至四层，布局为三房一厅一厨，一至两个卫生间。有些家庭单独建楼房，还有院子，种有花草，环境优美。

◎ 传统民居一角（摄于 2016 年）

◎ 潦口村民居巷道（摄于 2016 年）

位于村中的绍章私塾，始建于清光绪五年（1879 年）。重修于 1982 年。现占地 200 平方米，作村宗祠使用。为博古脊、硬山顶，门口有两根石柱、大理石门楣、石门框，有精美木雕。2012 年，潦口围、绍章家塾被列入佛冈县不可移动文物名录。

◎ 绍章家塾（摄于 2016 年）

主要民间活动：春节、清明节、中秋节、冬至节，当地居民一年中有 4 次参与民间祭神活动，主要为初一、十五进行烧香拜佛，祈求风调雨顺，身体健康。

传统婚嫁习俗，男女双方开始交往后女家要到男家探家风，结婚前要担定婚茶，报日子，送聘金，定嫁妆。行结婚礼时，要摆酒请客，迎亲和送亲。传统丧事以土葬为主，20 世纪 90 年代后逐步实行火化。土葬的程序为举丧、入殓、出殡、送葬、做法事，将亡灵送入祖堂，办丧事只能煮白饭，花菜、豆腐煮猪肉等简单的饭菜，用餐不在屋内，只在事主家门前的巷道吃饭，以表哀痛。

（资料填报：谭荣锋，初稿撰写：谭荣锋，总纂：李协湖）

埔仔村

◎ 埔仔村村貌（摄于 2016 年）

埔仔村，位于汤塘镇西北部，距镇政府 3.5 千米。始建于清嘉庆年间，从九岭村分村迁入而形成。因村落周围原为草地，有一条小溪流水经过，曾用名埔溪村，后改名埔仔村。

村坐落于滘江中段，距国道 G106 线 4 千米，有乡道与之连接。距京港澳高速汤塘出口 5 千米。主要山岭有深冚山，高约 30 米。村东与九岭村相邻，南为门口田，西与大塘埔村毗邻，北与背底山接壤。

村形成时，属清远县滘江乡。清代，属清远县滘江二乡。民国时期，属清远县滘江区兴礼乡。中华人民共和国成立初期，属清远县第七区九岭连卫乡。1953 年属佛冈县第四区九岭连卫乡，1958 年属从化县滘江人民公社高滩大队，1961 年属佛冈县汤塘人民公社高滩大队，1983 年属佛冈县汤塘区高滩乡，1987 年属汤塘镇高滩行政村，1989 年属高滩管理区，1998 年属汤塘镇高滩行政村，2005 年属汤塘镇高岭行政村至今。

世居村民为梁姓，明朝正统年间从广东从化歧坑迁至长腰岭脚下（即九子岭中间围）居住，清朝嘉庆年间从九子岭中间围迁至村。

2015 年末，户籍人口 640 人，其中男性 340 人，女性 300 人；80 岁以上 24 人，最年长者 91 岁（女）。16 岁以下 80 人。实际在村居住和生活主要依靠农业收入 480 人，留守儿童 15 人。常年在城镇生活和打工 160 人。村民为汉族，广府民系，使用粤方言。

村有山地面积 2.65 公顷，主要种植龙眼、荔枝等。耕地面积有 25.97 公顷，传统经济以种植水稻为主，兼种薯类及制作豆腐、饲养猪、牛和鸡、鸭、鹅等。村民现种有番薯、水稻、花生，以及饲养家禽家畜。每年有村民外出务工，去深圳、珠海、广州居多，以从事建筑、餐饮、化工等行业为主。村

◎ 埔仔村连片稻田（摄于 2016 年）

◎ 艾糍（摄于 2016 年）

◎ 埔仔村祠堂（摄于 2016 年）

民主要收入来源为农业生产、外出务工收入、房屋出租、商业经营等。特色农产品有石硖龙眼、荔枝、马蹄、香芋等。特色传统食品有手指糍、甜酒、湛江醋；清明节的艾糍；端午节的粽子等。

村于 1970 年通电，1995 年通电话，2001 年村道实现水泥硬底化，2007 年通自来水，2010 年通网络。在村文化公园设有老人座谈休闲处所，儿童有游戏活动设施。

传统民居现存 15 间，为围水房屋，单间平房，一般建筑占地面积 20 平方米，大部分建在村的围墙边内，为砖木结构，硬山顶，青砖或三合土墙体。新建楼房多为钢筋水泥混凝土结构，有些楼房是框架结构，占地面积 90 平方米左右，一至二层较普遍，有的三层至四层，布局为三房一厅一厨，一至两个卫生间。有些家庭单独建楼房，还有院子。

传统节日有春节、清明节、中秋节、冬至节。冬至是农历的 24 个节令之一，俗称“过冬”。这个节日意味着一年农事已做完，全家应欢聚吃一顿丰盛晚餐表示庆贺。村有“冬大过年”之说，可见极其重视冬至节。村主要民间活动：当地居民一年中有 4 次参与民间祭神活动，主要为初一、十五进行烧香拜佛的仪式，祈求风调雨顺，身体健康。

传统婚嫁习俗，男女双方开始交往后，女家要到男家探家风，结婚前要担定婚茶，报日子，送聘金，定嫁妆。行结婚礼时，要摆酒请客，迎亲和送亲。传统丧事以土葬为主，20 世纪 90 年代后逐步实行火化。土葬的程序为举丧、入殓、出殡、送葬、做法事，将亡灵送入祖堂，办丧事只能煮白饭，花菜、豆腐煮猪肉等简单的饭菜，用餐不在屋内，只在事主家门前的巷道吃饭。

2003 年，经省政府批准，村被列入基本农田示范村改造项目，每公顷农田由省财政适当补助资金改造，改造面积共 53 多公顷，该项目是省、市人大列入督查项目。通过改造，实现排灌系统标准化，农田耕作方便，达到增产增收的目的。

村的梁铭然（1919—1949），革命烈士，1948 年参加游击队，1949 年 11 月在龙山遭遇土匪围攻时英勇作战，壮烈牺牲。

（资料填报：谭荣锋，初稿撰写：谭荣锋，总纂：李协湖）

山下村

◎ 山下村村貌（摄于 2016 年）

山下村，位于汤塘镇西北部，距镇政府 4.5 千米。始建于清中期，因梁氏先祖从九岭中间围迁入而形成。因村地形为虾形，原名山虾村，后取谐音为山下村。

村坐落于滘江中段，距国道 G106 线 4 千米，距京港澳高速公路汤塘出口 5 千米，主要山岭有背底山，高约 30 米。村东与埔仔村相邻，南为门口田，西与占果村毗邻，北为背底山。

村形成时，属清远县滘江乡。清代，属清远县滘江二乡。民国时期，属清远县滘江区兴礼乡。中华人民共和国成立初期，属清远县第七区九岭连卫乡。1953 年属佛冈县第四区九岭连卫乡，1958 年属从化县滘江人民公社高滩大队，1961 年属佛冈县汤塘人民公社高滩大队，1983 年属佛冈县汤塘区高滩乡，1987 年属汤塘镇高滩行政村，1989 年属高滩管理区，1998 年属汤塘镇高滩行政村，2005 年属汤塘镇高岭行政村至今。

世居村民为梁姓、肖姓、严姓、李姓。梁姓，明正统年间从广东从化歧坑迁至长腰岭脚下（即九子岭中间围）居住，清嘉庆年间从九子岭中间围迁至村。肖姓、严姓、李姓村民均在清末民初先后迁至该地。

2015 年末，有户籍人口 180 人，其中男性 102 人，女性 78 人；80 岁以上 3 人，最年长者 92 岁（男）。实际在村居住和生活主要依靠农业收入的人口约有 160 人，留守儿童 4 人。常年在城镇生活和打工有 20 人。村民为汉族，广府民系，使用粤方言。

村有山地面积 0.67 公顷，山上有松、杉、杂树。耕地面积 7.07 公顷，传统经济以种植水稻为主，兼种薯类及制作豆腐、养猪、养鸭和种植黄皮、荔枝、龙眼、枇杷等岭南水果。村民现种有番薯、水稻、花生，少数村民养猪。每年有村民外出务工，去深圳、珠海、广州居多，以从事建筑、餐饮、化工等行业为主。村民主要收入来源为农业生产、外出务工收入、房屋出租、商业经营等。特色农产品有石硖龙眼、荔枝、马蹄、香芋等。特色传统食品有：清明节的艾糍；端午节的粽子等。其中艾糍是清明节主要食品。其做法是先将艾叶稍煮一下，去掉苦味；将糯米碾成粉，与艾叶混合搓匀，用糖、花生碎粒、芝麻作馅，捏为小块，包成三角形或圆形，或是捏成椭圆形，

◎ 农具——畚箕、锄头（摄于 2016 年）

不放陷，蒸熟即可。

村于 1970 年通电，1995 年通电话，2001 年村道实现水泥硬底化，2007 年通自来水，2010 年通网络。建有乡村公园。

民居现存传统民居 10 间，为围水房屋，单间平房，一般建筑占地面积 20 平方米，大部分建在村的

◎ 山下村公园一角（摄于 2016 年）

◎ 山下村民居一角（摄于 2016 年）

围墙边内，为砖木结构，硬山顶，青砖或三合土墙体。新建楼房多为钢筋水泥混凝土结构，有些楼房是框架结构，占地面积 90 平方米左右，一至二层较普遍，有的三层至四层，布局为三房一厅一厨，一至两个卫生间。

传统节日为：春节、清明节、中秋节、冬至节。当地居民一年中有 4 次参与民间祭神活动，主要为初一、十五进行烧香拜佛，祈求风调雨顺，身体健康。

传统婚嫁习俗，男女双方开始交往后，女家要到男家探家风，结婚前要担定婚茶，报日子，送聘金，定嫁妆。行结婚礼时，要摆酒请客，迎亲和送亲。传统丧事以土葬为主，20 世纪 90 年代后逐步实行火化。土葬的程序为举丧、入殓、出殡、送葬、做法事，将亡灵送入祖堂，办丧事只能煮花菜、豆腐煮猪肉等简单的饭菜，用餐不在屋内，只在事主家门前的巷道吃饭。

20 世纪 60 年代中期，村民参与整治高滩河堤，经过奋战 6 个月，整治 4.86 千米长的护堤，围内集雨面积 13.45 平方千米，捍卫沿线耕地 110 公顷，人口 2400 人。

（资料填报：谭荣锋，初稿撰写：谭荣锋，总纂：李协湖）

上厂村

◎ 上厂村村貌（摄于 2016 年）

上厂村，位于汤塘镇西北部，距镇政府 2 千米。始建于明中期，由从化和清远吉河龙蟠村迁入而形成。村在现高滩桥附近滘江段以撑船打鱼、摆渡为生，当时在河边搭简易棚为工作之余歇息而取名为上船厂村、下船厂村，后合并称为上厂村。

村坐落于滘江高滩段旁，距国道 G106 线 4 千米，距京港澳高速公路汤塘出口 5 千米，主要山岭有大迳坦山，高约 35 米；王虫单山，高 60 米；滘江从村的东南部流过，村有下厂水塘、船厂水塘。村东面为牛头滩，南面与新围相邻，西面为加工场，北面与背底山接壤。

村形成时，属清远县滘江乡。清代，属清远县滘江二乡。民国时期，属清远县滘江区兴礼乡。中华人民共和国成立初期，属清远县第七区九岭连卫乡。1953 年属佛冈县第四区九岭连卫乡，1958 年属从化县滘江人民公社高滩大队，1961 年属佛冈县汤塘人民公社高滩大队，1983 年属佛冈县汤塘区高滩乡，1987 年属汤塘镇高滩行政村，1989 年属高滩管理区，1998 年属汤塘镇高滩行政村，2005 年属汤塘镇高岭行政村至今。

世居村民为周姓、刘姓、郭姓、罗姓、彭姓、冯姓。周姓，是北宋初期由福建迁入广东从化。明成化年间由从化迁至该地。刘姓是宋末从福建迁潮州，后迁从化，明初从化迁龙蟠后，再迁到村。郭姓、罗姓、彭姓、冯姓村民均在清中期先后迁到村。

2015 年末，有户籍人口 890 人，其中男性 489 人，女性 401 人；80 岁以上 16 人，最年长者 94 岁（男）。实际在村居住和生活主要依靠农业收入 722 人，留守儿童 18 人。常年在城镇生活和打工 168 人。村民为汉族，广府民系，使用粤方言。

村有山地面积 2.46 公顷，山上有杉、松、杂树。耕地面积 12 公顷，传统经济以农业为主，主要种植水稻，兼种薯类及制作豆腐、养猪、养鸭等。村民现种有番薯、水稻、花生、果树等，部分村民养猪。每年有村民外出务工，去深圳、珠海、广州居多，以从事建筑、餐饮、化工等行业为主。村民主要收入来源为农业生产、外出务工收入、房屋出租、商业经营等。特色农产品有马蹄、香芋等。特色传统食品有手指糍、甜酒、滘江醋，清明的艾糍，端午节的粽子等。

◎ 村民在田里补插禾苗（摄于 2017 年）

村于 1970 年通电，1995 年通电话，2001 年村道实现水泥硬底化，2007 年通自来水，2010 年通网络。

村域于 1996 年创办汤塘第三中学，2002 年与汤塘中学，改名为汤塘中学，校园面积 43350 平方米，2015 年，有 3 个级，11 个班，在校学生 484 人，教师 43 人。

◎ 汤塘中学（摄于 2011 年）

传统民居现存 10 间，为围水房屋。单间平房，建筑占地面积 20 平方米，大部分建在村的围墙边内，砖木结构，硬山顶，青砖或三合土墙体。改革开放后，村民新建楼房多为钢筋水泥混凝土结构，有些楼房是框架结构，占地面积 90 平方米左右，建一至二层较普遍，有的三层至四层，布局为三房一厅一厨，一至两个卫生间。

◎ 上厂村传统民居（摄于 2016 年）

◎ 上厂村旧围民居（摄于 2016 年）

传统节日有：春节、清明、中秋、冬至，当地居民一年中有 4 次参与民间祭神活动，主要为初一、十五进行烧香拜佛的仪式，祈求风调雨顺，身体健康。其中村民有过七夕的习俗，传说这天是七仙女“下凡”的日子，村民杀鸡鸭聚餐，晚间举行“拜七仙”活动。这天清晨各家到露天取水，贮存七夕水。传说七夕水可长期贮存而不变质，用来浸泡冬瓜、凉粉，还是夏天的清凉饮料。

传统婚嫁习俗，男女双方开始交往后，女家要到男家探家风，结婚前要担定婚茶，报日子，送聘金，定嫁妆。行结婚礼时，要摆酒请亲朋好友，迎亲和送亲。发生丧事时，传统以土葬为主，20 世纪 90 年代后逐步实行火化。土葬的程序为举丧、入殓、出殡、送葬、做法事，将亡灵送入祖堂。

1986 年 8 月下旬至 10 月下旬，天上没有下过透雨，历时近 60 天，受旱面积 1.33 公顷（含水稻、杂粮），成灾面积 0.53 公顷，失收面积 0.13 公顷。此次抗旱出动劳力 80 人，最大限度抗旱保苗夺丰收。

该村的刘就（1943—），曾任广东省水电站土木工程师。郭镜珠（1944—），曾于广东省水电站二局工作，任工程师。

（资料填报：谭荣锋，初稿撰写：谭荣锋，总纂：李协湖）

四和村

◎ 四和村村貌（摄于2016年）

四和村，位于汤塘镇西北部，距镇政府2千米。始建于元中期，由从化迁入而形成，后由福和、背底埔、围仔、三和村合并而取名四和村。

村坐落于滘江中段，距国道G106线4千米，距京港澳高速公路汤塘出口5千米，主要山岭有草仔顶山，高约35米；凉亭门山，高20米；滘江从村东流过，主要水塘有围仔门口塘。村东与大昌村相邻，南是门口田，西与中厂村毗邻，北与背底山接壤。

村形成时，属清远县滘江乡。清代，属清远县滘江二乡。民国时期，属清远县滘江区兴礼乡。中华人民共和国成立初期，属清远县第七区九岭连卫乡。1953年属佛冈县第四区九岭连卫乡，1958年属从化县滘江人民公社高滩大队，1961年属佛冈县汤塘人民公社高滩大队，1983年属佛冈县汤塘区高滩乡，1987年属汤塘镇高滩行政村，1989年属高滩管理区，1998年属汤塘镇高滩行政村，2005年属汤塘镇高岭行政村至今。

世居村民为谭姓，宋初，从江西迁广东始兴。元中期开村祖谭昆盈由从化迁至该地。

2015年末，有户籍人口540人，其中男性310人，女性230人；80岁以上19人，最年长者90岁（男）。实际在村居住和生活主要依靠农业收入432人，留守儿童5人。常年在城镇生活和打工108人。村民为汉族，广府民系，使用粤方言。

村有山地面积2.33公顷，山上有松、杉、灌木林。耕地面积31.13公顷，传统经济以农业为主，主要种植水稻，兼种薯类及制作豆腐、养猪、养鸭等。村民现种有番薯、水稻、花生，少数村民养猪。每年有村民外出务工，去深圳、珠海、广州居多，以从事建筑、餐饮、化工等行业为主。村民主要收入

◎ 四和村一角（摄于2016年）

来源为农业生产、外出务工收入、房屋出租、商业经营等。特色农产品有石硖龙眼、荔枝、马蹄、香芋等。特色传统食品有手指糍、甜酒、湛江醋；清明节的艾糍；端午节的粽子等。特色工艺品有编织竹箩。

村于1970年通电，1995年通电话，2001年村道实现水泥硬底化，2007年通自来水，2010 年通网络。

村域建有高滩小学生，占地面积11092平方米，2015年，设有6个级，17个班，在校学生666人，教师30人。

传统民居现存25间，单间平房，建筑占地面积20平方米，大部分建在村的围墙边内，砖木结构，硬山顶，青砖或三合土墙体。新建楼房多为钢筋水泥混凝土结构，有些楼房是框架结构，占地面积90平方米左右，一至二层较普遍，有的三层至四层，布局为三房一厅一厨，一至两个卫生间。

传统节日有：春节、清明节、中秋节、冬至节，当地居民一年中有4次参与民间祭神活动，主要为初一、十五进行烧香拜佛，祈求风调雨顺，身体健康。

◎ 四和村新貌（摄于2016年）

◎ 四和村祖庙（摄于2016年）

传统婚嫁习俗，男女双方开始交往后，女家要到男家探家风，结婚前要担定婚茶，报日子，送聘金，定嫁妆。行结婚礼时，要摆酒请客，迎亲和送亲。发生丧事时，传统以土葬为主，20世纪90年代后逐步实行火化。土葬的程序为举丧、入殓、出殡、送葬、做法事，将亡灵送入祖堂，办丧事只能煮白饭，花菜、豆腐煮猪肉等简单的饭菜，用餐不在屋内，只在事主家门前的巷道吃饭。

20世纪60年代中期，由于改高滩河堤的需要，村的祠堂被无条件拆除，拆祠堂有很多的砖，用这些砖建成高滩小学。

（资料填报：谭荣锋，初稿撰写：谭荣锋，总纂：李协湖）

新 围

◎ 新围村貌（摄于 2016 年）

新围，位于汤塘镇西北部，距镇政府 2 千米。始建于元中期，谭姓先祖由从化迁入而形成，曾用名和塘村。20 世纪 70 年代从和塘村分出形成新围，1998 年由新围、大箖、门口埔合并为新围。

村坐落于滘江中段，距国道 G106 线 4 千米，距京港澳高速公路汤塘出入口 5 千米，主要山岭有大芒窝山，高约 50 米；大迳坦山，高 35 米；滘江从村东部流过。主要水塘有大箖水塘，新围水塘。村东与滘江毗邻，西与大昌村交界，南与汤塘中学接壤，北与背底山相连。

村形成时，属清远县滘江乡。清代，属清远县滘江二乡。民国时期，属清远县滘江区兴礼乡。中华人民共和国成立初期，属清远县第七区九岭连卫乡。1953 年属佛冈县第四区九岭连卫乡，1958 年属从化县滘江人民公社高滩大队，1961 年属佛冈县汤塘人民公社高滩大队，1983 年属佛冈县汤塘区高滩乡，1987 年属汤塘镇高滩行政村，1989 年属高滩管理区，1998 年属汤塘镇高滩行政村，2005 年属汤塘镇高岭行政村至今。

世居村民为谭姓，宋初，从江西迁广东始兴，元中期开村祖谭昆盈由从化迁至该地村。

2015 年末，有户籍人口 687 人，其中男性 345 人，女性 342 人；80 岁以上 26 人，最年长者 89 岁（女）。实际在村居住和生活主要依靠农业收入 527 人，常年在城镇生活和打工 160 人。村民为汉族，广府民系，使用粤方言。

村有耕地面积 21.6 公顷，山地面积 2.21 公顷，传统经济以农业为主，主要种植水稻，兼种薯类及制作豆腐、养猪、养鸭等。村民现种有番薯、水稻、花生，少数村民养猪。每年有村民外出务工，去深圳、珠海、广州居多，以从事建筑、餐饮、化工等行业为主。村民主要收入来源为农业生产、外出务工收入、房屋出租、商业经营等。特色农产品有石硖龙眼、荔枝、黄皮、马蹄、香芋等。特色传统食品有小孩满月时用于招待客人手指糍、甜酒、滘江醋，清明节的艾糍，端午节的粽子等。特色工艺品有编织竹篓。改革开放初期，村出现种养专业户，逐步发展为万元户，后来有的村民建立养猪、养鸡等规模化生产基地。

村于 1970 年通电，1995 年通电话，2001 年村道实现水泥硬底化，2007 年通自来水，2010 年通网

◎ 新围村永芳板厂（摄于 2017 年）

◎ 新围祠堂（摄于 2016 年）

络。村中有高滩小学，班级 12 个，在校学生 450 人，教职工 45 人；有幼儿园一所，在园幼儿 280 人，教职工 18 人。有体育场篮球场、足球场，高滩小学广场；有大窿乡村公园；有门口埔文化室、新围文化室、大窿文化室；图书室，藏书 2000 册。

传统民居现存 50 间，为围水房屋，单间平房，一般建筑占地面积 20 平方米，大部分建在村的围墙边内，为砖木结构，硬山顶，青砖或三合土墙体。新建楼房多为钢筋水泥混凝土结构，有些楼房是框架结构，占地面积 90 平方米左右，一至二层较普遍，有的三层至四层，布局为三房一厅一厨，一至两个卫生间。有些家庭单独建楼房，并有停车位。

◎ 新围传统民居（摄于 2016 年）

传统节日有春节、清明节、中秋节、冬至节。农历五月初五为端午节，俗称“五月节”。五月初五各家各户包粽子纪念爱国诗人屈原，农村农户在门楣挂艾叶、菖蒲，点燃蚊香，以避邪逐恶。这一天许多青少年到江河游泳，叫洗龙舟水，以祈消灾去祸。村主要民间活动：春节、清明节、中秋节、冬至节。当地居民一年中有 4 次参与民间祭神活动，主要为初一、十五进行烧香拜佛，祈求风调雨顺，身体健康。

传统婚嫁习俗，男女双方开始交往后，女家要到男家探家风，结婚前要担定婚茶，报日子，送聘金，定嫁妆。行结婚礼时，要摆酒请客，迎亲和送亲。传统丧事以土葬为主，20 世纪 90 年代后逐步实行火化。土葬的程序为举丧、入殓、出殡、送葬、做法事，将亡灵送入祖堂，办丧事只能煮白饭，花菜、豆腐煮猪肉等简单的饭菜，用餐不在屋内，只在事主家门前的巷道吃饭。

1970 年，由于整治高滩河堤的需要，群众顾全大局，无条件整条村搬迁到联和村居住。

（资料填报：谭荣锋，初稿撰写：谭荣锋，总纂：李协湖）

中厂村

◎ 中厂村村貌（摄于 2016 年）

中厂村，位于汤塘镇西北部，距镇政府 2 千米。始建于元中期，由谭姓先祖由从化迁至此居住而形成，由大厂、中和、新厂三个居住点而取名中厂村。

村坐落于潖江中段，距国道 G106 线 4 千米，距京港澳高速公路汤塘出口 5 千米，主要山岭有大芒窝山，高约 50 米；牛古石山，高 25 米；潖江从村东部流过，主要水塘有大厂水塘、中和水塘、新厂水塘。村东与四和村交界，西与九岭村接壤，南与门口田相连，北与高滩小学毗邻。

村形成时，属清远县潖江乡。清代，属清远县潖江二乡。民国时期，属清远县潖江区兴礼乡。中华人民共和国成立初期，属清远县第七区九岭连卫乡。1953 年属佛冈县第四区九岭连卫乡，1958 年属从化县潖江人民公社高滩大队，1961 年属佛冈县汤塘人民公社高滩大队，1983 年属佛冈县汤塘区高滩乡，1987 年属汤塘镇高滩行政村，1989 年属高滩管理区，1998 年属汤塘镇高滩行政村，2005 年属汤塘镇高岭行政村至今。

世居村民为谭姓、欧姓。谭姓，是宋初从江西迁广东始兴。开村祖谭昆盈，元中期由从化迁至该地。欧姓，明嘉靖二年（1523 年）由从化迁至该地。

2015 年末，有户籍人口 670 人，其中男性 350 人，女性 320 人；80 岁以上 16 人，最年长者 97 岁（女）。实际在村居住和生活主要依靠农业收入 550 人，留守儿童 8 人。常年在城镇生活和打工 120 人。村民为汉族，广府民系，使用粤方言。

村有山地面积 2.13 公顷，山上有松、杉、杂树。耕地 26.87 公顷，传统经济以农业为主，主要种植水稻，兼种薯类及制作豆腐、养猪、养鸭等。村民现种有番薯、水稻、花生，少数村民养猪。每年有村民外出务工，去深圳、珠海、广州居多，以从事建筑、餐饮、化工等行业为主。村民主要收入来源为农业生产、外出务工收入、房屋出租、商业经营等。特色农产品有石硖龙眼、荔枝、马蹄、香芋等。特色传统食品有手指糍、甜酒、潖江醋；清明节的艾糍；端午节的粽子等。特色工艺品有编织竹笋。

村 1970 年通电，1995 年通电话，2001 年村道实现水泥硬底化，2007 年通自来水，2010 年通网络。

传统民居现存 45 间，单间平房，建筑占地面积 20 平方米，大部分建在村的围墙边内，砖木结构，

◎ 中厂村水泥硬底化村道（摄于 2016 年）

◎ 中厂村传统民居（摄于 2017 年）

硬山顶，青砖或三合土墙体。新建楼房多为钢筋水泥混凝土结构，有些楼房是框架结构，占地面积 90 平方米左右，一至二层较普遍，有的三层至四层，布局为三房一厅一厨，一至两个卫生间。有些家庭单独建楼房，还有院子。

传统节日有：春节、清明节、中秋节、冬至节。当地居民一年中有 4 次参与民间祭神活动，主要为初一、十五进行烧香拜佛，祈求风调雨顺，身体健康。

传统婚嫁习俗，男女双方开始交往后，女家要到男家探家风，结婚前要担定婚茶，报日子，送聘金，定嫁妆。行结婚礼时，要摆酒请客，迎亲和送亲。传统丧事以土葬为主，20 世纪 90 年代后逐步实行火化。土葬的程序为举丧、入殓、出殡、送葬、做法事，将亡灵送入祖堂，办丧事只能煮花菜、豆腐

◎ 中厂村祠堂（摄于 2016 年）

煮猪肉等简单的饭菜，用餐不在屋内，只在事主家门前的巷道吃饭，以表哀痛。

1997 年 5 月 8 日，发生特大洪水，村水利 2 处设施、500 米道路被冲毁，房屋受浸，其中倒塌房屋 2 间，损失牲畜、财物一批，直接经济损失 2 万多元。

（资料填报：谭荣锋，初稿撰写：谭荣锋，总纂：李协湖）

○江坳行政村

江坳村

◎ 江坳村村貌（摄于 2016 年）

江坳村，位于汤塘镇东北部，距汤塘镇政府 12 千米。始建于明万历二十八年（1600 年），族人从江西迁广东南雄珠玑巷后迁梅州、南海，后迁水头塘坣下村到江坳村居住而形成。因村庄前是四九河，村庄就建在河岸边而取名江坳村。

该村坐落于丘陵地带，东与瓦锡田村、香里江村相邻，南与菱塘群丰村相邻，西与社咀村相邻，北与石角镇黄花村相邻。村庄坐落于丘陵山区，坐北向南，四九河从村的东南部流过，经过该村河流长 300 米，主要山岭有洞企石山，高 150 米，村中有一水库和两个鱼塘，作农耕储水灌溉用。

◎ 江坳村西庄门楼（摄于 2016 年）

村形成时，属清远县滘江乡。清代，属清远县滘江二乡。民国时期属清远第七区。中华人民共和国成立初期，属清远县第七区。1953 年属佛冈县第四区，1958 年属从化县滘江人民公社江坳大队，1961 年属佛冈县四九人民公社江坳大队，1983 年属四九区江坳乡，1987 年属四九镇江坳行政村，1989 年属四九镇江坳管理区，1998 年属四九镇江坳行政村，2004 年属汤塘镇江坳行政村至今。

世居村民为黄姓。宋末从广西迁至广东南雄珠玑巷，后迁梅州、南海，明万历二十八年（1600 年）从清远县吉河乡（今佛冈县水头镇）塘坣下村迁至该地。

2015 年末，户籍人口 1303 人，其中男性 661 人，女性 642 人；80 岁及以上 29 人，最年长者 93

◎ 江坳村青梅林（摄于2016年）

岁（女）。实际在村和生活主要依靠农业收入的人口有823人，留守儿童5人。常年在城镇生活和打工的人口有480人。祖籍该村的港澳台同胞有20人。村民为汉族，广府民系，使用粤方言。

村森林资源丰富，有山地面积350公顷，山上有松、杉、杂树等。耕地面积21.33公顷，传统经营以种植水稻为主，兼种薯类、豆类，养猪、养鸡、养鸭、养鹅等。现时经营种有水稻、花生、荔枝、石硖龙眼、鸡心黄皮，其中荔枝37.87公顷。2000年后，青壮年劳力大部分外出务工，在珠三角的深圳、珠海、广州市居多，以从事建筑、餐饮、化工等行业为主。村民主要收入来源为农业收入、外出务工收入、商业经营收入等。特色农产品有桂味、石硖龙眼、槐枝、鸡心黄皮、沙糖桔、阳西五彩薯。特色传统食品有糯米糍、艾糍、盖仔糍、发糕。特色工艺品有铁艺、木艺等。

村于1971年通电，1972年通电话，1996年通网络，2006年村道实现水泥硬底化，2014年通自来水。村中建有乡村公园、篮球场、全民健身广场。村民活动中心有文化室、图书室，图书室藏书5000册。

◎ 传统民居（摄于2016年）

传统民居现存50间围水屋，整体完整，有的外墙脱落，现有5户人家居住。新建楼房多为钢筋水泥混凝土结构，有些楼房是框架结构，占地面积90平方米左右，一至二层较为普遍，有的三至四层，布局为三房一厅一厨房，一至两个卫生间。有些家庭单独建楼房，还有院子，种有花草，环境优美。

主要民间活动为每年清明节当天及其后一个月内村民拜祭祖先。

村婚嫁习俗，男女交往后，女方要到男方家看家风，结婚前要担定婚茶、报日子、送聘金、定嫁妆。行结婚礼时要摆酒请客，迎亲送亲。发生丧事时，传统以土葬为主，1990年以后逐步实行火葬，其程序为举丧入殓、出殡、送葬、做法事，将亡灵送入祖堂厅。办丧事只煮花菜、黄豆煮饭等简单的饭菜，用餐时，不坐高台凳，拆下事主家的门板放于门前的巷地上当饭台，以表哀痛。

1974年6月26日，四九公社江坳大队三根塘塌坝，事故主要原因是施工质量差，管理不善。塌坝事故造成伤人，并造成下游的大陂尾山塘漫顶塌坝，冲毁水田2公顷，水稻大面积减产。

该村的黄锦球（1924—1948），革命烈士，解放战争时期参加江北支队四团，1948年在从化龙头形被捕，于四九圩就义。黄锦鳌（1927—1948），革命烈士，解放战争时期参加江北支队四团任班长，1948年在从化坪地村战斗牺牲。黄志锋（1927—1948），革命烈士，解放战争时期参加江北支队四团，1948年在水头瑶洞尖锋再战斗牺牲。黄茂佳（1932—），抗日战争时期参加东江支队，中华人民共和国成立后曾任中国人民解放军某部队独立团团长，转业后到广州第十二橡胶厂任厂长。黄积明（？—1948），革命烈士，1948年在博罗战斗牺牲。黄庙（？—1948），革命烈士，1948年在博罗战斗中牺牲。

（资料填报：何镜辉，初稿撰写：莫森林，总纂：李协湖）

社咀村

◎ 社咀村村貌（摄于 2016 年）

社咀村，位于汤塘镇东北部，距镇政府 12 千米。始建于明末，由清远菱角塘村围内村迁入而形成，因村位于当地建的小社坛旁而取名社咀村。

该村坐落于丘陵地带，村东与江坳村委江坳村相邻，南与菱塘村委柴洞村相邻，西与江坳村委显历村相邻，北与石角镇黄花村相邻。村坐落于丘陵山区，村庄坐北向南，四九河从村的东南部流过，经过村河流长 300 米，主要山岭有谭九峘山，高 60 米。

村形成后，属清远县滘江乡。清代属清远县滘江二乡。民国时期属清远第七区。中华人民共和国成立初期，属清远县第七区。1953 年属佛冈县第四区，1958 年属从化县滘江人民公社江坳大队，1961 年属佛冈县四九人民公社江坳大队，1983 年属四九区江坳乡，1987 年属四九镇江坳行政村，1989 年属四九镇江坳管理区，1998 年属四九镇江坳行政村，2004 年属汤塘镇江坳行政村至今。

世居村民为黄姓。黄姓由广西迁至广东顺德甘竹后滩村，明末迁到清远县菱角塘围内村再迁至该地。

2015 年末，户籍人口 361 人，其中男性 190 人，女性 171 人；80 岁及以上 6 人，最年长者 90 岁（男）。实际在村和生活主要依靠农业收入的人口有 276 人，留守儿童 4 人。常年在城镇生活和打工的人口有 85 人。村民为汉族，广府民系，使用粤方言。

村资源丰富，有山地面积 27.33 公顷，山上有松、杉、阔叶林等。耕地面积 8 公顷传统经营以种植水稻为主，兼种薯类、豆类，养猪、养鸡、养鸭、养鹅等。现时经营种有水稻、花生、荔枝、石硖龙眼、沙糖桔、鸡心黄皮、少数村民养猪等。村民主要收入来源为农业收入、务工收入、商业经营收入等。特色农产品有

◎ 村民生产用具——耙（摄于 2017 年）

◎ 社咀村传统民居一角（摄于 2016 年）

◎ 社咀村新建楼房（摄于 2016 年）

桂味荔枝、石硖龙眼、槐枝、鸡心黄皮、阳西五彩薯。特色传统食品有糯米糍、艾糍、盖仔糍、发糕。

村于 1971 年通电，1972 年通电话，1996 年通网络，2006 年村道实现水泥硬底化，2014 年通自来水。村中有江坳小学和江坳幼儿园，2015 年在校学生 189 人，在园幼儿 98 人。建有篮球场、全民健身广场、乡村公园、文化室，图书室藏书 5000 册。

传统民居现存 15 座，整体较完整，有外墙脱落，现有 5 户人家居住。新建楼房多为钢筋水泥混凝土结构，有些楼房是框架结构，每座占地面积 90 平方米左右，一至二层较为普遍，有的三至四层，布局为三房一厅一厨房，一至两个卫生间。有些家庭单独建楼房，还有院子。

主要民间活动：村民清明祭祖，逢初一、十五到庙祠烧香拜神。

村婚嫁习俗，男女交往后，女方家要到男方家看家风，结婚前要担定婚茶、报日子、送聘金、定嫁妆。行结婚礼时要摆酒请客，迎亲送亲。传统丧事以土葬为主，1990 年以后逐步实行火葬，其程序为举丧入殓、出殡、送葬、做法事，将亡灵送入祖堂厅。办丧事只煮花菜、黄豆煮饭等简单的饭菜，用餐时，不坐高台凳，拆下事主家的门板放于门前的巷地上当饭台，以表哀痛。

1998 年 4 月 12 日凌晨，村遭受龙卷风袭击，部分房屋和农作物受损。2013 年 4 月 2 日村再遭受龙卷风袭击，公路沿线及周边树木被拦腰折断。2014 年 5 月 23 日遭特大洪水袭击，部分民房被村中浸水深两米，倒塌房屋 10 多间，经济损失 10 万多元。

（资料填报：何镜辉，初稿撰写：莫森林，总纂：李协湖）

瓦锡田村

◎ 瓦锡田村村貌（摄于 2016 年）

瓦锡田村，位于汤塘镇东北部，距镇政府 12 千米。村始建于明末，由附近的菱角塘村、江坳村迁入而形成。因村内田野有花有石，以谐音取名瓦锡田村。

该村坐落于丘陵地带，东与香里江村相邻，南与江坳村相邻，西与东平村相邻，北与石角镇黄花村相邻。村坐落于丘陵山区，村庄坐北向南，四九河从村的东南部流过，经过村河流长 3000 米，主要山岭有牛颈根山，高 100 米，村中有脑樟田水库和一个鱼塘，作为农耕储水灌溉。

村形成后，属清远县滘江乡。清代属清远县滘江二乡。民国时期属清远第七区。中华人民共和国成立初期，属清远县第七区。1953 年属佛冈县第四区，1958 年属从化县滘江人民公社江坳大队，1961 年属佛冈县四九人民公社江坳大队，1983 年属四九区江坳乡，1987 年属四九镇江坳行政村，1989 年属四九镇江坳管理区，1998 年属四九镇江坳行政村，2004 年属汤塘镇江坳行政村至今。

世居村民为何姓。何氏先祖于南宋咸淳九年（1273 年）由福建迁至广东后到汤塘脉塘大冚村，明末再从四九菱角塘村、江坳村迁至该地。

2015 年末，户籍人口 420 人，其中男性 220 人，女性 200 人；80 岁及以上 11 人，最年长者 93 岁（男）。实际在村居住和生活主要依靠农业收入 335 人，留守儿童 16 人。常年在城镇生活和打工人口有 85 人。村民为汉族，广府民系，使用粤方言。

村气候温和，森林资源丰富，有山地面积 89.33 公顷，山上有松、杉、灌木林等。耕地面积 8.53 公顷，传统经营以种植水稻、荔枝、石硖龙眼、沙糖桔、鸡心黄皮为主，其中荔枝 37.93 公顷，兼种薯类、

◎ 村民在择菜（摄于 2016 年）

◎ 瓦锡田传统民居（摄于 2016 年）

豆类，养殖猪、鸡、鸭、鹅等。村民主要收入来源为农业收入、务工收入等。特色农产品有桂味、石硖龙眼、阳西五彩薯。特色传统食品有糯米糍、艾糍、盖仔糍、发糕。特色工艺品有铁器、木器。

村于 1971 年通电，1972 年通电话，1996 年通网络，2007 年村道实现水泥硬底化，2012 年通自来水。村中有篮球场、全民健身广场和瓦锡田乡村公园。

传统民居现存 20 余座，整体完整，有的外墙脱落，现有 6 户人在此居住。新建楼房多为钢筋水泥混凝土结构，有些楼房是框架结构，每座占地面积 90 平方米左右，一至二层较为普遍，有的三至四层，布局为三房一厅一厨房，一至两个卫生间。有些家庭单独建楼房，还有院子，种有花草，环境优美。

主要民间活动：春节、清明节、端午节、中秋节等节日，村民都进行烧香拜神。

传统习俗村婚嫁庄重繁杂，开始交往时，女方家要到男方家看家风，结婚前要担定婚茶、报日子、送聘金、定嫁妆。行结婚礼时要摆酒请客，迎亲送亲。传统丧事习俗以土葬为主，1990 年以后逐步实行火葬，其程序为举丧入殓、出殡、送葬、做法事，将亡灵送入祖堂厅。办丧事只煮花菜、黄豆煮饭等简单的饭菜，用餐时不坐高台凳，拆下事主家的门板放于门前的巷地上当饭台，以表哀痛。

1963 年春，村遭受相当 60 年一遇的旱灾，从 1962 年 12 月至 1963 年 6 月，180 天内无下大雨，受旱面积 1.47 公顷，（含水稻、杂粮），严重受旱的 0.13 公顷。村民进行抗旱行动，出动劳力 43 人，日夜奋战抗旱保苗。

该村的何泉洲（1937—2014），曾任茂名石油工业公司宣传部副部长。

（资料填报：何镜辉，初稿撰写：莫森林，总纂：李协湖）

◎ 瓦锡田村一角（摄于 2016 年）

西坑村

◎ 西坑村村貌（摄于 2016 年）

西坑村，位于汤塘镇东北部，距镇政府约 9 千米。始建于明末，黄氏从菱角塘村迁入而形成。因村位于当地小溪坑西面，故取名西坑村。

该村坐落于丘陵地带，村东与显历村相邻，南与白石坳村、古楼山村相邻，西与欧坑村相邻，北与石角镇黄花村相邻。村坐落于丘陵山区，村庄坐北向南，四九河从村的东南部流过，经过村河流长 3000 米，主要山岭有竹公冚山，高 120 米，村中有一水塘，作为农耕储水灌溉。

村形成后，属清远县�江乡。清代属清远县湖江二乡。民国时期属清远第七区。中华人民共和国成立初期，属清远县第七区。1953 年属佛冈县第四区，1958 年属从化县湖江人民公社江坳大队，1961 年属佛冈县四九人民公社江坳大队，1983 年属四九区江坳乡，1987 年属四九镇江坳行政村，1989 年属四九镇江坳管理区，1998 年属四九镇江坳行政村，2004 年属汤塘镇江坳行政村至今。

世居村民有黄姓和欧姓。黄姓，明天顺八年（1464 年）迁至广东顺德甘竹后滩村，后迁到清远县菱角塘围内村，明末再迁至该地。欧姓，清朝初期由从化乌石迁至清远县汤塘上闸村，清康熙年间从上闸村迁至该地。

2015 年末，户籍人口 879 人，其中男性 449 人，女性 430 人；80 岁及以上 22 人，最年长者 92 岁（女）。实际在村和生活主要依靠农业收入有 679 人，留守儿童 3 人。常年在城镇生活和打工有 200 人。村民为汉族，广府民系，使用粤方言。

村森林资源丰富，有山地面积 124 公顷，山上有松、杉、灌木林等。耕地面积 15.33 公顷，传统经营以种植水稻为主，兼种薯类、豆类，饲养猪、鸡、

◎ 荔枝（摄于 2016 年）

鸭、鹅等。果树有荔枝、石硖龙眼、沙糖桔、鸡心黄皮，其中荔枝 45.27 公顷。少数村民养猪，每年有七八十人外出去珠三角的深圳、珠海、广州市务工，从事建筑、餐饮、化工等行业为主。村民主要收入来源为农业收入、务工收入等。特色农产品有桂味荔枝、石硖龙眼、鸡心黄皮、阳西五彩薯。特色传统食品有糯米糍、艾糍、盖仔糍、发糕。

村于 1971 年通电，1972 年通电话，1996 年通网络，2006 年村道实现水泥硬底化，2014 年通自来水。村中文体设施有篮球场、全民健身广场、西坑村乡村公园。村民活动中心有西坑村文化室。

主要民间活动：清明祭祖，每逢初一、十五到庙祠烧香拜神。

传统民居现存 28 座，整体完整，有的外墙脱落，现有 2 户人在此居住。新建楼房多为钢筋水泥混凝土结构，有些楼房是框架结构，每座占地面积 90 平方米左右，一至二层较为普遍，有的三至四层，布局为三房一厅一厨房，一至两个卫生间。有些家庭单独建楼房，还有院子，种有花草，环境优美。

◎ 西坑村传统民居（摄于 2016 年）

◎ 西坑村一角（摄于 2016 年）

村传统婚嫁习俗，男女相识交往时，女方家要到男方家看家风，结婚前要担定婚茶、报日子、送聘金、定嫁妆。行结婚礼时要摆酒请客，迎亲送亲。发生丧事时，传统以土葬为主，1990 年以后逐步实行火葬，其程序为举丧入殓、出殡、送葬、做法事，将亡灵送入祖堂厅。办丧事只煮花菜、黄豆煮饭等简单的饭菜，用餐时，不坐高台凳，拆下事主家的门板放于门前的巷地上当饭台，以表哀痛。

2013 年 4 月 2 日，村遭受龙卷风袭击、公路沿线及周边树木被拦腰折断。2014 年 5 月 23 日特大洪水袭击，部分民房被浸水深两米，损失 3 万多元。

该村的黄炽（1918—1949），解放战争时期参加东三支四团任小队长，1949 年在古楼山伏击战牺牲。

（资料填报：何镜辉，初稿撰写：莫森林，总纂：李协湖）

显历村

◎ 显历村村貌（摄于 2016 年）

显历村，位于汤塘镇东北部，距镇政府 10 千米。村始建于明末，邓氏仲奇公一祖丁一曼明从中原迁广东南雄、从化，后到江坳西坑村再迁到显历而形成。村坐落于江坳进水坳的丘陵山区，村庄坐北向南，村东与社咀村相邻，南与大馆村、白石坳村相邻，西与西坑村相邻，北与石角镇黄花村相邻。四九河从村的东南部流过，经过村河流长 3000 米。主要山岭有桂公英山，高 120 米。村中有一水库和两个鱼塘，作为农耕储水灌溉。

村形成后，属清远县澌江乡。清代属清远县澌江二乡。民国时期属清远第七区。中华人民共和国成立初期，属清远县第七区。1953 年属佛冈县第四区，1958 年属从化县澌江人民公社江坳大队，1961 年属佛冈县四九人民公社江坳大队，1983 年属四九区江坳乡，1987 年属四九镇江坳行政村，1989 年属四九镇江坳管理区，1998 年属四九镇江坳行政村，2004 年属汤塘镇江坳行政村至今。

◎ 显历村门楼（摄于 2016 年）

世居村民为邓姓。明初从河北南阳迁至广东增城大埔，后到汤塘上黎村，后来由江坳村西坑村迁至该地。

2015 年末，户籍人口 412 人，其中男性 215 人，女性 197 人；80 岁及以上 10 人，最年长者 94 岁（女）。实际在村和生活主要依靠农业收入有 312 人，留守儿童 3 人。常年在城镇生活和打工有 100 人。村民为汉族，广府民系，使用粤方言。

村有山地面积 91.33 公顷，山上有松、杉、灌木林等。有耕地面积 18.01 公顷，传统经营以种植水稻为主，兼种薯类、豆类，饲养猪、鸡、鸭、鹅等。果树有桂味荔枝、槐枝、石硖龙眼、沙糖桔、鸡心黄皮，其中荔枝 43.93 公顷。少数村民养猪，每年有七八十人外出务工去珠三角的深圳、珠海、广州市居多，以从事建筑、餐饮、化工等行业为主。村民主要收入来源为农业收入、务工收入、商业经营收入等。特色农产品有桂味、石硖龙眼、槐枝、鸡心黄皮、沙糖桔、阳西五彩薯。特色传统食品有糯米糍、艾糍、盖仔糍、发糕。特色工艺品有铁器、木器。

村于1971年通电，1972年通电话，1996年通网络，2006年村道实现水泥硬底化，2014年通自来水。

传统民居现存20座，整体完整，有的外墙脱落，现有5户在此居住。新建楼房多为钢筋水泥混凝土结构，有些楼房是框架结构，每座占地面积90平方米左右，一至二层较为普遍，有的三至四层，布局为三房一厅一厨房，一至两个卫生间。有些家庭单独建楼房，还有院子，种有花草，环境优美。

◎ 显历村新建民居（摄于2016年）

村中的益贤邓公祠，曾是湛江民众抗日义勇大队旧址。该公祠建成于清光绪三十三年（1907年），建筑占地面积220.9平方米，三进二天井布局，坐东北向西南。面阔12.7米，进深28米，外观保存较好。祠堂的屋顶为博古脊，硬山顶，

◎ 邓氏宗祠（摄于2016年）

祠堂门前有虾拱梁，前檐有木雕，两边墙体上有灰塑，外墙有人物壁画。民国时期，湛江民众抗日义勇大队在此处改编为清从花佛人民义勇大队，后并入北一支六团。

主要民间活动：清明节、端午节、中秋节、冬至节等，村民都进行烧香拜神。

传统婚嫁习俗，男女相识交往时，女方家要到男方家看家风，结婚前要担定婚茶、报日子、送聘金、定嫁妆。行结婚礼时要摆酒请客，迎亲送亲。传统丧事习俗以土葬为主，1990年以后逐步实行火葬，其程序为举丧入殓、出殡、送葬、做法事，将亡灵送入祖堂厅。办丧事只煮花菜、黄豆煮饭等简单的饭菜，用餐时，不坐高台凳，拆下事主家的门板放于门前的巷地上当饭台，以表哀痛。

1986年8月下旬至10月下旬，历时近60天，没有下过透雨，村受旱面积1.2公顷（含水稻、杂粮），成灾面积0.2公顷。此次抗旱，出动劳力48人，经过艰苦努力，大灾之年也夺丰收。

（资料填报：何镜辉，初稿撰写：莫森林，总纂：李协湖）

香里江村

◎ 香里江村村貌（摄于 2016 年）

香里江村，位于汤塘镇东北部，距镇政府 13 千米。始建于明万历二十八年(1600 年)，据《张氏族谱》记载，张氏族人由从化吕田纸岗村后到横江久绵富，后到该地而取名香里江。

该村坐落于丘陵地带，村东与久绵富村、仁兴里村相邻，南与高塱村相邻，西与瓦锡田村、江坳村相邻，北与石角镇黄花村相邻。村坐落于丘陵山区，村庄坐北向南，四九河从村的东南部流过，经过村河流长 3000 米，主要山岭有大岭头，高 30 米，村中有一鱼塘，作为农耕储水灌溉。

村形成后，属清远县潖江乡。清代属清远县潖江二乡。民国时期属清远第七区。中华人民共和国成立初期，属清远县第七区。1953 年属佛冈县第四区，1958 年属从化县潖江人民公社江坳大队，1961 年属佛冈县四九人民公社江坳大队，1983 年属四九区江坳乡，1987 年属四九镇江坳行政村，1989 年属四九镇江坳管理区，1998 年属四九镇江坳行政村，2004 年属汤塘镇江坳行政村至今。

世居村民为张姓、夏姓。张姓，明万历年间迁至广东从化吕田纸岗村，后到清远县横江，明万历二十八年（1600 年）再从横江迁至该地；夏姓，清光绪年间从南雄珠玑巷迁至该地。

2015 年末，户籍人口 558 人，其中男性 299 人，女性 259 人；80 岁及以上 11 人，最年长者 94 岁（女）。实际在村和生活主要依靠农业收入有 468 人，留守儿童 20 人。常年在城镇生活和打工有 90 人。祖籍该村的港澳台同胞有 7 人。非户籍外来人口 60 人。村民为汉族，广府民系，使用粤方言。

村有山地面积 51.33 公顷，山上有松、杉、灌

◎ 香里江村门楼（摄于 2016 年）

木林等。耕地面积15.33公顷，传统经营以种植水稻为主，兼种薯类、豆类，饲养猪、鸡、鸭、鹅等。果树经营品种有桂米、槐枝、石硖龙眼、沙糖桔、鸡心黄皮等，其中荔枝42.73公顷。村域引进佛冈县万兴电子塑胶制品有限公司，占地面积10.1万平方米，2009年投产，主要生产电器开关等，从业人员705人。村民主要收入来源为农业收入、务工收入。特色农产品有桂味、石硖龙眼、鸡心黄皮、沙糖桔、阳西五彩薯。特色传统食品有糯米糍、艾糍、盖仔糍、发糕。特色工艺品有铁器、木器。

◎ 香里江村文化室（摄于2016年）

村于1971年通电，1972年通电话，1996年通网络，2009年村道实现水泥硬底化，2014年通自来水。村中建有健身广场、乡村公园以及文化室。

传统民居现存25座，整体完整，有的外墙剥落，现无人居住。新建楼房多为钢筋水泥混凝土结构，有些楼房是框架结构，每座占地面积90平方米左右，一至二层较为普遍，有的三至四层，布局为三房一厅一厨房，一至两个卫生间。

主要民间活动：春节、清明节、端午节、中秋节、冬至节等节日，村民都以不同的方式进行拜神。

村婚嫁习俗，男女交往后，女方家要到男方家看家风，结婚前要担定婚茶、报日子、送聘金、定嫁妆。行结婚礼时要摆酒请客，迎亲送亲。发生丧事时，传统以土葬为主，1990年以后逐步实行火葬，其程序为举丧入殓、出殡、送葬、做法事，将亡灵送入祖堂厅。办丧事只煮花菜、黄豆煮饭等简单的饭菜，用餐时，不坐高台凳，拆下事主家的门板放于门前的巷地上当饭台，以表哀痛。

2013年4月2日遭受龙卷风袭击、公路沿线及周边树木被拦腰折断。2014年5月23日特大洪水袭击，部分民房被浸水深两米，农作物受损。

该村的张兴广（1931—1948），解放战争时期参加江北支队四团，1948年在从化坪地村战斗中牺牲。

（资料填报：何镜辉，初稿撰写：莫森林，总纂：李协湖）

○石门行政村

大车村

◎ 大车村村貌（摄于 2016 年）

大车村，位于汤塘镇南部，距镇政府 6.6 千米。始建于清乾隆三十年（1765 年），从湖竹脚、围镇、龙蟠等地分村迁入而形成，因当地修有简易手推车路，故取名为大车村。

村坐落于围老顶山下，四面环山。主要山岭有围老顶山，海拔 332 米。主要河流有大车村溪流，东为洛洞村，南与从化区民乐镇交界，西与从化区珊瑚村接壤，北为新车村。乡道 Y326 线经过村。

清朝时期，属清远县潖江二乡。民国时期，属清远县第七区。中华人民共和国成立初期，属清远县汤塘乡，1953 年属佛冈县第四区汤塘乡，1958 年属从化县潖江人民公社石门大队，1959 年属从化县汤塘人民公社石门大队，1961 年属佛冈县良安人民公社石门大队，1983 年属汤塘区石门乡，1987 年属汤塘镇石门村村民委员会，1989 年属汤塘镇石门管理区，1998 年属汤塘镇石门行政村至今。

世居村民为陈姓、刘姓、邓姓。陈氏是宋末从福建迁至广东新丰，明中期从新丰迁入，后迁黄花滴水岩、汤塘湖竹脚，再从湖竹脚迁到该地；刘氏是宋末从福建迁至广东潮州后再迁从化，明初从从化迁佛冈县石角龙南龙蟠村再迁至汤塘围镇村，清乾隆三十年（1765 年）迁至现大车村；邓氏是明初从中原迁至广东南雄、英德、从化流溪韶洞，然后部分再迁至汤塘下黎，后由下黎迁往止贝冚转迁该地。

2015 年末，户籍人口 448 人，其中男性 266 人，女性 182 人；80 岁及以上 22 人，最年长者 91 岁（女）。实际在村和生活主要依靠农业收入的有 328 人，留守儿童有 4 人。常年在城镇生活和打工的有 120 人。村民为汉族，广府民系，使用粤方言话。

村有山地面积 245 公顷，山上有松树、灌木林等，现有耕地 18.8 公顷。传统经营以农业为主，主要种植番薯、水稻、花生、果树等，少数村民养猪，每年有村民外出务工，去深圳、珠海、广州市居多，以从事建筑、餐饮、化工等行业为主。村民主要收入来源为农业生产、外出务工收入等。主要特色农产品有石硖龙眼、荔枝、沙糖桔、蜂蜜。特色传统（节

◎ 大车村传统民居（摄于2016年）

庆）食品有糯米糍、艾糍（清明节食品），春节做炒米饼，糖环、发糍、油糍等过年食品。

村于1980年通电，1996年通电话，2003年通自来水，2008年村道实现水泥硬底化。

传统民居现存29间。单间平房，一般建筑占地面积20平方米，大部分建在中围附近，砖木结构，硬山顶，青砖或三合土墙体，现有门楼3座。新建楼房多为钢筋水泥混凝土结构，有些楼房是框架结构，每座占地面积90平方米左右，一至二层较普遍，有的三层至四层，布局为三房一厅一厨，一至两个卫生间。

由陈有城收藏的于2010年纂修的《陈氏族志》和于1999年纂修的《陈傅部》，由刘伟森收藏的于1999年纂修的《湛江刘氏族谱》，这些资料简单记录陈氏家族、刘氏家族的发展历程和文化传承。

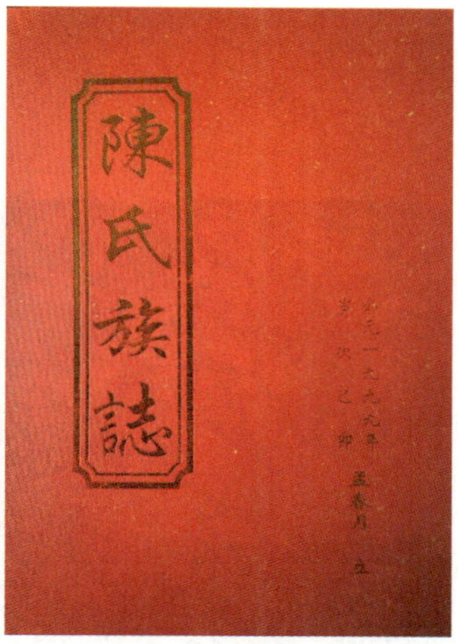

◎《陈氏族志》（摄于2016年）

传统民俗，村民一年中有五次参与民间祭神活动，具体时间为春节、清明节、端午节、中秋节、冬至节。每逢初一、十五到庙祠烧香拜神。

传统的婚丧习俗。在婚嫁方面，开始交往后女家要到男家探家风，结婚前要担定婚茶，报日子，送聘金，定嫁妆。行结婚礼时，要摆酒请客，迎亲和送亲。发生丧事时，传统以土葬为主，1990年后逐步实行火化。土葬的程序为举丧、入殓、出殡、送葬、做法事，将亡灵送入祖堂，办丧事只煮花菜、豆腐煮猪肉等简单的饭菜。用餐不在屋内，只在事主家门前的巷道吃饭，以表哀痛。

20世纪70年代中期，村进行养猪积肥一条龙，建有统一猪舍，实行集中养猪。60年代末，在村水口建有小型发电站，用于碾米和晚上发电，到80年代初并入国家电网后取消。60年代至80年代曾办石门小学大车分校，招收一至五年级学生。

（资料填报：陈社房，初稿撰写：王诗韵，总纂：李协湖）

高囮村

◎ 高囮村村貌（摄于 2016 年）

高囮村，位于汤塘镇南部，距镇政府 2.8 千米。村始建于清道光二十年（1840 年），邓氏、刘氏先祖因生活耕作从汤塘下黎边海村迁来而形成。因村地面比四周地面都要高，像墩一样，族谱记载名曰高墩，而取名为高囮村。

村坐落于黄泥塘山脚，主要山岭有黄泥塘山，高 130 米。主要河流有洛洞河，在村西南部。高囮村东面是山、南与新车村相邻、西与果仔冚村接壤、北和旧围毗邻。

清朝时期，属清远县滘江二乡。民国时期，属清远县第七区。中华人民共和国成立初期，属清远县汤塘乡，1953 年属佛冈县第四区汤塘乡，1958 年属从化县滘江人民公社石门大队，1959 年属从化县汤塘人民公社石门大队，1961 年属佛冈县良安人民公社石门大队，1983 年属汤塘区石门乡，1987 年属汤塘镇石门村村民委员会，1989 年属汤塘镇石门管理区，1998 年属汤塘镇石门行政村至今。

世居村民为邓姓、陈姓、刘姓。邓氏是明初从中原迁至广东南雄，后由从化韶洞迁来，清道光二十年（1840 年）由下黎边海村迁至该地；陈氏是宋末从福建迁至广东新丰，明中期从新丰迁至石角镇黄花滴水岩，清末从汤塘升平伏虎头迁至该地；刘氏是宋末从福建迁至广东潮州后再迁从化，明初由从化迁石角镇龙南龙蟠再迁至围镇村，而后从汤塘镇石门旧围迁至村。

2015 年末，户籍人口 267 人，其中男性 139 人，女性 128 人；80 岁及以上 3 人，最年长者 91 岁（女）。实际在村居住和生活主要依靠农业收入的有 230 人。常年在城镇生活和打工的有 37 人。村民为汉族，广府民系，使用粤方言。

村有山地面积 409.67 公顷，山上种有松树、桉树、灌木林等。传统以种养业为主，现时以种植业为主，养殖业为副。耕地面积 6.33 公顷，村民现种有番薯、稻谷、花生、果树等，饲养猪、鸡、鸭、鹅等。每年有村民外出务工，深圳、珠海、广州市居多，以从事建筑、餐饮、化工等行业为主。村民主要收入来源为农业生产、外出务工收入等。主要特色农产品有石硖龙眼、荔枝、沙糖桔、蜂蜜。特色传统（节庆）食品有糯米糍、艾糍（清明节食品）、

◎ 高迴村村民在收割水稻（摄于 2016 年）

◎ 高迴村一角（摄于 2016 年）

发糍、油糍、炒米饼、糖环等。

村于 1980 年通电，1993 年通电话，2003 年通自来水，2008 年村道实现水泥硬底化，2015 年通网络。位于村的汤塘镇中心小学石门分校，2015 年有在校学生 72 人，教职工 4 人。幼儿园有 1 间，在园幼儿 52 人，教职工 2 人。

传统民居现存 14 间。单间平房一般建筑占地面积 20 平方米，大部分建在村附近，砖木结构，硬山顶，青砖或三合土墙体。新建楼房多为钢筋水泥混凝土结构，有些楼房是框架结构，每座占地面积 90 平方米左右，一至二层较普遍，有的三层至四层，布局为三房一厅一厨，一至两个卫生间。有些家庭单独建楼房，还有院子。

◎ 高迴村传统民居（摄于 2016 年）

村民一年中有五次参与民间祭神活动，具体时间为春节、清明节、端午节、中秋节、冬至节。每逢初一、十五到庙祠烧香拜神。传统的婚丧习俗，在婚嫁方面，开始交往后女家要到男家探家风，结婚前要担定婚茶，报日子，送聘金，定嫁妆。行结婚礼时，要摆酒请客，迎亲和送亲。发生丧事时，传统以土葬为主，1990 年后逐步实行火化。土葬的程序为举丧、入殓、出殡、送葬、做法事，将亡灵送入祖堂，办丧事只煮花菜、豆腐煮猪肉等简单的饭菜。用餐不在屋内，只在事主家门前的巷道吃饭，以表哀痛。

1977 年 9 月，村民参与联合整治石门河段行动，实行裁弯取直，增加村的耕地面积 0.53 公顷。

（资料填报：陈社房，初稿撰写：王诗韵，总纂：李协湖）

果仔冚村

◎ 果仔冚村村貌（摄于 2016 年）

果仔冚村，位于汤塘镇南部，距镇政府 2.8 千米。始建于清末，邓姓、刘姓分别从上黎村、高囮村迁入而形成。因村背底山呈圆状形似龙眼（当地人称果仔）而取名果仔冚村。

村坐落于风吹流带山脚，主要山岭有风吹流带山，高 141 米；河流有洛洞河，在村东面。村东与高囮村相邻，南与新车村接壤，西与南坑村毗邻，北与白石湖村相接。

清朝时期，属清远县滘江二乡。民国时期，属清远县第七区。中华人民共和国成立初期，属清远县汤塘乡，1953 年属佛冈县第四区汤塘乡，1958 年属从化县滘江人民公社石门大队，1959 年属从化县汤塘人民公社石门大队，1961 年属佛冈县良安人民公社石门大队，1983 年属汤塘区石门乡，1987 年属汤塘镇石门村村民委员会，1989 年属汤塘镇石门管理区，1998 年属汤塘镇石门行政村至今。

世居村民为邓姓、刘姓。邓氏明初从中原迁至广东南雄、英德、从化韶洞，后从龙山冷坑村迁至该地汤塘镇上黎村，再迁至石门围，清末迁到现址果仔冚村；刘氏宋末从福建潮州迁至广东从化迁龙蟠，从汤塘围镇迁至石门高囮，最后迁至村。

2015 年末，户籍人口 647 人，其中男性 337 人，女性 310 人；80 岁及以上 15 人，最年长者 91 岁（男）。实际在村居住和生活主要依靠农业收入的有 557 人，留守儿童有 1 人。常年在城镇生活和打工的有 90 人。村民为汉族，广府民系，使用粤方言。

村有山地面积 120.6 公顷，耕地面积 23.33 公顷，山上种有松树、灌木林等。传统以种养业为主，现时主要以种植业为主，养殖业为副。村民现种有水稻、番薯、花生，少数村民养猪。每年有村民外出务工，去深圳、珠海、广州市居多，以从事建筑、餐饮、化工等行业为主。村民主要收入来源为农业生产、外出务工收入等。主要特色农产品有石硖龙眼、荔枝、沙糖桔、蜂蜜。特色传统（节庆）食品有糯米糍、艾糍（清明节食品）、发糍、油糍、炒米饼，糖环等。主要特色菜是滘江大鲩鱼，选用滘江中下游野生大鲩鱼，去脏洗净，以布干身，涂上盐后入锅清蒸，辅姜、葱、秘制酱油、花生油后即可食用。此外还可采用水煮或水浸的烹饪方法，食之肉质爽脆可口。

村于1980年通电，1992年通电话，2002年通自来水，2004通网络，2013年村道实现水泥硬底化。村内设有文化室1间，篮球场1个，健身器材1套，宣传栏1个，石台凳两套。村于1943年办过第五保小学，中华人民共和国成立初期取消。

◎ 果仔冚村文化室（摄于2016年）

◎ 乡村公园（摄于2016年）

传统民居现存16间。单间平房，一般建筑占地面积20平方米，大部分建在村附近，砖木结构，硬山顶，青砖或三合土墙体，现有门楼1座。新建楼

◎ 果仔冚村门楼（摄于2016年）

房多为钢筋水泥混凝土结构，有些楼房是框架结构，每座占地面积90平方米左右，一至二层较普遍，有的三至四层，布局为三房一厅一厨，一至两个卫生间。有些家庭单独建楼房，还有院子，种有花草，环境优美。

传统习俗，村民一年中有五次参与民间祭神活动，具体时间为春节、清明、端午、中秋、冬至。每逢初一、十五到庙祠烧香拜神。传统的婚丧习俗，在婚嫁方面，开始交往后女家要到男家探家风，结婚前要担定婚茶，报日子，送聘金，定嫁妆。行结婚礼时，要摆酒请客，迎亲和送亲。发生丧事时，传统以土葬为主，20世纪90年代后逐步实行火化。土葬的程序为举丧、入殓、出殡、送葬、做法事，将亡灵送入祖堂，办丧事只煮花菜、豆腐煮猪肉等简单的饭菜，用餐不在屋内，只在事主家门前的巷道吃饭，以表哀痛。

（资料填报：陈社房，初稿撰写：王诗韵，总纂：李协湖）

旧 围

◎ 旧围村貌（摄于 2016 年）

旧围，原名石门围，位于汤塘镇南部，距镇政府 2.5 千米。始建于清末，邓氏、陈氏从显历村、科旺村迁入而形成，因是以最早定居的村而取名旧围。

该围坐落于围背底山脚，主要山岭有围背底山，高 138 米。主要河流是洛洞河，在村西面。村东面是山，南面与高乪村接壤，西面与果仔冚村毗邻，北面与牛路村相接。

清朝时期，属清远县滘江二乡。民国时期，属清远县第七区。中华人民共和国成立初期，属清远县汤塘乡，1953 年属佛冈县第四区汤塘乡，1958 年属从化县滘江人民公社石门大队，1959 年属从化县汤塘人民公社石门大队，1961 年属佛冈县良安人民公社石门大队，1983 年属汤塘区石门乡，1987 年属汤塘镇石门村村民委员会，1989 年属汤塘镇石门管理区，1998 年属汤塘镇石门行政村至今。

世居村民为邓姓、陈姓。邓氏是明初从中原迁至广东南雄、英德、从化韶洞，清末从四九显历村迁至该地；陈氏是宋末从福建迁至广东新丰，后从科旺村迁至该地。《流溪邓氏家史》，邓会文于 1988 年 3 月 9 日参与纂修。简单记录邓氏家族的发展历程和文化传承。

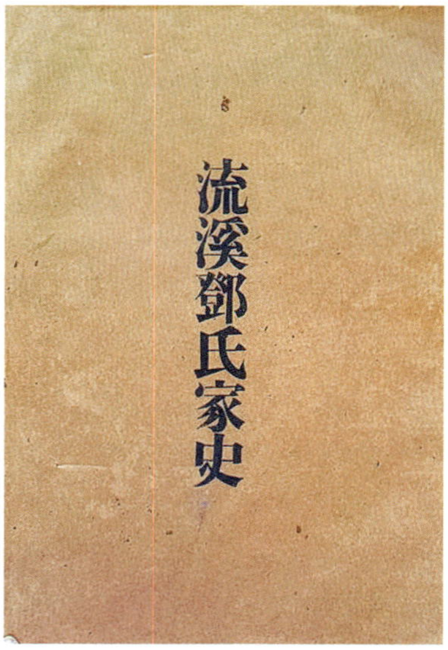

◎《流溪邓氏家史》（摄于 2016 年）

2015 年末，有户籍人口 190 人，其中男性 98 人，女性 92 人；80 岁及以上 8 人，最年长者 89 岁（男）。实际在村居住和生活主要依靠农业收入 167 人，常年在城镇生活和打工 23 人。村民为汉族，广府民系，使用粤方言。

村有山地面积 39.13 公顷，山上种有松树、杂树等。耕地面积 7.4 公顷，传统以种养业为主，烧木炭为副；现时以种植业为主，养殖业为副。村民现种有番薯、水稻、花生，少数村民养猪。每年有村民外出务工，去深圳、珠海、广州市居多，以从事建筑、餐饮、化工等行业为主。村民主要收入来源为农业生产、外出务工收入等。主要特色农产品有石硖龙眼、荔枝、沙糖桔、蜂蜜。特色传统（节庆）食品有糯米糍、艾糍（清明节食品）、发糍、油糍、炒米饼、糖环等。

村于1980年通电，1992年通电话，2004年通自来水和网络，2013年村道实现水泥硬底化。

传统民居现存25间。单间平房，一般建筑占地面积20平方米，大部分建在围附近，砖木结构，硬山顶，青砖或三合土墙体。新建楼房多为钢筋水泥混凝土结构，有些楼房是框架结构，占地面积90平方米左右，一至二层较普遍，有的三层至四层，布局为三房一厅一厨，一至两个卫生间。有些家庭单独建楼房，还有院子，种有花草，环境优美。

◎ 旧围村民在收割水稻（摄于2016年）

◎ 旧围新貌（摄于2016年）

当地村民一年中有五次参与宗教或民间祭神活动，具体时间为春节、清明节、端午节、中秋节、冬至节。每逢初一、十五到庙祠烧香拜神。而在婚嫁方面，开始交往后女家要到男家探家风，结婚前要担定婚茶，报日子，送聘金，定嫁妆。行结婚礼时，要摆酒请客，迎亲和送亲。传统丧事以土葬为主，1990年后逐步实行火化。土葬的程序为举丧、入殓、出殡、送葬、做法事，将亡灵送入祖堂，办丧事只煮花菜、豆腐煮猪肉等简单的饭菜。用餐不在屋内，只在事主家门前的巷道吃饭，以表哀痛。

1975年，石门小学由果仔冚搬迁到村，1990年再搬迁到高囮村。

（资料填报：陈社房，初稿撰写：王诗韵，总纂：李协湖）

南坑村

◎ 南坑村村貌（摄于2016年）

南坑村，曾用名凌塘村，位于汤塘镇南部，距镇政府约5千米。始建于清嘉庆二十年（1815年），陈氏由汤塘东芬下围迁入而形成。中华人民共和国成立后取近音为南坑塘村，后简称为南坑村。村坐落于蛇峾顶山脚，主要山岭有蛇峾顶山，高126米。村东与果仔峾村相邻、西与联和村委花山村毗邻、南和北均是山岭。

清朝时期，属清远县滘江二乡。民国时期，属清远县第七区。中华人民共和国成立初期，属清远县汤塘乡，1953年属佛冈县第四区汤塘乡，1958年属从化县滘江人民公社石门大队，1959年属从化县汤塘人民公社石门大队，1961年属佛冈县良安人民公社石门大队，1983年属汤塘区石门乡，1987年属汤塘镇石门村村民委员会，1989年属汤塘镇石门管理区，1998年属汤塘镇石门行政村至今。

世居村民有陈姓、冯姓、邓姓。陈姓是宋末从福建迁至广东新丰，清嘉庆二十年（1815年）从汤塘东芬下围迁至该地；冯姓是清末从汤塘升平伏虎头迁至该地；邓姓是明初从中原迁至广东南雄、英德、从化韶洞，清末从汤塘升平迁至该地。

◎ 南坑村村民在晒稻谷（摄于2016年）

2015年末，户籍人口355人，其中男性195人，女性160人；80岁及以上3人，最年长者88岁（男）。实际在村居住和生活主要依靠农业收入323人，留守儿童1人。常年在城镇生活和打工32人。村民为汉族，广府民系，使用粤方言。

村有山地面积91.73公顷，山上有松树、桉树、灌木林等。传统经济以农业为主，养殖业为副。耕地面积13.8公顷，村民主要种植水稻、番薯、花

◎ 尚宇板材厂（摄于 2016 年）

生、果树等。少数村民养猪。每年有村民外出务工，去珠江三角洲的深圳、珠海、广州市居多，以从事建筑、餐饮等行业。村民主要收入来源为农业生产、外出务工收入等。主要特色农产品有石硖龙眼、荔枝、沙糖桔、蜂蜜。特色传统（节庆）食品有糯米糍、艾糍（清明节食品）、发糍、油糍、炒米饼，糖环等。

村于 1980 年通电，2003 年通电话，2013 年通

◎ 南坑村门楼（摄于 2016 年）

自来水和建设路灯，2014 年通网络。

传统民居现存 30 间。单间平房，一般建筑占地面积 20 平方米，大部分建在村附近，砖木结构，硬山顶，青砖或三合土墙体，现有门楼 1 座。新建楼房多为钢筋水泥混凝土结构，有些楼房是框架结构，每座占地面积 90 平方米左右，一至二层较普遍，有的三层至四层，布局为三房一厅一厨，一至两个卫生间。有些家庭单独建楼房，还有院子，种有花草，环境优美。

村修有《陈氏宗谱》，由陈国镇于 2010 年纂修。宗谱简单记录陈氏家族的源流和家训。

当地村民一年中有五次参与民间祭神活动，具体时间为春节、清明节、端午节、中秋节、冬至节。每逢初一、十五到庙祠烧香拜神。而在婚嫁方面，开始交往后女家要到男家探家风，结婚前要担定婚茶，报日子，送聘金，定嫁妆。行结婚礼时，要摆酒请客，迎亲和送亲。发生丧事时，传统以土葬为主，20 世纪 90 年代后逐步实行火化。土葬的程序为举丧、入殓、出殡、送葬、做法事，将亡灵送入祖堂，办丧事只煮花菜、豆腐煮猪肉等简单的饭菜。用餐不在屋内，只在事主家门前的巷道吃饭，以表哀痛。

1969 年在村背底山自建水力发电站，解决村民照明、碾米问题。

村的邓卓宽（1937—），曾任清远市公安局政治部主任。

（资料填报：陈社房，初稿撰写：王诗韵，总纂：李协湖）

牛路村

◎ 牛路村村貌（摄于 2016 年）

牛路村，位于汤塘镇南部，距镇政府约 2 千米。村始建于清末，陈氏从湖竹脚迁入而形成。因村饲养耕牛多而取名牛路村。

该村坐落于大岭头山脚，主要山岭有大岭头山，高 138 米；主要河流有洛洞河，位于村西边。村东是山岭、西是河流、南与旧围村毗邻、北与高埔村相邻。

清朝时期，属清远县滘江二乡。民国时期，属清远县第七区。中华人民共和国成立初期，属清远县汤塘乡，1953 年属佛冈县第四区汤塘乡，1958 年属从化县滘江人民公社石门大队，1959 年属从化县汤塘人民公社石门大队，1961 年属佛冈县良安人民公社石门大队，1983 年属汤塘区石门乡，1987 年属汤塘镇石门村村民委员会，1989 年属汤塘镇石门管理区，1998 年属汤塘镇石门行政村至今。

世居村民为陈姓、罗姓、梁姓。陈姓宋末从福建迁至广东新丰，从黄花滴水岩迁到汤塘湖竹脚，清末迁至该地；罗姓明景泰年间从中原迁福建，福建迁至广东南雄珠玑巷，后迁至新丰，再从增城、从化城贝村到汤塘围、妙山转来石门旧围，再迁至该地；梁姓宋末从中原迁至广东南雄珠玑巷，明中期从汤塘镇九岭村，后迁至该地。

2015 年末，户籍人口 302 人，其中男性 158 人，女性 144 人；80 岁及以上 8 人，最年长者 93 岁（女）。实际在村居住和生活主要依靠农业收入有 247 人，常年在城镇生活和打工有 55 人。村民为汉族，广府民系，使用粤方言。

村有山地面积 50.73 公顷，耕地面积约 10.13 公顷，粮食作物主要种植有稻谷、番薯，经济作物

◎ 村民在田间劳作（摄于 2016 年）

种植有花生、果树等。禽畜主要饲养鸡、鸭、鹅和养猪。渔业主要利用山塘水库蓄水养殖四大家鱼。每年有村民外出务工，村民主要收入来源为农业收入、外出务工收入等。主要特色农产品有石硖龙眼、荔枝、沙糖桔、蜂蜜。特色传统（节庆）食品有糯米糍、艾糍（清明节食品）、发糍、油糍、炒米饼、糖环等。

村于1966年通电，90年代初通电话，2000年村道实现水泥硬底化，2013年通自来水，2015年通网络。

传统民居现存58间。单间平房，一般建筑占地面积20平方米，大部分建在村附近，砖木结构，硬山顶，青砖或三合土墙体，现有门楼1座。新建楼房多为钢筋水泥混凝土结构，有些楼房是框架结构，占地面积90平方米左右，一至二层较普遍，有的三层至四层，布局为三房一厅一厨，一至两个卫生间。

◎ 牛路村一角（摄于2016年）

由陈福华收藏的于2004年12月纂修的《重修颍川陈姓族谱》简单记录陈氏家族的源流和家训。

◎《重修颍川陈性族谱》（摄于2016年）

村民一年中有五次参与民间祭神活动，具体时间为春节、清明节、端午节、中秋节、冬至节。每逢初一、十五到庙祠烧香拜神。传统的婚丧习俗，在婚嫁方面，开始交往后女家要到男家探家风，结婚前要担定婚茶，报日子，送聘金，定嫁妆。行结婚礼时，要摆酒请客，迎亲和送亲。发生丧事时，传统以土葬为主，20世纪90年代后逐步实行火化。土葬的程序为举丧、入殓、出殡、送葬、做法事，将亡灵送入祖堂，办丧事只煮花菜、豆腐煮猪肉等简单的饭菜，用餐不在屋内，只在事主家门前的巷道吃饭，以表哀痛。

1977年，组织村民参与联合整治石门河段行动，实行裁弯取直。

（资料填报：陈社房，初稿撰写：王诗韵，总纂：李协湖）

新车村

◎ 新车村村貌（摄于 2016 年）

新车村，位于汤塘镇南部，距镇政府 4 千米。始建于清康熙五十四年（1715 年），邓氏、张氏、冯氏分别从汤塘下黎村、下闸村迁来而形成。新车村原名车溪村，后因村有人家有多个儿子但无能力抚养，其他村人向其领养但暂时无法付钱，经商量后决定可以先带回去养大，所以当时被名为车仔村。“车仔”，因谐音而被人误叫作“野仔”，因而改名新车村。

村坐落于围背底山脚，主要山岭有围背底山，高 138 米；主要河流有洛洞河，在村中部偏北。村东和村南是山岭，西与果仔冚村毗邻，北与高凼村相邻。

清朝时期，属清远县潖江二乡。民国时期，属清远县第七区。中华人民共和国成立初期，属清远县汤塘乡，1953 年属佛冈县第四区汤塘乡，1958 年属从化县潖江人民公社石门大队，1959 年属从化县汤塘人民公社石门大队，1961 年属佛冈县良安人民公社石门大队，1983 年属汤塘区石门乡，1987 年属汤塘镇石门村村民委员会，1989 年属汤塘镇石门管理区，1998 年属汤塘镇石门行政村至今。

世居村民为邓姓、张姓、冯姓。邓姓是明初从中原迁至广东南雄，后由从化韶洞迁来，清康熙五十四年（1715 年）从汤塘下黎村、下闸村迁至该地；张氏是从四九横江白水带迁至该地；冯姓是宋代从中原迁至广东新会，明天顺元年（1457 年）由从化沙贝迁到潖江，后由开墓祖冯荣衍迁至该地。

2015 年末，户籍人口 507 人，其中男性 261 人，女性 246 人；80 岁及以上 14 人，最年长者 91 岁（女）。实际在村居住和生活主要依靠农业收入 450 人，留

◎ 村民在禾场晒谷（摄于 2016 年）

守儿童16人。常年在城镇生活和打工57人。村民为汉族，广府民系，使用粤方言。

村有山地面积245公顷，山上有松树、桉树、杂树等。耕地面积13.8公顷，传统以种养业为主，现时主要发展种植业和养殖业。种有水稻、番薯、花生、龙眼、荔枝等产业；部分村民养殖蜜蜂和养猪。每年有村民外出务工，去深圳、珠海、广州市居多，以从事建筑、餐饮、化工等行业为主。村民主要收入来源为农业收入、外出务工收入等。主要特色农产品有石硖龙眼、荔枝、沙糖桔、蜂蜜。特色传统（节庆）食品有糯米糍、艾糍（清明节食品）、发糍、油糍、炒米饼、糖环等。

村于1966年通电，1993年通电话，2003年通自来水，2006年村道实现水泥硬底化，2012年设有路灯，2015年通网络，村内有文化室1间。

© 新车村文化室（摄于2016年）

传统民居现存57间。单间平房，一般建筑占地面积20平方米，大部分建在村附近，砖木结构，硬山顶，青砖或三合土墙体。新建楼房多为钢筋水泥混凝土结构，有些楼房是框架结构，占地面积90平方米左右，一至二层较普遍，有的三层至四层，布局为三房一厅一厨，一至两个卫生间。有些家庭单独建楼房，还有院子，种有花草，环境优美。

村修有《流溪邓氏家史》，邓会文于1988年3月9日参与纂修。简单记录邓氏家族的源流和族系字辈。

当地村民一年中有五次参与民间祭神活动，具体时间为春节、清明节、端午节、中秋节、冬至节。每逢初一、十五到庙祠烧香拜神。而在婚嫁方面，开始交往后女家要到男家探家风，结婚前要担定婚茶，报日子，送聘金，定嫁妆。行结婚礼时，要摆酒请客，迎亲和送亲。发生丧事时，传统以土葬为主，20世纪90年代后逐步实行火化。土葬的程序为举丧、入殓、出殡、送葬、做法事，将亡灵送入祖堂，办丧事只煮花菜、豆腐煮猪肉等简单的饭菜，用餐不在屋内，只在事主家门前的巷道吃饭，以表哀痛。

1977年，组织村民参与联合整治石门河段行动，实行裁弯取直，增加村的耕地面积0.33公顷。

（资料填报：陈社房，初稿撰写：王诗韵，总纂：李协湖）

○四九行政村

丰岗村

◎ 丰岗村村貌（摄于 2016 年）

丰岗村，位于汤塘镇东南面，距镇政府 12 千米。始建于明弘治年间，黄氏族人从水头坐下迁入而形成。因村建在小山岗下，村民期盼农作物收成较好而取名为丰岗村。

该村坐落于丘陵地带，村里有个山岭叫果仔冚山，高 250 米。东与官山村相邻，南与山仔村相邻，西与海坣村相邻，北与松下村相望。村东面有四九河（上游），流经村河长 200 米。

村形成时，属清远县滘江乡。清代，属清远县滘江二乡。民国时期属清远第七区。中华人民共和国成立后属清远县第七区，1953 年属佛冈县第四区，1958 年属从化县滘江人民公社高围大队，1983 年属四九区高围乡，1987 年属四九镇高围行政村，1989 年属四九镇高围管理区，1998 年属四九镇高围行政村，2004 年属汤塘镇高围行政村，2005 年至今属汤塘镇四九行政村。

世居村民为龚姓、黄姓、卢姓。龚姓，于南宋绍兴十六年（1146 年）从江西迁至广东从化，清朝由从化迁至该地。黄姓，明朝从福建迁至广东南雄珠玑巷，明弘治年间从佛冈水头坐下迁至该地。卢姓，宋末从河南迁至广东广州，后从广州神山迁至该地。

2015 年末，户籍人口 819 人，其中男性 398 人，女性 421 人；80 岁及以上 23 人，最年长者 93 岁（女）。实际在村居住和生活主要依靠农业收入有 457 人，留守儿童 4 人。常年在城镇生活和打工有 362 人。世居村民为汉族，属广府民系，使用粤方言。

村有山地面积 21.2 公顷，林木主要有松、杉、灌木林。耕地面积 23.07 公顷。传统经济以农业为主，粮食作物主要种植水稻、番薯，经济作物种植花生、淮山、果树等，禽畜以饲养鸡、鸭、鹅和猪、牛等，利用山塘蓄水养殖四大家鱼。村素有水果之乡美誉，家家户户有小果园，主要种植荔枝、龙眼、黄皮、青梅、沙糖桔等果树，种植面积 35.07 公顷。后岗淮山由汤塘镇四棍公司经营，座落在四九村后岗自然村，种植面积 3 公顷，主要产品有白玉淮山和紫玉淮山。90 年代后，村青壮年劳力开始外出到广州等珠三角地区从事建筑、服务行业或经商，或入厂打工。村民主要收入来源：农业收入、外出务工收入、商业经营收入等。特色农产品有荔枝、石硖龙眼、黄皮、淮山。传统节庆美食有春节的年糕、油角仔、糖环，清明的艾糍，端午的粽子等。

◎ 村腐竹工坊（摄于2016年）

村有做腐竹的传统，其制作方法：先将干黄豆洗净，退壳，然后进行打浆，隔渣，接着将豆浆放入锅里温火煮，待豆浆成皮后，用剪刀把皮剪开，捞起来晾在竹竿晒干，即成腐竹。

村于20世纪70年代初通电，90年代初通电话，2000年村道实现水泥硬底化，2010年通网络，2012年通自来水。村里建有篮球场、广场、公园。

◎ 村篮球场（摄于2016年）

◎ 村传统民居（摄于2016年）

传统民居现存4座，代表性民居有龚围，建于清朝，占地面积2000平方米，现已残旧。有少数人居住。新建楼房多为钢筋混凝土结构，有些楼房是框架结构，占地面积90平方米左右，一至二层较为普遍，有的三至四层，布局为三房一厅一厨房，一至两个卫生间。有些家庭单独建楼房，还有院子，种有花草，环境优美。

村修有《龚氏族谱》，由龚艺华于2010年纂修。

当地村民一年中有4次民间祭神活动时间分别为春节，清明节，中秋节，冬至节。传统民间活动是清明祭祖。上灯舞狮民俗，形成于清朝后期。每年农历正月初十为上年出生男孩上灯，由村中青壮年敲锣打鼓舞狮进祠堂挂灯。

传统婚嫁习俗：探家，担定婚茶、报日子、送聘金、定嫁妆。行婚礼摆酒请客。丧事习俗，传统习俗以土葬为主，1990年以后逐步实行火葬，其程序为举丧入殓、出殡、送葬、做法事，将亡灵送入祖堂厅。办丧事只煮花菜、黄豆煮饭等简单的饭菜，用餐时，不坐高台凳，拆下事主家的门板放于门前的巷道里当饭台。

1977年9月，村抽调精壮劳力，参加整治四九河丰岗村段，实行裁弯取直，增加耕地面积0.13公顷。

（资料填报：黄伟星，初稿撰写：黄锦君，总纂：李协湖）

高 围

◎ 高围村貌（摄于 2016 年）

高围，位于汤塘镇东面，距镇政府 12 千米。始建于明初，钟氏先祖从从化太平迁入而形成。因村落地势较高而取名高围。该村坐落于丘陵地带，主要山岭有白山仔山，高 320 米。东与海坣村相邻，南靠近白山仔山，西与四九圩相邻，北与四九村委相邻。村的东面有四九河（上游），流经村河长 50 米。主要水库有平坦水库。

村形成时，属清远县滘江乡。清代，属清远县滘江二乡。民国时期属清远第七区。中华人民共和国成立后属清远县第七区，1953 年属佛冈县第四区，1958 年属从化县滘江人民公社高围大队，1983 年属四九区高围乡，1987 年属四九镇高围行政村，1989 年属四九镇高围管理区，1998 年属四九镇高围行政村，2004 年属汤塘镇高围行政村，2005 年至今属汤塘镇四九行政村。

世居村民为黄姓、卢姓、钟姓。黄姓，北宋太平兴国四年（979 年）从福建迁至广东南雄珠玑巷，明洪武十九年(1386 年)从水头坣下迁至该地。卢姓，宋末从河南迁至广东广州，明初从广州神山迁至该地。钟姓，元朝从广西迁至广东从化太平，明初由从化太平迁至该地。

2015 年末，户籍人口 981 人，其中男性 487 人，女性 494 人;80 岁及以上 12 人，最年长者 95 岁(女)。实际在村居住和主要依靠农业收入 698 人，留守儿童 76 人。常年在城镇生活和打工 283 人。祖籍该村的港澳台同胞 15 人。世居村民为汉族。属广府民系，使用粤方言。

村有山地面积 74.8 公顷，山上有松、杉、灌木林。

◎ 腐竹（摄于 2016 年）

耕地面积21.53公顷。传统经济以种植水稻、果树为主，兼养鸡、鹅、鸭“三鸟”。改革开放后，每年有80多人到广州等珠三角等地区从事建筑，服务行业或经商，入厂打工等。村民主要收入来源：农业生产、商业经营、外出务工收入。随着农业布局的调整，大力发展果树种植，主要种植荔枝、石硖龙眼、黄皮、青梅等几个品种的果树。特色农产品有荔枝，石硖龙眼，黄皮。传统节庆食品有粽子。村有制作腐竹的传统，逢年过节家家户户都有制作腐竹的习惯，腐竹已成为节庆送礼佳品。

村于1970年通电，1990年通电话，2000年村道实现水泥硬底化，2010年通网络，2012年通自来水。村里建有篮球场、广场、公园。

村于1930年创办澴江私立垂裕小学，中华人民共和国成立初期停办。2015年，村有四九中心小学，占地面积13570平方米，有级6个，班20个，在校学生777人，教职工35人。有附属幼儿园，2015年在园幼儿368人，教职工16人。

传统民居现存6座。代表性民居有松下围，建于明天启七年（1627年），占地面积2000平方米。保存较完好。但已经没有人居住。新建楼房多为钢筋混凝土结构，有些楼房是框架结构，占地面积90平方米左右，一至二层较为普遍，有的三至四层，布局为三房一厅一厨房，一至两个卫生间。有些家庭单独建楼房。

◎ 高围一角（摄于2016年）

◎ 高围村门楼（摄于2016年）

◎ 四九中心小学（摄于2014年）

黄氏宗祠位于村的东南面，建成于清末民初。建筑占地面积1343平方米。保存情况较差。四九黄氏宗祠又名“垂裕堂”，坐南向北，面阔29.7米，进深45.2米。它是一座广三路，三进六室两巷建筑，建筑结构严谨合理，浑然一体。青砖墙，琉璃瓦，雕梁画栋，屋檐有透木浮雕，周围墙壁绘有人物，动物和山水画。第一进屋顶前檐有一对雌雄相望的塑狮，第二进是“德堂”，供摆设“神位”，中间有天井，两旁有青云巷，衬祠砖木结构。民国时期，四九黄氏宗祠曾作为中共浛从区工委革命活动点，2012 年列入佛冈县不可移动文物名录。村修有《黄氏族谱》，由黄岐山于 1994 年纂修。

村民一年中有 4 次民间祭神活动，时间为春节，清明，中秋，冬至。村里传统民间活动是清明祭祖。

舞狮民俗，形成于清朝后期。每年的农历正月初十日为上年出生男孩上灯，由村中青壮年敲锣打鼓舞狮进祠堂挂灯。

传统婚嫁习俗为介绍相识、求婚、看家风、定婚、送日子、接亲、送亲、请客婚庆、回门程序。传统丧事以土葬为主。1990 年以后逐步实行火葬。其程序为举丧、入殓、出殡、送葬和做法事，将亡灵送入祠堂。办丧事只煮花菜、黄豆煮猪肉等简单的饭菜，用餐时不坐高台凳，拆下事主家的门板放于门前的巷道里当饭台，以表哀痛。

1977 年 9 月，村组织精壮劳力参加整治四九河，实行裁弯取直，使河流水顺畅，至村增加耕地 0.33 公顷。

村传承耕读文化的传统习俗，教育子女勤耕苦读是为人立身之本，一批仁人志士走上革命道路，解放战争中全村就有 6 人献出年轻的生命。黄德元（1902—1948），革命烈士，解放战争时期参加江北支队四团，1948 年在从化坪地村战斗中牺牲。卢铭珍（1918—1948），革命烈士，解放战争时期参加东三支四团，1948 年在从化温泉桥栏被捕就义。龚岳生（1921—1949），革命烈士，解放战争时期在海丰参加游击队，1949 年海丰县田沙战斗中牺牲。黄杏川（1913—1948），革命烈士，解放战争时期参加江北支队四团，1948 年在从化坪地村战斗中牺牲。卢永川（1927—1949），革命烈士，解放战争时期在从化县参加游击队，1949 年在从化县战斗中牺牲。黄石权（1929—1948），革命烈士，解放战争时期参加江北支队四团，1948 年在从化坪地村战斗中牺牲。卢锦棠（1923—），曾任成都军区某军副军长。卢汝财（1934—），曾任沈阳军区某师师长。

（资料填报：黄伟星，初稿撰写：黄锦君，总纂：李协湖）

海坐村

◎ 海坐村村貌（摄于 2016 年）

海坐村，位于汤塘镇东南，距镇政府 12 千米，始建于明弘治四年（1491 年）黄氏先祖六峰公率领族人南迁而形成。因村建在四九河堤坝附近而取名海坐村。村坐落于四九河畔，东邻丰岗村，南邻岭头村，西邻龙里村，北与松下村相望。在村东北面有四九河（上游），流经村河长 500 米。

村形成时，属清远县滘江乡。清代，属清远县滘江二乡。民国时期属清远第七区。中华人民共和国成立后属清远县第七区，1953 年属佛冈县第四区，1958 年属从化县滘江人民公社高围大队，1983 年属四九区高围乡，1987 年属四九镇高围行政村，1989 年属四九镇高围管理区，1998 年属四九镇高围行政村，2004 年属汤塘镇高围行政村，2005 年至今属汤塘镇四九行政村。

世居村民为黄姓。北宋太平兴国四年（979 年）从福建迁至广东南雄珠玑巷，明弘治四年（1491 年）从水头坐下迁至该地。

2015 年末，户籍人口有 727 人，其中男性 356 人，女性 371 人；80 岁及以上有 17 人，最年长者 91 岁（女）。实际在村居住和生活主要依靠农业收入 468 人，留守儿童 3 人。常年在城镇生活和打工 136 人。祖籍该村的港澳台同胞有 8 人。世居村民为汉族。属广府民系，使用粤方言。

村有山地面积 47.47 公顷，山上有松、杉、杂树。耕地面积 22.53 公顷。传统经济以农业为主，粮食作物种植水稻、番薯，经济作物种植花生、淮山、果树，养殖鸡、鹅、鸭“三鸟”。90 年代后，随着产业布局的调整，村大力发展果树产业，主要种植有荔枝、龙眼、黄皮、沙糖桔等，其中荔枝

◎ 晾晒腐竹（摄于 2016 年）

发展到37.87公顷。村每年有60多人到广州、深圳等地务工，从事服务行业，经商或入厂打工等。村民主要收入来源：农业生产，商业经营，外出务工收入。农产品有荔枝、石硖龙眼、黄皮。传统节庆食品粽子。

村有做腐竹的传统，其制作方法：先将干黄豆洗净，退壳，然后进行打浆，隔渣，接着将豆浆放入锅里温火煮，待豆浆成皮后，用剪刀把皮剪开，捞起来晾在竹竿晒干，即成腐竹。

村于70年代通电，90年代通电话，2000年村道实现水泥硬底化，2010年通网络，2012年通自来水。村里建有篮球场、广场和乡村公园。

传统民居现存6座。建于明天启七年（1627年），占地面积2000平方米。保存较完好。现在已没人居住。新建楼房多为钢筋水泥混凝土结构，有些楼房是框架结构，占地面积90平方米左右，一至二层较为普遍，有的三至四层，布局为三房一厅一厨房，一至两个卫生间。

村修有《黄氏族谱》，由黄岐山于1994年纂修。

当地村民一年中有4次民间信仰祭神活动，具体时间为春节，清明节，中秋节，冬至节。传统的民间活动是清明祭祖。村的舞狮民俗，形成于清朝后期，每年农历正月初十日为上年出生男孩上灯，由村中青壮年敲锣打鼓舞狮进祠堂挂灯。

◎ 海坣村传统民居群（摄于2016年）

◎ 海坣村一角（摄于2016年）

传统婚嫁习俗，男女相识交往后，女方家要到男方家看家风，结婚前要担定婚茶、报日子、送聘金、定嫁妆。行结婚礼时要摆酒请客，迎亲送亲。举办丧事时，传统习俗以土葬为主，1990年以后逐步实行火葬，其程序为举丧入殓、出殡、送葬、做法事，将亡灵送入祖堂厅。办丧事只煮花菜、黄豆煮饭等简单的饭菜，用餐时，不坐高台凳，拆下事主家的门板放于门前的巷道里当饭台。

1977年9月，村组织青壮劳力参加整治四九河段改水引动，实行裁弯取直，由于整治河流，河道通畅，从而减少周边农田的洪涝灾害，保护水稻丰收。

该村的黄德修（1924—1949），革命烈士，北一支六团战士，1949年11月因土匪攻打龙山区人民政府，在与土匪激战中牺牲。

（资料填报：黄伟星，初稿撰写：黄锦君，总纂：李协湖）

留田村

◎ 留田村村貌（摄于 2016 年）

留田村，位于汤塘镇东南，距镇政府 11 千米。始建于明弘治四年（1491 年），由黄氏先祖六峰公率领族人南迁而形成。因先祖造房不准占用农田，留给子孙耕作而取名留田村。村坐落于丘陵地带，主要山岭有太子山，高 180 米。在村南边有四九河（上游），流经村河长 180 米。村里的水塘有马冚山塘，连塘门口塘，留田塘。东邻松下村、西邻滏江村、南邻高围、北靠背底山。

村形成时，属清远县滘江乡。清代，属清远县滘江二乡。民国时期属清远第七区。中华人民共和国成立后属清远县第七区，1953 年属佛冈县第四区，1958 年属从化县滘江人民公社高围大队，1983 年属四九区高围乡，1987 年属四九镇高围行政村，1989 年属四九镇高围管理区，1998 年属四九镇高围行政村，2004 年属汤塘镇高围行政村，2005 年至今属汤塘镇四九行政村。

世居村民为黄姓，于北宋太平兴国四年（979 年）从福建迁至广东南雄珠玑巷，明弘治四年（1491 年）从水头坣下迁至该地。

2015 年末，户籍人口有 1138 人，其中男性 546 人，女性 592 人；80 岁及以上 33 人，最年长者 93 岁（女）。实际在村居住和依靠农业收入 782 人，留守儿童 78 人。常年在城镇生活和打工 356 人。世居村民为汉族。属广府民系，使用粤方言。

村有山地面积 20 公顷，耕地面积 18.33 公顷。传统经济以种植水稻为主兼种果树，养殖鸡、鹅、鸭“三鸟”。20 世纪 80 年代后村民大力发展果树种植，主要有荔枝、龙眼、黄皮、沙糖桔、板栗等。其中荔枝种植发展到 33.73 公顷，板栗 20 公顷。留田

◎ 丰收的板栗（摄于 2016 年）

◎ 四九至留田村道（摄于 2016 年）

◎ 留田村传统民居（摄于 2016 年）

板栗由黄建辉独资经营，坐落连塘背底山上种植面积 13.33 公顷，太子堂板栗由黄煜廷独资经营，在四九村太子堂山地种植面积 6.67 多公顷。村有数十人到广州、深圳等地务工，从事服务行业，经商或入厂打工等。村民主要收入来源：农业生产，商业经营，外出务工收入，房屋出租。特色农产品有板栗、荔枝、石硖龙眼、黄皮。传统（节庆）食品有粽子。

村于 20 世纪 70 年代初通电，90 年代初通电话，2000 年村道实现水泥硬底化，2010 年通网络，2012 年通自来水。村中建有汤塘镇中心幼儿园四九分园，在园幼儿 233 人，教职工 12 人。村里建篮球场、广场、公园。村民活动中心（养老院，幸福园）。

传统民居现存 9 座。民居多为正座式，正座为两房两廊一厅一天井式广府民居布局，有通风、清凉、防潮、防晒的特点。代表性民居有连塘围，建于明天启七年（1627 年），占地面积 3000 平方米。现已残缺，已无人居住。新建楼房多为钢筋混凝土结构，有些楼房是框架结构，占地面积 90 平方米左右，一至二层较为普遍，有的三至四层，布局为三房一厅一厨房，一至两个卫生间。有些家庭单独建楼房，并有停车位。

村修有《黄氏族谱》，由黄岐山于 1994 年纂修。

村民一年中有 4 次祭神活动，时间为春节、清明、中秋、冬至。传统宗族活动是每年清明祭祖。村的舞狮民俗，形成于清朝后期，每年农历正月初十日为上年出生男孩上灯，由村中青壮年敲锣打鼓舞狮进祠堂挂灯。

传统婚嫁习俗，男女双方开始交往时，女方家要到男方家看家风，结婚前要担定婚茶、报日子、送聘金、定嫁妆。行结婚礼时要摆酒请客，迎亲送亲。举办丧事时，传统习俗以土葬为主，1990 年以后逐步实行火葬，其程序为举丧入殓、出殡、送葬、做法事，将亡灵送入祖堂厅。办丧事只煮花菜、黄豆煮饭等简单的饭菜，用餐时，不坐高台凳，拆下事主家的门板放于门前的巷道里当饭台，以表哀痛。

1977 年 9 月，村组织劳力参加四九公社干部群众整治四九河，实行裁弯取直，由于整治河流，河道通畅，从而减少周边农田的洪涝灾害。

该村的黄谷标（1932—），曾任从化市公安局局长。

（资料填报：黄伟星，初稿撰写：黄锦君，总纂：李协湖）

山仔村

◎ 山仔村村貌（摄于 2016 年）

山仔村，位于汤塘镇东南，距镇政府 12 千米。始建于明弘治四年（1491 年），黄氏先祖六峰公率领族人南迁而形成。因村建在小山下而取名山仔村。村坐落于丘陵地带，东南面与丰岗村相邻，南靠三仔山，西与高围相邻。主要山岭有三仔山，高 320 米。在村的东北面有大冚水河（上游），流经村河长 700 米。还有一个平坦水库。

村形成时，属清远县滘江乡。清代，属清远县滘江二乡。民国时期属清远第七区。中华人民共和国成立后属清远县第七区，1953 年属佛冈县第四区，1958 年属从化县滘江人民公社高围大队，1983 年属四九区高围乡，1987 年属四九镇高围行政村，1989 年属四九镇高围管理区，1998 年属四九镇高围行政村，2004 年属汤塘镇高围行政村，2005 年至今属汤塘镇四九行政村。

村民为黄姓，北宋太平兴国四年（979 年）从福建迁至广东南雄珠玑巷，明弘治四年（1491 年）从佛冈水头坣下迁至该地。

2015 年末，户籍人口有 725 人，其中男性 346 人，女性 379 人；80 岁及以上有 10 人，最年长者 88 岁（女）。实际在村居住和生活主要依靠农业收入 516 人，留守儿童 3 人。常年在城镇生活和打工 168 人。世居村民为汉族。属广府民系，使用粤方言。

村有山地面积 57.47 公顷，种植有荔枝、石硖龙眼、黄皮和桉树、杉树等。耕地面积有 16.53 公顷，村民传统经济以种植水稻、果树为主，养殖鸡、鹅、鸭“三鸟”。20 世纪 80 年代后村民大力发展果树种植、主要有荔枝、龙眼、黄皮、沙糖桔等，其中荔枝发展到 40 公顷。沙糖桔 20 公顷，2013 年后，由

◎ 荔枝（摄于 2016 年）

于沙糖桔受黄龙病的影响失收，村民改种其他经济作物。少部分人养猪，养“三鸟”等，为增加收入，青壮劳力外出到广州等珠三角地区从事服务行业，经商，入厂打工等。村民主要收入来源：农业生产，商业经营，外出务工收入。传统（节庆）食品有粽子、发糕、手指糍、萝卜糕等。

村于20世纪70年代初通电，90年代初通电话，2000年村道实现水泥硬底化，2010年通网络，2012年通自来水。村里建有篮球场、广场、公园。

传统民居现存6座。为两房两廊一厅一天井布局，有通风、清凉、防潮、防晒的特点。新建楼房多为钢筋混凝土结构，有些楼房是框架结构，占地面积90平方米左右，一至二层较为普遍，有的三至四层，布局为三房一厅一厨房，一至两个卫生间。有些家庭单独建楼房，并有停车位。

村修有《黄氏族谱》，由黄岐山于1994年纂修。

传统节日为：春节、清明节、四月八、端午节、七夕、七月十四、中秋节、十月朝、冬至等。其中农历八月十五日为中秋节，或团圆节。每逢中秋之夜，男女老少一起用月饼、柚子及石螺等食品赏月，在

◎ 山仔村一角（摄于2016年）

◎ 傍山居门楼（摄于2016年）

外地工作的村民都尽量回家与家人团聚，共度佳节。

传统婚嫁习俗，中华人民共和国成立后，实行自由恋爱，自主结婚的新风尚，但是探家、定亲、择送吉日、摆酒结婚、迎亲送亲、回门礼俗仍存在。传统丧事以土葬为主。1990年以后逐步实行火葬。其程序为举丧、入殓、出殡、送葬和做法事，将亡灵送入祠堂。办丧事只煮花菜、黄豆煮猪肉等简单的饭菜，用餐时不坐高台凳，拆下事主家的门板放于门前的巷道里当饭台，以表哀痛。

1977年冬，进行四九河水整治，村抽调80多人参与整治行动，奋战6个月，全面完成河水整治任务，有效地保护一河两岸的农作物。

该村的吴琼芳（女，1958—），曾任佛冈县人大常委会副主任。

（资料填报：黄伟星，初稿撰写：黄锦君，总纂：李协湖）

四九村

◎ 四九村村貌（摄于 2016 年）

四九村，位于汤塘镇东南，距镇政府 11 千米，始建于明弘治四年（1491 年），由黄氏先祖六峰公率领族人南迁而形成。因位于四九圩场周边而取名四九村。

村地处于丘陵地带，东与高围相邻，南靠背底山，西与菱塘群丰村接壤，北与仁兴里相邻。主要山岭有背底山，高约 150 米。在村南边有四九河，流经村河长 200 米。村域范围有樟木冚、山塘二口水库。村前有个水塘，叫围门口水塘。

村形成时，属清远县滘江乡。清代，属清远县滘江二乡。民国时期属清远第七区。中华人民共和国成立后属清远县第七区，1953 年属佛冈县第四区，1958 年属从化县滘江人民公社高围大队，1983 年属四九区高围乡，1987 年属四九镇高围行政村，1989 年属四九镇高围管理区，1998 年属四九镇高围行政村，2004 年属汤塘镇高围行政村，2005 年至今属汤塘镇四九行政村。

世居村民有黄姓、张姓。黄姓，北宋太平兴国年间从福建迁至广东南雄珠玑巷，明弘治四年（1491 年）从水头坐下迁至该地。张姓，唐朝从山西迁至广东从化吕田，明万历元年（1573 年）由从化吕田迁至该地。

2015 年末，户籍人口 349 人，其中男性 166 人，女性 183 人；80 岁及以上 4 人，最年长者 87 岁（女）。实际在村居住和生活主要依靠农业收入 254 人，留守儿童 51 人。常年在城镇生活和打工 95 人。世居村民为汉族，属广府民系，使用粤方言。

村有山地面积 45.93 公顷，山上有松、杉、桉树等。耕地面积 25.67 公顷，村民传统经济以种植水稻、果树为主。养殖鸡、鹅、鸭“三鸟”。改革开放后，引进佛冈县科尔达五金厂、恒保塑胶制品（佛冈）有限公司。20 世纪 80 年代发展果树产业，种植有荔枝、龙眼、黄皮、青梅、沙糖桔等。每年有 60 多人到广州，深圳等地务工。村民主要收入来源：农业生产，商业经营，外出务工收入，房屋出租。村盛产青梅，其加工过程为：取新鲜青梅，用石灰水浸泡除去苦味，用食盐腌之然后晒干，放入特制的配方后包装上市。成为老少咸宜的休闲食品。有背底山，种植有荔枝，石硖龙眼，黄皮等果树。农产品有荔枝，石硖龙眼，黄皮，话梅，其中荔枝

◎ 青梅（摄于 2016 年）

◎ 四九村新民居的门楼（摄于 2016 年）

41.67 公顷。传统（节庆）食品有粽子。村有制作腐竹的传统，逢年过节家家户户都有制作腐竹的习惯，腐竹已成为节庆送礼佳品。

20 世纪 70 年代初通电，90 年代初通电话，2000 年村道实现水泥硬底化，2010 年通网络，2012 年通自来水。村中建有属篮球场、广场，公园。

传统民居现存 6 座。两房两廊一厅一天井布局，有通风、清凉、防潮、防晒的特点。新建楼房多为钢筋水泥混凝土结构，有些楼房是框架结构，占地面积 90 平方米左右，一至二层较为普遍，有的三至四层，布局为三房一厅一厨房，一至两个卫生间。

◎ 四九村传统民居群（摄于 2016 年）

有些家庭单独建楼房，还有院子，种有花草，环境优美。

村修有《黄氏族谱》，由黄岐山于 1994 年纂修。

当地村民一年中 4 次参与民间祭神活动，时间为春节、清明节、中秋节、冬至节。传统宗族活动是清明祭祖。村舞狮民俗，形成于清朝后期，每年农历正月初十为上年出生男孩上灯，由村中青壮年敲锣打鼓舞狮送男孩进祠堂挂灯。

传统婚嫁习俗，男女双方开始交往时，女方家要到男方家看家风，结婚前要担定婚茶、报日子、送聘金、定嫁妆。行结婚礼时要摆酒请客，迎亲送亲。举办丧事时，传统习俗以土葬为主，1990 年以后逐步实行火葬，其程序为举丧入殓、出殡、送葬、做法事，将亡灵送入祖堂厅。办丧事只煮花菜、黄豆煮饭等简单的饭菜，用餐时，不坐高台凳，拆下事主家的门板放于门前的巷道里当饭台。

1977 年 9 月，村组织青壮劳力整治四九河改造工程，实行裁弯取直，增加耕地面积 0.4 公顷。

该村的黄林基（1975—），现任武警某部处长，团级干部。

（资料填报：黄伟星，初稿撰写：黄锦君，总纂：李协湖）

松下村

◎ 松下村村貌（摄于 2016 年）

松下村，位于汤塘镇东部，距镇政府 11 千米。始建于明弘治年间，由黄氏先祖六峰公率领族人南迁而形成。因村旁有棵大松树而取名松下村。村坐落于丘陵地带，东与官山村相邻，南与海坐相邻，西与留田村相邻，北靠背底山。主要山岭有背底山，高约 150 米。在村南边有四九河，流经村河长 200 米。与四九村共用樟木冚水库和山塘水库。村前有口水塘，叫围门口水塘。

村形成时，属清远县滘江乡。清代，属清远县滘江二乡。民国时期属清远第七区。中华人民共和国成立后属清远县第七区，1953 年属佛冈县第四区，1958 年属从化县滘江人民公社高围大队，1983 年属四九区高围乡，1987 年属四九镇高围行政村，1989 年属四九镇高围管理区，1998 年属四九镇高围行政村，2004 年属汤塘镇高围行政村，2005 年至今属汤塘镇四九行政村。

世居村民为黄姓，北宋太平兴国四年（979 年）从福建迁至广东南雄珠玑巷，明弘治年间从水头坐下迁至该地。

◎ 门楼（摄于 2016 年）

2015 年末，户籍人口 738 人，其中男性 389 人，女性 349 人；80 岁及以上 14 人，最年长者 95 岁（一男一女）。实际在村居住和生活主要依靠农业收入有 527 人，留守儿童 4 人。常年在城镇生活和打工有 211 人。世居村民为汉族。属广府民系，使用粤方言。

村有山地面积 13.33 公顷，山上有杂树、松树、杉树。耕地面积 27.87 公顷，村民传统经济以种植水稻、果树为主，养殖鸡、鹅、鸭“三鸟”和猪、牛等。20 世纪 80 年代村民大力发展种植果树，主要有荔枝、龙眼、黄皮、青梅、沙糖桔等，其中荔

◎ 村民采摘沙塘桔（摄于2016年）

◎ 松下村一角（摄于2016年）

枝发展有32.6公顷，随着农业布局的调整，通过整合零散土地为成片土地承租给种养大户发展现代农业，由汤塘镇兴华沙糖桔公司，在松下村内租用耕地53.33多公顷发展种植业。为增加收入，村青壮劳动力每年有60多人到广州、深圳等务工，从事服务行业，经商，入厂打工等。村民主要收入来源：农业生产，商业经营，外出务工收入，房屋出租。特色农产品有荔枝、石硖龙眼、黄皮。传统（节庆）食品有粽子、发稿、艾糍等。

村于20世纪70年代初通电，90年代初通电话，2000年村道实现水泥硬底化，2010年通网络，2012年通自来水。村里建有篮球场、广场和公园。

传统民居现存6座。民居为两房两廊一厅一天井布局，有通风、清凉、防潮、防晒的特点。代表性民居有松下围，建于明天启七年（1627年），占地面积2000平方米。保存较完好，已经没有人居住。新建楼房多为钢筋混凝土结构，有些楼房是框架结构，占地面积90平方米左右，一至二层较为普遍，有的三至四层，布局为三房一厅一厨房，一至两个卫生间。有些家庭单独建楼房，还有院子，并有停车位。

村修有《黄氏族谱》，由黄岐山于1994年纂修。

当地村民一年中有4次参与民间祭神活动，时间为春节，清明节，中秋节，冬至节。村里传统宗族活动是清明祭祖。舞狮民俗技艺，形成于清朝后期，每年农历正月初十为往年出生男孩上灯，由村中青壮年敲锣打鼓舞狮送男孩进祠堂挂灯。

传统婚嫁习俗。男女开始交往时，女方家要到男方家看家风，结婚前要担定婚茶、报日子、送聘金、定嫁妆。行结婚礼时要摆酒请客，迎亲送亲。举办丧事时，传统习俗以土葬为主，1990年以后逐步实行火葬，其程序为举丧入殓、出殡、送葬、做法事，将亡灵送入祖堂厅。办丧事只煮花菜、黄豆煮饭等简单的饭菜，用餐时，不坐高台凳，拆下事主家的门板放于门前的巷道里当饭台。

1968年6月29日，村抽调劳动力93人，参与建设四九石龛水库，水库工程于1966年10月动工兴建，1967年完成大坝，1968年6月完成溢洪道工程。

（资料填报：黄伟星，初稿撰写：黄锦君，总纂：李协湖）

○田心行政村

格海村

◎ 格海村村貌（摄于 2016 年）

格海村，位于汤塘镇东南部，距镇政府 15 千米。始建于清初，从顺德杏坛镇右滩村迁徙到田心村旧围，随人口的繁衍从旧围分出来，搬到格海村居住而形成。因与围内村隔着一条河，当地人称“河”为“海”，“隔河”即是“隔海”，为方便书写把“隔”字写成“格”字，故取名“格海村”。

该村坐落于丘陵地带，村东与围内村相邻，北与官山村相邻，南与坑仔口相接，西靠黄洞冚山。主要山岭有火界山，海拔最高 50 米。主要河流有榕树河，在村东部。

村形成时，属清远县滘江二乡。民国时期，属清远县第七区。中华人民共和国成立初期属清远县第七区汤塘乡，1953 年属佛冈县第四区四九乡，1957 年属佛冈县四九乡，1958 年属从化县滘江人民公社，1959 年属从化县四九人民公社，1961 年属佛冈县四九人民公社田心大队，1983 年属四九区田心乡，1987 年属四九镇田心行政村，1989 年属四九镇田心管理区，1998 年属四九镇田心行政村，2004 年属汤塘镇田心行政村至今。

世居村民为黄姓。明洪武元年（1368 年）前从顺德杏坛镇石滩迁到水头，后迁至田心围内村，清初从田心围内村迁至村。

2015 年末，户籍人口 348 人，其中男性 180 人，女性 168 人；80 岁以上 2 人，最年长者 82 岁（女）。

◎ 村民在制作鲤鱼灯（摄于 2009 年）

实际在村居住和生活主要依靠农业收入 240 人，留守儿童 5 人。常年在城镇生活和打工 60 人。世居村民为汉族，广府民系，使用粤方言。

村靠近北回归线以北，气候温和，雨量充沛，自然资源丰富，有山地 100 公顷，林资源丰富，主要有松、杉、樟木。经济速生林有桉树。野生动物有哺乳类、鸟类、爬行类等。传统经济主要以农业为主，有耕地面积 3.47 公顷，粮食作物种植水稻、番薯，经济作物种植花生、芋头和龙眼、黄皮、荔枝、沙糖桔等果树，其中荔枝达 64.33 公顷。禽畜主要饲养鸡、鸭、鹅和猪、牛、样等。渔业主要以蓄水养殖四大家鱼。特色节庆美食有粽子、糯米糍、叶仔糍等。1990 年后青壮劳动力开始外出务工。村民收入主要来源于农业收入、外出务工收入。

省道 S354 线经过该村，1975 年通电，1995 年通电话，2004 年通网络，2007 年村道实现水泥硬底化，2014 年通自来水，村民活动中心有格海文化室。

传统民居现存 40 座。改革开放后，村民逐步建有新楼房。新建楼房多为钢筋水泥混凝土结构，有些楼房是框架结构，占地 90 平方米左右，一至二层较为普遍，有的三至四层，布局为三房一厅一厨房，一至两个卫生间。有些家庭单独建楼房，还有院子，种有花草，环境优美。

◎ 格海村文化室（摄于 2016 年）

◎ 村民舞鲤鱼灯（摄于 2009 年）

村有《黄氏族谱》，于 1994 年纂修。

主要民间活动有清明节拜山祭祖、上灯。村特色民俗舞鲤鱼灯，形成于清初，鲤鱼灯被看做象征吉祥、富裕、年年有余（鱼），每逢春节除夕，格海村鞭炮齐鸣，鼓乐喧天，鲤鱼灯队伍在村内穿街过巷，在各户门前来回舞动。年初二晚，组成百余人的队伍，烧鞭炮，敲锣打鼓，浩浩荡荡舞着鲤鱼灯出村往外地团拜，村民运用鲤鱼灯舞成福、吉、喜等字样，向人们送上美好的祝愿。

传统婚嫁习俗为介绍相识、求婚、看家风、定婚、送日子、接亲、送亲、请客婚庆、回门程序。传统丧事以土葬为主。1990 年以后逐步实行火葬。其程序为举丧、入殓、出殡、送葬和做法事，将亡灵送入祠堂。办丧事只煮花菜、黄豆煮猪肉等简单的饭菜，用餐时不坐高台凳，拆下事主家的门板放于门前的巷道里当饭台，以表哀痛。

1997 年 5 月 8 日，村发生特大洪灾，损毁房屋 7 间，损失牲畜、财物一批，受灾农作物 0.67 公顷，直接经济损失 10 多万元。

（资料填报：黄家棋，初稿撰写：黄腾，总纂：李协湖）

横坑村

◎ 横坑村村貌（摄于 2016 年）

横坑村，位于汤塘镇东南部，距镇政府 15 千米。始建于清初，从附近田心围内村分出来而形成。因村位于石瓮水库与大水冚小溪交汇处，故取名横坑村。

该村坐落于丘陵地带，村东面至石瓮水库，南与大水冚村相接，西与鸭尧村相邻，北与沙田村相邻。主要山岭有大冚山，海拔最高 450 米。主要河流有大坑河，流经村约 500 米。水库有石瓮水库。县道 X354 线经过村。

村形成时，属清远县滘江二乡。民国时期，属清远县第七区。中华人民共和国成立初期属清远县第七区汤塘乡，1953 年属佛冈县第四区四九乡，1957 年属佛冈县四九乡，1958 年属从化县滘江人民公社，1959 年属从化县四九人民公社，1961 年属佛冈县四九人民公社田心大队，1983 年属四九区田心乡，1987 年属四九镇田心行政村，1989 年属四九镇田心管理区，1998 年属四九镇田心行政村，2004 年属汤塘镇田心行政村至今。

世居村民姓氏有黄姓、李姓。黄姓，明初从顺德杏坛镇石滩迁至水头，清初迁至田心该地。李姓，从广州钟落潭黎家堂迁至村。

2015 年末，户籍人口 246 人，其中男性 132 人，女性 114 人；80 岁以上 4 人，最年长者 90 岁（男）。实际在村居住和生活主要依靠农业收入的有 150 人，留守儿童 3 人。常年在城镇生活和打工的有 45 人。世居村民为汉族，广府民系，使用粤方言。

村气候温和，热量丰富，雨量充沛，一年四季可种作物。且山地多，土层深厚，宜林、宜牧、宜果、宜茶、宜药。有山地面积 101.8 公顷，耕地面积 6.33 公顷。传统经营种植水稻、番薯、花生、果

◎ 黄皮（摄于 2016 年）

树等，其中荔枝 57.93 公顷。村民主要收入来源于农业生产收入、外出务工收入。特色农产品有荔枝、黄皮、石硖龙眼。有黄立新沙糖桔家庭农场。特色传统节庆食品有粽子、焖鹅、白切鸡、沙河粉、糯米滋、糯米花生馅的叶仔糍等。

村于 1975 年通电，1995 年通电话，2004 年通网络，2007 年村道实现水泥硬底化，2014 年通自来水。

传统民居现存 15 座。新建楼房多为钢筋水泥混凝土结构，有些楼房是框架结构，占地面积 90 平方米左右，一至二层较为普遍，有的三至四层，布局为三房一厅一厨房，一至两个卫生间。有些家庭单独建楼房，还有院子。

◎ 横坑村新式楼房（摄于 2016 年）

村修有《黄氏族谱》，于 1994 年纂修。

主要民间活动有清明节拜山祭祖等。村特色民俗舞鲤鱼灯，形成于清初，鲤鱼灯被看做象征吉祥、富裕、年年有余（鱼），每逢春节除夕，横坑村鞭炮齐鸣，鼓乐喧天，鲤鱼灯队伍在村内穿街过巷，在各户门前来回舞动。年初二晚组成百余人的队伍，烧鞭炮，敲锣打鼓，浩浩荡荡舞着鲤鱼灯出村往外地团拜。村民运用鲤鱼灯舞成福、吉、喜等字样，向人们送上美好的祝愿。

◎ 鲤鱼灯（摄于 2009 年）

清明节祭祖，当地人叫拜山。有些家庭几户人家一起祭祖，有的家庭单独去拜山，在农村占 70% 以上的农户，都选择在清明节这一天去祭祖。还有少数家庭，较远的墓地，选择重阳节去祭拜。

传统婚嫁习俗是介绍相识、求婚、看家风、定婚、送日子、接亲、送亲、请客婚庆、回门程序。传统丧事以土葬为主。1990 年以后逐步实行火葬。其程序为举丧、入殓、出殡、送葬和做法事，将亡灵送入祠堂。办丧事只煮花菜、黄豆煮猪肉等简单的饭菜，用餐时不坐高台凳，拆下事主家的门板放于门前的巷道里当饭台，以表哀痛。

村有“官山没有山，田心没有田”的传说。凡是到过汤塘官山村和田心村的人都发现官山多水田，而田心却多山地。相传清朝初年，皇帝为保社稷安定，遂颁旨昭告天下，要求各地官员体恤民情，减少税役，让百姓休养生息，安居乐业。当时，负责向官山村和田心村传达圣旨的官员拿着两份圣旨，先到达官山村。由于语言不通和地方不熟悉，将写着田心村的圣旨错给了官山村，而写着官山村的那份圣旨却给了田心村。“官山没有山，田心没有田”，原来是粗心官员的张冠李戴造成的。

（资料填报：黄家棋，初稿撰写：黄腾，总纂：李协湖）

黄竹田村

◎ 黄竹田村村貌（摄于 2016 年）

黄竹田村，位于汤塘镇东南部，距镇政府 15 千米。始建于清中期，从附近田心围内村分村迁入而形成。因村生长有黄竹而取名黄竹田村。

该村坐落于丘陵地带，村东为虾影山，北为江西耕村，南为上倒桩村，西与梅仔坪村相邻。主要山岭有夹仔冚山，海拔高 450 米。

村形成时，属清远县潖江二乡。民国时期，属清远县第七区。中华人民共和国成立初期属清远县第七区汤塘乡，1953 年属佛冈县第四区四九乡，1957 年属佛冈县四九乡，1958 年属从化县潖江人民公社，1959 年属从化县四九人民公社，1961 年属佛冈县四九人民公社田心大队，1983 年属四九区田心乡，1987 年属四九镇田心行政村，1989 年属四九镇田心管理区，1998 年属四九镇田心行政村，2004 年属汤塘镇田心行政村至今。

世居村民为黄姓。明初从顺德杏坛石滩至水头，后迁至田心围内村，从旧围分村迁入村。

2015 年末，户籍人口 93 人，其中男性 54 人，女性 39 人。最年长者 74 岁（女）。实际在村居住和生活主要依靠农业收入 80 人，留守儿童 1 人。常年在城镇生活和打工 13 人。世居村民为汉族，广府民系，使用粤方言。

村自然资源主要有瓷砂矿，山地面积有 310.52 公顷，耕地面积有 1.93 公顷。传统经济以农业为主，粮食作物主要种植水稻、番薯，经济作物种植花生、芋头、果树和经济林，其中荔枝 45.93 公顷。村民主要收入来源于农业生产收入、外出务工收入。特色农产品有荔枝、黄皮、石硖龙眼。有黄周明沙糖桔家庭农场。特色传统

◎ 村中竹子（摄于 2016 年）

节庆食品有粽子、焖鹅、白切鸡、沙河粉、糯米滋、糯米花生馅的叶仔糍等。

1975 年通电，1995 年通电话，2004 年通网络，2007 年村道实现水泥硬底化，2014 年通自来水。省道 S354 线经过该村。

传统民居现存 15 座。改革开放后，村民逐步新建楼房多为钢筋水泥混凝土结构，有些楼房是框架结构，占地面积 90 平方米左右，一至二层较为普遍，有的三至四层，布局为三房一厅一厨房，一至两个卫生间。有些家庭单独建楼房，还有院子，并有停车位。

村修有《黄氏族谱》，于 1994 年纂修。

主要民间活动有清明节祭祖等。特色民俗舞鲤鱼灯，形成于清初，鲤鱼灯被看做象征吉祥、富裕、年年有余（鱼），每逢春节除夕，鲤鱼灯队伍在村内穿街过巷，鞭炮齐鸣，鼓乐喧天，在各户门前来回舞动。年初二晚，组成百余人的队伍，烧鞭炮，敲锣打鼓，浩浩荡荡舞着鲤鱼灯出村往外地团拜，此项活动深受群众欢迎。村民运用鲤鱼灯舞成福、吉、喜等字样，向人们送上美好的祝愿。

◎ 黄竹田村民居一角（摄于 2016 年）

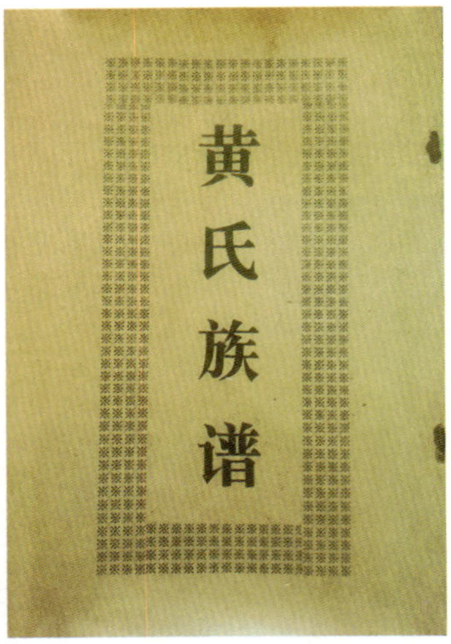

◎《黄氏族谱》（摄于 2016 年）

传统婚嫁习俗为介绍相识、求婚、看家风、定婚、送日子、接亲、送亲、请客婚庆、回门程序。传统丧事以土葬为主。1990 年以后逐步实行火葬。其程序为举丧、入殓、出殡、送葬和做法事，将亡灵送入祠堂。办丧事只煮花菜、黄豆煮猪肉等简单的饭菜，用餐时不坐高台凳，拆下事主家的门板放于门前的巷道里当饭台，以表哀痛。

2014 年 5 月 23 日，村遭受特大洪水袭击，部分民居被浸水深两米，一批水利设施被冲毁，房屋倒塌，经济损失达到 6 万元。

该村的黄礼好（1925—1945），曾任六十三军抗日大队总队长，在良口等地从事抗日活动。

（资料填报：黄家棋，初稿撰写：黄腾，总纂：李协湖）

荔枝树村

◎ 荔枝树村村貌（摄于 2016 年）

荔枝树村， 位于汤塘镇东南部，距镇政府 14 千米。始建于清初，从附近田心围内村迁入而形成。因村民种植荔枝树而取名荔枝树村。

该村坐落于丘陵地带，村东靠山枣影山，北与围内村相邻，南与沙田村相接，西与格海村相邻。主要山岭有山枣影山，海拔高度为 150 米。省道 S354 线经过村。

村形成时，属清远县滘江二乡。民国时期，属清远县第七区。中华人民共和国成立初期属清远县第七区汤塘乡，1953 年属佛冈县第四区四九乡，1957 年属佛冈县四九乡，1958 年属从化县滘江人民公社，1959 年属从化县四九人民公社，1961 年属佛冈县四九人民公社田心大队，1983 年属四九区田心乡，1987 年属四九镇田心行政村，1989 年属四九镇田心管理区，1998 年属四九镇田心行政村，2004 年属汤塘镇田心行政村至今。

世居村民为黄姓、罗姓。黄姓，明初从顺德杏坛镇石滩迁至水头，后迁至田心围内村，清初迁至该地。罗姓，明景泰年间从南雄珠玑巷迁至滘江地区，后迁至该地。

2015 年末，户籍人口 324 人，其中男性 202 人，女性 122 人；80 岁以上 5 人，最年长者 90 岁（男）。实际在村人口 312 人，留守儿童 3 人。生活主要依靠农业收入有 210 人。常年在城镇生活和打工有 92 人。世居村民为汉族，广府民系，使用粤方言。

村自然资源主要有瓷砂矿。传统经营以农业为主，粮食主要种植水稻、番薯，经济作物有花生、芋头、石硖龙眼、荔枝、黄皮等，其中荔枝 58.6 公顷。村民主要收入来源于农业生产收入、外出务工收入。特色农产品有荔枝、黄皮、石硖龙眼。特色传统（节庆）食品有粽子、焖鹅、白切鸡、沙河粉、糯米糍、

◎ 荔枝树村一角（摄于 2016 年）

◎ 田心小学（摄于 2016 年）

糯米花生馅的叶仔糍等。

村于 1975 年通电，1995 年通电话，2004 年通网络，2007 年村道实现水泥硬底化，2014 年通自来水。2015 年，村域有田心小学，年级 4 个，班级 4 个，在校学生 40 人，教职工 3 人。

传统民居现存 20 座。新建楼房多为钢筋水泥混凝土结构，有些楼房是框架结构，占地面积 90 平方米左右，一至二层较为普遍，有的三至四层，布局为三房一厅一厨房，一至两个卫生间。

村修有《黄氏族谱》，于 1994 年纂修。《罗氏族谱》，为罗锐江于 1950 年纂修。

传统节日为：春节、清明节、四月八、端午节、七夕、七月十四、中秋节、十月朝、冬至等。其中农历八月十五为中秋节，男女老少一起用月饼、柚子及石螺等食品赏月，热闹非常。在外地工作的村民都尽量回家与家人团聚，共度佳节。

传统婚嫁习俗，中华人民共和国成立前，子女要听从父母之命，媒妁之言，穷苦人家养童养媳的封建习俗。中华人民共和国成立后，实行自由恋爱，自主结婚的新风尚，但是探家、定亲、择送吉日、摆酒结婚、迎亲送亲、回门礼俗仍存在。传统丧事以土葬为主。1990 年以后逐步实行火葬。其程序为举丧、入殓、出殡、送葬和做法事，将亡灵送入祠堂。办丧事只煮花菜、黄豆煮猪肉等简单的饭菜，用餐时不坐高台凳，拆下事主家的门板放于门前的巷道里当饭台，以表哀痛。

◎《罗氏族谱》（摄于 2016 年）

1963 年春，村遭受相当 60 年一遇的旱灾，从 1962 年 12 月至 1963 年 6 月，180 天内无雨下，受旱面积 1.2 公顷（含水稻、杂粮），成灾面积 0.2 公顷。此次抗旱，出动精壮劳力 63 人，日夜抗旱保苗。

2015 年，该村被广东省爱国卫生运动委员会评为广东省卫生村。

该村的黄礼昂（1902—1946），革命烈士，滘江人民抗日义勇大队战士、中共党员，1940 年参军，1945 年被国民党军逮捕，在四九圩就义。黄礼雍（1922—1945），1943 年，汤塘四九成立自卫队，任抗日自卫队中队长，开展抗日活动。

（资料填报：黄家棋，初稿撰写：黄腾，总纂：李协湖）

芒寨村

◎ 芒寨村村貌（摄于 2016 年）

芒寨村，位于汤塘镇东南部，距镇政府 15 千米。始建于清初，从田心围内村分村迁入而形成。因村址原为土匪的窝（山寨）而取名芒寨。

该村坐落于丘陵地带，村东为长背岭，北与长盖相邻，南靠水口，西与长山村相邻。省道 S354 线经过村。

村形成时，属清远县滘江二乡。民国时期，属清远县第七区。中华人民共和国成立初期属清远县第七区汤塘乡，1953 年属佛冈县第四区四九乡，1957 年属佛冈县四九乡，1958 年属从化县滘江人民公社，1959 年属从化县四九人民公社，1961 年属佛冈县四九人民公社田心大队，1983 年属四九区田心乡，1987 年属四九镇田心行政村，1989 年属四九镇田心管理区，1998 年属四九镇田心行政村，2004 年属汤塘镇田心行政村至今。

世居村民为黄姓。明初从顺德杏坛镇石滩迁至田心围内村，清初迁至该地。

2015 年末，户籍人口 124 人，其中男性 71 人，女性 53 人；80 岁以上 3 人，最年长者 89 岁（女）。实际在村居住和生活主要依靠农业收入 100 人，留守儿童 5 人。常年在城镇生活和打工 24 人。世居村民为汉族，广府民系，使用粤方言。

村自然资源主要有瓷砂矿，有山地面积 61.67 公顷，耕地面积 3.07 公顷。传统经营种植水稻、番薯、花生、芋头、荔枝、石硖龙眼、青梅、黄皮等，其中荔枝 60.33 公顷，享有水果之乡的美誉。村民主要收入来源于农业生产收入、外出务工收入。特色农产品有荔枝、青梅。特色传统节庆食品有粽子、焖鹅、白切鸡、河粉、糯米滋、糯米花生馅的叶仔糍等。

◎ 丰收的青梅（摄于 2015 年）

村于1975年通电，1995年通电话，2004年通网络，2007年村道实现水泥硬底化，2014年通自来水。

传统民居现存18座。新建楼房多为钢筋水泥混凝土结构，有些楼房是框架结构，占地面积90平方米左右，一至二层较为普遍，有的三至四层，布局为三房一厅一厨房，一至两个卫生间。

村修有《黄氏族谱》，于1994年纂修。

◎ 芒寨村传统民居（摄于2016年）

◎ 芒寨村一角（摄于2016年）

传统的节日为春节、二月二、清明节、四月八、端午节、六月六、七月十四、中秋节、重阳节、十月朝、冬至。其中春节、清明节、端午节、中秋节为大节，其他为小节。大节比较隆重，做糍、杀鸡杀鸭，烧香拜门神、灶神，祈求平安多福；春节还拜祠堂、舞狮头等；小节则做些米糍即可。

传统婚嫁习俗：男方备齐礼物到女方定婚，称为担小担；男方备齐礼物到女方家接新娘，称为担大担。行结婚礼时，要摆酒请客、迎亲和送亲。结婚当天，新郎带着亲朋好友坐上婚车到新娘家节新娘。新娘的姐妹朋友关门阻止新郎进入新娘家。新郎需要用红包开路，并请亲朋好友帮助接新娘。在新娘家，新郎新娘一起向新娘家长辈敬茶，长辈给新郎新娘新婚红包。接着新娘弟弟撑红伞送新娘出门，由新娘的亲朋好友伴新娘到男家。在男家摆的喜席上，新郎新娘共同向亲朋好友和来宾敬茶。长辈接过新婚茶后，有的即兴说贺词。此外，客家人办婚事仍保留有铺床、闹洞房的风俗。

传统丧事习俗：传统以土葬为主，其程序为举丧、入殓、出殡、送葬，将亡灵送入祠堂。办丧事只煮花菜、黄豆煮猪肉等简单的饭菜。葬礼开始时，家里有人与逝者生辰八字有相冲的均不能出现在葬礼上，必须回避。开始下葬时，送葬的家人必须提前离开，并且离开时不能回头看，要等下葬完毕后再回来祭拜。1990年以后，虽然逐步实行火葬，但必要的程序仍然保留。

1963年春，遭受相当60年一遇的旱灾，从1962年12月至1963年6月，180天内无下透雨，村受旱面积0.87公顷（含水稻、杂粮），此次抗旱，出动劳力33人，日夜奋战抗旱保苗。

该村的黄海坚（1977—），1996年入伍，服役期间荣获三等功1次，1999年12月退伍。

（资料填报：黄家棋，初稿撰写：黄腾，总纂：李协湖）

沙田村

◎ 沙田村村貌（摄于2016年）

沙田村，位于汤塘镇东南部，距镇政府15千米。始建于清初，村的东、北、南三面是沙田河，西面为鸭乸冚。因村中的耕地土质含沙质多，比较疏松而取名沙田，村落始建于清初。省道S354线经过村。

村形成时，属清远县滘江二乡。民国时期，属清远县第七区。中华人民共和国成立初期属清远县第七区汤塘乡，1953年属佛冈县第四区四九乡，1957年属佛冈县四九乡，1958年属从化县滘江人民公社，1959年属从化县四九人民公社，1961年属佛冈县四九人民公社田心大队，1983年属四九区田心乡，1987年属四九镇田心行政村，1989年属四九镇田心管理区，1998年属四九镇田心行政村，2004年属汤塘镇田心行政村至今。

世居村民有黄姓、张姓、李姓。黄姓，明初从顺德杏坛镇石滩迁至水头，后迁田心围内村，清初迁至该地。张姓，清朝时从增城新高埔村迁至该地。李姓，由从化迁至该地。

2015年末，户籍人口263人，其中男性140人，女性123人；80岁以上7人，最年长者年龄92岁（男）。实际在村居住和生活主要依靠农业收入的有218人，留守儿童5人。常年在城镇生活和打工的45人。世居村民为汉族，广府民系，使用粤方言。

自然资源主要有瓷砂矿。山地面积有56.6公顷，

◎ 风柜（摄于2016年）

◎ 沙田村一角（摄于 2016 年）

耕地面积有 3.87 公顷。传统经营种植水稻、番薯、花生、果树，其中荔枝 53.93 公顷。村民主要收入来源于农业生产收入、外出务工收入。特色农产品有荔枝、黄皮、石硖龙眼。有张海丰沙糖桔家庭农场和坑仔口黄才山沙糖桔家庭农场。特色传统（节庆）食品有粽子、焖鹅、白切鸡、河粉、糯米滋、糯米花生馅的叶仔糍等。

村于 1975 年通电，1995 年通电话，2004 年通网络，2007 年村道实现水泥硬底化，2014 年通自来水。

传统民居现存 25 座。新建楼房多为钢筋水泥混凝土结构，有些楼房是框架结构，每座占地面积 90 平方米左右，一至二层较为普遍，有的三至四层，布局为三房一厅一厨房，一至两个卫生间。有些家庭单独建楼房，还有院子。

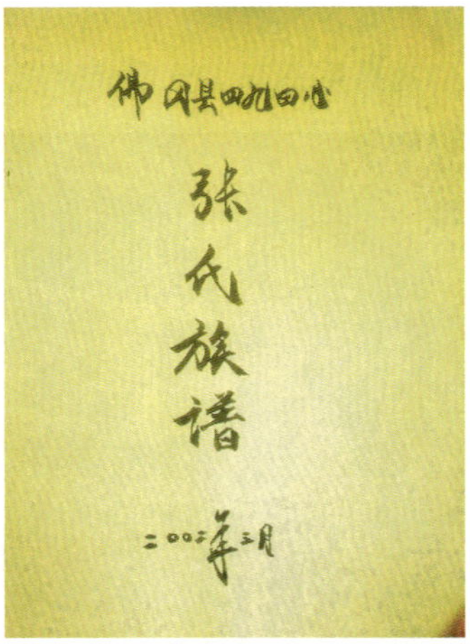

◎《张氏族谱》（摄于 2016 年）

村修有《黄氏族谱》，于 1994 年纂修。《张氏族谱》，于 2002 年纂修。

主要民间活动有清明节拜山祭祖、上灯。特色民俗舞鲤鱼灯，形成于清初。鲤鱼灯被看作象征吉祥、富裕、年年有余（鱼），每逢春节除夕，沙田村鞭炮齐鸣，鼓乐喧天，鲤鱼灯队伍在村内穿街过巷，在各户门前来回舞动。年初二晚，组成百余人队伍，烧鞭炮，敲锣打鼓，浩浩荡荡舞着鲤鱼灯出村往外地团拜，深受群众欢迎。村民运用鲤鱼灯舞成福、吉、喜等字样，向人们送上美好的祝愿。

传统节庆习俗为：春节、清明节、四月八、端午节、七夕、七月十四、中秋节、十月朝、冬至等。村民以不同的方式进行烧香拜神。

传统婚嫁习俗是介绍相识、求婚、看家风、定婚、定日子、接亲、送亲、请客婚庆、回门程序。传统丧事以土葬为主。1990 年以后逐步实行火葬。其程序为举丧、入殓、出殡、送葬和做法事，将亡灵送入祠堂。办丧事只煮花菜、黄豆煮猪肉等简单的饭菜，用餐时不坐高台凳，拆下事主家的门板放于门前的巷道里当饭台，以表哀痛。

1980 年 4 月，连降暴雨，造成村 0.67 公顷水稻被浸，多间房屋倒塌，停电 27 小时。2014 年 5 月 23 日，村遭受特大洪水袭击，部分民居被浸水深两米，房屋和农作物受损。

（资料填报：黄家棋，初稿撰写：黄腾，总纂：李协湖）

围内村

◎ 围内村村貌（摄于 2016 年）

围内村，位于汤塘镇东南部，距镇政府 13 千米。始建于清初，从水头迁入而形成。因是老围，最先迁徙到田心而取名围内。主要山岭有丫髻山，海拔高度为 400 米。主要河流有门口坑河，在村北部。有门口塘 3 个。村东面紧靠丫髻山，北与带新村相邻，南与荔枝树村相接，西至田心村委。省道 S354 线经过村。

村形成时，属清远县滘江二乡。民国时期，属清远县第七区。中华人民共和国成立初期属清远县第七区汤塘乡，1953 年属佛冈县第四区四九乡，1957 年属佛冈县四九乡，1958 年属从化县滘江人民公社，1959 年属从化县四九人民公社，1961 年属佛冈县四九人民公社田心大队，1983 年属四九区田心乡，1987 年属四九镇田心行政村，1989 年属四九镇田心管理区，1998 年属四九镇田心行政村，2004 年属汤塘镇田心行政村至今。

世居村民有黄姓、罗姓、李姓。黄姓，明初从顺德杏坛镇石滩迁至水头，清初迁至该地。罗姓，明景泰年间迁至南雄珠玑巷，后迁至该地。李姓，由从化迁至该地。

2015 年末，户籍人口 373 人，其中男性 210 人，女性 163 人；80 岁以上 7 人，最年长者年龄 90 岁（男）。实际在村居住和生活主要依靠农业收入的 310 人，留守儿童 5 人。常年在城镇生活和打工的 63 人。世居村民为汉族，广府民系，使用粤方言。

村有山地面积 133.33 公顷，有耕地面积 10.93 公顷。山上有松、杉、桉树、樟树等。传统经营种植水稻、番薯、花生、芋头，其中荔枝 53.93 公顷。养殖有鸡、鸭、鹅和猪、牛等。随着农业布局的调整，1998 年发展种植沙糖桔，但 2013 年后由于黄

◎ 乡村公园（摄于 2016 年）

◎ 围内村门楼和池塘（摄于 2016 年）

◎ 围内村传统民居巷道（摄于 2016 年）

龙病影响，沙糖桔产业衰退，村民改种其他经济作物。许多青壮劳力外出务工。村民主要收入来源于农业生产收入、外出务工收入。特色农产品有荔枝、黄皮、石硖龙眼、沙糖桔、青梅。有黄小敏沙糖桔家庭农场。特色传统（节庆）食品有粽子、焖鹅、白切鸡、沙河粉、糯米滋、糯米花生馅的叶仔糍等。特色工艺品有鲤鱼灯、彩门。

村于 1975 年通电，1995 年通电话，2004 年通网络，2007 年村道实现水泥硬底化，2014 年通自来水。村建有乡村公园和篮球场。

传统民居建于清代，建筑占地面积 10992 平方米。古围坐北向南，阔 106.2 米，深 103.5 米，规模较大，整体保存基本完好。村前面有 3 口池塘，这 3 口池塘成弧形，像一条大鲤鱼，第一口池塘为鱼头，第二口池塘为鱼身，第三口池塘为鱼尾，取鱼跃龙门之意，舞鲤鱼灯的习俗由此而来。进村第一个门有 21 个疏齿状的石桩围着，通过第一个门向左即为正门楼，是进村唯一通道。此门楼石门框，青砖瓦木结构，硬山顶，有精美壁画。村内有 7 条纵向巷道，巷铺设正方形小块大理石，中间为排水沟，巷道两边为人行道。村前边、右边为围水屋，在村内共有 6 列 45 座连排民居（含左边 4 座），可居住 100 多户，400 多人。这些民居整齐划一，砖木结构盖瓦，大理石门框，大部分青砖到顶，龙船脊，小部分为春墙屋。公馆屋外墙 2 米以下用大理石砌成。围内设有 4 口古井，其中露天、屋内各两口。原在村中有一座炮楼建筑，整个村庄像一张鱼网，炮楼是网顶。

◎ 围内村新居（摄于 2016 年）

新建楼房多为钢筋水泥混凝土结构，有些楼房是框架结构，占地面积 90 平方米左右，一至二层较为普遍，有的三至四层，布局为三房一厅一厨房，一至两个卫生间。有些家庭单独建楼房。

村修有《黄氏族谱》，于1994年纂修。《罗氏族谱》，为罗锐江于 1950 年纂修。

传统节俗为春节、二月二、清明、四月八、端午节、六月六、七月十四、中秋节、重阳节、十月朝、冬至。其中春节、清明、端午节、中秋节为大节，其他为小节。大节比较隆重，做糍、杀鸡杀鸭，烧香拜门神、灶神，祈求平安多福；春节还拜祠堂、舞狮头等；小节则做些米糍即可。二月二：龙抬头（农历二月初二）又被称为“春耕节”“农事节”“春龙节”，是民间传统节日。庆祝“龙头节”，以示敬龙祈雨，让老天保佑丰收。

婚嫁习俗：男方备齐礼物到女方安下送定婚，称为担小担；男方备齐礼物到女方家接新娘，称为担大担。行结婚礼时，要摆酒请客、迎亲和送亲。结婚当天，新郎带着亲朋好友坐上婚车到新娘家接新娘。新娘的姐妹朋友关门阻止新郎进入新娘家。新郎需要用红包开路，并请亲朋好友帮助接新娘。在新娘家，新郎新娘一起向新娘家长辈敬茶，长辈给新郎新娘新婚红包。接着新娘弟弟撑红伞送新娘出门，由新娘的亲朋好友伴送新娘到男家。在男家摆的喜席上，新郎新娘共同向亲朋好友和来宾敬茶。长辈接过新婚茶后，有的即兴说贺词。传统丧事以土葬为主，其程序为举丧、入殓、出殡、送葬，将亡灵送入祠堂。办丧事只煮花菜、黄豆煮猪肉等简单的饭菜。1990 年以后，虽然逐步实行火葬，但必要的程序仍然保留。

1946 年 2 月，清远县保安警察和国民党军 1 个团“扫荡”田心等村，中共党员黄礼昂、黄永妙被捕，地方党组织受到严重创伤。

该村的黄开山（1893—1966），爱国民主人士，原名毅，曾任清远县副县长、广东省参事室参事、中国人民政治协商会议广东省第三届委员会委员，2010 年黄开山故居列为佛冈革命史迹。黄斐然（1925—1945），革命烈士、中共党员，于 1939 年冬参加抗先队，1940 年入党，曾任中共官田支部书记。

（资料填报：黄家棋，初稿撰写：黄腾，总纂：李协湖）

长山村

◎ 长山村村貌（摄于 2016 年）

长山村，位于汤塘镇东南部，距镇政府 15 千米。村落始建于清初，从田心围内村分村迁入而形成。因村后有条长斜坡而取名长山。

该村坐落于丘陵地带，村东与水口坑相邻，北与寻冚口相邻，南与从化良口镇相接，西至石瓮水库。省道 S354 线经过村。

村形成时，属清远县滘江二乡。民国时期，属清远县第七区。中华人民共和国成立初期属清远县第七区汤塘乡，1953 年属佛冈县第四区四九乡，1957 年属佛冈县四九乡，1958 年属从化县滘江人民公社，1959 年属从化县四九人民公社，1961 年属佛冈县四九人民公社田心大队，1983 年属四九区田心乡，1987 年属四九镇田心行政村，1989 年属四九镇田心管理区，1998 年属四九镇田心行政村，2004 年属汤塘镇田心行政村至今。

世居村民有黄姓、何姓两姓。黄姓，明初从顺德杏坛镇石滩迁至水头，后迁田心围内村，清初迁至该地。何姓，从田心围内村迁至该地。

2015 年末，户籍人口 81 人，其中男性 45 人，女性 36 人；80 岁以上 2 人，最年长者 95 岁（女）。实际在村居住和生活主要依靠农业收入有 68 人，留守儿童 2 人。常年在城镇生活和打工有 13 人。世居村民为汉族，广府民系，使用粤方言。

村自然资源主要有瓷砂。有山地面积 50.47 公顷，耕地面积 2.33 公顷。传统经营种植水稻、番薯、花生、芋头、青梅、荔枝等，其中荔枝 45.93 公顷。村民主要收入来源于农业收入、外出务工收入。特色农产品有青梅，青梅素以色泽翠绿，果大核小，肉厚质脆，风味酸且清口而闻名，又称“大肉梅”。清明过后，青梅便开始成熟，多数水果以甜

◎ 长山村的青梅林（摄于 2014 年）

取胜，唯独青梅以酸逗人。青梅含有单宁酸、酒石酸、枸橼酸等多种酸，还含有多种维生素。除作鲜果外，青梅还可以用来加工成梅坯、乌干梅、果汁、果酒和蜜饯。青梅除少量鲜销外，大部分加工成梅坯与清口梅、话梅、陈皮梅等，销售国内外，深受消费者欢迎。有寻讧沙糖桔家庭农场。特色传统节庆食品有粽子、焖鹅、白切鸡、沙河粉、糯米滋、糯米花生馅的叶仔糍等。

村于1975年通电，1995年通电话，2004年通网络，2007年村道实现水泥硬底化，2014年通自来水。

传统民居现存13座。新建楼房多为钢筋水泥混凝土结构，有些楼房是框架结构，占地面积90平方米左右，一至二层较为普遍，有的三至四层，布局为三房一厅一厨房，一至两个卫生间。有些家庭单独建楼房，还有院子，种有花草，环境优美。

村修有《黄氏族谱》，于1994年纂修。

主要民间活动有清明节拜山祭祖，春节烧香拜神等。特色民俗舞鲤鱼灯，形成于清初，鲤鱼灯被看做象征吉祥、富裕、年年有余（鱼），每逢春节除夕，长山村鞭炮齐鸣，鼓乐喧天，鲤鱼灯队伍在村内穿街过巷，在各户门前来回舞动。年初二晚，组成百余人的队伍，烧鞭炮，浩浩荡荡舞着鲤鱼灯出村往外地团拜，深受群众欢迎。

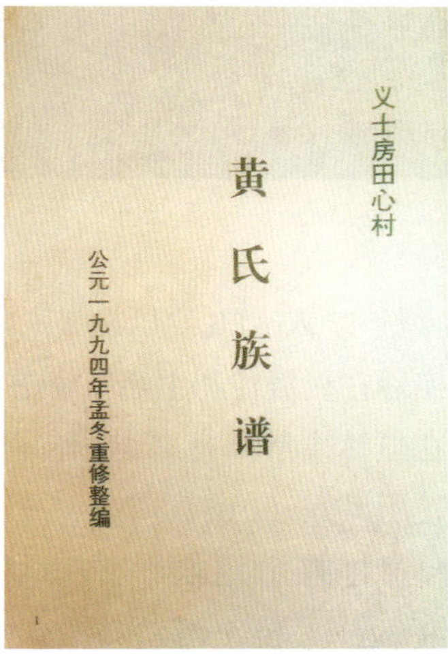

◎《黄氏族谱》（摄于2016年）

◎ 舞鲤鱼灯（摄于2012年）

传统婚嫁习俗是介绍相识、求婚、看家风、定婚、送日子、接亲、送亲、请客婚庆、回门程序。传统丧事以土葬为主。1990年以后逐步实行火葬。其程序为举丧、入殓、出殡、送葬和做法事，将亡灵送入祠堂。办丧事只煮花菜、黄豆煮猪肉等简单的饭菜，用餐时不坐高台凳，拆下事主家的门板放于门前的巷道里当饭台，以表哀痛。

2014年5月23日，村遭受特大洪水袭击，部分民居被浸，房屋和农田水利设施受损。

（资料填报：黄家棋，初稿撰写：黄腾，总纂：李协湖）

○竹山行政村

白芬村

◎ 白芬村村貌（摄于 2016 年）

白芬村，位于汤塘镇西北部，距镇政府 4 千米。始建于清中期，刘氏后裔从汤塘围镇迁居而成。因果冚大片五个居住点，而村建在山边而取名白芬村。村坐落于马老鼻山脚，村东是禾田，南是村道，西是河道，北是山岭，主要山岭是马老鼻山，山高约 700 米，门口河从村东北边流过。

村形成时，属清远县湖江乡。民国时期，属清远县第七区。中华人民共和国成立初期，属清远县第七区，1953 年属佛冈县第四区汤塘乡，1958 年属从化县湖江人民公社竹山大队，1959 年属从化县汤塘人民公社竹山大队，1961 年属佛冈县汤塘人民公社竹山大队，1983 年属汤塘区竹山乡，1987 年属汤塘镇竹山行政村，1989 年属汤塘镇竹山管理区，1998 年属汤塘镇竹山行政村至今。

世居村民为刘姓，宋末从福建迁至广东潮州，明初由从化迁至龙蟠，再迁至汤塘，清中期从围镇迁至竹山白芬村。

2015 年末，户籍人口 92 人，其中男性 50 人，女性 42 人；80 岁以上 1 人，最年长者 81 岁（男）。实际在村居住和生活主要依靠农业收入 80 人，常年在城镇生活和打工 12 人。村民为汉族，广府民系，使用粤方言。

村有山地面积 29.93 公顷，山上有松、杉、灌木林。传统经济以农业为主，主要种植水稻、粉葛、薯类。现时以种植粉葛、养殖鸡鸭鹅为主，其中，竹山粉葛是远近闻名的土特产，很多外地的游客到汤塘，都指定要购买竹山粉葛作为手信。村每年种植粉葛 1.53 公顷。竹山粉葛肉质厚实、鲜白无渣、清甜纯正、且纤维细小。粉葛含有丰富的淀粉、多种维生素和氨基酸，营养价值很高。可以作汤料或烹饪成各式美味可口的菜肴。而由竹山粉葛制成的葛粉是一种绿色健康食品，食用价值高。“竹山粉葛”享誉省内外，每年均参加县、市、省农产品展销会及全国农博会，产品畅销。除此之外，传统食品还有糯米糍、米饼、糖环、油角、湖江醋等。村民现种有木薯、水稻、花生等。

◎ 丰收的粉葛（摄于 2014 年）

◎ 白芬村门楼（摄于 2016 年）

◎ 白芬村 70 年代建的猪栏（摄于 2016 年）

每年有村民外出务工，以从事建筑、餐饮、化工等行业为主。村民主要收入来源为农业收入、外出务工收入。

村于 1969 年通电，1978 年通电话，2006 年村道实现水泥硬底化，2008 年通网络和自来水。

传统民居现存 12 间，均为单间平房，每间建筑占地面积约 20 平方米，大部分建在村的围墙内，砖木结构，硬山顶，青砖墙体或三合土墙体。新建楼房多为钢筋水泥混凝土结构，有些楼房是框架结构，占地面积 90 平方米左右，多为一至二层，有的三层至四层，布局为三房一厅一厨，一至两个卫生间。有些家庭单独建楼房，还有院子。

主要民间活动：当地村民一年中有 4 次参与民间祭神活动，分别为春节、清明节、中秋节、冬至节。农历每月初一、十五还会烧香拜佛，祈求风调雨顺，身体健康。村婚丧习俗。在婚嫁方面，男女双方开始交往后女家要到男家探家风，结婚前要担定婚茶，报日子，送聘金，定嫁妆。行结婚礼时，要摆酒请客，迎亲和送亲。传统丧事习俗以土葬为主，1990 年后逐步实行火化，其程序为举丧、入殓、出殡、送葬、做法事，将亡灵送入祖堂，办丧事只煮花菜、豆腐煮猪肉等简单的饭菜。办理丧事时，用餐不在屋内，只在事主家门前的巷道吃饭。

村所在的竹山村委于 2005 年成立竹山粉葛协会，村民都加入到协会里，按照统一种植标准，保证产量、质量，也拓宽销售渠道。

（资料填报：冯瑞锋，初稿撰写：朱凯诗，总纂：李协湖）

高坊村

◎ 高坊村村貌（摄于 2016 年）

高坊村，位于汤塘镇西北部，距镇政府 4.5 千米。村始建于清同治四年（1865 年），肖氏后裔由从化民乐迁居而成。因村落所处地势较高，远望似一个大坊而取名高坊村。

村坐落于涎冚山脚，东是水田，南与后龙山接壤，西与格坑村接壤，北与氹汉冚村毗邻。主要山岭是涎冚山，高 300 米，竹山河从村东面流过。

村形成时，属清远县滘江乡。民国时期，属清远县第七区。中华人民共和国成立初期，属清远县第七区，1953 年属佛冈县第四区汤塘乡，1958 年属从化县滘江人民公社竹山大队，1959 年属从化县汤塘人民公社竹山大队，1961 年属佛冈县汤塘人民公社竹山大队，1983 年属汤塘区竹山乡，1987 年属汤塘镇竹山行政村，1989 年属汤塘镇竹山管理区，1998 年属汤塘镇竹山行政村至今。

世居村民为肖姓、邓姓。肖氏，唐元和十一年（816 年）从湖南迁至广东神岗，清同治四年（1865 年）由从化民乐迁至该地；邓氏是明初从中原迁至广东南雄、英德、从化，清中期由从化流溪韶洞迁至滘江地区，后迁至该地。

2015 年末，户籍人口 200 人，其中男性 108 人，女性 92 人；80 岁以上 5 人，最年长者 96 岁（女）。实际在村居住和生活主要依靠农业收入的有 140 人，留守儿童有 3 人。常年在城镇生活和打工的有 60 人。村民为汉族，广府民系，使用粤方言。

村有山地面积 80.13 公顷，山上有松、杉、灌木林。耕地面积 5.87 公顷，传统经济以农业为主，主要种植水稻、粉葛、薯类。养殖鸡、鸭、鹅和猪、牛等，以山塘蓄水养殖四大家鱼。其中，粉葛是远近闻名的土特产。村每年种植粉葛 3.33 多公顷。竹山粉葛肉质厚实、鲜白无渣、清甜纯正、且纤维细小。可以作汤料或烹饪成各式美味可口的菜肴。而由竹山粉葛制成的葛粉清热降火、生津止渴，是一种绿色健康食品，食用价值高。“竹山粉葛”享誉省内外，深受客商欢迎。传统食品有糯米糍、米饼、糖环、油角、滘江醋等。村民现种有木薯、水稻、花生等。每年有村民外出务工，以从事建筑、餐饮、化工等行业为主。村民主要收入来源为农业收入，外出务工收入。

村于 1969 年通电，1978 年通电话，2006 年村道实现水泥硬底化，2008 年通网络和自来水。村内

◎ 高坊村农家书屋（摄于 2016 年）

◎ 高坊村乡村公园（摄于 2016 年）

建有农家书屋 1 间，有 350 册藏书；有乡村公园 1 个，文化室 1 间，建有篮球场、健身器材等体育设施。

传统民居现存 18 间，分布较为分散，均为单间平房，每间建筑占地面积约 20 平方米，大部分建在村的围墙边内，砖木结构，硬山顶，青砖墙体或三合土墙体。改革开放后，村民逐渐建设新楼房，改善住宿环境。新建楼房多为钢筋水泥混凝土结构，有些楼房是框架结构，每座占地面积 90 平方米左右，一至二层较普遍，有的三层至四层，布局为三房一

◎ 高坊村民居（摄于 2016 年）

厅一厨，一至两个卫生间。

主要民间活动：当地村民一年中有 4 次参与民间祭神活动，分别为春节、清明节、中秋节、冬至节。农历每月初一、十五还会烧香拜佛，祈求风调雨顺，身体健康。传统婚丧习俗。在婚嫁方面，男女双方开始交往后女家要到男家探家风，结婚前要担定婚茶，报日子，送聘金，定嫁妆。行结婚礼时，要摆酒请客，迎亲和送亲。传统丧事习俗以土葬为主，20 世纪 90 年代后逐步实行火化，其程序为举丧、入殓、出殡、送葬、做法事，将亡灵送入祖堂，办丧事只煮花菜、豆腐煮猪肉等简单的饭菜。办理丧事时，用餐不在屋内，只在事主家门前的巷道吃饭，以表哀痛。

1963 年春，遭受相当 60 年一遇的旱灾，从 1962 年 12 月至 1963 年 6 月，180 天内无雨，农作物受到严重影响，有的因无水未种水稻。

（资料填报：冯瑞锋，初稿撰写：朱凯诗，总纂：李协湖）

格坑村

◎ 格坑村村貌（摄于 2016 年）

格坑村，位于汤塘镇西北部，距镇政府 4 千米。村始建于清乾隆三十年（1765 年），因当时围村门口有条小河（当地村民习惯将小河称为坑），而取名隔坑村，后改为格坑村。

村坐落于方仔冚山脚，东是园岭仔，南是老虎山，西与风门坳接壤，北与高坊村毗邻。主要山岭是方仔冚山，山高约 150 米，竹山河从村东部流过。

村形成时，属清远县滘江乡。民国时期，属清远县第七区。中华人民共和国成立初期，属清远县第七区，1953 年属佛冈县第四区汤塘乡，1958 年属从化县滘江人民公社竹山大队，1959 年属从化县汤塘人民公社竹山大队，1961 年属佛冈县汤塘人民公社竹山大队，1983 年属汤塘区竹山乡，1987 年属汤塘镇竹山行政村，1989 年属汤塘镇竹山管理区，1998 年属汤塘镇竹山行政村至今。

世居村民为冯姓，宋代从中原迁至广东新会，明天顺年间由从化沙贝迁至滘江地区，清乾隆三十年（1765 年）从汤塘围上闸迁至该地。

2015 年末，户籍人口 106 人，其中男性 56 人，女性 50 人；80 岁以上 1 人，最年长者 81 岁（男）。实际在村居住和生活主要依靠农业收入 72 人，村留守儿童 5 人。常年在城镇生活和打工 34 人。村民为汉族，广府民系，使用粤方言。

村有山地面积 11.33 公顷，山上有松、杉、灌木林。耕地面积 4.47 公顷，传统经济以农业为主，种植水稻、番薯、薯类。经济作物主要种植粉葛、果树等。禽畜养殖鸡、鸭、鹅和猪、牛等。粉葛是远近闻名的土特产，村每年种植粉葛 27 公顷。 竹

◎ 竹山粉葛苗圃（摄于 2016 年）

◎ 格坑村传统民居（摄于 2016 年）

◎ 格坑村一角（摄于 2016 年）

山粉葛肉质厚实、鲜白无渣、清甜纯正、且纤维细小。深受客商欢迎。传统食品有糯米糍、米饼、糖环、油角、湛江醋等。村民现种有木薯、水稻、花生等。每年有村民外出务工，以从事建筑、餐饮、化工等行业为主。村民主要收入来源为农业收入、外出务工收入。

村于 1969 年通电，1978 年通电话，2006 年村道实现水泥硬底化，2008 年通网络和自来水。

传统民居现存 15 间，均为单间平房，每间建筑占地面积约 20 平方米，大部分建在村的围墙边内，砖木结构，硬山顶，青砖墙体或三合土墙体。新建楼房多为钢筋水泥混凝土结构，有些楼房是框架结构，占地面积 90 平方米左右，一至两层较普遍。

当地村民一年中有 4 次参与民间祭神活动，分别为春节、清明节、中秋节、冬至节。农历每月初一、十五还会烧香拜佛，祈求风调雨顺，身体健康。

在婚嫁方面，男女双方开始交往后女家要到男家看家风，结婚前要担定婚茶，报日子，送聘金，定嫁妆。行结婚礼时，要摆酒请客，迎亲和送亲。发生丧事时，传统习俗以土葬为主，20 世纪 90 年代后逐步实行火化，其程序为举丧、入殓、出殡、送葬、做法事，将亡灵送入祖堂，办丧事只煮花菜、豆腐煮猪肉等简单的饭菜。办理丧事时，用餐不在屋内，只在事主家门前的巷道吃饭。

1954 年村组织干部群众，参与高滩河堤的整治，经过 6 个月的艰辛劳动，整好 4.86 千米长的护堤。该堤围内集雨面积 13.45 平方千米，保护耕地 110 公顷，人口 2400 人。

（资料填报：冯瑞锋，初稿撰写：朱凯诗，总纂：李协湖）

旱冚村

◎ 旱冚村村貌（摄于 2016 年）

旱冚村，位于汤塘镇西北部，距镇政府 4.5 千米。村始建于清朝乾隆三十年（1765 年），冯氏后裔从汤塘下闸迁居而成。因处于地势较高，水源较缺乏的山脚而取名旱冚村。

村坐落于蛇仔冚山脚，村东是竹山小学，南是村道，西与⿰氵汉冚村相邻，北与蛇仔冚山接壤。主要山岭是蛇仔冚山，山高约 200 米，竹山河从村南部流过。

村形成时，属清远县潖江乡。民国时期，属清远县第七区。中华人民共和国成立初期，属清远县第七区，1953 年属佛冈县第四区汤塘乡，1958 年属从化县潖江人民公社竹山大队，1959 年属从化县汤塘人民公社竹山大队，1961 年属佛冈县汤塘人民公社竹山大队，1983 年属汤塘区竹山乡，1987 年属汤塘镇竹山行政村，1989 年属汤塘镇竹山管理区，1998 年属汤塘镇竹山行政村至今。

世居村民为肖姓、冯姓。肖氏是唐元和十一年（816 年）从湖南迁至广东神岗，清同治四年（1865 年）由从化民乐迁至该地。冯氏是宋代从中原迁至广东新会，明天顺年间由从化沙贝迁至潖江，清乾隆三十年（1765 年）从汤塘围上闸村迁至村。

2015 年末，户籍人口 198 人，其中男性 103 人，女性 95 人；80 岁以上 2 人，最年长者 87 岁（女）。实际在村居住和生活主要依靠农业收入的 156 人，留守儿童 4 人。常年在城镇生活和打工的 42 人。村民为汉族，广府民系，使用粤方言。

村有山地面积 17.27 公顷，耕地面积 5.6 公顷。山上有松、杉、灌木林。传统经济以种植水稻为主，兼种粉葛、薯类、果树等。现时以种植粉葛、蔬菜等。养殖主要有鸡、鸭、鹅。土特产为竹山粉葛。村每年种植粉葛 2.4 公顷，也是村民主要经济收入之一。粉葛是一种绿色健康食品，食用价值高，而由竹山粉葛制成的葛粉具有清热降火、滋阴补阳、生津止渴、开胃进食之功效，深受客商欢迎。传统食品有糯米糍、米饼、糖环、油角、潖江醋等。每年有村民外出务工，以从事建筑、餐饮、化工等行业为主。村民主要收入来源为农业收入、外出务工收入。

村于 1969 年通电，1978 年通电话，2006 年村道实现水泥硬底化，2008 年通网络和自来水。

传统民居现存 15 间，分布较为分散，均为单间

◎ 旱冚村村民在销售粉葛（摄于 2015 年）

◎ 旱冚村门楼（摄于 2016 年）

平房，每间建筑占地面积约 20 平方米，大部分建在村的围墙边内，砖木结构，硬山顶，青砖墙体或三合土墙体。新建楼房多为钢筋水泥混凝土结构，有些楼房是框架结构，占地面积 90 平方米左右，一至二层较普遍，有的三层至四层，布局为三房一厅一厨，一至两个卫生间。

◎ 旱冚村旧民居（摄于 2016 年）

当地村民一年中有 4 次参与民间祭神活动，分别为春节、清明节、中秋节、冬至节。农历每月初一、十五还会烧香拜佛，祈求风调雨顺，身体健康。

在婚嫁方面，男女双方开始交往后，女家要到男家看家风，结婚前要担定婚茶，报日子，送聘金，定嫁妆。行结婚礼时，要摆酒请客，迎亲和送亲。传统丧事习俗以土葬为主，1990 年后逐步实行火化，其程序为举丧、入殓、出殡、送葬、做法事，将亡灵送入祖堂，办丧事只煮花菜、豆腐煮猪肉等简单的饭菜。办理丧事时，用餐不在屋内，只在事主家门前的巷道吃饭，以表哀痛。

村所在的竹山村委于 2007 年成立竹山粉葛专业合作社，获准“竹山粉葛”商标注册，葛农纷纷加入合作社，扩大种植面积，并获得国家级标准化种植示范基地。

（资料填报：冯瑞锋，初稿撰写：朱凯诗，总纂：李协湖）

坑口村

◎ 坑口村村貌（摄于 2016 年）

坑口村，位于汤塘镇西北部，距镇政府 3.5 千米。村始建于清乾隆二十三年（1758 年），因位于竹山河出口附近而取名为坑口村。

村坐落于苦针冚山脚，主要山岭为苦针冚山，山高约 150 米；竹山河从村东流过。村东是大坑，南与元二村相邻，西与龙山镇毗邻，北与园岭仔接壤。

村形成时，属清远县潖江乡。民国时期，属清远县第七区。中华人民共和国成立初期，属清远县第七区，1953 年属佛冈县第四区汤塘乡，1958 年属从化县潖江人民公社竹山大队，1959 年属从化县汤塘人民公社竹山大队，1961 年属佛冈县汤塘人民公社竹山大队，1983 年属汤塘区竹山乡，1987 年属汤塘镇竹山行政村，1989 年属汤塘镇竹山管理区，1998 年属汤塘镇竹山行政村至今。

世居村民为莫姓，南宋从增城迁至汤塘，清乾隆二十三年（1758 年）从菱塘大树脚迁至村。

2015 年末，户籍人口 137 人，其中男性 72 人，女性 65 人；80 岁以上 2 人，最年长者 88 岁（女）。实际在村居住和生活主要依靠农业收入的 98 人，留守儿童有 3 人。常年在城镇生活和打工的 39 人。村民为汉族，广府民系，使用粤方言。

◎ 坑口村门楼（摄于 2016 年）

村有山地面积 31.4 公顷，山上有松、杉、灌木林。村是一个山区小村，农业是村的传统产业，耕地面积 5.47 公顷，主要种植粮食作物有水稻、薯类，经济作物种植粉葛、花生、蔬菜、果树等，林业主要是植树造林、封山育林，保护生态环境，饲养鸡、鸭、鹅等。竹山粉葛是远近闻名的土特产，村每年种植粉葛 2.41 公顷。很多外地的游客到汤塘，都指定要

◎ 摘杨梅（摄于 2016 年）

购买竹山粉葛作为手信。传统食品有糯米糍、米饼、糖环、油角、湛江醋等。每年有村民外出务工，以从事建筑、餐饮、化工等行业为主。村民主要收入来源为农业收入、外出务工收入。

村于 1969 年通电，1978 年通电话，2006 年村道实现水泥硬底化，2008 年通网络和自来水。

◎ 坑口村传统民居（摄于 2016 年）

传统民居现存 10 间，均为单间平房，每间建筑占地面积约 20 平方米，大部分建在村的围墙边内，砖木结构，硬山顶，青砖墙体或三合土墙体。新建楼房多为钢筋水泥混凝土结构，有些楼房是框架结构，每座占地面积 90 平方米左右，一至二层较普遍，有的三层至四层，布局为三房一厅一厨，一至两个卫生间。有些家庭单独建楼房，还有院子，种有花草，环境优美。

当地村民一年中有 4 次参与民间祭神活动，分别为春节、清明节、中秋节、冬至节。农历每月初一、十五还会烧香拜佛，祈求风调雨顺，身体健康。

在婚嫁方面，男女双方开始交往后女家要到男家探家风，结婚前要担定婚茶，报日子，送聘金，定嫁妆。行结婚礼时，要摆酒请客，迎亲和送亲。发生丧事时，传统习俗以土葬为主，1990 年后逐步实行火化，其程序为举丧、入殓、出殡、送葬、做法事，将亡灵送入祖堂，办丧事只煮花菜、豆腐煮猪肉等简单的饭菜。办理丧事时，用餐不在屋内，只在事主家门前的巷道吃饭，以表哀痛。

2000 年村组织干部群众，整修道路 2 千米，使群众种植的粉葛能运出去销售，走上勤劳致富的路子。

该村的莫巡贵（1938—），曾任汤塘镇竹山村党支部书记。他在任期间，辛勤工作，带头修好 2 千米长的村道，带领群众勤劳致富，深受百姓好评。

（资料填报：冯瑞锋，初稿撰写：朱凯诗，总纂：李协湖）

木塱村

◎ 木塱村村貌（摄于 2016 年）

木塱村，位于汤塘镇西北部，距镇政府 3.5 千米。村始建于清乾隆二十三年（1758 年），莫氏后裔由附近菱塘大树脚村迁居而成。因在山岭下建村，故取名为木塱村，由烟厂、围中、围内三个居住区组成。

村坐落于大长山和大冚尾山脚下，村东与高塱村相邻，南为大迳口村，西与竹山村毗邻，北为大冚尾山、大长山。主要山岭有大冚尾山和大长山，山高分别为约 180 米和 160 米，竹山河从村南流过。

村形成时，属清远县滘江乡。民国时期，属清远县第七区。中华人民共和国成立初期，属清远县第七区，1953 年属佛冈县第四区汤塘乡，1958 年属从化县滘江人民公社竹山大队，1959 年属从化县汤塘人民公社竹山大队，1961 年属佛冈县汤塘人民公社竹山大队，1983 年属汤塘区竹山乡，1987 年属汤塘镇竹山行政村，1989 年属汤塘镇竹山管理区，1998 年属汤塘镇竹山行政村至今。

世居村民为莫姓、刘姓。莫氏是南宋从增城迁至汤塘，清乾隆二十三年从菱塘大树脚迁至竹山村。刘氏是宋末从福建迁至广东潮州，明初由从化迁至龙蟠，再迁至汤塘，清乾隆后期从围镇迁至该地。

2015 年末，户籍人口 387 人，其中男性 201 人，女性 186 人；80 岁以上 6 人，最年长者 91 岁（女）。实际在村居住和生活主要依靠农业收入的有 330 人，留守儿童有 7 人。常年在城镇生活和打工的有 57 人。村民为汉族，广府民系，使用粤方言。

村有山地面积 37.6 公顷，耕地面积 18.47 公顷，山上有松、杉、灌木林。传统经济以种植水稻为主，兼种粉葛、薯类。现时以种植粉葛、养

◎ 木塱村的休闲设施（摄于 2016 年）

殖鸡鸭鹅为主，其中，竹山粉葛是远近闻名的土特产，村每年种植粉葛 4 公顷。竹山粉葛肉质厚实、鲜白无渣、清甜纯正、且纤维细小。传统食品有糯米糍、米饼、糖环、油角、湛江醋等。村民现种有木薯、水稻、花生等。每年有村民外出务工，以从事建筑、餐饮、化工等行业为主。村民主要收入来源为农业收入、外出务工收入。

村于 1969 年通电，1978 年通电话，2006 年村道实现水泥硬底化，2008 年通网络和自来水。

传统民居现存 20 间，均为单间平房，每间建筑占地面积约 20 平方米，大部分建在村的围墙边内，砖木结构，硬山顶，青砖墙体或三合土墙体。新建楼房多为钢筋水泥混凝土结构，有些楼房是框架结构，占地面积 90 平方米左右，一至二层较普遍，有的三层至四层，布局为三房一厅一厨，一至两个卫生间。

村内有莫氏宗祠，是莫氏后人逢年过节或有重大庆典时，举行活动的场所。莫氏宗祠始建于清朝乾隆中期，占地面积约 190 平方米，为一厅一天井二廊建筑，砖木结构，硬山顶，墙体为青砖，砌成石门框、石窗框、石地板，屋檐下有壁画灰塑图案，寓意吉祥如意、福寿康宁。

◎ 木塱村的传统民居（摄于 2016 年）

◎ 莫氏宗祠（摄于 2016 年）

当地村民一年中有 4 次参与民间祭神活动，分别为春节、清明节、中秋节、冬至节。农历每月初一、十五还会烧香拜佛，祈求风调雨顺，身体健康。

在婚嫁方面，男女双方开始交往后女家要到男家探家风，结婚前要担定婚茶，报日子，送聘金，定嫁妆。行结婚礼时，要摆酒请客，迎亲和送亲。发生丧事时，传统习俗以土葬为主，1990 年后逐步实行火化，其程序为举丧、入殓、出殡、送葬、做法事，将亡灵送入祖堂，办丧事只煮花菜、豆腐煮猪肉等简单的饭菜。办理丧事时，用餐不在屋内，只在事主家门前的巷道吃饭。

1986 年 8 月下旬至 10 月下旬，天上没有下过透雨，历时近 60 天，水稻受旱面积 1.33 公顷，造成少部分水稻无水未插。此次抗旱出动劳力 60 人，最大限度抗旱保苗，减少损失。

（资料填报：冯瑞锋，初稿撰写：朱凯诗，总纂：李协湖）

氹汉冚村

◎ 氹汉冚村村貌（摄于 2016 年）

氹汉冚村，位于汤塘镇西北部，距镇政府 5 千米。村始建于乾隆三十年（1765 年），由周氏族人从附近竹山村分村迁居而成。因村落地处山地中的低洼地（俗称氹），且水源缺乏，而取名为氹汉冚村。

村坐落于大滩山脚，村东与旱冚村相邻，南为村道，西与白芬村毗邻，北为大滩山。主要山岭是大滩山，山高约 250 米，竹山河从村南流过。

村形成时，属清远县滘江乡。民国时期，属清远县第七区。中华人民共和国成立初期，属清远县第七区，1953 年属佛冈县第四区汤塘乡，1958 年属从化县滘江人民公社竹山大队，1959 年属从化县汤塘人民公社竹山大队，1961 年属佛冈县汤塘人民公社竹山大队，1983 年属汤塘区竹山乡，1987 年属汤塘镇竹山行政村，1989 年属汤塘镇竹山管理区，1998 年属汤塘镇竹山行政村至今。

世居村民为周姓、廖姓。周氏是北宋初期从福建迁至广东从化，明成化年间由从化迁至滘江地区，清乾隆三十年从汤塘围迁至竹山村后分村聚居于该地；廖氏是南宋庆元三年（1197 年）从江西迁至广东增城，清乾隆后期从龙门迁至该地。

2015 年末，户籍人口 195 人，其中男性 100 人，女性 95 人；80 岁以上 4 人，最年长者 88 岁（女）。实际在村人口 136 人，留守儿童 6 人。生活主要依靠农业收入的有 136 人。常年在城镇生活和打工的有 59 人。村民为汉族，广府民系，使用粤方言。

村有山地面积 31.07 公顷，山上有松、杉、灌木林。耕地面积 6.13 公顷，村土地肥沃，植物生长茂盛，宜林、宜果、宜牧、宜药，一年四季可种作物，传统经济以农业为主，主要种植水稻、薯类、花生、蔬菜、果树等，兼种粉葛、薯类。现时以种植粉葛、养殖鸡、鸭、鹅为主，其中，竹山粉葛是远近闻名

◎ 村民种植的粉葛（摄于 2016 年）

的土特产。村每年种植粉葛 1.33 公顷。竹山粉葛肉质厚实、鲜白无渣、清甜纯正、且纤维细小，深受客商欢迎。传统食品有糯米糍、米饼、糖环、油角、湛江醋等。每年有村民外出务工，以从事建筑、餐饮、化工等行业为主。村民主要收入来源为农业收入、外出务工收入。

村于 1969 年通电，1978 年通电话，2006 年村道实现水泥硬底化，2008 年通网络和自来水。

传统民居现存 10 间，均为单间平房，每间建筑占地面积约 20 平方米，大部分建在村的围墙边内，砖木结构，硬山顶，青砖墙体或三合土墙体。改革开放后，村民逐步建设新楼房，改善住宿环境。新建楼房多为钢筋水泥混凝土结构，有些楼房是框架结构，占地面积 90 平方米左右，一至二层较普遍，有的三层至四层，布局为三房一厅一厨，一至两个卫生间。有些家庭单独建楼房，还有院子。

当地村民一年中有 4 次参与民间祭神活动，分别为春节、清明节、中秋节、冬至节。农历每月初一、十五还会烧香拜佛，祈求风调雨顺，身体健康。

◎ 乪汉冚村民居巷道（摄于 2016 年）

◎ 乪汉冚村门楼（摄于 2016 年）

在婚嫁方面，男女双方开始交往后女家要到男家探家风，结婚前要担定婚茶，报日子，送聘金，定嫁妆。行结婚礼时，要摆酒请客，迎亲和送亲。举办发生丧事时，传统习俗以土葬为主，20 世纪 90 年代后逐步实行火化，其程序为举丧、入殓、出殡、送葬、做法事，将亡灵送入祖堂，办丧事只煮花菜、豆腐煮猪肉等简单的饭菜。办理丧事时，用餐不在屋内，只在事主家门前的巷道吃饭。

2000 年，在村委的部署支持，村组织干部群众参加修整村道，经过 3 天的劳动，1500 米的村道按任务修好，群众种植的粉葛能运出去销售，畅销各地，增加群众的收入。

（资料填报：冯瑞锋，初稿撰写：朱凯诗，总纂：李协湖）

山腰村

◎ 山腰村村貌（摄于 2016 年）

山腰村，位于汤塘镇西北部，距镇政府 9 千米。始建于清乾隆二十三年（1758 年），莫氏后裔从汤塘菱塘大树脚村迁居而成。因村落四面环山，好似山窝又像半山而取名为山腰村。

村坐落于荷木窝山脚，村东是榄仔窝村，南是水田、山腰坑，西是黑迳村，北为马老山。主要山岭是荷木窝山，山高约500米，竹山河从村南面流过。

村形成时，属清远县滘江乡。民国时期，属清远县第七区。中华人民共和国成立初期，属清远县第七区，1953 年属佛冈县第四区汤塘乡，1958 年属从化县滘江人民公社竹山大队，1959 年属从化县汤塘人民公社竹山大队，1961 年属佛冈县汤塘人民公社竹山大队，1983 年属汤塘区竹山乡，1987 年属汤塘镇竹山行政村，1989 年属汤塘镇竹山管理区，1998 年属汤塘镇竹山行政村至今。

世居村民为莫姓，南宋从增城迁至汤塘，清乾隆二十三年从菱塘大树脚村迁至村。

2015 年末，户籍人口 54 人，其中男性 29 人，女性 25 人；最年长者 79 岁（女）。实际在村居住和生活主要依靠农业收入的有 25 人，留守儿童 2 人。常年在城镇生活和打工的有 29 人。村民为汉族，广府民系，使用粤方言。

村有山地面积 119.13 公顷，山上有松、杉、灌木林。耕地面积 2.07 公顷，传统经济以种植水稻为主，兼种粉葛、薯类。粉葛可作汤料或烹饪成各式美味可口的菜肴。而由竹山粉葛制成的葛粉具有清热降火、生津止渴、开胃进食之功效。现时以种植粉葛、养殖鸡鸭鹅为主，传统食品有糯米糍、米饼、糖环、油角、滘江醋等。村民现种有木薯、稻谷、

◎ 粉葛基地（摄于 2015 年）

◎ 竹山粉葛（摄于 2015 年）

◎ 山腰村传统民居（摄于 2016 年）

花生等。每年有村民外出务工，以从事建筑、餐饮、化工等行业为主。村民主要收入来源为农业收入、外出务工收入。

村于 1978 年通电话，2002 年通电，2006 年村道实现水泥硬底化，2008 年通网络和自来水。

传统民居现存 10 间，均为单间平房，每间建筑占地面积约 20 平方米，大部分建在村的围墙边内，砖木结构，硬山顶，青砖墙体或三合土墙体。由于村地处偏僻，山高路远，交通不便，村民逐步到竹山、汤塘圩镇等地建房，从旧民居迁出，传统民居现基本无人居住。

当地村民一年中有 4 次参与民间祭神活动，分别为春节、清明节、中秋节、冬至节。农历每月初一、十五烧香拜佛，祈求风调雨顺，身体健康。

在婚嫁方面，男女双方开始交往后女家要到男家探家风，结婚前要担定婚茶，报日子，送聘金，定嫁妆。行结婚礼时，要摆酒请客，迎亲和送亲。举办发生丧事时，传统习俗以土葬为主，20 世纪 90 年代后逐步实行火化，其程序为举丧、入殓、出殡、送葬、做法事，将亡灵送入祖堂，办丧事只煮花菜、豆腐煮猪肉等简单的饭菜。办理丧事时，用餐不在屋内，只在事主家门前的巷道吃饭。

村位于竹山村最偏僻的地方，全村有 7 户人家，距行政村 8 千米。在第一次农网改造时，国家投资 30 万元为山腰村架设通电设备，使村于 2002 年通电，是全县最后通电的一个村。

（资料填报：冯瑞锋，初稿撰写：朱凯诗，总纂：李协湖）

山子下村

◎ 山子下村村貌（摄于 2016 年）

山子下村，位于汤塘镇西北部，距镇政府 7 千米。始建于清末，因村建在马老鼻山脚而取名山子下村。主要山岭是马老鼻山，山高约 700 米，竹山河从村流过。村东和西是坑边，南是山岭，北为马老鼻山。

村形成时，属清远县湛江乡。民国时期，属清远县第七区。中华人民共和国成立初期，属清远县第七区，1953 年属佛冈县第四区汤塘乡，1958 年属从化县湛江人民公社竹山大队，1959 年属从化县汤塘人民公社竹山大队，1961 年属佛冈县汤塘人民公社竹山大队，1983 年属汤塘区竹山乡，1987 年属汤塘镇竹山行政村，1989 年属汤塘镇竹山管理区，1998 年属汤塘镇竹山行政村至今。

世居村民为谢姓，清末从英德县白石乡（今佛冈迳头烟岭）迁至该地。

2015 年末，户籍人口 67 人，其中男性 37 人，女性 30 人；80 岁以上 3 人，最年长者 81 岁（女）。实际在村居住和生活主要依靠农业收入的有 60 人，留守儿童有 3 人。常年在城镇生活和打工的有 7 人。村民为汉族，广府民系，使用粤方言。

村有山地面积 31.47 公顷，山上有松、杉、灌木林。耕地面积 1.87 公顷，传统经济以种植水稻为主，兼种粉葛、薯类、花生、蔬菜、果树等。现时以种植粉葛、养殖鸡、鸭、鹅为主，其中，竹山粉葛是远近闻名的土特产，每年种植粉葛 1.73 公顷。竹山粉葛肉质厚实、鲜白无渣、清甜纯正、且纤维细小。粉葛可作汤料或烹饪成各式美味可口的菜肴，深受客商欢迎。除此之外，还有传统食品有糯米糍、米饼、糖环、油角、湛江醋等。村民现种有木薯、稻谷、花生等。每年有村民外出务工，以从事建筑、

◎ 山子下村的粉葛基地（摄于 2016 年）

◎ 山子下村一角（摄于 2016 年）

◎ 山子下村民居（摄于 2016 年）

餐饮、化工等行业为主。村民主要收入来源为农业收入、外出务工收入。

村于 1969 年通电，1978 年通电话，2006 年村道实现水泥硬底化，2008 年通网络和自来水。

传统民居现存 8 间，均为单间平房，每间建筑占地面积约 20 平方米，大部分建在村的围墙边内，砖木结构，硬山顶，青砖墙体或三合土墙体。新建楼房多为钢筋水泥混凝土结构，有些楼房是框架结构，占地面积 90 平方米左右，一至二层较普遍，有的三层至四层，布局为三房一厅一厨，一至两个卫生间。有些家庭单独建楼房，还有院子。

当地村民一年中有 4 次参与民间祭神活动，分别为春节、清明节、中秋节、冬至节。农历每月初一、十五还会烧香拜佛，祈求风调雨顺，身体健康。

在婚嫁方面，男女双方开始交往后女家要到男家探家风，结婚前要担定婚茶，报日子，送聘金，定嫁妆。行结婚礼时，要摆酒请客，迎亲和送亲。发生丧事时，传统习俗以土葬为主，20 世纪 90 年代后逐步实行火化，其程序为举丧、入殓、出殡、送葬、做法事，将亡灵送入祖堂，办丧事只煮花菜、豆腐煮猪肉等简单的饭菜。办理丧事时，用餐不在屋内，只在事主家门前的巷道吃饭。

2005 年，村干部主动上山寻找饮水资源，水源寻找到后，在上级有关部门的支持和群众集资，多方出钱出力，建造引山泉水式的自来水工程，年末建成通水，使全村群众饮上安全卫生清洁的山泉水。

（资料填报：冯瑞锋，初稿撰写：朱凯诗，总纂：李协湖）

上 围

◎ 上围村貌（摄于 2016 年）

上围，位于汤塘镇西北部，距镇政府 8 千米。始建于清嘉庆五年（1800 年），由龙门廖氏迁居而成。因村建在地势较高处而取名上围。

村坐落于马老鼻山脚，村东是禾塘，南与中心村相邻，西是坑边，北是毛垣村。主要山岭是马老鼻山，山高约 700 米，竹山河从村西部流过。

村形成时，属清远县滘江乡。民国时期，属清远县第七区。中华人民共和国成立初期，属清远县第七区，1953 年属佛冈县第四区汤塘乡，1958 年属从化县滘江人民公社竹山大队，1959 年属从化县汤塘人民公社竹山大队，1961 年属佛冈县汤塘人民公社竹山大队，1983 年属汤塘区竹山乡，1987 年属汤塘镇竹山行政村，1989 年属汤塘镇竹山管理区，1998 年属汤塘镇竹山行政村至今。

世居村民为廖姓，南宋兴元三年（1197 年）从江西迁至广东增城，清嘉庆五年从龙门迁至滘江地区后迁到该地。

2015 年末，户籍人口 67 人，其中男性 37 人，女性 30 人；80 岁以上 3 人，最年长者 90 岁（女）。实际在村居住和生活主要依靠农业收入的 60 人，留守儿童有 2 人。常年在城镇生活和打工的 7 人。村民为汉族，广府民系，使用粤方言。

村有山地面积 44.2 公顷，山上有松、杉、灌木林。耕地面积 4.47 公顷，传统经济以种植水稻为主，兼种粉葛、薯类、花生、蔬菜、果树。现时以种植粉葛、蔬菜、果树，养殖鸡、鸭、鹅为主，其中，竹山粉葛是远近闻名的土特产。村每年种植粉葛 1.8 公顷，是村民主要经济来源之一。传统食品有糯米糍、米

◎ 村民喜收粉葛（摄于 2014 年）

◎ 上围村门楼（摄于 2016 年）

◎ 上围村旧民居（摄于 2016 年）

饼、糖环、油角、湛江醋等。村民现种有木薯、稻谷、花生等。每年有村民外出务工，以从事建筑、餐饮、化工等行业为主。村民主要收入来源为农业收入、外出务工收入。

村于 1969 年通电，1978 年通电话，2006 年村道实现水泥硬底化，2008 年通网络和自来水。

传统民居现存 30 间，均为单间平房，每间建筑占地面积约 20 平方米，大部分建在村的围墙边内，砖木结构，硬山顶，青砖墙体或三合土墙体。新建楼房多为钢筋水泥混凝土结构，有些楼房是框架结构，占地面积 90 平方米左右，一至二层较普遍，有的三层至四层，布局为三房一厅一厨，一至两个卫生间。有些家庭单独建楼房，还有院子。

当地村民一年中有 4 次参与民间祭神活动，分别为春节、清明节、中秋节、冬至节。农历每月初一、十五烧香拜佛，祈求风调雨顺、身体健康。

在婚嫁方面，男女双方开始交往后女家要到男家探家风，结婚前要担定婚茶，报日子，送聘金，定嫁妆。行结婚礼时，要摆酒请客，迎亲和送亲。发生丧事时，传统习俗以土葬为主，20 世纪 90 年代后逐步实行火化，其程序为举丧、入殓、出殡、送葬、做法事，将亡灵送入祖堂，办丧事只煮花菜、豆腐煮猪肉等简单的饭菜。办理丧事时，用餐不在屋内，只在事主家门前的巷道吃饭。

2006 年村所在的竹山村竹山粉葛获得国家农产品无公害农产品认证。

（资料填报：冯瑞锋，初稿撰写：朱凯诗，总纂：李协湖）

桐油埔村

◎ 桐油埔村村貌（摄于 2016 年）

桐油埔村，位于汤塘镇西北部，距镇政府 3 千米。始建于清嘉庆五年（1800 年），由于附近上闸村迁居而成。建村时，因村子背底山种有大片桐油树，而取名为桐油埔。

村坐落于后龙山脚，村东为背底山，南是学仔塘口、高沙田，西是耕地，北是大迳冚口。主要山岭是后龙山，山高约 120 米，竹山河从村西部流过。

村形成时，属清远县滘江乡。民国时期，属清远县第七区。中华人民共和国成立初期，属清远县第七区，1953 年属佛冈县第四区汤塘乡，1958 年属从化县滘江人民公社竹山大队，1959 年属从化县汤塘人民公社竹山大队，1961 年属佛冈县汤塘人民公社竹山大队，1983 年属汤塘区竹山乡，1987 年属汤塘镇竹山行政村，1989 年属汤塘镇竹山管理区，1998 年属汤塘镇竹山行政村至今。

世居村民为冯姓，宋代从中原迁至广东新会，明天顺年间由从化沙贝迁至滘江地区，清嘉庆五年从汤塘围上闸迁至竹山村。

2015 年末，户籍人口 92 人，其中男性 51 人，女性 41 人；80 岁以上 2 人，最年长者 87 岁（女）。实际在村居住和生活主要依靠农业收入有 77 人，留守儿童有 2 人。常年在城镇生活和打工有 15 人。村民为汉族，广府民系，使用粤方言。

村有山地面积 10.93 公顷，山上有松、杉、灌木林。耕地面积 3.6 公顷，传统经济以农业为主，主要种植水稻、粉葛、薯类、蔬菜、果树等。养殖鸡、鸭、鹅和猪、牛。而竹山粉葛是远近闻名的土特产，很多外地的游客到了汤塘，都指定要购买竹山粉葛作

◎ 远销各地的竹山粉葛（摄于 2016 年）

为手信。村每年种植粉葛 1.54 公顷。竹山粉葛肉质厚实、鲜白无渣、清甜纯正、且纤维细小。粉葛含有丰富的淀粉、多种维生素和氨基酸，营养价值很高，深受客商欢迎。村传统食品有糯米糍、米饼、糖环、油角、湛江醋等。每年有村民外出务工，以从事建筑、餐饮、化工等行业为主。村民主要收入来源为农业收入、外出务工收入。

村于 1969 年通电，1978 年通电话，2006 年村道实现水泥硬底化，2008 年通网络和自来水。

传统民居现存 13 间，均为单间平房，每间建筑占地面积约 20 平方米，大部分建在村的围墙边内，砖木结构，硬山顶，青砖墙体或三合土墙体。新建楼房多为钢筋水泥混凝土结构，有些楼房是框架结构，占地面积 90 平方米左右，一至二层较普遍，有的三层至四层，布局为三房一厅一厨，一至两个卫生间。有些家庭单独建楼房，还有院子。

当地村民一年中有 4 次参与民间祭神活动，分别为春节、清明节、中秋节、冬至节。农历每月初一、十五还会烧香拜佛，祈求风调雨顺，身体健康。

◎ 桐油埇村旧民居（摄于 2016 年）

◎ 桐油埇村一角（摄于 2016 年）

在婚嫁方面，男女双方开始交往后女家要到男家探家风，结婚前要担定婚茶，报日子，送聘金，定嫁妆。行结婚礼时，要摆酒请客，迎亲和送亲。发生丧事时，传统习俗以土葬为主，20 世纪 90 年代后逐步实行火化，其程序为举丧、入殓、出殡、送葬、做法事，将亡灵送入祖堂，办丧事只煮花菜、豆腐煮猪肉等简单的饭菜。办理丧事时，用餐不在屋内，只在事主家门前的巷道吃饭。

1975 年 9 月 5 日晚 20 时，汤塘公社竹山大队桐油埇生产队，地下冒出成分不明红色液体，从 5 个泉眼喷出，远的喷到 4 米处，历时 3 个小时，喷出液体重约 2 千克，似血一样，后经酸碱化验为酸性液体。

（资料填报：冯瑞锋，初稿撰写：朱凯诗，总纂：李协湖）

下 围

◎ 下围村貌（摄于 2016 年）

下围，位于汤塘镇西北部，距镇政府 8 千米。村始建于清中期，李氏族人由附近脉塘村迁居而成。因果冚大片五个村群居，村建在最下边而取名下围。

村坐落于马老鼻山脚，村东是坑边，南是禾田，西是山岭，北为马老鼻山接壤。主要山岭是马老鼻山，山高约 700 米，上塘河从村西部流过。

村形成时，属清远县滘江乡。民国时期，属清远县第七区。中华人民共和国成立初期，属清远县第七区，1953 年属佛冈县第四区汤塘乡，1958 年属从化县滘江人民公社竹山大队，1959 年属从化县汤塘人民公社竹山大队，1961 年属佛冈县汤塘人民公社竹山大队，1983 年属汤塘区竹山乡，1987 年属汤塘镇竹山行政村，1989 年属汤塘镇竹山管理区，1998 年属汤塘镇竹山行政村至今。

世居村民为何姓，是清中期从附近的脉塘村迁至该地。

2015 年末，户籍人口 95 人。其中男性 51 人，女性 44 人；80 岁以上老人 3 人，最年长者 88 岁（女）。实际在村居住和生活主要依靠农业收入有 60 人，留守儿童有 5 人。常年在城镇生活和打工有 35 人。村民为汉族，广府民系，使用粤方言。

村有山地面积 31 公顷，山上有松、杉、灌木林。耕地面积 2.67 公顷，传统经济以农业为主，粮食作物主要种植水稻、薯类。经济作物种植粉葛、花生、果树等。禽畜以饲养鸡、鸭、鹅和猪。粉葛是远近闻名的土特产，传统食品有糯米糍、米饼、糖环、油角、滘江醋等。村民现种有木薯、稻谷、花生等。每年有村民外出务工，以从事建筑、餐饮、化工等

◎ 下围村内的旧式摇水泵（摄于 2016 年）

行业为主。村民主要收入来源为农业收入、外出务工收入。

村于1969年通电，1978年通电话，2006年村道实现水泥硬底化，2008年通网络和自来水。

传统民居现存11间，均为单间平房，每间建筑占地面积约20平方米，大部分建在村的围墙边内，砖木结构，硬山顶，青砖墙体或三合土墙体。新建楼房多为钢筋水泥混凝土结构，有些楼房是框架结构，每座占地面积90平方米左右，一至二层较普遍，有的三层至四层，布局为三房一厅一厨，一至两个卫生间。

当地村民一年中有4次参与民间祭神活动，分别为春节、清明节、中秋节、冬至节。农历每月初一、十五烧香拜佛，祈求风调雨顺、身体健康。

◎ 下围村门楼（摄于2016年）

◎ 下围村旧民居（摄于2016年）

在婚嫁方面，男女双方开始交往后女家要到男家探家风，结婚前要担定婚茶，报日子，送聘金，定嫁妆。行结婚礼时，要摆酒请客，迎亲和送亲。传统丧事习俗以土葬为主，1990年后逐步实行火化，其程序为举丧、入殓、出殡、送葬、做法事，将亡灵送入祖堂，办丧事只煮花菜、豆腐煮猪肉等简单的饭菜。办理丧事时，用餐不在屋内，只在事主家门前的巷道吃饭。

1954年村组织干部群众，参加整护高滩堤，经过6个月的辛勤劳动，整好4.8千米长的护堤，围内集雨面积13.45平方千米，保护耕地110公顷。

（资料填报：冯瑞锋，初稿撰写：朱凯诗，总纂：李协湖）

烟仔厂村

◎ 烟仔厂村村貌（摄于 2016 年）

烟仔厂村，位于汤塘镇西北部，距镇政府 3 千米。村始建于清乾隆三十年（1765 年），周氏族人由汤塘围迁居而成。初建村时，因门口田至大塘围都种植大片手指椽而取名椽子厂村，后改为烟仔厂村。

村坐落于崩塘山脚，村东和村西是耕地，南面与大塘埔村接壤，北与元二村毗邻。主要山岭是崩塘山，山高约 150 米，竹山河从村东南部流过。

村形成时，属清远县滘江乡。民国时期，属清远县第七区。中华人民共和国成立初期，属清远县第七区，1953 年属佛冈县第四区汤塘乡，1958 年属从化县滘江人民公社竹山大队，1959 年属从化县汤塘人民公社竹山大队，1961 年属佛冈县汤塘人民公社竹山大队，1983 年属汤塘区竹山乡，1987 年属汤塘镇竹山行政村，1989 年属汤塘镇竹山管理区，1998 年属汤塘镇竹山行政村至今。

世居村民为周姓，北宋初期从福建迁至广东从化，明成化年间由从化迁至滘江地区，在清乾隆三十年从汤塘围迁至该地。

2015 年末，户籍人口 128 人，其中男性 71 人，女性 57 人；80 岁以上 2 人，最年长者 93 岁（男）。实际在村居住和生活主要依靠农业收入 70 人，留守儿童有 5 人。常年在城镇生活和打工 58 人。村民为汉族，广府民系，使用粤方言。

村有山地面积 16.27 公顷，山上有松、杉、灌木林。耕地面积 4.8 公顷，传统经济以农业为主，粮食作物主要种植水稻、薯类。经济作物主要种植粉葛、花生、果树。养殖鸡、鸭、鹅和猪、牛。传统特色农产品有竹山粉葛。传统食品有糯米糍、米饼、糖环、油角、滘江醋等。村民现种有木薯。每年有村民外出务工，以从事建筑、餐饮、化工等行业为主。

◎ 竹山粉葛（摄于 2016 年）

◎ 烟仔厂村传统民居（摄于 2016 年）

◎ 烟仔厂村一角（摄于 2016 年）

村民主要收入来源为农业收入、外出务工收入。

村于 1969 年通电，1978 年通电话，2006 年村道实现水泥硬底化，2008 年通网络和自来水。

传统民居现存 10 间，均为单间平房，每间建筑占地面积约 20 平方米，大部分建在村的围墙边内，砖木结构，硬山顶，青砖墙体或三合土墙体。新建楼房多为钢筋水泥混凝土结构，有些楼房是框架结构，每座占地面积 90 平方米左右，一至二层较普遍，有的三层至四层，布局为三房一厅一厨，一至两个卫生间。有些家庭单独建楼房。

当地村民一年中有 4 次参与民间祭神活动，分别为春节、清明节、中秋节、冬至节。农历每月初一、十五还会烧香拜佛，祈求风调雨顺、身体健康。

在婚嫁方面，男女双方开始交往后女家要到男家探家风，结婚前要担定婚茶，报日子，送聘金，定嫁妆。行结婚礼时，要摆酒请客，迎亲和送亲。发生丧事时，传统习俗以土葬为主，20 世纪 90 年代后逐步实行火化，其程序为举丧、入殓、出殡、送葬、做法事，将亡灵送入祖堂，办丧事只煮花菜、豆腐煮猪肉等简单的饭菜。办理丧事时，用餐不在屋内，只在事主家门前的巷道吃饭。

1963 年春，遭受 60 年一遇的旱灾，从 1962 年 12 月至 1963 年 6 月，180 天内无下透雨，水稻和农作物受旱情严重，有的无法插秧，有的被旱死。在此关键时刻，每天出动劳动力 43 人，采取挖井、抽水、担水等多种形式，日夜抗旱保苗。

（资料填报：冯瑞锋，初稿撰写：朱凯诗，总纂：李协湖）

元二村

◎ 元二村村貌（摄于 2016 年）

元二村，位于汤塘镇西北部，距镇政府 3.2 千米。村始建于清乾隆年间，由冯氏后人自汤塘围迁居而成。原村在附近园岭仔，20 世纪 50 年代初，从园岭仔迁至该地而取名元二村。

村坐落于屋头冚山脚，村东为竹山河，南与烟仔厂村接壤，西与龙山镇毗邻，北与坑口村相接。主要山岭是屋头冚山，高约 110 米，竹山河从村东部流过。

村形成时，属清远县滘江乡。民国时期，属清远县第七区。中华人民共和国成立初期，属清远县第七区，1953 年属佛冈县第四区汤塘乡，1958 年属从化县滘江人民公社竹山大队，1959 年属从化县汤塘人民公社竹山大队，1961 年属佛冈县汤塘人民公社竹山大队，1983 年属汤塘区竹山乡，1987 年属汤塘镇竹山行政村，1989 年属汤塘镇竹山管理区，1998 年属汤塘镇竹山行政村至今。

世居村民为冯姓，宋代从中原迁至广东新会，明天顺年间由从化沙贝迁至滘江地区，清乾隆年间从汤塘围上闸迁至竹山村园岭仔，后迁至该地。

2015 年末，户籍人口 121 人，其中男性 68 人，女性 53 人；80 岁以上 1 人，最年长者 82 岁（男）。实际在村居住和生活主要依靠农业收入有 95 人，留守儿童有 6 人。常年在城镇生活和打工有 26 人。村民为汉族，广府民系，使用粤方言。

村有山地面积 11.8 公顷，山上有松、杉、灌木林。耕地面积 3.8 公顷，传统农业以种植水稻为主，兼种粉葛、薯类。现以种植粉葛、花生、果树、蔬菜等。养殖鸡、鸭、鹅和猪、牛。竹山粉葛是一种绿色健康食品，食用价值高，并具有清热降火滋阴补阳、生津止渴、开胃进食之功效，村每年种植粉

◎ 元二村粉葛基地（摄于 2016 年）

◎ 元二村门楼（摄于 2016 年）

葛 1.33 公顷。传统食品有糯米糍、米饼、糖环、油角、湛江醋等。每年有村民外出务工，以从事建筑、餐饮、化工等行业为主。村民主要收入来源为农业收入、外出务工收入。

◎ 元二村文化室（摄于 2016 年）

村于 1969 年通电，1978 年通电话，2006 年村道实现水泥硬底化，2008 年通网络和自来水。

传统民居现存 8 间，均为单间平房，每间建筑占地面积约 20 平方米，大部分建在村的围墙边内，砖木结构，硬山顶，青砖墙体或三合土墙体。新建楼房多为钢筋水泥混凝土结构，有些楼房是框架结构，占地面积 90 平方米左右，一至二层较普遍，有的三层至四层，布局为三房一厅一厨，一至两个卫生间。

当地村民一年中有 4 次参与民间祭神活动，分别为春节、清明节、中秋节、冬至节。农历每月初一、十五烧香拜佛，祈求风调雨顺，身体健康。

在婚嫁方面，男女双方开始交往后女家要到男家探家风，结婚前要担定婚茶，报日子，送聘金，定嫁妆。行结婚礼时，要摆酒请客，迎亲和送亲。传统丧事习俗以土葬为主，20 世纪 90 年代后逐步实行火化，其程序为举丧、入殓、出殡、送葬、做法事，将亡灵送入祖堂，办丧事只煮花菜、豆腐煮猪肉等简单的饭菜。办理丧事时，用餐不在屋内，只在事主家门前的巷道吃饭。

1988 年 1 月，广州空军部队支持佛冈县造林工作，出动两架飞机，到佛冈县境内和村山上进行飞播造林，飞播面积 466.67 公顷。

（资料填报：冯瑞锋，初稿撰写：朱凯诗，总纂：李协湖）

元一村

◎ 元一村村貌（摄于 2016 年）

元一村，位于汤塘镇西北部，距镇政府 4 千米。村始建于清同治四年（1865 年），由从化民乐迁至村址。因村背后山是圆形，当时叫园岭村，后因分村而取名元一村。

村坐落于老虎山脚，村东与木塱村相邻，南与格坑村接壤，西与高坊村毗邻，北与旱冚村相接。主要山岭是老虎山，山高约 180 米，竹山河从村南流过。

村形成时，属清远县滘江乡。民国时期，属清远县第七区。中华人民共和国成立初期，属清远县第七区，1953 年属佛冈县第四区汤塘乡，1958 年属从化县滘江人民公社竹山大队，1959 年属从化县汤塘人民公社竹山大队，1961 年属佛冈县汤塘人民公社竹山大队，1983 年属汤塘区竹山乡，1987 年属汤塘镇竹山行政村，1989 年属汤塘镇竹山管理区，1998 年属汤塘镇竹山行政村至今。

世居村民为肖姓，唐元和十一年（816 年）从湖南迁至广东神岗，清同治四年由从化民乐迁至该地。

2015 年末，户籍人口 121 人，其中男性 69 人，女性 52 人；80 岁以上 5 人，最年长者 91 岁（女）。实际在村居住和生活主要依靠农业收入的 100 人，留守儿童有 4 人。常年在城镇生活和打工的 21 人。村民为汉族，广府民系，使用粤方言。

村有山地面积 7 公顷，山上有松、杉、灌木林。耕地面积 3.93 公顷，传统经济以种植水稻为主，兼种粉葛、薯类。现时以种植粉葛、养殖鸡鸭鹅为主，其中，竹山粉葛是远近闻名的土特产。村每年种植粉葛 2.33 公顷。竹山粉葛肉质厚实、鲜白无渣、清甜纯正、且纤维细小。粉葛含有丰富的淀粉、多种维生素和氨基酸，营养价值很高。粉葛可作汤料或烹饪成各式美味可口的菜肴。而由竹山粉葛制成的葛粉具有清热降火、生津止渴、开胃进食之功效。传统食品有糯米糍、米饼、糖环、油角、滘江醋等。每年有村民外出务工，以从事建筑、餐饮、化工等行业为主。村民主要收入来源为农业收入、外出务工收入。

村于 1969 年通电，1978 年通电话，2006 年村道实现水泥硬底化，2008 年通网络和自来水。

传统民居现存 10 间，均为单间平房，每间建筑占地面积约 20 平方米，大部分建在村的围墙边内，

◎ 村民在挑选粉葛（摄于 2014 年）

砖木结构，硬山顶，青砖墙体或三合土墙体。改革开放后，村民收入增加，逐步新建楼房，有的拆了旧房重建楼房，有的异地新建。新建的楼房大多是 90 平方米左右，混凝土结构，少数是框架结构，一至二层较普遍，布局是三房二厅一厨一卫。

当地村民一年中有 4 次参与民间祭神活动，分别为春节、清明节、中秋节、冬至节。农历每月初一、十五烧香拜佛，祈求风调雨顺，身体健康。

在婚嫁方面，男女双方开始交往后女家要到男家探家风，结婚前要担定婚茶，报日子，送聘金，定嫁妆。行结婚礼时，要摆酒请客，迎亲和送亲。发生丧事时，传统习俗以土葬为主，20 世纪 90 年

◎ 元一村门楼（摄于 2016 年）

◎ 元一村一角（摄于 2016 年）

代后逐步实行火化，其程序为举丧、入殓、出殡、送葬、做法事，将亡灵送入祖堂，办丧事只煮花菜、豆腐煮猪肉等简单的饭菜。办理丧事时，用餐不在屋内，只在事主家门前的巷道吃饭。

2006 年，竹山粉葛获得国家农产品无公害农产品认证。

（资料填报：冯瑞锋，初稿撰写：朱凯诗，总纂：李协湖）

中心村

◎ 中心村村貌（摄于2016年）

中心村，位于汤塘镇西北部，距镇政府8千米。村始建于清初，李氏族人由水头迁至此地建村聚居。因果冚大片五个村群居，村建于其中而取名中心村。

村坐落于马老鼻山脚，村东是田畴，南为坑边，西与下围毗邻，北面与上围村相接。主要山岭是马老鼻山，海拔约700米，上塘河从村西北部流过。

村形成时，属清远县滘江乡。民国时期，属清远县第七区。中华人民共和国成立初期，属清远县第七区，1953年属佛冈县第四区汤塘乡，1958年属从化县滘江人民公社竹山大队，1959年属从化县汤塘人民公社竹山大队，1961年属佛冈县汤塘人民公社竹山大队，1983年属汤塘区竹山乡，1987年属汤塘镇竹山行政村，1989年属汤塘镇竹山管理区，1998年属汤塘镇竹山行政村至今。

世居村民为李姓、苏姓。李姓是明中期由从化迁至滘江地区，清初从水头迁至该地。苏姓是民国时期从暖水迁至该地。

2015年末，户籍人口175人，其中男性92人，女性83人；80岁以上6人，最年长者95岁（女）。实际在村人口94人，留守儿童有5人。生活主要依靠农业收入的有94人，常年在城镇生活和打工的有81人。村民为汉族，广府民系，使用粤方言。

村有山地面积59.2公顷，山上有松、杉、灌木林。耕地面积5.13公顷，传统经济以种植水稻为主，兼种粉葛、薯类。现时以种植粉葛、花生、蔬菜等。养殖鸡、鸭、鹅为主，其中，竹山粉葛是远近闻名的土特产，很多外地的游客到汤塘，都指定要购买竹山粉葛作为手信。村每年种植粉葛2.07公顷。竹山粉葛肉质厚实、鲜白无渣、清甜纯正、且纤维细小，

◎ 粉葛苗（摄于2016年）

深受客商欢迎。除此之外，还有传统食品有糯米糍、米饼、糖环、油角、湛江醋等。每年有村民外出务工，以从事建筑、餐饮、化工等行业为主。村民主要收入来源为农业收入、外出务工收入。

村于1969年通电，1978年通电话，2006年村道实现水泥硬底化，2008年通网络和自来水。

◎ 中心村乡村公路硬底化（摄于2016年）

◎ 中心村门楼（摄于2016年）

传统民居现存15间，均为单间平房，每间建筑占地面积约20平方米，大部分建在村的围墙边内，砖木结构，硬山顶，青砖墙体或三合土墙体。新建楼房多为钢筋水泥混凝土结构，有些楼房是框架结构，占地面积90平方米左右，一至二层较普遍，有的三层至四层，布局为三房一厅一厨，一至两个卫生间。

当地村民一年中有4次参与宗教或民间祭神活动，分别为春节、清明节、中秋节、冬至节。农历每月初一、十五还会烧香拜佛，祈求风调雨顺，身体健康。

在婚嫁方面，男女双方开始交往后女家要到男家探家风，结婚前要担定婚茶，报日子，送聘金，定嫁妆。行结婚礼时，要摆酒请客，迎亲和送亲。发生丧事时，传统习俗以土葬为主，20世纪90年代后逐步实行火化，其程序为举丧、入殓、出殡、送葬、做法事，将亡灵送入祖堂，办丧事只煮花菜、豆腐煮猪肉等简单的饭菜。办理丧事时，用餐不在屋内，只在事主家门前的巷道吃饭。

村所在的竹山村于2007年成立竹山粉葛专业合作社，获准“竹山粉葛”商标注册，并获得国家级标准化种植示范基地。

该村的李国安（1953—），2002年起，任竹山村党支部书记，带领村民种植有特色的竹山粉葛，走勤劳致富、科技致富道路，村民的收入逐年增加，是在当地有较大影响的人物。

（资料填报：冯瑞锋，初稿撰写：朱凯诗，总纂：李协湖）

竹山村

◎ 竹山村村貌（摄于 2016 年）

竹山村，位于汤塘镇西北部，距镇政府 4 千米。村始建于清乾隆二十三年（1758 年），莫氏族人从附近菱塘大树脚迁至此聚居而成。因村落地处山边，且山周围都长满竹子而取名竹山村。

村坐落于梅树冚山脚，村东与竹山小学相邻，南是村道，西与凼汉冚村毗邻，北为蛇仔冚。主要山岭是梅树冚山，山高约 200 米；竹山河从村南部流过。

村形成时，属清远县潖江乡。民国时期，属清远县第七区。中华人民共和国成立初期，属清远县第七区，1953 年属佛冈县第四区汤塘乡，1958 年属从化县潖江人民公社竹山大队，1959 年属从化县汤塘人民公社竹山大队，1961 年属佛冈县汤塘人民公社竹山大队，1983 年属汤塘区竹山乡，1987 年属汤塘镇竹山行政村，1989 年属汤塘镇竹山管理区，1998 年属汤塘镇竹山行政村至今。

世居村民为莫姓、陈姓。莫氏南宋从增城迁至汤塘，清乾隆二十三年从菱塘大树脚村迁至村；陈氏是宋末从福建迁至广东新丰，清末由新丰迁至该地。

2015 年末，户籍人口 134 人，其中男性 70 人，

◎ 竹山村门楼（摄于 2016 年）

女性 64 人；80 岁以上 2 人，最年长者 90 岁（女）。实际在村人口 102 人，村留守儿童有 4 人。生活主要依靠农业收入的有 102 人。常年在城镇生活和打工有 32 人。村民为汉族，广府民系，使用粤方言。

村有山地面积 16.53 公顷，耕地面积 4.87 公顷，山上有松、杉、灌木林。传统农业以种植水稻为主，兼种粉葛、薯类。现以种植粉葛、花生、蔬菜、果树等。养殖鸡、鸭、鹅和猪、牛。村每年种植粉葛 1.67 公顷。竹山粉葛是远近闻名的土特产，很多外地的游

◎ 竹山村第十二届竹山粉葛节（摄于 2015 年）

◎ 竹山村传统民居（摄于 2016 年）

客到汤塘，都指定要购买竹山粉葛作为手信。粉葛可作汤料或烹饪成各式美味可口的菜肴。而由竹山粉葛制成的葛粉具有清热降火、滋阴补阳、生津止渴、开胃进食之功效，深受客商欢迎。除此之外，还有传统食品有糯米糍、米饼、糖环、油角、滘江醋等。村民现种有木薯、水稻、花生等。每年有村民外出务工，以从事建筑、餐饮、化工等行业为主。村民主要收入来源为农业收入、外出务工收入。

村于 1969 年通电，1978 年通电话，2006 年村道实现水泥硬底化，2008 年通网络和自来水。

村于 1933 年创办滘江私立太和初小，中华人民共和国成立初期撤销。现有竹山小学（高滩分校），2015 年，有 4 个教学班，在校学生 92 人，教职工 4 人。

传统民居现存 12 间，均为单间平房，每间建筑占地面积约 20 平方米，大部分建在村的围墙边内，砖木结构，硬山顶，青砖墙体或三合土墙体。

主要民间活动：一年中村民有 4 次参与民间祭神活动，分别为春节、清明节、中秋节、冬至节。农历每月初一、十五还会烧香拜佛，祈求风调雨顺，身体健康。

在婚嫁方面，男女双方开始交往后女家要到男家探家风，结婚前要担定婚茶，报日子，送聘金，定嫁妆。行结婚礼时，要摆酒请客，迎亲和送亲。举办发生丧事时，传统习俗以土葬为主，20 世纪 90 年代后逐步实行火化，其程序为举丧、入殓、出殡、送葬、做法事，将亡灵送入祖堂，办丧事只煮花菜、豆腐煮猪肉等简单的饭菜。办理丧事时，用餐不在屋内，只在事主家门前的巷道吃饭。

村在 2003 年开始种植粉葛，而村所在的竹山村于 2005 年成立竹山粉葛协会，并成功获得广东省农业厅无公害农产品地认定书。2013 年 7 月 24 日，“竹山粉葛”被国家质检总局批准为国家地理标志保护产品。

（资料填报：冯瑞锋，初稿撰写：朱凯诗，总纂：李协湖）

后 记

佛冈县从 2015 年 10 月上旬启动自然村落历史人文普查工作，至 2017 年 3 月形成《全粤村情·清远市佛冈卷》初稿，送方志出版社。普查工作大体分为四个阶段：2015 年 10 月至 2016 年 5 月，组织发动、调查采访、填写普查表和撰写村落条目；2016 年 6 月至 10 月，整理资料、修改补充和核实材料；2016 年 11 月至 2017 年 1 月，送上级审查、征求意见及再修改，并经普查学术委员会专家审阅；2017 年 2 月至 3 月，报送市、省审查修改后定稿。佛冈卷包括全县 6 个镇、78 个行政村共 830 个自然村的普查资料，共计 380 万字，随文插图 3500 多幅（其中采用航拍的村全景照 800 多幅）。

佛冈县的普查工作，首先，抓组织落实，建立三级普查责任网络。建立县、镇、村三级领导机构和工作机构，县普查工作领导小组由县委副书记谭兵任组长，县史志办主任李协湖任领导小组办公室主任。各镇、行政村（社区）相应成立领导小组和办公室。其次，抓试点先行，以点带面推动普查工作。2015 年 12 月至 2016 年 2 月，在全县 6 个镇 8 个行政村，81 个自然村开展普查试点。其中，石角镇为清远市的试点镇。第三，抓协调配合，构建普查工作服务平台。县普查办构建工作指导、资料收集、业务指导三大工作服务平台，为普查工作的顺利开展提供系统、优质服务。同时以各种方式建立交流平台，上传下达，交流经验，促进全县普查工作均衡开展。第四，抓督导检查，严格把好文稿质量关。在此期间，省、市普查机构和县领导多次深入到镇、村开展督导检查，发现问题及时纠正，把好史实关，保证普查工作质量。第五，抓宣传激励，营造普查工作的优良环境。通过广播、电视、报刊、政务网等宣传渠道，大力宣传普查工作。同时建立激励奖励机制，县财政给各镇下拨普查专项经费。对达到普查进度和质量要求的镇、村给予通报表扬，在普查简报上刊登工作表现优秀的普查指导员、普查员的先进事迹，树立典型，激发全体人员的积极性。

普查工作是一项综合性的历史文化工程，涉及面广，工作繁重，质量要求高。佛冈县普查工作在上级部门的指导和县政府的重视下，县、镇、村各方协调配合，做到组织到位、人员到位、责任到位、工作到位、督查到位、资金到位，从而使这项工作得以顺利开展并按时按质完成任务。在此，对关心和支持佛冈普查工作的上级领导、对积极主动配合普查工作的镇村领导和工作人员、对所有热情投入普查工作并付出辛勤劳动的人士表示衷心感谢，致以崇高敬意，并希望以此为新的起点，再接再厉，为全县开发利用历史文化资源、增强文化软实力做出新的贡献。

由于时间比较仓促，资料不齐，存在错漏之处在所难免，恳请批评指正。

佛冈县史志办公室

2017 年 2 月